債権総論

第2版

平野裕之
Hiroyuki Hirano

DROIT CIVIL

日本評論社

第 2 版はしがき

　本書が刊行されたのは、民法（債権法）改正が成立した 2017 年である。私は、2018 年 4 月より慶應義塾大学法学部法律学科において「債権総論」の講義を担当することになったため、本書の初版を急ぎ出版した。当時、改正法についての研究の多くが、まずは法制審議会において、どのような議論を踏まえて法務省が条文を起草したのか、その制定の経緯を探ることに力が入れられていた。それが次第に、残された解釈上の問題が煮詰められ、改正法の解釈上の問題点があぶり出されるようになり、本書の出版後これまでにかなり議論が蓄積されてきている。

　今回の改訂は、初版刊行後 5 年以上が経過したことから、その間の議論も踏まえた最新の教科書とすることを目的としている。また、詳細な議論や自説の提示は、別に用意している『民法総合』（信山社）に委ねる予定であったが、その出版が遅々として進まないことから、ある程度本書のシリーズに代用させることにした。自説を控えるのをやめ、また、単なる参考文献は掲げないという方針も若干変更し、読者が興味を持って調べる手がかりとなる文献をある程度は示すことにした。さらに、学説は紹介し出したらきりがないので初版では思い切って省略したが、ある程度は省略せずに解釈の可能性は広いことを示そうとした。そのため、かなりページ数が増えてしまい、校正の段階でも 1 行、1 字を削減する血の滲むような作業を行ったが、それにも限界があった。授業を受ける学生には、持ち運びが大変になってしまったことは申し訳なく思っている。

　そうはいっても、学者であればいつかは詳細な体系書を書くことを夢見ているはずである。校正の段階で、石田穣『債権総論』（信山社）本文総1026 頁という奇抜な体系書が出版された（近時はその前に、潮見 I II、奥田・佐々木上・中・下という 1000 頁を超える本が続いている）が、学生へのわかりやすさを最優先とした予備校本もどきの教科書が蔓延しているの

i

現状であり、いわゆる「学者本」と受験生に呼ばれる本も二極化している印象である。また、改正されたのだからと一問一答の解説と異なる解釈は諦めていたが、石田先生は国民がかわいそうであると果敢にも挑戦的な解釈を行っている。条文の文言が許す限りのあるべき解釈を自由に行うことが、堰を切ったように行われるようになれば、その先鞭をつけた本として石田先生のご著書には歴史的意義が認められるだろう。そのようになるかは定かではないが、僅かばかり見習わなければと反省させられたのである。詐害行為取消しの効力、債権の譲渡制限特約の効力、債務引受等、施行後、立法に疑問が出されている規定も少なくなく、将来再改正が期待されるが、立法論的な観点からの検討は避け、言いたいことをぐっとこらえて解釈論にとどめた。

　加えて、体裁などもかなり変更した。初版は読者に分析しながら読んでもらう、自分で整理しまとめる能力の涵養を考えて、あえて雑漠とした書き方にした（頁数を抑えるため凝縮するということもあった）。ところが、改めて我妻栄『民法講義』シリーズを読み返してみると、本当に細かく通し番号をふって、読みやすくする配慮がされていることに気が付いた。学習用教科書を読み進めるにあたって読者に努力を求めるのはお門違いであり、方針を転換して、可能な限り努力なしに何がどこに書いてあるのかがわかるように、きめ細かく見出しを付けて文章の細分化を心掛けた。また、いちいち索引で調べなくてよいように、クロスリファレンスも充実させた。校正で通し番号が悲しくなるほど変更しているので、作業は大変であった。編集部に胃の痛くなるような確認の作業をさせて恐縮している。

　今回の改訂は、初版に赤を入れるという程度の作業ではなく、半分以上の部分は完全に書き直したものであり、編集作業を担当していただいた日本評論社の室橋さんには想像を絶する大変な作業をしてもらった。しかも、4月の授業開始までに刊行するという至上命題があり、胃の痛くなるような作業を担当していただいた。室橋さんにはこの場を借りてお礼を述べたい。

2023 年 3 月

平野裕之

はしがき

　本書は、すでに出版されている『民法総則』『物権法』『担保物権法』に続くシリーズの『債権総論』である。シリーズのコンセプトはこれらと同じである。2017年に成立した民法改正との関係を一言しておくと、本書では改正法のみの説明に限定している。必要によっては改正前の議論との関係を示すため、改正前の法状況を説明している箇所もあるが、そうでなければ改正後の条文のみを説明している。確かに改正法施行前の事例は、何年後であろうと改正前の民法規定によるため、改正前の規定またその議論も調べる必要性は今後も変わらない。しかし、それは改正前の教科書に委ねれば足りると考えた次第である。2017年改正法については、改正法、改正規定などと略称し、特にこれと区別する場合だけ2004年改正、2004年改正法などと表記をしている。したがって、ただ「改正法」と記述されているのは2017年改正法のことであると了解していただきたい。

　改正法については、条文の文言をみただけではわからないことが多い。審議の過程で問題とされ、それを解決する趣旨でその規定を置いたもの、その規定を置いているが依然として解釈に任せようとしたもの、法制審議会の議論をみないとわからない。原案起草者という者がいないので明治民法のように、起草者意思というものが考えられないが、法制審議会の了解事項という解釈の指針はある。それに解釈が拘束される必要はないが、尊重すべきである。しかし、その立法に反対していた学者は、文言が許す限度で法制審議会の了解とは異なる内容を盛り込むことは許される。所詮、学者の行う条文解釈は、裁判所によって創造される判例法について、裁判所に対する立法提案（立法論の提示）であり、裁判所に対してこのような判決を出してその内容の判例法を創造するように提案することは許されるのである。それが判例法であり裁判所は先例としてその内容の解釈に従えという解釈は主張できるはずはない。その意味で、一度改正により内容が統一・整理されたとしても、今後はさらに学説上の議論が新たに出てくるかもしれない。

　学者の論文や教科書は上記のような解釈が許される。しかし、同じ条文解

iii

釈であるとしても、裁判所の判決は法的安定性のため先例に拘束され、先例が不合理であり変更されるべきものでない限り、それと異なる解釈を行うことは許されない。学生の期末試験などでの答案は、判決ではないのでこのような拘束はない。論文ではないが、判例を調べて判例に従って判決を出すことが要求されているわけではないので、自分の妥当と考える解釈を提案してよい。とはいえ、判例を無視するのはよろしくないので、確立した判例があれば、判例との関係については言及することが望ましい。教科書は暗記するものではなく、このような学者的解釈を提案し、また、読者に自分の頭で考える能力を鍛えるためのものである。

　本書の記述は最低限必要な情報に限定し、どうしても説明に必要な場合に限り比較法や起草過程の説明を最小限行うことにした。また、学説の説明は網羅的ではなく、原則として2、3の学説に限定して説明することにした。異説で説明する価値のあるものは注で場合により説明することがある。単に参考文献を表示するだけの注も原則として削除し、民法総合シリーズに譲ることにした。

　今回も本書も編集の室橋真利子さんに大変お世話になった。これで2人の共同作業の成果が4つ目になった。室橋さんからは、通読できる基本書として求められる内容を追及するという本書のコンセプトに合格するよう多くの指導を受けた。本シリーズの表紙の色は、統一をして版により色を変えて新版を出す際に旧版との区別をしやすくするということも考えたが、室橋さんと協議した結果、巻ごとに色を変えるという方式にした。6冊では虹色には1つ足りず、また6つでは神龍も呼び出せない。7つ揃えるとなると、親族・相続も必要になる。引き続いて『債権各論I（契約法）』『債権各論II（事務管理・不当利得・不法行為）』および『親族法・相続法』を順次出版し、7色の虹を完成させたい。

2017年8月

平野裕之

目次

第1章 債権法総論

§Ⅰ 債権法総論と債権（債務）の意義 …… 2
§Ⅱ 物権と債権の区別 …… 3
(1) 絶対権（対世権）vs 相対権（対人権）
(2) 支配権（排他性）vs 請求権——権利「帰属」の排他性は共通
§Ⅲ 債権と請求権 …… 5
§Ⅳ 債務と給付義務 …… 6
(1) 給付義務——主たる給付義務・従たる給付義務
(2) 給付義務と区別されるべき義務
§Ⅴ 債務の分類（債権の目的以外の分類） …… 8
(1) 作為債務・不作為債務 (2) 為す債務・与える債務——直接強制の可否
(3) 結果債務・手段債務
§Ⅵ 債権（債務）の発生原因 …… 12
§Ⅶ 債権総論の構成と本書の構成 …… 13
(1) 債権法の内容と特色 (2) 債権総論の構成

第2章 債権（債務）の目的

§Ⅰ 特定物債権（特定物債務） …… 17
1 特定物債権の意義——特定物の引渡請求権 …… 17
2 特定物債権における債務者の保存義務 …… 18
(1) 引渡しまでの保存義務 (2) 引渡しまでの保存についての注意義務
3 特定物ドグマおよび危険負担 …… 19
(1) 特定物ドグマの問題 (2) 危険負担との関係および増加・果実
§Ⅱ 種類債権（種類債務） …… 22
1 種類債権（不特定物債権）の意義 …… 22

v

(1) 調達義務が特徴　(2) 調達方法

　　2 種類債権における目的物の品質 ………………………… 24

　　3 種類債権の特定（集中） …………………………………… 26

　　(1) 種類債権の特定（集中）の意義・趣旨　(2) 種類債権の特定のための要件

　　(3) 種類債権の特定の効果

§Ⅲ　**金銭債権（金銭債務）** …………………………………………… 31

　　(1) 金銭債権の意義　(2) 通貨による弁済

§Ⅳ　**利息債権（利息債務）** …………………………………………… 33

　　1 利息債権の意義 ……………………………………………… 33

　　2 利率および重利 ……………………………………………… 35

　　(1) 利率　(2) 重利（複利）

　　3 利率規制 ……………………………………………………… 36

　　(1) 利息制限法——民事規制①　(2) 貸金業法による規制——民事規制②

　　(3) 出資取締法——刑事規制

§Ⅴ　**選択債権（選択債務）** …………………………………………… 40

　　1 選択債権の意義・要件 ……………………………………… 40

　　2 選択権 ………………………………………………………… 40

　　(1) 給付がいずれも可能な場合

　　(2) 給付が一部につき不能な場合——選択債権の特定

§Ⅵ　**任意債権（任意債務）** …………………………………………… 42

第3章 │ 債権の効力①——総論

第1節　債権の効力 ……………………………………………………… 46

　　(1) 債権の債務者に対する効力（対内的効力）

　　(2) 債権の第三者に対する効力（対外的効力）①——債権の保全的効力

　　(3) 債権の第三者に対する効力（対外的効力）②——第三者の債権侵害

第2節　自然債務（強制力のない債務） ………………………… 48

§Ⅰ　**債務と責任** ……………………………………………………… 48

　　(1) 責任財産　(2) 責任が物的ないし量的に制限される場合

§Ⅱ　自然債務（強制力のない債務）　　50

1　債務の効力が問題とされる事例とその分析　　50

(1)　自然債務の意義　(2)　自然債務が認められた事例

2　自然債務という概念また統一理論を認めるか　　53

(1)　現行民法における自然債務概念の否定──起草者の理解

(2)　自然債務概念の転用・拡大

3　自然債務の効力　　55

(1)　強制力が否定される根拠　(2)　自然債務の効力

第3節　第三者の債権侵害　　57

§Ⅰ　第三者の債権侵害と不法行為　　57

1　総論　　57

(1)　問題の提起　(2)　不法行為の成立可能性　(3)　債権侵害についての特別の要件

2　債権侵害についての各論的考察　　60

(1)　債権の帰属自体を侵害する場合──通常の不法行為と同じ要件　(2)　特定物売買における買主の債権の場合──目的物侵害事例　(3)　特定物売主の債務の場合──二重譲渡誘発型　(4)　売主の債務履行の妨害型　(5)　為す債務の履行の妨害（引抜き型以外）　(6)　引抜き型侵害の債権侵害　(7)　責任財産を減少させる債権侵害

§Ⅱ　債権に基づく妨害排除請求権　　65

(1)　不動産賃借権での問題　(2)　改正法による判例の明文化

第4章　債権の効力②──債務不履行

§Ⅰ　総論　　70

§Ⅱ　債務の履行の強制　　70

(1)　履行の強制の意義　(2)　履行の強制の種類

§Ⅲ　債務不履行による損害賠償──総論　　75

1　「債務不履行」責任の拡大　　75

(1)　古典的な契約責任論　(2)　債務不履行責任の拡大

(3)　拡大された債務不履行論の根拠・内容

2　債務不履行の類型論　　81

§IV 履行遅滞 84

1 総論 84

2 履行遅滞の要件 84

(1) 確定期限ある債務 (2) 不確定期限ある債務

(3) 期限の定めがない債務——請求により遅滞に陥る

3 金銭債務の履行遅滞についての特則——要件・効果 87

(1) 責任要件の特則——不可抗力免責を認めない (2) 効果の特則

§V 履行不能 90

1 履行不能の要件 90

2 履行不能の効果（債務不履行責任）——415条2項 94

(1) 塡補賠償請求権——履行不能以外も含めて (2) 代償請求権

(3) 損害賠償による代位——意義・要件および効果

§VI 不完全履行および信義則上の義務違反 103

1 拡大損害を生じない不完全履行 103

(1) 不完全履行の意義・要件 (2) 不完全履行の効果（追完が可能な場合）

——追完請求権・代金減額請求権・追完に代わる損害賠償請求権

2 拡大損害が発生する不完全履行——保管ないし保安型契約および信義則上の義務違反 108

(1) 不法行為法の領域の問題 (2) 給付義務の不完全履行の場合①——保管型・保安型 (3) 給付義務の不完全履行の場合②——併存競合型 (4) 給付義務の不完全履行と構成できない場合①——履行に付随して損害を与えた場合 (5) 給付義務の不完全履行と構成できない場合②——独立型（安全配慮義務）

§VII 債務者の帰責事由 118

1 帰責事由と過失責任 118

(1) 帰責事由から責めに帰すことができない事由へ

(2) 債務不履行と過失——給付義務と注意義務

2 帰責事由をめぐる例外的規律 123

3 履行補助者の故意・過失 124

(1) 改正前の判例・学説の展開

(2) その後の展開および改正法——新しい契約責任論の射程

目次

§Ⅷ　債務不履行責任の効果 ························· 129
1　金銭賠償の原則 ······························· 129
2　損害の意義および種類 ························· 130
　⑴　損害の意義　⑵　債務不履行における損害の種類
3　損害賠償の範囲——416条の位置づけ ············· 134
　⑴　損害賠償の範囲の確定基準　⑵　判例による相当因果関係論の採用と疑問の提起
　⑶　通常損害と特別損害の区別
4　填補賠償額算定の基準時 ······················· 144
　⑴　問題の位置づけ　⑵　特定物債務についての履行不能の場合　⑶　契約解除の場
　合　⑷　損害賠償についての調整　⑸　損害賠償額の予定・違約金　⑹　免責条項

§Ⅸ　契約規範と第三者 ··························· 155
1　契約規範の第三者たる被害者への「対抗」 ········· 155
　⑴　第三者を拘束しないのが原則　⑵　第三者を拘束する例外事例
2　契約規範の第三者たる加害者による「援用」 ······· 157

第5章│債権の効力③——債権者代位権

§Ⅰ　債権者代位権の意義・機能 ··················· 160
1　債権者代位権の意義および根拠 ················· 160
　⑴　債権者代位権の意義　⑵　債権者代位権の根拠・制度趣旨
　⑶　債権者代位権における利害調整
2　債権者代位権制度の評価——廃止or簡易な債権回収制度としての評価 ······· 162
　⑴　立法論における疑問の提起——廃止論の可能性
　⑵　廃止論の対極たる無資力要件不要説の提案
3　債権者代位権の法的性質 ······················· 165
§Ⅱ　債権者代位権の要件 ························· 165
1　債権保全の必要性（要件①） ··················· 166
　⑴　責任財産保全型の事例　⑵　特定債権保全型の事例（いわゆる「転用型」）
2　債務者による権利不行使（要件②）——債権者代位権の補充性 ······· 172
3　被保全債権の要件（要件③）——弁済期にあり強制力があること ······· 173

ix

(1) 被保全債権が弁済期にあること──例外は保存行為のみ

(2) 被保全債権が強制執行により実現できないものではないこと

4 被代位権利の要件（要件④） 174

(1) 一身専属権ではないこと

(2) 被代位債権が差押えを禁じられた権利ではないこと

§Ⅲ 債権者代位権の行使 177

1 債権者代位権の行使の方法 177

2 債権者代位権の内容 177

(1) 代位債権者への引渡請求の可否 (2) 債権者代位権の行使が認められる範囲

(3) 相手方の抗弁

§Ⅳ 債権者代位権の行使の効果 182

1 債務者の権利行使の制限 182

(1) 改正前には債務者の権利制限が認められていた

(2) 改正法による債務者の権利制限の否定

2 他の債権者の権利行使 184

3 その他の実体法上の問題 184

(1) 第三債務者による弁済 (2) 消滅時効の完成猶予・更新

(3) 代位債権者の費用償還請求権など

4 代位訴訟の判決の効力 186

第6章 ｜ 債権の効力④──詐害行為取消権

§Ⅰ 総論 188

1 詐害行為取消権の意義および運用指針 188

(1) 詐害行為取消権の意義

(2) 制度の基本指針および債権回収制度としての運用の可否

2 詐害行為取消権の法的構成 191

(1) 問題の提起 (2) 改正前の議論

(3) 改正法による折衷説の明記・債務者への取消判決の効力を認める

§Ⅱ 詐害行為──詐害行為取消権の要件① 194

1 総論 194

（1） 要件論概説 （2） 要件の解釈の指針

2 客観的要件──詐害行為の成立要件① ···················· 196

（1） 債務者の無資力 （2） 詐害行為の存在

3 債務者の行為──詐害行為の成立要件② ···················· 207

4 主観的要件（詐害性についての悪意）──詐害行為の成立要件③ ··· 208

5 「財産権を目的としない行為」ではないこと──詐害行為の成立要件④ ··· 208

§Ⅲ 被保全債権の要件──詐害行為取消権の要件② ··········· 212

（1） 被保全債権が侵害されたこと──個々の債権者ごとの取消権の成立要件

（2） 被保全債権の成立時期 （3） 被保全債権のその他の要件

§Ⅳ 詐害行為取消権の行使 ···················· 218

1 詐害行為取消権の行使のための要件（受益者らへの対抗要件） ··········· 218

（1） 受益者に対する取消請求──悪意が必要（抗弁事由）

（2） 転得者に対する詐害行為取消請求──悪意が必要（要件事実）

2 詐害行為取消権の行使（詐害行為取消請求訴訟） ··········· 219

（1） 詐害行為取消権の行使方法 （2） 手続法上の問題点 （3） 取消しの範囲および

内容 （4） 価額償還請求──価額償還の補充性 （5） 詐害行為取消請求の行使期間

（出訴期間）

§Ⅴ 詐害行為取消判決の効力 ···················· 229

1 取消判決の効力 ···················· 229

2 債務者の返還・価額償還請求権と受益者の返還請求権 ··········· 231

（1） 債務者の返還請求権・価額償還請求権（総論） （2） 債務者についての原状回復

関係（6-144 問題①） （3） 取消債権者の権利──債務者の権利との関係（6-144

問題②）（4） 受益者の債務者に対する権利

§Ⅵ 転得者に対する詐害行為取消請求 ···················· 238

（1） 財産処分行為の場合 （2） 過大な代物弁済に関する行為の場合

第7章 多数当事者の債権関係①──分割債権（債務）・不可分債権（債務）・連帯債権（債務）

第1節 多数当事者の債権関係──総論 ···················· 244

第2節 分割債権（債務）──分割主義（分割原則） 245

§I 債権・債務の分割主義（分割原則） 245
1 分割主義（分割原則）の採用 245
2 分割主義の評価 246

§II 分割債権（債務）の効力 248
1 多数当事者の債権関係を考察する3つの視点 248
2 契約関係をめぐる問題点 249
(1) 反対債務が不可分債務の場合 (2) 反対債務も分割債務の場合

第3節 不可分債権（債務） 250

§I 不可分債権 250
1 不可分債権の意義・要件 250
2 不可分債権の効力 251

§II 不可分債務 252
1 不可分債務の意義・要件 252
2 不可分債務の効力 254
(1) 対外的効力と内部的効力 (2) 影響関係

第4節 連帯債権 255
1 連帯債権の意義・必要性 255
2 連帯債権の効力 259
(1) 対外的効力・内部的効力 (2) 影響関係

第5節 連帯債務 261

§I 連帯債務の意義および本質 261
1 連帯債務の意義 261
(1) 複数の債務（債権）が成立する (2) 連帯債務の特殊事例
2 連帯債務の本質──連帯二分論から緩やかな一元論へ 262

§II 連帯債務の成立 263
1 法令による連帯債務 263
2 意思表示による連帯債務 264

xii

(1) 法令・特約なければ連帯債務なし

(2) 黙示の意思表示または一般法理による可能性

§Ⅲ　連帯債務の対外関係 ……… 265
(1) 1つの給付のための2つの債権　(2) 破産手続における扱い

§Ⅳ　連帯債務者の1人につき生じた事由（影響関係）……… 266
1　総論 ……… 266
(1) 改正前は絶対的効力事由が多かった

(2) 不真正連帯債務を含めるため絶対的効力事由を削減

2　絶対的効力事由 ……… 267
(1) 性質上当然の絶対的効力事由──絶対的効力事由①

(2) 民法の規定する絶対的効力事由──絶対的効力事由②

3　相対的効力事由 ……… 268
(1) 相対効の原則　(2) 特約による変更可能──特約による絶対効の付与

§Ⅴ　連帯債務の内部的効力（求償関係）……… 270
1　求償権 ……… 270
(1) 連帯債務の場合　(2) 不真正連帯債務の場合

2　負担部分（負担割合）……… 272
3　求償権の成立要件（442条1項）……… 272
(1) 事後求償権　(2) 事前求償権

4　求償権の内容 ……… 275
(1) 出捐額＋利息等の支払義務　(2) 代物弁済の事例

5　求償権の制限 ……… 276
(1) 事前の通知を怠った場合　(2) 事後の通知を怠った場合

6　償還無資力者がある場合の求償権の拡大 ……… 279
(1) 全員が負担部分を有する場合　(2) 負担部分のない債務者がいる場合

(3) 償還できない点に求償権者に過失がある場合

§Ⅵ　不真正連帯債務 ……… 281
1　不真正連帯債務の意義 ……… 281
(1) 判例による不真正連帯債務論の承認

(2) 不真正連帯債務論への疑問提起と改正法

2　改正法下での不真正連帯債務の効力 ……… 282

xiii

(1) 求償以外　(2) 求償

第8章　多数当事者の債権関係②　──保証債務（人的担保）

§Ⅰ　保証債務の意義および法的構成 ································ 286

1　保証債務の意義 ·········· 286

(1) 保証債務の意義　(2) 保証は人的担保制度

2　保証法の現代的課題──保証人に応じた多様な保証法理 ·········· 286

(1) 個人保証（消費者保証）　(2) 事業者保証（法人保証）

3　保証債務の法的構成 ·········· 288

(1) 主債務とは別個の債務　(2) 主債務との同一内容性　(3) 保証債務の付従性・随伴性　(4) 保証債務の補充性──単純保証の原則

§Ⅱ　保証債務の成立 ··································· 294

1　保証契約による保証債務の成立 ·········· 294

(1) 要式契約　(2) 保証契約の当事者など　(3) 主債務者の依頼・同意不要

2　事業債務の個人保証の特則 ·········· 297

(1) 主債務者の保証委託に際する情報提供義務──事業債務の個人保証一般

(2) 保証意思宣明公正証書の作成──事業債務たる貸金等債務の個人保証の特則

3　保証契約の特別の要件 ·········· 302

(1) 主債務の要件　(2) 保証人の要件

§Ⅲ　保証債務の範囲 ································· 303

1　問題となる債務 ·········· 303

2　契約解除事例における主債務 ·········· 304

(1) 契約解除による損害賠償義務　(2) 契約解除による原状回復義務

3　一部保証 ·········· 306

§Ⅳ　保証債務の対外関係 ························· 307

1　債権者の権利──保証契約における事由の対抗 ·········· 307

2　保証人の主張しうる権利 ·········· 307

(1) 付従性に基づく抗弁　(2) 補充性に基づく権利

§Ⅴ　主債務者・保証人に生じた事由の効力（影響関係） ······ 312

1　主債務者について生じた事由の効力 ······ 312

(1)　付従性に基づくもの　(2)　随伴性に基づくもの

(3)　債権の強化のために民法が特に認めたもの

2　保証人について生じた事由の効力 ······ 317

§Ⅵ　保証人の求償権 ······ 318

1　総論 ······ 318

2　受託保証人の求償権 ······ 319

(1)　2つの求償権　(2)　事後求償権　(3)　事前求償権（免責請求権）

3　委託を受けない保証人（無委託保証人）の求償権 ······ 326

4　数人の主債務者がいる場合の保証人の求償権──連帯債務について ······ 328

(1)　連帯債務者全員のために保証人になった場合

(2)　連帯債務者の1人のために保証人になった場合

§Ⅶ　連帯保証 ······ 329

1　連帯保証の意義および発生原因 ······ 329

(1)　連帯保証の意義　(2)　連帯保証の特殊性・発生原因

2　連帯保証の特別の効力──補充性の否定以外について ······ 330

§Ⅷ　共同保証 ······ 331

1　共同保証の意義および種類 ······ 331

2　共同保証の対外関係 ······ 331

(1)　分別の利益──分割保証債務の原則　(2)　分別の利益が否定される場合

3　共同保証人の1人について生じた事由の効力（影響関係） ······ 333

4　共同保証人間の求償関係 ······ 333

(1)　共同保証人間の求償権──弁済者代位との関係　(2)　465条1項の求償権

(3)　465条2項の求償権

§Ⅸ　根保証（継続的保証） ······ 338

1　根保証の意義・種類および法的構成 ······ 338

(1)　根保証の意義および規律　(2)　根保証の法的構成

2　個人根保証の規律 ······ 341

(1)　保証限度額（極度額）設定の必要性──包括根保証の禁止

(2)　元本確定期日（保証期間）　(3)　個人根保証における元本の確定

3　法人根保証契約の求償保証の制限 ······ 349

(1) 法人根保証に極度額がない場合

(2) 法人貸金等根保証契約についての元本確定期日による制限

第9章 債権譲渡・債務引受・履行の引受・有価証券

第1節 債権譲渡 352

§I 総論 352

1 債権譲渡の意義 352

2 債権譲渡の実際的必要性 353

(1) 債権譲渡がされる場合 (2) 債権譲渡の官民あげての推進

3 債権譲渡の法的説明 354

(1) 債権の移転の法的根拠づけ (2) 債権譲渡の派生的効果

§II 債権の譲渡性と譲渡制限の意思表示 356

1 譲渡性の原則 356

2 将来の集合債権の譲渡（対抗要件との関係も含む） 356

(1) 有効要件 (2) 将来債権譲渡の対抗要件

3 債権の性質による譲渡性の否定 363

4 譲渡制限の意思表示（譲渡制限特約） 364

(1) 物権的効力から債権的効力へ (2) 悪意または重過失ある譲受人に対する債務者の拒絶権——債務者の保護① (3) 債務者の供託権——債務者の保護②（新たな供託原因） (4) 譲渡ではなく差押えがされた場合——譲渡制限特約は対抗できない

5 法律による譲渡禁止 369

§III 債権譲渡の効力および債務者への対抗要件 370

1 総論 370

(1) 債権譲渡の効力総論——債権と共に移転する権利関係

(2) 債権譲渡の対抗要件総論

2 債権譲渡の債務者および第三者への対抗 373

(1) 債務者に対する対抗要件としての通知または承諾——債権譲渡に対する債務者の保護① (2) 通知または承諾の効力——債務者への対抗力の発生

(3) 債務者の抗弁の譲受人への対抗——債権譲渡に対する債務者の保護②

目次

§IV 債権譲渡の第三者への対抗要件 385

1 確定日付ある証書による譲渡通知または承諾 385
⑴ 確定日付ある証書を要求した趣旨 ⑵ 優劣を決める「日付」とは

2 通知または承諾を要する第三者 387
⑴ 通知の欠缺を主張する正当な利益を有する者 ⑵ 第三者の具体例

3 確定日付ある証書による通知が競合した場合 388
⑴ 優劣の判断基準 ⑵ 通知の同時到達または優劣を決しえない場合の処理

4 その他の問題点 392
⑴ 二重譲受人がいずれも単なる通知にとどまる場合
⑵ 確定日付ある通知到達後に、債務者が劣後する譲受人に弁済をした場合

§V 取立てのためにする債権譲渡 394

1 取立権付与か信託的譲渡か 394
2 信託的譲渡 394

第2節 債務引受および履行の引受 395

§I 併存的（重畳的）債務引受 395

1 併存的債務引受の意義および要件 395
⑴ 併存的債務引受の意義 ⑵ 債務引受の必要性 ⑶ 併存的債務引受の要件

2 併存的債務引受の効果 399
⑴ 引受人と債権者の関係——連帯債務だが保証とパラレルな扱い
⑵ 債務者と引受人の関係 ⑶ 担保への効力

§II 免責的債務引受 400

1 免責的債務引受の意義および要件 400
⑴ 免責的債務引受の意義 ⑵ 免責的債務引受の要件

2 免責的債務引受の効果 402
⑴ 抗弁の対抗など
⑵ 担保への効力——担保を引受人の債務に移す意思表示が必要 ⑶ 求償権

§III 履行の引受（履行引受） 405

1 意義 405
2 履行の引受の効果 405

xvii

| 第3節 **有価証券** | 406 |

1 有価証券の意義 406

2 指図証券 407

(1) 指図証券の意義と流通の保護 (2) 弁済に関わる規定 (3) 指図証券の質権設定

(4) 証券の喪失

3 記名式所持人払証券 409

(1) 記名式だが所持人に支払われる証券 (2) 記名式所持人払証券の善意取得

4 その他の有価証券 410

(1) その他の記名式証券 (2) 無記名債権

第10章 | 債権の消滅①──弁済

第1節 債権の消滅原因──総論 412

(1) 「債権の消滅」の節に規定されている債権消滅原因

(2) 「債権の消滅」の節以外の債権消滅原因

第2節 弁済 413

§I **弁済の意義および法的性質** 413

1 弁済の意義 413

(1) 弁済による債務消滅を明記──債務者が債権者に弁済をしたこと

(2) 第三者弁済や履行の強制・担保権の実行

2 弁済の法的性質──弁済意思の要否 414

(1) 客観的外形的に履行の事実があればよいのか (2) 弁済意思不要説が通説・判例

§II **弁済の要件・効果──総論** 416

§III **有効に弁済をすることができる者** 418

1 第三者の弁済の原則的許容 418

2 第三者の弁済に対する制限 419

(1) 性質上の制限 (2) 意思表示による禁止ないし制限

(3) 正当な利益を有しない第三者についての特別の制限

§IV **弁済の相手方（弁済受領権者）** 421

1 弁済受領権者 421

(1) 債権者の受領権に対する制限 (2) 債権者以外の者が受領権を有する場合

2 表見受領権者への弁済 422

(1) 債権の「取引」安全保護（第三者保護）の否定 (2) 弁済についての保護

(3) 制度の妥当性 (4) 478条の要件 (5) 弁済以外への拡大（類推適用）

(6) 478条の効果——当然に債務が消滅するのか

§Ⅴ 弁済が無効な場合 437

§Ⅵ 弁済者の証拠保全のための権利 438

1 弁済の証拠確保の必要性 438

2 受取証書交付請求権 438

(1) 受取証書——弁済者は電磁的記録を選択できる

(2) 受取証書交付との同時履行の抗弁権（引換給付の主張権）

3 債権証書の返還請求権 440

(1) 全額弁済による債権証書の返還請求権 (2) 引換給付の抗弁（否定）

§Ⅶ 弁済をめぐる補充規定 441

1 弁済の場所および時間 441

(1) 弁済の場所 (2) 弁済の時間帯

2 弁済費用の負担 442

(1) 原則として債務者負担 (2) 債務者負担の原則に対する例外

3 弁済の充当 444

(1) 充当の意義——原則は合意が最優先 (2) 合意のない場合の充当

第3節 弁済者代位（弁済による代位） 446

§Ⅰ 債務者に対する求償権保護のための制度 446

§Ⅱ 弁済者代位の意義および法的構成 447

1 意義 117

(1) 弁済者代位制度の導入 (2) 弁済者代位を正当化する根拠

2 法的構成 448

§Ⅲ 弁済者代位の成立要件および対抗要件 454

1 成立要件 454

2 対抗要件 454

xix

§Ⅳ　代位者・債務者間の効果 ··· 455
1　原債権などの権利の取得と保全される求償権 ················· 455
2　代位取得が問題となる権利 ··· 457
(1)　契約解除権　(2)　原債権の代位弁済後の利息債権

§Ⅴ　代位者・債権者間の効果（一部代位） ······················ 459
1　改正前の議論 ··· 459
(1)　一部代位における問題点

(2)　改正前における平等主義による立法と判例による変更

2　改正法による債権者優先主義の採用 ······························ 460
(1)　債権者優先主義を明記　(2)　債権者優先主義の根拠

§Ⅵ　担保負担者相互間の利害調整 ································· 462
1　利害調整の必要性 ··· 462
(1)　調整規定がないとどうなるか　(2)　全面的代位を調整する規定の必要性

2　各担保負担者間の負担割合 ··· 463
(1)　物上保証人間　(2)　保証人・物上保証人間

(3)　保証人（物上保証人）・第三取得者間　(4)　第三取得者間

3　保証人と物上保証人を兼ねる者の負担部分 ···················· 470
(1)　問題点　(2)　2人説（二重資格説）　(3)　1人説

4　代位における負担割合の特約 ·· 473
(1)　特約の可能性　(2)　第三者への対抗

§Ⅶ　債権者の担保保存義務違反による免責 ················· 475
1　担保保存義務の意義 ·· 475
(1)　代位の期待の保護の必要性　(2)　代位権者の免責制度

2　免責の要件──債権者の故意・過失による担保の喪失・減少 ········· 477
(1)　合理的な理由は債権者側に証明責任

(2)　担保の保存や適時の実行懈怠も担保保存義務違反になる

3　免責の効果 ··· 477
(1)　免責の内容　(2)　免責の効果は当然に発生するか

4　担保保存義務免除特約 ··· 480

目次

第4節　弁済提供、受領遅滞および弁済供託 ⋯⋯⋯⋯⋯ 481

§Ⅰ　弁済の提供（弁済提供）⋯⋯⋯⋯⋯⋯⋯⋯⋯⋯ 481

　1　弁済提供の意義 ⋯⋯⋯⋯⋯⋯⋯⋯⋯⋯⋯⋯⋯ 481

　2　弁済提供の要件 ⋯⋯⋯⋯⋯⋯⋯⋯⋯⋯⋯⋯⋯ 482

　　(1)　「現実」の提供　(2)　口頭の提供

　3　弁済の提供の効果──受領遅滞との関係 ⋯⋯⋯⋯⋯ 490

　　(1)　提供（弁済提供）の効果──受領遅滞の効果との関係

　　(2)　提供と受領遅滞の関係──提供は受領遅滞の要件　(3)　受領遅滞の要件・効果

　4　受領義務の認否──受領遅滞による契約解除および損害賠償請求 ⋯⋯ 493

　　(1)　法定責任説（信義則上の受領義務否定説）

　　(2)　債務不履行責任説（信義則上の受領義務肯定説）

　5　受領遅滞の解消 ⋯⋯⋯⋯⋯⋯⋯⋯⋯⋯⋯⋯⋯ 497

　　(1)　受領する意思があることを通知すれば足りる　(2)　賃貸人による明確な拒絶事例

§Ⅱ　弁済供託 ⋯⋯⋯⋯⋯⋯⋯⋯⋯⋯⋯⋯⋯⋯⋯ 497

　1　意義 ⋯⋯⋯⋯⋯⋯⋯⋯⋯⋯⋯⋯⋯⋯⋯⋯⋯ 497

　2　要件 ⋯⋯⋯⋯⋯⋯⋯⋯⋯⋯⋯⋯⋯⋯⋯⋯⋯ 498

　　(1)　概論　(2)　供託原因

　3　方法 ⋯⋯⋯⋯⋯⋯⋯⋯⋯⋯⋯⋯⋯⋯⋯⋯⋯ 499

　4　供託の通知・供託書の交付 ⋯⋯⋯⋯⋯⋯⋯⋯⋯ 502

　5　効果 ⋯⋯⋯⋯⋯⋯⋯⋯⋯⋯⋯⋯⋯⋯⋯⋯⋯ 503

　　(1)　債務の消滅　(2)　債権者の供託物還付請求権の成立　(3)　供託物の取戻し

第11章｜債権の消滅②
──相殺・代物弁済・更改・免除・混同

第1節　相殺 ⋯⋯⋯⋯⋯⋯⋯⋯⋯⋯⋯⋯⋯⋯⋯⋯ 508

§Ⅰ　相殺の意義および機能 ⋯⋯⋯⋯⋯⋯⋯⋯⋯⋯⋯ 508

　1　相殺の意義 ⋯⋯⋯⋯⋯⋯⋯⋯⋯⋯⋯⋯⋯⋯⋯ 508

　　(1)　相殺の意義と民法の規定　(2)　相殺は相殺権の行使

　2　相殺の機能ないし必要性──債権者平等の原則と相殺の担保的機能 ⋯ 509

　　(1)　簡易決済機能　(2)　公平保持機能・担保的機能（法定担保権の付与）

xxi

§Ⅱ　相殺の要件 ……………………………………………………………… 510

1　総論 ……………………………………………………………………… 510

2　505 条 1 項の規定する要件──相殺適状 ……………………………… 512

(1)　2 当事者間における債権の対立　(2)　対立する両債権が同種の目的を有すること

(3)　対立する両債権が弁済期にあること　(4)　「債務の性質」が相殺を許さないもの

ではないこと（505 条 1 項ただし書）(5)　相殺適状の存続の必要性

3　相殺が禁止される場合（相殺禁止債権） ……………………………… 522

(1)　相殺禁止特約による場合　(2)　不法行為による損害賠償請求権を受働債権とする

相殺　(3)　差押えを禁じられた債権を受働債権とする相殺

4　差押えと相殺──相殺による優先回収の保障 ……………………… 526

(1)　改正前の議論　(2)　改正法による無制限説の採用＋さらなる拡大

§Ⅲ　相殺の方法 ………………………………………………………………… 533

§Ⅳ　相殺の効果 ………………………………………………………………… 534

1　対当額での債権の消滅 ………………………………………………… 534

(1)　相殺の意思表示の効果　(2)　債務承認による時効の更新

2　相殺の遡及効 …………………………………………………………… 536

(1)　相殺適状時に遡及して債権が消滅する　(2)　債権消滅の遡及効の派生的効果

第2節　債権のその他の消滅原因 ……………………………………… 538

§Ⅰ　代物弁済 …………………………………………………………………… 538

1　意義──代物弁済と代物弁済契約 …………………………………… 538

(1)　代物弁済により債務を免れる──相手の承諾が必要　(2)　代物弁済契約とその

履行としての代物弁済　(3)　債権契約としての代物弁済契約の効力

2　代物弁済契約と代物弁済の要件 ……………………………………… 540

3　代物弁済の効果 ………………………………………………………… 540

§Ⅱ　更改（契約） ……………………………………………………………… 541

1　意義 ……………………………………………………………………… 541

2　要件 ……………………………………………………………………… 542

(1)　債務についての要件　(2)　更改契約の当事者

3　効果 ……………………………………………………………………… 542

(1)　新債務の成立・旧債務の消滅──担保の承継も可能　(2)　その他の効果

xxii

§Ⅲ 免除 ··· 543

  1 意義 ··· 543

  2 要件 ··· 544

§Ⅳ 混同 ··· 545

  1 混同の意義と原則的効果（債権・債務の消滅）··········· 545

   (1) 意義　(2) 債権の混同

  2 例外 ··· 545

事項索引 ··· 549

判例索引 ··· 556

条文索引 ··· 567

文献等略記

【教科書】

淡路	淡路剛久『債権総論』(有斐閣・2003 年)
池田	池田真朗『新標準講義民法債権総論 [第 3 版]』(慶應義塾大学出版会・2019 年)
石坂	石坂音四郎『日本民法第 3 編 債権』(有斐閣・1912 〜 1916 年)
石田	石田穣『債権総論 [民法大系(4)]』(信山社・2022 年)
内田	内田貴『民法Ⅲ債権総論・担保物権 [第 4 版]』(東京大学出版会・2020 年)
梅	梅謙次郎『民法要義 巻之三 債権編』(有斐閣・大元年版復刻 [昭 59 年])
近江	近江幸治『民法講義Ⅳ (債権法総論) [第 4 版]』(成文堂・2020 年)
岡村	岡村玄治『改訂債権法総論』(厳松堂・1924 年)
奥田	奥田昌道『債権総論 [増補版]』(悠々社・1992 年)
奥田・佐々木・上	奥田昌道・佐々木茂美『新版債権総論 上巻』(判例タイムズ社・2020 年)
奥田・佐々木・中	奥田昌道・佐々木茂美『新版債権総論 中巻』(判例タイムズ社・2021 年)
奥田・佐々木・下	奥田昌道・佐々木茂美『新版債権総論 下巻』(判例タイムズ社・2022 年)
小野	小野秀誠『債権総論』(信山社・2013 年)
加藤	加藤雅信『新民法体系Ⅲ債権総論』(有斐閣・2005 年)
於保	於保不二雄『新版債権総論』(有斐閣・1972 年)
川井	川井健『民法概論 3 債権総論』(有斐閣・2002 年)
川島	川島武宜『債権法総則講義 (第一)』(岩波書店・1949 年)
北川	北川善太郎『債権総論 [第 2 版]』(有斐閣・1996 年)
沢井	沢井裕『テキストブック債権総論 [補訂版]』(有斐閣・1985 年)
潮見Ⅰ	潮見佳男『新債権総論 [第 2 版] Ⅰ』(信山社・2017 年)
潮見Ⅱ	潮見佳男『新債権総論 [第 2 版] Ⅱ』(信山社・2017 年)
清水	清水元『プログレッシブ民法 [債権総論]』(成文堂・2010 年)
末弘	末弘厳太郎『債権総論』(日本評論社・1938 年)
鈴木	鈴木禄弥『債権法講義 [4 訂版]』(創文社・2001 年)
高橋	高橋眞『入門債権総論』(成文堂・2013 年)
田山	田山輝明『債権総論 [第 2 版]』(成文堂・2008 年)
円谷	円谷峻『債権総論 [第 2 版]』(成文堂・2010 年)
中島	中島玉吉『民法釈義 巻之三 債権総論上』(金刺芳流堂・1921 年)
中田	中田裕康『債権総論 [第 4 版]』(岩波書店・2020 年)
中舎	中舎寛樹『債権法』(日本評論社・2018 年)

野澤	野澤正充『債権総論［第 3 版］』（弘文堂・2020 年）
鳩山	鳩山秀夫『増訂改版日本債権法（総論）』（岩波書店・1925 年）
林ほか	林良平〔安永正昭補訂〕＝石田喜久夫＝髙木多喜男『債権総論［第 3 版］』（青林書院・1996 年）
平井	平井宜雄『債権総論［第 2 版］』（弘文堂・1994 年）
船越	船越隆司『債権総論』（尚学社・1999 年）
星野	星野英一『民法概論Ⅲ（債権総論）』（良書普及会・1978 年）
前田	前田達明『口述債権総論［第 3 版］』（成文堂・1993 年）
松井	松井宏興『債権総論［第 2 版］』（成文堂・2020 年）
松坂	松坂佐一『民法提要（債権総論）［第 3 版］』（有斐閣・1982 年）
水本	水本浩『債権総論』（有斐閣・1989 年）
横田	横田秀雄『債権総論』（清水書店・明 41 年）
我妻	我妻栄『新訂債権総論』（岩波書店・1964 年）

【注釈書】

注民⑽［筆者名］	奥田昌道編『注釈民法⑽』（有斐閣・1987 年）
注民⑾［筆者名］	西村信雄編『注釈民法⑾』（有斐閣・1965 年）
注民⑿［筆者名］	磯村哲編『注釈民法⑿』（有斐閣・1970 年）
新版注民⑽Ⅰ［筆者名］	奥田昌道編『新版注釈民法⑽Ⅰ』（有斐閣・2003 年）
新版注民⑽Ⅱ［筆者名］	奥田昌道編『新版注釈民法⑽Ⅱ』（有斐閣・2011 年）
新注民⑻［筆者名］	磯村保編『新注釈民法⑻債権⑴』（有斐閣・2022 年）

【論文集など】

講座 4	星野英一編集代表『民法講座 4 債権総論』（有斐閣・1975 年）
展望 1・2	椿寿夫編『講座現代契約と現代債権の展望 1・2』（日本評論社・1990 〜 1991 年）
民法典の百年Ⅲ	広中俊雄＝星野英一編『民法典の百年Ⅲ』（有斐閣・1998 年）
重要論点	加藤新太郎＝吉川昌寛編『裁判官が解く民事裁判実務の重要論点 債権総論編』（第一法規・2022 年）
潮見・概要	潮見佳男『民法（債権関係）改正法の概要』（金融財政事情研究会・2017 年）
Before/After	潮見佳男ほか編『民法改正 Before/After［第 2 版］』（弘文堂・2021 年）
詳解	潮見佳男ほか編『詳解改正民法』（商事法務・2018 年）
スミッツ	ヤン・M・スミッツ〔太矢一彦＝川上マーク敏明共訳〕『スミッツ契約法』（信山社・2021 年）
一問一答	筒井建夫＝村松秀樹編著『一問一答 民法（債権法）改正』（商事法務・2018 年）
実務上の課題	道垣内弘人＝中井康之編『債権法改正と実務上の課題』（有斐閣・2019 年）
森田・深める	森田宏樹『債権法改正を深める』（有斐閣・2013 年）

民法学Ⅰ	安永正昭＝鎌田薫＝能見善久監修『債権法改正と民法学Ⅰ　総論・総則』（商事法務・2018 年)
民法学Ⅱ	安永正昭＝鎌田薫＝能見善久監修『債権法改正と民法学Ⅱ　債権総論・契約⑴』（商事法務・2018 年)
民法学Ⅲ	安永正昭＝鎌田薫＝能見善久監修『債権法改正と民法学Ⅲ　契約⑵』（商事法務・2018 年)

※本文中の論文名の引用にあたっては、字数を削減するために「……」を利用して略する形で引用したものや、副題を省略している。また、上記にない文献の引用にあたっては、出版年のみを示して出版社は省略している。見栄えの良くない引用であるが、どうかご海容いただきたい。

第1章
債権法総論

§I
債権法総論と債権（債務）の意義

1-1 　(a)　**債権法と債権法総論（債権総論）**　民法は、第1編「総則」に続けて、財産をめぐる法律関係を第2編「物権」と第3編「債権」に分けて規律している。この2つの法分野は講学上それぞれ**物権法と債権法**と称され、また、この2つの法領域を**財産法**と呼ぶ。本書で説明をするのは、「債権」編の第1章「総則」（その構成につき☞1-34）の部分であり、講学上**債権総論**と呼ばれ債権関係についての通則が規定されている。これに続く、契約、事務管理、不当利得、不法行為といった債権の発生原因ごとの規定は、**債権各論**と呼ばれている。

1-2 　(b)　**債権法と債務法**　ところで、比較法的には「債務法」と呼称するのが普通であり、日本の「債権法」という呼称は異例である。比較法的には、「債権」とは譲渡や担保の対象となる財産権としての概念であり、債権総論に規定されている諸問題は「債務」という観点から議論がされている。例えば、債務の効力として説明される債務不履行に関わる問題が、日本では「債権の効力」として説明されている。また、分類に際しても、「債務」の分類として整理される。弁済なども、「債権の消滅」と称される（2017年改正により追加された第1章第6節の表題）。消滅時効も、債務ではなく債権の時効と称される（166条1項）。本書でもこの民法の構成に従い、「債権」を基軸として、債権の分類、債権の効力、債権の消滅などと称する。

1-3 　(c)　**債権（序論）**　民法は「物権」「債権」のいずれについても定義規定を置いていない。「債権」とは、特定人（債権者）の特定人（債務者）に対する**給付の履行請求権および受領権**である[1]。「債務」はこれを裏面から定義するものとなり、給付の履行義務ということになる。給付の内容は、金銭の

---

[1]　＊**債権と類似の請求権**　我妻5頁は、債権の本質を「特定の人をして特定の行為をなさしめる権利である」と説明する。これは債権の「請求権」の説明であり（☞1-11）、物権的請求権や差止請求権と共通である。物権的請求権などは、侵害状態がある場合に、またある限り不断に発生し続け、侵害状態がなくなれば発生しなくなる権利である。これに対し、債権では、約定または法定の「給付」の履行を求める債権が成立すれば、履行などの消滅原因が発生するまで存続することになる。また、後者は財産等の既存の秩序を維持するための権利であり、債権は既存の財産関係を変更させる権利である。

第 1 章　債権法総論

支払（金銭債権）、物の引渡し、物や人の運送等のサービスなどである。こうして、債権の裏面としての債務は、**給付義務**また**履行義務**ということになるが、現在では、不法行為法上の不可侵義務たる作為義務と本質的に変わらない義務である「信義則上の義務」も、「債務」に含まれるものと考えられている（☞ 4-21）。

　次に、債権の意義を物権との対比において分析し、また、債権と請求権について説明をした上で、債権の種類を説明しよう。なお、債権の分類については、債務の側から説明する。

§Ⅱ
物権と債権の区別

1-4 **(1)　絶対権（対世権）vs 相対権（対人権）**

　　(a)　特定人に対する給付の履行請求権か対世権か

　　　(ア)　債権は特定人に対する対人権　物権と債権は、それぞれ下記のように定義することができる。詳しくは物権法で説明したので、そちらに譲る（☞ 物権法 1-8 以下）。

---

① **物権**　物に対する排他的支配権（絶対権）
② **債権**　債権者の債務者に対する給付請求権・受領権（相対権）

　債権は、特定人（債務者）に対して給付をするよう請求し、その受領を正当化する権利である[2]。そのため、債権は、債務者という特定人との間でのみ認められる**対人権**であり、**相対権**であるといわれる。しかし、これは履行を請求できるのは債務者に対してだけという意味であり、債権は第三者の侵害に対して何らの保護を受けられないものではない（☞ 3-39 以下）。

---

2)　物権も全ての侵害者に対する物権的請求権が認められるので、万人に対する請求権として、債権的に理解されることもある。物権は既存の財産秩序を保持するための権利であり、その秩序を保持するための保護を受ける。これに対して、債権は、既存の財産秩序を変更する権利であり、財貨の移転（☞給付ないし履行利益の取得）を正当化する権利である。

3

§Ⅱ 物権と債権の区別

1-5 **(イ) 物権は排他的支配権であり対世権** 他方、物権は、物に対する排他的支配権であり、自ら自由に物を使用・収益・処分できる権利である。物権は特定人に対する権利ではなく、権利内容を一切の者に主張できる**対世権**である。そのため、相対権に対して**絶対権**といわれ、その侵害に対して、物権の効力として妨害排除を求める権利が成立する。判例によれば、妨害排除請求権は、排他的支配権という権利の性格から導かれるものであり、同じく排他的支配権であれば、人格権などでも認められる（☞債権各論Ⅱ 6-183）。

1-6 **(b) 当事者間だけの権利なので内容は契約自由** 債権は当事者間だけの権利関係であり、契約自由により公序良俗に反しない限りどのような債権も創造することができる。これに対し、対世的で強力な権利である物権は、公示なくして第三者に効力を及ぼすのが原則である（対抗可能性の原則）。民法は物権的合意に対抗要件主義を導入するだけでなく、物権法定主義を採用し新たな物権を合意によって自由に創造することを禁止している（175条）。ただし、債権についても、権利の譲渡性については第三者に関わる問題であるため、当事者間の合意で譲渡性のない債権を作り出すことはできない（466条2項）。

1-7 **(2) 支配権（排他性）vs 請求権──権利「帰属」の排他性は共通**

(a) 物権には排他性あり 物権は物を目的とし、これを自由に使用・収益・処分しうる**支配権**である。同じ物に対しては相矛盾する物権は成立しえず、いわゆる**排他性**を有している。同一の物の上には、所有権は1つしか成立しえず、また、用益物権もその内容が抵触する権利は1つしか成立しない。ただし、担保物権については、例えば抵当権についていえば、同一物についても優劣が決められるので複数の抵当権が成立しうる。

1-8 **(b) 同一の目的の債権は複数可能** これに対して、債権では、同一の物の上にも、同じ内容の複数の債権が成立しうる。同一物を二重、三重に譲渡したり賃貸することができ、同一の目的物を対象とする複数の債権が成立しうる。こうして、債権の成立可能性という意味では同一物について二重、三重に債権が成立し、債権に排他性がないのは確かである。

1-9 **(c) 財産としての債権の帰属には排他性あり** しかし、一度成立した財産権としての債権については（問題になるのは金銭債権）、物権同様に取得できるのは1人だけであり、排他性がある。財産権としての債権は1人にし

4

か「帰属」しえないのである。ただし、その説明のために債権の上の所有権——また、無体物（債権、知的財産権等）についての所有権——を観念する必要はない（☞物権法 19-4）。

---

§Ⅲ
債権と請求権

1-10　**(a)　請求権を要素とする権利**　債権は、給付を求める「請求権」であるため、債務者に対して履行を請求できることをその本来的内容としている[3]。物権を含めて全ての権利は、その侵害に対して妨害排除を求める「請求権」を生じさせるが（物権的請求権、差止請求権）、債権の場合にも、①第三者の侵害に対して妨害排除請求権が認められるだけでなく、②債務者に対して「履行」を請求することができる（☞4-2）。②の履行請求権が債権と同時に成立していることは、412 条 3 項が債務不履行になっていない債務者への履行請求を認めていることから明らかである。そして、全ての「請求権」に共通の保護としては、訴訟を提起して、裁判所に履行を命じてもらうことができ、それでも履行しない場合には、「履行の強制を裁判所に請求することができる」（414 条 1 項本文）[4]。

1-11　**(b)　請求権と債権**

(ア)　債権＝請求権の用法　「請求権」は「債権」と同意義で条文上用いられることがあり（例えば 724 条の損害賠償「請求権」）、講学上も引渡「請求権」というように、「債権」と同意義で用いられることが多い（保険金請求権、修補請求権等）。

1-12　**(イ)　債権と請求権が区別される事例**　債権と請求権が意図的に区別されている条文もある。履行を「請求することができない」と規定されている場

---

3)　この「本来的履行請求権」が、債務の「不履行」により、「法的救済としての履行請求権（追履行請求権）へと変容する」といわれる（石崎康雄「履行請求権」宮本健蔵先生古稀記念 84 頁［追完請求権は、法的救済としての履行請求権が変容した形態という］）。

4)　民事執行法では、「債権」として強制執行できる請求権を広く問題としており（差止請求権や物権的請求権なども含む）、そこでの「債務」名義、債務者、債権者といった表現は、厳密な意味での債務や債権を意味しているものではない。

合、債権はあるが「請求権」だけが否定されることがあり（412条の2第1項・708条本文等）、規定ごとに債権自体を否定する趣旨なのか「請求権」だけを否定する趣旨なのか検討しなければならない（567条1項は権利自体の否定）。他方で、536条1項のように「履行を拒むことができる」と抗弁権が規定されている場合には、請求権はあるが債務者に拒絶権が与えられるにすぎない（不能の412条の2第1項は抗弁権規定にはしなかった）。なお、債権の消滅時効は、ドイツ民法では請求権だけが消滅するが、日本民法では債権自体が消滅する（166条1項）。

1-13　**(ウ)　請求権＝形成権の用法**　また、民法その他の法令の用語上、「請求権」が形成権の意味で用いられることもあり（例えば、563条の代金減額請求権）、この例は非常に多い。

§IV
債務と給付義務

1-14　**(1)　給付義務──主たる給付義務・従たる給付義務**

　(a)　債権と給付義務は表裏　民法は、「債権」の側から、「債権の目的」を問題にしている（第1章第1節の表題）。「債権の目的」は「債権の目的物」（例えば、401条1項）とは異なり、債権により請求しうる債務者の行為であり、給付内容といってよい。「給付」の内容による債務の分類は後述するが、債権は給付請求権であり（☞1-3）、債務はその裏面であり重なり合うはずであるが、債務は給付義務に尽きない（信義則上の義務も含まれる☞4-24以下）。

1-15　**(b)　複数の給付義務**　1つの契約で、複数の給付義務を負い、**主たる給付義務**と**従たる給付義務**に分かれることがある。不動産売買の売主は、目的不動産の引渡義務および所有権移転登記手続義務を負う。農地の場合には、農業委員会への許可申請への協力義務が付け加わる（買主には代金支払義務と併存）。他方、複数の目的物が給付義務として問題になることもある。ネットで甲商品購入者に乙がおまけとして給付されるという場合、甲の引渡義務が主たる給付義務、乙の引渡義務は従たる給付義務である。その不履行が契

6

第 1 章　債権法総論

約解除を可能とするほど重大なものかどうかは、義務の性質や事例により決められる[5]。契約によっては、多数の給付義務が引き受けられている。例えば有料老人ホーム入居契約では、居室の賃貸、介護サービス、食事の提供、その他諸々のサービスの提供がホーム側の債務になる。

1-16 **(2)　給付義務と区別されるべき義務**

(a)　付随的注意義務　まず、**付随的注意義務**といわれる義務がある（付随義務につき☞1-17）。これは給付義務を履行するために要求される注意義務である（奥田・佐々木・上巻25頁）。種類物売買の売主であれば、引渡義務の履行のため、引渡期日に間に合うように発注し、引渡しが遅れれば発注先に催告をし、引渡しがあった場合には確認をした上で、引渡期日まで適切に保管する等、履行が適切にされるための注意義務である。これに違反した場合に、過失判断の基準となる注意義務である。給付義務の内容そのものではないが、その義務内容（例えば、仕入れ先）を合意で定めることも可能である。

1-17 **(b)　信義則上の義務（付随義務）**　債務は給付義務に限定されず、給付義務ではないが債務として認められ、その違反が債務不履行と認められる義務がある。それが**信義則上の義務**であり（**付随義務**とも呼ばれる）、その代表例が安全配慮義務であり（☞4-124）、特別な信頼関係から信義則上負わされる義務である（奥田・佐々木・上巻25頁、223頁は保護義務と称する）。不法行為法における全ての者に対する一般的不可侵義務とは異なり、特定人間における積極的な行為義務であり、債務に準じて扱われる。ただし、信義則上、特定人間に具体化された積極的行為義務であっても、契約成立前の段階の義務については（契約勧誘の際の契約の危険についての説明義務など）、信義則上の義務の違反であっても、不法行為責任が成立するだけである（☞注60）。

---

5)　この問題は契約の個数の理解にも関わる。専門製品の売買契約とそのサポートについては、別の契約とも売買契約の特約ともいえる。サポートがないと操作ができない場合には、サポートの不履行によって全部の契約を解除できてよいが、1つの契約で全部解除か、2つの契約で「複合契約論」により売買契約まで解除ができるとするか、個数の理解にかかわらず結論に差が生じないようにすべきである。

7

§V

債務の分類（債権の目的以外の分類）[6]

1-18 (1) 作為債務・不作為債務

　例えば金銭の支払、物の引渡し、運送等の作為を目的とする債務を**作為債務**といい、債務は通常、作為を目的とする。しかし、不作為を債務の目的とすることもでき、例えば、特定の地域内での営業を禁止する競業避止義務も債務であり、これを**不作為債務**という[7]。不作為債務の不履行は、禁止された行為を行うことであり、それが債務者の行為そのものであれば間接強制、物的施設の設置であれば代替執行が可能である。不作為を求める債権は、違反行為があるまでは履行「請求」が考えられない。そのため、消滅時効は、166条1項2号の10年については不作為義務違反があった時から、同項1号の5年については債権者が不作為義務違反を知った時から起算される。

1-19 (2) 為す債務・与える債務──直接強制の可否

　(a) 為す債務と与える債務の意義　①債務の目的が債務者の行為そのものに価値を見出している場合（運送・保管・修理などの役務）、これを**為す債務**と呼ぶ。②他方、債務者の行為（引渡しなど）ではなく財産の取得に価値を見出している場合（売主の引渡義務が典型）、これを**与える債務**と呼ぶ。与える債務は、所有権移転義務とは区別され、引渡義務が問題とされている[8]。物の引渡義務でも、売主の場合には買主に財産を取得させるものであ

---

6)　債権の目的による分類は第2章に説明するので、以下にはそこでの説明以外の分類を、債務の分類という観点から説明する。

7)　例えば、東京地判平24・7・19判時2166号69頁は、停止条件付売買契約で停止条件が不成就になった場合には、一切の金員の請求ができない旨の合意がされたにもかかわらず、債務不履行を理由として損害賠償を求める訴訟を提起した事例で、請求したことを債務不履行と認め、相当因果関係にある損害として弁護士費用600万円の賠償を命じている。

8)　物権行為の独自性を認めれば、売主の所有権移転義務を問題にできるが、意思主義によるならば、売買契約だけで所有権は移転し、所有権を移転する履行行為は考えられない。そのため、フランス民法では、売買規定には、売主の引渡義務と担保の義務しか規定されていない。「与える給付」は当事者の合意のみで完了し、所有権移転は契約の法定の効果であって、「与える給付」の履行の結果ではない。売主には引渡しという「為す債務」があるだけになる（金山直樹『現代における契約と給付』[2013] 196頁）。引渡義務も為す債務であるとすると、引渡義務とそれ以外の為す債務という区別を、直接強制の可否という観点からすれば足りることになる。いずれにせよ、二重譲渡の場合には、所有権移転義務の履行不能を問題にするしかなく、やはり義務はあるが他人物売買以外では不能しか問題にならないというしかない。

8

第 1 章　債権法総論

るが、受寄者の場合、保管義務が契約上の義務であり、受寄者の返還義務は他人の物の返還にすぎない。財産を与える場合でも、請負のように製作まで債務内容である場合もある。

1-20　**(b)　区別の意義**　この区別の実益は、直接強制の可否に求められている（我妻25頁、於保24頁等）。すなわち、与える債務は直接強制が可能であるが（我妻25頁、於保23頁）、為す債務は直接強制はできない——間接強制はいずれについても可能である——。要するに「引渡し」を超えた「為す」というサービス給付が債務内容になっている場合には、直接強制は認められない。寄託契約でいえば、目的物の返還は与える債務であり直接強制が可能であるが、目的物の保管は為す債務であり直接強制はありえない。請負においても、目的物の製作が完成しその引渡義務だけが残っているのであれば、引渡義務について直接強制が可能であるが、仕事完成義務については直接強制によることはできない。

1-21　**◆給付の内容を基準とした債務の分類**
　　講学上、給付を基準とした以下のような債務の分類が認められている。①債権が物の引渡しを目的とする場合（**引渡義務**といっておく）、これは物が特定物か不特定物かで、**特定物債務（債権）**ないし**特定債務（債権）**と**不特定物債務（債権）**ないし**不特定債務（債権）**に分類され、後者は種類物という観点からは**種類債務（種類債権）**とも呼ばれる。②給付が分割して実現できるか否かにより（②と③は引渡義務だけでなく、為す債務について妥当する）、可分給付を目的とする**可分債務（債権）**と不可分給付を目的とする**不可分債務（債権）**に分けられる。可分給付を目的とする契約では、契約の一部無効、一部取消し、一部解除を問題にできるなど、契約の成立、履行、消滅の各段階で特別な扱いがなされる。複数人に債権・債務が帰属する場合に分割債権・債務となるのが原則である（427条）。③また、給付の実現の態様により、**一時的給付**（一回的に給付が実現されるもの）を目的とする債務（債権）、**回帰的給付**（例えば新聞の購読）を目的とする債務（債権）、**継続的給付**（例えば家屋の賃貸借）を目的とする債務（債権）に分けられる。④さらに、為す債務について、債務者の個性が問題とならず他人でも実現できる給付か否かで、代替的給付を目的とする債務（債権）か非代替的給付を目的とする債務（債権）に分けられる。

1-22　**(3)　結果債務・手段債務**

　　20世紀初頭にフランスの学者が発案し、現在のフランスでは確固たる判例法を築いている分類に、結果債務・手段債務という分類がある。わが国で

9

§V 債務の分類（債権の目的以外の分類）

も、一部に好意的な学説がある[9]。判例はこのような概念をそのまま認めてはいない。しかし、手段債務の例とされる安全配慮義務や医療過誤についての判例をみる限り、結果債務の例とされる売主の目的物引渡義務とは異なった運用をしており、実際にはこの区別を認めているに等しい。学説にはこの区別に対して懐疑的な意見もある（加藤 52 頁、野澤 9 頁、石田 48 頁以下等）。

どのような事由について債務者が責任を負うべきか、契約で自由に決めることができ（☞ 4-151）、それに従いどの程度の証明を債権者側がすべきなのかも異なってくる。その大きな視座として、この区別は有意義である。

1-23 **(a) 結果債務・手段債務の内容**

(ア) 結果債務

(i) 結果債務における債務不履行　結果の実現までが債務の内容として約束されている債務を**結果債務**という。売主の債務がその典型例であり、約束の目的物を約束の数量、約束の期日に約束の場所で引き渡すという「結果」の実現が契約で義務づけられている。約束された内容通りの結果が実現されていないだけで債務不履行になる。例えば、契約において、地下駐車場で 1 分あたり○○の排水能力を約束すれば、一般には不可抗力とされる大雨であっても、その排水能力があれば浸水を免れていたのであれば債務不履行になる。

1-24 **◆結果債務における債務不履行と過失（帰責事由）の 2 つの判断**

(1) 2 つの概念の分離

伝統的には、債務不履行と過失判断とが切り離して考えられてきた。しかし、これは結果債務に当てはまるものである。先の地下駐車場の例で、契約内容である 1 分あたり○○の排水能力が発揮されず、利用者が浸水被害を被ったとする。そしてその原因が、別の業者が妨害目的で侵入して装置の能力を低下させたことにあり、これを防げなかったことにあるとする。売買を例とすると、約束の期日の納品が遅れたが、工場が竜巻の被害を受けて生産が遅れたのが原因だとする。①伝統的学説では、債務不履行はあるが過失がないので免責されることになる。②新しい契約責任論（☞ 4-148）では、引き受けた事由や結果についてのみ責任を負うことが契約で合意されており、引き受けた事由とはいえないから責任を負わないことになる。

---

9) 星野 57 頁、平井 16 ～ 17 頁、吉田邦彦『契約法・医事法の関係的展開』[2003]、森田宏樹『契約責任の帰責構造』[2002]、内田 121 頁、中田 31 頁以下など。岡村親宜『労働裁判の展開と法理』[1982] 223 頁以下は、安全配慮義務にこの区別を導入しようとしている。

第 1 章　債権法総論

1-25
(2)　証明責任との関係
　①伝統的過失責任説では、不法行為同様に債務不履行でも過失が要件なので、債権者が債務者の過失を証明すべきかのようであるが、無過失を債務者が証明すべきものと考えられていた（改正で 415 条 1 項ただし書に明記）。②新しい契約責任論では、引き受けた事由であることが債務不履行の要件であるとしても結果不実現だけで債務不履行であり（債権者に証明責任）、不可抗力などは免責事由として引き受けないことが合意されていると考えることができる。債務不履行は債権者、免責事由は債務者と、従前の理解同様の証明責任の分類が可能になる。

1-26
　(ii)　債務者が証明すべき免責事由　契約責任は、法定の責任である不法行為責任とは異なり、過失責任が所与の原則ではなく、契約自由の原則により規律される。不可抗力以外について責任を引き受けることも、また結果債務であっても目的物の調達について不安があるので努力して調達するという義務にとどめる合意も可能である（新しい契約責任論☞ 4-148）。415 条 1 項は債務者に帰責できない事由によることを債務者は証明して免責を受けられるものと規定するが、債務者に帰責できない事由は、上記のように合意によって自由に決められる。問題になるのは、合意が明確ではない場合である。特約がない限り無過失を免責事由と推定すべきである（☞ 4-154）。

1-27
　(イ)　手段債務
　(i)　手段債務の意義　これに対し、医師の医療契約上の診察・治療義務の場合、例えば、交通事故で足を複雑骨折した者を治療する場合、元通りに完治させることは、患者の希望であり医師としても目標である。しかし、完治という結果の実現は債務として引き受けておらず、期待されている結果に可能な限り近づけるように最善を尽くすことが債務内容になっているにすぎない。このように、一定の結果の実現を債務内容として約束するのではなく、その実現のための努力を尽くすことを約束する債務を**手段債務**という。

1-28
　(ii)　過失は債務不履行の要素　手段債務では、結果の不実現（完治しなかった）が直ちに債務不履行なのではなく、債務者が努力＝注意義務を尽くさなかったために結果が実現しなかったことが債務不履行なのであり、そのことを債権者側が証明しなければならない[10]。最善を尽くすという、過失における注意義務に匹敵する行為が約束されているものであり、過失がある場合が債務不履行となり債務不履行と過失判断は分離できないのである。債権者は債務不履行さえ証明すればよく、過失の証明は不要とはできないのであ

II

§Ⅵ　債権（債務）の発生原因

る。

1-29
◆手段債務・結果債務の分類は一応の目安にすぎない

ただし、この2つの差は大まかな区別にすぎず、過大視すべきではない。例えば、結果債務について、先の地下駐車場の事例でも、事業者に駐車場の管理、排水設備の適切な管理といった注意義務、また製品の製造販売契約で工場が被害を受けた事例でも、工場の可能な限り早い復旧の努力義務といった注意義務を問題にできる。免責事由について、さらに過失を想定することが考えられるのである。他方、手段債務でも、患者を誤って肝臓の摘出手術をしてしまった場合、手術に際する配慮義務というよりも、そのような間違った手術をしないことは結果債務として約束されているとさえいえるので、内容によっては結果債務を一部に取り込む余地はある。もっとも、この点も含めて手段債務だとしても、この結果の証明だけで当然に過失が事実上推定されるので、被害者救済に不都合はない。

§Ⅵ
債権（債務）の発生原因

1-30
債権（債務）の発生原因は、契約とそれ以外とに分けることができる。契約によらない法定の債務の発生原因としては、民法の規定だけでも、家族法上の債務[11]（例えば、婚姻費用分担義務）、財産法の債務としては、事務管理、不当利得、不在者財産管理人等の法定の管理人についての規定といった発生原因がある。契約当事者間の、売主の登記・登録義務（560条）、受任者の報告義務（645条）は、任意規定により補完された契約上の給付義務である。担保責任における追完義務（562条）や、債務不履行による損害賠償義務

10)　注意義務が高度なものとされる場合には、それを尽くしていれば生じえない結果になったことを証明するだけで、手段債務の違反＝過失が事実上推定される。こうして、医療過誤や安全配慮義務違反については、不法行為でも債務不履行でも、被告側の過失は被害者が証明しなければならないが、事実上の推定により被害者の救済が図られることになる。

11)　＊法定の債務・親族法上の義務──債務（債権）か？　夫婦の同居、協力および扶助の義務（752条）、親の子に対する監護および教育の義務（820条）、後見人の被後見人に対する善管注意義務（869条・644条）、親族間の扶養義務（877条）などの親族法上の義務については、債務といえないような抽象的な義務であり、具体的に合意や裁判などで金銭の支払義務が定められればその金銭債権の不履行を問題にできるが、そうでない限り債務不履行を問題にすることは難しい。問題にできるとすれば不法行為であるが、後見人の善管注意による財産管理義務（不在者財産管理人等法定の管理も同様）は、合意による準委任契約と変わらない内容であり、事務管理同様に、債務として債務不履行を認めるべきである──いずれにせよ契約責任ではない──。

第1章 債権法総論

が契約上の債務なのかは議論がある（☞ 4-72）。

1-31 **◆不法行為法上の作為義務等**

　　不法行為法上の不可侵義務は、社会一般に対する侵害を避ける消極的義務に尽きず、特定人間における作為義務も考えられる。作為義務も不特定多数人に対する事例もあるが——自己の管理下における事故防止のための作為義務（災害時にスーパーの客を安全に避難させる義務など）——、例えば、近所のよしみで子供の面倒を一時的にみることを引き受けた者の、子供に対する安全配慮義務は、特定人間の作為義務である。取引に関わる事例ではないので、信義則上の義務とはいえない。その違反には不法行為が問題になるだけである[12]。信義則上の義務違反が債務不履行になるには、何らかの契約との関係性が必要になる。契約成立前の交渉関係における説明義務は、信義則上の義務であるが、不法行為法上の義務であり、その違反は不法行為になる（☞注 60）[13]。

---

§Ⅶ
債権総論の構成と本書の構成

1-32 **(1)　債権法の内容と特色**

　　(a)　債権編の構成　「債権」編は、債権についての共通規定である「総則」（**債権総論**）に続き、債権の発生原因ごとの規定を置いている（**債権各論**）。それは、①契約（521 条以下）、②事務管理（697 条以下）、③不当利得（703 条以下）、および、④不法行為（709 条以下）である。それぞれの発生原因を捨象して、弁済などの債務消滅原因、債務不履行に対する救済、債権者代位権や詐害行為取消権、債権譲渡等々の総論規定が、債権総論では置かれている。

1-33 　　**(b)　債権法の特色**　債権法の特色としては，①任意法規性，②普遍性，③

---

12)　**＊不法行為法上の義務についての合意**　不法行為上の不可侵義務について、契約で合意することができる（工場が近隣住民と夜 8 時以降は操業しない合意をするなど）。その場合、不可侵義務についての合意にすぎず、合意に違反しても債務不履行ではなく不法行為になるにすぎないのか、それとも、合意がある以上はその債務不履行なのか微妙である。

13)　物権的請求権の相手方の負担する義務については、行為請求権説では、引渡しや妨害排除、妨害予防措置を講じる等行為を内容とするが、物権的請求権は債権ではないのと同様に（☞物権法 2-12）、この義務も債務ではなく、その違反につき不法行為が成立するにすぎない。

13

信義則の支配といったことが指摘される。物権法が原則として強行法規であるのに対して、債権法は契約自由が当てはまる任意法規であり、取引を規律する信義則の支配を受ける。また、各国の慣習により異なった発展を遂げた物権法また公示制度とは異なり、大陸法ではローマ法を共通の出発点とし、各国の商慣習により各別の発展もみられた。しかし、現代では国際取引が盛んになり、債権法の中核をなす取引法の近似化がみられる。2017 年の民法改正は、判例を明文化する改正が多いものの、異議をとどめない承諾制度の廃止など、日本の特異な制度をなくすなどの調整がみられる。

1-34 **(2) 債権総論の構成**

民法第 3 編「債権」第 1 章「総則」は、次の 7 つの節により構成されている。

---

① 第 1 節 **債権の目的**（399 条～ 411 条）

② 第 2 節 **債権の効力**（412 条～ 426 条）

③ 第 3 節 **多数当事者の債権及び債務**（427 条～ 465 条の 10）

④ 第 4 節 **債権の譲渡**（466 条～ 469 条）

⑤ 第 5 節 **債務の引受け**（470 条～ 472 条の 4）

⑥ 第 6 節 **債権の消滅**（473 条～ 520 条）

⑦ 第 7 節 **有価証券**（520 条の 2 ～ 520 条の 20）

債権総論の教科書の構成には、この民法の編別に従うものと、教育的配慮からこれとは異なった順序・編別によるものがある（椿寿夫『現代講座 1』3 頁参照）。教育的配慮によるならば、債権は弁済を受けて満足によって消滅するのが本来の姿であり、まず弁済等の債権の消滅原因から説明を始め、債権が弁済を受けられない場合について、債務不履行に対する救済、金銭債権についての債権回収のための債権者の保護の規定はその後に回し、債権譲渡や債務引受などは最後に説明することも考えられる。しかし、本書は読者を混乱させないように民法の構成に沿って説明をすることにした。

第2章
債権（債務）の目的

2-1　(a)　**「債権の目的」とは**　民法は、「債権の目的」と題する諸規定を置いている（第3編「債権」第1章「総則」［399条以下］）。「債権の**目的**」とは、400条が「債権の目的が特定物の引渡し……」と規定しているように、債権の「目的」とは債権の「内容」といってもよい。そのため、「債権の内容」と表題を付けて説明をする教科書もある（平井13頁以下）。債権の目的ないし内容は、物の引渡しであることもあり、さらに特定物か種類物かで分かれ、また、寄託や運送、演奏、教育等の行為そのものであることもある。前者の物の引渡しが債権の目的になっている場合には、401条などで「債権の**目的物**」という表現が使われている。正確には「債権の目的たる引渡しの目的物」であるが、くどいので、このように略されている。

2-2　(b)　**「債権の目的」の節の規定**　「債権の目的」の節に置かれた規定は次の6つに整理できる。

> ①　金銭に見積もることが債権の要件とはならない（399条）
> ②　特定物債権についての規定（400条）
> ③　種類債権についての規定（401条）
> ④　金銭債権についての規定（402条・403条）
> ⑤　利息債権についての規定（404条・405条）
> ⑥　選択債権についての規定（406条～411条）

　しかし、①と⑥を除き、「債権の目的」（＝債権の内容）とはいうものの、そこに規定されているのは金銭を含めて物の引渡義務だけである。行為を目的とするサービス給付については規定が置かれていない。

2-3　◆**債権の目的の要件**
　(1)　**金銭に見積もる可能性（不要）**
　債権の目的についての要件につき、「債権は、金銭に見積もることができないものであっても、その目的とすることができる」ものと規定されている（399条）。その給付の内容である行為が一般に取引の対象とされていることは必要ではなく、市場価値を計れないような行為でも、公序良俗に反しない限り給付の対象となりうる（判例として、寺の永代供養の資として財物を与える契約を有効とした東京地判大正2年(ワ)第922号新聞986号25頁がある）。現在では種々の役務を目的とする契約が行われており（有償で友達役として結婚式に出席するなどのサービス）、399条

はもはや無用の規定である。

2-4 **(2) 法的な「債務」となるための要件**

　無償の約束の場合には、債務を生じさせる契約なのか、一般社会生活上の単なる約束にすぎないのかは微妙な場合が多く——後者の違反は不法行為になる——、子供を近所のよしみで預かる、負担付贈与で恩愛に背かない等が「債務」といえるのかが問題になる。法的な拘束力まで引き受けるか——賠償義務や契約解除などを覚悟しているか——が決め手であり、債務になるか単なる社会生活における徳義上の義務かどうかは、法的な債務として引き受けたかどうか次第である。

§I
特定物債権（特定物債務）

1　特定物債権の意義——特定物の引渡請求権

2-5　「特定物の引渡し」を「目的」とする債権を、講学上**特定物債権**と呼ぶ。民法は 400 条および 483 条でこれを規定している[14]。特定債権とも呼ばれるが、債権者代位権における特定債権（☞ 5-22）と混乱するので、本書では特定物債権と呼ぶことにする。債務の側からは**特定物債務**ということができる。しかし、特定物の引渡しが目的とされる場合にも、①売主の引渡義務、②賃貸人の引渡義務、③賃借人の返還義務・受寄者の返還義務、④さらには契約解除の場合の買主の原状回復義務など多様な事例が考えられ、これを一括りにして画一的な説明をすることはできない[15]。そのため、特定物債権一般の議論はせず、400 条の説明をするにとどめたい。

---

14)　400 条の原案 398 条は「債権の目的物が特定の引渡なるときは、債務者は善良なる管理者の注意を以て其物を保存し、且其引渡を為すべき時の現状にて之を引渡すことを要す」というものであり、それに続く原案 399 条には危険負担の規定が置かれていた。保管義務、現状引渡し、危険負担が原案ではセットに規定されていたわけであるが、これが、現行法では、400 条に保管義務の部分だけが残され、現状引渡しの部分は 483 条、危険負担は旧 534 条へと移されたのである。

15)　＊法定の特定物債権？　事務管理により他人の物を管理している者の、その目的物の引渡義務は、所有者に対してであれば物権的請求権に対応する義務にすぎないが、所有者以外の者であれば債務といってよい。不法占有者の、所有者や地上権者らの物権的請求権に対応する引渡義務は、債務ではない。この場合に、所有権を侵害しないようにする不可侵義務を問題にすれば足り、400 条を適用する必要はない。

17

§ I 特定物債権（特定物債務）

2　特定物債権における債務者の保存義務

2-6 **(1)　引渡しまでの保存義務**

(a)　保存義務また保存のための善管注意義務　「債権の目的が特定物の引渡しであるときは、債務者は、その引渡しをするまで、契約その他の債権の発生原因及び取引上の社会通念に照らして定まる善良な管理者の注意をもって、その物を保存しなければならない」（400条）。この規定は、①特定物の引渡義務の債務者は、引渡義務だけでなく引渡しまでの「保存」（657条は「保管」）義務を負うこと、および、②保存のために要求される注意の基準について、善良な管理者の注意が必要とされること（**善管注意義務**と略称される）、の2点を規定している。

2-7 **(b)　売主の引渡義務**　例えば、特定物の売主は、目的物を引渡しまで善管注意をもって保存しなければならない。この場合、引渡義務に対して保存義務は付随的注意義務（☞ 1-16）の関係になる。代物弁済者の目的物引渡義務にも400条が適用されるが、贈与者は微妙である（☞ 2-12）。

2-8 **(c)　保管を内容とする契約**　受寄者、賃借人などが契約期間中目的物について保管義務を負うのはまさに契約の中心的債務であり、上記規定によるまでもない。返還を目的とした結果債務の履行不能を問題とするのではなく、約束した保管サービスを約束通り履行したかどうかという、為す債務の不履行が問題とされるべきである。

2-9 **(d)　その他の引渡義務**　賃借人や使用借主の契約期間中の善管注意をもって保管する義務についても、400条を離れて考えるべきである[16]。③賃貸人の賃貸物引渡義務については、使用収益をさせる義務の不履行につき、引渡しまでの保管義務違反は過失判断として問題になる。④これらに対して、646条の受任者の受取物の引渡義務、他人物を保管する事務管理者の引渡義

---

16) **＊受寄者や賃借人など保管義務を負う契約の終了**　例えば、ペットを3日の契約で預かったが、寄託者がその期間を過ぎてもペットの受取りに来ないとする。受寄者は契約の本質的内容として「保管義務」（657条）を負い、期間満了により契約は終了しているが、受寄者は、寄託契約上の返還義務を負うので、契約終了後は400条の善管注意による保存義務を負うことになる。期間満了後の賃借人の目的物の占有についても同じことがいえる。ただし、引取りが遅れた場合について契約で合意していれば、400条に対する特約として合意が優先することになる。催告しても寄託者が取りに来なければ、413条・413条の2第2項が適用になる。

務には、400条を適用してよい。

2-10 **(2) 引渡しまでの保存についての注意義務**

(a) 原則としての善管注意義務 保管に際して要求される注意義務の基準について、400条は「善良な管理者の注意」を要求している。この表現には、歴史的な経緯がある（前田33頁）。過失判断につき、当該取引につき平均人として要求される注意を基準とし、債務者の具体的能力に応じた注意ではなく抽象的な注意義務の違反と構成されること（**抽象的過失**といわれる）を表現したものである。法典調査会では、相当な注意という修正案も出されたが採用されなかった。しかし、この規定の趣旨が「相当な注意」の要求であることがわかる（2016年のフランス民法1197条は「合理人の注意」と規定した）。履行遅滞ないし受領遅滞中の目的物の滅失・損傷には特則が規定されている（☞ 4-160）。

2-11 **(b) 合意による変更が可能（任意規定性）**

(ア) 保管内容についての合意 保管方法、場所などについて合意があれば、それが優先される。善管注意よりも加重する合意も、逆に軽減する合意もいずれも有効である――債権者が、債務者の能力が平均人よりも劣ることを知っていれば、債務者にはその個人的能力に応じた義務が要求されるという学説がある（石田77頁[同78頁は逆も同様とする]）――。また、特定のワイン樽を買い取り、保管場所、保管温度などを合意していれば、売主がそれと異なる方法で保管し、それが客観的に善管注意義務に違反していないとしても、債務不履行になる。買主は合意通りの保管を求めることができる。

2-12 **(イ) 贈与者の保存についての注意義務** 400条は、贈与者にも適用されるであろうか。この点、551条1項は483条のように適合物引渡義務まで規定していないため、659条の趣旨を類推して、自己の財産におけると同様の注意でよいと考えることができる。贈与契約の黙示の契約解釈としても、自己の財産と同じ注意義務が約束されていると解釈すべきである。

3 特定物ドグマおよび危険負担

2-13 **(1) 特定物ドグマの問題**

(a) 旧規定における特定物ドグマの議論

(ア) 特定物ドグマ 483条は、改正前は「弁済をする者は、その引渡しを

すべき時の現状でその物を引き渡さなければならない」と規定していた。この規定は、一部の学説により、特定物ではその物の引渡義務しか考えられず、その物を引き渡せば瑕疵があろうと債務不履行はないという**特定物のドグマ**を導く根拠条文と理解されていた。特定物のドグマを認めると、債務不履行は引渡義務についてではなく、契約後の損傷・悪化につき保管義務の不履行を問題にできるにすぎないことになる。

2-14　**(イ) 特定物ドグマと瑕疵担保責任**　特定物のドグマを認める考えでは、瑕疵ある物を販売した場合（原始的瑕疵）、瑕疵ある物を引き渡しても債務不履行を問題にできないことになり、法定責任として瑕疵担保責任 (旧570条) が説明されていた（法定責任説）。法定責任説 (野澤・展開41頁以下参照) では、瑕疵の判断の基準時は契約時（原始的瑕疵）とされ、契約後引渡しまでに生じた瑕疵（後発的瑕疵）は、400条の保存義務違反を問題にすることができるので債務不履行責任によることになる。そのため、後発的瑕疵は法定責任たる瑕疵担保責任の適用外となる。

2-15　**(b) 改正法による特定物ドグマの否定**

(ア) 特定物ドグマの否定　改正法は、483条を「債権の目的が特定物の引渡しである場合において、<u>契約その他の債権の発生原因及び取引上の社会通念に照らしてその引渡しをすべき時の品質を定めることができないときは、</u>弁済をする者は、その引渡しをすべき時の現状でその物を引き渡さなければならない」と、下線部を追加する変更した。下線部が追加されたため、その反対解釈により特定物ドグマが否定されることになる。483条は、その反対解釈に意味のある規定になる。

2-16　**(イ) 担保責任の債務不履行責任化**　売買契約においては、契約の明示または黙示の解釈により特定物でも目的物の品質が約束されているため、引き渡された物がその内容に適合しなければ、債務不履行（不完全履行）になる。そして、改正法は担保責任を債務不履行として再構成し、債務不履行責任の特則（デフォルトルール）として位置づけた。債務不履行規定にない、追完請求権 (562条) や代金減額請求権 (563条) を規定している。そして、新しい担保責任では、不適合の基準時は引渡し時（改正前は契約時）になる (567条1項)。

第 2 章　債権（債務）の目的

2-17 **(2)　危険負担との関係および増加・果実**

(a)　危険負担との関係——債務者主義の導入と平仄を図った

(ア)　改正前は修補可能でも債権者主義の危険負担　不可抗力により特定物が契約後に損傷した場合、修補可能であっても、特定物ドグマを認めるため、履行不能に準じて危険負担により規律されていた。その結果、危険は買主が負担し買主は代金減額も修補も請求できないことになっていた（旧534条1項）。

2-18 **(イ)　改正法では引渡しにより危険が移転**　改正法では、特定物の引渡しの危険負担について債務者主義を採用し、履行不能の場合には代金支払につき債権者に抗弁権を認め（536条1項）、また、引渡しまでの不可抗力による滅失・損傷につき、買主に解除、追完、代金減額が認められることになった（567条1項の反対解釈）。特定物売買でも、後発的な不適合につき売主の過失の有無を問わず、買主には追完請求が認められることになった。引渡し時が担保責任の基準時なので、それ以前の損傷自体を債務不履行として問題にする必要はなく、売主が修補して引き渡せば履行になる。

2-19 **(b)　目的物の増加**　動植物は時の経過により変化するものであり、483条により、目的物が契約時より増加して価値が上がっても、その物を引き渡す必要がある。変化が予定されており、引渡し時の状態での引渡しが合意されているといってよい。例えば、子牛が契約後引渡しまで餌を食べて大きくなっても、その大きくなった状態での引渡しを求めることができる。特約がない限り、それまでの保管費用は売主の義務履行費用として債務者負担となり、餌代を請求できない（413条2項は例外）。

2-20 **(c)　目的物の果実**　目的物の果実については、賃貸建物の賃料や養鶏場全体の売買における引渡し前の卵については、所有権が移転しているので買主に帰属しそうであるが（89条）、売買契約の場合には、特則が規定されており、果実は売主に帰属することになっている（575条1項）。この場合、売主は餌代を買主に請求できない。目的物の増加（ヒヨコは大きくなる）については、買主に利益が帰属するのにその費用（餌代）を請求できないのは、この規律とのバランスが問題になる。

§Ⅱ　種類債権（種類債務）

1　種類債権（不特定物債権）の意義

2-21　**(1)　調達義務が特徴**

　「債権の目的物を種類のみで指定した場合」（401条1項）、例えば、A 社製甲型パソコン 10 台の売買契約の場合、その債権を**種類債権**（債務からは**種類債務**）または**不特定物債権**と呼ぶ。特定物債権では引渡しまでの保存義務が問題となるのに対して（☞ 2-6）、種類債権では、契約の内容通りの品質・数量の物の**調達義務**が債務の内容となる。「代替物はなくならない（genus non pertit）」というローマ法の格言があるように、種類債権には履行不能がない。特定物債権では、調達義務はなく履行不能がある。

2-22　**(2)　調達方法**

　調達方法については、①市場からの調達、②製造による調達、および、③在庫商品からの調達などが考えられ、合意があればそれに従うが、特に合意がなければどの方法によってもよい。ただし、合意と異なる方法で調達したからといって、債権者が受領を拒絶し契約を解除できるとは考えられない。種類債務は、上述のようにその種類の物が市場にある限り履行不能がなく、調達義務を免れない。種類債務は売主などの引渡義務として成立するほか、消費貸借や消費寄託などにおいて返還義務としても成立する。

2-23　**◆制限種類債権（限定種類債権）**

　(1)　意義

　(a)　枠のみが特定された特定物債権　契約の目的物は特定されているが、その全部ではなくその中の一定の数量に限定されている場合、調達義務はないので特定物債権としての基本的性質を有するが、その中のどれかが特定されていない点で種類債権的性質も有している。例えば、あるワインの樽のワイン 10 リットルの売買といった事例である。これを**制限種類債権**（限定種類債権）という。

2-24　　**(b)　品質が一定かどうか**　制限種類債権も、次の 2 つを区別することができる。①まず、あるワイン樽のワイン 10 リットルの引渡義務は、漁業用タール事件（☞ 2-45）の事例のように、目的物が全て同一品質であり、契約不適合があればどの部分を渡そうと不適合を免れない（修補可能な事例もありえよう）。②他方、甲リンゴ園のリンゴ 20 個の売買の事例では、甲リンゴ園のリンゴでなけ

第 2 章　債権（債務）の目的

ればならないが、目的物が全て同一品質ではなく、その中から契約に適合したリンゴを選んで引き渡すことを義務づけられる。債権者は、契約に合致しないリンゴを渡されたならば、追完請求ができる[17]。

2-25 　　(c)　**種類債権と異なり調達義務なし**　制限「種類債権」とはいうが、「特定物」売買の一種であり甲リンゴ園のリンゴという「特定物」売買である。その中のどれでもよいという形でいまだ特定されていない点で種類債権——個々の物に特定性の差がなくどれでもよい点が選択債権との差——に似ているというにすぎない。○○県のコシヒカリ、××村のコシヒカリというのは、限定された範囲の種類債権にすぎず、調達義務を負い、その全部を特定して売却の対象としているわけではない[18]。

2-26 　(2)　**規律**

　　(a)　**調達義務はなく履行不能がある**　①まず、その特定された物以外からの調達義務はなく、この点は特定物債権と同様である。②その結果、枠内の物がなくなれば履行不能が考えられる。先の例でワインの樽が盗まれてしまえば、履行不能になる。全部を重複して販売すれば二重譲渡になるが、例えば、100 リットルの樽を ABC にそれぞれ 50 リットル販売した場合、50 リットル超過であり履行不能であるが、誰の債権が履行になるかは確定していない。AB に 50 リットルずつ販売したが、その後、不可抗力により樽が壊れ、50 リットルにワインが減ってしまった場合にも同様の問題が生じる。

2-27 　　(b)　**一部履行不能**　後者についていうと、① 25 リットルずつの制限種類債権にそのまま縮減するという考え（割合比例説）、および、② 50 リットルの債権として重畳する（二重譲渡と同じ法律関係）という考え（上限確定説）とを想定できる（注民(10) I 316 頁［金山］参照）[19]。混蔵寄託では 25 リットルの返還請求権になるが（665 条の 2 第 3 項）、これは目的物が共有であり 2 分の 1 の持分しかないので——本来は共有物全部の引渡請求は可能——このような制限がされている。②に

---

17)　特定性が緩い場合には単なる種類債権というべきであり、例えば新潟産のコシヒカリというだけでなく、魚沼の××地区のコシヒカリと限定しても制限種類債権ではない。日本産ないし北海道産のジャガイモは種類債権にすぎない（加藤 24 頁は履行不能があることを種類債権と区別する基準とする）。

18)　**＊区別の意義を否定する学説（種類債権でも履行不能はありうる）**　例えば、生産を停止した○○型パソコンの売買であれば、市場で売り切れてなくなれば履行不能になる。100 台限定生産といった製品も同様であり、市場から全て売り切れて在庫がなくなれば履行不能になる。それ以外でも、○○産のボーキサイトの輸入販売の場合、その国がボーキサイトを禁輸とした場合には、法律的に履行不能になる。このように、種類債権でも履行不能がないわけではなく、履行不能があるという点だけを制限種類債権の特異点と考えると、種類債権と連続した概念にすぎないことになり、その意義を疑問視する学説もある（鈴木 273 頁）。相対的な違いにすぎず、いかなる範囲の中からいかなる性質の物を引き渡すのか、契約の確定を考えれば足りるといわれる（潮見・新 I 209 頁）。しかし、特定全部が売買の対象になり、調達義務は問題にならず、学理的にもこのような概念を認める意義は否定されない。なお、A 家電甲店の在庫のαパソコン 1 台の売買は、集合動産からの売買であり中身が流動し、在庫のαパソコンがなくなっても新しく在庫を仕入れることが可能であり、種類債権にすぎない。調達方法を特定しただけである。

23

§Ⅱ 種類債権（種類債務）

よるべきである。

2-28
(c) **目的物保管義務など**

(ア) **どの事例でも担保責任が問題になる** 最判昭 30・10・18 民集 9 巻 11 号
1642 頁（漁業用タール事件☞ 2-45）は、「目的物の良否は普通問題とはならな
い」（＝特定物ドグマ肯定）と判示したが、特定物ドグマが否定された現在、そ
の意義は否定される。①甲リンゴ園の売買では、そのリンゴ園のリンゴの中から
契約に適合した物を引き渡すという限定がされるべきである。②また、漁業用タ
ール事件のような場合に目的物全部に不具合があっても、改正法では、特定物ド
グマは否定されるので分離して引き渡した時点で担保責任が成立する。調達義務
はないので、他から仕入れて契約通りの物を引き渡すよう請求はできない。不具
合が追完可能であれば、追完請求ができる。

2-29
(イ) **保管義務** 制限種類債務では履行不能がありうるため、目的物の保管義務
が問題になる。漁業用タール事件の差戻審判決（札幌高函館支判昭 37・5・29 高民集
15 巻 4 号 282 頁）は、「通常の種類債権と異なり給付の目的物の範囲が相当具体的
に限定せられているから、その限定せられた一定範囲の種類物全部が滅失すると
きは、目的物の特定をまたずして履行不能が起りうるので、少くとも債務者はそ
の保管につき自己の財産におけると同一の注意義務を負う」と判示している。し
かし、特定していないとはいえ、制限種類債務については履行不能があるので、
引渡しまで善管注意をもって保存することを義務づけられる（400 条を適用）。
漁業用タール事件では、受領遅滞による注意義務の軽減が可能である。

2 種類債権における目的物の品質

2-30
(a) **品質の合意がない場合**

(ア) **合意がないと中等** 当事者が種類物について具体的に品質（メーカー
や銘柄など）を合意していれば、合意された品質を備えた種類物を調達して
引き渡す義務が成立する。民法は、当事者が目的物の品質について合意をし
なかった場合について、「法律行為の性質又は当事者の意思によってその品
質を定めることができないときは、債務者は、中等の品質を有する物を給付
しなければならない」（401 条 1 項）と推定規定を置いている。

何が「中等の品質」かは、取引通念により決定される[20]。この推定を争う

---

19) この場合、A に 50 リットルを引き渡せば B への履行義務は履行不能になる。しかしこの場合には、漏
出が不可抗力であり帰責事由がないから損害賠償義務を負わないため、二重譲渡と異なり、B に対して履行
不能の責任を負わないと考えるべきである。B には 536 条 1 項・567 条 1 項を適用して保護をすることが
考えられる。

24

者に、それとは異なる約定がされていることを証明する責任がある。代金の金額は品質の推定を導く重要な資料になる。

2-31 **(イ) 上等な品質の物の引渡し** 品質の下等な物の提供が認められないのは当然であるが、上等の物を提供しても債務不履行になるのであろうか。これは、品質について合意している場合でも問題になる。例えば、天丼の「並」（1000円）の注文に対して天丼の「上」（1500円）を提供した場合に、債務不履行になるのであろうか（数量超過の品質版）。①売主が勝手により高い品質の物を引き渡せば、非債弁済（705条）になる。②売主がサービスで提供した場合には、贈与になる。③売主が注文を間違えて提供した場合、買主が知らずに食べてしまえば不当利得になり1500円を支払わなければならないのであろうか。買主にも確認義務があり、損害賠償により売主につき過失相殺をした上で処理すべきである。

2-32 **(b) 種類が違うのは別の問題** 上記の問題が当てはまるのは、約束の「種類」の物に該当するが品質が問題になる場合である（不完全履行となる）。これに対して、①ジャガイモの注文に対してニンジンを引き渡しても、品質の問題でなく、履行としての意味が全く認められない。微妙なのは、機械で種類が違う場合である。②パソコンの甲社製100A-Ⅰ型（5万円）を注文したのに、100A-Ⅱ型（5万円）が引き渡された場合や、甲社製100A-Ⅰ型ブラックを注文したのにレッドが引き渡された場合には、不完全履行になる。担保責任は①に適用されず、②には適用されるが、代金が同じ場合には、代金減額請求はできず、軽微なので解除もできないことになる。

2-33 **◆為す債務の品質**

なお、為す債務の品質についても401条1項は類推適用できるであろうが、為す債務については品質基準といったものが図りにくいという難点がある。ピアニストを派遣することを約した代理店は、平均的な技量のピアニストを派遣すべきである（スミッノ255頁）。老人ホームで要求される介護の内容、予備校や塾で

---

20) 大判大5・10・7民録22輯1853頁は、材木の売買で品質の合意がなかった事例で、鑑定人により、本件材木の品質には「特別上等、上等、中等、並等、下等」の5級の区別があることが明らかにされ、「原判決は其特別上等並に下等の2級を除きたる中間の三者を以て品質中等と認めた」のを、大審院は容認し、売主の代金支払請求を認めている。5段階の場合に、真中の品質ではなく、一番上と下を除いた中間のどれでもよいというのである。したがって、売主は下から2番目の品質のものを引き渡せばよいことになるが、そこは信用をどれだけ重んじて行動するか、取引社会における淘汰に委ねられる（そこで節約して得をしても、信用を失い最終的には大きな損をする可能性がある）。

§II 種類債権（種類債務）

の教育サービスの質など、契約で明記されていない部分についての線引きは難しい。専門学校の講義指導につき、「授業の内容や指導方法については講師に広い裁量があるというべきであり」、「授業が演技指導の授業として最低水準を下回るものであったということはできない」、として債務不履行を否定した裁判例がある（東京地判平 15・11・5 判時 1847 号 34 頁）。物については中等が要求されるのに対して、「最低水準」を基準とした点に問題がある。やはり、標準的なサービス給付に達しない場合には不完全履行と考えるべきである（401 条 1 項類推適用）。裁量の範囲があることは、このような処理を妨げるものではない。

3　種類債権の特定（集中）

2-34 (1)　種類債権の特定（集中）の意義・趣旨

(a)　調達義務を免れさせる必要性　種類債権においては、債務者が目的物の調達義務を負い履行不能は考えられない。そのため、債務者が履行のために仕入れておいた目的物が、債権者が引取りに来ずに不可抗力で滅失しても、履行不能にならないはずである。債務者は目的物を再度調達して債権者に引き渡さなければならない。再度の調達の費用と手間がかかるし、また、その間に価格の高騰があるかもしれず、さらには調達が困難になっており難渋することも考えられる。

2-35 (b)　特定を認め不能を可能にした　しかし、このような扱いは債務者に酷なので、民法は、種類債権の目的が特定の物に集中し、以降はその物の保管義務を問題とし債務者に調達義務を免れさせる制度を認めている（401 条 2 項）。これを、**種類債権の特定**（または**集中**）という。特定後は履行不能が観念できるようになり、債務者に帰責事由があれば損害賠償義務を免れず、また、帰責事由がなければ危険負担の規定により規律されることになる（567 条 2 項）。再度の調達義務は負わない。特定のためには、以下の 3 つのいずれかを満たす必要がある。なお、金銭債権には適用されない。

2-36 (2)　種類債権の特定のための要件

(a)　規定がない事例　①契約時に債権者と債務者が合意で特定の目的物を定めた場合には（買主が店頭のスイカの中から 1 つ選んで配達を頼む）、特定物売買と考えるべきであり、債務者に変更権を認めるべきではない。②契約により種類債権が成立した後に、当事者の合意で目的物を特定することができる。民法には規定がないが、契約自由の原則から認められる。

26

第 2 章　債権（債務）の目的

2-37　(b)　**「債権者の同意を得てその給付すべき物を指定した」場合**　「債権者の同意を得てその給付すべき物を指定した」とは、種類債権が成立した後に、債権者が債務者に目的物の指定権を付与し、それに基づいて債務者が目的物を特定・分離する場合である。債務者が指定することは必要ではなく、債権者が第三者に指定権を与え、その第三者が指定した場合でもよい。

2-38　(c)　**「債務者が物の給付をするのに必要な行為を完了し」た場合**　民法はさらに、債権者の同意がなくても、「債務者が物の給付をするのに必要な行為を完了」することによって、債務者の行為により一方的に特定を生じさせることを認めている。「物の給付をするのに必要な行為を完了し」たかどうかは、履行地を基準として 3 つに分けて考えられている。

2-39　**◆不適合物と特定**

　　分離以外は、提供の要件とパラレルに考えられる。特定されるためには、目的物が債務の本旨に適合したものでなければならない。パソコン 10 台の注文なのに 9 台を提供、パソコン A1 型を注文したのに、A2 型を提供、ヤギ 1 匹の注文に病気のヤギを提供しても、提供の効力も特定の効力も認められない。ただ、公平・信義則により判断がされるべきであり、軽微な不足や不適合であって、債務者が善意である場合には、特定を認める余地がある（担保責任は免れない）。

2-40　(ア)　**取立債務の場合**　債権者が、債務者の店舗、倉庫など目的物の所在地に引取りに行って、そこで目的物の引渡しを受ける場合は、これを**取立債務**といい、運送は債務の内容になっておらず、債権者がそこまで運送をしなければならない（運送費用は債権者負担）。したがって、取立債務の場合には、債務者が、①目的物を分離し引渡しの準備を整えて、②債権者に受領を催告すれば特定が生じる。例えば、楽器店に楽器を注文した場合、楽器店が商品入手後、買主に商品が届いたことを知らせ店に取りに来るよう求めれば、特定が認められる。引渡期日が定まっている場合には、催告を要せず、債務者が引渡場所に目的物を分離して引渡しの準備をしていれば、期日以降に特定を認めてよい。

2-41　(イ)　**持参債務の場合**　**持参債務**の意義については、学説の理解が一致していない。①債権者の住所に持参する債務に限定するのが通説であり、②債務者が目的物を債権者の住所または指定された場所まで持参して引き渡すべき債務と理解するのは少数である（前田 43 頁、高橋 20 頁）。通説では、債権者の住所地以外での引渡しの場合は送付債務になる（中田 49 頁等）。しかし、②の

27

§ II　種類債権（種類債務）

立場を基本に運送義務を負うか、発送義務を負うにすぎないかを基準に持参債務と送付債務とを区別すべきである。持参債務の場合には、目的物の運送行為が債務内容になるため（費用は債務者負担）、持参＝運送して引渡場所で提供をして[21]、初めて特定が認められる。ただし、債権者が予め受領を拒絶している場合には、目的物を分離した上で受領を催告すれば足りる。

2-42　**（ウ）　送付債務の場合**　**送付債務**の理解は、必然的に（イ）の理解により変わってくる。

❶　通説（第三の引渡場所）　持参債務を債務者の住所地での引渡しに限定する通説では（奥田・佐々木・上56頁）、送付債務を住所地以外で引き渡す債務とし、これをさらに債務者が運送義務を負う場合と発送義務だけを負う場合とを区別している。そのため、①第三地までの運送を義務づけられる場合には、発送だけでは特定しない（東京高判昭33・8・15東高民時報9巻8号145頁）。②他方、債権者の要請により債務者が好意で第三地に引き渡す手続をとる場合には、発送の時に特定するとされている（大判大8・12・25民録25輯2400頁）。

2-43　**❷　少数説（発送義務負担説）**　他方で、目的地までの運送を義務づける債務を持参債務と広く考える少数説では、送付債務とは送付手続だけを義務づけられ、そこまでの運送は義務づけられない債務に限定して理解することになる（石田96頁）。本書の立場であり、債務者には運送義務はなく、自己の運送義務の履行のために運送人を用いるのではない（着払いの手続でよい）。したがって、債務者は、運送人へ運送を依頼すること＝送付（発送手続）のみが義務づけられ、運送人に目的物を引き渡せば特定が認められる。また、567条1項の危険の移転のための引渡しも、発送手続をとって運送人に引き渡すことで足りることになる。

---

21)　目的物を分離して運送を開始しただけでは特定として十分ではない。XがAに鱈を注文しAはXの住所地への配達義務を負ったが、Aが運送を依頼した運送人Yが誤配してXが引渡しを受けなかったため、Xが特定しているから所有権の移転があるとして所有権侵害を理由にYに対して損害賠償を請求した事例で、債権者の住所地での提供によって特定が生じ所有権が移転するものとして、損害賠償請求の前提であるXの所有権侵害が否定されている（大判大8・12・25民録25輯2400頁）。また、売主が神戸港において売買の目的物たる木材を引き渡すべき事例において、木材が積出港たる宇島港の土場に集積されても特定は認められず、また、宇島港において買主の社員が受入明細書を売主に渡したこと、または、買主のマークが本件木材の一部にすり込まれたとしても、それだけでは特定したとはいえないとされている（最判昭47・5・25判時671号45頁）。

第 2 章　債権（債務）の目的

2-44

◆特定と口頭の提供との関係──分離が必須

　運送や発送が債務内容になっていても、債権者が予め受領を拒絶している場合には、「提供」のために必要な行為はいわゆる口頭の提供に軽減される。その場合に、特定のために必要な「物の給付をするのに必要な行為を完了」ということも軽減され、現実に提供しなくても、目的物を分離して準備した上で受領を催告すれば足りることになる。すなわち、持参債務でも、①目的物を分離して、②口頭の提供をすれば足りる。口頭の提供とは異なり、特定のためには当然のことながら分離までしておくことが必要である。その意味で、特定の要件と口頭の提供の要件とは微妙な差が生じる（我表 32 ～ 33 頁）。取立債務の事例また制限種類債権の事例において、次のような判例があり、口頭の提供は認められても、目的物が分離されていない以上は、特定は生じない。

2-45

●最判昭 30・10・18 民集 9 巻 11 号 1642 頁（漁業用タール事件）

　(1)　事案　Y は A 社から A 社構内の溜池に貯蔵してある漁業用タールを全部購入した後、その中の 2000 トンを X に転売し、受渡方法は X が必要なつど引渡しを申し出て、A 社構内の溜池から X が持参するドラム缶にタールを入れて渡すこととされ、昭和 22 年 1 月末までに全部引き取ることと定められた。X は途中で（昭和 21 年 8 月頃）タールの品質が悪いと言い引取りをしなくなった。Y はその後も引渡しに必要な人夫を配置し、タールの凝結を防ぐためにスチームの引込み等の準備をしていたが、同年10 月頃以降は保管設備を引き揚げ監視人も置かなかったため、A 社の労働組合員がこのタールを無断で処分してしまった。その後、X が Y の債務不履行を理由に契約を解除し、すでに引渡しを受けたタール分の代金を差し引いて手付金の返還を Y に請求した。原審は、特定を認め善管注意による保管義務を怠って履行不能としたとの X の解除を認めて、X の請求を認容した。最高裁は次のように判示し、原審判決を破棄差し戻す。

2-46

　(2)　最高裁判旨　「X の債権が、通常の種類債権であるのか、制限種類債権であるのかも、本件においては確定を要する事柄であって、例えば通常の種類債権であるとすれば、特別の事情のない限り、……履行不能ということは起らない筈であり、これに反して、制限種類債権であるとするならば、履行不能となりうる代りには、目的物の良否は普通問題とはならないのであって、X が『品質が悪いといって引取りに行かなかった』とすれば、X は受領遅滞の責を免れないこととなるかもしれないのである」。しかし、原審は特定を認めているが、「本件目的物中未引渡の部分につき、Y が言語上の提供をしたからと云って、物の給付を為すに必要な行為を完了したことにならない」。したがって、いずれの種類債権であるとしても特定は生じておらず、Y が目的物につき善良なる管理者の注意義務を負うに

29

§ II　種類債権（種類債務）

至ったとした原審の判断もまた誤りである。

2-47

(3)　差戻審判決差戻審判決（札幌高函館支判昭 37・5・29 高民集 15 巻 4 号 282 頁）　「X の債権は制限種類債権に属するものというべきである。……Y は X が残余タールの引渡を申し出で容器を持参すれば直に引渡をなしうるよう履行の準備をなし、<u>言語上の提供をしただけであって、X に引渡すべき残余タールを前記溜池から取り出して分離する等物の給付をなすに必要な行為を完了したことは認められないから</u>、残余のタールの引渡未済部分は<u>未だ特定したと云い得ないけれども</u>」、「右引渡未済部分も含めて右特定の溜池に貯蔵中のタールが全量滅失したのであるから、Y の残余タール引渡債務はついに<u>履行不能に帰した</u>」。そして、Y には履行不能につき、過失はなく[22]、X のなした契約解除は Y に過失がないので無効であると判示する（X の請求棄却）[23]。

2-48　**(3)　種類債権の特定の効果**

　種類債権の特定が生じると、「以後その物を債権の目的物とする」ことになる（401 条 2 項）。特定後は、債務者は調達義務を免れ、特定物債権の規律が適用されることになり、次のような効果が生じる。

　①債務者はその特定物のみを引き渡せばよく、滅失したら履行不能となり、損傷の場合にも他の物を調達して引き渡す必要はない[24]。②債務者はその物を善管注意義務をもって保管しなければならない（400 条）——提供の要件を満たしている場合には債権者が受領遅滞となっており、注意義務が軽減

---

22)　制限種類債権では、特定まで所有権は移転せず、全部売主の所有物であり、種類債務と同様に 400 条の適用はなく保管義務はないのかが問題とされ、この点について、2-47 のように判示し、当てはめとして、A 社の構内の溜池にタールがあったので、この注意義務には違反していないという。その結果、危険負担が問題となり、提供によって受領遅滞になっているので、567 条 2 項により買主は代金の支払を免れない。

23)　**＊改正法ではどうなるか**　しかし、制限種類債権でも善管注意義務を認めるべきであり、本件では受領遅滞があるので注意義務が軽減されると説明すれば足りる。ところで、改正前 543 条は債務者の帰責事由がなければ、債権者は履行不能を理由とした解除が認められていなかった。そのため、本判決は、売主の帰責事由を否定することによって解除を無効としたのである。しかし、改正法では、履行不能解除に債務者の帰責事由は不要になった（542 条 1 項 1 号）。そうすると、本件事例で X の解除が有効になるかのようであるが、543 条により債権者の帰責事由による場合には解除が否定されており、413 条の 2 第 2 項により債権者の帰責事由による履行不能とみなされ、X の解除は排除されることになる。また、特定はなく所有権の移転はなくても、制限種類物として「特定」しており、567 条 2 項が適用される。

24)　保管中の特定した物の引渡しが、債務者の過失により履行不能になった場合にも、債権者は塡補賠償（415 条 2 項）を請求できるだけになる。ただし、その特定した物は引渡不能であっても、種類物債権の引渡目的物が特定しただけなので、いわば例外的に現実賠償を認めて、債権者に塡補賠償か種類物の引渡しかの選択を認める余地がある（中田 54 頁は、債権者にこのような変更権を認めるかは慎重に解すべきであるという）。滅失後に債務者が特定の効果を放棄して、種類物を提供することは認められない。

第 2 章　債権（債務）の目的

される（413条1項）——。③債務者に帰責事由がない履行不能の場合には危険負担が問題となり、売主は代金の請求ができないのが原則であるが（536条1項）、受領遅滞にある場合には413条の2第2項・567条2項により、代金の支払請求ができる。④特定により直ちにその所有権が移転する（大判大8・12・25民録25輯2400頁、最判昭35・6・24民集14巻8号1528頁）。

2-49　◆**債務者の変更権および特定の放棄可能性**

　　種類債権の特定の意味については、①特定物債権に転化してしまうとする説と、②種類債権としての性質を失わずに、単に目的物がその物に集中しただけであるとする説とがある（注民⑩111頁以下［金山］参照）。確かにその物の個性に着目して選ばれた特定物債権とは異なり、性質上当然の特定物債権ではない。単に債務者の利益のために特定が認められたものであり、債務者がそれを欲しなければ特定の効果を強制する必要はない（利益といえども強制しえない）。そのため、種類物であることは変わらず債権者に不利益をもたらさないので、①まず、債務者に**変更権**、すなわち保管中の物を別の物に変更することが認められてよい[25]。また、②特定の効果を債務者が放棄すること、すなわち保管中の物を処分し補充せず、債権者のためには改めて期日に間に合うように調達をすることを認めてよい（薬師寺志光「種類債務の特定」志林50巻3＝4号53頁）。

---

§Ⅲ
金銭債権（金銭債務）

2-50　**(1)　金銭債権の意義**

　(a)　金銭という有体物の引渡請求権　金銭債権とは、債務から「金銭の給付を目的とする債務」と表現されており（419条1項）、「金銭」の支払（＝引渡し）を求める債権と考えられてきた。金銭という「物」の引渡しを目的とする債権である。交換契約における補足金支払義務につき、民法は「金銭の

---

25)　変更権を認める判例として大判昭12・7・7民集16巻1120頁があり、株式の売買で当初売却した株式と名義書換えをした株式の番号が異なる事例で、買主Yが「株式の番号に重きを措きたること」は主張されておらず、売主（債務者）は「書替を為すに至る迄はYに売渡したる特定の株式に替るに番号を異にする同種の他の株式を以てするの自由即変更権を有したるもの」と認め、債務不履行を否定している。平井27頁は契約の解釈として認められる場合を除き、変更権を認めない。特定につき債務者に特定させる形成権を認めるのではなく、法律上当然に特定の効果が発生し債権者の所有になることとの抵触を問題視する。しかし、形成権構成でも変更権を認めることは可能である。変更権を認めるのが通説である（我妻34頁、中田54頁）。

31

§Ⅲ　金銭債権（金銭債務）

所有権を移転すること」と表示している（586条2項）。しかし、現代社会においては、現金によらない決済方法が普及し、民法の「債権の目的物が金銭であるとき」（402条1項）という定義は不十分なものとなっている[26]。

2-51　**(b) 目的たる金銭**　債権の目的である「金銭」については、物としての価値に着目した種類物とも異なり、金銭に付与された交換手段としての通用力が金銭の価値である。支払手段であるがゆえに強度の抽象性が認められ、一般の動産とは異なり金銭の所有権は占有と共に移転するものと考えられている（☞物権法19-15）[27]。金銭債権には履行不能はない。俗にいう支払不能は、履行不能ではない。

2-52　**(2) 通貨による弁済**

金銭は、有効な強制通用力が認められる「通貨」であれば、「各種の通貨」によることができるが（402条1項本文）[28]、通貨を指定している場合にはそれに従わなければならない（同項ただし書）。2万円の支払につき1万円札2枚によることを合意した場合には、たとえ5000円札4枚で合計2万円あっても、有効な提供にはならない。指定された通貨が弁済期に強制通用力を失っている場合には、他の通貨で弁済することになる（同条2項）。これらのことは、外国の通貨（例えばドル）を債権の目的とした場合にも準用される（同条3項）。また、外国の通貨で債権額を指定した場合にも、履行地の為替相場により日本の通貨で弁済することができる（403条）。

2-53　◆**物価の上昇と金銭債権──金銭債権の名目主義（ノミナリズム）**

例えば、10万円の代金債権を取得した後、予想もできない急激なインフレが発生し、物価が1年で2倍になってしまったとする。その場合でも10万円の債権のままであろうか。10万円で買えた物が20万円出さなければ買えなくなったのに、10万円の支払しか請求できないままというのは酷にも思える。しかし、

26）　そのため、金銭債権を「金銭価値支配の移転を請求する権利」とする定義も提案されるようになっている（清水誠「騙取された金銭をめぐる法律関係」都立24巻1号［1983］101頁。同「金銭債権、この不可思議なもの」法時72巻12号［2000］93頁以下も参照）。

27）　通用力の失った金銭は単なる動産でしかないが、通用力を有する金銭であっても、記念硬貨の場合には、その引渡しを目的とする債権は種類債権である。これを**特定金銭債権**と呼ぶ。これに対して本文の狭義の金銭債権はこれと区別するため**金額債権**とも呼ぶ。

28）　紙幣の強制通用力には限定はないが、「通貨の単位及び貨幣の発行等に関する法律」により、「貨幣は、額面価格の20倍までを限り、法貨として通用する」（同法7条）ものとされている。100円玉硬貨では2000円までの支払に使用できることになる。金銭ではなく、クレジットカード、その他の支払用のカードでの支払は、それを認めている店舗でのみ有効な提供と認められる。逆に、キャッシュレスの店舗では、現金による支払はできないことになるが、その旨の掲示が要件とされるべきである。

32

物価変動を全て金銭債権に反映させるのでは、金銭債権の金額が確定しないことになり、経済社会を混乱させ適切ではない。第一次世界大戦後に天文学的な物価の上昇を経験したドイツでも、「マルクはマルクに等しい」というのが原則であった。金銭債権は額面通りの金額を支払えば足り、債権発生当時と支払時の物価の差は考慮されないのである。これを**名目主義**（ノミナリズム）という（フランス民法 1343 条 1 項に明記）[29]。このような不利益を回避するために、金約款といった特約が行われるのである。ただし、長期にわたる継続的契約関係である賃貸借契約においては、例えば、物価が上がった今、同じ物件を借りるのには 30万円が相当なのに、20 年前の物価の時に決められた賃料 10 万円のままというのは適切ではない。そのため、借地借家法において賃料の増額請求権（賃借人からの減額請求も可）が認められている（同法 11 条・32 条）。

§Ⅳ
利息債権（利息債務）

1　利息債権の意義

2-54　(a)　**利息・利息債権の意義**　**利息**とは、金銭その他の消費物たる元本の使用の対価として、元本額（ないし数量）と期間とに比例して一定の利率によって支払われる代替物である（いわゆる法定果実）。消費物であれば何でもよいが、普通は金銭債権の利息たる金銭が問題になるので、以下では金銭を念頭に置いて説明をする。**利息債権**とは、利息の支払を目的とする債権である。利息が「金銭」なので、金銭債権と同様に利息債権も金銭債権の一種ということになる。

2-55　(b)　**利息の種類**　利息は消費貸借、消費寄託など契約で約定されるほか（これを**約定利息**と呼ぶ）、法律の規定（例えば、442 条 2 項［459 条 2 項］・545 条 2項・647 条［665 条］・650 条 1 項［665 条］・665 条・704 条など）によっても生じる（これを**法定利息**と呼ぶ）。利息債権に対して、「利息を生ずべき債権」（404 条参

---

29)　日本勧業銀行（被告）が昭和 9 年に売出価格 10 円で発行して売り出した額面金 20 円の割増金付割引勧業債券 1 枚を買い受けた原告が、昭和 32 年 4 月から臨時繰上償還がされることになったため、額面 20円の中の 10 円につき 3000 円の支払を求めた事例で、「金硬貨による支払の特約若しくは償還期限における貨幣価値の著しい騰落のあつた場合債券売出当時の貨幣価値を償還期限のそれに引直した金額によって償還金を支払う旨の特約がないかぎり、債券発行売出銀行は償還期限に債券面記載の償還金額を支払うをもって足りると解しなければならない」と判示されている（最判昭 36・6・20 民集 15 巻 6 号 1602 頁）。

照）を**元本債権**という。利息は流動資本の使用の対価であるから、固定資本の使用の対価である賃料とは区別される。

◆遅延損害金と利息規定の適用
2-56

(1) 重利規定の類推適用——不法行為債権は否定

　全ての金銭債権について、履行遅滞による損害賠償が利息同様の計算によることになり、遅延利息（☞ 4-50）と呼ばれているが、損害賠償の内容を定額化したもので、その本質は元本使用の対価たる利息ではなく損害賠償である。しかし、経済的には利息と区別できないため、実質的には利息と同視され（大判明45・6・15民録18輯613頁参照）、重利の規定（405条）や利息制限法の適用ないし準用を認めてよいと考える学説もある（前田53頁）。最判令4・1・18民集76巻1号1頁は、ⓐ貸金債務の履行遅滞により生ずる遅延損害金には405条（組入権の規定）を適用してよいが（大判昭17・2・4民集21巻107頁がある）、ⓑ不法行為に基づく損害賠償債務の遅延損害金については405条の適用または類推適用を否定する（これ以外の遅延損害金については判断していない）。

2-57

(2) 区別をする根拠

　(a) 貸金債務　上記判例は、①まず、405条の趣旨につき、「債務者において著しく利息の支払を延滞しているにもかかわらず、その延滞利息に対して利息を付すことができないとすれば、債権者は、利息を使用することができないため少なからぬ損害を受けることになることから、利息の支払の延滞に対して特に債権者の保護を図る趣旨に出たものと解される」という。②そして、「遅延損害金であっても、貸金債務の履行遅滞により生ずるものについては、その性質等に照らし、上記の趣旨が当てはまる」という（前掲大判昭17・2・4を参照とする）。

2-58

　(b) 不法行為に基づく損害賠償債務　これに対し、③ⓐ「不法行為に基づく損害賠償債務は、貸金債務とは異なり、債務者にとって履行すべき債務の額が定かではないことが少なくないから、債務者がその履行遅滞により生ずる遅延損害金を支払わなかったからといって、一概に債務者を責めることはできない」。ⓑまた、「不法行為に基づく損害賠償債務については、何らの催告を要することなく不法行為の時から遅延損害金が発生すると解されており（省略〔最判昭37・9・4民集16巻9号1834頁参照という〕）、上記遅延損害金の元本への組入れを認めてまで債権者の保護を図る必要性も乏しい」という。

2-59

◆基本権たる利息債権と支分権たる利息債権

(1) 2つを区別するのが通説

　利息発生の原因たる利息の合意（法定利息の場合には法律の規定）について、これを基本権たる利息「債権」と説明するのが通説である。すなわち、通説は、個々の利息債権（**支分権たる利息債権**と呼ぶ）とは別に、それを発生させる源も利息債権（**基本権たる利息債権**と呼ぶ）と認めている。基本権たる利息債権を認

めることで、元本債権が譲渡された場合に、基本権たる利息債権が随伴して移転し、新たな債権者の下で支分権たる利息債権が発生することを説明するのである（我妻43頁、於保53頁、加藤33頁等）[30]。賃料債権につき、基本権たる債権（賃料の合意）と毎月の賃料債権とを区別するのと同様である。

2-60 **(2) 区別に批判的な学説**

　果実収取権と具体的な果実のように、権利の発生源を区別するのはよい。しかし、基本権たる利息「債権」などと称しなくても、利息の特約により利息債権が発生すると考えればよい（また、債権の定義に合致しない）。基本権たる利息債権というものを否定する学説も現れてきている（近江41頁、石田126頁）。ただし、「債権」（請求権）と分類することを否定するだけで、これを1つの権利と考えることまで否定するものではない。例えば、年金受給権に基づいて個々の年金債権が発生する。民法もこの2つを区別し、発生源たる法的地位を「定期金債権」と称して、その消滅時効を認めている（168条1項）。また、将来の利息債権だけを切り離して譲渡することもできる（石田127頁）。

2 利率および重利

2-61 **(1) 利率**

　(a) 約定利率と法定利率　利息と同時に利率も契約で定められた場合、これを**約定利率**という（その規制につき☞2-66以下）。契約で利息が約定されながら利率が確定できないとき、また、法定利息については、利率は**法定利率**による。

2-62　**(b) 法定利率の変動利率制**　法定利率は、改正前は、民事利率5分、商事利率6分と法律による固定利率によっていたが、改正法により法務省令により定められる基準により3年ごとに更新される法務省の「告示」によって定められる**変動利率**によることになった（404条3項以下）[31]——ただし、改正法施行当初の3年は3％とする（404条2項・3項）——。また、商法504条（商事利率）も削除され、法定利率が統一された。

2-63　**(c) 中途での法定利率の変更**　法定利率による利息を生ずべき債権が成立後、法定利率の見直しがあっても、「その利息が生じた最初の時点における

30）　支分的利息債権については、既発生の支分的利息債権と将来の支分的利息債権とを分け、後者を将来債権として譲渡することを認める考えもある（奥田・佐々木75頁）。将来債権の譲渡については9-14に譲る。

31）　404条4項括弧書により、1％未満の端数は切り捨てることとされている。この結果、1％、2％、3％……と切りのよい利率になる。3％の利率で開始し、3年後に3.1％でも3.9％でも3％のままになる。4.1％になって、3％から4％に変更されることになる。

§Ⅳ　利息債権（利息債務）

法定利率による」ことになっている（404条1項）。法定利率が変更されても途中から新たな利率によるものではない。

2-64 **(2)　重利（複利）**

(a)　**重利の意義**　**重利**（または**複利**）とは、弁済期の到来した利息債権を元本債権に組み入れて、その合計額を元本とした上でこれを基準にさらに利息を生じさせることである。契約でこのような重利を約束できるのは当然（約定重利）、重利の特約がなくても、債務者が利息の支払を1年以上遅滞した場合には、債権者は、債務者に催告をしてそれでも支払がなければ、利息を元本に組入れることができる（405条）。**法定重利**と呼ばれ、これをする債権者の権利を**組入権**と呼ぶ。

2-65 (b)　**約定重利と利息制限法との関係**　約定重利については利息制限法との関係が問題になる。例えば、元本1000万円では年利15％までしか認められないが（年150万円の利息）、利率の定めが年15％の範囲内であっても、合意により年数回の組入れがなされるならば、結局1年後に利息として支払われる額は最初の元本を基準として計算された15％（150万円）を超えることになる。そのため、最初の元本を基準として組入れ後の利息が利息制限法の制限利率をオーバーするか否かを計算すべきである（最判昭45・4・21民集24巻4号298頁がこのことを認める）。例えば、上の例で、組入合意を行った結果、1年で160万円の利息が支払われた場合には、10万円は制限超過利息となり、その支払は無効である。

3　利率規制

2-66 **(1)　利息制限法──民事規制①**

(a)　**制限利率**　約定利率については、明治維新後に高利貸しにより庶民が苦しめられたため、庶民を保護するために、1877年（明治10年）に太政官布告66号により利息制限法が制定されている。同法は、1954年（昭和29年）に改正され、元本額によって3段階に分けられた制限利率を定めている。

① 元本10万円未満	年20％以上の利息は無効
② 元本10万円以上100万円未満	年18％以上の利息は無効
③ 元本100万円以上	年15％以上の利息は無効

2-67 **(b) 制限超過利率部分のみ無効** 以上のそれぞれの限度を超える利率の合意部分のみ「無効」とされている（同法1条）。いわゆる一部無効であり、この制限以内の利息は有効である。2006年（平成18年）の利息制限法改正前は、1条2項があり「債務者は、前項の超過部分を任意に支払ったときは、同項の規定にかかわらず、その返還を請求することができない」と規定していたため、種々の議論を生じさせていたが、現在は削除され常に無効として返還請求が可能になっている。

2-68 **(c) 天引** なお、元本につき、いわゆる**天引**がされた場合、例えば元本20万円（②の利率となる）と約定しながら、1年分の利息3万6000円を予め差し引いて16万4000円だけ交付し、1年後には20万円を支払うことにした場合、これは一種の脱法行為となる。そのため、利息制限法は、現実に受け取った金額16万4000円を元本として利率が計算されるものと規定した（同法2条）[32]。

2-69 **◆営業的金銭消費貸借の特則**
(1) 追加貸付の場合
　　利息制限法では、営業的金銭消費貸借について、細切れに貸し付けた形にして利率規制を回避する（一種の脱法行為）ことを避けるため、5条に特則を設けている（2006年改正）。まず、「営業的金銭消費貸借（債権者が業として行う金銭を目的とする消費貸借をいう。以下同じ。）上の債務を既に負担している債務者が同一の債権者から重ねて営業的金銭消費貸借による貸付けを受けた場合」、例えば70万円の貸金債権があるところに30万円をさらに融資する場合、「当該貸付けに係る営業的金銭消費貸借上の利息」につき、「当該既に負担している債務の残元本の額と当該貸付けを受けた元本の額との合計額」（100万円）を基準とされる。先の30万円の利息部分のみ15％になり、当初の70万円は18％のままである。

---

32) **★みなし利息** 利息制限法3条本文は「元本以外の金銭は、礼金、割引金、手数料、調査料その他いかなる名義をもってするかを問わず、利息とみな」しており、ただし、「契約の締結及び債務の弁済の費用」は別である。みなし利息は、「債権者の受ける元本以外の金銭」でなければならないため、問題になったのが、商工ローンが保証会社を設立し、借主をしてその保証を必ず受けることを要求し保証料を取っていた事例である。この保証料は利息制限法3条のみなし利息と認められている（最判平15・7・18民集57巻7号895頁）。商工ローンが100％出資して設立した子会社であり、その利益は最終的に商工ローンに帰属し、保証料等の割合と商工ローンの受ける利息等の割合との合計は信用保証会社を設立する以前の利息等の割合とほぼ同程度であり、商工ローンが借主との間の保証委託契約の締結業務および保証料徴収業務の委託を受けており、債権回収業務も商工ローンが相当程度代行していたといった事実認定による。なお、2000年制定の「特定融資枠契約に関する法律」3条により、特定融資枠契約に係る手数料については利息制限法3条・6条の適用が否定されている。

§Ⅳ 利息債権（利息債務）

2-70
(2) 複数の貸付を同時にする場合
　また、「債務者が同一の債権者から同時に二以上の営業的金銭消費貸借による貸付けを受けた場合」、例えば 70 万円と 30 万円の 2 つの貸付を同時に行う場合、「それぞれの貸付けに係る営業的金銭消費貸借上の利息」（70 万円と 30 万円の両者）につき、「当該二以上の貸付けを受けた元本の額の合計額」（100 万円）を基準とされる。この場合、70 万円と 30 万円の両者につき 15％の利率規制が適用される。

2-71
◆継続的な金銭消費貸借取引における元本の変動と利率規制
(1) 新たな借入れにより元本が増加した場合
　最判平 22・4・20 民集 64 巻 3 号 921 頁は、まず「継続的な金銭消費貸借取引に関する基本契約に基づいて金銭の借入れと弁済が繰り返され、同契約に基づく債務の弁済がその借入金全体に対して行われる場合には、各借入れの時点における従前の借入金残元本と新たな借入金との合計額が利息制限法 1 条 1 項にいう『元本』の額に当たる」とする。その上で、①「合計額が 10 万円未満から 10 万円以上に、あるいは 100 万円未満から 100 万円以上に<u>増加したときは、上記取引に適用される制限利率が変更され、新たな制限を超える利息の約定が無効となるが</u>」、②「ある借入れの時点で上記の合計額が同項所定の各区分における<u>下限額を下回るに至ったとしても、いったん無効となった利息の約定が有効になることはなく、上記取引に適用される制限利率が変更されることはない</u>」という。一旦元本が合計 100 万円を超え、制限利率が 15％になった後に、元本合計が弁済により例えば 80 万円になっても制限利率は 15％のままになる。

2-72
(2) 過払金充当がその成立後の新たな貸付に充当される場合
　基本契約に基づいて借入れ・返済を繰り返してきたが、過払金充当により残存元本合計が 100 万円未満であったが（制限利率 18％）、過払金が元本に充当されても元本を超え（要するに払い過ぎで返還請求権成立）、その後の貸付に対して充当される場合（充当の合意が認定される場合［最判平 19・6・7 民集 61 巻 4 号 1537 頁など］）、新たな借入れが 100 万円であるが過払金が充当される結果 100 万円未満となるとしても、利率規制は依然として先に成立した 18％のままとなる（最判平 25・7・18 判時 2201 号 48 頁等）。

2-73
(2) 貸金業法による規制──民事規制②
　(a) 契約は全部無効　2003 年に貸金業法（貸金業者についての業法）が改正され（同法 42 条）、109・5％以上の利率で貸付をした場合には、「当該消費貸借の契約は、無効とする」とされ、利息全部を無効、さらに消費貸借契約自体も無効とした。したがって、消費貸借契約に基づいて元本を返還請求するのではなく、不当利得返還請求によることになる。

2-74　　(b)　**不法原因給付の適用**　そのため、不法原因給付（708条本文）の規定が適用されるのか問題となる。改正に際して、元本の返還請求もできなくなることを明記すべきであるという意見も出されたが、これは採用されず解釈に任されることになった。この点、事例によっては解釈により貸付全体を暴利行為として無効（90条）と解することは可能であり、その場合には、貸主は708条本文により元本の返還請求自体もできなくなる。この結果、①利息制限法に違反する超過する利息部分のみの無効、②利息の約定全部無効・消費貸借自体をも無効（ⓐ元本の不当利得返還請求は可能な場合、ⓑ元本の返還請求もできない場合）と、3段階に分かれることになる。

2-75　　◆**不法行為による損害賠償請求──損益相殺の否定**
　　(1)　**不法原因給付の適用**
　　闇金が消費貸借名目で超高金利で貸付をして、利息名目で延々と支払を受けるのは、取引に名を借りた金銭を奪取する不法行為に該当する（契約全部無効）。借主は、例えば100万円を借りて、利息として合計200万円を支払った場合、支払った200万円が不法行為による損害ということになる。では、借主による200万円の賠償請求に対して、貸主は100万円の元本の不当利得返還請求権による相殺は708条による規制を受けるので認められないが、損益相殺を主張し差額の100万円しか賠償しないと主張できるのであろうか。

2-76　　(2)　**損益相殺（否定）**
　　確かに、これを否定すると、借主は受け取った100万円を返還せずに200万円を取り戻せることになるが、これは708条を容認した状態である。また、相殺ができないのに損益相殺の主張ができるというのはバランスを欠く。そのため、最判平20・6・10民集62巻6号1488頁は、708条の趣旨から損益相殺は許されないとしている。不当利得返還請求ではなく、不法行為を理由とした損害賠償請求では、慰謝料や弁護士費用もあわせて賠償請求できることになる（例えば、東京地判平14・9・30判時1815号111頁）。

2-77　(3)　**出資取締法──刑事規制**
　　サラ金地獄などとまでいわれるほど社会問題化した庶民金融では、サラ金業者は罰則のない利息制限法を守らず、利息制限法に違反する利率での貸付を行っていた。確かに、別に刑事規制はあったが（いわゆる出資取締法）、当初は、年109・5％以上の利率の場合に刑罰が科せられていたにすぎなかった（同法5条1項）。この結果この利率に至るまでは利息制限法を超えても放任の状態であった（これを**グレイ・ゾーン**と呼ぶ）。サラ金問題の深刻化に

伴い、刑事規制の強化が要請され、1983年（昭和58年）の出資取締法の改正で5条2項が追加され、業として貸付を行う業者については年40・004％まで処罰の基準が下げられた。さらに1999年（平成11年）の改正により29・2％まで引き下げられ、最終的に2006年（平成18年）の改正により20％まで引き下げられた（一般私人間の貸付は109・5％のまま）。

§V
選択債権（選択債務）

1　選択債権の意義・要件

2-78　**(a)　選択債権の意義**　「債権の目的が数個の給付の中から選択によって定まるとき」（406条）、この債権を**選択債権**という。選択債権は、契約によるほかに法律の規定によっても生じる（例えば117条1項）。例えば、AがBに甲画を販売したが、贋作であることが判明し、AがBに対して、甲画の代わりに乙画または丙画のいずれかを引き渡すことを約束した場合である。為す債務でもよい。例えば、1等の景品として3つの海外ツアー（舌切り雀のおとぎ話ではお土産の2つのつづら）から1つを選べるという場合である。

2-79　**(b)　種類債権との限界づけ**　判例は初め、10町歩の田地の中の1町歩の贈与につき、種類債権とした上で選択債権の規定を準用すべきであるとした（大判大5・5・20民録22輯999頁）。学説の批判を受け、判例は、340坪の宅地の中の1個所50坪を米屋営業のために賃貸することを約束した場合に、表道路に面し米屋を営むのに適した土地は相当個所あり、これを選択債権と認定している（最判昭42・2・23民集21巻1号189頁）。

2　選択権

2-80　**(1)　給付がいずれも可能な場合**

(a)　選択権者　誰が選択権を持つかは、契約により自由に決められ、第三者に決めてもらう合意も可能である。民法は、選択権者が合意されていない場合のための補充規定を設け、選択権は債務者に属するものとした（406条）── 2-78の例ではAになるが、合意の経緯からして買主Bに選択権を認

める合意が認められる——。

2-81 　(b)　**選択権の移転**　選択権者が選択をしない場合に対処するために、民法は選択権の移転を認める。①当事者の一方が選択権を有する場合には、債権が弁済期にあり、相手方が相当の期間を定めて催告し、選択権者がその期間内に選択をしないときは、選択権は相手方に移転する（408条）。②第三者が選択権を有する場合には、その第三者が選択をすることができないか、または選択をする意思を有しない場合には当然に（弁済期の到来や催告は不要）、選択権は債務者に移転する（409条2項）。第三者が選択をしない場合には、いずれの当事者も催告をすることができ、選択がされない場合には、選択権は債務者に帰属すると考えるべきである。

2-82 　(c)　**選択権の行使・撤回（変更）**　①当事者の一方が選択権を有するときは、選択権は相手方に対する意思表示で行い（407条1項）、②第三者が選択するときは、債権者・債務者のいずれに対する意思表示によってもよい（409条1項）。一度選択をした後は、①では、相手方の承諾があれば撤回ができる（407条2項）。②の第三者による選択は、規定はないが、当事者双方の承諾があれば撤回できる（通説）。

2-83 　(d)　**選択の効果**　選択により債権は選択された給付を目的とする単純な債権となる。この効果は債権発生時に遡及する（411条本文）。その結果、特定物の給付であれば、所有権の移転も遡及することから、民法は第三者の権利を害しえないものとした（同条ただし書）。しかし、第三者との関係は対抗要件の有無・前後により優劣が決せられ、ただし書は無視されている。

2-84 **(2)　給付が一部につき不能な場合——選択債権の特定**

　(a)　**選択権を有する当事者の過失による不能**　選択債権は選択により特定するほか、選択権を有する者の過失による履行不能によっても特定する。すなわち、「債権の目的である給付の中に不能のものがある場合において、その不能が選択権を有する者の過失によるものであるときは、債権は、その残存するものについて存在する」（410条）。原始的不能か後発的不能かは問わない。この反対解釈として、選択権を有しない当事者の過失により履行不能になった場合には、選択権が残ることになる。なお、「過失」とはいうが履行補助者の過失も含むので、帰責事由と理解してよい。

2-85 　(b)　**具体的考察**　AがBに、子犬のαかβの販売を約束した事例で、A

41

が過失により α を死亡させた場合、①選択権が債務者 A にある場合には、410 条が適用され β に確定する——B には選択権がないので、α の填補賠償を選択するということが問題にならない——。②他方で、先に便宜上次の選択権を有しない相手方の過失による不能の場合の結論を確認しておく。選択権が債権者 B にある場合には、410 条は適用されず、B は α を選択して填補賠償を求めるか、β の引渡しを求めるか選択できる。

2-86 **(c) 選択権を有しない当事者の過失による不能および両当事者の過失によらない不能**

(ア) 特定しない 選択権を有しない当事者の過失または不可抗力により、一部が履行不能（α が死亡）になった場合には、410 条が適用されない。そのため、残部の債権への特定はないことになる。選択権を有しない相手方の過失による不能の具体的考察は、2-85 の②で行ったので、不可抗力の場合の当てはめを考えたい。

2-87 **(イ) 不可抗力の場合** ①まず、A に選択権がある場合には、α を選択して履行不能そして帰責事由がないので賠償義務なしという主張が可能になる。B は、これに対して、536 条 1 項により代金の支払を拒絶し、また、542 条 1 項 1 号により売買契約を解除することができ、いずれにせよ代金の支払を免れる。②次に、B に選択権がある場合には、α を選択し、①同様に代金の支払を拒むか、β の引渡しを選んで代金を支払う——支払済みの場合には代金の返還を請求しない——ことを選択することができる。

---

§Ⅵ
任意債権（任意債務）

2-88 **(a) 任意債権の意義** 民法には規定がないが、債権の目的は特定の給付となっているものの、債権者または債務者が他の給付をもって本来の給付に代えることができる権利（変更権＝代物請求権、代物弁済権）を有している債権、すなわち**任意債権**も解釈上認められている（石田 105 頁は、補充権と称する）[33]。選択を要する選択債権と異なり、選択がされなくても給付が特定している点が異なる。

第2章　債権（債務）の目的

2-89 **(b)　代物弁済の予約との関係**　旧民法には任意債権についての規定があったが（財産編436条）、代物弁済の予約がされているものと考えればよいとして、現行民法では削除された（梅30頁）。そのため、契約でこのような合意がされている場合には、代物弁済の予約で説明すればよく、法律の規定でこのような内容の債権が生じる場合には、それぞれ独自の制度であり、これらをひっくるめて任意債権と呼ぶ必要性は疑わしいといわれている（淡路46頁）。

2-90 **(c)　債権変更の効果**　補充権として説明する学説では、100万円の支払義務に対し中古車甲の引渡しでもよいという約束の場合、債務者が補充権を行使すると、100万円の債務は履行が停止され、甲の引渡しが認められることになる（石田109頁）。100万円の債務は、更改予約ではなく代物弁済（予約という必要はない）の債権的効力が生じるだけなので、代物弁済まで消滅することはない。

---

33)　**＊遺失物法の報労金の金額の決定権者**　大判大11・10・26民集1巻626頁は、遺失物法28条1項（当時は4条）の「報労金は遺失物件の価格100分の5より少からず20より多からざる範囲に於て遺失者自由に其の額を定め之が支払を為し得るものなること法文上明白なれば、其の債権は一種の任意債権にして、選択債権又は裁判所が其の範囲を確定すべき債権と解すべきものにあらず」とし、「遺失者自由に其の額を定め支払を為し得るものなることを判示しX［拾得者］の請求金額中Y［遺失者］の認むる以外の部分を棄却した」原審判決を正当なものと認め、Xの上告を棄却している。遺失者に決定権があり、金額について当事者に争いがある場合には、裁判所が金額を遺失者の決定を無視して決められないことになる。

43

第3章
債権の効力①
——総論

第1節　債権の効力

3-1 **(1)　債権の債務者に対する効力（対内的効力）**

(a)　受領力（給付保持力）──受領権　他人から給付を受けた場合に、そ
れを受ける債権（法律上の原因）がないと不当利得が成立し、利得の返還を
義務づけられる。不当利得の成否は「法律上の原因」の有無にかかっている
が、債権は不当利得の成立を排除し利得を適法化する法律上の原因になる。
この債権の効力は**受領力**と呼ばれ、財産法秩序の下で不当利得が成立するこ
とを排除する効力であり、債権のいわば最低限の効力である。自然債務にお
いても受領力が認められるが、それは任意の履行に対してのみである。

3-2　**(b)　請求力（訴求力）──履行請求権**

(ア)　請求力　債務者が任意に債務を履行しない場合のために、債権に認め
られたのが、請求力と(c)の強制力である。請求力は、広義では債務者に履行
を請求しうることであり、裁判外での請求が可能である。また、強制力を行
使する前提として裁判上で請求し、判決という債務名義（民執22条）を得る
ことに意味がある（訴求力）。

3-3　**(イ)　履行請求権**　このように、債権の効力として債権に請求権（**履行請求
権**）[34]が付与され、履行期であることがその行使のための要件になる。この
点、履行請求権を、債務不履行が生じた場合の救済手段として成立するもの
と構成する学説もある[35]。物権につき、その侵害があって初めて物権的請求
権が成立するのと同様に位置づけることになる。しかし、請求権を本質とす
る債権にあっては、債権に請求権が内在していると考えるべきである。

3-4　**(c)　強制力（執行力）──執行権**

(ア)　執行力①（貫徹力）　債務者が債務を任意に履行しない場合、債権者

---

34)　2017改正に際しては、履行請求権を明文化することが検討されたが、当然のことは書かない、他の規
定から読み取れるものは書かないという方針から見送られた。412条の2第1項を設けるため、反対解釈
として、履行が可能ならば履行請求権があることを読み取ってもらう趣旨である。なお、履行請求権を否定
すると履行義務もなくなるとして、強制執行ができないことのみを規定すべきであったという批判がされて
いる（石田67頁）。

35)　債権の効力として内在する請求権につき、債務不履行に対する債権者の救済手段の1つとして、契約解
除権、損害賠償請求権と共に履行請求権を位置づけることになる（CISG、PECL、DCFR等の規定の仕方
を参考にしたもの）。債権者に代替取引義務を認めるなどの、債務者の利益への配慮も無視できないが、履
行請求権の優位性を承認する（潮見・新I 275頁、292頁）。

第3章　債権の効力①──総論

が「債務名義」(民執22条)を取得していれば、執行裁判所による履行の強制手続をとることができる。これを債権の効力として**強制力**といい、執行裁判所の強制執行を利用できることから**執行力**という。金銭債権以外では、ⓐ物の引渡しを請求する債権は、執行官が債務者の所から物を取り上げてこれを債権者に引き渡すという形で、強制的に債権の内容を実現できる（これを**貫徹力**という）。ⓑ為す債務では、間接強制か代替執行によるほかはない。

3-5　　**(イ)　執行力②（掴取力）**　金銭債権では、債務者の財産を差し押さえて競売し金銭に変えて支払を受けることができる（これを**掴取力**という）──抵当権はその効力として執行権が認められ、債務名義は不要である──。その結果、金銭債権の回収の可能性は、債務者の財産（**責任財産**といわれる）にかかり、債権者が重大な利害関係を有することになる。なお、債務者の財産が金銭債権であれば、債権者はこれを差し押さえ、取り立てて自分の債権の弁済に充てるだけでなく（民執155条）、転付命令を得て自分へ金銭債権を移転させることができる（民執159条）。

3-6　　**◆差押禁止財産──振り込まれた預金への拡大の可能性**
(1)　預金になると別財産
　民事執行法では、差押禁止動産（民執131条）および差押禁止債権（民執152条）が規定されている。差押えが禁止されている財産は債務者の責任財産とはならない。年金や給料債権など生活を維持するために必要な債権は原則4分の3までは差押えができない──裁判所はこの割合を変更できる（民執153条）──。問題となるのは、差押禁止債権が指定口座に振り込まれて銀行預金になった場合である（相殺については☞11-57）。この点、最判平10・2・10金法1535号64頁は、「年金等の受給権が差押等を禁止されているとしても、その給付金が受給者の金融機関における預金口座に振り込まれると、それは受給者の当該金融機関に対する預金債権に転化し、受給者の一般財産になる」。「これが差押等禁止の属性を承継していることを認めるに足りる証拠はない」とした原審判決を支持している。

3-7　　**(2)　差押禁止財産制が維持される例外事例**
(a)　承継説が採用された事例　他方、要件を絞りつつ制限的に承継説を採用する広島高松江支判平25・11・27金判1432号8頁がある。①「本件児童手当が本件口座に振り込まれる日であることを認識した上で、本件児童手当が本件口座に振り込まれた9分後に」、②「本件児童手当によって大部分が形成されている本件預金債権を差し押さえた本件差押処分は、本件児童手当相当額の部分に関しては、実質的には本件児童手当を受ける権利自体を差し押さえたのと変わりがない」として、児童手当法15条の趣旨に反し「違法である」とした。

47

第2節　自然債務（強制力のない債務）　│　§I　債務と責任

3-8　　　**(b)　金銭の価値同一性**　差押えだけでなく、譲渡質入れが禁止されている恩給債権では、債権者に取立権限を付与し受領した金銭と相殺すること（受取り後は恩給債権ではない）、金融機関が恩給の振込先として自己の銀行口座を指定させ振り込まれた恩給と相殺をすることなども問題になる。金銭の価値同一性を理由に、どこまで元の金銭についての法的保護を拡大できるかは難しい問題である。①債権者側の原資についての認識があり、②問題の財産のほとんどが差押禁止債権についての入金であるなど同一性が明らか等の要件が満たされる場合に限り、脱法行為として預金の差押えは違法になると考えられる。

3-9　**(2)　債権の第三者に対する効力（対外的効力）①──債権の保全的効力**

　金銭債権では、債務者の責任財産が債権回収のための最後の砦であり、どんなに巨額の債権も責任財産が皆無では無価値である（**不良債権**と呼ばれる）。全ての金銭債権は、執行段階や破産手続において、その成立時期、原因の如何を問わず、特別の担保が設定されていない限り額に応じて平等に扱われる。これを**債権者平等の原則**という（☞担保物権法 1-1）。金銭債権の債権者は上記のように自分の債権を保全するため、債務者の財産の保全に利害関係を有している。そのため、民法は債権者代位権（423条以下）と詐害行為取消権（424条以下）を認めた。

3-10　**(3)　債権の第三者に対する効力（対外的効力）②──第三者の債権侵害**

　債権は債務者に対してのみ履行を請求しうるにすぎないという意味では、相対的な権利である。しかし、これは給付義務という積極的義務についてであって、他人の権利を侵害してはいけないという消極的な不可侵義務については、債権も他の権利同様に全ての者が義務を負うことになる。その意味では対世的効力が認められることになる（詳しくは☞ 3-39 以下）。

第2節　自然債務（強制力のない債務）

§I
債務と責任

3-11　**(1)　責任財産**

　(a)　責任財産の意義　金銭債権では、債務者が任意に支払わない場合に

48

は、債権者は、債務者の財産から債権の回収ができる（☞ 4-5）。一定の財産が金銭債権の掴取力に服している状態を**責任**という。そして、この責任に服する財産を、**責任財産**という。この理解には、「強制執行の対象」（ドイツ法的理解）と「共同担保」（フランス法的理解）とがある（片山直也『詐害行為の基礎理論』〔2011〕600頁以下）。債務者と責任財産の保有者とは一致し、また、責任には制限がないのが原則であるが、例外がある。

3-12　**(b) 債務者以外の財産**　まず、債務者ではない者の財産が責任財産になる場合がある。第三者（物上保証人という）が他人の債務のために担保物権を設定したり、法定の担保物権が債務者以外の財産に成立する場合がある。また、抵当権の設定された財産を譲り受けた場合、譲受人（第三取得者という）の所有になった財産に抵当権が存続する。保証は、保証債務なしに、保証人の財産を主債務の責任財産とするものではない（☞ 8-19）。

3-13 **(2) 責任が物的ないし量的に制限される場合**

(a) 責任財産が限定される場合　次に責任が制限される例として、2つの場合が考えられる。まず、債務者の財産が全て責任財産となるのではなく、特定の財産のみが責任財産となる場合がある（**物的有限責任**）。相続の限定承認（922条）がこれに当たり、相続債務については相続財産のみが責任財産とされ、相続人の固有財産は責任財産にはならない。また、契約自由の原則からして、債権者・債務者間の特約により、強制執行できる財産を限定することができる（**責任財産限定特約**）[36]。

3-14　**(b) 責任が量的に制限される場合**　また、債務者の財産が全て責任財産になるが、債務の全額ではなく一定額のみに責任が制限される場合がある（**量的有限責任**）。組合の構成員の組合債務についての責任がこれに該当し（675条2項）、組合債権者は債権全額ではなく、組合員の頭割による額または損失分担割合により決められる額しか、各組合員に対して請求しその財産に強制執行することができない。

---

[36]　フランスでは、2022年の法律により、個人事業者につき、事業財産と個人財産とが分離され、事業債務の債権者は個人財産を責任財産とはできないものとされた（逆も同様）。日本でもこれを合意で実現することは可能である。債権が譲渡されても対抗できる（468条1項）。

第2節　自然債務（強制力のない債務）　　§Ⅱ　自然債務（強制力のない債務）

> # §Ⅱ
> # 自然債務（強制力のない債務）

1　債務の効力が問題とされる事例とその分析

3-15 **(1)　自然債務の意義**

(a)　ローマ法の自然債務　訴権体系を採るローマ法において、訴権を認める個別的規定がない限り訴権は認められず、また、法主体性の認められない奴隷がした契約の債権については、訴権が認められない。この場合、自然法上は債権（債務）と認められ、任意に履行されたならば給付の返還は請求できなかった。このような債務は、自然法上は債務と認められるという意味で**自然債務**（自然法上の債務）と呼ばれた。

3-16 **(b)　旧民法から現行民法へ**　旧民法は、自然債務の詳細な規定を置いた。ところが、現行民法の起草に際して、人定法に対して自然法を法源として認めるのかが議論され、現行民法は法治主義を貫き実定法以外には慣習法のみを認めるにとどめ、自然法を放逐した。自然法が否定された以上、自然法上の債務というものも否定されると考えられ、自然債務の規定は全面的に削除された（☞ 3-25）。

3-17 **(c)　強制力のない債務への概念の転用**　しかし、実定法上の債務であるが何らかの理由により強制力が否定されることは認めてよく、自然法論の否定は強制力のない債務の否定を導くものではない。そのため、自然法上の債務という意味ではなく、強制力のない債務を示す概念として自然債務という概念が復活し、種々の事例が自然債務の用語の下に議論されるようになる。

　　ただ強制力のない債務は認められるとしても、自然債務という名称で呼ぶことは疑問視され、また、強制力なき債務（以下、便宜上、自然債務といっておく）も根拠・内容は多様である。まず、問題となる事例をいくつか説明していこう。

3-18 **(2)　自然債務が認められた事例**

(a)　徳義上任意に支払うと約束された債務　判例は、「現に債務者が無資力なるが故に、債権者も同情して資力回復したるときは誠意を以て弁済すべきことを契約したる場合」につき、「債務者の責任は之を消滅せしめて債務

第3章　債権の効力①──総論

は自然債務となるも、後日資力あるに至りたるときは当然責任を生じて其の債務は復た普通の債務となるべきことを定むるもの」と認めている（大判昭16・9・26新聞4743号15頁）。「自然債務」という概念を認め、債務はあるが「責任」が否定されるものと理解している。ただし、解除条件付きであり、「信義の原則に照し債務の一部にても弁済するを相当とすべき程度の資力あるに至りたるときは茲に其の部分の責任を生じて債務者は之を弁済すべく、債権者又之を請求し得べき」ことになる。契約自由の原則からいって、このような合意を否定する理由はない。

3-19　　**(b)　特殊な事情から生じた債務**　判例は、その契約の成立の状況からして、債務は認められるがその履行が債務者の任意に任ねられるべきであり、債権者はその履行を強制することができない債務を認めている（☞3-20）。この判決は、その根拠を明確に説明してはいない。自然債務という表現は用いられていないが、明示の合意がなくても強制しえない債務があることを認めた意義は大きい。ただし、学説には軽率であっただけであり、自然債務と認めることには反対する意見もある[37]。

3-20　　●**大判昭10・4・25新聞3835号5頁（カフェー丸玉事件）**［事案］Xはカフェー丸玉の女給[38]であるが、Yはまだ馴染みの浅い客であったため、Xの歓心を得るために、Xが将来独立するための資金として400円を与えることを手紙で（書面があるため贈与も解除ができない）約束した。Xがその履行をYに対して請求し、Xの請求が1審、控訴審と認められたが、大審院はこれを次のように述べて破棄差し戻した。
　　　［判旨］Yは「比較的短期間Xと遊興したる関係に過ぎずして他に深き縁故あるに非ず。然らば斯る環境裡に於て縦しや一時の興に乗じXの歓心を買わんが為め判示の如き相当多額なる金員の供与を諾約することあるも、之を以てXに裁判上の請求権を付与する趣旨に出でたるものと速断するは相当ならず。寧

---

37)　この判決は、心裡留保（旧93条ただし書）によっても解決しえたとも（淡路56頁、中田63頁）、逆に、単に軽率であったというにすぎず、Xの訴えを棄却するのは困難であるともいわれ（三宅正男『契約法［各論］上巻』17頁）、3-19のような類型を認める必要があるかは疑問視されている（奥田92頁）。石田41頁は、暴利行為として90条により無効とする。

38)　昭和初期における「カフェー」の「女給」とは、喫茶店のウェイトレスといったものではなくホステスのようなものであり、当時の女給の多くは無給であり客が支払うチップが収入源であった。第二次世界大戦後は、遊郭がカフェー名目で営業を続けるようになったため、カフェーはこれと区別するためにバー、クラブなどと名称を変更するようになった。風俗営業であるカフェー（特殊喫茶）に対して、通常のコーヒーを出す店は「純喫茶」といわれた。

51

> ろ斯る事情の下に於ける諾約は諾約者［＝Y］が自ら進で之を履行するときは債務の弁済たることを失わざらむも、要約者［＝X］に於て之が履行を強要することを得ざる特殊の債務関係を生ずるものと解するを以て原審認定の事実に即するものと云うべ」きである。

◆自然債務か否か問題となるその他の債務

(1) 時効が完成した債務

(a) 民法は「消滅」と規定　時効が完成した債務は「消滅」すると規定されているが（166条1項）、その後に債務者が任意に支払った場合に、債務者は返還を請求しえないと考えるべきである。それをどう法的に説明するかは議論がある（☞民法総則9-16）。停止条件説では時効援用前は債務が存続しているので弁済が有効なことに問題はなく、問題になるのは、一度時効を援用した後に弁済をした場合である。

(b) 自然債務か　①まず、時効の援用により債務は消滅せず、その後も債権者が請求しえない債務として存続するという説明も考えられる（我妻70頁、於保74頁、奥田92頁、石田喜久夫『自然債務論序説』［1981］76頁。本書も賛成）。②しかし、民法の起草者は、比較法的に稀な、債権自体の消滅という構成を採用したため、債務が消滅すると構成するのが通説である（判例）。その上で、援用後の弁済については、ⓐ援用の撤回があるものと説明したり、ⓑ705条により返還が請求できないと説明することが可能である（前田107頁、水本24～25頁）。

(2) 不法原因給付の返還義務

不法な原因に基づいてされた給付の返還は請求できない（708条）。ここでは給付者の返還請求権（受領者の返還義務）は存在するのであり、ただ訴求力・強制力という国家による救済を受けることが否定されるにすぎない。したがって、債務者が任意に履行することを保障するために債権の効力が弱められているのではなく、債権者に制裁が与えられるために債権の効力が弱められているのであり、債務者は事実上その反射的な利益を受けるにすぎない。請求しえない債務という点では共通するものの、同列に扱われるべきものかは疑問である。非債弁済の場合（705条）も、あえて無駄なことをした債権者の保護を否定するものである。

(3) その他

①勝訴判決後に債権者が訴えを取り下げた場合、債権者は再訴を許されない（民訴262条2項）。しかし、債権まで否定されるものではなく、債務者が任意に支払えば当然有効とみてよい。②破産法上「免責」という制度があり（破248条以下）、免責が認められると「破産者は、破産手続による配当を除き、破産債権について、その責任を免れる」（破253条1項）。ただし、免責後も債務者が徳義上弁済をすることは許され、その結果、免責は債権から訴求力・強制力を奪うだけのものということになる（責任消滅説。債務消滅説もある）。③当事者が不執行の

第3章　債権の効力①——総論

合意をしている場合には、もし債権者が強制執行手続を採ったならば、債務者は請求異議の訴えによってその排除を求めることができる（最決平18・9・11民集60巻7号2622頁）。

2　自然債務という概念また統一理論を認めるか

3-25 **(1)　現行民法における自然債務概念の否定——起草者の理解**

　旧民法は、人定法上の義務・自然法上の義務という区別を認め（財産編293条・294条）、後者に関しては「自然義務」と題して財産編562条〜572条に詳細な規定を置いていた。しかし、現行民法を制定する際に、「自然義務」なるものはローマ法に由来するものであり、法律上の債務以外に自然法上の債務（自然債務）なるものを認める必要はないとされ（梅6〜7頁）、現行民法は自然法また自然法上の債務を否定する趣旨で、旧民法の「自然義務」の規定を削除した。このような経緯から、民法制定後初期には自然債務という概念を否定することで学説は固まっていた。しかし、自然法また自然法上の債務を否定したにすぎず、実定法上の債務（例えば、借入金債務）が、強制力を欠く場合があることを否定する趣旨ではなかった。

3-26 **(2)　自然債務概念の転用・拡大**

　(a)　その問題点　以上のように、起草者が否定したのは「自然法上の債務」にすぎなかった。民法施行後に、①契約自由の原則からして、当事者の合意により強制力を欠く債権を創設することを認め、これに否定されたはずの「自然債務」という名称を用いる学説が現われる。否定されたはずの概念である「自然債務」という表現を使用して、否定されていない強制力のない人定法上の債務を表現しようとしたのである。このような用語の使用法が普及し、法律の規定から生ずる各種の不完全な債務を自然債務という包括的な概念で説明する学説が現われる（我妻67頁以下）。

3-27 **(b)　名称の違和感——不完全債務の範囲・分析**　不完全な債務が認められることは異論なく、ここでの問題は、①「自然法上の債務」という起草者の否定した概念に用いられた自然債務という名称を使うことにある。②また、種々雑多な債務を強制力を欠くという共通項だけで自然債務という統一的概念で括ること、③どこまでを自然債務と認めるかも疑問がある。名称の問題は措くとして、問題の中心は後者に移っている。③についていうと、社会生

53

活上の単なる合意、例えば、授業に出られないので配布されるプリントを自分の分ももらっておくよう頼むなどの合意による**徳義上の義務**も、自然債務に含めるのかが問題になる。

3-28　**(c) 統一的法理構築への疑問**　強制力の不完全な債務といった程度で「自然債務」と称することには、このような統一法理を構築することが果たして必要なのかが疑問視される。例えば、「近代法における、かような不完全な効力をもつ債権の存在理由はさまざまであり、かつその効力の具体的内容も一様ではない。これを一つの、しかもまぎらわしい『自然債務』という概念に総括することは有害無益である」とか (川島55～56頁)、また、「法上の債務として承認さるべきか否か、またその効力の範囲如何は各制度ないし契約の趣旨から具体的に決せらるべき問題であり、自然債務という観念は決してこれに手懸りを与えるものではない」(磯村哲「債務と責任」『民法演習Ⅲ』13頁)、という批判がされる。

3-29　**◆自然債務という名称**
　　自然債務という名称さえ気にしなければとりたてて不都合はなく、「訴求できないけれども任意に弁済すれば債務消滅の効果が認められるべき債務」を表示するための便宜的な呼称として、自然債務という呼称を用いるのは差し支えないともいわれている (平井254頁。淡路57頁も同様)。しかし、これは統一的な呼称があった方が便宜であるというだけのことであり、それならば「自然債務」ではなく「不完全債務」という無色透明の概念を使う方がよいという反論を受けている (前田110頁、中井27頁)。その上で、統一法理である必要はなく、その中で、限界づけまた強制力の不完全な債務の分類へと焦点が注がれることになる。

3-30　**(d) 限界づけと分類・分析**
　(ア) 自然債務の意義・限界づけ　自然債務を法と道徳の中間領域を画する概念として位置づけ (谷口知平『不当利得の研究』107頁以下)、これに当てはまる類型についてのみ自然債務を認めるもの (水本27～28頁)、徳義上は請求しうるが裁判上は訴えられない債務につき自然債務を認めるもの (星野31頁) などの理解がある。また、「法的義務ではないが、任意に履行された場合には利得につき法律上の原因になるもの」と広く理解する学説もある (石田37頁)。

3-31　**(イ) 徳義上の義務を含むか**　自然債務を広く理解すれば、徳義上の義務まで含まれることになるが、法的に「債務」と分類できるものであることを必要と考えるべきである。近所のよしみで子どもを預かるのは、無償の好意的

行為であり、自然債務の履行と考える必要はない。合意はあるが義務はないので、事務管理になる。

3-32 **(ウ) 自然債務という統一的規律の是非** 講学上、完全な効力を有しないという点で共通する債務をまとめて説明することは妥当であり、そのような緩やかな概念として、すでに定着してはいる自然債務という用語を用いることには賛成したい。民法の規定にも、例えば、「請求することができない」として、債権は認められるが請求権だけが否定される場合として履行不能（412条の2第1項）、非債弁済（705条）、不法原因給付（708条）がある。しかし、強制力を欠く理由は同じではなく、次に分析しよう。

3　自然債務の効力

3-33 **(1) 強制力が否定される根拠**

強制しえない債権も、強制できない根拠から2つの類型に分けることができる——履行不能や536条1項はいずれでもなく、自然債務と分類することは疑問——。

---

① 債務者の履行の任意性を保障するため（**債務者の任意性の保障**）

② 債権者の訴訟上の保護否定の反射にすぎないもの（**債権者への制裁**）

---

①は、債務者の任意の履行に委ねるべきであるがために、履行の強制ができない場合である。債務者に抗弁権が認められるのに等しい。徳義上任意に支払われるべき合意がされた債務など、多くはこの類型である。②は、不法原因給付、非債弁済、勝訴判決後に訴えの取下げがされた場合など、債権者への制裁として裁判所の助力が得られない場合である。債務者が履行をしないで済むのは、その反射的利益にすぎない。

3-34 **(2) 自然債務の効力**

(a) 共通の効力 自然債務も、債権があるので債務者が任意に履行をすれば、これを有効に受領することができる。しかし、3-33①では債務者に履行拒絶の抗弁権が認められるが、3-33②では債務者保護のために抗弁権を認める必要はなく、訴訟上抗弁として援用することを認めればよい。3-33①は、抗弁権なので債務者の援用が必要であるが、3-33②は、不法原因給

付については職権による認定が許されるべきである。

(b) 問題となる効力

(ア) 保証人による援用

(i) 3-33 ①の場合　自然債務を主債務とする保証債務がある場合には、3-33 ①では主債務者の自然債務という抗弁権を保証人も援用できるのが原則である。しかし、破産免責や相続の限定承認については、主債務者からそのような場合に回収しえなくなったときのための担保なので、保証人は破産免責や限定承認を援用できないと考えられる（☞ 8-82）。

(ii) 3-33 ②の場合　3-33 ②では、抗弁権ではないが、主債務に強制力がないことを、主債務者同様に保証人も主張できてよい。例えば、主債務者に訴訟を提起して勝訴判決を受けた後に訴えを取り下げた場合、保証人に対して保証債務の履行請求もできなくなると考えるべきである。そうでないと、サンクションを与えた趣旨が貫徹されないからである。

(イ) 債権譲渡における譲受人への主張　また、債権譲渡がされた場合には、3-33 ①では、自然債務であるという抗弁が 468 条 1 項の対抗事由となるが、3-33 ②では、債務者を保護するために債務者に抗弁権が認められるわけではない。債権譲渡により、3-33 ②のサンクションを免れるのは適切ではないが、債務者が履行を強制されないのは反射的利益にすぎないことを考えれば、譲受人の取引安全の保護も考慮して処理されてよい。譲受人が善意無過失であればサンクションを承継しないと解すべきである。

(c) 差が認められる効力　相殺については、3-33 ①②いずれの債権かにより法的扱いを異にすべきである。まず、①の債務者の任意性を確保する必要性がある場合には、債務者の意思に反して相殺により強制的に支払わせることは許されない。②については、債権者が裁判所による救済を得られない反射として、事実上強制されないという利益を受けているにすぎず、相殺を認めても問題がない。債権者代位権の行使や差押えも、①では債権者も制限されるが、②では、債権者は制限されないと考えるべきである（☞ 5-64 以下。なお、被保全債権としては差なし☞ 5-41）。

第3章 債権の効力①——総論

第3節 第三者の債権侵害

§I
第三者の債権侵害と不法行為

1 総論

3-39 **(1) 問題の提起**

(a) 第三者の行動の自由と契約上の債権に伴うリスク 債務者の債務不履行につき第三者が関係している場合に、債権者は、その第三者に対して損害賠償を請求できるのであろうか。例えば、女優AがB社と映画の出演契約をして途中まで収録した後、C宗教団体に勧誘され出家して降板したとする。Bは初めから映画を撮り直さなければならないので相当な損害を受ける。Bには、Aに対する債権の侵害としてCへの損害賠償請求権が認められるのであろうか。Cには宗教活動の自由があり、信者の勧誘行為は違法な行為ではない。そもそもAが途中で亡くなる可能性もあり、Bの債権はそのようなリスクを秘めた権利である。

3-40 **(b) 債権侵害の特殊性** 債権は債権者・債務者間のみにおいて効力＝相対的効力を有するにすぎない。しかし、それは債務者以外に履行請求できないというだけで、債権は第三者による侵害に対して救済を受けられないということを意味しない。債権も第三者による「違法な」侵害から守られるべきである。ただし、債権は債務者の履行に依存する脆弱な権利であり、また、公示もないので思いもよらずに侵害していることも考えられる。さらには侵害者側また債務者の自由の保障との調整が必要な事例も考えられる。その特殊性を考慮して「違法な」侵害かどうかが検討される必要がある。

3-41 **(2) 不法行為の成立可能性**

①初期の学説は、債権も709条の「権利」として、その侵害に対する不法行為の成立可能性を当然視していた。②その後、709条の「権利」は物権等の絶対権でなければならず、債権は含まれないと考えられるようになる。③1914年（大正3年）に末弘厳太郎「第三者ノ債権侵害ハ不法行為トナルカ」法曹記事24巻3号、5号（簡単には末弘9～11頁）により、物権や人格権

57

を侵害してはならないというのは、決して権利の絶対権・排他権という性質に基づくものではなく、権利の不可侵性に基づくものであり、全ての権利に認められるべきであるとの主張がされた。これを**不可侵性説**ないし**不可侵性理論**という。その翌 1915 年（大正 4 年）には、第三者による債権侵害の不法行為を肯定する 2 つの大審院判決が出される（☞ 3-42［大判大 4・3・20 民録 21 輯 395 頁は傍論]）。その後は、肯定説が通説化し、要件論が議論の対象になる。

3-42

> ●**大判大 4・3・10 刑録 21 輯 279 頁**　[事案] X はその所有の立木の売却を最低価格 2 万円として ABC に委任した。ABC は、D がこの立木を 2 万 7000 円で購入する意思があることを D の代理人 Y から知るや、Y と共謀して X には立木が 2 万 1000 円で売れたことにして、ABC は 6000 円を X に秘して D から受け取った（XD 間では 2 万 7000 円で売買が成立しており、X の 2 万 7000 円の代金債権のうち、6000 円部分が侵害されたことになる）。X の Y に対する不法行為に基づく損害賠償請求に対して、原審は第三者による債権侵害は不法行為にはならないとして、X の請求を棄却した。X の上告を受け、大審院は次のように論じて、原判決を破棄差し戻している。
>
> 　[判旨]「債権者は特定の債務者に対してのみ其行為を要求することを得べく、債務者以外の第三者は毫も其要求に応ずるの義務なきことは言を俟たざる所なれども、凡そ権利なるものは……其権利の性質内容固より一ならずと雖も、何れも其権利を侵害せしめざるの対世的効力を有し、何人たりとも之を侵害することを得ざるの消極的義務を負担するものにして、而して此対世的権利不可侵の効力は実に権利の通有性にして独り債権に於てのみ之が除外例を為すものにあらざるなり」。もし「第三者は他人の有する債権に就き権利不可侵の義務なきものとせんか、債権は常に第三者のために蹂躙せられ債権の存在を認めたる法の精神は終に之が貫徹を期すること能はずるに至るや明なり。是を以て若し第三者が債務者を教唆し若くは債務者と共同して其債務の全部又は一部の履行を不能ならしめ、以て債権者の権利行使を妨げ之に依りて損害を生ぜしめたる場合に於ては、債権者は右第三者に係り不法行為に関する一般の原則に依り損害賠償の請求をなすことを得るものとす」。

3-43 **(3)　債権侵害についての特別の要件**

　(a)　特別の考慮の必要性　学説は、債権の特殊性を考慮して、債権侵害による不法行為の成否を、違法性という観点から制限的に考察している。①まず、債権は公示されないのでその存在がわからず、調査したら知りえたとし

て過失を認めて不法行為責任の成立を認めたのでは、常に債権侵害の有無の調査を強いられコスト増また社会活動の萎縮という好ましくない影響を及ぼす。②また、競合する取引により債権が侵害された場合には（引抜き型）、取引における自由競争の保障との調整が必要になる。③ 3-39 の例は、勧誘の自由、宗教活動の自由の保障との調整が必要になる。④さらには、債務者の転職、営業の自由、信教、行動の自由の保障ということにも考慮が必要である。⑤付け加えると、債権は債務者による給付を通して利益を享受するものであり、その実現が確実ではない脆弱な権利である。

---

① 債権は公示されていない

② 取引における自由競争との調整が必要

③ 第三者の行動の自由との調整が必要

④ 債務者の行動の自由などとの調整が必要

⑤ 債務者の行為にかかるという権利としての脆弱性を内在している

3-44 **(b) 類型化および要件論総論** 債権侵害の不法行為は、以下のように類型化できる。①と⑦は債務不履行をもたらす類型ではない。②〜⑥は債務不履行をもたらす類型である。

債権侵害が問題になる場合、債権侵害についての「悪意」を原則として要件とする必要がある。そして、自由競争、宗教勧誘、政治的勧誘等の自由の保障との調整のため、悪意だけでは足りず、さらにその侵害態様や意図などを総合的に考慮して違法性が認められることが必要な場合もある。かつては慎重な理解がされていたが、現在ではこれを疑問視して、より積極的に債権侵害による不法行為を認める学説が有力である（平井 118 ～ 119 頁、吉田邦彦『債権侵害論再考』「1991」667 頁以下）。以下、類型ごとに説明しよう。

---

① 債権の帰属自体を侵害する場合

② 特定物の引渡しを不能とする場合

 ⓐ 目的物を侵害する場合

 ⓑ 二重譲渡を勧誘する場合

③ 物の引渡しを遅滞させる場合

第 3 節　第三者の債権侵害 │ §I　第三者の債権侵害と不法行為

④　為す債務を履行不能とする場合

⑤　為す債務の履行を妨害する場合

⑥　為す債務について債務者を勧誘して履行不能とする場合（引抜き型）

⑦　債務者の責任財産を減少させる場合

2　債権侵害についての各論的考察

3-45 **(1)　債権の帰属自体を侵害する場合——通常の不法行為と同じ要件**

　①手形などの有価証券に表象された債権を、債権者以外の者が第三者に譲渡し善意取得させてしまうと、債権者は反射的に権利を失うことになる。この場合、不法行為の成立のためには過失があればよい。②また、債権者でない者が債権を取り立て、表見受領権者への弁済（478条）として弁済が有効となる場合、これによって債権者が債権を失うことは①と同じである。この場合にも、過失があれば不法行為の成立を認めてよい。3-43の特殊性の考慮のいずれも不要であり、債権譲渡が無効であり、譲受人がそのことを知りえたのに債権の取立てをした場合には、過失による債権侵害が認められる。

3-46 **(2)　特定物売買における買主の債権の場合——目的物侵害事例**

　(a)　所有権の移転を認める立場（債務者に過失がない場合①）

　(ア)　所有権侵害を問題にすれば足りる　AがBに甲壷を売却したが、その引渡し前に甲壷をCが壊してしまい、Aには過失がないとする。BのAに対する債権は履行不能になり、債務者Aには不能の抗弁が成立する（412条の2第1項）。この場合、CがBへ売却済みであることを知っていたら、債権侵害について責任を負うと考えるべきであろうか。確かに、債権侵害も問題にできるが、すでにBに所有権が移転していると考えれば、Cは不法行為者であり178条の第三者ではないので、Bは所有権侵害を理由に損害賠償請求をすればよい。寄託者の返還請求権と同様の法律関係になる。

3-47 　**(イ)　危険負担との調整の必要性**　ただ危険負担を考えると疑問を生じる。Bが、536条1項により代金の支払を拒絶し、代金を払わずにCに所有者として損害賠償請求できるのは不合理である。Aは代金を取れず、Cに所有権侵害による損害賠償も請求できないことになるからである。Bは、①契約を解除して代金の支払を免れる——Cに対しては、Aが所有権侵害による

損害賠償請求が可能——、または、②Ａに代金を支払って、Ｃに対して転売差益などを含めて所有権侵害を理由として賠償請求をするか、選択すべきであると考える。

3-48　**(b)　所有権の移転を認めない立場（債務者に過失がない場合②）**　動産では代金支払または引渡しにより所有権が移転すると考えると、Ａがいまだ所有者ということになる。ＣのＡに対する所有権侵害、Ｂに対する債権侵害が問題になる。しかし、二重に賠償を認めるわけにはいかない。Ｂは、①契約解除ができ、また536条1項により代金の支払を拒み、債権侵害を理由とする転売差益のみの賠償を請求する、または、②Ａに代金を支払い、Ａの所有権侵害による損害賠償請求権につき代償請求権を行使し（422条の2）、転売差益の賠償は債権侵害を理由として請求するということが考えられる[39]。

3-49　**(c)　債務者が責任を負う場合（債務者に過失がある場合）**　3-46の事例でＡにも過失があり責任を免れない場合、ＢはＡに対して債務不履行を理由に賠償請求できるが、Ｃに対する損害賠償請求はどうであろうか。

　この点、①「債権は損害賠償債権となり、原債権の延長として存続するのであるから、債権侵害は発生しない」という考えもある（勝本392頁）。②しかし、通説は「債権本来の内容を実現しえないようになることはすでに債権の侵害といって妨げない」として、この場合にも債権侵害の不法行為の成立を認めている（我妻78頁など）。ただし、第三者に二重譲渡させたり、遅滞させた場合には、特に強い違法性が必要であり、債務者を積極的に教唆するか少なくとも通謀を要すると解されている。

3-50　**(3)　特定物売主の債務の場合——二重譲渡誘発型**

　❶　不法行為責任否定説　ＡがＢに甲地を売却したが、所有権移転登記をする前に、さらにＣにも甲地を売却しＣに所有権移転登記をしたとす

---

39)　判例は、ＸがＡから立木をもらい受ける債権を有していたが、この事情を知るＹが自己の立木と共にＡの立木をＢに売却し、Ｂはこれを伐採した事例で、ＸのＹに対する不法行為を理由とした損害賠償請求を認めている（大判大11・8・7刑集1輯410頁）。「債務の目的が第三者の故意または過失に基く行為に因り滅失したるが為履行不能と為り債務が消滅したる場合に於て、第三者の行為が不法行為を成すべきものなることは夙に本院判例の示す所なり。……債務者が不法行為者たる第三者に対し損害賠償の請求権を有すると否とに拘らず、債権者は其の債権侵害を理由とし自己固有の権利に基き直接に不法行為者に対し損害の賠償を請求すること」ができるという。事例は故意の事例であるが、要件としては、故意または過失という709条の原則通りが宣言されている。

る。Cは背信的悪意でない限り甲地の所有権を取得する（177条）。しかし、悪意の場合には、BはCに対して債権侵害を理由に損害賠償請求権が認められるのであろうか。原則として違法性を帯びず、不法行為が成立しないと解する学説が通説であり（我妻80頁）、判例も同様である（☞3-52）。177条で認められた適法行為だからである。

3-51 　❷ **不法行為責任肯定説**　しかし、Cは「第三者」として土地を取得できても、Bに対して債権侵害による不法行為の責任を負わねばならないと解する学説もある（淡路221頁）。この債権侵害類型では、債務者（売主）の二重譲渡の自由を保障する必要はない。177条の根拠を、①第三者（買主）の自由競争の保障に求めれば適法行為になるが（3-57等とパラレルになる）、②不動産取引をめぐる紛争の簡易な解決を政策的に図ったにすぎないと考えるならば（☞物権法8-5）、第三者が所有権を取得できるのは、その反射的利益にすぎないことになる。本書は②のように考え、Cの不法行為責任を認めたい。AとCとは連帯して損害賠償義務を負うことになる。

3-52 　●**最判昭30・5・31民集9巻6号774頁**　[事案]Xは亡Aから建物を買い受けたが登記未了の間に、Aの相続人Bがこの建物をYに売却して移転登記をした事例で、XがYに対して、主位的に抹消登記、予備的に損害賠償を請求した。原判決はXの損害賠償請求を認めたため、Yが上告し、最高裁は次のように述べ判決を破棄した。

　　　[判旨]「一般に不動産の二重売買における第二の買主は、たとい悪意であっても、登記をなすときは完全に所有権を取得し、第一の買主はその所有権取得をもって第二の買主に対抗することができないものと解すべきであるから、本件建物の第二の買主で登記を経たYは、たとい悪意ではあっても、完全に右建物の所有権を取得し、第一の買主たるXはその所有権取得をもってYおよび同人から更に所有権の移転を受けその登記を経たBに対抗することができないことは、当然の筋合というべきである。したがって、Yが悪意で本件建物を買受けその登記を経由しこれを更にBに売り渡してその登記をなしたというだけでは、たといこれがためXがその所有権取得をBに対抗することができなくなったにしても、いまだもってYに不法行為の責任を認めるには足らないものといわなければならない」。

3-53 **(4)　売主の債務履行の妨害型**

　(a)　**間接被害**　Aが、食品メーカーBに、食品の原材料を販売して引渡

第3章　債権の効力①——総論

しのため運送中、Cの過失による事故に巻き込まれ、運送中の原材料が滅失したとする。種類物であり特定もまだないので、Bの所有権侵害にはならない。この事故の結果、原材料の供給が遅れたため、Bが食品の生産ができなかったとする。Aには帰責事由がないので、BがAに対して債務不履行（履行遅滞）を理由に損害賠償を請求することはできない。Aは所有権侵害を理由に、Cに損害賠償請求権を取得する。

3-54　**(b)　悪意が必要**　この場合、債権侵害を問題にするだけでなく、Bの営業侵害を問題にすることが考えられる。債権、営業のいずれについても、間接被害としての賠償請求となり、違法性の観点から、Cに悪意がある場合にのみBに対する不法行為が認められる。直接被害者以外に対して思わぬ損害賠償を義務づけることになるので、このような制限が必要になる。

3-55　**(5)　為す債務の履行の妨害（引抜き型以外）**

(a)　債権侵害の調査義務なし・自己の負担すべきリスク　小規模のA会社の従業員全員が会社の自動車に乗って工事現場に向かっていたところ、Bの過失による事故に巻き込まれ、従業員全員が負傷し工事に従事できなくなった場合、BによってAの労務を受ける債権が侵害され、工事ができなくなりAが損害を被っている。しかし、Bに債権侵害の故意がない限り、BはAに対して債権侵害による損害賠償義務を負わない（☞債権各論Ⅱ6-94）。劇場Aと歌手Bが出演契約を結んでいたところ、CがBを負傷させて出演できなくなった結果、Aでの公演が中止になった場合も同様である。

3-56　**(b)　第三者の行動等の自由の保障**　また、上記従業員や歌手を、宗教団体が勧誘して出家させたり、政治家が選挙への出馬を勧誘し、これに応じて、従業員が全員退職したり歌手が出演を止めた場合、勧誘した側が債権侵害の悪意があるだけでは、不法行為は成立しない。宗教活動の自由、政治活動の自由の保障との調整が必要なため、より積極的な害意など違法性が強い場合に限り不法行為が認められる[40]。債権者に損害が発生することを予見できても、行動等の自由の保障が優先され、違法性が阻却されることになる。

---

40)　この問題につき、大久保紀彦『契約侵害による不法行為「契約の尊重」と第三者の範囲』（2021）は、債権侵害を超えて第三者の契約損害として問題を検討しようとしている。

第3節　第三者の債権侵害　｜　§1　第三者の債権侵害と不法行為

3-57 **(6) 引抜き型侵害の債権侵害**

(a) 退職も引抜きも自由　A社にBが雇われ、製品開発についてリーダー的地位にあったが、ライバル企業C社が、BをC社に製品開発責任者として引き抜いたとする。この場合、Bには勤務先選択の自由があり、Aを退職しCに就職することは競業避止義務に違反しない限り、適法な行為である。そして、Cもより有利な条件で人材を取得する営業活動の自由が保障され、その許容範囲を逸脱した行為のみが禁止されるにすぎない。

3-58 **(b) 責任成立の要件**　①伝統的には、Cの行為（引抜き行為）は原則として違法性を欠き、ただそれが詐欺・強迫に類する手段に訴えた場合や不正競争となる場合にだけ違法性を帯びると考えられてきた（我妻79頁、奥田235頁など）[41]。②これに対し、近時は、ⓐ単なる労働者の引抜き型の場合には、害意等の特別の事情が必要であり通説通りでよいが、ⓑ労働者の競業避止義務・守秘義務に違反する場合には、その侵害の認識で足りるとする学説も主張されている（吉田・前掲書675頁以下。平井119〜120頁も拡大に賛成）。競業避止義務に違反していれば、Bの行為自体が違法になるので、それを教唆する行為になり違法性が認められるべきである。

3-59 **(7) 責任財産を減少させる債権侵害**

(a) 資産隠しへの協力　第三者が債務者の財産を減失させ責任財産を減少させても、財産がなくなる代わりに第三者に対する損害賠償請求が成立するため、第三者に債務者に対する不法行為とは別に、債権者に対する債権侵害の不法行為を問題にする必要はない。したがって、債権侵害が問題になるのは、無資力状態の債務者の資産隠しに第三者が協力したといった事例である（大判大5・11・21民録22輯2250頁）。

3-60 **(b) 不公正な債権回収**　ほかには、信義則に反する態様で、無資力状態の債務者から弁済を受けることが考えられる。債権の回収は原則として債権者の自由競争に委ねられる。この原則を遵守している限り、特定の債権者が債務者の危機を早期に察知し、速やかに債権を回収しても、違法性は認められ

---

41)　古い判例に、印刷職工をより有利な条件を提示して引き抜いた事例で、不法行為の成立を認めた判決がある（大判昭17・12・11新聞4829号12頁）。近時も、東京地判平3・2・25判時1399号69頁、大阪地判平14・9・11労判840号62頁、東京地判平20・12・10判時2035号70頁が、従業員の大量引抜きについて「契約上の債権」の侵害による不法行為を認めている。

ない。責任を認める判例は多く、学説も特に悪質なものに限って債権侵害を肯定している（星野130頁、平井121頁、吉田・前掲書651頁）。

§Ⅱ
債権に基づく妨害排除請求権

3-61 **(1)　不動産賃借権での問題**

(a)　問題になるのは不動産賃借権　損害賠償と異なり、同じ第三者の債権侵害でも、妨害排除請求が問題となる場面は非常に限定されざるをえない。

①妨害排除が問題となるためには、債権の継続的な侵害状態が生じていなければならないが、第三者の債権侵害は通常は直ちに完了する。②引抜き型のように債務者が自発的に不履行状態を作り出している場合、第三者に対して妨害の排除を請求したところで意味がない。③動産の賃貸借では、占有訴権による占有の回収が可能である。以上から、問題を生じるのは専ら不動産の賃借権ということになる。

3-62 **(b)　妨害排除請求権の根拠づけ**

(ア)　損害賠償は不法行為の効果で権利の効果ではない　§Ⅰにみたように、債権侵害に対しても不法行為が成立する。債権侵害の不法行為が続けられている場合に、損害賠償請求はできるが、それを止めるよう請求できないのであろうか。不法行為の効果としては、過去の損害については賠償請求だけであり現実賠償は認められない（722条1項・417条）。現在行われている不法行為を止めるよう求めることを認めるのは、金銭賠償主義と抵触しない。残される問題は、不法行為の効果は損害賠償だけで、差止請求は規定はないが，権利（絶対権）の効果なのかという点である。

3-63 **(イ)　不法行為の停止請求権（本書の立場）**　違法に権利・利益の侵害を受けている被害者は、不法行為者に過失があるか否かを問わず、不法行為の停止を求めることができて然るべきである。規定がないが、法の一般原理といってよい。権利・利益が侵害されているため、権利・利益の効果として説明されているが、不法行為の停止請求権として考えるべきである。物権侵害による物権的請求権も、人格権侵害による差止請求権も不法行為の停止請求権

である。ただ物権的返還請求権については、停止だけでなく、返還するための運送まで請求でき、その部分は財産権の効力として位置づけるべきである。不動産賃借権では、妨害排除までが問題になるにすぎない。

◆判例の展開

⑴　当初は妨害排除請求を否定

　当初の判例は、賃借権は債権であることから賃借権に基づく妨害排除請求権を否定した（大判大 10・2・17 民録 27 輯 321 頁）。土地を賃借した X が、従前から無権限で土地を占有する Y に対し、土地賃借権に基づく土地の明渡しを請求した事例で、大審院はこれを否定する。「故意又は過失に因り他人の賃借権を侵害したる者あるときは、被害者たる賃借人は其不法行為者に対し<u>損害の賠償を要求することを得べし</u>と雖も、損害の賠償は別段の意思表示なきときは金銭を以て其額を<u>定むべきこと民法第 417 条に規定する所なるが故に、……賃借権若くは損害賠償請求権に依り之が引渡を請求することを得べきにあらざるなり</u>」という。不法行為の効果は金銭賠償だということが理由である。

⑵　不可侵性理論の採用

　ところが、債権侵害についての不可侵性理論（☞ 3-41）の影響を受け（大正 4 年判決☞ 3-42）、一般的に債権に基づく妨害排除請求権を肯定する判例が現れる（大判大 10・10・15 民録 27 輯 1788 頁）。X は A 漁業組合より専用漁業権を賃借し漁業をしてきたが、無権限の Y が X の漁業を妨害するため、賃借権に基づき妨害禁止の仮処分を申し立てた事例で、「<u>権利者が自己の為めに権利を行使するに際し之を妨ぐるものあるときは其妨害を排除することを得るは権利の性質上固より当然</u>にして、其権利が物権なると債権なるとによりて其適用を異にすべき理由なし」と肯定説を採用している。しかし、その法的根拠は示しておらず、権利の効果なのか、不法行為の効果なのかは不明である。

⑶　否定説への回帰

　しかし、戦後、判例は債権侵害に対しては、損害賠償請求はできるが妨害排除請求はできないという解釈に立ち戻る（最判昭 28・12・14 民集 7 巻 12 号 1401 頁）。灰石山の使用収益権を得て石灰石採掘事業を経営する X が、使用収益権を有する部分に無断侵入して石灰石を採掘している Y に対し、妨害排除の仮処分を申請した事例で、これが退けられている。「債権者は直接第三者に対して債権の内容に応ずる法律的効力を及ぼし第三者の行動の自由を制限することを得ないのを本則とする。ただ第三者の不法行為により債権の侵害され得べきことは近時一般に認められるところであるが、<u>それは損害賠償の請求を認める限度において肯定さるべきであり、これがために債権に排他性を認め第三者に対し直接妨害排除等の請求を為し得べきものとすることはできない</u>」という。

⑷　対抗力を備えた不動産賃借権

　その直後に、土地の二重賃貸の事例において、対抗力を備えた借地権につき妨

害排除請求を肯定する判決が出される（最判昭 28・12・18 民集 7 巻 12 号 1515 頁）。「土地の賃借権をもってその土地につき権利を取得した第三者に対抗できる場合にはその賃借権はいわゆる物権的効力を有し、その土地につき物権を取得した第三者に対抗できるのみならずその土地につき賃借権を取得した者にも対抗できるのである。従って第三者に対抗できる賃借権を有する者は爾後その土地につき賃借権を取得しこれにより地上に建物を建てて土地を使用する第三者に対し直接にその建物の収去、土地の明渡を請求することができる」と判示した[42]。

3-68 **(5) 判例の評価**

(a) 対抗力具備は物権類似の排他的権利になるための要件　その後、対抗要件を備えた賃借権については、無権限占有者にも妨害排除請求が認められ（最判昭 30・4・5 民集 9 巻 4 号 431 頁）、判例として対抗要件を具備した不動産賃借権について妨害排除請求を認めることで確立していく（最判昭 29・2・5 民集 8 巻 2 号 390 頁、最判昭 29・6・17 民集 8 巻 6 号 1121 頁、最判昭 29・10・7 民集 8 巻 10 号 1816 頁など）。対抗関係ではない不法占有者に対してまでどうして対抗要件具備が必要になるのかという疑問があるが、その答えは「対抗要件」としてではなく、債権に「排他性」を付与し物権同様の権利になるための要件ということにある。

3-69 **(b) 人格権についての判例も排他性が根拠（排他権説）**　人格権に基づく差止請求について、最大判昭 61・6・11 民集 40 巻 4 号 872 頁は、「人格権としての名誉権に基づき、加害者に対し、現に行われている侵害行為を排除し、又は将来生ずべき侵害を予防するため、侵害行為の差止めを求めることができる」といい、その理由を、「人格権としての名誉権は、物権の場合と同様に排他性を有する権利というべきであるからである」と説明する。妨害排除請求権が認められる権利は、物権と同様に「排他性」のある権利に限られることになる。不動産賃借権も、対抗要件を備えて排他性が認められれば、妨害排除請求権が認められることになる。逆にそうでなければ、不法占有者に対しても、損害賠償は請求できても妨害排除は請求できないことになる。

3-70 **(2) 改正法による判例の明文化**

(a) 対抗要件具備を要求　改正法は、「不動産の賃借人は、第 605 条の 2

---

42)　その後、土地賃借権につき不法占有者に対して明渡請求を否定する判決が出される（最判昭 29・7・20 民集 8 巻 7 号 1408 頁）。X は本件土地を所有者 A より賃借し、A の承諾を得てその西北部分の 8 坪を B に転貸し、転借人 B はその土地にバラックを建て使用していたが、その後この建物を Y に売却し、X の承諾を得ることなく土地 8 坪を Y に使用させたので、X は B に対し転貸借契約を解除し、賃借権に基づき Y に対しこの 8 坪の土地の明渡しを求めた事例で、これを否定する。その理由は、「債権者は債務者に対して行為を請求し得るだけで第三者に対して給付（土地明渡という）を請求し得る権利を有するものではない。（物権の如く物上請求権を有するものではない）。それ故 X は土地の賃借人であるというだけで（何等特別事由なく）当然 Y に対し明渡という行為を請求し得るものではない。このことは原判示の如く Y が X の賃借権を侵害して居るからといつて異る処はない」というのである。対抗力を備えていない事例である。

67

第 1 項に規定する対抗要件を備えた場合において、次の各号に掲げるときは、それぞれ当該各号に定める請求をすることができる」として、①「その不動産の占有を第三者が妨害しているとき」→「その第三者に対する妨害の停止の請求」、②「その不動産を第三者が占有しているとき」→「その第三者に対する返還の請求」を規定した (605 条の 4)[43]。判例を明文化し、「不動産の賃借人は、第 605 条の 2 第 1 項に規定する対抗要件を備えた場合に」、妨害排除または返還請求をすることができることを明記したのである。

3-71　　　(b)　**解釈による修正の可能性**　判例の排他権説を明文化したのであるとすれば、対抗力を備え排他的権利にならない限り、不法占有者に対しても、賃借権に基づく妨害排除請求権が認められないことになる。しかし、本書の違法侵害説では (☞ 3-63)、対抗力を有していなくても対抗関係に立たない不法占有者に対して、賃借権に基づく妨害排除請求権を認めることは可能である。学説も、対抗要件を具備しない不動産賃借権に、不法占有者に対する妨害排除請求権を認める考えが有力である (潮見・概要 298 頁、内田Ⅲ 354 頁、升田純『民法改正と賃貸借契約』[2018] 76 頁、秋山・詳解 468 頁)。

---

43)　**＊賃借権に基づく妨害予防請求権**　妨害予防請求権については規定がない。規定が置かれなかったのは、あくまでも例外的なものであることから、妨害予防請求権まで認める必要がないと考えられたからである。しかし、事例は皆無ではなく、対抗要件を備えた不動産賃借権に妨害予防請求権を認める主張がされている (西島良尚「第三者の債権侵害と妨害排除」射程 579 頁)。

第4章

債権の効力②
──債務不履行

§Ⅰ
総論

4-1 　債務者が契約で約束した債務を履行しない場合（履行不能や約束通りの履行ではない場合を含む）に、民法が債権者保護のために用意した制度は、次の5つである。

---

　① 履行の強制（414条）
　② 追完請求権（562条・559条）
　③ 代金減額請求権（563条・559条）
　④ 契約解除権（541条・542条）
　⑤ 損害賠償請求権（415条）

　履行の実現を直接に目的とする制度は①であるが、②〜⑤もそれが威嚇となって履行を促し、間接的には履行の実現に作用している。④については解除（☞債権各論Ⅰ 4-1）、②③については売買契約の説明に譲り（☞債権各論Ⅰ 6-38、6-50）[44]、以下には①と⑤を扱う。

§Ⅱ
債務の履行の強制

4-2 **(1)　履行の強制の意義**

(a)　履行の強制の可能性　債務者が債務の履行をしない場合、「債権者は、民事執行法その他強制執行の手続に関する法令の規定に従い、直接強

---

44)　**＊代金減額請求権（契約内容改訂権）**　追完請求権と代金減額請求権については債権総論に一般規定を導入することが検討されたが、売買に規定し（562条・563条）、559条により有償契約に準用することになった。フランス民法は、不完全履行に対する代金減額請求権の一般規定を置く（同法1223条）。それによれば、債権者は、不完全な履行を「認容」して、その給付に見合った代金への減額を求めることができる。債権者による履行としての認容が必要であり、これにより債務不履行はなくなり、その履行に対応する代金に縮減されるので、一方的な契約内容の変更権が認められているものといってよい。

第4章　債権の効力②——債務不履行

制、代替執行、間接強制その他の方法による**履行の強制**を裁判所に請求することができる」(414条本文)。これを**執行請求権**といい、詳細は民事執行法などの手続法に委ねている。強制執行ができるためには、債権者は**債務名義**[45)]を取得する必要がある(民執22条)。

4-3　**(b)　履行の強制の要件**　履行の強制の要件は、①債権者であること、②その債権が履行期にあること、③債務者が履行をしていないことである。履行の強制の障害事由があれば、債務者は履行の強制を争うことができる。障害事由は、ⓐ履行不能(412条の2第1項)、ⓑ「債務の性質がこれを許さない」ものであること(414条1項ただし書)、ⓒその他(自然債務であること等)である。なお、履行の強制は損害賠償を妨げない(414条2項)。

4-4　**(c)　履行の強制の種類**　履行の強制の方法として414条1項が認めるのは、「直接強制、代替執行、間接強制その他の方法」である。ローマ法のように債務者を奴隷として競売したり、ヨーロッパに19世紀前半まで残っていた債務拘束といった、債務者を労働させる強制執行方法は、もちろん現代では認められない。

4-5　**(2)　履行の強制の種類**

(a)　直接強制(強制履行)　国家機関が給付内容を実現する履行の強制方法を、**直接強制**という。ⓐ金銭債権以外の特定債権(動産の引渡し[46)]、不動産の明渡しなど)では、目的物を執行官が債務者の所から持ち去り債権者に渡すなどすることによって、特定の給付内容が直接に国家機関により実現される(**貫徹力**)。ⓑ金銭債権では、債務者の財産を売却(競売)してその代金を債権者に配当するという形をとる(**摑取力**)。金銭債権を執行債権とする強制執行を**金銭執行**(民執43条以下)、それ以外の債権や権利(物権、人格権など)を執行債権とする強制執行を**非金銭執行**と呼ぶ(同法168条以下)[47)]。

---

45)　債務名義とは、確定判決など執行債権の存在を表示する法定の文書のことであり、権利の存在が確定されているためそれに基づいて直ちに強制執行手続をとることができる。民事執行法22条にどのような文書に債務名義としての効力が認められるかが規定されている。

46)　動産の「引渡し」の強制執行は民事執行法169条1項に規定され、「執行官が債務者からこれを取り上げて債権者に引き渡す方法により行う」。取り上げて引き渡すだけであり、持参債務の場合の「運送」を裁判所が行うことはない(代替執行か間接強制によるしかない)。債権者は、その場にいて引渡しを受けて自分で運送することになる。物権的請求権について、行為請求権説でも同様である。

71

§ Ⅱ　債務の履行の強制

4-6　◆種類物債権と強制履行──損害軽減義務

(1)　内田教授の提案──損害軽減義務と損害賠償の算定時期

(a)　損害軽減義務を認める　種類物の引渡義務については、履行の強制を認めることには疑問が提起されている（内田貴『契約法の時代』[2000] 170 頁以下）。ほかから手に入る種類物である場合には、売主の不履行の場合に、買主に対してほかから同種の物を購入して損害を回避すべき、いわゆる損害軽減義務を認め、売主に対して買主が履行の強制をすることを否定する[48]（この議論については、吉川吉樹『履行請求権と損害軽減義務［増補新装版］』[2020] 参照）。「現実的履行の強制は、代替取引による損害軽減が期待できない場合、つまり判決時（口頭弁論終結時）の評価で履行利益の賠償が全額認められる場合に限って肯定すべき」ものとされ、代替取引の可能な種類物については否定される（内田・前掲書 195 頁）。

4-7　(b)　解除による填補賠償の算定への影響　内田教授はこのことから、解除による填補賠償につき解除時を基準とする判例（☞ 4-237）・学説に対して疑問を呈する。例えば、目的物の契約価格が 100 万円、債務不履行時に価格が 120 万円になっているとすると、少なくともその時点で代替取引をして、損害の拡大が生じるのを回避すべき義務が認められ、その後、契約解除時には 150 万円になったとしても、150 万円の損害賠償を認めないのである。「基準時は、市場の存在する代替物に関してはまず損害軽減のための代替取引をすべきときであり、損害軽減が期待できない場合及び特定物については判決時（口頭弁論終結時）である」とする（内田・前掲書 194 頁）。その結果、代替取引義務が認められる時点の価格である 120 万円で損害賠償が請求できるだけとなる[49]。

4-8　(2)　内田説に対する批判

内田説に対して、森田修教授は、このような議論は、英米法が、①債権者が常

---

47)　＊子の引渡し　現在では、2019 年（令和元年）の民事執行法改正により、「子の引渡しの強制執行」についての規定が新設され、①執行裁判所が決定により執行官に子の引渡しを実施させる方法、および、②172 条 1 項に規定する方法（間接強制）のいずれかにより行うことができることが規定された（174 条 1 項）。①の直接強制が可能になった点が注目されるが、要件については 2 項に規定されている。間接強制を命じる決定が確定してから 2 週間が経過したこと、間接強制を実施しても、相手方が子の監護を解く見込みがないこと、または、子の急迫の危険を防止するために直ちに強制執行をする必要があることのいずれかに該当することが必要である。

48)　PECL9:102 条 2 項 d 号では、「他から履行を得ることが合理的にみて可能である場合」に履行の強制を否定するが、DCFR Ⅲ.3:302 条 3 項は上記 d 号に対応する規定を置かず、これに代えて 5 項を設けている。債権者が、過分の努力または費用を要することなく合理的な代替取引ができる場合に、履行を強制する権利を不合理に行使したために損害が増加したとしても、債権者はその増加額については賠償請求ができないものと規定する。すぐに代替取引をすれば商品の生産が可能であったのに、履行の強制手続をとったため商品の供給がされるまで商品の生産ができず損害を被っても、その損害は賠償請求できないことになる。履行の強制は認めつつ、損害賠償額を調整して事実上履行の強制を抑止するものである。日本でも、履行の強制は認めつつ、損害軽減義務を認めて過失相殺をするという中間的な解決は可能であり、注 49 の判例のような解決は支持されるべきである。フランス民法 1221 条は、債権者が得られる利益と債務者の負担する費用との間に明白な不均衡がある場合には、履行の強制を否定している。

72

第4章 債権の効力②——債務不履行

に履行請求権を有するものではなく、特定履行請求は制限的な救済として例外的にしか認めていないこと、および、②債務者の不履行という事実だけで、債権者は契約を解除することなく簡単に契約関係から離脱でき、追履行受領義務を負わなくてよいとされているために考えられるのであり、わが国においては、この点で異なっていると批判する（森田修『契約責任の法学的構造』[2006] 198頁以下）。損害軽減義務を認めるならば、その反面として、債権者は履行請求権の拘束から簡敏に脱しうる方途を認められなければならないが、わが国の契約責任法の実定的構造と矛盾を来すとする[50]。

4-9　　**(b)　代替執行**　　債権者が裁判所の許可を得て、債務者の費用で債務の内容を第三者に実現させる強制履行の方法である（民執171条）。代替執行は契約上の債務については必要性はない。他の者の履行で満足しうるのであれば、契約を解除した上で別の者と改めて契約をすればよいからである。したがって、代替執行が実際に機能する場面は、物権的請求権や差止請求権などに限られる。名誉毀損の場合の謝罪広告（723条）についても、「代替行為の執行として債務者の費用を以て第三者をして新聞社に対する広告掲載の手続を為さしむるべき旨の決定」ができる（大決昭10・12・16民集14巻2044頁）。なお、旧414条2項ただし書に意思表示に代わる判決についての規定があったが、民事執行法177条に規定が設けられているため削除された。

4-10　　**(c)　間接強制**　　間接強制ができるのは原則として、「作為又は不作為を目的とする債務」で代替執行ができないものであり、「執行裁判所が、債務者に対し、遅延の期間に応じ、又は相当と認める一定の期間内に履行しないときは直ちに、債務の履行を確保するために相当と認める一定の額の金銭を債権者に支払うべき旨を命ずる方法」により行われる（民執172条1項）[51]。「命

---

49)　判例は填補賠償の基準時を解除時とするが（☞4-237）、内田説に親和的な判例もある。東京地判昭34・7・22判時195号18頁は、売主Xから買主Yに対する代金請求につき、Yから損害賠償請求による相殺が主張された事例で、履行遅滞による損害を否定してYの主張を退ける。「注文したツマミ物はX方に限らず諸所の食料品店で販売しているものであるから、臨機に他店から購入し急場をしのげた筈であり、仮にそれがXからの仕入と重複したとしても高々金4千円でこれすら翌日分に廻せば済むのであるから速やかに臨機応変の処置をとらなかったことは、損害の拡大防止についてYに不充分のものがある」という理由である。また、仙台高判昭55・8・18判時1001号59頁は「このように、物価急騰の時代に、理由なく遅れて解除がなされた場合に、解除時をもって損害額算定の基準日とするのは著しく衡平を失する……、おそくとも解除できたであろう時（他の業者と契約できたであろう時と同じと認める。）をもって損害額算定の基準日」としている。中間的な解決である。

50)　斉藤彰「契約不履行における損害軽減義務」『損害賠償法の課題と展望』(1990) 77頁は、「解除しようとすればできる状態になれたであろう最初の時点」を基準時とする。

73

じられた金銭の支払があった場合において、債務不履行により生じた損害の
額が支払額を超えるときは、債権者は、その超える額について損害賠償の請
求をすることを妨げられない」(同条4項)——金銭債務には間接強制は原則
として使えないので、それ以外の債務についてである——。間接強制金が損
害より多くても差額を返還する必要はない。

4-11 ◆**間接強制が認められる債務**

(1) 債務の性質が許さない場合

　間接強制が認められるためには、「債務の性質がこれを許さないとき」でない
ことが必要である (414条1項ただし書)。厳密には債務以外も含めて説明すると、
①履行が債務者の意思だけにかかるものでなければならず、履行に第三者や債権
者の協力が必要な債務、また、②債務者の意思を抑圧して履行させるに適しない
本人の自由な創作的活動によらせるべき芸術的創作を目的とする債務、さらに
は、③債務者の自由意思を抑圧させて履行を強制させても意味のない夫婦間の同
居義務については[52]、間接強制は認められず損害賠償による保護のみが与えられ
る (大決昭5・11・5新聞3203号7頁)。

4-12 **(2) 間接強制の補充性の否定**

　かつては債務者の人格尊重との調和のため、間接強制は直接強制も代替執行も
認められない場合の最後の手段と位置づけるべきこと、いわゆる**間接強制の補充
性**が提案され (我妻88頁)、1979年の民事執行法制定の際に、旧172条により間
接強制の補充性が明記された。しかし、間接強制をそのように狭く封じ込めてし
まうことは疑問視され、むしろ間接強制こそ原則的強制方法とすべきことが提案
された (森田修『強制履行の法学的構造』[1995] 343頁以下)。この反対説を採用する民
事執行法の改正が2003年に実現される。すなわち、民事執行法が改正され、直
接強制のできる不動産の引渡し (民執168条)、動産の引渡し (民執169条)、第三者
が占有する物の引渡し (民執170条)、代替執行のできる作為・不作為 (民執171
条) のいずれについても、同法172条の間接強制によることができることになっ
た。金銭債務は、遅延損害金の支払を当然に義務づけられるので (419条1項)、

---

51)　**＊立法により間接強制制度は異なる**　フランスや日本では、罰金は債権者に支払われるが、ドイツでは
州に支払われる。また、間接強制の方法として、ドイツやオランダでは裁判所の命令に従わない債務者を投
獄することさえ認められている (フランスではとうの昔に廃止)。イギリス法では、裁判所の命令に従わな
いと法廷への侮辱とされ、懲役や罰金という刑事罰が適用され、これが間接強制の機能を果たすことにな
る。イギリス法が特定救済に消極的な理由の1つに、これら準刑事手続があまりにも強力であるという事
情がある (スミッツ253頁)。

52)　大決昭5・9・30民集9巻926頁は、夫婦間の同居義務について同居しない場合には1日5円の賠償金
の支払を命じる間接強制を求めた事例であるが、「債務者が任意に其の債務の履行を為すに非ざれば債権
の目的を達することを得ざる場合に於ては、其の債務は性質上強制履行を許さざるものと謂はざるべからず。
夫婦間に於ける同居義務の履行の如きは、債務者が任意に履行を為すに非ざれば債権の目的を達すること能
はざること明なるを以て、其の債務は性質上強制履行を許さざるもの」と判示し、これを退けている。

第 4 章　債権の効力②──債務不履行

原則として間接強制は認められない[53]。

§Ⅲ
債務不履行による損害賠償──総論

1　「債務不履行」責任の拡大

4-13　**(1)　古典的な契約責任論**

　債務不履行[54]として問題になるのは、法定債務の不履行を除けば、契約上の債務の不履行であり、その責任は**契約責任**といわれる。そのため、債務不履行として伝統的に考えられていた責任は、契約で約束したことを行わない**契約不履行**であり、次のようなものであった（我妻101頁参照）[55]。

> ①　契約で約束した履行をしない場合に、給付がされたのと等しい財産状態を損害賠償により実現する（代償による契約の履行）。
> ②　契約責任の内容については、どのような場合にどのような責任を負担するかは、当事者の自由な合意に任される。
> ③　①の損害賠償債務は、契約上の給付義務の変形または拡大であり、不法行為による損害賠償義務のように新たに生じた債務ではない。

　③について、例えば特定物の売主の契約上の引渡義務とその履行不能による填補賠償義務とは2つの別の債務ではなく、1つの債務が途中で内容が変わっただけと考えられていた（☞ 4-14）。

---

53)　ただし、2004年の民事執行法改正により、濫用のおそれがなく他方で債権者救済の必要性が大きい婚姻費用分担義務や扶養義務等に限って間接強制が可能とされた（民執151条の2第1項・167条の15）。

54)　債務不履行とは、債務不履行責任の要件である債務不履行の事実のことを指す場合だけでなく、「債務不履行責任」を省略して「債務不履行」と呼ぶこともある。「不法行為責任」を「不法行為」と略称するのと同じである。

55)　契約上の債務だけでなく、法定の債務の不履行も債務不履行と認められるので、債務不履行責任は契約責任に限定されるわけではない。法定の債務は、不当利得返還義務や不法行為の損害賠償義務のような金銭債務がほとんどであるが、事務管理における事務管理義務だけでなく、法定の財産管理人である不在者管理人や後見人らの事務管理義務についても、その違反は債務不履行になる。

75

§Ⅲ　債務不履行による損害賠償——総論

◆同一性理論（債務転形論）

(1)　改正前における同一性理論（債務転形論）の承認

　(a)　**同一性理論の内容**　改正前は、契約上の債務が、履行不能または契約解除により、その履行利益を対象とした填補賠償義務に、１つの債務としての同一性を維持しつつ変形すると考えられていた（**同一性理論**ないし**債務転形論**という。債務転形論につき、森田修『契約責任の法学的構造』［2006］102頁以下参照）。同一性理論からは、次のような結論が導かれる。

---

　① 元の債権についての担保は、損害賠償債権にも及ぶ。

　② 元の債権についての時効の起算点・期間は、損害賠償債権にも当てはまる。

　③ 債権者代位権や詐害行為取消権の成否については、元の債権を基準に考える。

　判例は、②について、同一性理論に依拠して１つの債権であるということから、履行不能による損害賠償請求権についての消滅時効の起算点を、元の債権の時効起算点としている（最判平10・4・24判時1661号66頁）。

　(b)　**別債権説および同一性理論への批判と検討**　改正前から、少数説として、履行不能となった契約上の債権と、填補賠償請求権とは別の債権であるという**別債権説**も主張されていた（前田達明『民法随筆』［1989］132頁以下等）[56]。現在、①～③については、同一性から導くことには疑問が提起されており、これらはその制度の趣旨や当事者の意思に照らして解すべきであると評される（中田186頁）。その意味で、同一性理論の必要性には疑問があり、次にみるように改正により否定されたと考えられる。本書としては、同一の権利と解する必要はないと考えるが（同一性理論の否定）、ある権利が損害賠償請求権に転形するという権利の連続性は認める（この意味での債務転形論の肯定）。②は結論は疑問であり、連続した権利であることから、①について保証契約の解釈において参照され、また、③については、詐害行為前の原因による債権とされるにすぎない。その意味で、実益のある議論ではない。

(2)　改正法と同一性理論（債務転形論）

　(a)　**否定されたという理解（通説）**　改正法は同一性理論を否定したと理解さ

---

[56]　安全配慮義務違反による身体損害の賠償のみならず、寄託、賃貸借等の他人の財産についての善管注意義務違反による滅失・損傷の事例も、給付の代償ではなく、不法行為同様に単に債務不履行がなければ生じなかった損害を賠償するだけであり、契約上の債権との同一性を問題にすることはできない。教育債務など為す債務の不履行についても同様である。

れている。その根拠は以下のようである。①履行不能になっても、抗弁権が成立するだけで債務は存続することになった（412条の2第1項）。②また、履行不能や解除がされなくても、債務者による履行拒絶また解除権の成立により填補賠償請求権が成立することになったため（415条2項2号・3号）、当初の債務が存続しながら填補賠償請求権が成立して併存するので、1つの債権の内容の変更という構成は理論的にとれなくなった。債務者の帰責事由による履行不能の場合には、当初の債権は存続し不能の抗弁が認められ（412条の2第1項）、填補賠償請求権が別個の債権として成立することになる。

4-17 　　**(b)　消滅時効**　4-14②について、時効期間は166条1項に統一されたのでよいとして、問題は起算点である。4-16の否定説では、別個に損害賠償請求権についての時効を起算することになる（鈴木綱平「履行遅滞・履行不能と填補賠償（415条2項）」重要論点66頁）。本書も同一性は否定するので別に時効を起算することには賛成であるが、やはり起算点の問題は残される。否定説のように415条2項2号・3号の要件を満たすと、直ちに填補賠償請求権が成立して契約上の債権と併存すると考えれば、その時点が起算点になる。本書は次のように、填補賠償請求権に転形させる形成権が債権者に成立するにすぎないと考えるので、その行使により填補賠償請求権に転形した時点から起算する。形成権成立時に、形成権を行使して転形させ填補賠償を請求できるが、その時点からは起算しない。

4-18 　　**(c)　債務転形論を維持することは可能**　本書としては、同一性理論は否定するが、改正法の下でも債務転形論を認めることは可能であると考える。①まず、債務者の帰責事由による履行不能の場合には、填補賠償義務に転形しており、412条の2第1項によるのではなく、転形により当初の債務は消滅することになる。②また、415条2項2号・3号については、履行拒絶や契約解除権の成立により填補賠償を請求できるというのは、填補賠償請求権が直ちに成立するのではなく、債権者に填補賠償を成立させる形成権が認められ、その行使により、当初の契約上の債権から填補賠償請求権に転形すると考える。当初の契約上の債務と填補賠償義務が併存するのではなく、当初の契約上の債務と〝填補賠償を選択できる形成権〟とが併存するにすぎない。

4-19 **(2)　債務不履行責任の拡大**

(a)　当初、契約における不法行為上の法益侵害は不法行為とされた　伝統的な契約責任観（「代償による契約の履行」としての契約責任に限定する考え）は、19世紀後半以降の社会変動期に変容を来す。鉄道事故や労働災害など、契約で結ばれた者の間での事故でも、生命等の不法行為法上の法益侵害をめぐる責任は不法行為責任と考えられていた。契約により得られる履行利益を代償により履行するのではなく、既存の一般的保護法益の侵害による

損害を賠償するにすぎないからである。

4-20　(b)　**保管型・保安型は契約責任、さらなる拡大**　寄託など契約で物の保護
や人の看護などを約束した場合（保管型また保安型契約）、確かに生命、身
体、財産の侵害であるものの、それは契約の約束違反によって生じている。
人や物を守ることを債務の内容とする契約の場合、給付利益の塡補賠償では
なく、不法行為における損害賠償と内容が変わらなくても契約責任と認めら
れる。この扱いは医療契約や旅客運送契約等へと拡大されていくにとどまら
ず、信義則上の義務論（付随義務論）により、労災などあらゆる種類の人身
被害をもたらす契約関係の事例に拡大されていく。

4-21　**◆債務不履行責任を拡大する世界的な潮流**
⑴　フランスにおける拡大と揺れ戻し
　(a)　契約責任の拡大　フランスでは、鉄道事故や労災を契約責任（契約から離
れて債務不履行責任とはいわない）と構成しようとして、判例により安全義務が
作り出され、20 世紀において売買などありとあらゆる契約にまで拡大された。
そのため、限界づけが不明瞭になっていると批判される。また、当初、結果債務
としての安全義務が認められたが、手段債務にすぎない安全義務が認められ、他
方、不法行為では無生物責任という無過失責任の判例法が発展し──フランスで
は契約責任が成立すると不法行為責任は排除される（責任の不競合）──状況が
変わってきている。

4-22　　**(b)　不法行為責任の揺れ戻し**　しかし、このような契約責任の拡大の流れに対
しては、1990 年代にレミィ教授によって誤りであると批判され、「代償による契
約の履行」に契約責任を限定すべきであると主張された。しかし、通説は契約不
履行による損害を広く契約責任（近時は、契約責任・契約外責任という区別がされる）の
範囲として認め、違反される義務の差に責任の差の根拠を認め、代償による履行
といえる場合にのみ狭く契約責任を理解することに批判的である。

4-23　**⑵　ドイツにおける判例による債務不履行責任の拡大と明文化**
　他方、ドイツにおいては、当初の規定は、債務不履行規定として履行不能と履
行遅滞についてしか規定していなかったため、不能でも遅滞でもない債務不履行
類型として不完全履行が信義則規定を根拠として認められる。また、不完全履行
においては拡大損害が生じる事例が注目され（積極的債権侵害）、不法行為法は
絶対権侵害を原則として要件としたり使用者の免責を容易に認めるなど、被害者
が十分には救済されないため、不法行為法の不備を補う形で、信義則規定を根拠
とした付随義務違反による債務不履行責任が飛躍的に拡大していく。その後、不
法行為責任でも営業権侵害、社会生活上の義務などの発展により不備は改善され
たものの、拡大された債務不履行責任が 2001 年の改正法により明文化された

第4章　債権の効力②——債務不履行

（☞ 4-34）。契約の交渉過程において、立てかけてあった絨毯が倒れてきて客が負傷した事例にも、付随義務違反による債務不履行責任を認める点では、かなり比較法的には異例である。

4-24 (3)　拡大された債務不履行論の根拠・内容

(a)　債務不履行責任の拡大の根拠

(ア)　被害者救済に資するという実益

債務不履行責任の拡大には、まず被害者救済という考慮がある（結果の妥当性）。不法行為責任に対する債務不履行によることの利点として、①消滅時効、②過失の証明責任、③失火責任法の適用、④履行補助者などの点がある。しかし、改正により消滅時効も3年（20年）と5年（10年）と差は縮まっている——身体侵害は5年と20年なので差はなくなった——。また、過失の証明は、信義則上の義務違反と不法行為とで変わらない（☞ 4-133）。失火責任法の適用の有無は大きな問題であるが、失火責任法自体が時代遅れの立法である。

4-25 (イ)　理論的根拠

また、実益を超えて学理的な考慮を無視することはできない。給付義務ではないが、信義則上の義務として問題となる義務は、特定人間における、積極的に相手方の法益に対して配慮をすべき義務であり（安全配慮義務☞ 4-124）、単なる不法行為法上の全ての者に対する消極的な不可侵義務とは異なっている。①取引関係を規律する信義則によって支配された、②「特定人」間における、③「積極的な配慮義務」である。債務を給付義務以外に限定しなければ、信義則上の義務も「債務」であり、その違反は債務不履行となる（吉田・展開2頁以下）。

4-26 (ウ)　本書の立場

(i)　本質的には不法行為法の作為義務の問題

確かにこのような積極的な義務があることは否定できず、こう考えたい。不法行為法上の不可侵義務も、特定の当事者間に、積極的な作為義務として配慮義務が成立することが考えられる。侵害しないという単純な義務ではなく、特定人間で積極的に配慮すべき義務である点で債務に類似する。むしろ不法行為責任を、全くの他人間の消極的な不可侵義務違反と決め付けることが反省されるべきであり、不法行為責任の柔軟な運用という発想が必要である。また、完全な不作為不法行為ではなく、作為義務の不完全履行に匹敵する事例である。

4-27 (ii)　債務不履行の規定・法理の類推適用は可能

信義則上の義務違反は、

§Ⅲ　債務不履行による損害賠償——総論

不法行為法上の作為義務の不完全履行ともいうべき類型であり、取引上の信義則により規律され、債務不履行の規定また規律を適用（条文については類推適用）してよい——中間責任や第3の責任という学説もある——。この場合、債務不履行規定が類推適用される不法行為責任が1つ成立するだけで、請求権競合の問題は生じない（この点は、給付義務の不履行が認められる保管型・保安型との差）。類推適用されるべき規定や理論は何か、また、類推適用される義務か否かの限界づけなどが検討されるべきである。類推適用という留保を付けた上で、本書も判例を容認する。

4-28　　(b)　**信義則上の義務の承認**

　　(ア)　**契約外に根拠がある**　契約により合意された給付義務とは別に、信義則によって支配された特別の信頼関係で結ばれたことにより、信義則に基づく特別の義務が発生する。信義則上の義務は、契約の効果としてないし合意により成立するものではなく、信義則により支配される特殊な信頼関係を基礎として、信義則上認められる法定の義務である。付随義務、付随的注意義務、保護義務、安全配慮義務（☞4-124）と用語はまちまちであるが[57]、労災に関する限り、現在では安全配慮義務という用語が定着している。

4-29　　(イ)　**契約関係を超えて認められる**　その結果、このような特別の信頼関係の成立が認められるならば、契約関係がなくても信義則上の義務を認めることは可能となる。このことから、①いわゆる**契約締結上の過失**（☞債権各論Ⅰ2-3）という、契約締結段階での義務違反を債務不履行と構成できるようになると共に、②契約関係にない、買主の家族や、下請企業の労働者との関係でも、信義則により支配される信頼関係の成立を認め、債務不履行の成立が可能になる。

4-30　　◆　**「債務不履行」責任の拡大の3つの類型化**

　　　415条の債務不履行責任の拡大は、次の3つの観点から分類できる。①が②③の拡大の前提である。①給付義務以外に、信義則上の義務も「債務」に含め、そ

---

57)　**＊付随義務**　条文上の概念ではなく学理的な整理概念であり確立された概念ではないので各人各様の整理があってよいが、大きくは2つの整理が考えられる。①まず、給付義務という契約の本体的義務に対して、契約関係さらには債権関係の付随的な義務という広い意味で付随義務という用語を使うことが考えられる。履行に際する注意義務も独立した安全配慮義務もいずれも付随義務となる（**広義の付随義務**）。信義則上の義務という一般的概念に等しくなる。②これに対して、履行に付随する注意義務のみを付随義務と呼び、安全配慮義務や保護義務といった履行から独立した義務を含めない用法も考えられる（**狭義の付随義務**[小野6頁等]）。

80

の違反も 415 条の債務不履行に含めることにより、債務不履行責任の領域が拡大されている（**客観的拡大**）。②信義則上の義務は契約から発生するものではなく、信義則により支配される特別の信頼関係から発生するものであるため、契約関係がなくても信義則により支配される信頼関係が成立すれば、信義則上の義務を認めることは可能となる（**人的拡大**）[58]。③給付義務は契約がなければ考えられないが、信義則により支配される信頼関係は契約前に契約の交渉開始により成立し、交渉段階でも相手方に損失を被らせないよう配慮する信義則上の義務を認めることが可能となる（**時間的拡大**）[59]。契約交渉段階における、説明義務や助言義務の違反、交渉の不当破棄、交渉段階での安全配慮義務違反などが問題になる。これを広く**契約締結上の過失**という（☞債権各論Ⅰ 2-3）[60]。

2 債務不履行の類型論

4-31 　(a) 給付義務の不履行 3 分論

　(ア) 包括的な一元的規定　415 条 1 項本文は、「債務者がその債務の本旨に従った履行をしないとき又は債務の履行が不能であるときは、債権者は、これによって生じた損害の賠償を請求することができる」と規定している。起草の際には、債務不履行の正確な表現を規定することに難渋した。遅滞だけでなく不能、さらには不完全な履行など一切の債務不履行事例を含める意図であった[61]。

---

58)　これも元はドイツ法の法理である。浴室用ガス給湯器事件において、建物の賃借人が業者にガス給湯器の修理をさせたところ、修理工の過失により給湯器の爆発事故が起き、賃借人に雇われていた掃除婦が負傷した事例で、被害者である掃除婦に修理業者に対する債務不履行による損害賠償請求権が認められた。不法行為ではド民 831 条により使用者の免責が認められるため、これを排して履行補助者についてのド民 278 条により修理工の過失を修理業者の過失と同視したのである。

59)　**＊契約余後効論**　契約成立前の段階への債務不履行責任の拡大ではなく、契約履行後の義務違反を不法行為ではなく、債務不履行として構成することも検討されている（蓮田哲也『契約責任の時間的延長』[2020] 参照）。多くは作為義務は競業避止といった不作為義務が問題となる不法行為事例であるが、特約で義務を引き受けることは考えられる。例えば、物の販売で、転売する際には協力する、ペットを販売し、繁殖させる場合には相手を紹介する等を約束する場合である。契約条項に、残存条項（サバイバル条項）として、「本契約終了後においても、第○条、第○条および第○条は、なお効力を有する」といった条項を置くことがされている（守秘義務など）。この場合に、違反は契約違反になる。

60)　要点だけ指摘しておくと、安全配慮義務に関する判例はなく、交渉破棄事例については責任を認める判決があるが（最判昭 59・9・18 判時 1137 号 51 頁）、責任の性質については明確にしていない。他方、投資勧誘に際する説明義務違反については、債務不履行と構成して時効未完成という主張がされたが、信義則上の説明義務を認めつつ、その違反は不法行為になるにすぎないとして時効の完成が認められている（最判平 23・4・22 民集 65 巻 3 号 1405 頁）。奥田・佐々木・上巻 237 頁は、契約責任に「類似するもの」でもなく、不法行為責任と分析する。

81

§Ⅲ　債務不履行による損害賠償——総論

4-32 **(イ)　ドイツ学説に倣った３分類**　学説は、ドイツ民法学に倣い、債務不履行を履行不能、履行遅滞および不完全履行の３つに分類し、不完全履行の中に拡大損害が生じる事例を組み込んでいた（３分論［我妻99頁など］）。売主が買主の自宅の財産を損傷しないよう注意をして目的物を運び込むことを、給付義務たる引渡義務の内容にする（☞ 4-122）。

4-33 **(b)　信義則上の義務違反を独立させる４分論**　近時は、信義則上の義務違反を、給付義務の不履行から独立させて下記表のように分類する学説が有力である（４分論）。給付義務の債務不履行の３分類とは別に、信義則上の義務違反を独立させて、債務不履行を４つに整理することになる。信義則上の義務については保護義務、付随義務、安全配慮義務と用語は統一されてはいないが、このような給付義務とは別個の義務違反を独立して扱う整理が増えている（北川27頁以下、奥田163頁以下、近江68頁以下）。給付義務の不完全履行で拡大損害が生じる事例は、給付義務の不完全履行と信義則上の義務違反とが併存することになる。本書もこれに従うが、②の責任の本質は不法行為責任と理解する（☞ 4-26）。

---

① 給付義務の不履行　ⓐ 履行不能
　　　　　　　　　　　ⓑ 履行遅滞
　　　　　　　　　　　ⓒ 不完全履行
② 信義則上の義務違反

4-34 **◆ドイツ民法（債権法）2001年改正による明文化**
　　ドイツでは、2001年の民法改正（2002年施行）の際に、それまでの保護義務論（これを基礎とした、契約締結上の過失、第三者のための保護効を有する契約の法理なども）が明文化された（条文訳は、半田吉信『ドイツ債務法現代化法概説』［2003］

---

61)　**＊債務不履行一元論**　債務不履行を３つに分類することはわが国ではあえて必要ではなく、また無意味であるとし、債務不履行責任の要件は「債務の本旨」に従わない履行と一元化すればよく、「債務の本旨」とは何か、いいかえれば債務の内容はいかなるものかを個々の契約の解釈として考えれば十分であるという考えが登場している。ただ、履行不能とそれ以外の「債務の本旨」に従わない履行とに分けて説明するのが便宜的であるとして、不能は別に説明することは否定しない（平井48頁以下、淡路106頁以下は基本的に支持）。３分論によらずに（３つの区別は認める）、帰責の根拠により、債務不履行を客観責任的、主観責任的、結果責任的債務不履行に類型化する学説もある（石田157頁）。

第4章　債権の効力②——債務不履行

による）。

①ドイツ民法 241 条 2 項は、「債務関係は、その内容及び性質の顧慮のもとに、各当事者に相手方の権利及び法益を顧慮する義務を負わせる」と、保護義務を明記した（客観的拡大）。②同法 311 条 2 項は、「241 条 2 項の義務を伴った債務関係は」、「契約商議の開始」（1 号）、「それによって一当事者が法律行為的な関係において相手方にその権利、法益及び利益への作用の可能性を与え、または彼にこれをゆだねる、契約の勧誘」（2 号）、または、「それに類似した法律行為的な接触、によっても発生する」（3 号）と規定し、契約締結上の過失論の成果を明記した（時間的拡大）。③また、同法 311 条 3 項は、「241 条 2 項に従った義務を伴う債務関係は、自らは契約当事者にならない人にも発生しうる。……」と、人的拡大を認める。

4-35
◆結果債務・手段債務と債務不履行類型論および本書の立場
(1)　結果債務・手段債務と債務不履行類型論
　フランスでは、債務不履行は、手段債務と結果債務の不履行とに区別されている。日本でも、この区別を採用する学説も登場している。鈴木教授は、①結果債務については履行遅滞と履行不能の 2 つのみを考えれば十分であり、不完全履行なるものを考える必要はなく、ただ積極的債権侵害に該当する場合（拡大損害が生じる場合）については別途の考慮が必要であるという（鈴木 187 ～ 188 頁）。②手段債務については、履行不能とも履行遅滞ともいえない曖昧な形の債務不履行が存在することを認めざるをえず、これを不完全履行と呼び、415 条前段に含めることを認める。そして、不完全履行については、実際上履行の不完全と帰責事由とは重なり、いずれも債権者が証明責任を負う点で履行不能とも遅滞とも異なるという（鈴木 463 頁）。

4-36
(2)　本書の立場（4 分論＋結果債務・手段債務論の承認）
　(a)　不完全履行を認める　本書としては、4-33 の 4 分論に依拠しつつ、これを縦軸とし、これに結果債務・手段債務のいずれの不履行なのかという分析を重ね合わせる。改正法では、売主の担保責任が債務不履行責任と再構成され、不完全な履行でも不完全ながら履行の効力を有し、追完義務のみが履行義務として残され、履行不能や遅滞にはない効果が問題になる。そのため、不完全履行を第 3 の類型と位置づけてよい。

4-37
　(b)　手段債務と結果債務を分ける　手段債務については、履行不能と遅滞は、不履行自体が結果債務同様に客観的に評価でき、これにつき免責事由（415 条 1 項ただし書）があるかどうかを争うことを認めるが、不完全履行については、4-35 の学説の指摘する通り特別の考慮が必要である。というのは、不完全な履行といえるためには、最善の注意を尽くさなかったことが必要であり、そのこと、すなわち債務不履行を債権者側が証明しなければならず、それは過失の証明に等しい

§Ⅳ　履行遅滞

からである。415条1項の債務不履行の証明につき、別個に同項ただし書の免責事由を問題にする余地はない。医療過誤や安全配慮義務違反などは、債権者側が違反を根拠づける事実を証明しなければならず（過失が規範的要件なので、債務不履行も規範的要件になる）、被害者救済は、事実上の推定など証明をめぐる法理に基づいた救済により図るべきである。

§Ⅳ
履行遅滞

1　総論

4-38　　(a)　**履行遅滞**　債権者が履行遅滞を理由に損害賠償を請求するためには、債権の成立を証明するほか、まず、履行遅滞の要件を満たすことを証明することが必要である。履行遅滞が成立するためには、ⓐ履行が可能であることが必要であるが、履行不能は債務者の抗弁事由である（412条の2第1項）。ⓑまた、債務者に同時履行の抗弁権や留置権といった抗弁権があれば遅滞とは認められないが、これも債務者の抗弁事由である。ⓒ催告が遅滞のために必須の要件になるのかは立法により分かれ、日本民法は期限が定まっていない場合にのみ催告を要件とした（412条3項）。ⓓなお、提供がされれば履行期を過ぎても遅滞にならないが、これも債務者の抗弁事由である（☞10-218）。

4-39　　(b)　**帰責事由が必要**　以上の客観的な履行遅滞の要件を満たしても、債務者に帰責事由がなければ債務者は損害賠償責任を負うことはないが、これも債務者の抗弁事由である（415条1項ただし書）。そのため、①を客観的要件、②を主観的要件ということがある。一部遅滞している場合には、不履行部分の履行を追完（追加履行）として請求できる（562条）。

2　履行遅滞の要件

4-40　(1)　**確定期限ある債務**

　　(a)　**債権者の催告は不要**　「債務の履行について確定期限があるときは、債務者は、その期限の到来した時から遅滞の責任を負う」（412条1項）[62]。立法によっては、確定期限が定まっていても債権者が催告をすることを遅滞の

要件とするが（「時は人に代わって催告せず」といわれる）、日本民法はこのような立法を採用しなかったのである。

4-41 **◆期日徒過により当然には遅滞にならない事例**

　　　例外として、①指図証券など、証券を提示してその引渡しと引き換えに履行がされる債権については、証券の提示をして履行の請求がされることが遅滞のためには必要になる（520条の9・520条の18・520条の20）。②また、履行に債権者の行為が必要な場合には（取立債務等）、債権者が必要な協力をして履行請求をして初めて履行遅滞になると考えるべきである。例えば、クリスマスケーキを予約し、店頭で引渡しを受ける日時を決めていたが、注文者がその日時に取りに来なかった場合、履行遅滞にならない。取りに来ることが遅滞の要件であり、口頭の催告は必要ではない（☞10-233）。遅滞の要件が欠けているのであり——遅滞はあるが提供により免責されるのではない——、債務者が履行を真意でかつ終局的に拒絶をしている場合も同様に考えるべきであり、期日に口頭の提供をしなくても遅滞に陥ることはない。

4-42 **(b)　同時履行の抗弁権の存在や提供による免責——期限の定めのない債務化**　①債務者が期日に提供をすれば遅滞には陥らない（492条）。その後は、期限の定めのない債務と同視して、債権者が受領遅滞を解消して催告をした時から遅滞に陥ることになる。②同様に、双務契約において両債務について同一の履行期が定まっていたが、両者提供もすることなく履行期を徒過した場合には、同時履行の抗弁権がありいずれの債務も遅滞に陥らない。この場合にも、それ以降は期限の定めのない債務と同視され、一方が提供をして請求をすることにより、相手方の債務が履行遅滞に陥いることになる。

4-43 **(2)　不確定期限ある債務**

　「債務の履行について不確定期限があるときは、債務者は、その期限の到来した後に履行の請求を受けた時又はその期限の到来したことを知った時のいずれか早い時から遅滞の責任を負う」（412条2項）。例えば、建物の建築請負で、請負代金1000万円を、契約時に100万円、棟上げ時に400万円、完成後引渡し時に500万円を支払う合意をしたとする。請負人による棟上

62）　2023年5月10日に支払うという約束が確定期限の合意となるだけでなく、2023年4月中に支払うという約束でも、その期間の末日が確定期限になる。2023年4月10日から13日以内に目的物を引き渡すという約束も同様であるが、それがただ債権者の便宜のためであり、債権者がこの期間内に権利行使ができるという趣旨でもある場合には、この期間を過ぎた場合だけでなく、債権者がこの期間内に請求をした時点から履行遅滞になる（新注民(8) 207頁［潮見］）。なお、当事者が履行期を定めていなくても、法による補充規定があれば（例えば614条）、期限の定めがないのではなく、法定の確定期限があるものと扱われる。

§Ⅳ　履行遅滞

げが終了したら催告を要することなく遅滞に陥るというのは、注文者に酷である。そのため、民法は、①債権者が履行期到来の事実を知らせるか、または、②債務者が履行期到来の事実を知ることを、履行遅滞の要件としたのである。期限の到来だけで催告なしに遅滞に陥るという立場を貫徹しつつ、修正をしている。

4-44　**(3)　期限の定めがない債務──請求により遅滞に陥る**

　「債務の履行について期限を定めなかったときは、債務者は、履行の請求を受けた時から遅滞の責任を負う」[63]（412条3項）。証券的債権では証券を提示して履行の請求をすることが必要である（520条の9など、手形38条1項）。履行の請求は、金額や数量に過不足があっても債権の同一性がわかれば有効である（大判大2・12・22民録19輯1050頁など）[64]。同時履行の抗弁権や留置権がある場合には、債権者が提供をして請求するのでなければ、遅滞にはならない。請求時から──正確には初日不算入（140条）なので翌日から──の遅滞という原則に対しては、2つの例外が認められている。

4-45　**◆請求を受けた時からの遅滞という原則に対する例外**
　(1)　貸金債権についての例外
　　金銭消費貸借契約の貸金債権について、返済時期を定めなかった場合には、貸主が返還を請求しても、借主は遅滞に陥ることはない。なぜならば、返還時期の定めのない消費貸借契約においては、貸主は直ちに返還するよう請求することはできず、「相当の期間を定めて返還の催告をすることができる」にすぎないからである（591条1項）。相当期間を定めなかった場合には、請求から相当期間を経過した時点で遅滞に陥ると考えられる。なお、取立てに来たのが債権者本人（また正当な代理人）か疑念を抱く特段の事情がある場合には、債権者（代理権ある代理人）であることが確認できるまで、遅滞に陥らないまたは遅滞になるが違法性を阻却されると考えるべきである（☞4-57）──金銭債務なので不可抗力は免責事由にはならない（419条3項）──。

4-46　**(2)　不法行為債権についての例外**
　　明文規定はなく解釈によるが、不法行為に基づく損害賠償債権については、請求なしに直ちに遅滞に陥るものと考えられている（最判昭37・9・4民集16巻9号1834頁［通説]）。ただし、その理由は述べられておらず、学説には反対する主張

---

63)　請求は訴状の送達によってもよく、この場合、後日訴えが取り下げられたとしても、請求の実体法上の効力（412条3項）は消滅することはない（大判大2・6・19民録19輯463頁）。
64)　請求が訴えの提起による場合には、訴えがその後に取り下げられても、催告の効力には影響はない（大判大2・6・19民録19輯463頁）。

第4章　債権の効力②——債務不履行

もある[65]。他方で、人身損害については、債務不履行についても事故時からの遅滞を認めることが提案されている（実務上の課題23頁［能見］、大塚直「中間利息の控除」同編『民法改正と不法行為』［2020］14頁）。

4-47　**◆遅延損害金ではなく遅延利息が支払われる場合**
　　悪意の不当利得者は、請求がなくても、受けた利益に利息を付けて返還しなければならないが（704条）、これは遅延損害金ではなく、運用利益も本来財産権の帰属者に帰属していたはずであるので、不当利得返還義務として認められるものである。受任者の受領物や金銭の消費の場合の損害賠償義務について、消費後の利息を支払うのは704条と同様の趣旨である。契約解除における金銭の返還義務の受領時からの利息支払義務も、原状回復義務の内容である（545条2項）。また、連帯債務者の求償権につき、請求なしに利息を付けて支払を請求でき（442条2項）、保証人の主債務者への求償権（459条2項）や共同保証人間の求償権（465条1項）に準用されている。いずれも遅延損害金ではなく、412条3項の例外ではない（647条・650条1項なども同様）。

3　金銭債務の履行遅滞についての特則——要件・効果

4-48　**(1)　責任要件の特則——不可抗力免責を認めない**
　　(a)　不可抗力免責なし　金銭の給付を目的とする債務の不履行による損害賠償については、「債務者は、不可抗力をもって抗弁とすることができない」（419条3項）。金銭債務については、415条1項ただし書の適用を否定し、債務者は帰責事由を争うことができないことになる。民法は、帰責事由がないことを争えないものとして、次の賠償額の画一的確定とあわせて、金銭債務をめぐる争いを形式的・画一的に解決しようとしたのである。

4-49　　**(b)　支払猶予令**　そのため大災害により支払ができなくても責任が成立し

---

65)　故意による不法行為については、704条との均衡上、同条の類推適用により加害行為の翌日から遅延損害金の発生を認めるが、過失による不法行為については、原則通り請求により遅滞に陥り、その翌日から遅延損害金が発生するという提案（平野哲郎「医師民事責任の構造と立証責任」判時2336号［2017］21頁）、ドイツ民法849条では、物の侵奪に基づきその価格を、または、物の毀損に基づきその価格の減少を賠償すべきときは、侵害を受けた者は価格決定の基礎たる時より賠償すべき額の利息を請求することができるにすぎず、一般的な不法行為債権の当然遅滞という扱いはなく、「我が国の解釈論としては、不法行為の場合においても、原則として履行の請求を受けたときに遅滞に陥り、その時から遅延損害金を支払うことになる」という提案もある（松井公司「不法行為における遅延利息発生時期に関する一考察」『比較民法学の将来像』［2020］713頁）。潮見・新Ⅰ 472頁も、704条との権衡を考え、侵害利得型については不法行為の時から遅滞を認める。

てしまうため、支払猶予令（モラトリアム）を発して債務者を救済すること
が行われる。1923年の関東大震災に際して発せられたモラトリアムは有名
である。近時は、民間レベルで救済が図られており、2011年の東日本大震
災の際には、全国銀行協会は、震災により支払期日に手形の決済ができなか
ったとしても不渡りとして扱わない猶予措置を同年内いっぱい行った。

4-50 **(2)　効果の特則**

(a)　法定利率による遅延利息に固定

(ア)　**法定利率への固定**　「金銭の給付を目的とする債務の不履行について
は、その損害賠償の額は、債務者が遅滞の責任を負った最初の時点における
法定利率によって定める。ただし、約定利率が法定利率を超えるときは、約
定利率による」（419条1項）[66]。債権者は予定していた金銭が入らないことに
より種々の損害を被る。しかし、実損害の賠償請求を認めたのでは、その認
定また債務者の予見可能性の認定をめぐって訴訟が紛糾する可能性があるた
め、損害額を法定利率（☞2-62）の額に限定した（**遅延利息**という）。

4-51 　(イ)　**法定利率に固定したことによる帰結**　4-50の結果、①一方で、債権
者は損害を証明する必要はなく（419条2項）、②逆に実損害を証明してそれ
を請求することもできない（例外：647条・665条・669条・671条・701条・873条2
項等）。「債権者は、金銭債務の不履行による損害賠償として、債務者に対し
弁護士費用その他の取立費用を請求することはできない」とされている（最
判昭48・10・11判時723号44頁）。ただし、不当抗争が不法行為に当たる場合に
は、そのことを不法行為として弁護士費用について損害賠償を請求できる
（大連判昭18・11・2民集22巻1179頁）。

　なお、金銭債務の不履行を理由に契約解除がされた場合には、419条1
項の制限は受けず、目的物を他に安く売却せざるをえなかった差額などの損
害を賠償請求できる（545条4項）。

4-52 　**(b)　419条1項への疑問**

(ア)　**立法例**　本規定は、基本的にはフランス民法に倣ったものである。ス

---

66)　遅延利息の遅延利息（利息でいうと重利に匹敵）はどのように考えるべきであろうか。①遅延利息は利
　息ではなく損害賠償であるという点を強調すれば、他の遅延賠償と同様に催告によって遅延利息が生じるこ
　とになる（412条3項）。②しかし、遅延利息も元本を基準として日々発生する点では利息と共通してお
　り、法定重利に関する405条を適用し、1年分以上延滞して初めて元本に組み入れることが可能となると
　いうのが判例である（大判昭17・2・4民集21巻107頁）。

イス債務法やドイツ民法では、債務者の過失を証明すれば実損害の賠償請求を認めており、また、フランス民法も、1900年の改正により、1153条4項（現1231-6条3項）が追加され、故意による金銭債務の不履行の場合には、法定利率による金額の支払という原則に対して、実損害の賠償を認めている。しかし、金銭の支払をしないことが、「故意」か否かの限界づけは難しい。

4-53　**(イ)　解釈による例外の認容①**　日本においても、学説により419条を解釈により修正する試みがされている[67]。①まず、419条は通常損害を定型化したにすぎず、特別事情による損害については、419条は適用されず416条2項の原則通り債務者の予見可能性を証明して実損害の賠償を請求できるという学説がある（岡村64頁、奥田50頁）。②また、債務者が金銭債務の支払を故意的にしない場合には、実損害の賠償請求を認めてもよいという学説もある（平井111頁）。

4-54　**(ウ)　解釈による例外の認容②**　以上の一般論とは別に、金銭消費貸借契約の貸主の貸金交付義務のように、契約終了まで使用させる継続的給付義務には419条の適用を制限をして、416条2項により実損害の賠償を認めることが可能である（☞債権各論Ⅰ 7-8）。

4-55　**◆遅延利息と利息制限法**

(1)　法定利率の1.46倍まで可能

利息制限法4条1項は、「金銭を目的とする消費貸借上の債務の不履行による賠償額の予定は、その賠償額の元本に対する割合が第1条に規定する率の1・46倍を超えるときは、その超過部分について、無効とする」と規定する。したがって、遅延損害金については、制限利率の1.46倍の利率の合意が認められることになる。元本額が、①10万円未満の場合は20×1.46＝29.2%、②10万円以上100万円未満の場合は18×1.46＝26.28%、③100万円以上の場合は15×1.46＝21.9%である。

4-56　**(2)　当初の利率が法定利率を超えていた場合**

当初の利息の約定が、同法1条の制限利率を越えているが、遅延損害金について特に合意がされていない場合、①遅滞以後は同法4条1項の限度まで有効な範囲が拡大されるのか、それとも、②遅延利息についての特約をしておかない以上、同法1条の制限を受けた利率のままなのかは議論がある。100万円を貸して

---

67)　損害賠償請求により根拠づけるのではなく、485条を類推して金銭債権についてもその回収費用の償還請求を肯定する学説がある（山田紘一郎「弁護士費用（2・完）」法時49巻6号［1977］146頁）。

利息を利率20%と合意した場合、支払期日までの利率は15%であるが、履行遅滞後は21.9%の範囲内なので20%全額の利息が有効になるのかという問題である（①では20%になる。②では15%のまま）。判例は、「利息の約定が利息制限法1条1項の制限をこえるときは、利息の額は右制限額にまで減縮されるから、損害金もおのずからそれと同額、すなわち減縮された利率によって算定する」と、②の立場を採用した（最判昭43・7・17民集22巻7号1505頁）。

4-57

◆受領権限確認のための履行拒絶

例えば、AがB銀行の預金の払戻しのために代理人Cを用いたところ、Bの行員が権限の有無を調査する必要上Cへの即時の支払を拒絶し、Aの確認がとれるまで数日支払が遅れたとする。代理権に疑いを持って然るべき事情があっても、代理権があれば払戻請求は有効であり、無過失による免責は認められないので（419条3項）、債務者（B銀行）は責任を免れないことになる。しかし、疑念を持ち確認をするのが取引通念上相当であれば、債務者の責任を否定すべきである。

高松高判平8・1・23判時1561号43頁は、「銀行が預金の払戻をする際になすべき預金者の協力行為には、……前記調査に協力するとともに、前記内部手続等や調査を行うのに通常必要な時間経過後に銀行の窓口において払戻金を受領することまでもが含まれている」。「右調査を行うのに通常必要な時間経過後に、銀行が預金者側に対し、払戻を行う旨を通知しなければならず、また、弁済の準備が完了している状態で右通知を行うことによって、弁済の提供がなされたものと解すべきである」とした。預金に限らず、債権者かまた正当な代理人か否か、疑念を持つのが取引通念上当然と認められる場合には、その確認ができるまで、または確認をするのに必要な期間につき支払の拒絶を認めるべきである。

$$\S\,\mathrm{V}$$
履行不能

1　履行不能の要件

4-58　**(a)　不能の抗弁**

(ア)　債務は消滅せず抗弁権が成立するだけ　履行「不能」について、改正法は「債務の履行が契約その他の債務の発生原因及び取引上の社会通念に照らして不能であるときは、債権者は、その債務の履行を請求することができない」という規定を置いた（412条の2第1項）。本規定は、①反対解釈として

第4章　債権の効力②──債務不履行

履行が可能な限り、債権者には履行請求権が認められること、また、②履行不能により債務は消滅せず、債務者に不能の抗弁を認めることを規定するものである──②と連動して536条1項も、反対給付義務の消滅ではなく履行拒絶権の成立に変更された──[68]。

②についていうと、ⓐ改正前は、不可抗力による履行不能は、債務を消滅させ、ⓑ債務者の帰責事由による場合には、財産を給付する債務であれば填補賠償請求権に転形すると考えられていた。改正により、ⓐは債務は消滅せず抗弁権が成立するだけ、ⓑも債務は抗弁権付きで存続し、填補賠償請求権は別個に成立することに変更された（本書は反対☞ 4-18）。

4-59　(イ)　「不能」概念の意義・必要性　履行不能は、債権者に填補賠償という保護を認めるための概念であるが、他方で、債務者のために、債務者に履行の間接強制を免せるための概念ないし法理である（不能免責）[69]。もし不能免責を認めないと、間接強制によって永遠に罰金の支払をしなければならないことになる[70]。不能を理由とした填補賠償を請求する場合には、債権者に不能の証明責任があるが（415条2項1号）、債権者が履行請求するには履行が可能なことを証明する必要はなく、債務者が不能を抗弁として主張しその証明をすることが必要になる。

4-60　(b)　不能の基準　「不能」は規範的要件であり（吉川昌寛「履行不能概念……」重

68)　＊原始的不能　改正前は、契約当初から履行不能（原始的不能という）な給付を目的とする場合、その契約は無効と考えられ信頼利益の賠償（☞ 4-185）が問題とされていた。権利・利益の侵害がなく、不法行為責任の成立については疑問があるため、債務不履行と構成して損害賠償を認めることも模索された。改正法では、412条の2第1項で、履行不能な債務が成立し不能の抗弁権が認められるだけと再構成したため、同条2項で原始的不能な場合でも契約は成立し、填補賠償が認められることになった──錯誤取消しを否定する趣旨ではない（福田清明「契約上の債務が原始的不能の場合の損害賠償について」『比較民法学の将来像』［2020］273頁以下参照）。──原始的履行不能でも、履行請求権または履行義務は成立するが、履行の強制ができないだけで、填補賠償請求権や代償請求権が認められるといわれる（石田67頁）。ここでの帰責事由については、原始的不能な契約であることの調査や情報の提供を怠ったことだけでなく、原始的不能それ自体への過失も含める主張もある（大滝哲祐「債権法改正における原始的不能と損害賠償」北海学園大学法学研究55巻2号［2019］56頁）。また、本来の債務不履行とは帰責構造が異なることから、「法定責任」と位置づける提案もある（長坂純『契約責任規範の変容と責任法理』［2022］248頁）。

69)　＊不能の分類　不能は種々の観点から分類される。4-60の分類を補足しておく。①契約締結当時から不能な場合を原始的不能といい、契約締結後に不能になった後発的不能と区別される。②契約の履行が全部不能な全部不能に対してその一部が不能な一部不能という区別もある。③その他、客観的に全ての者にとって不能である客観的不能に対して、その債務者についてのみ不能にすぎない主観的不能とが区別される。ドイツでは、当初規定では原始的不能な給付を目的とする契約は無効とされ、ここに主観的不能は入らずに契約は有効となることを認める点に区別をする意味があった。日本でも議論されたが、その意義は疑問視され現在では議論されることはない（潮見佳男『債務不履行の救済法理』［2010］55頁以下参照）。

91

§Ⅴ　履行不能

要論点14頁)、「契約その他の債務の発生原因及び取引上の社会通念に照らして」判断することになる。不能の概念は債務者の免責の可否という観点から考察されるべきであり、①目的物の滅失といった**物理的不能**に限定されず[71]、②売買の目的物が契約後に法律によって取引を禁じられた場合には**法律的不能**となり、③さらに、**社会通念上不能**と考えられる場合でもよい。例えば、売買の目的物が契約後盗難にあった場合には、目的物はどこかにあるので物理的に引渡しが不可能になったわけではないが、社会通念上履行不能になったとして、債務者に不能免責を認めるべきである。経済的不能については4-61に説明する。

4-61

◆**経済的不能概念の認否**

(1) **比較法的には免責認めるのが趨勢**

　履行不能が債務者のために不能免責を認めるための概念・法理でもあることは本文に述べた。しかし、この目的を達するためには、不能以外の概念も考えられている。2001年改正ドイツ民法では、履行不能により履行請求権が失われるという規定（同法275条1項）とセットで、履行に要する費用が、債権者の給付利益

---

70) ＊**契約目的到達不能**　履行不能と区別される概念として、**契約目的到達不能**という法理がある。イギリスにおいて、1903年の判決で、王様の戴冠式を見るために部屋を借りたところ、王様が病気になり戴冠式が延期になった事例で、予測できない事情により契約の本質的な部分が消滅した場合には、債務の履行が免責されるとして借主の賃料の支払が免責された。約束の期日に部屋を貸すことは履行可能である。しかし、借主の主観的目的は戴冠式を見るということであり、その目的は達成不能である。日本では、これを履行不能に準じて危険負担により反対給付を免責するか、解除条件にしない限り、または事情変更の原則による保護が考えられない限り、主観的な目的達成が不能であろうと履行不能でもなく、何ら契約の効力に影響はないと考えるべきなのか。戴冠式見物用に貸し出していたので、見物ができることは当然の前提であり、借主を免責した結論は妥当である。貸主の債務の履行不能は問題にできず、黙示の解除条件または契約目的達成不能の場合に、借主に解除権を認める合意を認めることで解決がされるべきである。

71) ＊**不能概念の緩和**　改正前は、物理的不能を基底に据え、社会通念上の不能に、法律的不能、経済的不能、事実的不能を整理していたが、改正412条の2第1項は、規範的評価を経た「社会通念上の不能」に全てを整理し、その中に物理的不能以下の不能類型が整序されることになったといわれる（石崎康雄「履行請求権」宮本健蔵先生古稀記念［2020］80頁）。100年ほど前は、絶対的不能のみが認められ、契約の拘束力は絶対的なものとされ、拘束力から離脱する債務者の利益よりも、債権者の利益が優先されていた。しかし、現在では「相対的不能」（日本でいう社会通念上の不能）が認められるに至っている。指輪を宝石商に販売することを約束していた売主が、クルージング中にその指輪を海中に落とした場合、現在では不能の抗弁が認められている。ダイバーを使って指輪を探し出すことは不可能ではないが、それにかかる時間と費用は指輪の代金とは全く釣り合わないため、売主に合理的に期待できず、売主は損害賠償を義務づけられるのみである（スミッツ255頁）。例えば、DCFR Ⅲ.-3:302条(3)項(b)号は、履行の強制ができない場合として、「履行のために債務者に不合理な負担又は不合理なほどに多額の費用が必要とされる場合」を規定しており、日本の社会通念上の不能もこの基準により運用されるべきである。なお、コロナ禍による結婚披露宴契約につき、緊急事態宣言後になされた解約は有効と認められている（名古屋地判令4・2・25 LEX/DB 25592062)。発令前の事例では社会通念上不能ではなかったものとされ、取消料の支払義務が認められている（東京高判令4・2・17 LEX/DB 25592207)。

第 4 章　債権の効力②——債務不履行

に対して重大に均衡を欠く場合に、債務者は履行を拒絶できるという規定が導入
された（同条2項）。UCC、PECL 等にも、債務者にとって不合理な努力、出費が
必要である場合や、債権者が他の手段によって合理的に給付を得られるような場
合には、履行強制を否定する規定が置かれている（☞注 48）。

4-62　**(2)　改正前の状況**

　　(a)　事情変更の原則　履行不能に関連した債務者を履行から解放する制度とし
て、事情変更の原則による契約解除や契約改定権また履行拒絶権が問題にされて
いた（☞債権各論Ⅰ 4-4）。例えば、原料費が高騰し、それが報酬の数倍の費用
となり大赤字になった場合にこの法理は使われる。

4-63　　　**(b)　請負の規定**　改正前には、請負契約について瑕疵が重要でない場合に修補
に過分の費用を要するときは修補を請求できないという規定（旧 634 条 1 項ただし
書）があった。しかし、瑕疵が重大な場合には、どんなに過大な費用がかかって
も修補義務を免れなかった。

4-64　　　**(c)　経済的不能、権利濫用**　また、いわゆる発電用トンネル事件（大判昭 11・
7・10 民集 15 巻 1481 頁）では、すでに他人の土地に無断で設置された発電用トン
ネルを撤去して新たな水路を設けることは、巨大な物資と労力の空費を来たし社
会経済上の損失が少なくないため、妨害排除はできず損害賠償の請求しかできな
いと判示された。権利濫用として処理することも考えられる。

4-65　**(3)　改正法における解釈**

　　改正法は、旧 634 条 1 項ただし書をあえて削除した。これは、重大な瑕疵で
過大な費用がかかる事例が除外されており、この場合も含めて修補請求を否定す
るためである。それを実現することを 412 条の 2 第 1 項の「不能」に任せたの
である。すなわち、いわゆる経済的不能概念を認めて、「不能」の法理により対
処しようとしたのである。この結果、不適合が重大であっても、過大な費用がか
かる場合には、債務者には履行不能の抗弁が認められることになる[72]。債権者に
は填補賠償の請求（415 条 2 項）、契約解除（542 条 1 項 1 号）が認められる。

4-66　**◆二重譲渡と履行不能**

　　(a)　当初の判例は不能を否定　不動産を A が B に売却した後に、A がさらに
C に売却し、所有権移転登記をしてしまった場合、A の B に対する履行義務は履行
不能となるであろうか（B に仮登記がある場合は問題がない）。不動産は物理的

---

72)　ドイツ民法では、不能につき原則として当然に給付請求権（履行請求権）が認められないのに対して
（同法 275 条 1 項）、給付の費用につき重大な不均衡が認められる場合には、不能ではないが債務者に給付
拒絶権を認めるという構成を採る（同条 2 項）。日本ではいずれも「不能」として扱うが、同様に考えるべ
きである。すなわち、不能な場合は、債務者が争わなくても履行を命じることはできないが、経済的不能に
ついては債務者が争わなければ、履行が命じられることになる。フランス民法 1221 条も、履行の強制がで
きない場合として、履行不能と並べて債権者の利益に比して履行費用が明確に不均衡な場合を掲げており、
不能とは区別している。

93

§Ⅴ　履行不能

には存続しており物理的な不能はなく、また、A が C から不動産を買い戻すことも全く不可能というわけではない。そのため、初期の判例は、直ちに不能となるものではないとしていた（大判明 34・3・13 民録 7 輯 3 巻 41 頁、大判明 34・7・8 民録 7 輯 7 巻 41 頁、大判明 44・6・8 民録 17 輯 371 頁）。

4-67　　**(b)　不能を認める**　その後、判例は態度を改め、一方の買主へ移転登記をすることにより、他方への履行義務は原則として直ちに履行不能となるものとした。「売主が売買の目的物を第三者に譲渡した場合」には、「売主が買戻其他の方法に依りて第三者より目的物の所有権を回復し之を買主に移転することの可能なる事実を証明したる場合は格別」、そうでない限り「売主が買主に対して負担せる所有権移転の義務は履行不能の状態に在る」と認める（大判大 2・5・12 民録 19 輯 327 頁。その後の判例として、大判大 13・3・11 新聞 2246 号 20 頁、最判昭 35・4・21 民集 14 巻 6 号 930 頁）。なお、他方の買主に仮登記がされたにすぎない場合には、いまだ履行不能ではない（最判昭 44・5・27 判時 560 号 45 頁）。

2　履行不能の効果（債務不履行責任）——415 条 2 項

4-68　**(1)　填補賠償請求権——履行不能以外も含めて**

　(a)　填補賠償請求権が認められる場合　填補賠償は、「債務の履行に代わる損害賠償」と定義され、履行不能に限らず以下の場合に認められる（415 条 2 項）[73]。履行不能の場合以外も、便宜上まとめてここで説明をしておく。

> ① 履行不能の場合（415 条 2 項 1 号）
> ②「債務者がその債務の履行を拒絶する意思を明確に表示したとき」
> 　（同項 2 号）
> ③ 債務が契約によって生じたものである場合において
> 　ⓐ その契約が解除されたとき、または、
> 　ⓑ 債務の不履行による契約の解除権が発生したとき（同項 3 号）

---

73)　**＊執行不奏功の場合のための填補賠償請求**　判例は、「株式又は物の給付を為すべき債務者が其の給付の強制執行を受けたるも其の執行奏効せず即執行不能なる場合に於て、……履行不能に因らざる右執行不能の場合と雖も、債権者は履行に代る損害賠償を請求し得べきものにして、此の損害賠償は畢竟履行遅滞に因る損害賠償に他ならず。而して本来の給付を求むる訴に於て右損害賠償の予備的請求を為したるときは、事実審裁判所は最後の口頭弁論当時に於ける本来の給付の価値を判定して、其の本来の給付を命ずると同時に、右請求の限度内に於て其の強制執行不能なるときは該価額相当の損害賠償を為すべきことを命ずる判決を為し得る」という（大判昭 15・3・13 民集 19 巻 530 頁）。

第 4 章　債権の効力②——債務不履行

4-69　　(b)　**「債務の履行に代わる損害賠償」**　履行不能は、債権者にとって、①填補賠償が可能になる（415 条 2 項 1 号）、②代償請求権が認められる（422 条の 2）、③債務者にとって、「不能」の抗弁が認められ履行の強制を免れるという意義を有する。民法は「債務の履行に代わる損害賠償の請求」[74]が認められる「債務」を明らかにしていない。履行利益の賠償は、履行に代わる損害賠償（填補賠償）と履行に併存する損害賠償に分かれる[75]。填補賠償の算定時期については後に述べる（☞ 4-226 以下）。

4-70　　◆ **415 条 2 項と同一性理論（債務転形論）**

(1)　**転形前の填補賠償請求権の成立**

　　4-68 の 4 つの場合に、従前の同一性理論ないし債務転形論（☞ 4-14）との関係はどう考えるべきであろうか。この点、4-68 の②と③ⓐがあるために同一性理論（債務転形論）は否定されたと理解されていることは 4-16 に述べた。否定説では、解除権が成立するだけで解除前に填補賠償請求権が成立するため、③ⓐは合意解除の事例しか考えられないことになる（山本・現代化Ⅲ 264 頁）。しかし、本書の立場（☞ 4-18）では、②や③ⓑは填補賠償請求権を成立させる形成権が成立するにすぎず、填補賠償請求権はその後にこの形成権が行使されるかまたは解除がされて初めて成立することになる。したがって、③ⓑを合意解除に限定する必要はない。

4-71　　(2)　**415 条 2 項 3 号後段の意義**

　　通常の場合は解除をすればよいので③ⓑは必要ない。ただ、継続的契約関係では、例えば毎月の給付で、ある月の給付がされなかったが、以後は相手方から給付を受けようという場合、債権者としては契約を解除しないで、その月の給付だけ填補賠償にして、代金と相殺をする必要がある。継続的供給契約でも、個別に発注して取引量が決まる場合には、基本契約に基づいて個別契約が締結されることになり、その個別の契約だけの解除が可能である。

---

74)　現行法では、債務不履行による損害賠償につき、①「履行に代わる損害賠償」（填補賠償）と②その他の損害賠償の二本立てになったことになる（福田清明「双務契約上の役務提供債務の不完全な履行による 2 種類の損害賠償（民法 415 条）と追完請求権の優位性」宮本健蔵先生古稀記念 [2022] 95 頁は「基本的損害賠償」と呼ぶ）。②の要件は 415 条 1 項だけであるが、①には同条 2 項の要件を先に満たすことが必要になる。同条 2 項の特別の要件は、「履行請求権優位の原則」を示すものであり、②は履行請求権優位の原則とは抵触しないものであることになる（福田・前掲 98 頁）。

75)　***履行に代わる損害賠償か否かの区別がどうして必要なのか**　ドイツ民法でも、「給付に代わる損害賠償」と「給付と併存する損害賠償」とが区別され、その基準について議論されている。なぜこの 2 つの損害を区別する必要があるのかというと、「履行・追完の優先という基本方針が妥当する場合であるか否かは、給付に代わる損害賠償に該当するか否かで決まる」ためである（高田淳「損害賠償種類論における時期的区分説の骨子」新井誠先生古稀記念 [2022] 276 頁。同「履行に代わる損害賠償（填補賠償）の識別」小賀野晶一先生古稀記念 [2023] 269 頁も参照）。415 条 2 項についても、売主や請負人の契約保持また追完権保障という観点からの調整を常に意識する必要がある。

§V 履行不能

◆追完に代わる填補賠償請求権

4-72

415条2項の「債務」には追完義務も含まれるのであろうか。これを肯定し、追完義務に415条2項を適用すると、同規定の要件を満たさなければ追完に代わる損害賠償請求権が認められないことになる。「履行に代わる損害賠償」と規定され、追完義務を契約上の履行義務と位置づける同質説（☞4-110）では文言上問題ないが、異質説（☞4-111）ではそれ自体が現実賠償義務なので拡大適用（ないし類推適用または法意の類推）になる。なお、533条括弧書の解釈において、追完権保障を考慮する必要はなく、また、沿革からしても、追完に代わる損害賠償請求権にも適用される。

4-73

⑴ 415条2項と追完優位の原則の適用

(a) 改正法における追完権保障（追完優位の原則） 改正前に、追完請求権が認められていた請負契約において、追完に代わる損害賠償請求権も担保責任の成立と同時に成立し、追完請求権と選択的関係に立つと考えられていた。追完の機会を与えずに直ちに追完に代わる損害賠償請求権の行使ができたのである。改正法では、直ちに代金減額請求を認めず追完権保障がされ（563条・559条）、その趣旨は追完に代わる損害賠償請求にも及ぶことになる。そのため、検討されるべきは、追完義務に415条2項を適用することが、追完優位の原則と抵触しないかという点である。

4-74

(b) 代金減額による解決 まず、追完義務に415条2項を適用することを否定すると、追完義務については追完に代わる損害賠償の請求は認められず、563条（559条）による代金減額請求しか認められないことになる。不適合が軽微であり、解除ができない場合でも、代金減額請求ができ、また、追完権保障が貫徹されるため、特に不都合はない。

4-75

(c) 追完義務に415条2項の適用を認めた上での解決 追完義務に415条2項を適用すると（564条により415条2項も準用される）、損害賠償請求によるためには解除が可能な場合に限られ、代金減額請求権と競合するので選択が可能になり、他方で、不適合が軽微な場合には代金減額のみが認められる。なお、異質説との整合性に着目し、直接適用は否定しつつも、「415条2項の法意から」追完についても同規定の要件を満たして「追完に代わる損害賠償請求権が発生する」という、いわば415条2項類推適用説もある（潮見・新Ⅰ483頁）。

4-76

⑵ 追完義務の填補賠償を415条1項による解決も考えられる

(a) 415条2項の制限を認めず415条1項による解決 415条2項3号では、解除できるほどに重大な不適合の場合にしか、填補賠償が請求できなくなる。そのため、追完義務につき564条・415条1項により填補賠償請求を認め、これにつき追完権保障の観点から563条の要件を類推適用すべきである。4-75と差が生じるのは、不適合が軽微な場合である。①415条2項適用説では、軽微であれば解除ができないので、填補賠償はできない。②他方、415条1

項適用説ではそのような限定はなく、填補賠償が請求できる。

(b) 追完優位の原則との関係　追完優位との関係については、415条2項適用説では解除できるなどの要件により追完権保障が図られる。しかし、415条1項適用説（本書の立場）でも、実質代金減額と同じことを実現するものであるため、追完に代わる填補賠償請求権についても563条を類推適用すべきである。そうすれば、ほぼ結論に差はなく実益のある議論ではなくなる。本書は4-76の415条1項適用説により、同条2項を追完義務には適用しない。追完義務についての同質説によるからといって、同条2項の適用は必須ではない。

(c) 填補賠償が認められる債務　為す債務や物の利用を目的とした債務では、填補賠償はしっくりこない。財産を供与する債務で、その供与を財産を金銭に評価して金銭で実現する場合が填補賠償であり、売主の債務が典型例である。賃貸人の使用収益させる義務については、履行不能の場合には填補賠償ではなく、新たな利用場所を見つけるまでのホテル代の賠償などが問題になる。為す債務の履行不能については、損害の内容は一概にはいえないが、填補賠償ではない。受寄者、修理のために目的物を預かった者が、過失によりこれを滅失させてしまい履行不能にした場合には、所有権の損害賠償義務を問題とすればよい（財貨変動秩序ではなく既存の財貨保護秩序）。

◆履行不能解除
⑴　問題となる4つのケース

履行不能の場合には、債権者は契約を解除できる（542条1項1号・2項1号）。履行不能も、①債務者の帰責事由による履行不能、②不可抗力による履行不能、③債権者の帰責事由による履行不能、④債権者と債務者の両当事者の帰責事由による履行不能が考えられる。542条では債務者の帰責事由は要件になっておらず、①②は解除可能である。他方で、債権者の責めに帰すべき事由による場合には、債権者は契約の解除ができないので（543条）、③では解除ができず、また、536条2項が適用され、債務者は反対債権（代金債権等）を失わない。問題は④の事例である（北居功「債権者の責めに帰すべき事由による解除制限——両当事者の責めに帰すべき履行不能を契機に」慶應法学44号﹇2020﹈57頁以下参照）。

⑵　両者に帰責事由があるケース

543条の適用は、債権者にのみ帰責事由がある場合に限定されるのか、それとも、債権者に帰責事由があればよく、債務者に帰責事由がある場合にも適用されるのであろうか。両者の帰責事由による場合、買主は代金を支払い、対価たる填補賠償は過失相殺により減額されるので、買主（債権者）が解除できてこの不利益を回避できるのは適切ではない。543条は③④のいずれも含み、債権者の帰責事由のみによる場合に限定する必要はない。よって、④の場合、債権者（買主）

§Ⅴ　履行不能

は売買契約を解除できず、債務者（売主）に帰責事由があるので損害賠償はできるが、過失相殺により減額される（代金は全額払わなければならない）。

4-81　**(2)　代償請求権**

(a)　**代償請求権の意義**　「債務者が、その債務の履行が不能となったのと同一の原因により債務の目的物の代償である権利又は利益を取得したときは、債権者は、その受けた損害の額の限度において、債務者に対し、その権利の移転又はその利益の償還を請求することができる」(422条の2)。これを**代償請求権**という。本規定は改正法による新設規定であるが、すでに判例によって認められていた内容を条文化したものである（改正法では原始的不能にも適用）。例えば、AがBに絵画を販売したが、引渡し前に、その絵画が、売主Aの過失によらずに（または過失により）盗難に遭い履行不能になったところ、保険をかけていたため、保険会社Cから保険金を受けられるとする。BはAに対して、受け取った保険金の自分への「償還」を、いまだ保険金を受け取っていなければ保険金請求権の自分への「移転」を求めることができる。

4-82　(b)　**代償請求権の根拠・要件**

(ア)　**問題となる事例**　代償請求権の理論的根拠については議論があり、それによって422条の2の適用範囲は変わってくる。事例としては、ⓐ債権者の帰責事由による履行不能、ⓑ不可抗力による履行不能、ⓒ債務者の帰責事由による履行不能、ⓓ債務者と債権者の両者の帰責事由による履行不能が考えられる。

4-83　(イ)　**不当利得論**　まず、ケースⓐにのみ代償請求権を認める考えがある。536条2項が適用になる場合には、債務者（例えば売主）は反対債権（代金債権）を失わず、損害保険金を取得するのは二重の利得になるので、代償請求権を認めることができる（不当利得論）。

4-84　(ウ)　**代償性理論**　しかし、目的物の代償がある以上、本来の給付に代えてそれを引き渡す義務が認められる——契約上の義務が存続——として、全てのケースで代償請求権を認める考えもある（代償性理論）[76]。ケースⓓが問題になる（☞4-95）422条の2は、「その債務の履行が不能となった」とのみ規定し、履行不能一般を対象としているが、解釈に任せる趣旨である。下記判例はこの立場と思われ（☞注77）、改正法でも妥当するものと思われる

98

第 4 章　債権の効力②——債務不履行

（石田 315 頁等）[77]。

4-85　　**(c)　代償請求権の効果——填補賠償額に限界づけられる**　代償請求権は「受けた損害の額の限度において」認められる。賃借人 X が契約終了を理由として Y に敷金の返還を請求したのに対して、X の過失によらずに、X が Y に譲渡を約束していた——代金と賃料の相殺が合意されている——借地上の建物が焼失したため、X は火災保険金 493 万円を受けているので、Y には残りの損害額 164 万円の限度で X に対して代償請求権が成立し、それと敷金返還請求権とを相殺すると主張した事例がある。最高裁は、「一般に履行不能を生ぜしめたと同一の原因によって、債務者が履行の目的物の代償と考えられる利益を取得した場合には、公平の観念にもとづき、債権者において債務者に対し、<u>右履行不能により債権者が蒙りたる損害の限度において</u>、その利益の償還を請求する権利を認める」べきであるとして、Y の主張を認めている（最判昭 41・12・23 民集 20 巻 10 号 2211 頁）。損害の限度においてという限定をしているが、損害賠償義務が認められるか否かを問わずに認める趣旨であり（☞注 77）、4-48 の理論によっている。

4-86　　**◆二重譲渡と代償請求権**

　　A が B に甲地を 1000 万円で売却した後、A が C にも 1500 万円で売却し移転登記をしてしまったとする。B は A の C に対する代金債権につき代償請求権を行使しうるであろうか。債務不履行責任が成立する場合にも代償請求権を認める立場（☞ 4-84）では、問題になる。A の C に対する代金債権を、「債務者が、その債務の履行が不能となったのと同一の原因により債務の目的物の代償である権利」とみてよいのかが問題である。

4-87　　**(1)　代償請求権を否定する考え**

　　まず、A の C に対する代金債権は、A の B への履行不能を原因として生じた

---

76)　中田 231 頁は、債務者に対して填補賠償請求権が認められる場合にも代償請求権を認めるのは、債権者の保護を拡大する政策的判断がされたと評価し、謙抑的に適用すべきであるという。本書は、債務者に対する填補賠償請求権につき、債務者が有する代償たる債権に、債務者の他の債権者に対して優先権が認められるべきであると考える。直接訴権など他の理論によることも考えられるが、代償たる債権を排他的に取得することを認めるという形で優先権を認めたのが、代償請求権である。担保を存続させるという形ではないが、物上代位とは思想において債権者保護という点で共通しつつも、担保についての物上代位とは異なり、契約を代償により強制的に履行させるという意味合いも含まれる。

77)　4-85 の最高裁判決は、原審判決が債務者の帰責事由によらない履行不能に限定していたが、事例での結論は容認しつつ、一般論としてであるがこの部分だけ削除している。売主に帰責事由がないので、結論には影響ないが、一般論として履行不能に制限をしないことを宣言したことになる。無制限適用説が通説といってよい（田中宏治『代償請求権』[2018] 463 頁以下は、当事者の「合意」の推定を根拠とする）。

99

ものではなく、AC 間の売買により生じたものであること、また、A が自分の才
覚・技能による取引によって取得した代金債権を、単に物の代償とみるのも実際
上適切でないことから、代償請求権を否定する学説がある（林ほか 104 頁［林]）。
本書もこれに賛成し、詐害行為取消しまたは債権者代位権——通常より高額でも
代金全額の代位行使可能——によるしかないと考える。

(2) 代償請求権を認める考え

❶ **実損害を限度とする学説**　これに対して、第 2 売買の代金に対して、第 1
買主 B に代償請求権を認める肯定説もある（第 2 譲渡が交換の場合には、交換
の目的物が代償になる）。肯定説もさらに 2 つに分かれ、まず、B は実損害を限
度として（例えば算定基準時の時価が 1200 万円なら 1200 万円まで）代償請求
権を認める学説が多数説であった（奥田 151 頁、前田 220 頁）。填補賠償の方法とし
て代償請求権を位置づければそうなるし、また、目的物の評価額以上の価格で購
入する買主を売主がその才覚で探し出した場合に、その才覚による利益まで、第
1 買主に帰属させるのは適切ではないという考慮がある。

❷ **第 2 売買の代金への代償請求権を認める学説**　少数説であるが、B は実損
害を超えていても A の C への代金債権全部につき代償請求権を認めてよいとい
う主張がある（磯村保「二重売買と債権侵害㊂」神戸 36 巻 2 号［1986］313 頁、石田 312 頁
以下）。その理由は、債務者がその義務違反行為により利益を得ることは不当であ
ること、および、債務者には他人に譲渡した目的物によって利益を得る権限はも
はや帰属せず、かかる利益は債権者に帰属させるべきことである。改正法では、
422 条の 2 が「その受けた損害の限度」という制限を明文化した（❷によりこの
場合に例外を認める余地が全くなくなったわけではない）。

◆代償請求権をめぐる補充的問題点

(1) 代償請求権は形成権か

(a) 代償たる債権からの優先回収の問題　代償が債権として存続している場面
のほか、すでに債務者が代償を受けている場合でも代償請求権が問題になり、前
者では債権の移転、後者では受けた利益の引渡しが問題になる。債務者の他の債
権者を排して債権回収を認めることが代償請求権の意義なので、後者では受領し
た代償に対して物権的効力を認めない限り、これを認めてもただの金銭債権にす
ぎず優先回収の意義はない。債権に対する代償請求権について検討してみたい。
499 条のように当然に「代位する」のではなく、移転を「請求することができ
る」と規定しているが、形成権でも「請求」と規定する例は多く（276 条など）、
表現は決定的ではない。

(b) 形成権構成の可能性　①この点、形成権ではなく請求権と考えるのが通説
である。しかし、債務者の債権譲渡の意思表示を必要とし、意思表示に代わる判
決を得なければならないのは迂遠である。②そのため、「償還を請求することが

第4章　債権の効力②──債務不履行

できる」という文言からは離れるが、形成権と考えるべきである（中田230頁は正当化は難しいとして反対）。確かに422条のように「当然に……代位する」と規定されていないが、これは選択権を認めるためである。一方的な意思表示による移転を認めても債務者に特に不利益はなく、他の債権者に対する優先的保護も含意していると考えれば、対抗要件も不要としてもあながち不当な結論ではない。

4-92
(2) 填補賠償請求権と代償請求権行使により取得した債権との関係

(a) 問題点　債務者に帰責事由があっても代償請求権が認められるとすると、履行不能による填補賠償請求権と代償請求権との関係が問題になる。この2つの権利は競合し、問題となるのは、債権者が代償請求権を行使し、代償たる債権を取得した場合である。なお、債務者が代償を受領している場合には、単純に請求権競合になるので、債権を代償請求権により取得する場合について検討する。

4-93
(b) 併存説　この点、転付命令のようには構成せず、債務者に対する填補賠償請求権と代償請求権の行使により取得した第三者に対する債権とが併存競合し、いずれを行使してもよく、いずれかの弁済があれば他方も消滅するという考えがある（中田230頁）。

4-94
(c) 消滅説　転付命令のように、代償たる債権の取得により給付を受けたものと同視され、填補賠償請求権も消滅すると考えることも不可能ではない。しかし、弁済者代位のように、代償たる債権からの債務者に対する填補賠償請求権の優先回収権を保障する制度と考えるべきである。債権者は債務者に対して填補賠償請求権、第三者に対して代償たる債権を取得することを認めるべきであり、併存説を支持する。

4-95
(3) その他の問題

(a) 債権者に過失があり過失相殺される場合　債権者に過失があり填補賠償請求権について過失相殺がされる場合には、そのことは代償請求権にどう影響すると考えるべきであろうか。填補賠償請求権が過失相殺により80万円となり、代償請求権の対象が100万円の債権であるとして、100万円全額につき代償請求権を行使できるという主張がある。しかし、全額行使して差額につき債権者の過失を理由に損害賠償請求をするのは迂遠であり、初めから清算した額のみの代償請求権に限定すべきである。「その受けた損害の額の限度において」とは、過失相殺される場合に、請求できる金額を限度とするものと解すべきである（田中・前掲書475頁は反対）。

4-96
(b) 填補賠償請求権が時効にかかった場合

(ア) 代償償還請求権　また、填補賠償請求権が消滅時効にかかった場合にはどう考えるべきであろうか。債務者がすでに代償を受けている場合には、填補賠償請求権と代償の償還請求権とが併存することになる。代償の償還請求権は債務者の受領時に成立するので、填補賠償請求権だけ先に時効にかかることが考えられる。填補賠償請求権と代償の償還請求権とは選択債権の関係にすぎないと考えれ

101

§Ⅴ　履行不能

ば、代償の償還請求権には影響はないことになる。しかし、弁済的代位同様に考え、代償の償還請求権も消滅すると考えるべきである。

4-97　　⒤　**代償移転請求権**　次に、代償が債権のままで、債権者がいまだ代償請求権を行使しておらず、また、代償たる債権には時効が完成していない場合——第三者が債務者に債務承認をして更新しているなど——、填補賠償請求権が時効にかかっても、債権者は填補賠償の代わりに代償たる債権を取得できるのであろうか。代償たる債権の取得も選択債権同様の関係になり、依然として代償請求権の行使を認めることが考えられる。しかし、⒜の場合と同様に、代償請求権も消滅すると考える。

4-98　**(3)　損害賠償による代位——意義・要件および効果**

　　(a)　**損害賠償者の代位の意義**　「債権者が、損害賠償として、その債権の目的である物又は権利の価額の全部の支払を受けたときは、債務者は、その物又は権利について当然に債権者に代位する」(422条)。これを**損害賠償による代位**という（類似の制度として、保険24条・25条、自賠23条、労災12条の4第1項等）。

　　例えば、AがBに甲画を寄託したが、Bの保管が不十分でCにより破壊されまたは盗まれたとする。所有者Aは、Cに対して損害賠償請求権ないし物権的返還請求権を有すると共に、Bに対して損害賠償請求権を取得する。BがAに甲画の価格を全額賠償したときには、ⓐ滅失事例では、Cに対する損害賠償請求権を、Bが代位取得する。Cの賠償義務につき代物弁済の合意がされていた場合には、Bがこれを行使できる（求償制度の補完的機能が認められる〔潮見・新Ⅰ550頁〕）。ⓑ盗難事例では、甲画はB所有になる（AからBへの承継取得）。

4-99　　(b)　**対抗要件の要否**　「当然に……代位する」ので、Aの意思表示を要しない（422条の2との差）。対抗要件（178条・467条）まで不要とするかは、499条が「代位する」というのに対して「当然に」という語が加えられていることの評価にかかる。意味のある差ではないと考える余地もあるが、対抗要件不要と考えたい（石田321頁）。

4-100　　◆**422条の類推適用**

　　　会社の従業員が仕事中に交通事故に遭い死亡した事例で、労基法79条に基づき、使用者が遺族補償を行った場合には、使用者たる企業は不法行為者に対し、「民法422条を類推して使用者に第三者に対する求償を認めるべきである」と判

示されている（最判昭36・1・24民集15巻1号35頁）。また、被害者は加害者に対して、不法行為と同時に就労できない期間分の逸失利益の損害賠償請求権を取得するが、使用者の好意で賃金が支払われた場合、損害がないとして、使用者の好意による利益を加害者に享受させることは適切ではなく、422条の類推適用が認められてよい。さらには、交通事故の被害者が未成年者で、親権者がその治療費を負担した場合、親権者は422条の類推適用により、被害者たる子の治療費の損害賠償請求権を代位取得すると考えるべきである。

4-101

◆賠償者代位後の取戻しの可否
(1) 取戻し否定説

4-98の盗難の例で、窃盗犯人が捕まらず、BがAに甲画の価格を賠償し、Bが甲画の所有権を取得した後に、窃盗犯が捕まり甲画が押収されたとする。甲画は現在B所有なので、Bに渡されることになる。しかし、Aは甲画が見つかったのであれば、Bに賠償金を返して甲画を取り戻したいと思うはずである。この点、規定がないことから、Aの取戻しを否定する学説がある（注民⑩724頁［能見］、石田322頁）。

4-102

(2) 取戻し肯定説

しかし、取戻しを肯定する学説が有力である（於保158頁、奥田217頁、近江87頁、中田225頁）。賠償者は、賠償の効果としてその所有権を取得したにすぎず、買い取った者ではなく賠償者の目的物取得の期待を保護する必要はない。1つ考えなければならないのは、期間制限である。目的物が発見され取り戻された後に、166条1項により債権に準じて発見を知ってから5年、発見から10年という時効に服せしめるのは、あまりにも法的安定性を害する。そのため、賠償者に催告権を認めて、取り戻してから債権者（旧所有者）に対して取り戻すかどうか相当期間を定めて催告し、その期間内に賠償金の金額を提供して返還を請求しなければ、受戻権を失うと考えるべきである（556条2項類推適用）。

---

§VI
不完全履行および信義則上の義務違反

1 拡大損害を生じない不完全履行

4-103

(1) 不完全履行の意義・要件

(a) **不完全履行論から信義則上の義務違反論の独立**　債務の履行がされたが、その内容が債務の本旨（内容）に適合しない場合を広く「不完全履行」

§Ⅵ　不完全履行および信義則上の義務違反

という。日本においては、不完全履行が415条1項の債務不履行に含まれることは疑いない[78]。そのため、不完全履行論で注目されたのは、生命、身体、財産といった不法行為法上の保護法益侵害という**拡大損害**が生じる事例である。

　拡大損害が生じる事例は後述するとして、以下には、給付義務の不完全履行の要件・効果について説明をしよう。①要件は、債務の履行が「不完全」であること、②効果は、追完請求権、代金減額請求権、損害賠償請求権、契約解除権の成立である。

4-104　**(b)　不完全履行の要件——債務の履行が「完全」ではないこと**

　㋐　不完全な「履行」——一部履行は含まない　不完全履行が認められるのは、履行はされたが完全な履行ではない事例である。ジャガイモの引渡義務なのにニンジンを渡しても履行としての意味はなく「無履行」と同視される。目的物引渡義務は履行されているが、契約に適合した物の引渡義務は完全には履行されていないので、弁済＝債務消滅の完全な効力は発生しない。債務は不完全ながら存続し、追完義務という形で残っている（通説は別☞4-111）。債権者が履行として「認容」し、代金減額で処理する意思表示をすれば債務（追完義務）は消滅する。改正法は、売買について、担保責任を債務不履行責任と再構成して、一部履行や異種物の履行と共に規定している（562条・563条）[79]。これが有償契約一般に準用される（559条）。

4-105　**㋑　不完全かどうかの判定**

　(ⅰ)　結果債務の場合　結果債務の場合には、約束された結果が実現されているかどうかにより、客観的に不完全履行かどうかを判定できる。為す債務でもサービスの内容が契約で決められていれば、それが完全に実現されていない場合に不完全履行になる。例えば、パック旅行のように契約内容が明確

---

78)　大阪地判平17・1・12判時1913号97頁は、自然物から作られ、またそれゆえに効果があると宣伝され、消費者（買主）もそれを信じて購入したのに、食品衛生法で食品への添加が禁止されている化学物質が混入していた食品の売買の事例で、買主にとって無価値なものと認め、返還を受けていない代金相当額全額を損害と認めている。

79)　ただし、一部履行の場合、例えばビール10本の注文で9本しか持って来ない場合、1本の引渡請求権は契約上の債権が履行されずに残っているといえばよく、追完請求権（562条）が担保責任の効果として成立すると考える必要はなく、また、代金減額請求権（563条）、不履行の部分の一部解除を認めれば足りる。除斥期間を適用すれば一部履行を担保責任に含める意義もあるが、除斥期間の適用はない（566条）。一部履行は不完全履行とは異なる債務不履行であり、これを担保責任として規律することは疑問である。

第4章　債権の効力②——債務不履行

に約束されていれば、一部の訪問場所にいけなかった、宿泊施設が異なるといった場合には、不完全履行となる[80]。

4-106　(ii)　**手段債務の場合**　為す債務で手段債務の場合、例えば獣医の治療義務についていえば、先天的に横隔膜がないという異常を持つ子猫の治療の場合、依頼者は健康な猫と同じ状態になるという結果を望んでいる。しかし、完全な健康な猫同様の状態を実現することは難しく（その結果実現は約束されていない）、それに可能な限り近づける努力をすることが合意され義務づけられる。医療水準に従い、また、複数の可能性があればそれぞれの利点・欠点を十分説明して依頼者の決定に任せるなど、最善の注意を尽くすべきなのに、それが尽くされていない場合に初めて債務不履行になる。

4-107　(iii)　**債務者の裁量の範囲内の場合**　債務内容のいわば「枠」は定まっており、そこから外れればそれだけで債務不履行になるが、その「枠」内であれば、債務者（ないし履行補助者）の裁量に任され、債務者（履行補助者）により履行行為が異なっても債務不履行にならない場合がある。教育サービス、スポーツのコーチや監督、取締役などの会社の経営などでは、広い裁量権が与えられ、裁量を逸脱したと評価できる場合でなければ、債務不履行にはならない。スポーツのコーチや監督の採用では、個性や方針がそれぞれ異なることは、裁量の範囲内として折り込み済みである。

4-108　**(2)　不完全履行の効果（追完が可能な場合）**
　　　　——追完請求権・代金減額請求権・追完に代わる損害賠償請求権

　(a)　**追完請求権の成立**　民法は、売買の規定において、数量、種類また品質に適合しない履行がされた場合、買主は追完を請求することができることを規定し（562条）、これを売買以外の有償契約に準用している（559条）。贈与については551条1項により債務不履行が認められず、特約で数量や品質等を保証した場合に限り追完義務を認めることができる。為す債務でも、自動車の塗装を依頼したが、色が依頼された色と違う場合には塗装のやり直しを、また建物の塗装を依頼したが塗装されていない部分があれば、その部分

---

80)　顧客がヘアカタログのデザインを見せてその通りのカットを依頼したが、その通りにならなかったと債務不履行を主張した事例で、債務不履行の主張が退けられている（神戸地判平22・10・7判時2119号95頁）。髪質、髪の生え方、頭の形等の差によりカタログと全く同じにするという結果までは引き受けられていないのである。もちろん顔はカタログのモデルと同じにはならない。可能な限りそのヘアカタログに近いものを実現すべき債務にすぎない。

§Ⅵ 不完全履行および信義則上の義務違反

の塗装を求めることができる（559条・562条）。担保責任は、数量不足も併せて規定しており、ビール10本を注文したのに、9本しか持って来なければ1本をさらに持ってくるよう請求できる[81]。

4-109 **◆追完請求権（追完義務）の法的根拠づけ**

⑴ 引渡し前の不適合には「追完」は問題にならない

　追完請求権は、適合物引渡義務の不完全履行があった場合に、すなわち「引渡し」がされた場合に担保責任が成立し、その効果として認められる権利である（562条・567条1項参照）。そのため、特定物売買の目的物が引渡し前に損傷しても（400条違反）、いまだ引渡し前なので、担保責任は成立しない。損傷したまま引き渡せば担保責任が成立し、400条違反は過失判断において考慮されることになる。もし修復して引渡しをすれば、債務不履行はなく担保責任は成立しない。では、損傷したまま（原始的なものでもよい）、売主が提供してきた場合に、買主が点検して損傷を発見し、その修理を求めるのは、どのような法的根拠によるものであろうか。この場合、引渡義務は履行済みで追完だけが問題になるのではなく（まだ担保責任は成立していない）、買主は、修補をして契約に適合した物を引き渡すよう、契約本体の適合物引渡義務の履行請求をすることになる。

4-110 **⑵ 追完義務は契約上の義務か──追完請求権の法的根拠**

　❶ 同質説（契約債権説）　追完請求権は、当初の契約上の適合物引渡請求権との関係をどう理解すべきであろうか（田中洋『売買における買主の追完請求権の基礎づけと内容確認』[2019]、古谷貴之『民法改正と売買における契約不適合給付』[2020] 参照）。

　まず、債務はその本旨にあった履行がされて「弁済」（ないし受領）の効力として消滅するので、不適合物の給付では債権者による「認容」がない限り債務は「完全には消滅せず」、しかし目的物は引き渡しているので不完全ながら消滅の効力は発生し、追完義務（請求権）に縮減されるという理解が可能である（**同質説**）。本書の立場である。一部不履行の場合、10本のビールの注文で9本しか持って来なければ、履行（弁済）で消滅したのは9本分の引渡義務にすぎず、残り1本を引き渡す義務は、当初の契約上の義務が残っているにすぎない。

4-111 　**❷ 異質説（現実賠償説）**　これに対して、追完請求権を契約上の適合物引渡請求権とは別個の、担保責任が成立する効果として新たに発生する権利と構成する学説もあり、これが通説である（**異質説**）。当初の適合物引渡義務は、債務の本旨に従っていないので「弁済」の効力では消滅せず、「引渡し」ないし「受領」により消滅し、代わって担保責任が成立し追完義務が発生することになる。

81）　追完義務は期限の定めのない債務であり、催告により遅滞に陥ることになる（412条3項）。同質説では確定期限の徒過により遅滞を認める可能性があるが、善意の売主の保護も問題になるので、悪意の売主に限り催告なしに不完全履行による履行期の経過により遅滞に陥ると考えるべきである。また、買主は、不適合が軽微でなければ、追完可能な限り、同時履行の抗弁権──修補は先履行で修補物の引渡しが同時履行──を主張でき（533条）、また、契約を解除できる（541条［拒絶されれば542条1項2号］）。

追完は本来の履行請求権よりも、不適合物の取外しや適合物の取付けを含むため義務内容は広いといわれる。しかし、ビール 10 本を注文し、9 本しか持って来ない場合、受領によって 10 本の引渡義務が消滅し、新たに担保責任として 1 本の追完義務が成立するというのは技巧的である。また、担保責任は債務不履行なので、債務不履行に対する救済は金銭賠償が原則であり（417条）、追完請求権はそれに対する例外たる現実賠償になる。

4-112　**(b)　代金減額請求権・追完に代わる損害賠償請求権**

㋐　代金減額請求権　買主は、不適合が軽微かどうかを問わず、代金の減額請求——形成権である——もできる（563条）。買主は、不適合物や数量不足の給付を履行として「認容」し、その為された給付分の代金のみを支払うことになり、代金減額請求権は引渡しを受けた物の売買契約への契約内容変更権に等しい。また、未履行部分についての契約の一部解除ということもでき、そのため 541 条と同じ規律に服せしめている（563条1項・2項）。これは、解除におけると同様に、契約を維持する機会を保障するというにとどまらず、自ら追完をすれば費用を安く済ませることができるため、追完権の保障という特別の考慮によるものである（☞ 4-73）。為す債務についても、例えば庭木の剪定を依頼したのに、半分しか行わず、催告しても残りの剪定がされなければ、依頼者は、代金を減額することができる（559条・563条2項1号）。契約解除については、債権各論 I で説明する。

4-113　**㋑　損害賠償請求権**

(i)　不完全履行で問題になる損害　①債権者は追完の履行の強制ができ（414条）、②自力救済禁止に触れることなく自ら修補工事をすることもできるが、563 条の制限を受ける。③もちろん、工事をしないでそのままとすることもできる。②の場合にかかった費用、③の場合に価値低減分につき代金減額請求ができる。②③については、損害賠償請求による余地もある。そこで、損害賠償について検討するに、不完全履行の場合の損害としては、ⓐ拡大損害は信義則上の義務違反の所で説明するので措くとして、ⓑ上記②③の履行に代わる損害賠償請求、ⓒそれ以外の、不完全履行と相当因果関係にある損害——追完が遅れたことにより受けた損害、追完がされないため契約を解除したことにより受けた損害など——が問題になる。

4-114　**(ii)　追完に代わる損害賠償請求権**　問題は上記のⓑであるが、追完に代わ

る損害賠償が問題になるのは担保責任だけではない。為す債務でも、例えば、入れ墨のデザインを渡して入れ墨を入れてもらったが、デザインの一部が彫られていない場合、催告しても対処されないため、ほかの彫り師に足りない部分を彫ってもらい代金を支払った場合、その費用を履行に代わる損害賠償として問題にできないわけではない。塗装、修理、清掃等の不完全履行の場合、契約は解除せずに、不十分な給付部分を他の業者に行わせてその費用を賠償請求することはありうる。415条2項を追完に代わる損害賠償にも適用するのかについては、4-72以下に説明した。

4-115 **◆追完権保障に違反してされた追完**

追完権の保障については4-73に説明したが、債権者が、債務者に追完の機会を与えずに業者に依頼して修理をしてもらった場合、563条の代金減額請求権の要件を満たしていないので、代金減額請求権は認められないことになる。債権者の帰責事由による追完の履行不能であり、代金全額の支払請求ができることになる（536条2項）。ただし、債務者は追完をしないで済んだのであるから、追完にかかる費用を免れた利益として償還しなければならない。例えば、債務者が追完工事をすれば10万円で済む場合に、債権者が勝手に修理業者に修理をさせ、ぼったくり価格30万円を支払ったとしても、10万円しか償還請求はできない。なお、催告後に、債権者が修理業者にぼったくり価格で依頼した場合、563条1項の要件を満たしているので、30万円の減額請求（または損害賠償請求）が認められるが、債権者に過失があれば過失相殺の趣旨を類推して、相当額への減額に制限するべきである。

2　拡大損害が発生する不完全履行
──保管ないし保安型契約および信義則上の義務違反

4-116 **(1)　不法行為法の領域の問題**

契約で約束した履行をしないというのに尽きず、契約がなくても保護される生命、身体、財産といった不法行為法上の一般的保護法益（「完全性利益」ともいう）が侵害される事例──この侵害による損害を**拡大損害**という──でも、債務不履行責任が認められている。

①ここでは、侵害される権利・利益が、債権があるために当事者間に創造された履行利益（給付利益）ではなく、不法行為法の一般的保護法益である。②また、一般的保護法益を侵害するがゆえに、不法行為法上の不可侵義務の違反が認められ不法行為責任が成立する。③給付義務の不完全履行と競

合する場合には、2つの義務違反また責任が成立し、請求権競合が問題とな
るが、ⓑ信義則上の義務違反については、不法行為法上の不可侵義務違反で
あり、2つの義務違反また責任が成立し競合するのではない（本書の立場☞
4-26）──判例・通説は競合を認める──。

4-117 **(2)　給付義務の不完全履行の場合①──保管型・保安型**

(a)　給付義務とすることができる　まず、他人の財産、他人の生命・身体
の安全を図ることが契約上の給付義務となっている場合がある。他人の物を
預かる寄託契約（ペットホテルは寄託＋αのサービス付き）、物品運送契
約、ホームセキュリティ契約、高齢者の介護サービス契約、幼児の保育契約
などが考えられる。介護施設の従業員が目を離した間に昼寝から目を覚まし
た被介護者が転倒した事例で、通所介護契約の「安全に介護を施す義務」の
違反による責任が認められている（福岡地判平15・8・27判時1843号133頁）。

4-118 **(b)　判例も多様**　付随義務たる信義則上の安全配慮義務違反との限界づけ
は微妙であるが、上記契約以外に、エステティックサロンでの施術による障害
の事例（東京地判平14・4・23判例集未登載）、流氷ダイビングツアーの主催者に監
視義務・安全配慮義務違反が認められた事例（札幌地判平21・10・16判タ1317号
203頁）、インストラクターが客と1組になって降下するタンデムスカイダイ
ビングにおける事故の事例（横浜地判平21・6・16判時2062号105頁）、プロの登
山ガイドが主催した登山ツアーでの事故の事例（熊本地判平24・7・20判時2162
号111頁）などで債務不履行が認められている[82]。本書の立場でも、保安・
保管を内容とする給付義務を約束することは有効であり、その不履行により
不法行為と共に債務不履行が成立することを認める。

4-119 **(3)　給付義務の不完全履行の場合②──併存競合型**

　例えば、売主の引き渡した食品に有害物質が含まれており、買主がこれを
食べて病気になった事例では、給付義務の不完全履行があり、それが病気と
いう拡大損害につながっている。給付義務の内容に、安全な食品の引渡しが

---

82)　＊**安全配慮義務という用語**　安全配慮義務という用語は、指揮従属関係の認められる労災関係に限定さ
　れる傾向があるが（最狭義の用法）、指導的関係のある学校・生徒間における学校事故などでも用いられる
　こともある（狭義の用法）。他方で、ホテル、遊園地等の他人の管理支配している領域における事故に対す
　る防止義務を広く含めて──要するに生命・身体に対する信義則上の義務──使用することもある（広義の
　用法）。物の保護も含めて、保護義務といった用法もある。法令上の用語でもなく、判例の用法が確立して
　いるとまでもいえない。とりあえず広く安全配慮義務という概念によっておきたい。

含まれているので不完全履行になる。この場合には、債務不履行と不法行為とが成立する。この事例における、拡大損害についての債務不履行責任の成立の説明をめぐっては、以下のように学説の変遷がある。最高裁判決はないが、リコール車の修理が不完全であったため事故が生じた事例で、修理業者の債務不履行責任が肯定されている（東京高判平15・10・30判決文入手）[83]。

4-120　❶　**給付義務の不履行と相当因果関係による学説（古い学説）**　約束通りの物の引渡義務を完全に履行しない不完全履行があれば、それと相当因果関係のある損害が全て賠償され、拡大損害も相当因果関係が認められるとして、これを債務不履行による損害賠償の範囲に取り込むのが伝統的な理解である（我妻157頁）。この立場では、債権の効力としての債務不履行責任という構図が維持され、債権者でない者は不法行為責任を追及するしかないことになる。買主が家族で食べるために購入してきた総菜により、買主と家族が食中毒になっても、買主には債務不履行、家族には不法行為が問題となる。

4-121　❷　**信義則上の義務を独立させる学説（新しい学説）**　しかし、その後、①履行利益の賠償は給付義務の不履行（不完全履行）によりその債権者に対してのみ債権の効力として認め、他方、②一般的保護法益については信義則上の義務違反による債務不履行として構成する考えが現れる。判例にもこのような構成を採用するものがある（岐阜地高山支判平4・3・17判時1448号155頁など）。この構成の利点としては、拡大損害を債権者ではなくその家族が被った場合に、家族も信義則上の義務違反による債務不履行責任を売主に対して追及できることにある。もちろん契約の解除、代金の返還、代金減額などは、契約当事者である債権者にしか認められない。

4-122　**(4)　給付義務の不完全履行と構成できない場合①**
　　　――履行に付随して損害を与えた場合

　❶　**給付義務の内容に取り込む学説（契約解釈アプローチ）**　例えば、売主が販売した家具を買主の家に運び込むに際して、買主の家のカーペットを傷つけたり花瓶を壊してしまった場合にも、債務不履行を理由とした損害賠償請求を認めるのが通説であるが、その説明には変遷がある。かつては、給

---

[83]　財産的損害が生じた事例として、税理士が税務申告に関する事務処理を依頼されたが、その作成した申告書に誤りがあり、委任者が過少申告加算税、延滞税等の納付を余儀なくされたため、税理士の債務不履行が認められて損害賠償が命じられている（東京地判平22・12・8判タ1377号123頁）。

第4章　債権の効力②――債務不履行

付義務たる引渡義務を、引渡しに際して買主の財産を害しないように注意をしながら引き渡す義務と理解して、保護義務を引渡義務の内容に含めていた。目的物を無傷で引き渡しても、その際に買主の財産を不注意で侵害した場合には、引渡義務の不完全履行とするのである（例えば、我妻151頁）。契約解釈により債務内容に取り込むため、「契約解釈アプローチ」と整理されたりする（中田133頁）。

4-123　❷　**信義則上の義務違反として構成する学説（債務構造分析アプローチ）**

　他方で、信義則上の義務違反を問題にする考えがあり、昭和40年代に有力になった。上の事例では、給付義務の不履行はなく、信義則上の義務違反のみが認められる。「債務構造分析アプローチ」と呼ばれる（中田134頁）。保護義務構成では、債権者以外の家族も債務不履行を理由に売主に対して損害賠償を請求できることになる。売主が、履行後に修理や点検のために買主宅を訪れる場合にも認められる。また、売主の引渡義務だけでなく、種々の事例がこの類型として考えられる。

4-124　(5)　**給付義務の不完全履行と構成できない場合②**

　　　　――独立型（安全配慮義務）

　(a)　**公務員の雇用契約における安全配慮義務の承認**

　(ア)　**雇用契約における安全配慮義務**　使用者は、労働者が雇用契約に基づいて労働するに際し、事故等により労働者の生命・身体が害されないよう配慮すべき義務を負う。これを**安全配慮義務**という[84]。安全配慮義務はもはや契約上の給付義務ではなく[85]、信義則に支配される特別な社会的関係にある者の間で信義則上認められる義務とされている（契約関係のない元請会社と下請会社の従業員の間でも認められる☞4-132）。

---

84)　安全配慮義務という用語は、雇用契約関係において用いられているが、これは単なる付随的注意義務とは異なって、労働者が使用者の管理の下に身を任せその配慮を信頼するという特殊性によるものといえる。その意味では、学校事故の事例などでも、同様の状況にあるので、安全配慮義務という用語が用いられ、それ以外のエステの施術等の事例でも用いられることもある。

85)　＊**労働者の就労拒絶権・安全配慮義務の履行請求権**　給付義務としての安全配慮義務を認める学説もある（下森定「国の安全配慮義務」同編『安全配慮義務法理の形成と展開』[1988]239頁、岡林伸幸「安全配慮義務」名城法学54巻1 = 2号[2004]306頁、宮本・続・安全配慮義務8頁以下など）。履行請求ができる点に意味があるが、不法行為法上の義務でも、安全が確保されない限り就労を拒否することができ（違法性がなくなる）、使用者の帰責事由によるから賃金の支払義務を免れない。また、不作為不法行為であり、安全確保という作為を請求できてよい。不法行為状態の除去として安全確保請求権になる。

111

§Ⅵ 不完全履行および信義則上の義務違反

4-125 **(イ) ある法律関係の付随義務** 安全配慮義務を初めて認めた最高裁判例が4-129であり、私法上の雇用契約ではなく自衛隊の雇用契約が問題となり（職務中の事故による死亡）、国の公務員が職務遂行中に「公務員の生命及び健康等を危険から保護するよう配慮すべき義務」を「安全配慮義務」と称する。そして、「安全配慮義務は、ある法律関係に基づいて特別な社会的接触の関係に入った当事者間において、当該法律関係の付随義務として当事者の一方又は双方が相手方に対して信義則上負う義務として一般的に認められる」と、大風呂敷を広げた説明をする。安全配慮義務違反に、不法行為についての旧724条ではなく（時効完成済み）、債務不履行による損害賠償請求権の時効（旧167条1項）を適用して、時効未完成としたのである。

4-126 **(b) 安全配慮義務違反を債務不履行として構成する根拠**

(ア) 労働契約法による明文化 安全配慮義務は、国の公務員に対する義務を超えて、民間の雇用契約においても認められ、現在では労働契約法5条に、「使用者は、労働契約に伴い、労働者がその生命、身体等の安全を確保しつつ労働することができるよう、必要な配慮をするものとする」と明文化された。しかし、その義務の法的根拠については明確化していない。契約上の義務についての合意を補完する任意規定ではなく、法定の義務であり、当事者の特約で排除できないと考えるべきである。

4-127 **(イ) 債務不履行と構成する実益** 安全配慮義務違反を債務不履行と構成することは、①被害者救済という実益の点、および、②理論的な点から根拠づけられる。まず実益の点であるが、この義務を認める要因となったのは消滅時効の問題であったが、改正法では身体侵害事例では債務不履行も不法行為も5年・20年とされたので、差が解消された。また、過失の証明責任においては特に実益が認められていない（☞4-133）。逆に、債務不履行とされるために、請求時から遅滞に陥るものとされ、また、遺族固有の慰謝料を請求することはできない（最判昭55・12・18民集34巻7号888頁）。ただし、弁護士費用については、安全配慮義務違反を債務不履行と構成しても認められる（☞債権各論Ⅱ3-35）。

4-128 **(ウ) 債務不履行と構成する理論的根拠** 次に、理論的な面では、単なる一般私人間の消極的な不可侵義務ではなく、契約上の義務同様の「信義則上負う義務」として積極的配慮義務であることが、債務不履行と構成する根拠と

して挙げられる。しかし、不法行為法を無関係の私人間を規律するものとする理解はあまりにも狭い[86]。本書の立場は 4-26 に述べた通りであり、現代社会においては、作為義務違反型（しかも不完全履行型）の不法行為を活用し、必要に応じてこれに債務不履行規定を類推適用すれば足りる。いわば債務不履行規定の適用を受ける不法行為責任である。

4-129

●**最判昭 50・2・25 民集 29 巻 2 号 143 頁** **(1)** **事案** 自衛隊員Ａは、車両整備中に同僚の運転する大型車両に轢かれて即死した。Ａの両親 X₁・X₂ は国家公務員災害補償金を受けたがそれ以外に請求はできないと思っていたためその後国Ｙに対して何らの請求もしなかったが、3 年以上過ぎてからＹに対して損害賠償を自賠法 3 条に基づき請求した。1 審では時効が認められ請求が棄却された。Ｘらが控訴審では、安全配慮義務違反を理由とする請求に変更したが、Ｙは国家公務員の補償以外に損害賠償を負担しないとして控訴も棄却された。Ｘらの上告を受け入れ、最高裁は次のように判示して破棄差戻しをする。

4-130

(2) **最高裁判旨** 「国は、公務員に対し、国が公務遂行のために設置すべき場所、施設もしくは器具等の設置管理又は公務員が国もしくは上司の指示のもとに遂行する公務の管理にあたって、公務員の生命及び健康等を危険から保護するよう配慮すべき義務（以下「安全配慮義務」という。）を負っている……国が、不法行為規範のもとにおいて私人に対しその生命、健康等を保護すべき義務を負っているほかは、いかなる場合においても公務員に対し安全配慮義務を負うものではないと解することはできない」。「安全配慮義務は、ある法律関係に基づいて特別な社会的接触の関係に入った当事者間において、当該法律関係の付随義務として当事者の一方又は双方が相手方に対して信義則上負う義務として一般的に認められるべきものであって、国と公務員との間においても別異に解すべき論拠はな」いからである。その違反を理由とする損害賠償請求権の消滅時効期間は、「民法 167 条 1 項により 10 年と解すべきである。」

4-131

◆**安全配慮義務の拡大**

安全配慮義務が認められた事例は、ヘリコプターの整備不良による墜落事故の事例のほか、炭鉱やトンネル工事において粉塵を吸い込んで塵肺炎になった事例、自衛隊の駐屯地において侵入した部外者により自衛隊員が殺害された事例（最判昭 61・12・19 判時 1224 号 13 頁）、宿直中の従業員が盗賊に殺害された事例（最

---

86) 不法行為法上の義務は消極的な不可侵義務しか成立せず、安全配慮義務は債務として成立するのみであり、債務不履行責任に限って成立すると考えるべきではない。信義則上の義務とはいえ不法行為法上の作為義務であり、安全配慮義務違反には債務不履行の規律も受ける不法行為責任が 1 つ成立するだけである（☞ 4-137）。

§Ⅵ　不完全履行および信義則上の義務違反

判昭 59・4・10 民集 38 巻 6 号 557 頁）など、最高裁判例だけをとっても、安全配慮義務の適用領域がかなり拡大されてきている。さらには、不法行為責任による判決であるが、従業員の健康管理についての使用者の責任が使用者責任を根拠に不法行為によって認められた事例もある（過労死や過労自殺などの事例。電通事件判決［最判平 12・3・24 民集 54 巻 3 号 1155 頁］）。こうして、物理的な事故だけでなく、うつ病にならないようにする精神的な健康管理まで、安全配慮義務は拡大されている。

4-132　　◆**下請人の労働者に対する元請人の安全配慮義務**

　下請会社の労働者が、元請会社の作業現場で事故にあった場合、元請会社と下請会社の労働者との間には契約関係はない。しかし、判例は安全配慮義務を信義則に根拠づけるため、この場合にも安全配慮義務違反による債務不履行を認める（宮本・続・安全配慮義務 55 頁以下参照）。「Ｙ の下請企業の労働者が Ｙ の神戸造船所で労務の提供をするに当たっては、いわゆる社外工として、Ｙ の管理する設備、工具等を用い、事実上 Ｙ の指揮、監督を受けて稼働し、その作業内容も Ｙ の従業員であるいわゆる本工とほとんど同じであったというのであり、このような事実関係の下においては、Ｙ は、下請企業の労働者との間に特別な社会的接触の関係に入ったもので、信義則上、右労働者に対し安全配慮義務を負う」ことが認められている（最判平 3・4・11 判時 1391 号 3 頁）。なお、下請会社もその従業員に対して安全配慮義務を負い、元請人はその履行補助者になり、安全配慮義務は二重構造になる。

4-133　　◆**安全配慮義務の限界**[87]

　(1)　安全配慮義務違反の証明責任

　　(a)　**過失の証明と変わらない**　安全配慮義務違反は安全を配慮すべき注意義務であり、過失判断の前提たる注意義務に等しい。債務不履行の証明が結果回避義務違反の証明であり、それはとりもなおさず過失の証明となるので、不法行為で請求する場合と変わりはない。判例も、安全配慮義務の「内容を特定し、かつ、義務違反に該当する事実を主張・立証する責任は、国の義務違反を主張する原告にある」とする（最判昭 56・2・16 民集 35 巻 1 号 56 頁）[88]。被害者救済は、医療過誤同様に事実上の推定等、証拠法の法理によって図るべきである。

4-134　　　　(b)　**学説による被害者救済のための提案**　学説には安全配慮義務を類型化し

---

87)　被用者の行為について、不法行為構成では、被用者の安全配慮義務を問題としてその違反を被用者に認めて不法行為責任を成立させ、使用者は代位責任を負う。一方、債務不履行構成では、使用者に安全配慮義務が帰属し、被用者はその履行補助者になって、使用者自身に安全配慮義務違反という債務不履行が認められることになる。本書の立場では、安全配慮義務違反は、不法行為法上の作為義務違反であり、その積極的な作為を義務内容とする性質上――物権的な請求権に対応する相手方の義務として所有者の住所まで運搬して引き渡す義務を負うように――、不法行為法上の義務ではあるが履行補助者法理を適用することが許される。

て、被害者を救済しようとする主張がある（岡井和郎「裁判例からみた安全配慮義務」
『安全配慮義務法理の形成と展開』[1988] 3 頁以下など）。また、結果債務・手段債務の
分類をする学説にも、単なる過失責任とは別に、フォートの推定（中間責任）、
さらには結果責任の可能性も認め、画一的ではなく柔軟に志向すべきであるとい
う提案もされている（吉田・展開 54 頁）。確かに、手段債務は多様である。しかし
証拠法上の救済を考えれば足り、義務の強度によってはその義務を尽くしていれ
ば事故は防げたはずだと事実上の推定が認められる場合が多いと思われる。

(2) 不法行為法上の注意義務との関係

(a) 判例は不法行為法上の義務違反と区別する　安全配慮義務は、積極的な配
慮義務であり、単純な不法行為法上の不可侵義務たる注意義務とは区別される。
判例は、自衛隊のトラックが運転者の過失で衝突事故を起こし、同乗していた自
衛隊員が死亡した事例で、国の安全配慮義務を否定する。①「右自衛隊員に対す
る安全配慮義務として、車両の整備を十全ならしめて車両自体から生ずべき危険
を防止し、車両の運転者としてその任に適する技能を有する者を選任し、かつ、
当該車両を運転する上で特に必要な安全上の注意を与えて車両の運行から生ずる
危険を防止すべき義務」を安全配慮義務とする。そして、②「運転者において道
路交通法その他の法令に基づいて当然に負うべきものとされる通常の注意義務
は、右安全配慮義務の内容に含まれるものではな」いと判示する（最判昭 58・5・
27 民集 37 巻 4 号 477 頁）。国は国賠法 1 条 1 項の責任を負う。

(b) 不法行為の類型分けにすぎない

(ア) 安全配慮義務違反　本書の立場では、安全配慮義務も不法行為法上の積極
的配慮義務たる作為義務であり、その違反は作為義務違反型の不法行為である
が、債務不履行との類似構造から、債務不履行の規定や規範を適用する。安全配
慮義務は作為義務なので、債務同様、履行補助者論が当てはまる。使用者が安全
配慮義務を負い、従業員はその履行補助者であり、使用者に安全配慮義務違反と
いう不法行為が成立する。

(イ) 義務も責任も 1 つ　不法行為法上の安全配慮義務と信義則上の義務として
の 2 つの安全配慮義務を認め、その義務違反により 2 つの責任が成立し請求権競
合が問題となるというのが、一般的な理解である──その上で責任を 1 つに統合
する学説もある──。これに対し、本書の立場では、信義則上の義務としての安
全配慮義務は不法行為法上の作為義務が 1 つあるだけであり、2 つの安全配慮義
務があるわけではない。そのため、2 つの安全配慮義務の違反があり、不法行為

88) 最判平 24・2・24 判時 2144 号 89 頁は、「労働者が主張立証すべき事実は、不法行為に基づく損害賠
償を請求する場合とほとんど変わるところがない」と認め、そのことから、不法行為であろうと債務不履行
であろうと「労働者がこれを訴訟上行使するためには弁護士に委任しなければ十分な訴訟活動をすることが
困難な類型に属する請求権であるということができる」として、債務不履行に依拠する場合も弁護士費用の
賠償を認めている。

責任と債務不履行責任が成立するのではない。債務不履行規定が類推適用される不法行為責任が１つ成立するだけで、請求権競合の問題が生じることはない。

（ウ）　**単なる不法行為法上の不可侵義務違反**　他方で、積極的な配慮義務たる作為義務ではなく、事故を生じさせないという一般生活におけると同じ不可侵義務の違反については、就労中であっても、その従業員の不法行為が問題になり、使用者が使用者責任（代位責任）を負うだけである。積極的配慮義務である安全配慮義務は問題にならず、債務不履行規定の類推適用や債務不履行についての法理を適用する必要はない。土地工作物責任についても、積極的な危険性ではなく、就労に際する被用者の事故防止や健康のための積極的な配慮がされるべきなのにそれがされていない場合には、安全配慮義務を問題にすることができる。ただ、従業員には他人の物を盗まないという単なる不法行為法上の不可侵義務違反が問題になるが、会社に窃盗を予防する設備を設置する義務を保護義務（財産に対するので）として認める余地はある。

(3)　消滅時効の起算点

時効の起算点についての議論であるが、判例は、安全配慮義務違反による損害賠償請求権については同一性理論（☞ 4-14）の適用を否定する。すなわち、「契約上の基本的な債務の不履行に基づく損害賠償債務は、本来の債務と同一性を有するから、その消滅時効は、本来の債務の履行を請求し得る時から進行する」が、「安全配慮義務は、特定の法律関係の付随義務として一方が相手方に対して負う信義則上の義務であって、この付随義務の不履行による損害賠償請求権は、付随義務を履行しなかった結果により積極的に生じた損害についての賠償請求権であり、付随義務履行請求権の変形物ないし代替物であるとはいえない」。「そうすると、雇用契約上の付随義務としての安全配慮義務の不履行に基づく損害賠償債務が、安全配慮義務と同一性を有することを前提として、右損害賠償請求権の消滅時効は被用者が退職した時から進行するというＹの主張は、前提を欠き、失当である」という（最判平6・2・22労判646号12頁）。当然の判決である。

(4)　安全配慮義務の射程——未決勾留

（a）　**歯止めのない判例の大風呂敷な基準**　4-132判決は、安全配慮義務を「ある法律関係に基づいて特別な社会的接触の関係に入った当事者間において、当該法律関係の付随義務として当事者の一方又は双方が相手方に対して信義則上負う義務として一般的に認められるべきもの」という大風呂敷を広げた。契約関係がないが「特別な社会的接触関係」が認められればよく、かなり広がる可能性がある。元請会社の下請会社の労働者に対する安全配慮義務を超えて、例えば、建売住宅の現地案内の事例でもよいのであろうか。

（b）　**本人の自発的な参加意思を要求**　最判平28・4・21民集70巻4号1029頁では、有罪判決を受けこれを不服として控訴中の被疑者が拘置所に収容されている場合の、被疑者ないし被告人に対する国の安全配慮義務が問題とされてい

第4章　債権の効力②——債務不履行

る。判例は、「未決勾留による拘禁関係は、当事者の一方又は双方が相手方に対して信義則上の安全配慮義務を負うべき特別な社会的接触の関係とはいえない」と判示した。安全配慮義務が肯定される特別関係と認められるためには、本人の意思に基づいて形成された関係であることが必要になる。ただし、国が国賠法1条1項の責任を負うことを否定するものではない。

4-142　　(c)　**本書の立場ではどう考えるべきか**　4-141 判決も、積極的な配慮義務であり、単なる一般的な不可侵義務違反ではないという 4-129 判決の基準は満たしている。ただ、①本人の意思に基づくか、②契約関係に関連しており信義則の支配する法律関係かといった点に差があるにすぎない。この点、先行行為に基づく作為義務として——要求の程度は異なるとしても——安全配慮義務、その違反に債務不履行の規律を受ける不法行為（準債務不履行）を認めるべきである。時効や過失の証明責任など、債務不履行の規定や法理の適用につき意味がなくなったため、議論の熱は冷めたが、積極的配慮義務として安全配慮義務の事例と大いに共通しており、パラレルに考えるべきである。

4-143　　(c)　**労働契約以外における安全配慮義務・保護義務**　4-117 の給付義務の事例との限界づけは微妙であるが、労働契約に限らず、下級審判決では種々の契約において安全配慮義務と同様の義務違反による債務不履行責任が認められている。

4-144　　**◆判例の具体例**

私営プールの入場契約において、プール経営者Ｙは「利用契約に基づいて、利用者であるＸの生命・身体に危害が及ばないように、これを保護すべき義務」を負う（岐阜地多治見支判平 24・2・9 判時 2147 号 93 頁）。控訴審（名古屋高判平 24・10・4 判時 2177 号 63 頁）も、「Ｙは、同契約に基づき、Ｘに対し、ＸがＹの施設を利用することに伴ってＸの生命身体に危害が生じることがないよう、その安全に配慮すべき義務（以下「安全配慮義務」という。）を負う」という（いずれも義務違反は否定）。スーパー銭湯につき、Ｙには「本件公衆浴場を設置運営するに当たって、その衛生管理を適切に行い、利用者の生命身体の安全を確保すべき義務に違反した過失があり」、「不法行為ないし債務不履行に基づく損害賠償責任を負う」と判示する（前橋地判平 23・11・16 判時 2148 号 88 頁）。また、旅館は、「宿泊客に対し、泥水が浸水した後の本件便所の清掃管理につき、同所を利用しようとする者がすべって転倒することがないよう」に「すべき信義則上の安全配慮義務を負っていた」と判示する（東京地判平 8・9・27 判時 1601 号 149 頁）。

117

§Ⅶ 債務者の帰責事由

1 帰責事由と過失責任[89]

4-145 **(1) 帰責事由から責めに帰すことができない事由へ**

(a) 改正前の過失責任という理解

(ア) 法定責任ではなく契約責任は契約自由 民法は、415条1項ただし書で「債務者の責めに帰することができない事由」による場合には、債務者は債務不履行について責任を免れることを規定している。改正前は、「債務者の責めに帰す」べき事由（帰責事由）が要件とされていた。他方で、不法行為責任は、法定の責任であり、法定の要件を具備することが必要であり、「故意又は過失」が要件とされている[90]。契約についての債務不履行責任（契約責任）は、責任内容を契約で自由に合意できることが当然視されていた。また、債務不履行にも、事務管理や法定の財産管理人のように、法によって責任が規律される類型もある。

4-146 **(イ) 任意規定（補充規定）としての過失責任** 契約責任では責任を自由に決められるが、合意がされなかった場合の補充規定を用意しておく必要があ

---

89) **＊違法性** 同時履行の抗弁権があれば、履行期に履行しなくても責任を問われることはない。不法行為同様に、債務不履行でも違法性と過失を分けるのがかつては通説的理解であった。しかし、不法行為における過失一元論は債務不履行でも違法性概念を否定するが（平井82頁）、それとは別に、新しい契約責任論では、責任を引き受けているかどうかで判断するため、同時履行の抗弁権がある場合には責任は負わないことが当然に合意されていることになる。引き受けた責任かどうか全て契約解釈に解消され、違法性という要件を独立させる必要はなくなる（石田168頁も違法性概念を不要とする）。違法性を問題にするのではなく、「履行しないことを正当化する事由」と表現されている（新注民(8)220頁［潮見］）。基本的には賛成したいが、生命、身体、財産といった不法行為法上の保護法益を侵害する場合には（信義則上の義務違反はもちろん）、違法性阻却事由がある場合には、責任が否定されることを認めるべきである。

90) **＊責任能力** 不法行為では責任無能力による免責が認められているが（712条・713条）、これは客観的過失は認められるが政策的な免責規定と考えられている。債務不履行においては責任無能力免責を認める規定はなく、責任能力必要説もあるが（我妻111頁）、近時は不要説が有力である（野澤58頁、潮見Ⅰ283頁、中田163頁。石田157頁は、主観責任的債務不履行には責任能力を必要とする）。「新しい契約責任論」からは、責任無能力の状態での義務違反についても責任を負うことを約束しているかどうかの契約解釈にかかることになり、一概にはいえないことになる。いずれにせよ、当然に責任無能力免責が認められるものではない。有料老人ホームの入居契約では、重度の認知症の入居者を入居させその介護を引き受ける契約の性質上、そのリスクは契約に盛り込み済みと考える余地がある。「有効に負担した債務の履行に関して、債務者の意思能力の喪失や行為能力の制限のリスクを債権者に転嫁すべきではない」といわれる（内田176頁）。

る。当事者の意思の推定規定、また、両当事者の利害の公平な調整を図った任意規定が必要である。改正前の帰責事由は、「債務者の故意・過失又は信義則上それと同視すべき事由」と考えられていた（我妻100頁以下）。後半は履行補助者の故意・過失は債務者のそれと同視するという意味であり、要するに故意・過失が必要となる過失責任を規定する推定規定と理解されていた[91]。任意規定なので、注意義務を軽減する合意、他方で、過失の有無にかかわらず責任を負うまたは注意義務を高度化する合意は有効である（それを援用する者が証明責任を負う）。ただし、推定規定としての帰責事由をどう理解するかは、改正前から議論があった（吉田邦彦『契約法・医事法の関係的展開』[2005] 2頁以下、森田宏樹『契約責任の帰責構造』[2002] 46頁以下）[92]。

4-147 **◆判例**

判例は、履行不能の事例につき、一般論として以下のように述べる。

「債務が履行不能となったときは、債務者は、右履行不能が自己の責に帰すべからざる事由によって生じたことを証明するのでなければ、債務不履行の責を免れることはできない」（最判昭34・9・17民集13巻11号1412頁を引用）、「ここにいう責に帰すべからざる事由がある場合とは、債務者に故意・過失がない場合又は債務者に債務不履行の責任を負わせることが信義則上酷に失すると認められるような事由がある場合をいう」（最判昭52・3・31判時851号176頁）。

①故意・過失がない場合だけでなく、②故意・過失はあっても、信義則上酷に過ぎる場合を帰責事由が否定される事由として挙げている。違法性概念を債務不履行では否定すると、正当防衛などはここに位置づけざるをえない。

4-148 **(b) 改正法の理解──新しい契約責任論**

㋐ 責めに帰することができない事由を免責事由と明記　改正前は、債務者の帰責事由は損害賠償請求のための要件事実かのような規定であったが、解釈により帰責事由不存在（無過失）が免責事由と理解され、債務者に証明

---

91) これはドイツ民法の影響である。ドイツ民法では、イェーリングの「損害賠償を義務づけるのは、損害ではなく過失である」という民事責任を一括りにする提言の影響を受けて、276条1項で過失責任を宣言し、同条2項が、過失の基準として「社会生活上要求される注意」を規定し客観的過失を導入している。債務不履行と不法行為を民事責任としてパラレルに扱い、契約責任は特約による変更に任せたのである。

92) 本来は、穂積委員は、「債務者に過失なきときはこの限りにあらず」という規定にしようと考えたが、オーストリア民法1306条、スイス債務法110条には「有責性」という文言が用いられており、また、旧民法で「責めに帰すべき」といった表現がみられることから、原案408条但書では「債務者の責に帰すべからざるときは」という表現としたのである。法典調査会でも、穂積委員は、この部分につき不可抗力に限定するつもりではなく、過失を問題にするつもりであったことをうかがわせる発言をしている。

責任が負わされていた。改正法は415条1項を本文ただし書形式に規定し直し[93]、「債務者の責めに帰することができない事由による」ことを免責事由として規定した[94]。債権者は、415条1項本文の債務不履行さえ証明すればよく、責めに帰することができない事由によることは、免責を主張する債権者が証明責任を負うことになる。

4-149　**(イ)　判断基準**　債務者の責めに帰することができない事由か否かは、「契約その他の債務の発生原因及び取引上の社会通念に照らして」判断することが規定されている。当初は「契約」だけを規定し規範的解釈により補完することを認める趣旨であったが、実務界から契約だけでなく「取引上の社会通念」による補完を認めることを明記することが老婆心的に提案され、これが採用されたのである。内容に変わりはなく、契約解釈の理解の差による。

4-150　**(c)　改正により変更があったか**

❶　新しい契約責任論を採用したという理解

(i)　過失責任ではない　改正前は、過失責任を推定し、特約による修正を問題にしていたのに対して、改正法ではまず契約解釈により契約でいかなる責任を引き受けているのかを解明すべきことになったと理解されている（吉川・前掲論文21頁は「契約の拘束力説」という）。どのような責任を負うかは契約でどう定めたかという契約解釈によることになるため、法定責任のような過失責任ではなく、改正前の過失責任という解釈は「もはや解釈論としても維持できない」と評価されている（山本敬三『契約法の現代化Ⅲ』[2020] 262頁）[95]。

---

93)　「責めに帰すべき事由」という概念自体は残っている（413条の2第1項・2項・536条2項・543条・562条2項・563条3項・606条1項ただし書）―― 418条は債務者の過失――。また、「責めに帰することができない事由」は、413条の2第1項・2項・536条1項・567条2項・611条1項・624条の2第1項・634条1号・648条3項1号の各所に使われている。責めに帰すべき事由が「ない」＝責めに帰しえない事由が「ある」なのか、それともその間に灰色の中間領域（責めに帰すべき事由はないが、責めに帰しえない事由によるとはいえず、免責されない領域）があるのかは不明である。

94)　債務者の責めに帰すべきものではない事由による債務不履行を免責事由として規定する立法に、オランダ民法6:74条がある（スミッツ273頁）。DCFR Ⅲ.-3:104条1項は、債務不履行が、債務者の支配を超えた障害によるものであり、かつ、債務者が当該障害またはその結果を回避し、または克服することを合理的に期待されない場合に免責を規定する。免責事由方式なので、免責を主張する債務者に証明責任がある。障害の回避・克服義務が否定されることが免責に必要であるが、結果回避義務を否定するだけで、過失のようにその前提における予見可能性は問題にされておらず、予見不能というだけでは免責事由にはならない。イギリス法は、いかなる契約も履行されない場合の保証を包含しており、履行しないと損害賠償義務を免れず、責任を免れる唯一の方法はフラストレーションの法理によることであるが、その適用は非常に限定されている。契約の本質的な要素が破壊されるか、または、一身専属的な履行をする当事者が死亡したために履行が不能になった場合に限られる（スミッツ276頁）。

第4章 債権の効力②——債務不履行

4-151 （ii）**契約の解釈の問題にすぎない**　法定責任たる不法行為責任とは異なり、契約責任は責任の内容を当事者が自由に決められ、それを契約解釈で解明すべきと考えるのである（**新しい契約責任論**と呼ばれる）。「帰責事由＝過失」ないし「帰責することができない事由（免責事由）＝無過失」ではなく、契約で引き受けた責任かどうかが基準になる（山本敬三『契約法の現代化Ⅱ』[2018] 329頁以下参照）[96]。帰責事由は「契約解釈に尽きる」（規範的解釈）ことになる。415条1項ただし書では、合意が不明な場合の過失責任という補充規定ではなく、明確ではない場合にも規範的解釈で契約により引き受けた事由を明らかにすることが求められることになる。

4-152 ❷　**過失責任の推定規定として変更はないという解釈**

（i）**補充規定として過失責任と解することは可能**　しかし、改正法によって内容に変更はないという理解も可能である。改正前から債務者の帰責事由は契約の性質、目的等を勘案して判断されていたのであり、改正法はそれを明文化したにすぎないと説明されている（一問一答74頁）。従前より特約は可能であって、特約が認定できないときのための補充規定たる任意規定（推定規定）として、当事者のいずれにも偏らない公平な解決として過失責任が規定されていると解釈していたのである。

4-153 （ii）**契約解釈だけでは解決できない**　問題は合意が不明な場合や、法定の管理人などの責任である。新しい契約責任論では、契約の規範的解釈で対処できるのは前者だけになる。これに対して、改正による変更はないという理解では、415条1項ただし書を任意規定として、過失責任を規定したもの

95）契約解釈による、契約責任の内容の認定については、①まず「契約」で合意されている内容によるが、②取引上の社会通念による契約解釈により契約内容を補完することになる（補充的解釈）。ただし、この点は、契約そのものではないため、契約とは別の取引上の社会通念による契約内容の補充とするのか（取引上の社会通念を追加した実務界の理解）、契約解釈（規範的解釈）として契約内容となることを認めるのか（学者委員［特に山本］の理解）は理解が分かれる。補完を契約外に位置づけるか、契約内に位置づけるかの差はあるが、いずれにしても、当事者が合意していない内容であり、任意規定を解釈により柔軟に作り上げることが可能になる。新しい契約責任論には、当事者の合意のみで全てを決定しうるのか、手段債務では契約外的要素・客観的要素によって決まるのではないかという疑問が提起されている（吉川・前掲論文23頁）。しかし、新しい契約責任論者の契約解釈論は、それを規範的解釈として契約解釈に取り込むのであり、水掛け論の様相を呈する。

96）例えば、地下駐車場の雨水流入対策につき、排水能力を分あたり〇ℓと合意すれば、超豪雨でなくてもその排水能力がなかったため浸水すれば債務不履行、その能力は備えていたが超豪雨のため浸水しても債務不履行はない。超豪雨にも耐える分〇ℓの排水能力を約束した場合、超豪雨で浸水したがその能力を備えていたら浸水しなかったならば、平均的な排水能力は満たしていても債務不履行になり責任を負う。

と解釈することになる。法定責任ではないが、過失責任が公平だからである。契約責任では、過失責任が推定され、それを争う者——免責を広げる場合には債務者、責任を厳格化する場合には債権者——がその内容についての証明責任を負うことになる（本書の立場）。

4-154 **(2) 債務不履行と過失——給付義務と注意義務**

(a) 結果債務における債務不履行と過失

(ア) 証明責任の分配

(i) 画一的には考えられない 上記のように、特約がない限り「過失責任」を引き受けていると扱われるため、債権者は債務不履行を証明すればよく、債務者は無過失を証明して免責を受けられることになる[97]。ただ、この点について、全ての債務不履行について画一的にそのように考えるべきではなく、大まかな基準として結果債務・手段債務とで分けて考えることができる（石田157頁以下は、債務不履行を3つに分類する）。

4-155 **(ii) 結果債務における債務不履行** まず、結果債務（☞1-23）の不履行について、物の売買を例にすると、売主は約束した目的物を約束した品質等の内容で、約束の場所と期日にて引き渡すという「結果」の実現を約束している。したがって、この結果が実現されていないことが債務不履行になるため、債権者たる買主は結果不実現を415条1項の債務不履行として証明すればよい。これに対して、債務者は、415条1項ただし書の責めに帰することができない事由によること（その内容について合意がないと無過失が免責事由）を証明すれば、責任を免れることになる。

4-156 **(イ) 免責事由としての無過失——過失とは** 結果不実現＝債務不履行が認められても、特約による変更がない限り、債務者は「過失」がないことを証明して責任を免れることができる。過失とは、不法行為同様、結果の予見可能性と結果回避義務違反とで構成される。債務不履行になることが予見でき、それを回避するために必要な行為義務（給付義務の付随的注意義務☞

---

97) アメリカの契約法第2次リステイトメント261条では、後発的な実行困難性による免責のためには、①後発的な事件が契約の履行を実行困難にしたこと、②事件が生じないことが契約の基本的前提とされていたこと、③履行が実行困難になったことにつき、免責を求める当事者に過失がないこと、④当事者が、当該リスクを負担している場合でないこと、が必要になる（樋口範雄『アメリカ契約法［第3版］』[2022] 233頁）。過失責任だが、契約自由の原則からその危険を引き受けていたならば責任を負うことになり、日本の通説と同様である（③を飛ばして④を直截に論じる学説は別）。

第 4 章　債権の効力②——債務不履行

1-16）——納品期日に間に合うようにメーカー等に発注する、引き渡された目的物の確認をする、メーカー等の引渡しが遅れている場合には催告する、契約を解除してほかから仕入れる等の措置をとる等——が負わされ、これを尽くさなかったことである。過失は**客観的過失**、また、**抽象的過失**とされ、すなわち当該債務者の具体的な人的物的能力を基準にするのではなく、客観的に債務者として要求される行為義務を基準に判断される。

4-157　**(b)　手段債務においては債務不履行＝過失（415 条 1 項本文への一元化）**

㋐　債務不履行と過失を分けられない　他方で、手段債務（☞ 1-27）については、結果実現が給付内容として約束されていないので、結果不実現だけでは債務不履行にはならない——ただし、給付の日時を指定していてその時間に為されなければ、それだけで債務不履行になる——。例えば、医療機関は、複雑骨折した者が、完治するという「結果」を給付義務として引き受けてはいない。後遺症が残っても当然には債務不履行にはならず、当時の医療水準により為すべき診察・治療が尽くされておらず、それを尽くしたならば、より後遺症が軽くなった場合に初めて債務不履行になる。その結果、債務不履行と過失とを区別できないことになる。

4-158　**㋑　証明責任**　こうして、手段債務では、債務不履行をさらに過失ケースと無過失ケースに分けて、債権者は債務不履行だけ証明すればよいという構図を当てはめることはできず、債権者が債務不履行＝過失を証明しなければならない[98]。安全配慮義務も手段債務に該当する（☞ 4-133）。

　この場合の過失判断が、債務不履行と不法行為とで変わるのは適切ではない。また、手段債務でも注意義務の内容は自由に決められ、その効力は不法行為上の注意義務にも及ぶと考えられる。

2　帰責事由をめぐる例外的規律

4-159　**(a)　受領遅滞中の不可抗力による履行不能についての責任の軽減**　債務者

---

98)　これは不法行為と過失についても当てはまる。最善を尽くして診察・治療をしなかった場合に初めて違法性という観点からも「不法行為」になる。不法行為の証明と過失の証明が等しいことになる。不法行為において、過失について事実上の推定といった証拠法準則による救済が認められており、これは債務不履行＝過失の証明にもそのまま当てはめることが可能である。森田・深める 30 頁は、手段債務について、債務者の具体的行為義務違反を債権者が証明すべき類型と、債務者が具体的行為義務違反がないことの証明責任を負う類型とに分けている。

の帰責事由の基準は抽象的過失となるが、民法は 2 つの特則を認めている（ほかに金銭債務については☞ 4-48）。

まず、「特定物の引渡し」義務につき、「債権者が債務の履行を受けることを拒み、又は受けることができない場合において、その債務の目的が特定物の引渡しであるときは、債務者は、履行の提供をした時からその引渡しをするまで、<u>自己の財産に対するのと同一の注意</u>をもって、その物を保存すれば足りる」（413 条 1 項）と、注意義務が軽減されている。軽減された注意義務に基づき、413 条の 2 第 2 項が適用される[99]。

4-160　　**(b)　履行遅滞中の不可抗力による履行不能についての責任の承認**　他方、「債務者がその債務について遅滞の責任を負っている間に当事者双方の責めに帰することができない事由によってその債務の履行が不能となったときは、その履行の不能は、債務者の責めに帰すべき事由によるものとみなす」ものと規定されている（413 条の 2 第 1 項）[100]。改正前から、葉煙草の売買契約が、売主による履行遅滞中に煙草専売法の発布により履行不能となった事例につき同旨の解決が認められていた（大判明 39・10・29 民録 12 輯 1358 頁）。413 条の 2 第 1 項は履行不能についての規定であるが、その後に、履行遅滞が不可抗力によるものとなった場合、債務者が適時に履行していたら避けられたリスクなので、413 条の 2 第 1 項を類推適用すべきである。

3　履行補助者の故意・過失

4-161　**(1)　改正前の判例・学説の展開**

　❶　715 条 1 項類推適用説　例えば、絵画を販売した場合、会社が売主の場合には、従業員が絵画を配達するか、運送業者に依頼して配達してもら

---

99)　**＊ 567 条 2 項との異同**　413 条の 2 第 2 項は 567 条 2 項と重複するが、全面的に重複するものではない。①まず、413 条の 2 第 1 項は履行不能に限定しており、損傷で追完可能な場合には適用されないが、567 条 2 項は履行不能を要件としないので適用される。②また、567 条 2 項は滅失または損傷に適用が限定されているが、413 条の 2 第 2 項はそのような限定はなく、盗難に遭うなど社会通念上の不能も含まれる。ほぼ 413 条の 2 第 2 項と 536 条 2 項・543 条・562 条 2 項・563 条 3 項の組み合わせで足り、567 条 2 項が意味があるのは、追完可能で 413 条の 2 第 2 項が適用にならない事例に 567 条 2 項が適用になるという、①の点に尽きそうである。

100)　**＊ 413 条の 2 第 2 項は危険の移転以外にも適用すべきか**　本規定が売買において買主の受領遅滞における危険の移転に適用されるのは疑いないが（536 条 2 項）。それ以外にも、賃借人の受領遅滞中の損傷については、賃借人の帰責事由によるものとみなされ、賃貸人は修補義務を免れることになりそうである（606 条 1 項ただし書）。

うことになる。この場合、従業員や運送業者の過失により目的物たる絵画が盗難されたり滅失されたとしたら、債務者たる売主は責任を負うのであろうか。

　起草者は特に履行補助者の問題につき意識していなかったといわれ、民法施行後、715条を類推適用して、債務者が履行補助者の選任監督につき過失がある場合には、債務者は履行補助者の過失について責任を負うという学説が登場する（鳩山160頁）。しかし、使用関係のない運送業者については、使用者責任規定の類推適用では債務者の責任を負わせることはできない。

4-162　**❷　415条の帰責事由に含める学説・判例**　そのため、旧415条ただし書の帰責事由の解釈により問題を解決しようという学説が登場する。債務者の故意・過失とはせずに債務者の帰責事由としていることから（191条・536条・543条・562条2項・563条3項など、故意・過失ではなく帰責事由という用語による）、債務者の故意・過失に限定せず、履行補助者の故意・過失も債務者の帰責事由に含まれると考えるのである（岡松参太郎『無過失損害賠償責任論』[1916] 332頁以下）。昭和4年の大審院の判例（☞ 4-163）——賃貸借の事例ではあるが、その一般論に注目される[101]——により、履行補助者の故意ないし過失を債務者のそれと同視するという説明が採用される。

4-163　●大判昭4・3・30民集8巻363頁　**[事案]** Xらが共有する船舶をY₁が賃借し、Y₁がXらの承諾を得てこれをY₂に転貸していたところ、Y₂の乗組員の過失により難破した。XらのYらに対する損害賠償請求を認めた原判決に対し、債務者が被用者の行為について責任を負わされるためには被用者の選任・監督につき過失があることが必要であるが、原判決はこの点につき審理をしていないとしてYらが上告する。大審院は次のように述べて上告を棄却する。

　　[判旨]「債務者が債務履行の為、他人を使用する場合に在りては、債務者は自ら其の被用者の選任監督に付過失なきことを要するは勿論、此の外尚お其の他人を使用して債務の履行を為さしむる範囲に於いては、被用者をして其の為

---

101)　その2カ月後の大判昭4・6・19民集8巻675頁も、家屋の転借人の過失により家屋が焼失した事例で、転借人が「其の故意若は過失に依り物を滅失毀損したるときは、縦令転貸借に付賃貸人の承諾あり又転貸人その人に於て何等責むべき事情無き場合と雖、転貸人として其の責に任ぜざるを得ず。蓋債務者が其の債務の履行を為すに付第三者をして之を補助せしめたる場合に、偶此の第三者の故意若くは過失に因り履行を完うする能はざるときは債務者は事の第三者の挙措に出でたるの故に藉口して其の責を辞するを得ざるは、総じて債務の履行は誠実を以て其の本旨と為すべきことに鑑み殆んど当然の数ならずんばあらず」という。

§Ⅶ 債務者の帰責事由

> すべき履行に伴い、必要なる注意を尽さしむ可き責を免れざるものにして、<u>使用者たる債務者は其の履行に付被用者の不注意より生じたる結果に対し、債務の履行に関する一切の責任を回避する</u>ことを得ざるものと云ざる可からず。蓋、債務者は被用者の行為を利用して其の債務を履行せんとするものにして、此の範囲内に於ける<u>被用者の行為は、即債務者の行為そのものに外ならざる</u>を以てなり」。

4-164 **(2) その後の展開および改正法──新しい契約責任論の射程**

(a) **従前の学説への疑問** しかし、4-162 の学説は履行補助者の故意・過失がどうして債務者の故意・過失と同視されるのか、責任の「根拠」を示していないという批判を受ける。また、その後、再び他人の行為についての責任という観点から問題を捉え直す学説が登場するが（星野 62 頁、平井 85 頁）、法定責任である使用者責任（報償責任が根拠）よりも責任を負う範囲が広い（使用関係不要）ことの「根拠」を示していないと、やはり責任「根拠」が疑問視される。

4-165 (b) **新しい契約責任論** この「根拠」（責任を負う根拠）に着目したのが「新しい契約責任論」である。契約自由によりどのような責任を「引き受けたのか」契約解釈により解決するという立場を、ここにも当てはめる──法定債務にはその射程が及ばない（ドイツ民法 278 条は法定代理人の帰責事由について、本人の責任を認める）──。改正法では、415 条 1 項ただし書の解釈によることになり、①どのような者の、②どのような行為について債務者が責任を引き受けたのか、契約解釈により判断することになる（規範的解釈）。債務者が引き受けていない第三者の行為に債務不履行の原因があり、それが予見・回避できない場合には、債務者の責めに帰することができない事由として免責されるが、履行補助者の行為は免責事由にはならない[102]。

4-166 (c) **補充規定たる任意規定の解釈** どのような者のどのような行為まで引

---

[102] 例えば特定物の売主が引渡義務の履行のために、従業員を用いても、外部の運送会社を用いても、その故意・過失のリスクを債務者は引き受けているが、運送中に、第三者の運転する自動車により衝突され、従業員に過失がなければ、第三者の行為は免責事由になる。ただし、引き受けていない第三者の行為が原因であっても、それが予見可能であり適切な結果回避措置を講じておくべきであったのに、それをしていなければ、履行補助者の過失を認めることができる。場合によっては、不法行為における法人の過失のように、債務者自体の組織編成義務違反の債務者の過失（法人の過失）を認めることも考えられる。

き受けたのかという契約解釈によって、履行補助者の行為についての責任を
解決する考えには、本書も賛成である。問題は、この点の明確な合意がない
場合である。415条1項本文の債務不履行、同項ただし書の帰責しえない
事由の解釈になる。結果債務では、履行補助者の無過失が免責事由になり、
手段債務では履行補助者の行為が債務不履行に該当することが必要になる。
その上で、①債務者が自己のリスクで利用する者については、その過失や債
務不履行について当然に責任を負い、②その選任監督のみについて責任を引
き受ければよい類型——特に債権者が指定した等の事例——では、選任監督
の無過失が免責事由になる。法定の債務や信義則上の義務については、自己
のすべきことを他人に行わせるので、①の扱いがされるべきである。

4-167 **◆拡大損害と信義則上の義務違反の類型**
(1) 給付義務違反の拡大損害事例については本文通り
　例えば、甲画の所有者Aから修理を依頼されたBが、修理を終えて甲画をA
に引き渡す場合に、運送中の物品が損傷・滅失ないし盗難した事例でいうと、①
Bの従業員が運送していたのであれば、BのAに対する使用者責任が成立する
が、②Bが運送業者Cに依頼して運送させた場合には、BC間に使用関係はな
く、BのAに対する使用者責任は認められない。Aの所有権侵害につき不法行為
責任を負うのは、①ではB、②ではCということになる。他方で、①②いずれの
場合にも、Bは債務不履行責任を負うことになる。

4-168 **(2) 信義則上の義務違反**
　(a) 問題点 では、信義則上の義務違反の事例については、どう考えるべきで
あろうか。例えば、AがBに家具を販売し、AがBの自宅までの家具の配達を
引き受け、①Aの従業員が家具搬入に際してBの自宅の壁を傷付けた、②Aに
依頼された運送業者C（正確にはCの従業員。以下同じ）が、家具搬入に際し
てBの自宅の壁を傷付けたとする。AはCの行為については使用者責任は負わ
ない。では、信義則上の義務違反はどうであろうか。新しい契約責任論により契
約解釈で解決することはできない。

4-109 　**(b) 不法行為と異なる解決が妥当する** Cが運送中に交通事故を起こして、前
の車に衝突したといった事例であれば、Aは使用者責任を負わない。Cの不法行
為であり代位責任が問題となるからである。ところが、信義則上の義務について
は、Aに作為義務が負わされ、Cはその履行補助者ということになる。Aは作為
義務を果たすためにCを用いており、性質は不法行為上の作為義務、またその
違反による不法行為であるが、債務不履行と同じ規律を適用してよい（☞4-168
①）。①②共に、Aは信義則上の義務違反の責任を負う。

§ Ⅶ　債務者の帰責事由

◆履行補助者の類型化

(1)　改正前の解釈

(a)　狭義の履行補助者と履行代行者　我妻教授は、履行補助者を次のように類型化する。①まず、債務者の手足として使用される者を**狭義の履行補助者**または真の意味の履行補助者と呼び、債務者はこの者の故意・過失につき当然に責任を負うものとする。②次に、債務者に代わって履行の一部または全部を引き受ける者を**履行代行者**と呼び、3つの場合に分けて債務者の責任を考える。

(b)　履行代行者の3類型　ⓐまず、明文上履行代行者の使用が禁止されている場合（644条の2第1項・658条2項）または特約でその使用が禁止されている場合は、履行代行者を用いたこと自体がすでに債務不履行であるから、履行代行者に故意・過失がない場合でも債務者は責任を免れえない。ⓑまた、明文上積極的に履行代行者の使用を許されている場合（105条）、債務者が履行代行者の選任・監督につき過失があった場合にだけ責任を負う。ⓒ履行代行者の使用が明文で特に禁止も許容もされていない場合は、(a)①と同様の責任を負う。

(2)　改正法による変更

基準は措き、このような類型化は有益である。改正法では、①どのような者の、また、②どのような行為について、債務者が責任を引き受けたのかは、契約解釈（規範的解釈）により決められることになる。そのため、履行補助者の使用を認めることと、履行補助者の行為について選任・監督のみについて責任を負うということとは直結しない。このことから、改正法では、任意代理における復代理（復委任）につき、本人の許諾を得た場合に、代理人（受任者）は復代理人（復受任者）の選任・監督についてのみ責任を負い、債権者による指名があった場合に不適任・不誠実を知りながら本人に通知しなかった場合にのみ責任を負うことを規定していた旧105条は削除された。旧規定でも、契約自由なので異なる合意は可能であったが（補充規定）、全く白紙にして、契約解釈に丸投げしたのである。本書としては、4-166のように解し（4-170の①が原則）、やむをえない事由があっても、その過失また債務不履行について責任を免れないと考える。

◆利用補助者

(1)　履行補助者ではない──免責事由として否定されるだけ

判例上、実際に履行補助者の問題として議論がされた当初の事例は、ほとんどが賃貸借の事例である。賃貸借で問題となるのは、賃借人の賃借物保管義務の不履行（賃借物の滅失・損傷）につき、その原因が、①賃借人の家族など同居人、または、②転借人にある場合である。かつては、この問題も履行補助者の問題として論じられていたが、現在では利用補助者の問題として別個に論じられている。保管義務の履行のために他人を使っているのではなく、権利の行使として同

第4章　債権の効力②——債務不履行

居人を居住させる、または他人に転貸して使用させるのであり、そのような行為
をする以上、賃借人はこれらの者の行為について責任を負うべきであると考えら
れ、これらの行為は免責事由たる全くの第三者の行為ではないのである。

4-174 **(2)　利用補助者の類型化**

　①まず、同居人の過失につき、借家人は賃貸人に対して当然責任を負うべきこ
とについては異論がない（妻の失火について最判昭30・4・19民集9巻5号556頁、住込
職人の失火について最判昭35・6・21民集14巻8号1487頁）。②転借人については、判
例は、承諾のある事例でも、転借人の履行補助者としてその行為を債務者（賃借
人）の行為と同視する。学説は、ⓐ賃借人は、賃貸人の承諾を得ている場合に
は、転借人の選任・監督に過失がある場合にのみ責任を負うとするもの（我妻109
頁など）、ⓑ賃借人は転借人の過失につき責任を負うものと覚悟して転貸をしてい
るとするもの（水本54〜55頁）、ⓒ折衷的な解決として、転貸に承諾を与えた点
につき賃貸人に過失相殺で調整するもの（篠原弘志「履行補助者の過失」『新民法演習
3』44頁）など分かれる（特約がなければⓑと考えたい）。なお、信頼関係を破壊
する無断転貸の場合には、無断で他人に使用させることは債務不履行であり、転
借人の行為は全くの第三者の行為のように免責事由にはならない[103]。

§Ⅷ
債務不履行責任の効果

1　金銭賠償の原則

4-175 **(a)　損害なければ賠償義務なし**　債務不履行により債権者に損害が生じ、
債務者の帰責事由不存在（免責事由）が証明されない限り、債権者は「これ
によって生じた損害の賠償を請求することができる」（415条1項）。

　債務不履行があっても、債権者に損害が発生しなければ損害賠償を請求で
きない。目的物の引渡しが遅れても、債権者に損害がなければ、債務不履行
はあるが損害賠償請求権は成立しない。損害のみならず損害額も債権者が証
明責任を負う（最判昭28・11・20民集7巻11号1229頁）。ただし、「損害の性質上

---

103)　土地の無断転借人が産業廃棄物を投棄した事例で、「Bは、本件賃貸借契約上の義務に違反して、Cに
　　対し本件土地を無断で転貸し、Cが本件土地に産業廃棄物を不法に投棄したというのであるから、Bは、本
　　件土地の原状回復義務として、上記産業廃棄物を撤去すべき義務を免れることはできない」とされている
　　（最判平17・3・10判時1895号60頁）。原状回復義務の不履行による損害賠償を保証人に請求した事例
　　で、これが認容されている。

その額を立証することが極めて困難であるときは、裁判所は、口頭弁論の全趣旨及び証拠調べの結果に基づき、相当な損害額を認定することができる」（民訴248条）。415条は賠償される「損害」の内容については制限していないので、精神的損害の賠償（慰謝料）も請求できる。履行利益ないし給付利益だけでなく、拡大損害も債務不履行の賠償範囲に含まれる。

4-176　　(b)　**金銭賠償の原則**　「損害の賠償」には2つの方法が考えられる。①まず、例えば、寄託契約で預かった物を受寄者が過失により損傷してしまった場合、これを修補して元の状態に復元することが考えられる。これを**現実賠償**といい、ドイツ民法はこれを原則としている（ドイツ民法249条1項）。②もう1つは、上記の例でいうと、寄託者が損傷した物を自ら修理業者に依頼して修理し、かかった費用を受寄者に金銭で賠償させる方法であり、これを**金銭賠償**という。日本民法は金銭賠償を原則とした（417条〔**金銭賠償主義**という〕）。ただし、417条は強行規定ではなく、当事者の特約で現実賠償を合意することができる。

2　損害の意義および種類

4-177　**(1)　損害の意義**

　　(a)　**債務不履行それ自体と損害**　損害をめぐっては、債権者が債務不履行を契機に何らかの不利益を被っている場合に、①それを「損害」と法的に評価して賠償の対象とするか（損害の有無についての規範的評価）、また、②損害といえるとしても、どこまでが賠償されるべきなのか（賠償範囲の規範的評価）が問題になる。③その上で、損害をいくらと評価するか（損害の金銭的評価）が問題になる。まず①を検討するが、不利益を受けてもそれが法的に「損害」と評価できなければ、賠償は問題にならない。では、「損害」とはどう理解すべきであろうか。ⓐ履行遅滞等の事実があり、ⓑそれにより、材料が来ないため商品が作れず収益を得られなかった、といった「不利益」を受けることが「損害」である（さらに後続の事実そして損害が続く）。

4-178　　(b)　**差額説と損害の認定**

　　❶　**差額説**　4-177ⓐの履行が遅れたというだけでは、期日通りの給付を得ていないという不利益を受けているが、損害を受けたといえるためには、何らかの経済的不利益を受けることが必要である。民法には「損害」の定義

第4章　債権の効力②——債務不履行

はなく、判例はいわゆる**差額説**を採用している。債務不履行がなければ得た利益の不獲得、債務不履行があったために生じた余計な支出といった、不利益と評価できる財産の差を損害と考える[104]。差額説により認められた損害につき416条で損害範囲が確定され、それにつき損益相殺が行われ、それが最終的に賠償されるべき415条の「損害」になる。

4-179　**❷　差額説以外の考え**　人身損害では「損害」概念が議論されるが（☞債権各論Ⅱ6-8)、その点を措けば損害の評価が問題になることは少ない（違法な収益など☞4-186)。「差額」の有無を問題とせず、具体的な個々の損害項目それ自体を損害と考える説明もある（**個別損害説**といわれる)。例えば、身体侵害があるが、治療費を支出していない、就労しておらず収入減がないといった「差額」がない事例でも、観念的に治療にかかる費用、逸失利益の賠償を認めることができる。財産状態に差が生じている必要はなく、「法的保護に値する具体的な利益の侵害」を損害と考える学説がある（石田206頁)。**損害＝事実説**という主張もあり（平井宜雄『損害賠償法の理論』［1971］68頁)、これは人身被害の事実それ自体を損害とし、収入が減っていなくても賠償請求を認めることになる。さらにどこまで賠償されるべきかという規範的評価がされる（加藤雅之「規範的損害概念への展望」法政論究61号［2004］195頁)。非差額説を支持し、これ以上は深入りしないことにしたい。

4-180　**(2)　債務不履行における損害の種類**[105]

　(a)　給付利益（履行利益・契約利益）の損害

　(ア)　給付利益の意義　買主の財産の取得、賃借人の物の利用、役務給付（コンサートの観劇など）の享受といった、契約ないし債権があるがゆえに

---

104)　フランスの損害賠償法改正予備草案1251条（☞4-191）に対して、契約当事者たる被害者を、可能な限り、契約が適切に履行されたならばあった、であろう状況に置くことを目的とするという旨の規定を第2項として追加することが、学者により提案されている。契約責任は、被害者たる契約当事者を契約締結前の状況に戻すのではなく（原状回復)、契約が適切に履行されていればあったであろう状況に置くことが目的であることが理由である。差額説は、現にある財産状態と契約が適切に履行されていればあったであろう財産状態との差額を損害とみて、これを填補しようという考えといってよい。

105)　①履行遅滞による損害賠償、②履行に代わる損害賠償（填補賠償)、③付随的な損害賠償といった分類もされている（スミッツ278頁)。①②は履行利益とされ、③は拡大損害が問題にされている。一応の区別にすぎず、不法行為とは異なり「純粋経済損害」という問題はなく範囲が広いため、割り振りが微妙な事例もある。例えば、映画の出演契約で、途中まで収録後に主役が辞退したため、最初から収録をやり直す場合、無駄になった収録費用を賠償できるが、②なのか③なのか微妙である。主役が代わったことで映画の売上げが下がる損害を履行利益として賠償請求できるのかも微妙である。

当事者間でその取得が保障される利益を、**給付利益**（ないし履行利益・契約利益）という。これに関わる損害も次のように分けられる。

4-181 **(イ) 填補賠償と遅延賠償**　①まず、売主の特定物の引渡義務の履行不能の場合に、目的財産を取得していればその財産価格を享受していたということで、その財産価格が賠償されることになる（**填補賠償**☞4-68）。②履行されたがそれが遅れた場合、遅れたことによる損害（**遅延損害**）が賠償されることになり、これを**遅延賠償**という。建物の引渡しが遅れたためにその間ホテル住まいをした、営業の開始が遅れたといった損害である。遅滞した後に履行不能になった場合、不能による填補賠償のほかに、それまでの遅延賠償も請求できる。

4-182 **(ウ) その他の給付利益の賠償**　債務不履行による損害はこれに尽きず、履行不能や契約解除の場合に、これを転売して差益を取得しようとしていた、他の代替物の取得まで営業ができなかったなど種々の損害が発生する。債務不履行と相当因果関係が認められればよく、填補賠償は415条2項の要件を満たさなければ賠償請求できない点は別として、損害の分類には、学理的な意義しかない。

4-183 **(b) 不法行為法上の法益の侵害・拡大損害**　415条1項の債務不履行「によって生じた損害」は、債務不履行と相当因果関係があればよいので、給付利益の獲得に関わる損害に限られない。身体、財産等の一般社会生活上保護される権利・利益は、不法行為法上の保護法益であり、これが債務不履行により侵害される場合、債務不履行による損害賠償の範囲内に含まれる──ただし、給付義務の不履行か信義則上の義務違反かは事例による[106]──。給付義務の不獲得というだけでなく、不完全な給付が危険性を伴うものであり生命・身体、財産が侵害された場合には、この損害を**拡大損害**という。

4-184 **(c) 損害の分類**

(ア) 積極的損害・消極的損害　財産損害は不利益の受け方により2つに分けられる。①**積極的損害**は、債務不履行によって債務者がその財産に積極

---

106) 信義則上の義務違反による責任は、本書の立場では不法行為であるものの、その性質上債務不履行の規定また法理の適用（類推適用）が許される責任である（☞4-26以下）。しかし、損害賠償の規律については、取引における計算可能性の保障を考える必要はなく、不法行為責任の規律に従ってよい。

的に生じた損失（財産の減少）であり、所有物を滅失によって失ったり、転売先に違約金を支払ったり、入居までホテル住まいをして宿泊料を支払ったことなどである。②これに対して、**消極的損害**は、債務の本旨に従った履行があったならば得られた財産が得られなかったという不利益（**得べかりし利益ないし逸失利益**という）である。転売目的で商品を購入したが、商品が引き渡されず転売先への引渡しができずに契約を解除され、差益を得られなかったことなども考えられる。

4-185

◆履行利益と信頼利益

　履行利益に対する概念として、**信頼利益**という概念がある。（高橋眞『損害概念論序説』［2005］参照）。契約を有効と信頼して費やした費用などが無駄になった損害賠償を、信頼利益の賠償として説明するための概念である[107]。不法行為では、権利・利益の侵害を介して損害が発生したことが必要であり、「純粋経済損害」が賠償されるのかどうか議論があるが、債務不履行にはそのような制限はない。債務不履行では、無駄に支出した費用も、相当因果関係さえ認められれば賠償される。履行利益、信頼利益、拡大損害という学理的区別は、賠償範囲に関しては意味がないことになる。改正前は、不能な契約締結は無効であり信頼利益しか賠償請求できない、瑕疵担保責任は債務不履行ではないので信頼利益しか賠償請求できないと考えられ、この区別は意義を有していたが、いずれも履行利益の賠償が認められるに至った。

4-186

◆違法な利益

　道路運送法4条1項の必要な運送営業の許可を受けていない者が、運送営業のためにトラックを購入したが、名義書換が遅れたために営業ができなかったとして、得べかりし利益を賠償請求した事例がある。最高裁は、同規定に違反をしても、締結された「運送契約が私法上当然無効となるべき筋合のものではなく、Xは右契約に基づき相手方に対し運送賃の支払を請求し得る権利を取得し、右権利に基づき運送賃を受領することを妨げない」として、その得べかりし利益の喪失は、民法416条により賠償を受けうる通常生ずべき損害に当たるとした（最判昭39・10・29民集18巻8号1823頁）。この判決には反対意見もあるが、支持する学説が有力である（川井健『無効の研究』［1979］184頁以下参照）。不法行為の事例であるが、無許可で採石事業を行っていた被害者につき、違法な行為による収益を前提とした得べかりし利益の喪失による賠償請求が否定されている（☞債権各論Ⅱ

---

107) この問題を、支出損害賠償請求権という観点から、ドイツ法の議論を参考にしてアプローチをする研究として、金丸義衡「支出賠償請求権の現状と課題」甲南54巻3＝4号［2014］39頁以下、同「支出賠償における支出概念と賠償範囲」甲南60巻1～4号［2020］125頁以下がある。

133

6-76)。事実上損害が生じているが、賠償されるかどうかは、違法性の程度にかかることになり、規範的判断が必要になる（**規範的損害論**と呼ばれる）。

4-187 **(イ) 財産損害・非財産損害**

(i) 財産被害につき原則として慰謝料は認められない　以上までは、財産的不利益に関する損害であり、これを**財産損害**という。しかし、415 条は「損害」というだけで財産損害に限定をしていない。債務不履行により、精神的な苦痛を受けることも考えられ、その賠償が認められることがある（**慰謝料**という）。財産損害を受けることに関わる苦痛については、財産損害が賠償されればそれで苦痛も償われるはずであり、別個に慰謝料は認められない。運送を依頼した物が事故で滅失しても、その価格の賠償が認められるだけである。

4-188 **(ii) 慰謝料が認められる場合**　①債務不履行が医療過誤や安全配慮義務違反のように生命、身体を侵害する場合に、慰謝料が認められるのは当然である。②財産侵害でも、長年育てたペットが獣医の過誤で死亡したり、親の形見や思い出の品を運送の際に滅失させられた場合には、特別事情があり（416 条 2 項）、慰謝料まで認められる。また、予備校の教育の不完全履行につき、受験期の大事な時期を無駄にさせられた生徒による慰謝料請求が認容された例もある（大阪地判平 5・2・4 判時 1481 号 149 頁など）。その他、パック旅行で、チャーターバスが事故を起こし、宿泊先まで荷物を持って歩いて行った等、肉体的苦痛を伴う場合にも、慰謝料請求が可能である。

3　損害賠償の範囲──416 条の位置づけ

4-189 **(1) 損害賠償の範囲の確定基準**

(a) 債権者保護か債務者保護か　契約の不履行により債権者に種々の損害が生じるが、特別事情が重なり損害が思いもよらぬ形で拡大していくことがある。例えば、A が B に原材料を販売したが、A が引渡しを遅滞したため B が商品の生産ができず、B が納品先から注文を解除され、商品の販売代金から予定していた借入金の返済ができず、金融機関から融資が受けられず、老朽化した施設を修理できず、工場で事故が起きたというように後続損害が連鎖的に拡大していくことが考えられる。「あれなければこれなし」といった因果関係のある損害が発生していることは否定できない。

債務者としては、予見もできない損害の拡大に対してまで責任を問われるのでは、取引の合理的計算可能性が無視されてしまう。

4-190 **(b) 民法の規定** 民法は、この問題の解決のため、① 「債務の不履行に対する損害賠償の請求は、これによって通常生ずべき損害の賠償をさせることをその目的とする」(416条1項[**通常損害**])、② 「特別の事情によって生じた損害であっても、当事者がその事情を予見すべきであったときは、債権者は、その賠償を請求することができる」(同条2項[**特別損害**]) と規定した。問題となるのは特別損害であり、特別事情が予見できなければ賠償範囲から除外することにして、債務者を保護した。416条は、イギリスの判例に大きく影響を受けた規定である。ところが、416条の理解については、比較法的に異例なドイツ法の影響を大きく受けた解釈が導入されている (相当因果関係説)。

4-191 **◆制限賠償主義・完全賠償主義**
(1) 制限賠償主義
　フランス民法1231-3条は債務不履行により、債務者は、故意または重過失がない限りは、契約締結に際して予見していたまたは予見することができた損害についてのみ責任を負うものと規定する── 2017年の民事責任の改正予備草案1251条は、故意または重過失がない限り、契約成立時に合理的に予見可能な不履行の結果についてのみ責任を負うと規定し、表現がかなり改められた──。このように、損害の予見可能性により損害賠償の範囲を制限し、取引の計算可能性を保障しようとする立法を**制限賠償主義**という。イギリス法でも、1854年のハドレー判決によって定立された内容は、フランスのポチェの影響を受けたものであり、予見可能性によって損害賠償の範囲を画する制限賠償主義に属するものである[108](平井・前掲書130頁以下)。

4-192 **(2) 完全賠償主義**
(a) 因果関係のある損害が全て賠償される これに対して、ドイツ民法は比較法的に異例であるが、債務不履行と不法行為とをパラレルに扱う立法であり、債務不履行・不法行為いずれにおいても原状回復が原則とされ (ドイツ民法249条1項)、その結果、金銭賠償による場合には生じた損害が全て賠償されることにな

---

108) 416条の原案はハドレー判決を参照したものであった。X (ハドレー) が、製粉工場の製粉機の回転軸が破損したため、遠方にあるA機械製作所にその回転軸を送り同じものを作成してもらうため、その運送をY (バクセンデール) に依頼したところ、運送が遅れその間の工場の操業ができなかったため、Yに対し逸失利益の賠償を求めた事例である。同判決は、不履行から通常の経過により生じる損害のほかは、特別の事情により生じた損害も契約時に両当事者が合理的に予見できたならば賠償されるべきものとした (予見可能性を否定して責任否定)。これが416条1項と2項の原案に採用されたのである。ところが、416条は起草過程で原案を修正し、損害ではなく特別事情を予見の対象と変更して賠償範囲を拡大しようとしたために、比較法的に奇妙な立法になったのである (☞4-195)。

§Ⅷ　債務不履行責任の効果

る。予見可能性による限界づけはされていない。このように損害賠償につき予見可能性による制限をしない立法を**完全賠償主義**という。

4-193　　(b)　**因果関係を制限解釈──相当因果関係**　完全賠償主義の下では、因果関係のある損害が全て賠償されることになり、「あれなければこれなし」の因果関係さえあればよいことになりかねないため、何らかの形で賠償範囲を限界づける必要がある。そのため、ドイツでは因果関係を制限解釈して行き過ぎに歯止めをかけようとしている。賠償範囲に含まれるための因果関係を法的な評価を受けた因果関係と理解し、**相当因果関係**という概念を採用する。こうして因果関係ということでしか制限する技術を持たない完全賠償主義において、不合理な行き過ぎを制限するために相当「因果関係」という概念が導入されるが、予見可能性は不要なことに変わりはない。

4-194　　◆**現行民法は制限賠償主義を緩和し賠償範囲を拡大した**

　　(a)　**旧民法、現行民法原案**　旧民法では、フランス民法1150条（現行1231-3条）とほぼ同様の規定を置き（財産編358条2項・3項）、悪意の場合には損害の予見可能性を不要とする。ところが、現行416条の原案は、イギリス法的に随分変更された。すなわち、「損害賠償の請求は通常の場合に於て債務の不履行より生ずべき損害の賠償を為さしむるを以て目的とす」（原案410条1項）、「当事者が始めより予見し又は予見することを得べかりし損害については特別の事情より生じたるものと雖も其賠償を請求することを得」（同条2項）、と規定していた。予見可能時は契約時、そして、予見の対象は損害であった。フランス法のような、悪意の場合に例外を認める規定はなかった。

4-195　　(b)　**原案の修正**　ところが、起草者である梅はドイツ民法草案のように「一切の損害の賠償を為さしむるを以て目的とす」とするのがよいと考え、制限賠償主義を一歩緩和しようと修正を加える。すなわち、①予見可能時について「始めより」という文言を削り解釈に任せ、また、②予見の対象を損害から特別事情へと緩和した。予見の対象を変更することで、制限賠償主義から完全賠償主義に賠償範囲を一歩近づけたのである。しかし、損害を予見の対象とすることと特別事情を予見の対象とすることの違いなどは、特に議論されることはなかった。

4-196　**(2)　判例による相当因果関係論の採用と疑問の提起**

　(a)　富喜丸事件判決による相当因果関係論の採用

　(ア)　当初は不法行為のみ相当因果関係論　不法行為については709条の「よって生じた損害」という因果関係による制限しかないため（完全賠償主義）、判例により社会通念上の相当の因果関係という制限がされていたが（☞債権各論Ⅱ6-29）──本来の相当因果関係論──、債務不履行について

第4章　債権の効力②──債務不履行

は416条を適用するだけで特別の議論はなかった。

4-197　　**(イ)　416条への相当因果関係の導入──不法行為も吸収**　ところが、ド
イツ法の圧倒的影響を受けた時代に、ドイツの相当因果関係論が日本に導入
される。特別事情の予見可能性（2017年改正により規範的制限がされる
が、以下予見可能性と表記しておく）が必要なため完全賠償主義ではない
が、損害自体の予見可能性は不要なので、損害との因果関係につき相当因果
関係という制限が必要になる。そのため、損害との因果関係を相当因果関係
で規制する相当因果関係論が学説により主張される。

4-198　　**(ウ)　判例による相当因果関係論の採用**　下記富喜丸事件判決は「民法第
416条の規定は、……相当因果関係の範囲を明にした」と宣言する（416条
を不法行為責任に類推適用する）。①416条1項の「通常生ずべき損害の賠
償」を、相当因果関係の原則を宣言したもの、②同条2項は、「特別の事
情」による損害については、相当因果関係を制限し特別の事情が予見できる
ことを要件としたものと理解する。②の点で、完全賠償主義における相当因
果関係論よりも制限がされることになる──不法行為では416条の類推適
用前よりも制限されたことになる──。

4-199　　**●大判大15・5・22民集5巻386頁（富喜丸事件判決）　(1)　事案**　X所有
の汽船「富喜丸」が、Y所有の汽船により衝突されて沈没した（大正4年［1915
年］）。沈没前に第一次世界大戦（1914年〜1918年）が勃発し、数年にわたる戦
争の結果、船舶が不足し、船の価格・傭船料とも高騰した。沈没時約10万円
であったのが、ピーク時には190万円まで上昇し、その後沈静化し10万円ほ
どに戻っている。そこで、Xは最高時の価格（190万円）でYに対して賠償請
求をしたが、1審、2審はXの190万円との主張を退け、大審院もXの上告
を棄却する。

4-200　　**(2)　大審院判旨**
　　　　(a)　相当因果関係説・算定基準時は滅失時　「民法第416条の規定は、……
相当因果関係の範囲を明にしたものに過ぎずして、……不法行為に基く損害
賠償の範囲を定むるに付ても同条の規定を類推して其の因果律を定むべきもの
とす」。「損害賠償は不法行為に因りて生じたる損害を填補することを目的とす
るものなるを以て、其の賠償の範囲は先ず以て其の滅失毀損の当時を標準とし
て之を定むることを要し、其の損害は滅失毀損の当時に於ける交換価格に依り
て定まるべきものとす」。

4-201　　　　**(b)　中間最高価格での転売差益**　「被害者は不法行為当時より判決に至る迄

137

§Ⅷ　債務不履行責任の効果

> の間に価額の騰貴したる一事に因りて直に騰貴価額に相当する消極的損害の賠
> 償を請求することを得るものに非ず。其の騰貴が縦し自然の趨勢に因りたるも
> のとするも、被害者に於て不法行為微りせば其の騰貴したる価格を以て転売其
> の他の処分を為し若は其の他の方法に依り該価額に相当する利益を確実に取得
> したるべき特別の事情ありて、其の事情が不法行為当時予見し又は予見し得べ
> かりし場合に非されば、斯る損害賠償の請求を為すことを得ざるものとす」
> (これらの特別事情およびその予見可能性については原告が証明責任を負い、
> その主張・立証がないとした)。

4-202　**(b)　相当因果関係論への疑問提起**

(ア)　平井教授による批判　416条はその出発点ではドイツ民法とは全く異
なる制限賠償主義の規定であったものを、起草者が4-195のような変更を
したため、上記のように考える余地が生じたのである。ところが、事情と損
害の予見可能性を区別できるのかは疑問である。昭和40年代に、平井教授
がこのような疑問を提起した(平井・前掲書1頁以下、平井47頁、88頁以下)[109]。損
害を予見可能性の対象と再構成し、そうすると制限賠償主義そのものとな
り、416条1項を相当因果関係を規定したと考える必要はなくなる。

4-203　**(イ)　本書の立場**　本書も平井教授の批判に同調する。確かにある事実から
ある損害が発生すること、後続損害も、後続する事実から損害が発生し、
「事実(特別事情)→損害の発生」と続くことは認める。しかし、事実(特
別事情)と損害とを1つ1つ切り離す限り、事実(特別事情)は予見でき
るが、それによる損害は予見できないということは考えられない。特別事情
の予見可能性とそれによる損害の予見可能性は等しく、これを区別すること
は不可能である。そうすると、損害の予見可能性については、単純に制限賠

---

109)　平井教授は、不法行為も含めてこれまで相当因果関係の名の下で議論されていたものには、異なる3
つのものが含まれており、①あれなければこれなし(but forテスト)の当てはまる事実的因果関係の問題
(公害や医療過誤で問題になる)、②損害の範囲の確定の問題、および、③賠償範囲とされた財産について、
その損害の金銭的評価の問題とを区別しようとする。416条は②を扱うものであり、その基準として相当因
果関係という言葉を避け、賠償範囲の問題を保護範囲の問題と称する。そのため、平井説は**保護範囲説**と呼
ばれる。本書は保護範囲説に賛成である。まず事実的因果関係がなければならないが、この点は証明の軽減
により対処すべきである。損害賠償の範囲を保護範囲と呼ぶことは措くとして416条の解釈によりこれを
本文のように損害の予見可能性を問題とすることには賛成である。そして、財産の金銭的評価の問題を416
条から切り離して考えることも後述のように本書の立場と同じである。なお、416条は全部賠償を原則とす
る規定であり、特別損害につき特別の事情が予見不能であれば責任を否定するという制限をしたものという
理解もある(石田230頁)。

138

償主義の規定となる。他方、不法行為では、特別事情の予見可能性を要求するのは、損害の予見可能性を要求することになり適切ではなく、当初の予見可能性を不要とする本来の相当因果関係論（☞ 4-196）に戻すべきである。

4-204 (3) 通常損害と特別損害の区別

(a) 通常損害　その種の債務不履行があれば生じることが普通と考えられる**通常損害**が賠償されるのは当然である（416条1項）。判例は、416条1項を相当因果関係のある損害を賠償する原則を宣言したものと解するが（☞ 4-200）、批判説は416条は損害の予見可能性を要求する制限賠償主義の規定と解する。

4-205

◆416条1項と2項の関係

　　相当因果関係論では、416条1項は相当因果関係論を宣言する規定、2項は相当因果関係論を特別損害について、特別事情の予見可能性を必要として制限する規定ということになる。これに対して、416条を制限賠償主義の規定と解する本書の立場では、通常損害・特別損害という区別ではなく、直截に損害の予見可能性が必要であることを宣言する規定が置かれるべきである。416条1項は、通常損害は予見可能なので賠償されることを確認するだけの規定であり、特別損害については、損害の予見可能性が必要であることを規定したものと解すべきである。制限賠償主義で問題になるのは特別損害であり、2項が意味のある規定となる。このように、1項と2項とを区別する必要はなく、全ての損害について統一的に規律されるべきであり、通常損害でも、予見可能性に加えて規範的制限を認めるべきである（☞ 4-216）。

4-206 (ア) 目的物の価格の変動①──売主の債務不履行

(i) 価格高騰事例　買主が売買契約を解除してやむなく他から目的物を購入したが、解除の8日後に騰貴した代金で購入した事例で、当初の売買契約の代金との差額が通常損害と認められている（大判大7・11・14民録24輯2169頁）。契約解除の場合には解除時の価格での塡補賠償の請求ができるが、解除と近接した時期に他から実際に購入した場合には、上記のような請求もできることになる。

4-207 (ii) 価格下落事例　引渡しが遅れたものの行われ、その間、価格が低下した事例では、「遅滞中に市価が低落し、買入価格との差額すなわち転売利益が減少した場合には、履行が遅れたために減少した転売利益額が遅滞による損害額となるべきものであり、特段の事情のない限り、結局履行期と引渡時との市価の差額に帰する」とされる（最判昭36・12・8民集15巻11号2706頁）。

§Ⅷ 債務不履行責任の効果

4-208 **(イ) 目的物の価格の変動②——買主の債務不履行** 買主の代金債務の不履行により、売主が売買契約を解除した後に、他に低落した価格で売却した事例では、元の代金との差額の賠償が認められている（長崎控判大10・4・7新聞1839号19頁）。売却が遅れたことに、売主に過失があれば過失相殺がされる。

4-209 **(ウ) 目的物の価格の変動以外（買主の損害）**
(ⅰ) 転売差益、転売先への違約金 買主が転売目的であり実際にすでに買主が転売していた場合、売主が目的物を引き渡さず買主が売買契約を解除したならば、その転売利益＝買取代金と転売代金の差額が通常損害として賠償され（大判大10・3・30民録27輯603頁）、また、買主が転売先に損害賠償をしていれば、その支払った賠償額も通常損害とされる（大判明38・11・28民録11輯1607頁）。

4-210 **(ⅱ) 引渡しの遅滞中に使用できない損害** 遅滞したが履行された場合には、例えばトラックの売買で名義書換が遅れてその間使用できなかった営業利益も、通常損害と認められている（前掲最判昭39・10・29）。遅滞したため、買主が売買契約を解除して他から購入した場合も、その購入まで目的物が使用できなかったことによる営業損害も、通常損害になる。また、建設用機器の購入で、引渡しが遅れたため、引渡しまでまたは契約を解除して他から取得するまで、レンタル業者から建設用機器を借り入れた場合の、その期間のレンタル料も通常損害である。

4-211 **(b) 特別損害**
(ア) 予見の対象 通常は生じないが特別事情が加わったがために生じた損害を**特別損害**といい、その賠償が認められるためには、特別の事情を債務者が予見すべきであったことが必要である（416条2項）。条文は特別「事情」を予見すべきであったことを要求しており、これが起草者の考えである（☞4-195）。通説・判例もその通りに理解している。しかし、本書としては、批判説に従い、特別損害を予見の対象と読み替える。

4-212 **(イ) 規範的評価がされる** 改正法は、「予見することができた」という要件を「予見すべきであった」と変更した。予見ができる損害を、さらに予見すべきであったかどうかという規範的判断による制限をしようとしたのである。例えば、違法な活動をしている業者につき、違法な収益を取得しえないという損害が予見できても、賠償の対象にはならず（☞4-186）、類似の業

種における通常損害に制限される。

4-213　　**(ウ)　予見可能性＋αがあれば特別損害も賠償される**　建物の買主が、アパートから新居に引っ越す予定であり、引渡しが遅れたため、引渡しまでホテル住まいをしたり荷物を倉庫に預けるのは通常損害である。引越作業を依頼していた業者との契約を解除し、違約金を支払った損害も通常損害である。もし時期的に安いホテルが空いておらず、やむをえず高級ホテルに滞在した場合、高級ホテルしか空いていないという特別事情（＝高級ホテルのホテル代を支払うという損害が発生）が予見可能であったならば、ホテル代全額を賠償請求できる。予見可能性は、特別損害を賠償請求する債権者が証明責任を負う。宿泊先のホテルで火災があり、買主が負傷したり荷物を焼失した場合、それは特別損害であり通常は予見しえず、賠償は認められない。

4-214　　**◆相当因果関係論の有益性──規範的限界づけの必要性**
　　(1)　実際には全額の損害を受けているが相当な範囲に賠償を限定する必要性　4-213 の例で、建物の買主が安いホテルに空きがあるのに高級ホテルに宿泊した場合には、そのホテル代を支払ったという損害を受けているが、全額の賠償は認められない。しかし、相当なホテル代相当の金額については賠償が認められる。このための説明はどうすべきであろうか。不法行為では、葬儀費用や弁護士費用などは相当な額に制限されるが、そのために相当因果関係という説明が重宝されている。このように実際にはその金額支出をしており損害を受けているが、賠償できる額を相当額に制限する法理が必要になる。416 条 1 項を相当因果関係の原則を宣言したものと考えれば、相当因果関係の法理を活用できる。しかし、本書では相当因果関係論を否定するので、この制限を別の法理で説明する必要がある。

4-215　　**(2)　予見可能であってもよい**
　　(a)　量的な賠償範囲の制限が必要　この点、改正法は「予見することができた」というのを「予見すべきであった」と変更したことが注目される。「予見すべき」という規範的価値判断により、賠償範囲を画そうとしたのである。これは損害自体を賠償範囲に入れるかどうかの規範的判断だけでなく、実際の損害のうち相当な範囲に賠償範囲を画することにも用いることができる。先の高級ホテルに宿泊した場合の例では、買主が浪費家であり、高級ホテルに宿泊することが容易に予見できても、その宿泊代の全額は賠償請求できない。

4-216　　**(b)　そのための法的構成**　上記のように、因果関係に規範的評価を加えて、相当な範囲だけに法的因果関係が認められるという説明ができる。他方で、損害軽減義務違反による過失相殺により、予見可能なので全額賠償範囲となるが、過失相殺で減額するという説明も可能である。①損害の範囲の、ⓐ予見可能性による

制限、ⓑ規範的評価による制限、そして、②過失相殺による減額の関係は微妙であり、グレーゾーンではどれによってもよいと考えられる。損害賠償法は、ある程度ファジーな運用が求められまた許容される法領域である。

◆予見の当事者・予見時期── 416条についての本書の立場

(1) 債務者・債務不履行時説

(a) 予見の当事者 416条2項の特別事情（本書では特別事情による損害。以下同じ）の予見可能性につき、その判断時期また当事者については議論がある。当事者について先に説明すると、債務者の計算可能性を保障するためのものであるので、債務者が予見できればよい。また、債務者の具体的予見可能性ではなく、過失同様に抽象的に社会通念からして予見すべきであったかどうかという評価による。一般的に予見可能性が否定される場合でも、債務者がたまたまその特別事情を予見できたならば予見可能性を肯定してよい。

(b) 予見時期 問題は予見時期である。債務者が契約時に予見しえなくても履行期にその特別の事情を知ることができた以上責任を負わされてよい、と考える**債務者＝不履行時説**が通説であり（我妻120頁、川井123頁、中田198頁）また判例である（☞4-219）。416条2項の原案は「始めより」予見しえたことを要求していたのを削除したため、債務不履行時と解することに文言上の支障はない。

●大判大7・8・27民録24輯1658頁　(1) 事案 マッチ製造業者Yは問屋Xと数度にわたって大量のマッチの売買契約をした。最後の契約の日に第一次世界大戦が勃発し、その後マッチの原料が高騰し、マッチの価格も騰貴した。Yが値上げを求めたがXが応じないためYが引渡しをせず、Xが催告の上契約を解除し騰貴した価格を基準として損害賠償を請求した。

(2) 原審判決 原判決はXの請求を認容したが、Yはこれに対し、契約締結時にはこのような戦乱は予見しえず、本件損害は特別の事情に起因するものであり、特別事情の予見時期は、契約締結時を基準とすべきであると主張した。契約締結時に特別事情を予見できればこそ、債務者は契約締結をするか否か、どう契約条件等を定めるかなど適切に対処できるのであり、締結後に予見可能となった特別事情について責任を負わされては債務者に酷であるということを理由として挙げている。しかし、大審院は次のように述べて上告を棄却する。

(3) 大審院判旨 「法律が、特別事情を予見したる債務者に之に因り生じたる損害を賠償するの責を負わしむる所以のものは、特別事情を……予知しながら債務を履行せず若くは履行を不能ならしめたる債務者に、其損害を賠償せしむるも過酷ならずと為すに在れば、特別事情の予見は債務の

第 4 章　債権の効力②——債務不履行

履行期迄に履行期後の事情を前知するの義にして、予見の時期は債務の履行期迄なりと解するを正当とす」。[110]履行期までに要件可能——債務者に酷かどうかを問題にするので債務者が基準といってよい——履行不能についてまでに特別事情が予見できればよいという。傍論として履行不能についても言及しているが、その場合も含めて「履行期迄」というが、履行期までには予見できなかったが、履行不能時には予見できるようになっていた場合も履行期までなのかは、疑問は残る。

4-222

(2)　契約当事者・契約締結時説および本書の立場

❶　契約当事者・契約時説　しかし、比較法的には契約時に当事者が予見できたことを要求する例が普通であり、契約の両当事者が契約の締結時に予見することができた特別事情のみが考慮されるべきであると考える**両当事者＝契約時説**もある（川村泰啓『商品交換法の体系 I』［1972］150 頁、奥田 179 ～ 180 頁）。ただし、契約から履行まで相当の期間を要する取引が現在少なくなく、このような処理が本当に公平かは疑問が出されている（注民⑩ 510 ～ 1 頁［北川善太郎］）。日本には例外が規定されていないが、解釈により故意または重過失による債務不履行の場合には、契約時に予見可能な損害でなくてもよいという主張がある（小野 133 頁）。

4-223

❷　本書の立場　本書は契約時に予見できた損害が賠償されるべきであると考え、また、合理的に予見できたか否かという規範的評価をするならば契約当事者を基準にしてよい。ただし、賃貸借など継続的契約については債務不履行時（火災などによる滅失時）を基準としてよい。債務者が故意または重過失の場合には、例外を認める。問題は、安全配慮義務違反などの信義則上の義務違反の事例である。身体損害については不法行為法の規律によるべきである—— 722 条 2 項の類推適用も可能——。身体は特別規定がない限り取引による規律の対象とはならず、債務者保護のための予見可能性による限界づけをすべきではなく、被害者保護を中心として考えてよい。そのため、完全賠償主義における本来の相当因果関係論により規律がされるべきである（709 条の「よって生じた」［＝因果関係］の解釈による）。

---

110)　本書は予見可能性の基準時を契約時とするが、債務者が悪意の事例なので、例外を認めることができる。さらにいえば、損害額の評価は賠償範囲の問題ではないという考えがあることも考慮を要する。事情変更の原則が適用にならない限り、売主は代金の値上げに応じなければ引き渡さないと拒絶することはできないのである。ところが、履行しないで、契約を解除され填補賠償を義務づけられる場合には、値上がりが予見できなかったとして、値上がった価格での賠償を免れるのは、履行をした場合とのバランスを失することになる。いずれによるかは措くが、本判決の結論は適切である。

143

§Ⅷ 債務不履行責任の効果

4-224

◆債務不履行と弁護士費用

⑴ 債務不履行では弁護士費用の賠償は認められない

　不法行為（とりわけ交通事故）による損害賠償請求については、弁護士費用につき損害額の1割を相当因果関係にある損害として賠償が認められている。これに対して、債務不履行の場合には、弁護士費用は債務不履行と相当因果関係にある損害とは認めないのが判例である。弁護士費用を敗訴者負担とする立法を採用していない日本法では、弁護士費用を債務不履行による損害として賠償請求するしかない。最判令3・1・22判時2496号3頁は、不動産の買主の売主に対する履行を求める訴訟につき、そのための弁護士費用を債務不履行に基づく損害賠償として請求することはできないことを確認する。

4-225

⑵ 不法行為と証明が等しい場合は例外

　ただし、不法行為責任でも、事件の難易度が弁護士費用の賠償が認められる理由であり、債務不履行であっても、安全配慮義務違反の場合には弁護士費用の賠償が認められている。最判平24・2・24判時2144号89頁は、安全配慮義務違反につき、「労働者が主張立証すべき事実は、不法行為に基づく損害賠償を請求する場合とほとんど変わるところがない」として、「その弁護士費用は、事案の難易、請求額、認容された額その他諸般の事情を斟酌して相当と認められる額の範囲内のものに限り、上記安全配慮義務違反と相当因果関係に立つ損害というべきである」とする。本書の立場でも（☞4-26）、ここは不法行為責任の規律のままでよい。

4 填補賠償額算定の基準時

4-226

⑴ 問題の位置づけ

　(a) 損害賠償の範囲の問題ではない　填補賠償の意義など（415条2項）については、すでに説明した（☞4-68）。ここでは、填補賠償の内容である目的物の価格の算定について説明する。①判例は、値上りを特別事情（416条2項）としてその予見可能性を問題とする**損害範囲説**によるが、②財産の金銭評価は損害賠償範囲の問題とは区別すべきであるという**損害評価説**からの批判がされており（平井宜雄「損害賠償額算定の『基準時』に関する一考察」『民法学雑纂』[2011] 279頁）、本書もこの批判説に賛成である[111]。

4-227

　(b) 損害賠償の範囲の問題として議論をする判例　判例は、富喜丸事件判

111）　損害賠償の範囲として議論する判例を基本的に支持しつつ、中間最高価格については、そこで転売して利益をあげられたかという転売利益の有無が判断され、これは損害の範囲の問題であるという折衷説も主張されている（前田188頁）。本書もこれに賛成である。

決において、目的物の金銭評価を、416条の賠償範囲の問題として考えている（☞4-199）。そして、目的物の金銭評価に関してはその基準時が議論されている。判例・通説の損害範囲説では、例えば、土地の売買契約で土地の評価額が、①契約時5000万円、②引渡期日には5500万円、③売主がその後他に売却・移転登記をして履行不能とした時には6000万円、④その後地価が上昇し一時7000万円まで達し、⑤買主が賠償請求をし口頭弁論終結時には6500万円となっているとして、いつの時点の評価額で損害賠償が認められるのかを、416条の問題として議論している（④のピーク時の価格を**中間最高価格**という）。ただし、種類物については解除して代替取引が可能であり、別個の考慮が必要になる（☞4-239）。

4-228　◆**損害の確実性**
(1)　損害の確実性が必要

　債務不履行では予見可能性を要件とし、不法行為では予見可能性を要件としないフランス民法において、両責任に共通する要件として「損害の確実性」が必要とされており、英米法においても損害賠償が認められるためには「損害の確実性」が要求されている。このことに示唆を受けて、日本においても、相当因果関係の議論とは区別される議論として「損害の確実性」という独立した要件を設定することが提案されている（難波譲治「現行民法416条の制定」『民法学の新たな展開』[1993] 240頁以下）。それによれば、債務不履行・不法行為を通じての要件として、まず損害の確実性が必要であり、これが認められて次に416条の予見可能性判断が問題になる。

4-229　**(2)　中間最高価格は損害の確実性の問題**

　この法理は注目される。富喜丸事件判決（☞4-199）において、中間最高価格での売却利益を価格算定時期の問題として議論されているが、転売利益を損害として問題とし、その確実性という「損害の確実性」の問題として扱うことができる。転売利益の賠償を価格算定の問題とは別に考える本書の立場では（☞注111）、確実性の要件をクリアした場合に、次に予見可能性という要件を満たすことが必要となる。確実性という観点からは、音楽の大会の予選通過者や司法試験受験者が事故で参加、受験できなかった場合、入賞や合格による利益喪失を損害として賠償請求はできないが、機会の喪失を問題として慰謝料請求を認めることは可能である――可能性の程度が慰謝料額に反映される――。

4-230　**(2)　特定物債務についての履行不能の場合**

　❶　**損害賠償範囲説（不能時を原則基準時・値上がりは特別損害）**　不法行為の事例であるが富喜丸事件判決（☞4-199）がこの問題の出発点をなす

§Ⅷ　債務不履行責任の効果

判決であり、特定物債務の履行不能にその影響を及ぼしパラレルに議論されることになる。同判決を債務不履行に置き換えると、原則は履行不能時、例外的にその後の価格騰貴を履行不能時に債務者が予見しえた場合にのみ、口頭弁論終結時の騰貴した価格での賠償が認められることになる。これを債務不履行につき宣言したのが最判昭37・11・16（☞4-233）である。転売目的での購入の場合のみならず、買主が自己の使用に供する目的で購入した場合にも同様の解決が採用されている（最判昭47・4・20民集26巻3号520頁）。

4-231　**◆現在の財産状態の金銭による実現が原則**
　　上記最判昭47・4・20は、その理由として、「このような場合であっても、右不動産の買主は、右のような債務不履行がなければ、騰貴した価格のあるその不動産を現に保有しえたはずであるから、右履行不能の結果右買主の受ける損害額は、その不動産の騰貴した現在の価格を基準として算定するのが相当である」と説明する[112]。上記の下線部からは、履行があればその財産を所有していたのであり、値上がり・値下がりのいずれかを問わず、現在（口頭弁論終結時）の価格で賠償することが原則のはずである。したがって、不能時に填補賠償義務がその時点の価格で成立し、それまではいまだ額の確定されていない浮動的な金銭債権であり、その後の価格上昇・下落により債権額が変動し、口頭弁論終結時の価格で確定されることになる。「債務不履行がなければ、騰貴した価格のあるその不動産を現に保有しえたはず」という論述に、「利益の帰するところ不利益も帰する」という原理を当てはめれば、値下がりの場合にも値下がった口頭弁論終結時の価格でしか賠償請求はできないことになる。

4-232　**❷　損害評価説**　本書は、金銭評価は損害賠償範囲の問題ではないと考え（☞4-226）、予見しえたかどうかを問わず、口頭弁論終結時の価格での賠償を認める。債務者は、契約をした以上、事情変更の原則が適用されない限り、どんなに目的物の価格が高騰しようと、契約で約束した代金で高騰した目的物を渡さなければならない。債務転形論により、填補賠償は契約上の債務の履行と考えるべきであり、予見できなかったことを理由に高騰した価格での賠償を免れさせるべきではない。

4-233　**●最判昭37・11・16民集16巻11号2280頁**　**(1)　事案**　買戻の目的たる土地を債務者Ｙが他へ売却し移転登記をしたため、買戻債権者Ｘが履行不能に

---

112)　なお、不動産の二重譲渡で、履行不能時（しかも履行期前）の価格での賠償を命じた原判決を容認した判決もある（最判昭35・4・21民集14巻6号930頁）。

第4章　債権の効力②——債務不履行

よる損害賠償を請求した。Xは履行不能時の価格（77万円）ではなく、口頭弁論終結時の時価（108万円）により賠償を請求しこれが認容される。

4-234　**(2)　判旨①（不能時に騰貴が予見できたことが必要）**「債務の目的物を債務者が不法に処分し債務が履行不能となったとき債権者の請求しうる損害賠償の額は、原則としてその処分当時の目的物の時価であるが、目的物の価格が騰貴しつつあるという特別の事情があり、かつ債務者が、債務を履行不能とした際その特別の事情を知っていたかまたは知りえた場合は、債権者は、その騰貴した現在の時価による損害賠償を請求しうる。けだし、債権者は、債務者の債務不履行がなかったならば、その騰貴した価格のある目的物を現に保有し得たはずであるから、債務者は、その債務不履行によって債権者につき生じた右価格による損害を賠償すべき義務あるものと解すべきであるからである」。

4-235　**(3)　判旨②（騰貴した価格での処分をする予定である必要はない）**「ただし、債権者が右価格まで騰貴しない前に右目的物を他に処分したであろうと予想された場合はこの限りでなく、また、目的物の価格が一旦騰貴しさらに下落した場合に、その騰貴した価格により損害賠償を求めるためにはその騰貴した時に転売その他の方法により騰貴価格による利益を確実に取得したのであろうと予想されたことが必要であると解するとしても、目的物の価格が現在なお騰貴している場合においてもなお、恰も現在において債権者がこれを他に処分するであろうと予想されたことは必ずしも必要でないと解すべきである。」

4-236　**(3)　契約解除の場合**

(a)　転売目的の場合　まず、買主が転売目的で目的物を購入した場合について考察する。特定物・不特定物（種類物）を問わず、買主がすでに転売をしていれば、売主が目的物を引き渡さないため買主が売買契約を解除した場合、解除時の価格によらずに、転売価格と代金との差額の賠償請求が認められる（☞4-209）。買主が解除までに転売していなければ、解除時の価格で填補賠償を請求しうる（☞4-237）。また、材料として使用し製品を販売する場合にも、その収益を問題にすることができる。

4-237　●**最判昭28・12・18民集7巻12号1446頁**　**(1)　事案**　XはYから下駄材を1万足分代金2万5000円、引渡しは1カ月後の約定で買い受け、内金として1万7500円を支払った。しかし、催告してもYが目的物を引き渡さないので、Xが契約を解除して、解除時の価格9万円から代金2万5000円を差し引いた7万5000円の内5万円の賠償金の支払と、内金1万7500円の返還、計6万7500円の支払をYに対して求めた。原審は、契約解除時を価

147

格算定の基準時とし、敗戦後のインフレによる諸物価騰貴は特別事情によるものではないとして、Ｘの請求を認めた。Ｙが損害額は履行期を基準として算定すべきことなどを主張して上告するが、最高裁は次のように述べ上告を棄却する。

4-238 　(2)　**最高裁判旨**　「本件の如く売主が売買の目的物を給付しないため売買契約が解除された場合においては、買主は解除の時までは目的物の給付請求権を有し解除により始めてこれを失うと共に右請求権に代えて履行に代る損害賠償請求権を取得するものであるし、一方売主は解除の時までは目的物を給付すべき義務を負い、解除によって始めてその義務を免れると共に右義務に代えて履行に代る損害賠償義務を負うに至るものであるから、この場合において買主が受くべき履行に代る損害賠償の額は、解除当時における目的物の時価を標準として定むべきで」ある（原審が特別事情とは認めなかったため、特別事情またその予見可能性は問題にしない）。

4-239 　**(b)　自己使用・所有目的の場合**

　(ア)　種類債務　次に自己使用の目的の場合には、不特定物（種類物）と特定物とで分けて考える必要がある。まず、種類物の場合には、判例（☞4-237）・通説共に、解除時を基準時として考えている。その理由としては、解除までは目的物を取得する権利があり、それが解除により填補賠償請求権に代わること（4-237判決はこれを根拠とする）、解除後は、解除した以上は値上がり前に速やかに代替取引をすべきであり、解除後の値上がり分は自己責任であること（損害軽減義務☞4-245）、等である。ただし、債権者が投機的に値上がりを待ちその時点で解除して賠償請求することには疑問が提起されており、下級審判決には修正理論によるものがみられる[113]。

4-240 　**(イ)　特定物債務**　特定物の事例で、買主が解除した場合を扱う判例はない。まず、解除をして取得を諦めたので、解除時の価格での賠償に確定するという考えも可能である。他方で、解除は債権者を保護する制度であり、解除を理由に値上がりの利益——逆に値下がりのリスクも負担——保障を否定するべきではないとして、履行不能とパラレルに考えることもできる。後者によるべきであり、代金100万円で、口頭弁論終結時の価格が120万円で

---

113)　この点は注49に説明した。なお、戦前の判決には、解除後第三者と取引をした時点の価格を問題にした判決があった（大判大7・11・14民録24輯2169頁）。

あれば、解除により代金債務を免れるので差額 20 万円が損害になる。他方
で、口頭弁論終結時の価格が 80 万円であれば、代金債務を免れ損害はない
ことになる。

4-241　◆**価格が下落した場合——買主による損害賠償請求**
　目的物の価格が契約後に下落したらどうなるであろうか（売主の賠償請求については☞ 4-208）。①特定物売買での履行不能の場合には、口頭弁論終結時の値下がった価格による損害賠償しか請求しえないことになる。下落前に転売していたと考えられる場合には、その確実性が認められ予見可能性がある限り、転売価格で賠償請求できる。②種類物売買における解除の場合には、解除時の値下がった価格で賠償請求できるにすぎない。③遅滞して引渡しを受けたが、その時点では価格が値下がっていた事例で、「遅滞中に市価が低落し、買入価格との差額すなわち転売利益が減少した場合には、<u>履行が遅れたために減少した転売利益額が遅滞による損害額となるべきものであり、特段の事情のない限り、結局履行期と引渡期との市価の差額</u>に帰する」とされている（最判昭 36・12・8 民集 15 巻 11 号 2706 頁）。転売目的での購入では、転売差益が損害になるからである。履行期に受けていたら 100 万円で売れたが、遅滞して引渡しがされ価格が下落していたため 80 万円でしか売れなかったならば、差額 20 万円が損害になる。

4-242　**(4)　損害賠償についての調整**

　(a)　損益相殺

　(ア)　相益相殺の意義　債権者が、債務不履行により損害を被るのと同時に利益（積極・消極の）を受けた場合に、その利益を差し引いて賠償がされるべきである。これをを**損益相殺**という。損益相殺を明記した規定はないが、差額説からは 415 条や 709 条の「損害」を認定した上で、公平の観点からの利得を考慮する独自の調整原理と位置づけられる（石田 253 頁は、536 条 2 項後段参照とする）。

4-243　　**(イ)　損益相殺の具体例**　旅客運送事故などによる人の死亡に基づく逸失利益の賠償については、不法行為と同様に生活費控除がされるべきである（人判大 2・10・20 民録 19 輯 910 頁［旅客運送事故］）。また、将来分の損害の判決時に前もって支払を命じるため、中間利息控除がされる[114]。他方、賃借人の過失による賃貸建物の焼失による損害賠償につき、賃貸人の受けた保険金は保険料の対価であり損益相殺されることはない（最判昭 50・1・31 民集 29 巻 1 号 68 頁）[115]。

149

§ Ⅷ 債務不履行責任の効果

4-244 **(b) 過失相殺**

(ア) 過失相殺の意義 「債務の不履行又はこれによる損害の発生若しくは拡大に関して債権者に過失があったときは、裁判所は、これを考慮して、損害賠償の責任及びその額を定める」(418条)[116]。これを**過失相殺**という。債権者が自分にも過失がありながら、責任を一切債務者に負わせるのは公平ではないというのがその趣旨である[117]。新しい契約責任論では、債権者側が損害軽減についてどのような行為義務を負うかは、契約で自由に定められ、契約の規範的解釈によって解明されることになる。

4-245 **(イ) 過失相殺における過失** 考慮される債権者の過失は、①契約に際して誤った説明をした、②受領に際する引渡場所の指示が不適切であった、さらには、③損害の拡大についての過失、例えば損傷を直ちに修理しなかったため修理にかなりの金額がかかった(**損害軽減義務**が問題になる事例)などの種々の事例が考えられる。被用者の過失を使用者の過失と同視でき[118]、また、医療過誤などにつき、被害者側の過失として患者である幼児の損害につき両親の過失を考慮することが許される。

4-246 **(ウ) 責任の否定まで可能** 過失相殺により「責任」を否定することも可能

---

114) **＊中間利息の控除** 安全配慮義務違反のように、債務不履行による死亡に基づく損害賠償がされる場合、逸失利益(消極的損害)について将来分を判決時に先に取得するためにいわゆる中間利息控除がされる。改正法は利息を変動利率にしたため、ここでの利率を損害賠償請求権が生じた時点——安全配慮義務違反により長年経過後に塵肺症を発症し死亡した場合には死亡時——における法定利率によるものとした(417条の2)。また、障害が残ったため死亡までの介護費用がかかるという積極的損害の賠償も同様の問題があり、同様の規律を受ける(同条2項)。

115) ところで、例えば、ポニー牧場の有料の乗馬用に利用しているポニーが獣医の過失で死亡した場合、ポニーの価格が賠償されるだけでなく、ポニーによる収益の逸失利益を賠償請求でき、餌代が死亡後はかからない点を損益相殺で差し引くべきかのようである。しかし、新たなポニーが補充されるべきであり、補充されていれば収益は変更なく餌代もかかるので、価格の賠償以外を問題にする必要はない(4-199の富喜丸事件判決も運用利益の賠償を認めない)。補充しなければ損害軽減義務違反になる。

116) **＊債権者の過失・帰責事由** 418条は債権者の「過失」、536条2項・543条・562条2項・563条3項(567条2項は受領拒絶、不能だけでよい)・606条1項ただし書では、債権者の帰責事由になっている。過失相殺でも、債権者の協力義務や損害軽減義務の履行補助者とでもいうべき従業員の過失も含めてよく——不法行為責任でも同様——帰責事由に拡大されている。責任を負うための要件である帰責事由は——免責要件として規定——、契約によりどこまで引き受けるのかは自由に決められる(契約優位の原則)。このことは上記諸規定も同様であり、その引き受けるべきリスクについての合意があれば、その合意が優先される(新注民(8)365頁以下[潮見]は、パラレル構成を否定する)。

117) なお、不法行為では人身被害につき722条2項の類推適用による素因減額が認められているが、偶発的な不法行為とは異なり、治療、エステなど患者や客＝債権者の個性を考慮して治療などの履行を行うべき契約関係においては、418条の類推適用は原則として認めるべきではない(東京地判平15・3・20判時1829号82頁)。

第4章　債権の効力②──債務不履行

である。過失相殺の問題とはせず賠償範囲の問題として議論する4-248のような判例がある。同判決は、416条1項の損害の規範的解釈により賠償範囲を限定したが、損害軽減義務として、債権者たる賃借人は、修繕が期待できない場合には、取引通念上相当期間を経過したならば解除をして他の場所で営業をすべきであり、それ以降の営業損害の賠償請求ができないと考えるべきである。

4-247　**(エ)　継続的な損害と過失相殺**　下記判決は、「営業を別の場所で再開する等の損害を回避又は減少させる措置」をとることができたと思われる時点以降については、損害の「全額」は賠償請求できないというだけである。416条2項の「予見すべき」損害という規範的調整を通常損害にも適用し、その範囲内とされた損害につき、過失相殺で減額するという段階的調整をすべきである。

4-248　●**最判平21・1・19民集63巻1号97頁**　**(1)　事案**　Yより建物を賃借してカラオケ店を経営していたXが、浸水事故により使用できないことによる営業損害の賠償を請求し、原判決は事故の日の1カ月後から（Yには事故には責任はなく、修繕義務の遅滞が認められる時点）Xの求める損害賠償の終期までの4年5カ月間の得べかりし営業利益の損害賠償請求を全て認容した。Yが上告し、最高裁は全部の損害の賠償までは認められないとして、賠償範囲を確定させるため破棄差戻しを命じている。

4-249　**(2)　最高裁判旨**　**(a)　他の場所での営業可能性**　「Yが本件修繕義務を履行したとしても、老朽化して大規模な改修を必要としていた本件ビルにおいて、Xが本件賃貸借契約をそのまま長期にわたって継続し得たとは必ずしも考え難い。また、本件事故から約1年7か月を経過して本件本訴が提起された時点では、本件店舗部分における営業の再開は、いつ実現できるか分からない実現可能性の乏しいものとなっていたと解される。他方、Xが本件店舗部分で行っていたカラオケ店の営業は、本件店舗部分以外の場所では行うことができないものとは考えられない」。

4-250　**(b)　損害の回避・減少措置義務（全額の賠償の否定）**　「遅くとも、本件本訴

---

118)　債権者の過失については、債務不履行に履行補助者の故意・過失が考慮されるのと同様に、債権者が使用する者の過失も考慮されてよい。すなわち、418条の「債権者に過失があったとき」とは、「債権者自身に故意・過失があったときだけでなく、受領補助者その他取引観念上債権者と同視すべき者に故意・過失があったときも含む」といわれる（最判昭58・4・7民集37巻3号219頁）。不法行為において、被害者の被用者の過失が過失相殺の考慮事由になるのと同様である（大判大9・6・15民集26輯884頁等）。なお、過失相殺は抽象的過失を基準として責任能力は不要であるが（石田262頁）、当事者間で異なる合意ができ、認知症の高齢者を対象とする契約では黙示の特約が認められる。

151

§Ⅷ 債務不履行責任の効果

が提起された時点においては、Xがカラオケ店の営業を別の場所で再開する等の損害を回避又は減少させる措置を何ら執ることなく、本件店舗部分における営業利益相当の損害が発生するにまかせて、その損害のすべてについての賠償をYらに請求することは、条理上認められないというべきであり、民法416条1項にいう通常生ずべき損害の解釈上、本件において、Xが上記措置を執ることができたと解される時期以降における上記営業利益相当の損害のすべてについてその賠償をYらに請求することはできない」。

4-251 **(5) 損害賠償額の予定・違約金**

(a) 違約金（民事罰金） 債務不履行に対して損害賠償とは別に罰金（民事罰金）を支払わせる**違約金**の合意は、合理的なものであれば公序良俗に反せず有効と考えられる。消費者契約については消費者契約法9条1項1号により規制され、平均的損害を超える違約金を取ることは禁止されている。違約金も次の損害賠償額の予定も、基本たる契約が有効なことが必要である。人の殺害を合意して失敗した場合の罰金の支払の合意は無効である。

違約金は債務不履行による損害賠償とは別のものであり、損害がなくても違約金を取れるが、受けた違約金は損益相殺により差し引くべきである。債権者は違約金条項があっても契約解除ができるのは当然である。

4-252 **(b) 損害賠償額の予定──損害賠償をめぐる事前の予防的合意**

(ア) 損害賠償額の予定の意義・内容 債務不履行により損害が発生したか、どのような損害が発生したかという点についての争いになることが少なくない。そのような紛争を事後的に解決するのが和解であるが、紛争を予防するための合意が**損害賠償額の予定**である。当事者が損害賠償額の予定により避けようとした争いとして問題になるのは次の4つである。

① 債務者に過失があったか否か
② 実際に損害が発生したか否かまたどのような損害か
③ 損害額
④ 債権者に過失があった否か（過失相殺の可否）

4-253 **(イ) 損害賠償額の予定の対象** 「損害賠償額の予定」と表現されるが損害賠償をめぐる紛争予防の合意を広く含むものとして理解すべきであり、賠償

第4章　債権の効力②——債務不履行

額の争いのみに関する合意に限定する必要はない（我妻132頁、於保153～154頁など）。①から③も通常は合意内容になっていると考えられる。問題は④である。判例は、過失相殺までは対象になっていないと考え、過失相殺を認めている（最判平6・4・21裁時1121号1頁）。この結果、予定額を基準として、裁判所の認定した過失相殺割合により減額が可能になる。ただし、実務家からは一切の争いを避け簡易迅速に処理されるべきであるとして、反対する主張もある（野口恵三「判批」NBL461号62頁）。

4-254　◆損害賠償額の予定と違約金の関係

　　　損害賠償額の予定と違約金は理念的に区別はできるが、実際にはいずれの趣旨で契約がされているのか明確ではないことが多い。民法は「違約金は、賠償額の予定と推定する」と規定した（420条3項）。したがって、違約金であることを主張する者が、その約定が違約金であることを証明しなければならない。
　　　違約金が損害賠償とは別に請求できるのであればその意義があるが、先にみたように損益相殺がされるべきであり二重に取得することは認めるべきではない。また、消費者契約法9条も「違約金」としつつ、これは損害賠償額の予定も含む趣旨であり、いずれについても平均的損害という縛りをかけている。その意味で、2つを区別しても実際上の意味は認められない。

4-255　**(ウ)　契約の履行請求および解除との関係**　民法は「賠償額の予定は、履行の請求又は解除権の行使を妨げない」と規定した（420条2項）。これは当然の規定であるが、いかなる損害についての約定がされたかにより、次の3つに分けて説明するのが普通である。
　　①遅延賠償額についての予定である場合には、履行遅滞があるときは、本来の給付の履行請求と共に予定賠償額の請求をしうるが、填補賠償の請求にはその効力を有しない。②逆に、填補賠償額についての予定である場合には、遅延賠償の請求については効力を有しない。③さらに清算も考慮した賠償額の残額についての予定をすることも可能である。この場合には、債務不履行があれば直ちにこの予定額を請求できる。なお、解除の場合についての損害賠償額の予定は、解除をしないで填補賠償を請求する場合にも適用されるものと解されている（最判昭63・11・25判時1301号95頁）。

4-256　**(エ)　裁判所による予定額の修正**

　　(i)　紛争予防契約なので争えないのが原則　損害賠償額の予定は、争いを事前に予防するための合意であり、実損害がそれよりも大きいないし少ない

153

§ Ⅷ 債務不履行責任の効果

ことを争えては、争いを予防するという趣旨と抵触する。そのため、民法
は、「当事者は、債務の不履行について損害賠償の額を予定することができ
る。この場合において、裁判所は、その額を増減することができない」と規
定していた（旧420条1項）。

4-257 　(ii)　**暴利行為になれば無効となる**　ところが、改正法は下線部を削除し
た。下線部があるため、暴利行為であり公序良俗に違反して一部ないし全部
無効という処理が否定されるのか疑義が生じるため、そうではないことを確
認するために下線部を削除したのである。改正後も公序良俗に違反すれば、
過大または過小の賠償金の合意の全部または一部の無効が認められる（石田
274頁）。公序良俗に違反してもいないのに、裁判所が自由に額を増減できな
いのは当然である。消費者契約においては、消費者契約法9条1項1号等
特別法（割販6条、特商10条等）により制限が可能とされている。

4-258 　◆**特別法による修正**
　　違約金および損害賠償額の予定につき、労働者・消費者保護のための特別規
　定がある（労基16条、割販6条、特商10条）。金銭消費貸借については利息制限法
　4条1項の制限があり、同法1条の利息の1・46％を超える部分だけ無効とな
　り、また、消費者契約法9条1項2号により消費者取引である消費貸借で
　は、14・6％以上の部分が無効となる（利息制限法は消費者取引に限定されな
　い）。
　　消費者取引についての一般規定が切望されていたが、2000年（平成12年）制
　定の消費者契約法によって実現されている。すなわち、損害賠償額の予定につい
　ては、平均的な損害賠償額を超える部分を無効としている（同法9条）。したがっ
　て、消費者は実損害を証明してその額しか賠償しないことを主張することはでき
　ないが、平均的な損害賠償額を証明して、それを超える金額は無効であると主張
　することができる。平均的損害については、消費者が証明責任を負うものと考え
　られている。しかし、事業者側の事情を消費者が証明することは至難の業であ
　り、民事訴訟法248条を活用する判決も出されている。

4-259 (**6**)　**免責条項**

　債務不履行の場合の責任を全部または一定限度（例えば、宅配便で10万
円までを賠償限度額とする）制限する条項は、本来的には契約自由の原則に
基づき有効である。しかし、消費者が債権者になり事業者が債務者になる場
合に、これを自由にしたのでは事業者が一方的に自分に有利な免責ないし責
任限定条項を、契約書または付属約款に規定し消費者に押し付けることにな

第4章　債権の効力②──債務不履行

るのは目に見えている。ただ、事業者としては、一定の限度額に制限することにより計算可能性が確保され企業経営が可能になるという側面もあり、一切無効として禁止するわけにもいかない。そのため、消費者契約法は、全部免責条項については一切無効としたが（同法8条1項1号）、責任を制限する条項については、故意または重過失による債務不履行についての免責の範囲内で無効としているにすぎない（同項2号）。人身損害についても特別扱いがされていないが、人身損害については、民法の解釈として、法律により認められている場合以外は損害賠償額の制限は許されないと考えるべきである。

§Ⅸ
契約規範と第三者

1　契約規範の第三者たる被害者への「対抗」

4-260 **(1)　第三者を拘束しないのが原則**

(a)　**不法行為にも適用される**　例えばA所有の絵画について、BがCに運送を依頼し、Cが運送中に盗難に遭ったという場合において、BC間の運送契約において賠償限度額が100万円と設定されていた、または、Bが高価品の明告なしに運送を依頼したとする。もしBがその所有の絵画の運送を依頼したのであれば、Bに対して、Cは責任制限条項や高価品特則（商577条）を債務不履行のみならず、不法行為責任についても援用することができる。前者は不法行為責任も合意の対象とし、後者は商法577条は不法行為にも準用されるからである（商587条）。商法585条の1年の除斥期間も同様である。

4-261 (b)　**第三者の不法行為を根拠にした損害賠償請求**　ところが、たまたま所有者がAであった場合、一方で、債務者Cが本来ならば契約規範の適用により保護されたのに、所有者が第三者であったということにより、所有者Aによる不法行為責任の追及を受けて、契約規範による保護をないがしろにされるのは適切ではない。他方で、所有者Aの保護も考えなければならないのである。やはり原則としては、契約また契約規範の相対効の原則からして、BC間の規律はAに及ばないと考えざるをえない。

155

§Ⅸ 契約規範と第三者

4-262 **(2) 第三者を拘束する例外事例**

4-263 判決は、責任制限条項について、原審判決は、「第三者が右契約当事者と実質的に同視できる者、すなわち、運送人との間に生じる法律関係を契約法理によって律することを承認していると見られる者である場合」には、本人同様に契約条項だけでなく商法の特則も適用することを認めた。これに対し、最高裁は、一般論を提示せず、「荷受人も、少なくとも宅配便によって荷物が運送されることを容認していたなどの事情が存するときは、信義則上、責任限度額を超えて運送人に対して損害の賠償を求めることは許されない」と事例判断にとどめ、「容認」を要件とし、また「信義則」による請求の制限という一般条項による解決に依拠した。「容認」した運送方法につき適用される商法の特則規定にも、その射程は及ぶものと考えられる。

4-263 **●最判平 10・4・30 判時 1646 号 162 頁　(1) 事案と原審判決**　宝石（加工前の裸石）の売主 A が買主 B の依頼を受けて日頃からカットを請け負わせている C にカットを注文しこれを送り、C がカットを終了し A に D の宅配便で運送を依頼した。ところが、このカット済みの宝石が紛失した事例で、A が、B に損害賠償をした上で、D に対して損害賠償を請求した。D は、CD 間の運送契約の 30 万円の賠償限度額の定めを主張した。

4-264 　**(2) 原審判決**　請求権競合論について制限的肯定説を採用し、C が所有者であったならば、C は不法行為による損害賠償請求はできないことを認めた上で、「第三者が右契約当事者と実質的に同視できる者、すなわち、運送人との間に生じる法律関係を契約法理によって律することを承認していると見られる者である場合には、同様に契約法理の趣旨を類推してこれを律すべきであって、商法の右規定や約款の規制の趣旨に準拠してその責任の範囲を合理的に確定するのが相当というべきである」として、A の不法行為による損害賠償請求についても 30 万円の限度額の効力が及ぶものとした。

4-265 　**(3) 最高裁判旨**　賠償限度額の約定につき債務不履行のみならず不法行為についても制限するものと理解した上で、「荷受人も、少なくとも宅配便によって荷物が運送されることを容認していたなどの事情が存するときは、信義則上、責任限度額を超えて運送人に対して損害の賠償を求めることは許されないと解するのが相当である」として、A の不法行為による損害賠償請求を 30 万円に制限した原審判決を相当とした[119]。

---

119) 先に述べたように自由競合説では問題が生じないはずであるが、本判決は、賠償限度額の約定につき債務不履行のみならず不法行為についても制限するものと理解している。

156

第4章　債権の効力②——債務不履行

2　契約規範の第三者たる加害者による「援用」

4-266　　(a)　**全くの第三者は保護の対象外**　例えば、所有者Ａが壷の運送をＢに依頼し、ＢがＣに下請運送に出したり、Ｂの従業員Ｄが運送し、Ｃ（正確にはＣの従業員のＥ）やＤの過失によりこの壷が滅失したとする。ＡＢ間の契約に、責任制限条項があったり、高価品特則（商577条）や1年の除斥期間（商585条1項）が適用される事例で、ＡがＣやＤに対して不法行為を理由に損害賠償請求をしたとして、ＣＤがこれらを自分に有利に援用できるのであろうか。運送中のＤの車両に、Ｆが過失で衝突して目的物を滅失させた場合のＦは、全く無関係の者でありこれらの保護を受けることはない。

4-267　　(b)　**被用者にのみ適用を拡大**
　　(ア)　**被用者には適用**　この点、商法の改正により、商法588条が設けられ請求権競合問題が解決されただけでなく——責任制限条項は不法行為による賠償請求も対象としているという条項の解釈による——、「運送人の被用者」の不法行為責任については、高価品特則などの適用を受けることが規定された（同条1項）——ただし、故意または重過失の場合には適用しない——。この結果、被用者であるＤは運送人Ｂと同様の保護を受けることになる（「履行補助者保護効」の問題ともいわれる）[120]。

4-268　　(イ)　**下請人への適用**　その反対解釈として、Ｂの内部の被用者ではなく、独立した第三者であるＣ（またその被用者Ｅ）はＢと同じ保護を受けないことになる。ＢＣ間に高価品特則が適用されても、Ａの「容認」がないと、ＣはそれをＡに対抗できない（☞4-263）。しかし、Ａは、Ｂが運送していたら高価品特則により法的保護が否定されていたのに、たまたまＢがＣに下請けに出していたら、ＣもＢとの関係では高価品特則を受けるのに、ＡがＣに対して賠償請求できるという棚ぼた的利益を受けるのは不合理である。Ｃは全くの第三者Ｆとは異なり、Ｂの履行補助者であり、Ｃは履行補助

---

120)　ただし、商法の特則規定の適用だけであり、約款の賠償限度額の制限条項は対象になっていない。そのため、約款条項については商法588条の趣旨を類推適用するか、または、いささか擬制的であるが第三者のためにする契約と構成するしかない。条文根拠としては信義則によるしかないとしながら、「責任制限特約は、その契約当事者間での契約であると同時に、この限りで第三者（被用者）のためにする契約を含んでおり、被用者がその受益の意思表示をしたということになる」という主張がされている（山本豊「免責条項の第三者効力」『不当条項規制と自己責任・契約正義』[1997] 219頁）。

157

§Ⅸ　契約規範と第三者

者として AB 間の契約を前提としその拘束を受ける反面（建物建築請求における、建物所有権帰属についての特約の下請人への効力☞債権各論Ⅰ 11-17）、利益も享受して然るべきであり、C は B の受ける免責を自己の責任についても援用できると考えるべきである。

第 5 章

債権の効力③
——債権者代位権

§I 債権者代位権の意義・機能

1 債権者代位権の意義および根拠

5-1 **(1) 債権者代位権の意義**

423 条 1 項本文は、「債権者は、自己の債権を保全するため必要があるときは、債務者に属する権利（以下「**被代位権利**」という。）を行使することができる」と規定している。この規定による債権者の「自己の債権を保全する」必要性に基づき、債務者の権利を行使する権利を**債権者代位権**という。

債権者代位権は、①**責任財産の保全**——債務者の債権が時効にかかるのを阻止するなど——や、②責任財産の保全＋**強制執行の準備**——不動産登記を債務者名義にするなど——をするために用いられる（①②をひっくるめて広く**責任財産保全型**という）。③また、いわゆる特定債権の保全のためにも用いられ（**特定債権保全型**☞ 5-22）、④金銭債権を代位行使して債権回収を行うためにも使われている（以下、**債権回収転用型**という）。

5-2 **(2) 債権者代位権の根拠・制度趣旨**

(a) 責任財産保全説 債権者代位権は、従前「責任財産保全の制度」と理解され、5-1 の①②が本来の制度趣旨にかなった運用と考えられ、③は転用であり、④に至っては、債務者が受け取らない場合に困るので、やむをえず事実上認められている運用であるという評価がされていた（以下、**責任財産保全説**という）。なお、本書は、「転用型」を転用とは考えないが、従前の使用法に倣い「転用」という言葉で説明する。

5-3 **(b) 制度の再考** しかし、沿革からは必ずしもそのように理解すべきものではなく、再構成を図る提案がされている（池田真朗「債権者代位権擁護論」同『債権譲渡と民法改正』[2022] 560 頁以下）[121]。①債権者代位権は、金銭債権・特定債権の区別なく使用され、「本来型」「転用型」という分類は後世の学説の産物である。②代位権の要件は「債権保全の必要性」に尽き、無資力要件は後世の学説が創出したものである。③債権者代位権と詐害行為取消権を 2 つまとめて「責任財産の保全」制度とする理解は、学説によって唱えられたものである。④代位債権者に優先弁済効が認められるのはそれほどおかしなこと

第 5 章　債権の効力③──債権者代位権

ではなく、債権者代位権の優先弁済効を非難するのも後世の学説によるもの
である（以下、**新しい債権者代位権論という**）。

5-4　　**(c)　債権回収制度としての運用の問題は残される**　5-1 ①②③については、基本型・転用型という区別は無用であることが、沿革的に解明された意義は大きい。本書もこれを支持したい。問題は、5-1 ④の金銭債権の回収そのものとしての利用を認める点である。「保全」ということから、保全した財産から優先回収を認めてもよいが、「保全」を介さずに債権回収そのものへの「転用」まで認めるべきであろうか。この点は、5-10 以下で改めて検討したい。

5-5　**(3)　債権者代位権における利害調整**

(a)　債権者にどこまでの権利を認めるか

債権者代位権は次の 2 つの要請の調和の上に成り立っている。

---

① **債務者の私的自治の尊重**　債務者が自分の財産関係をどう管理・処分するかは本人の自由（自治）に任され、他人が干渉してはならないのが原則である。

② **債権保全の必要性**　金銭債権では、債権者としては、債務者の財産の保全につき自己の利益を守るという固有の利害関係を有しており、責任財産の保全以外の事例も同様である。

この 2 つの要請を調和するために、民法が債権者代位権の要件として設定したのが下記の 5 つの要件である。

---

121)　このような理解を裏づける史的研究が、大足知広「債権者代位権の立法趣旨に関する研究(1)」法研論集 1/4 号（2020）33 頁、同「債権者代位権の制度趣旨に関する学説の変遷と判例の展開(1)（2・宗）」早稲田法学会誌 71 巻 2 号（2021）53 頁、72 巻 1 号（2021）39 頁によりなされている。同論文は、「自己の債権を保全するため必要があるとき」とは、①：被保全債権の履行に関して危険が生じていること、②：①の危険は、債務者が権利を行使しないことによって生じたものであること、③：①の危険を除去するために債務者の権利を代位行使する必要があることという 3 つの要件に整理する。そして、債権者は、上記の要件が満たされている限り、被保全債権の種類を問うことなく債務者の権利を行使することができ、また、債務者の無資力は、それが①の危険を基礎づけている場合に要求されるにすぎず、常に要件となるものではない、債権保全の必要性は、その事案において被保全債権に生じている危険に応じて判断されるのであるという。また、その結果として、423 条の 7 は、423 条の「転用」類型ではなく、同条により債権者代位権の行使が認められる用法の一例を示している規定であるということになる。石田 415 頁以下も、債務者の無資力が必要な債権者代位権とこれが不要な債権者代位権に分け、後者を転用とはしない。

161

§I 債権者代位権の意義・機能

5-6 (b) **債権者代位権の要件**

> ① 債権保全の必要性があること（423条1項本文）
> ② 債務者の権利不行使（解釈論）
> ③ 代位行使される権利が一身専属権ではないこと（同条1項ただし書）
> ④ 債権の履行期が到来していること（同条2項）
> ⑤ 強制執行により実現できる債権であること（同条3項）

③は条文に明記されており、債権保全の必要性があっても、それを行使するかどうかについての権利者の自己決定を絶対尊重すべき権利は代位行使が許されず、④⑤は、強制執行の準備であるために要求される。②は、債務者が権利行使をしないために債権者が受ける不利益を解消するための制度だからである。被保全権利が被代位債権よりも先に成立していることは必要ではない。

5-7 (c) **無資力要件**　問題は①である。「債権を保全するため必要」（債権保全の必要性）とは、代位行使により自己の債権を保全する必要があることであるが、責任財産保全制度と理解する従前の学説では、責任財産保全の場合（本来型）と転用型とを分けて考える。責任財産保全型の事例では、債務者の私的自治への干渉になるため、その調整のために債務者の「無資力」という要件が解釈により設定された。それ以外の転用型の事例では、無資力という調整の必要がないので、債権保全の必要性が認められればよいことになる。この点、新しい債権者代位権論でも、金銭債権の保全のためには無資力要件が必要という結論自体は変わることはない（☞ 5-17）。

2　債権者代位権制度の評価──廃止 or 簡易な債権回収制度としての評価

5-8 **(1)　立法論における疑問の提起──廃止論の可能性**

(a) **代位権の現代的意義**　債権者代位制度は、フランス民法（およびイタリア民法）に由来する制度であり、ドイツ民法にはこれに相当する制度はない。これは、債権者代位権はなくても困らない制度だということを意味している。保全手続の完備により、責任財産の保全や強制執行の準備は可能となり、もちろん債権回収には債権執行手続が完備されている。この点、手続法

第 5 章　債権の効力③──債権者代位権

学者により、フランス民法に債権者代位権制度が置かれたのは、フランス民法の 1804 年制定当時には、訴訟法・執行法・保全手続法が十分完備されておらず、民法に債権者代位権という制度を認める必要があったという沿革によるものであることが明らかにされた（三ケ月章「わが国の代位訴訟・取立訴訟の特異性とその判決の効力の主観的範囲」『民事訴訟法研究(6)』[1972] 5 頁、同「取立訴訟と代位訴訟の解釈論的・立法論的調整」『民事訴訟法研究(7)』[1978] 51 頁）。

5-9　　(b)　**廃止論も可能**　そうすると、債権者代位権の現代的意義は疑問視される。この評価を徹底すれば、債権者代位権は廃止して、保全手続を整備し、金銭債権については債権執行手続で回収すべきことになる。解釈論としても、5-1 ④の事実上の債権回収制度としての運用は否定し、債権執行手続によるべきことになる。

5-10　**(2)　廃止論の対極たる無資力要件不要説の提案**

(a)　**債務名義不要な簡易な債権回収方法としての運用**　廃止論と真っ向から対立するのが、金銭債権の代位行使について──他の場合は、転用以外は無資力要件を堅持する──債務者の無資力要件を不要として、債務名義不要の簡易な債権回収方法として債権者代位権を活用しようという提案である（**無資力要件不要説**）。

債務者は金銭債務を履行しないと、自己の財産を差し押さえられて競売され、自己の金銭債権を差し押さえられて勝手に取り立てられてしまう。債務者の私的自治は顧みられない。だとすれば、債権者代位権をその代用として、債務名義不要の簡易な債権回収方法として用いることを認めても弊害はないと考えるのである（天野弘「債権者代位権における無資力理論の再検討(上)(下)」判タ 280 号 24 頁、282 号 34 頁 [1972]）。

5-11　　(b)　**通説・判例は無資力要件堅持**

(ア)　**無資力要件不要説によらない理由**　上記の 2 つの両極端な考えに対して、通説・判例は、①無資力要件必要説を堅持し、②他方で、無資力要件を満たす場合に、金銭債権の代位行使につき、代位債権者に自己への支払請求を認め、相殺による事実上の優先回収を認めている。

やはり第三債務者の不安定な地位（物上代位などでその保護が考慮される）を考える必要がある。債務名義により債権が確定されている場合とは異なり、債務名義なしに債権者が代位行使してきた場合、第三債務者は債権の

163

確認ができず、弁済が無効になるリスクを負担することになる。第三債務者
保護との調整という観点からも、無資力要件を満たす場合に限って、そのよ
うなリスク負担を強いることを認めるべきである。

5-12　**(イ)　無資力要件は必要であるが債権回収を認める**

(i)　代位債権者への支払請求を容認　代位債権者は、債務者の無資力要件
は必要なものの、自分への支払を求めることができる（423条の3）。相殺によ
り、債権回収ができるため、代位行使できる範囲は、被保全債権の金額に限
られる（423条の2）。改正法は、従前の判例を容認し明文化した。改正論議で
は、相殺を禁止する意見も出されたが、債権回収として用いられている実情
を容認する実務家の意見が採用され、相殺禁止の規定は置かれなかった。解
釈に任されるが、相殺は禁止されないと考えられる[122]。

5-13　**(ii)　債権回収としての運用の位置づけ**　債権回収方法として代位権を使う
ことを、どう説明すべきであろうか。①責任財産保全説では、本来は債務者
に支払わせるべきであるが、債務者が受け取らない場合に困るため、やむを
えず代位債権者への支払請求を認めるものと説明される。②新しい債権者代
位権論でも、本来的な代位権制度の趣旨にはこのような債権回収そのものは
含まれない。それが実務の要請であるというのであれば、制度の「転用」と
して認めてよい（無資力を要件とした債権回収制度への転用）[123]。

---

[122]　ただし、一般条項により相殺権の濫用として相殺を否定する可能性も指摘されている（実務上の課題
108頁［山本］）。他の債権者は、債務者の代位債権者に対する受領金返還請求権を差し押さえたり代位行使
をすることができることになる。代位債権者が、第三債務者と通謀して代位債権者にのみ利益を与える合意
をしていたり、代位債権者が強迫などにより第三債務者に支払を求めた場合などが、該当事例になるのであ
ろうか。

[123]　大足・前掲注121論文（2・完）50頁は、この類型を「不真正債権者代位権」と呼ぶ。そして、この
類型について423条の2・423条の3が置かれたため、「この度の債権法の改正を、『債務者の責任財産の
保全』という幻影を断ち切る契機とすべきではあるまいか。債権者代位権の用法を従来の通説のように『責
任財産の保全型』（「本来型」）と『個別権利実現準備型』（「転用型」）とに類型化していたのでは、債権者代
位権制度を合理的に運用することはできない。今一度旧423条の本来の立法趣旨及び当初からの判例の立
場に目を向けて、『債務者が権利を行使しないことによって債権者の個別債権の実現に危険が生じていると
きに、その危険を除去するため』の制度として、債権者代位権を捉え直すべきである」という。そして、
「債権法改正前の判例においては、上記の用法とは異質な用法が認められるに至っていた。すなわち、金銭
債権者が債務者の金銭債権を取り立てるという用法である。現行法は、423条の2及び423条の3によ
り、この『拡張』された用法が改正法の下でも完全に禁止されるものではないことを宣言すると同時に、
423条の5により、その実効性を大幅に縮減させることでこの用法が用いられることを抑制しようとして
いるものと解釈すべきである」という。

第 5 章　債権の効力③──債権者代位権

3　債権者代位権の法的性質

5-14　**(a)　代理権ではない**　債権者代位権は、代理権などと同様に他人の財産についての**財産管理権**の一種である。しかし、これを代理権のように債務者の名でまた債務者のために権利を行使するのではなく（石田429頁は代理権と解する）、自己の利益のために認められた、固有の権利に基づいて債務者の権利を行使する権利と考えるのが通説・判例である（大決大11・8・30民集1巻507頁）。債権質権者、差押債権者、破産管財人に認められる財産管理権としての取立権・受領権と同様の権利である。

5-15　**(b)　自己の名での権利行使**　代理ではなく自己の名で権利を行使するということは、訴訟上大きな意義がある。というのは、代理であれば原告を債務者とせざるをえないが、代位債権者が自己の名で行使できるので債権者自身が原告となれるからである。代位訴訟を提起した債権者は、債務者に訴訟告知をしなければならない（423条の6）。

§Ⅱ
債権者代位権の要件

① 債権保全の必要性の存在（423条1項本文）
　ⓐ 転用以外　被保全債権が金銭債権であること＋債務者の無資力
　ⓑ 転用事例　特定債権保全の必要性（無資力要件不要）
② 債務者の権利不行使（解釈論）
③ 被代位権利についての要件
　ⓐ 一身専属権ではないこと（同条1項ただし書）
　ⓑ 差押えを禁じられた権利ではないこと（同上）
④ 被保全債権についての要件（①以外）
　ⓐ 弁済期が到来していること（同条2項）
　ⓑ 強制執行により実現できない債権ではないこと（同条3項）

165

1 債権保全の必要性（要件①）

5-16 **(1) 責任財産保全型の事例**

(a) 債権保全のためとは

(ア) 問題点の確認　423 条は、債権者代位権の要件として、「自己の債権を保全するため<u>必要がある</u>」（改正により下線部分が追加された）ことが規定されている。423 条は「債権」の種類を制限しておらず、また、「保全」ということの内容を明らかにしておらず、次の 2 つの疑問が生じてくる。

---

① 金銭債権以外も含むのか
② 債務者の無資力を必要とするのか

5-17　**(イ) 債権の保全と責任財産の保全**　責任財産保全説では、①は金銭債権でなければならず、②は債務者の無資力が必要になり、転用は別と考えられている。しかし、新しい債権者代位権論では、①については、責任財産の保全に限らず、債権の保全が認められる関係があればよく、金銭債権に限定されない。②については、責任財産の保全の場面に限り、債務者の無資力要件は必要になる。結局、責任財産保全の事例では、いずれの考えでも、債務者の無資力が必要という結論に差はない。債務者の私的自治の保護との調整から（☞ 5-5）、無資力要件が必要とされるのである（通説・判例）。以下には、責任財産保全の事例について検討していく。

5-18　**(b) 被保全債権が金銭債権であること**　責任財産保全型の事例では、被保全債権は、債務者の責任財産を確保することによって保全される債権であることが必要であり、金銭債権でなければならない。では、現在、特定物の引渡しを目的とする債権であっても、その履行不能や契約解除により填補賠償請求権になる「可能性」があるので、将来のこの「可能性」のために、責任財産を保全しておくことを認めるべきであろうか。この点、私的自治の原則に対する例外であることを考えれば、金銭債権に代わる可能性がある債権というだけでは債権者代位権を認めるべきではない。

5-19　**◆内容確定前の金銭債権**

離婚によって生じる財産分与請求権を被保全債権とする代位権の行使につき、

次のように財産分与請求権が確定するまでは許されないものとされている。すなわち、「離婚によって生ずることあるべき財産分与請求権は、1個の私権たる性格を有するものではあるが、協議あるいは審判等によって具体的内容が形成されるまでは、その範囲及び内容が不確定・不明確であるから、かかる財産分与請求権を保全するために債権者代位権を行使することはできないものと解するのが相当である」と判示される（最判昭55・7・11民集34巻4号628頁）。不法行為に基づく損害賠償請求権も、和解が成立するか確定判決があるまではその成否・金額が確定していない。代位行使は、被保全債権の額に限界づけられるため（423条の2）、額が確定されていることが必要になる。そのような限定がされない場合には、額が確定されていなくても債権の存在が明らかである限り代位行使を認める余地はある。少なくとも保存行為は認めるべきである（中田210頁）[124]。

5-20　(c)　債務者の無資力（無資力要件）

(ア)　**無資力の意義**　債務者の無資力は、責任財産保全の場合には、債務者の私的自治尊重との関係で必須の要件と考えられている（債権者に証明責任あり［最判昭40・10・12民集19巻7号1777頁］）。無資力とは、資産が全くないというのではなく、金銭債務（負債・消極財産）全てを満足させるだけの積極財産がないということであり、基本的には債務超過のことである（☞6-29）。無資力判断において、保証債務を債務と計算するか、物上保証人として抵当権を設定してある財産を積極財産として計算するか等については、詐害行為取消権の所で説明する（基本的に同じ判断が当てはまる）。

5-21　(イ)　**成立要件かつ存続要件**　無資力要件は成立要件であるだけでなく存続要件でもある。債権者代位権は一度成立しても、債務者が資力を回復すれば消滅することになる——その後に再度無資力になれば、新たに債権者代位権が成立する——。

5-22　(2)　**特定債権保全型の事例（いわゆる「転用型」）**

(a)　特定債権の保全は転用か

(ア)　**「債権」の保全としか規定されていない**　責任財産保全型の事例では、債務者の責任財産を確保して保全されるのは金銭債権者だけであると共

---

[124]　債務者が特定されていない特殊な例として、振り込め詐欺の被害者が、振込先の架空名義の口座から振り込んだ金銭を取り戻すため、架空名義人の預金債権を代位行使してなした払戻請求が認められた事例がある（東京地判平17・3・30判時1895号44頁）。債務者不明であり全財産、したがって無資力かどうかも不明であるが、その金銭がその口座に振り込まれていることは明らかなので、代位行使名目での取戻しを認めた一種の転用である。

§Ⅱ　債権者代位権の要件

に、保全の利益を受けるのは代位債権者だけではなく、総ての債権者＝**総債権者**である。しかし、423 条で保全される「債権」は金銭債権に限定されていない。すなわち、責任財産の保全に限定されておらず、債権が保全される関係が認められればよく、責任財産に関わらない場合には、その保全される特定の債権また債権者だけが利益を受けることになる。

5-23　**(イ)　特定債権の保全には無資力要件不要**　責任財産保全型以外の事例では、その特定の債権だけが保全されるという意味で、「特定債権」の保全と称される。判例には、5-27 以下に紹介するもののほか、抵当権者の抵当不動産の所有者に対する抵当不動産適切管理請求権に基づいて、所有者の不法占有者に対する妨害排除請求権の代位行使を認める判例がある（☞担保物権法 2-43）。

　　責任財産保全説では、特定債権の保全の事例は「転用」事例と位置づけられる。しかし、新しい債権者代位権論では、責任財産保全型も特定債権保全型も、それぞれ代位権制度の適用のある類型の 1 つであり、いずれかが原則ないし本来型というものではない。

5-24　**(b)　改正法と特定債権保全型**

　　(ア)　登記ないし登録手続請求権のみ規定　改正作業においては、特定債権保全型をあくまでも「転用」とみた上で、転用の一般規定を置くことが試みられた。しかし、一般規定を置くことに難渋し、これは断念され、423 条の 7 を新設し、「登記又は登録をしなければ権利の得喪及び変更を第三者に対抗することができない財産を譲り受けた者は、その譲渡人が第三者に対して有する登記手続又は登録手続をすべきことを請求する権利を行使しないときは、その権利を行使することができる。この場合においては、前三条の規定を準用する」と規定するにとどめた。

5-25　**(イ)　423 条の 7 の位置づけ**　423 条の 7 は、単なる確認規定であり、これ以外の特定債権保全型の事例を認めない趣旨ではない。登記請求なので、423 条の 3 の準用は否定され、自己への直接の移転登記請求はできないが、これは抵当権者の抵当不動産適切管理請求権に基づく代位行使につき、不法占有者に対して自己への明渡請求を否定する趣旨ではない。

5-26　**(ウ)　規定のない特定債権保全型の条文根拠**　423 条の 7 以外の特定債権保全型の事例の条文根拠として、理論的には次の 2 つが考えられる。

第 5 章　債権の効力③——債権者代位権

　①責任財産保全説では「転用」なので、「本来的なものとはその根拠や性質を異にし、要件等についても異なる」ため（一問一答 96 頁）、本来の 423 条の適用ではなく、427 条の 7 の類推ないし拡大適用によることが考えられる。②しかし、新しい債権者代位権論では、特定債権保全型も 423 条の本来の適用範囲であり、427 条の 7 は 423 条の確認規定にすぎないことになる（大足・前掲注 121 論文（2・完）40 頁）。この立場では、427 条の 7 以外の特定債権保全型の事例は、423 条 1 項を根拠に認められることになり、本書もこれに賛成である（中田 277 頁も 423 条による）。

5-27
◆**特定債権保全型が認められた事例**[125]

⑴　**移転登記請求権の保全**

　例えば、不動産が A ⇒ B ⇒ C と転々譲渡されたが、依然として A の所有名義の登記になっているとすると、C → B、B → A とそれぞれ所有権移転登記請求権が成立する。C が A に直接自己に移転登記を請求することは許されず、C は自己の不動産取得を確保するためには、B が移転登記を受けるのを待ち、B に対して移転登記を請求することになる。B が A から移転登記を受けようとしない場合に、C が自分の B に対する移転登記請求権を「保全」するために、B の A に対する移転登記請求権を代位行使することが認められている（大判明 43・7・6 [☞ 5-28] など）。既述のように、この類型については、改正法に明文規定が置かれた（423 条の 7）。不動産登記法 59 条 7 号には、登記義務者・権利者ではない代位権者が代位して登記をすることを認めている。

5-28
●**大判明 43・7・6 民録 16 輯 537 頁**　⑴　**事案**　Y が不動産を A に売却し、次いで A が同不動産を X に売却したが、いずれも所有権移転登記がされていないため、X が Y に対して A に所有権移転登記をするよう、債権者代位権により請求した。大審院は、次のように判示し、X の請求を認める。

5-29
⑵　**大審院判旨**　「後の売買に因る登記は登記法上前の売買に因る登記を経たる後に非ざれば之を為すこと能わざるを以て、Y 及び A が其両人間の売買に因る登記を為さざるときは、X は民法第 423 条の規定に依り A

125)　新たな転用として、抵当権侵害の場合に、抵当権者の抵当不動産所有者に対する担保価値維持保存を求める権利を被保全債権として、「423 条の法意に従い」所有者の妨害排除請求権の代位行使を認めている（最大判平 11・11・24 民集 53 巻 8 号 1899 頁☞担保物権法 2-44）。この解決も、改正 423 条 1 項で根拠づけることになり、423 条の 3 が金銭その他の動産に限定しているが、例外的に不動産の自己への明渡請求も認めてよい。なお、「債権」者代位権とはいうが、物権的登記請求権でもよく、423 条は債権以外にも類推適用されるべきである。

169

に対する登記手続の請求権を保全する為め、AのYに対する登記手続の請求権を行使することを得る」。「保全せんとする債権の目的が債務者の資力の有無に関係を有する場合に於ては、所論の如く債務者の無資力なるときに非ざれば同条の適用を必要とせざるべしと雖も、債務者の資力の有無に関係を有せざる債権を保全せんとする場合に於ても、苟も債務者の権利行使が債権の保全に適切にして且必要なる限りは、同条の適用を妨げざる」。

5-30

(2) 不動産賃借権の保全

例えば、AがBから賃借した不動産をCが不法占有している場合、既述のようにAは賃借権自体に基づいてCに対して妨害排除請求をする可能性があるが（☞ 3-51 以下）、さらに、AのBに対する賃借権を「保全」するために、BのCに対する物権的請求権を代位行使してCの妨害を排除することが認められている（大判昭 7・6・21 民集 11 巻 1198 頁、最判昭 29・9・24 民集 8 巻 9 号 1658 頁など）。また、AからDが転借している場合ならば、DはAのこの代位権をさらに代位行使することが可能である（大判昭 5・7・14 民集 9 巻 730 頁）[126]。この事例については、改正法は規定を置かず（否定する趣旨ではない）、605 条の 4 に、対抗力を備えた不動産賃借権に妨害排除請求権を認めることを明記した。

5-31

(3) 金銭債権の特定債権としての保全

特定の債権だけが保全される場合であれば、責任財産保全型とは異なる特定債権保全の法理が当てはまり、それは金銭債権であっても同様である。下記判決は、不動産の売主たる地位の共同相続人が、他の共同相続人が共有持分権の移転登記手続に協力しないため、買主に対して取得した代金債権（分割債権）を行使しようとしても同時履行の抗弁権の対抗を受けるが、買主が他の共同相続人に対して移転登記請求をしない事例である。そのため、被保全債権が金銭債権であるが、その行使の障害となっている同時履行の抗弁権を阻止する目的で、債務者の他の共同相続人に対する移転登記請求権を代位行使することを認めている。特定の債権の保全事例であるため、債務者の無資力は不要とされている。

5-32

●**最判昭 50・3・6 民集 29 巻 3 号 203 頁** **(1)** **事案** 亡Aが土地をB
に売却したが、所有権移転登記がされる前にAが死亡しCDEが共同相続

---

126) 目的不動産について賃貸人の登記名義から無効な所有権移転登記がされている場合には、賃借人は代位権の転用により賃貸人の抹消登記請求権を代位行使することはできない。「債権者代位権は、債務者の権利を代位行使することによって債務者が利益を享受し、その利益によって債権者の権利が保全されるという関係が存することを要」し、「所有権に関する登記名義のいかんは、賃借人として本件土地の使用収益を求める請求権の行使とは何らかかわりあいがない」ことが理由である（最判昭 45・12・15 判タ 257 号 131 頁、判時 618 号 31 頁）。

170

第 5 章　債権の効力③——債権者代位権

した。B は CDE に相続分に応じて残代金を支払うから、共有持分の移転登記に必要な委任状・印鑑証明書を交付することを求めたが、E だけがこれに応じなかった。CD は相続分に応じた代金の支払を B に求めたが、B は E が移転登記に応じないことを理由に拒絶した。そこで、CD は、① E に対して、B に代位して、相続分に応じた代金の支払を B から受けるのと引換えに、E の共有持分につき移転登記手続をすることを求め、② B に対して、E が共有持分につき移転登記手続をするのと引換えに CD に各相続分に応じた代金の支払を求めた。最高裁はいずれも認容する。

5-33
　　(2)　**最高裁判旨**　「買主は、共同相続人の全員が登記義務の履行を提供しないかぎり、代金全額の支払を拒絶することができる」。「共同相続人の 1 人が右登記義務の履行を拒絶しているときは、買主は、登記義務の履行を提供して自己の相続した代金債権の弁済を求める他の相続人に対しても代金支払を拒絶することができる」。「この場合、相続人は、右同時履行の抗弁権を失わせて買主に対する自己の代金債権を保全するため、債務者たる買主の資力の有無を問わず、民法 423 条 1 項本文により、買主に代位して、登記に応じない相続人に対する買主の所有権移転登記手続請求権を行使することができる」。

5-34
◆**直接訴権への転用（類推適用）**
(1)　**直接訴権の意義**
　　フランスには、先取特権類似の制度として債権の間に牽連性がある場合に、その債権者に債務者が有する債権について優先的な行使を認める理論があり、**直接訴権**といわれる（フランス民法 1341-3 条［個別の法律規定がある場合に限られることを明記]）——契約責任を拡大する機能もあるがそれは措く——。例えば、A から B、B から C と転々売却された目的物に瑕疵があり、C → B そして B → A と損害賠償請求権が認められる場合に、C → A の直接訴権が認められ、B の他の債権者を排除して優先的に A から賠償金を受けることができる。債権者代位権とは区別される権利である。

5-35
(2)　**日本法における直接訴権**
　　(a)　**明文規定がある場合**　日本でも、106 条 2 項（現 107 条）613 条の旧民法の前身規定はボアソナードが直接訴権を導入した規定であったが（改正法は 644 条の 2 第 2 項・658 条 3 項を追加）、日本人の起草者により十分な理解がされず曖昧な規定になっている（その法的構成につき☞民法総則 7-48 以下）。特別法では、自賠法 16 条 1 項がある。

5-36
　　(b)　**債権者代位規定と直接訴権**　債権者平等の原則を修正する原理であるため、先取特権同様に、直接訴権を認めるには個別規定が必要である。この点、異説として、423 条の 3 を、A → C の直接訴権を認めた規定とし、「被代位権利を

171

行使する」という文言を無意味とする主張がある（石田 420 頁）。

5-37 　　(c)　**本書の立場**　本書としては、423 条の債権者代位権を類推適用して直接訴権として利用することを考えている。個別規定がない点は判例による法創造に委ねたい。担保制度であるため、第三債務者による債務者への支払を制限することが必要になる。しかし、その弁済を当然に無効とするのは債務者に酷であり、物上代位同様に第三債務者の保護が必要になる。

　　自賠法 16 条の直接訴権は、A → B 債権につき、B が A に賠償しなければ、B → C の保険金請求権は成立せず、A → C の直接訴権のみが認められる（自賠 15 条）。このような規定がない限り、A → C の直接訴権と B → C の債権とが競合し、上記のような問題が生じ、また、B の他の債権者が B → C 債権を差し押さえたり、代位行使したり、債権譲渡を受けることが考えられる。この点、304 条 1 項の趣旨を類推適用して、差押えをすることで初めて第三債務者また第三者に直接訴権を対抗できるようになると考える。

2　債務者による権利不行使（要件②）──債権者代位権の補充性

5-38 　　(a)　**条文に明記がないが当然の要件**　債務者による権利不行使という要件は 423 条に明示されているものではないが、通説・判例により要件として当然視されている。債務者が権利行使をしないために債権者が受ける不利益を、自ら代位行使によって回避する制度であり、債務者が権利行使をしていればその行使の仕方により不利益を受けても、それは詐害行為取消権の保護の対象でしかない。

5-39 　　(b)　**代位権の存続要件でもある**　債権者は代位行使に先立って債務者に権利を行使するよう催告することは必要ではなく（大判昭 7・7・7 民集 11 巻 1498 頁）、また、債務者が権利を行使しないことにつき故意・過失があることを要しない。債務者の権利の不行使は、債権者代位権の成立要件かつ存続要件である。債権者が代位行使を開始しても、債務者は権利行使を妨げられないため（423 条の 5）、債権者が代位訴訟を提起しても、債務者は別訴を提起でき、それにより代位訴訟は不適法となり却下されるかのようである。しかし、法定訴訟担当であるため（☞ 5-51）、訴訟告知がされた後は、債務者による別訴提起は重複訴訟の禁止（民訴 142 条）に抵触し許されず、債務者は代位訴訟に訴訟参加するしかないと考えられている（高須順一「債権法改正後の代位訴訟・取消訴訟における参加のあり方」名城 66 巻 3 号［2016］66 頁）[127]。この点は、5-73 に述べる。

第 5 章　債権の効力③——債権者代位権

3　被保全債権の要件（要件③）——弁済期にあり強制力があること

5-40　**(1)　被保全債権が弁済期にあること——例外は保存行為のみ**

　「債権者は、その債権の期限が到来しない間は、被代位権利を行使することができない。ただし、保存行為は、この限りでない」(423条2項)。被保全債権の履行請求ができるまでは、債務者は履行遅滞になく、また、金銭債権の場合には債権回収の準備のために責任財産を保全する必要性は否定されないが、債務者の私的自治への干渉になるため、弁済期までは「保存行為」のみができるにとどめたのである[128]。例えば、債務者の金銭債権が消滅時効にかかる、債務者の財産が取得時効されるのを阻止するためには、被保全債権が弁済期になっていることは必要ではない。

5-41　**◆弁済期前の裁判上の代位の廃止**

　　改正前には、保存行為のほかに、裁判上の代位行使も弁済期前でも認められていた。そして、弁済期前の裁判上の代位行使について、非訟事件手続法が規定を置き、代位訴訟を提起し債務者に通知することにより差押えと同様の効力が生じることが規定され、この規定を根拠に、期限到来後の代位訴訟も同様に考えられていた（☞ 5-71）。しかし、民事保全手続が用意されているので、代位行使による必要性は乏しいし、実際にも用いられることはなかったため（一問一答91～92頁）、423条2項から裁判上の代位が削除され、非訟旧85条～91条の代位訴訟規定も全て削除された。

5-42　**(2)　被保全債権が強制執行により実現できないものではないこと**

　「債権者は、その債権が強制執行により実現することのできないものであるときは、被代位権利を行使することができない」(423条3項)。代位行使を受けた第三債務者（相手方）側が抗弁として主張することになる。

---

127)　＊**判決後の強制執行手続**　①債務者が独立当事者参加をした場合には、代位債権者と債務者の両請求はいずれも無条件で認容され、強制執行等の取立ては早い者勝ちになるが、同時執行となった場合按分配当になると考えられている（山本和彦「債権者代位権」民法学Ⅰ 138頁）。②他方で、債務者が共同訴訟参加をした場合に、判決はどうされるべきなのかは議論がある。ⓐ理論的には、代位債権者の請求を認め、両者の請求を認容することも考えられる（独立説といわれる）。ⓑしかし、債務者が権利行使をする以上、債権保全の必要性ないし書かれざる要件としての債務者の権利不行使という要件を欠くことになったため、代位債権者の請求を棄却するかないしは却下することが考えられており（高須・前掲名城法学69頁［変容説といわれる］）、423条の5が導入されたことを考えれば、後者と考えるのが適切である。

128)　「強制執行をすることができなくなるおそれがあるとき、又は強制執行をするのに著しい困難を生ずるおそれがあるとき」の金銭債権についての仮差押命令が期限前でも発することができる（民保20条1項）。

173

§Ⅱ　債権者代位権の要件

　金銭債権の場合に、自然債務のように強制執行ができない場合には、強制執行のために責任財産を保全を認める必要はなく、また、債務者に任意の履行しか期待できないのに代位行使を認めるということは、任意の履行に任せた趣旨を没却することになる（被代位権利につき☞ 3-38）。

4　被代位権利の要件（要件④）

5-43 **(1)　一身専属権ではないこと**

　(a)　一身専属権を排除する理由　423 条 1 項ただし書は、「債務者の一身に専属する権利」を代位行使の対象から除外している。必ずその行使を債務者の自由意思に委ねられるべき権利は、あくまで債務者本人の自由意思（私的自治）にかからせるべきだからである。一身専属権は、その者限りという帰属に関わる**帰属上の一身専属権**と（896 条ただし書参照）、行使するかどうか本人の意思決定によるべきか否かに関わる**行使上の一身専属権**とに分類されるが、ここで問題になるのは後者である。例えば、認知請求権を行使するか否かは本人の意思を尊重すべきであり、資産家の父親の認知を受けられれば相続によって財産が入ってくるとしても、債権者が代位行使することを認めるべきではない。

5-44 　**(b)　一身専属権とは**　一身専属権でなければ、行使するかどうか自由な権利だからといって、代位行使は否定されない。取消権等の形成権、相殺権（大判昭 8・5・30 民集 12 巻 1381 頁）、受益の意思表示（大判昭 16・9・30 民集 20 巻 1233 頁）も代位行使の対象となる（詐害行為取消権なども可能）[129]。さらには、第三者異議の訴えについても、代位行使の対象になる（大判昭 7・7・22 民集 11 巻 1629 頁）。登記申請権も代位行使が可能である（不登 59 条 7 号）。

　一身専属権の基準については種々の提案があるが、判例の積み重ねによって明らかにしていくしかない。以下に、主要な権利を検討してみよう。

5-45 　**(c)　家族法上の権利**

　(ｱ)　代位行使が許されない権利　①認知請求権、婚姻または縁組の取消

---

129)　代位行使によらずに差押えの効力として生命保険契約の解約権行使が認められている。「金銭債権を差し押さえた債権者は、……その取立権の内容として、……自己の名で被差押債権の取立てに必要な範囲で債務者の一身専属的権利に属するものを除く一切の権利を行使することができる」として、「生命保険契約の解約返戻金請求権を差し押さえた債権者は、これを取り立てるため、債務者の有する解約権を行使することができる」とされている（最判平 11・9・9 民集 53 巻 7 号 1173 頁）。

権、離婚または離縁の請求権、相続人廃除権など、身分関係の変動を目的とする純粋に家族法上の権利は、権利者本人の自由意思によるべきであり、代位行使は認められるべきではない。②他方、家族法上の権利のうち財産的利益を目的とするものでも、扶養請求権、夫婦間の契約取消権、離婚の際の財産分与請求権などは、譲渡性もなくその行使も本人の自由意思に委ねられるべきであり、代位行使は許されるべきではない（淡路 248 頁等）。

5-46　　**(イ)　代位行使が問題となる権利**　これに対し、相続分に基づく遺産分割請求権や、相続回復請求権、遺留分侵害額請求権（改正前は遺留分減殺請求権）については問題がある。改正前の遺留分減殺請求権については判例があり、「遺留分権利者が、これを第三者に譲渡するなど、権利行使の確定的意思を有することを外部に表明したと認められる特段の事情」がない限り、一身専属権とされ代位行使はできないものとされた（最判平 13・11・22 民集 55 巻 6 号 1033 頁）[130]。改正後の遺留分侵害額請求権について先例価値が認められる。

5-47　　**(d)　財産法上の権利——慰謝料請求権**

　　(ア)　代位行使が認められる慰謝料請求権　問題とされているのは、慰謝料請求権である（時効援用権については☞ 5-49）。和解、判決により確定した慰謝料請求権は、通常の金銭債権と同様に代位行使ができまた相続の対象になる。一方で、生命侵害による慰謝料については、当然相続説が採用されており（最判昭 42・11・1 民集 21 巻 9 号 2249 頁）、相続人の債権者による代位行使も認められる。傷害・後遺障害慰謝料についても、代位行使が認められてよい。

5-48　　**(イ)　名誉毀損の慰謝料請求権**　他方で、名誉毀損による慰謝料は、「これを行使するかどうかは専ら被害者自身の意思によって決せられるべきもの」であること、また、「その具体的金額自体も成立と同時に客観的に明らかとなるわけではなく、被害者の精神的苦痛の程度、主観的意識ないし感情、加害者の態度その他の不確定的要素をもつ諸般の状況を総合して決せられるべき性質のものであること」から、「被害者が右請求権を行使する意思を表示

---

130)　学説としては、むしろ遺留分減殺請求権の代位行使を肯定するのが通説あるが（前田陽一「相続法と取引法」『現代取引法の基礎的課題』［1999］656 頁参照）、相続人の債権者に限定し、被相続人の債権者には否定する制限肯定説もある（大島俊之「遺留分減殺請求権と債権者代位権」神院 29 巻 1 号［1999］1 頁以下）。

しただけでいまだその具体的な金額が当事者間において客観的に確定しない間は、被害者がなおその請求意思を貫くかどうかをその自律的判断に委ねるのが相当であるから、右権利はなお一身専属性を有する」として、「差押えの対象としたり、債権者代位の目的とすることはできない」とされている（最判昭 58・10・6 民集 37 巻 8 号 1041 頁）[131]。

5-49 **◆時効援用権は代位の対象となるか**

時効の援用を援用権の行使と構成する立場では、145 条を良心規定と理解して、援用するかどうかを本人の良心に委ねたものと理解する。そのため、本人の意思を無視して、時効援用権を代位行使することが可能なのかが問題となる。

判例・通説は時効援用権の代位行使を認める。物上保証人が抵当権の被担保債権について時効が完成しているのに援用をしていない事例で、物上保証人の金銭債権者に、抵当権の被担保債権についての時効の援用権（物上保証人の援用権の行使）を代位行使することを認めている（最判昭 43・9・26 民集 22 巻 9 号 2002 頁［松田二郎裁判官の「その利益を享受することを欲しないで誠実に債務を履行しようとする者の意思を無視する」という反対意見あり]）。判例は後順位抵当権者に固有の時効援用権を否定しているが（最判平 11・10・21 民集 53 巻 7 号 1190 頁）、後順抵当権者も債権者として債務者の援用権を代位行使できる以上、それで十分である。

5-50 **(2) 被代位債権が差押えを禁じられた権利ではないこと**

差押えが許されない財産については、それを保全しても責任財産の保全にはならない。そのため、改正法は、「差押えを禁じられた権利」が代位権の対象にならないことを明記した（423 条 1 項ただし書）。この結果、民事執行法 131 条の差押禁止動産、同法 152 条の差押禁止債権については、代位行使ができない。差押禁止動産が第三者により不法に占有されていても、債権者は債務者の返還請求権を代位行使して自己への引渡しを求めたり、差押禁止債権、例えば給与債権の 4 分の 3 は代位行使をして自己への支払を求めることはできない。自賠法 16 条 1 項の保険金請求権は同法 18 条により差押えが禁止されているために、代位行使が許されない（東京地判平 24・12・20 判タ 1388 号 261 頁。直接訴権につき☞5-34 以下）。

---

131) 確定まで代位行使ができないとしても、確定前に被害者が死亡した場合には相続が否定されるべきであろうか。本人の意思決定に任せるべきなので代位行使が否定されるだけで、相続人に承継され、相続人が本人の代わりに慰謝料請求することを認めるべきである。この場合、相続人の債権者も権利確定まで代位行使はできないことになる。なお、一身専属権は責任財産にならず差押禁止財産となる。

第 5 章　債権の効力③——債権者代位権

$\S$ Ⅲ
債権者代位権の行使

1　債権者代位権の行使の方法

5-51　債権者代位権の行使は裁判上の行使による必要はない——裁判上の代位を要求していた旧民法を修正——。債権者は、債務者の権利を自己の名で行使でき（☞ 5-15）、自分が原告として訴訟（**代位訴訟**という）を提起できる。代位債権者は、代位訴訟を提起した場合に、「遅滞なく、債務者に対し、訴訟告知をしなければならない」（423条の6）。債権者代位訴訟における代位債権者の地位は**法定訴訟担当**と解されており、その判決の効力は被担当者である債務者にも及ぶことになるため（民訴115条1項2号）、債務者の手続保障の観点からこのような規定が設けられたのである。訴訟告知が怠られた場合、訴え却下の判決がされる（実務上の課題111頁［山本］）。

2　債権者代位権の内容

5-52　**(1)　代位債権者への引渡請求の可否**

(a)　判例による債権回収方法としての運用の容認　代位債権者が、自分への金銭の支払を求めるのは、債権回収そのものであり、責任財産の保全でも、強制執行の準備でもなく、当初、判例はこれを認めなかったが、大判昭10・3・12民集14巻482頁がこれを初めて認めた（大足・前掲注121論文（2・完）33頁はこれを「不真正債権者代位権」と称する）。「債務者に対し給付を為すことを請求し得るに過ぎずとするときは、債務者に於て第三債務者の給付を受領せざる限り、債権者は到底其の債権を保全すること能はざる結果となり前示法条の精神を没却する」ことを理由としている。あくまでも、責任財産の保全目的が債務者が受領しないと達しえないという理由である。この矛盾に満ちた説明により債権者代位権の債権回収方法としての利用が容認され、代位行使できる範囲は被保全債権の額に限定されることになる。

5-53　**(b)　改正法による明文化**

㋐　金銭の支払と動産の引渡し　改正論議では、債権回収まで認めることへの学者委員による消極的意見と、債権回収としての運用を認める実務家委

員の積極的意見とが対立した。当初は、代位債権者に自己への支払請求を認めつつも、債権回収のための制度ではないことから相殺を禁止して、執行官に渡して強制執行手続——当然他の債権者も可能——による解決も模索された。しかし、改正法は従前の判例を容認しこれを明文化することにした。

5-54 **◆直接請求権を認める規定か**
改正法は、判例の結論を明文化し、「債権者は、被代位権利を行使する場合において、被代位権利が<u>金銭の支払又は動産の引渡し</u>を目的とするものであるときは、相手方に対し、その支払又は引渡しを<u>自己に対してすることを求めることができる</u>。この場合において、相手方が債権者に対してその支払又は引渡しをしたときは、被代位権利は、これによって消滅する」と規定した (423条の3)。直接の請求権を認めるのではなく、あくまで債務者の権利について自己の名での取立権を認めるものにすぎない。これに対し、423条の3を直接訴権の規定とし、債権者代位権では、債務者が受領を拒絶した場合に限り、法定代理人として債権者が自ら受領できるという異説もある (石田431頁)。

5-55 **(イ) 不動産**
(i) 自己への明渡請求はできない 不動産については、423条の7が、登記請求権の代位行使について、423条の3を準用の対象から除外している。転得者が代位行使して、自己への直接の所有権移転登記請求はできない。不動産を対象とする場合に、423条の3を適用して、債権者代位権に基づいて自分への引渡しを求めて管理占有をすることはできない。正規に収益執行手続をとることが必要になる。動産は執行官に渡すまでの暫定的な占有である。

5-56 **(ii) 抵当権の事例** ただ、抵当権侵害の場合には、抵当不動産の所有者に対し抵当不動産適切管理請求権に基づき、その妨害排除請求権を代位行使して、自己への明渡請求が認められている (最大判平11・11・24民集53巻8号1899頁)。423条の3は「不動産」を含まず、また、債権でもないので、423条の3の類推適用によりその先例価値を認めるべきである。

5-57 **(2) 債権者代位権の行使が認められる範囲**
(a) 財産の処分の否定 債権者代位権は、保全に必要な「債務者に属する権利」を行使することができる権利であるが、債務者の私的自治への重大な干渉になるため、責任財産保全型の事例においても、権利の行使しか認められず、権利の処分まではできない。すなわち、認められる権限は管理の範囲

第 5 章　債権の効力③──債権者代位権

にとどまるべきであり、処分行為までは代位行使しえない。債務者の不動産
や株式が値下がりのおそれがあるのに債務者が処分しようとしないからとい
って、債権者が代位して処分することは許されない。

5-58　**(b)　被保全債権の債権額との関係**

(ア)　金銭債権の代位行使（債権回収転用型）

(i)　債権額に制限する判例　保存行為については、総債権者の利益となる
ため債権額による制限を考えなくてよい。しかし、代位債権者が金銭の支払
を受けて債権回収を図る債権回収転用型については、被保全債権の回収に必
要な範囲に限られるというのが、従前の判例である。「債権者代位権は、債
権者の債権を保全するために認められた制度であるから、これを行使しうる
範囲は、右債権の保全に必要な限度に限られる」とあくまで債権保全を理由
に、「債権者は自己の債権額の範囲においてのみ債務者の債権を行使しう
る」ものとしていた（最判昭 44・6・24 民集 23 巻 7 号 1079 頁）。

5-59　**(ii)　改正法による明文化**　改正法は、判例を明文化して、「債権者は、被
代位権利を行使する場合において、被代位権利の目的が可分であるときは、
自己の債権の額の限度においてのみ、被代位権利を行使することができる」
と規定した（423 条の 2）。この規定については、① 423 条の 2 および 423 条
の 3 は、債権回収のための「不真正債権者代位権以外には適用にならな
い」という学説がある（大足・前掲注 121 論文（2・完）43 頁［不真正債権者代位権につ
き☞注 123]）。また、423 条の 3 を直接訴権の規定と解し、423 条の 2 の適用
を直接訴権に限定し、また、債権者代位権を代理権と構成して、被代位権利
全額の行使を認める学説もある（石田 434 頁）。

5-60　**(イ)　金銭債権の代位行使以外**

(i)　動産の引渡請求以外　保存行為は別として、総債権者のために債務者
の責任財産を保全する責任財産保全型であっても、破産管財人ではないの
で、債務者の私的自治に対して不相当な干渉を認めるわけにはいかない。
423 条の 2 の制限がこの事例にも当てはまり、自己の債権の強制執行のた
めに必要な限度の保全に限られる。ただし、目的物が不可分であったり、契
約の取消や解除権の代位行使のように契約全部の取消しや解除が必要にな
る場合には、債権額を超えて代位行使が可能である。

5-61　**(ii)　動産の引渡請求**　代位債権者が、第三者が占有している動産の占有を

179

§Ⅲ　債権者代位権の行使

回収して、これを執行官に引き渡して競売手続をとり債権を回収しようとする場合（強制執行の準備型）も、原則として被保全債権額による制限を受ける。2つまたはそれ以上の動産がある場合、債権額に必要な限度での代位行使に制限される。ただし、他に配当加入してくることが明確な債権者がいる場合には、代位行使できる範囲は代位債権者の被保全債権の範囲に限定されないという主張がある（注民⑩767頁［下森定］）。

5-62 **(3)　相手方の抗弁**

(a)　抗弁を対抗しうる　改正法は、「債権者が被代位権利を行使したときは、相手方は、債務者に対して主張することができる抗弁をもって、債権者に対抗することができる」という規定を新設した（423条の4）。改正前からすでに判例により認められていた結論である（最判昭54・3・16民集33巻2号270頁。債務者に対する相殺の対抗につき、大判昭11・3・23民集15巻551頁）。例えば代金債権の代位行使に対して、第三債務者たる買主は、目的物の引渡との同時履行の抗弁権（533条）を対抗できる。留置権（295条1項）も同様である。

5-63 **(b)　抗弁を対抗しうる法的根拠**　①代位債権者が行使するのはあくまで債務者の権利であり、代位債権者に相手方に対する別個の直接の権利を認めるものではないこと、②相手方たる第三債務者は、自己の関知しない代位行使という一事によって債務者が行使した場合に比して不利な地位に置かれるべきいわれはないことから、第三債務者は債務者に主張しえた事由を全て代位債権者に対抗しうるのである。

5-64 **◆不法原因給付**

(1)　抗弁の対抗を認める必要はない

423条の4の「抗弁」について問題になるのは、708条の不法原因給付である。例えば詐欺的商法を行わせ、会社が従業員に高額の歩合給を支払っていた場合（90条により無効）、被害者の会社に対する損害賠償請求権を被保全債権として、会社の従業員に対する歩合給の不当利得返還請求の代位行使に対して、従業員は708条を「抗弁」として対抗できるのであろうか。708条は債務者保護のための「抗弁」ではなく、債権者に対する制裁であり、債務者が履行を強制されないのはその事実上の反射的利益にすぎない。なお、物の給付の場合に、708条により所有権が反射的に帰属してしまえば（本書は反対）、物権的請求権の代位行使そのものが問題にならない。

5-65 **(2)　代位行使を認めてよい**

①古い判例に代位行使を否定した判決があるが（大判大5・11・21民録22輯

第 5 章　債権の効力③——債権者代位権

2250 頁)、②破産管財人が否認権を行使して返還を請求することを認めた判決がある（大判昭 6・5・15 民集 10 巻 327 頁）。③豊田商事事件で高額の歩合給をもらっていた従業員に対し、公序良俗違反により無効を主張して破産管財人が返還請求をした事例で、破産管財人による行使は妨げられないとされている（大阪地判昭 62・4・30 判時 1246 号 36 頁。東京高判平 24・5・31 判タ 1372 号 149 頁も同様）。クリーンハンズでない者が裁判所の救済を受けられないというサンクションを受けるだけであり、クリーンハンズである債権者が代位行使することは妨げられない。破産管財人に限定すべきではない。

5-66
◆代位行使される権利が虚偽表示たる契約に基づく場合
(1)　問題点
　例えば、A がその所有する土地を B と通謀して B に贈与したことにして契約書を作成したものの所有権移転登記をしていなかったが、B が契約書を見せて自分が贈与を受けた土地と信じ込ませてこの土地を C に売却したとする。この場合に、C は B に代位して B の A に対する所有権移転登記請求権を代位行使しうるであろうか（423 条の 7 の事例）。また、B の一般債権者 D はどうであろうか（423 条の責任財産保全型の事例）。C の 94 条 2 項の「第三者」該当性、また、A の B に対する無効の主張の代位債権者への対抗の 2 点が問題になる。

5-67
(2)　第三者たる買主の保護
　(a)　無効の主張を対抗できるのは不合理　まず、94 条 2 項の「第三者」について、登記を権利保護要件として要求するかが問題になる。この点を否定し C の第三者性を認めると、次の問題としては、A は B に対抗できる「抗弁」を代位債権者 C にも対抗できるという 423 条の 4 を適用すると、C による B の A に対する所有権移転登記請求権の代位行使について、無効であり権利がそもそもないという A による主張が認められてしまう。それでは、C が 94 条 2 項の第三者として保護されたことがないがしろにされてしまう。

5-68
　(b)　C との関係では AB 間も有効　94 条 2 項で虚偽表示の無効を第三者に対抗しえないとすると、第三者との関係においては、AB 間の贈与は有効と扱われ、第三者との関係では AB 間でも履行を拒絶しうる事由がそもそもないと扱われる。したがって、CD が 94 条 2 項の第三者と扱われれば、A は移転登記を拒絶しえないことになる。また、A から C に所有権移転を認める立場では（本書はこれを支持する）、C は A に対し直接の移転登記請求権が認められてよい。

5-69
(3)　一般債権者の保護
　次に D は、単なる一般債権者にすぎず、判例（大判昭 18・12・22 民集 22 巻 1263 頁）は 94 条 2 項の第三者に該当しないとして、D の移転登記請求を否定した。差押債権者は 94 条 2 項の第三者性が認められ、B が所有権移転登記を受けており、D がこれを差し押さえたならば 94 条 2 項により保護される。他方で一般債

181

権者も 94 条 2 項の第三者に含めて、D の移転登記請求を肯定する学説がある（山木戸克己「判批」民商 20 巻 3 号 34 頁、於保 175 頁）。しかし、単なる一般債権者にそこまでの保護を与えるべきかは疑問である。

§Ⅳ
債権者代位権の行使の効果

1 債務者の権利行使の制限

5-70 **(1) 改正前には債務者の権利制限が認められていた**

(a) 代位訴訟の提起は債権回収のため 債権者が代位権に基づいて代位訴訟を提起し、債務者に訴訟告知をした場合、債務者は代位行使されている権利について給付を受領したり、免除したり債権譲渡したりして、代位訴訟を無意味なものにできるのであろうか。

5-71 **㋐ 債権回収転用型** 債権回収転用型については、2 つのアプローチが考えられる。①まず、債権回収は債権執行によるべきであり、便宜的に代位権による以上は、それが無駄になるリスクを甘受すべきであるという考えが可能である。②他方で、代位権を簡易な債権回収方法として容認するならば、代位訴訟に相当の保障がされるべきであると考えることができる。

5-72 **㋑ 責任財産保全型** 他方、責任財産保全型では、債務者が権利行使をしていないことを代位権の成立かつ存続要件とすると（債権者代位権の補充性 ☞ 5-38）、債務者の権利行使が尊重されることになる。債務者自身が権利行使をして責任財産を保全する以上、それに任せるべきである。ただし、訴訟提起には、訴訟法上の制限を受ける（☞ 5-75）。

5-73 **(b) 判例は差押えと同様の効力を認めた** 大判昭 14・5・16 民集 18 巻 557 頁は、大理石の採掘権者の妨害排除請求権を債権者が代位行使する訴訟を提起後に、債務者自身も訴訟を提起したため、債権者の訴訟が不適法になるかが争われた事例で、「債権者が民法第 423 条第 1 項に依り、適法に代位権の行使に著手したるときは、債務者は其の権利を処分することを得ざるものにして、従て債権者の代位後は債務者に於て其の代位せられたる権利を消滅せしむべき一切の行為を為すを得ざるは勿論、自ら其の権利を行使するこ

第5章 債権の効力③——債権者代位権

とを得ざる」が「故に、債権者が訴を以て代位権を行使したる後に在りて
は、債務者は第三債務者に対し処分行為と目すべき訴を提起することを得ざ
る」ものとした[132]。

5-74 **(2) 改正法による債務者の権利制限の否定**

　この点、改正法は、「債権者が被代位権利を行使した場合であっても、債
務者は、被代位権利について、自ら取立てその他の処分をすることを妨げら
れない。この場合においては、相手方も、被代位権利について、債務者に対
して履行をすることを妨げられない」と規定した（423条の5）。関連して、期
限前の裁判上の代位についての規定が削除され、5-71の実定法の根拠にな
っていた非訟事件手続法旧88条も削除された。この結果、代位訴訟が提起
されても、債務者は受領したり、免除したり、債権譲渡をすることができ、
代位訴訟はこのようなリスクを伴い、恐ろしくて起こせない代物になっ
た[133]。廃止論者の影響が見え隠れする規定である。

5-75 **◆代位訴訟への債務者による訴訟参加**

　債務者は、債権者が代位権を行使していても代位行使にかかる権利の行使を妨
げられないため、債権者が代位訴訟を提起していても、権利行使ができるだけで
なく訴訟提起も可能である。ただし、債務者による訴訟提起については、法定訴
訟担当であるため（☞ 5-51）、別訴は提起できず代位訴訟に訴訟参加する必要が
ある。その方法としては、共同訴訟参加（民訴52条1項）と独立当事者参加ない
し権利主張参加（同法47条1項後段）とが考えられる。

　債務者が訴訟参加した場合、債権者代位権の要件との関係で1つ疑問が生じ
る。というのは、債務者の権利不行使という解釈による要件があるため（☞
5-38）、債務者が権利行使をしたならば、債権者代位権の要件が欠けることにな
るのである。そうすると、代位訴訟は訴訟要件を欠くことになり訴え却下とな
り、債務者の請求のみを認める判決が出されることになる（吉川昌寛「債権者代位権
の行使……」重要論点122頁）。このようなリスクを避けるためには、差押えによる

132）　期限前の裁判上の代位につき、非訟事件手続法旧88条は、裁判所が期限前に裁判上の代位を許可する
　場合には、債務者に告知しなければならないとし（同条2項）、「前項の規定による告知を受けた債務者
　は、その代位に係る権利の処分をすることができない」（同条3項）と規定していた。そのため、期限後の
　代位でも代位訴訟を提起して訴訟告知がされたならば同様と考えられていたのである。

133）　大足・前掲注121論文（2・完）42頁は、「現行法は、423条の5を規定することにより、債務者の
　権利不行使を奇貨として望外の利益を得ることについての債権者の期待を、大幅に制限したのである」と評
　する。なお、債権者代位権を法定代理権と位置づける学説では、代位訴訟の原告は債務者本人になるため、
　債務者が被代位債権につき別訴を提起するのは二重起訴になる（石田437頁）。債務者が被保全債権を争う
　場合には、独立当事者参加をして、債権者には債務不存在確認、第三債務者には給付訴訟を提起することに
　なる。

183

しかないことになる。

2 他の債権者の権利行使

5-76 **(a) 代位訴訟への参加** 複数の債権者が共同原告として代位訴訟を提起でき、また、他の債権者は係属している代位訴訟に訴訟参加（民訴52条）することができる。参加方法については、既存の代位訴訟の被保全権利を争わない場合には共同訴訟参加、これを争う場合には独立当事者参加と考えられている（吉川・前掲論文134頁）。また、新たに訴訟参加する債権者は、債務者がすでに訴訟参加している場合を除き、自己の訴訟参加について、債務者に告知することが必要になる（吉川・前掲論文134頁）。各債権者には、被代位債権が例えば100万円であり、100万円の債権を持つ債権者がそれぞれ代位訴訟をしていても、全額の支払を命じる判決が出されることになる。

5-77 **(b) 別訴の提起** 代位訴訟が係属している場合において、他の債権者が、代位訴訟の対象たる債権を債務名義に基づいて差押えをした上で取立訴訟を提起するのは適法である。したがって、他の債権者が差押え後に転付命令を受ければ有効であり、代位債権者は代位行使ができなくなる。これに対して、代位訴訟の係属中に、他の債権者がさらに代位訴訟を提起する場合には、重複訴訟となり（民訴142条）併合審理される。債権者が第三債務者に金銭債権の支払を求める代位訴訟を提起した後に、国が債務者に対する国税滞納処分として取立てのための訴えを提起した事例で、裁判所は両請求を併合審理し、共に認容できるものとされた（最判昭45・6・2民集24巻6号447頁）。

3 その他の実体法上の問題

5-78 **(1) 第三債務者による弁済**

(a) 債務者への弁済 423条の5前段により、代位行使がされても、債務者による権利行使は有効であり、さらには、債務者が権利行使していなくても、代位行使を受けた相手方は「債務者に対して履行をすることを妨げられない」（同条後段）。代位訴訟の結果、代位債権者に対して支払を命じる判決が確定しても、第三債務者に対する債務名義になるだけで、第三債務者は差押えがされない限り、債務者に支払うことができる。

5-79 **(b) 代位債権者への弁済** 代位行使された権利についての代位債権者への

支払・引渡しの効果は、債務者に帰属する。したがって、代位債権者が自己への支払・引渡しを請求した場合に、「相手方が債権者に対してその支払又は引渡しをしたときは、被代位権利は、これによって消滅する」(423条の3後段)。AがBに対する100万円の債権を被保全債権として、BのCに対する50万円の債権を代位行使して、AがCから50万円の支払を受けたとする。CのBに対する50万円の債務は弁済により消滅する。差押えと異なり、Aは受け取った50万円をBに引き渡す義務を負い、Aは相殺を介して初めて債権の回収の実をあげることができる。

5-80 **(2) 消滅時効の完成猶予・更新**

　代位訴訟が提起された場合には、被代位債権について時効の完成猶予・更新の効果が認められるが、被保全債権についてはどうであろうか。債務者に対しては訴訟告知がされるだけであり、債務者は被告にはならない。時効中断の時代の議論として、中断を否定するのが通説であったが、「差押、仮差押及び仮処分」に準じて被保全債権の時効中断効を認めようという少数説があった(於保175頁、奥田267頁)。債務者への通知により差押えと同様の効力が生じることが前提であり、改正法では解釈としては認められないことになる(奥田・佐々木・中巻400頁)。

5-81 **(3) 代位債権者の費用償還請求権など**

　債務者とその権利を代位行使する債権者との間には一種の法定委任関係が認められ(於保176頁、奥田268頁)、代位行使に際して債権者が必要な費用を支出した場合には、その償還請求権が認められる(650条)。代位行使は債権者の共同担保の保全のためのものであり、この費用償還請求権は共益費用として一般先取特権による優先権が付与される(306条・307条)。ただし、以上は責任財産保全型の事例に限られ、特定債権保全型、債権回収制度転用型の事例では、代位債権者のみが利益を受けるので、債務者に対する費用償還請求権に先取特権は認められない。

　代位債権者は、法定委任関係ということから、債務者の事務の処理を行うに際して善管注意義務を負い、また、受領した財産を善管注意義務を持って保管しなければならない。

4 代位訴訟の判決の効力

5-82 　債権者が代位訴訟を提起し判決を受けた場合、その判決は債務者に対しても効力が及ぶかは議論されている。①債務者が民訴法 42 条により代位訴訟に補助参加をした場合、または、②民訴法 53 条により訴訟告知を受けた場合には、判決の効力が債務者に及ぶ（同条 4 項・46 条）。③そうでなくても、代位訴訟は法定訴訟担当に該当し、代位訴訟の「判決は債務者が当該訴訟に参加したると否とに論なく常に民事訴訟法第 201 条第 2 項［現 115 条 1 項 2 号］の規定に依り債務者に対しても亦其の効力を有する」と、債務者にも判決の効力が及ぶことが認められている（大判昭 15・3・15 民集 19 巻 586 頁）。改正法は、代位債権者に債務者への訴訟告知を義務づけ①に該当するので、この問題は解決された（423 条の 6）。

　債権者代位権を法定代理権と構成する学説では、債務者の法定代理人としての訴えの提起であり、判決の既判力は当事者本人である債務者に生じることになる（石田 436 頁）。

第6章

債権の効力④
——詐害行為取消権

§ I 　総論

1　詐害行為取消権の意義および運用指針

6-1 **(1)　詐害行為取消権の意義**

(a)　**詐害行為取消権**　「債権者は、債務者が債権者を害することを知って
した行為の取消しを裁判所に請求することができる」(424条1項本文)。債務
者の「債権者を害する……行為」を**詐害行為**といい[134]、債権者の詐害行為
の「取消しを裁判所に請求する」債権者の権利を、**詐害行為取消権**（または
債権者取消権）という。また、この権利に基づく請求を「**詐害行為取消請
求**」という (424条3項)。必ず訴えによらなければならない。

6-2 (b)　**制度の必要性**　債務者が自分の財産関係をどう処理しようと、原則は
自由である（私的自治の原則）。しかし、債務者が無資力状態にある場合に
は、例えば重要な財産を無償で贈与し、債務者の財産からの回収可能性が
80％から40％に下がる場合、債権者がその行為に干渉できないというのは
不合理である。債権者の債権の額面、例えば1億円はそのままだとして
も、回収できる額が8000万円から4000万円に下がってしまう。そのた
め、債権者に、先の例では債務者のした贈与を債権者を害する行為（詐害行
為）として取り消し、財産を取り戻して元の80％の回収可能な状態に戻す
ことを可能にする制度が、詐害行為取消権の制度である。

6-3 **(2)　制度の基本指針および債権回収制度としての運用の可否**

(a)　**詐害行為取消権運用の指針**

(ｱ)　**詐害行為の類型**

(ｉ)　**基本となる3つの類型**　問題となる詐害行為も多様であり、類型に
よって利益調整が異なるので、ある程度の類型化が必要になる。例えば、次
の3つに分けることができる (錦織成史「詐害行為取消権の拡張・転用」『京都大学法学

---

134)　「知ってした行為」と規定され、知っていることも詐害行為取消権の成立要件になっている。不法行為
　　において客観的に違法な行為を不法行為とし、それに故意または過失という要件を別に設定するのと同様
　　に、債権者を客観的に害する行為というだけで詐害行為となり、これに主観的要件が加わって取消権が認め
　　られることになる。「知ってした」ことは詐害行為自体の要件ではない。

188

第 6 章　債権の効力④——詐害行為取消権

部創立百周年記念論文集(3)民事法』[1999] 155 頁以下)[135]。

---

① 詐害行為の原型（責任財産を減少させる行為）

② 詐害行為の拡張型

　（責任財産危殆化行為——不動産の相当価格での売却等）

③ 詐害行為の転用型（弁済等の偏頗行為）

6-4　(ii)　**類型ごとの特殊性**　①は明らかに詐害行為であるが、②は債務者の再建の利益との調整が必要になる。詐害行為取消権は、債務者の行為を取り消す点で、債務者の再建の利益および第三者の取引安全との調整が必要である。③は債権者間の債権回収についての利害関係の調整が必要になる。

6-5　**(イ)　破産法上の制度（否認権）との関係**

(i)　**破産手続前であり債務者の再建可能性への考慮が必要**　①債務者につき破産手続が開始して「清算」に入っている段階と、②単に債務超過というだけで事業を普通に続けていて、「再建」（再生、更生）の努力をしている段階とでは、債務者が過去にした行為への取消しという形での干渉に差があって然るべきである（下森定「債権者取消権をめぐる近時の動向（②日本法）」成蹊法学 66 号 [2008] 39 頁）。破産手続においては、総債権者の平等な債権回収のための破産管財人による強力な権利として否認権が用意されている（破 161 条以下）。ただし、更生型の会社更生法 91 条、民事再生法 56 条・127 条・135 条においても、管財人らに否認権が認められている[136]。

6-6　(ii)　**逆転現象の発生**　本来ならば、上記のように破産法上の清算手続における破産管財人の否認権は、民法上の個人の債権者に認められる詐害行為取消権よりも、より強力な権利であってよい。ところが、2004 年（平成 16 年）

---

135)　濫用的会社分割の取消しをめぐる議論を契機に（最判平 24・10・12 民集 66 巻 10 号 3311 頁、平成 26 年会社法改正による会社 759 条 4 項の創設）、価格賠償に新たな第 3 の機能が認識されるに至っているという評価がある。詐害行為取消しに新しい分野を切り開くことになる（片山直也「詐害行為取消における価額償還請求権の新たな機能」近江幸治先生古稀記念『社会の発展と民法学(上)』[2019] 763 頁以下）。価格賠償（改正法では価額償還）請求権に、受益者の責任財産の充当および受益者の債権者との競合という第 3 の機能を認めようとしている。濫用的会社分割は、狭義の詐害行為と偏頗行為の「いずれの類型にも収まりきらない新たな類型（「第 3 類型」）としての側面が存するように思われる」と評する（片山・前掲論文 778 頁）。そして、第 3 類型の要件・効果を検討し、価額償還請求権に新たな機能を認めようとしている（片山・前掲論文 782 頁以下）。

§I　総論

破産法改正により、否認権が債務者の更生（再建）を妨げないように抑止的に規制されたため、民法の詐害行為取消権の方が否認権よりも強力な内容になるという「**逆転現象**」が生じた。確かに民法上の詐害行為取消権が、私的清算の場合に破産法の否認権代用として機能することが切望されていたが、否認権を超えてしまうのは行き過ぎであった。

6-7　　（iii）　**逆転現象の解消**　そのため、2017 年民法改正はこの逆転現象の解消が課題とされ、改正により、民法の詐害行為取消権を破産法の否認権と同じ内容にするという解決が図られた（破産法に「右に倣え」といった解決が採用された）。例えば、弁済行為の詐害行為取消しにつき、改正法は「支払不能」の時、支払不能になる前の 30 日以内といった破産法に倣った時間的制限を導入している。ただし、破産法にはない通謀害意を要件としてハードルを高くしており、民法の方が若干要件が加重されている。

6-8　　（b）　**総債権者の利益のための権利か個人的利益のための権利か**

　　（i）　**総清算のための制度ではない**　詐害行為取消権制度の理念の設定については、理解が分かれる[137]。①債権者の 1 人が総債権者のために責任財産の保全を行い、財産を取り戻しても破産管財人のように責任財産として管理できるだけなのか（取り戻したのが金銭の場合、相殺できない）、②それとも、自己の債権回収しか考えていない債権者にそのような行為を期待できないしまた担わせるべきではなく、破産手続外の個別に債権回収をするための前提たる権利と考えるべきであろうか。

6-9　　（ii）　**個別債権者が債権回収するための制度**　この点、近時は、取消権を行使する債権者個人の権利実現に奉仕するための制度として理解する学説が増えている[138]。取消債権者は破産管財人のように中立的立場にある者ではな

136）　私的整理にも、事業を消滅させる清算型と事業を継続させる再建型とがある。また、後者の手続についても、公表されている準則に基づいて進められる金融支援型の私的整理として、私的整理ガイドライン、事業再生 ADR、再生支援協議会、企業再生支援機構、RCC による企業再生があり、他方で、法令や公表されている準則に基づかない純粋私的整理も行われている（全国倒産処理弁護士ネットワーク『私的整理の実務 Q & A100 問［追補版］』［2014］参照）。

137）　その他、破産手続外の債権回収のための制度であるが、集団的な債権回収制度として整理する提案もされている。高須順一「詐害行為取消権の新しい地平線」宮本健蔵先生古稀記念［2022］146 頁（同・詐害行為取消権 142 頁以下）は、改正法の詐害行為取消権の制度趣旨を「債務者の責任財産の保全・回復を基底としながらも、取消債権者と債務者及び全ての債権者間に存在する、『倒産法制との平仄・接続を意識した集団的な債権関係秩序の維持のための制度』」と捉えている。この立場では、個別の債権者が受け取った金銭を相殺により回収することは疑問視される（同 152 頁）。

第6章　債権の効力④——詐害行為取消権

く、取消債権者の最大の関心は自己の債権の満足にすぎず、自分の利益の追求に腐心する債権者に破産管財人に似た行動を期待するのは、あまりにも現実とかけ離れた議論だからである。そのため、取消債権者に金銭の受領権（取立権）を認め、これを総債権者のために管理するのではなく、これからの自己の債権の回収を積極的に容認する。本書もこの問題意識を共有して——債権者代位権も同様——、詐害行為取消権をめぐる問題を検討したい。

2　詐害行為取消権の法的構成

6-10 **(1)　問題の提起**

　第3款の表題では詐害行為「取消権」とされているが、債権者に認められるのは、裁判所に対する**「詐害行為取消請求権」**である。裁判所が取消判決を出して初めて詐害行為の取消しの効力が生じることになる。では、裁判所が命じる「取消し」はどのような内容と理解すべきであろうか。

　民法総則に規定された取消しは、行為の効力を遡及的に消滅させる制度である（121条）。同じ「取消し」という用語が使われているが、制度趣旨また根拠が、詐害行為取消しとでは全く異なっており、同じ内容と理解する必要はない。次に改正前の議論を確認しておきたい。

6-11 **(2)　改正前の議論**

　❶　形成権説

　㋐　総則の取消しと同じと考える　当初の学説は、詐害行為「取消し」を総則の取消しと同じものと考え、取消しにより詐害行為が遡及的・絶対的に無効となるものと理解していた（石坂696頁以下）。**形成権説**と呼ばれる。Aが債務者BのCに行った贈与を取り消す例で考えてみると、訴えは形成訴訟であり、取り消される行為の当事者BCを共同被告としなければならず、取消判決によりBC間の贈与は無効となり、所有権はBに復帰する。Cが土地を返還せずBも返還を請求しない場合には、Aは債権者代位権によりBに代位してCに返還を請求せざるをえない。

---

138)　辻正美「詐害行為取消権の効力と機能」民商93巻4号（1986）474頁以下、大島俊之『債権者取消権の研究』（1986）135頁以下。平井294頁も旧版を改説してこれに従う（平井宜雄「不動産の二重譲渡と詐害行為」『民法学雑纂』[2011] 376頁以下でも、取消権を取消債権者固有の、その個人的利益のための権利とする）。

§I　総論

6-12　　**(イ)　形成権説の問題点**　形成権説に対しては、①返還請求につき別に債権者代位権を持ち出さねばならない、②逸出財産につき執行可能性さえ作り出せばよい、③債務者を被告にしなければならないため、債務者が行方不明になっている場合に困るなどの批判がされた。②についていうと、制限行為能力取消しのように、制限行為能力者のために財産を取り戻すのではなく、責任財産となる状態が回復できればよいのである（ドイツやフランスもこのような限度での取消し）。

6-13　　**❷　請求権説**　その後、詐害行為取消権は財産の取戻し（原状回復）を実現するための制度であり、取戻しの「請求」を権利の中心に据え、取消しは判決主文ではなく理由中に判断すればよいと、取戻しの「請求」を詐害行為取消権の内容とする**請求権説**が主張される。請求訴訟になり、受益者・転得者のみが被告とされ、判決主文では返還が命じられる。

6-14　　**❸　折衷説（判例）**　さらにその後には、取消しと返還請求の両者を内容とするという**折衷説**が提案され、詐害行為の取消しと逸出財産の返還請求（原状回復）のいずれもが詐害行為取消しに欠くことのできない内容であり（形成訴訟＋請求訴訟）、いずれも判決主文で命じられるべきであると考える。これが判例により採用される（取消しの内容につき☞6-15）。

6-15　　**◆折衷説の取消しは相対的取消し（判例）**
　　　　折衷説にも、取消しを形成権説同様に絶対的無効とする学説もあったが、判例は債権者との相対的な関係でのみ取消しの効力を認める**相対的取消説**を採用した（☞6-16）。6-11の贈与の例でいうと、債務者Bに取消しの効力を及ぼして、債務者が所有者となり、また目的物の返還請求ができるとする必要はない。債権者と被告とされた受益者との関係でのみ債務者の所有にして、これを債務者の財産として強制執行の対象とすることができればよいのである。相対的取消説では、債務者を被告に加える必要はなく、返還の相手方である受益者または転得者のみを被告とすることになる。

6-16　　**●大判明44・3・24民録17輯117頁　[事案]** 債権者Ｘは債務者Ｙ₁と受益者Ｙ₂の間の山林の売買を詐害行為とし、Ｙ₁・Ｙ₂を相手としてその取消しを訴求した。なお、その後この山林はＹ₂からＡに譲渡されていたため、原審は、財産が転得者に帰した場合には、転得者を除外してＹ₁・Ｙ₂に対してのみ取消しを求める訴えは許されないとした。大審院は、以下のように述べて原判決を破棄差し戻す。

192

第6章　債権の効力④——詐害行為取消権

[判旨]「詐害行為の廃罷は民法が『法律行為の取消』なる語を用いたるに拘らず一般法律行為の取消と其性質を異にし、其効力は相対的にして……<u>裁判所が債権者の請求に基づき債務者の法律行為を取消したるときは其法律行為は訴訟の相手方に対しては全然無効に帰すべしと雖も、其訴訟に干与せざる債務者受益者又は転得者に対しては依然として存立することを妨げざる</u>と同時に、債権者が特定の対手人との関係に於て法律行為の効力を消滅せしめ因て以て直接又は間接に債務者の財産上の地位を原状に復することを得るに於ては、其他の関係人との関係に於て其法律行為を成立せしむるも其利害に何等の影響を及ぼすことなし。……特に債務者に対して訴を提起し其法律行為の取消を求むるの必要なし」。

6-17　◆相対的取消しの問題点

　相対的取消しは、債務者を被告にしなくてよいという実益がある反面、理論的な観点からは疑問視されていた。①強制執行は債権者と債務者との関係であり、取消しの効力が債務者に及ばないのにどうして強制執行手続が採れるのか。②被告となった受益者・転得者の債権者にも取消しの効力が及ばないとすると、この債権者は受益者・転得者の財産として差押え・強制執行ができてしまう。③現物返還の対象が不動産の場合には、債務者に取消しの効力が及ばないのに、債務者所有名義に復帰させることができるのをどう説明するのか。④また、転得者が被告とされた場合、受益者・転得者間には取消しの効力が生ぜず、転得者は受益者に何ら責任を追及しえなくなってしまい、債務者に不当利得返還請求ができるだけとなる、⑤相対的権利である債権の譲渡を取り消す場合には、第三債務者には取消しの効力が及ばず、依然として譲受人が債権者のままになってしまう、などである。⑤の点は、取消しの通知により譲渡債権の債務者に効力を及ぼす下級審判決があった（東京高判昭 61・11・27 判タ 641 号 128 頁）。

6-18　**(3)　改正法による折衷説の明記・債務者への取消判決の効力を認める**

　(a)　取消しの効力を債務者に及ぼす　改正法は、①折衷説を明記し（424条の6）、②債務者を被告とせず判決効として絶対的取消しではないことを前提としつつ（424条の7第1項）、③債務者に取消判決の効力を及ぼすことにした（425条）。すなわち、「詐害行為取消請求を認容する確定判決は、<u>債務者及びその全ての債権者に対してもその効力を有する</u>」と規定した（425条）[139]。③はかなり大きな改正である。これも、債務者に効力が及ぶことを前提とする破産法 168 条（民再 132 条の 2、会更 91 条の 2）と平仄を合わせた改正である。

6-19　**(b)　判決の人的効力という縛り**　詐害行為取消しでは、「判決」による取消しとされるため、判決の効力の問題に還元される。判決の効力（既判力）

193

は、原則として「当事者」となった者にのみ及び（民訴115条1項）、被告にならない債務者に取消判決の効力を及ぼす上記規定はその例外である。しかし、債務者に取消判決の効力を及ぼすため、ほぼ絶対効に等しい。実際の圧倒的多数の事例は絶対的取消しで処理され、転得者（転々得者）がいる場合に、被告とされなかった受益者または転得者には効力が及ばないという「例外」が生じうる、と考えた方がわかりやすい[140]。

§Ⅱ
詐害行為──詐害行為取消権の要件①

1 総論

6-20 **(1) 要件論概説**

(a) 詐害行為取消請求の要件 424条からは、解釈上、**詐害行為取消請求**（424条3項）の要件を次のようにまとめることができる。

---

1 詐害行為取消権の成立要件

① 詐害行為の存在（債務者側の要件）

ⓐ 債務者が「債権者を害する……行為」をしたこと
（詐害行為の客観的要件）

ⓑ 財産権を目的としない行為ではないこと（権利障害事実）

ⓒ 債務者が債権者を害することを「知って」いたこと

---

139) ただし、改正法の下でも、責任説（取消判決により責任的無効となり、そのため、財産の返還ではなく、強制執行を可能とする執行認容判決を認めることになる）的発想が全て否定されたものではなく、解釈に委ねられた問題領域に責任説の観点からの解決を可能な限り模索しようとする見解がある（高須順一『詐害行為取消権の行使とその効果』[2020] 38頁）。

他方で、全部取消判決と一部取消判決とを区別し、前者は形成訴訟で取消し後の返還請求は代位権により、後者は第三者所有のまま取消債権の責任財産に戻す形成訴訟という主張もある（石田507頁）。

140) 取消しという実体法的効果を「判決効」にかからしめているために、訴訟当事者にしか効力が及ばないという「相対効」が原則にされるが、もし仮に裁判外の取消権と構成すれば、第三者による取消しなので債務者・受益者に対する意思表示で、その効力は絶対効であることが原則になる。94条2項のように善意の第三者に対抗できないと規定されて初めて相対効になる──94条2項だと、受益者・転得者いずれも悪意だとこの間の譲渡も無効になる──。判決効だが、債務者に効力を及ぼすことで、この実体的制度に近づけようとしたが中途半端になったような印象である。

第 6 章 債権の効力④──詐害行為取消権

（詐害行為の主観的要件）
② 債権者が債権を害されたこと（債権者側の要件）
＊弁済期の到来は不要
2 詐害行為取消権の第三者への対抗要件（受益者・転得者側の要件）
詐害行為の認識（＝悪意）

6-21 **(b) 詐害行為、取消権、権利行使の 3 段階での要件**

(ア) 詐害行為の成立　まず、問題の債務者の行為が「詐害」行為になることが必要になり、行為自体の客観的要件として、債権者を害するものであること（行為の詐害性）、および、詐害行為であることを、債務者が知っていること（詐害性の認識）という主観的要件の 2 つが必要になる（証明責任は取消債権者）。ただし、財産権を目的としない行為である場合には取消しは認められない（証明責任は受益者側）。

6-22 **(イ) 取消権の成立と行使のための要件**　次に、詐害行為の成立が認められても、取消権の成否は個々の債権者ごとに判断され、詐害行為により害された債権者にのみ取消権が成立する（債権者に証明責任）。詐害行為取消権の成立要件を満たしていても、取引安全保護との調整から、「利益を受けた者」（受益者）が「その行為の時において債権者を害することを知らなかった」ならば（証明責任は受益者）、取消しは認められない（424 条 1 項ただし書）。他方、転得者の悪意は債権者に証明責任がある（424 条の 5）。

6-23 **(2) 要件の解釈の指針**

(a) 債務者の客観的要件と主観的要件の関係

(ア) 総合判断説　①かつての通説は、ⓐまず、客観的要件として行為の詐害性を、ⓑ次に、主観的要件として行為の詐害性を債務者が認識していたかを検討していた（**要件峻別説**［我妻 176 頁、189 頁以下など］）。②しかし、ⓐ 6-3 ①の詐害行為の原型はその通りでよいが、ⓑ 6-3 ②の相当価格での売却の場合には、客観的要件だけでは詐害性は認められず、債務者の隠匿等の意思が必要になる。ⓒまた、6-3 ③の偏頗行為については、弁済というだけでは詐害行為性は認められず、債務者と債権者の通謀悪意が必要になる。このように、原型以外の拡張事例では、客観的事情と主観的事情が相関的ないし総合的に判断されるため、**総合判断説**ないし**相関判断説**と呼ばれる。

195

§Ⅱ 詐害行為——詐害行為取消権の要件①

6-24　**(イ)　改正法による簡略化**　しかし、6-3③の偏頗行為については、客観的要件自体に支払不能時・支払不能になる30日以内という、債権者平等を適用するための時期的要件を設定すれば十分であり、通謀害意という要件は不要である（☞6-46）。結局、主観的事情を考慮するのは、6-3②の相当価格での売却に限られるが、いわば「動機の不法」の理論のように、隠匿等の意図で行われた場合に、例外的に詐害行為取消しを認めたにすぎない（☞6-38）。総合判断説といった一般論を持ち出す必要はない。

6-25　**(b)　詐害行為は債務者側だけの要件か**

(ア)　偏頗行為以外　債務者の行為を取り消すのであり、詐害行為として問題とされるのは債務者の行為である。まず、債権者 vs 債務者＋第三者（取引安全保護）の場面では、債務者の私的自治と債権者の責任財産保全の必要性との調和が問題となり、債務者の行為が私的自治の範囲内として保護されるべきか否か判断される。

6-26　**(イ)　偏頗行為**　次に、債権者 vs 債権者の場面では、債権回収の自由競争の場面であり、債権者の1人への弁済は、債権者間の債権回収の争いであり、倒産手続に入るまでは自由競争に任される。ここでは、弁済をした債務者の行為ではなく、債権回収をした債権者の行為が自由競争として許されるのかどうかが問題になる。債務者の行為を問題にするというよりも、債権回収の自由競争とされる時期か否か——支払不能時——という観点から客観的に判断されるべきである。

2　客観的要件——詐害行為の成立要件①

6-27　**(1)　債務者の無資力**

(a)　無資力要件の必要性——支払不能とは異なる　詐害行為とは、債務者が責任財産を減少させ、または、消極財産を増やすことにより、債権の十分な満足を得られなくする、または、受けられる弁済額をさらに低下させる行為である。債務者が有資力の場合には、その財産をどう処分しようと自由であり、詐害行為取消権では債務者の無資力要件は当然視されている。424条には「債権者を害する」という要件が明記されており、無資力でなければ債権者を害するとはいえないからである。

第 6 章　債権の効力④──詐害行為取消権

6-28
　◆**支払不能とは異なる**
　　破産手続開始には「支払不能」が必要であるが（破 15 条 1 項）、支払不能は、債務超過を超えて、「債務者が、支払能力を欠くために、その債務のうち弁済期にあるものにつき、一般的かつ継続的に弁済することができない状態（……）」（破 2 条 11 項）と定義されている。支払不能の内容は破産法の教科書に委ねるが、手続開始の要件であり、否認権が認められるための要件ではない。否認権では支払不能時、「支払停止等があった」以降といった要件があるが（破 160 条以下）、民法では解釈により無資力という要件しかなかった。改正により偏頗行為につき、424 条の 3 では要件が加重されている。

6-29
　(b)　無資力の判断要素──基本的には債務超過　債務超過は、資産（積極財産）と負債（消極財産）との単なる計数上の問題で前者を後者が上回ることであるが──もちろんその年度の収支計算が赤字というのとは異なる──、無資力判断では積極財産に計数には現われない債務者の信用・暖簾（のれん）の如きも評価として含められる。単に無資力状態にあるにすぎなければ、債務者は事業を継続中であり、債権は企業の収益から返済を受けるものであるため、債務者の事業にできる限り支障が生じないように配慮がされるべきである。以下には無資力の判断要素として問題となる点を検討していく。

6-30
　(ア)　保証債務は消極財産に算入すべきか　保証債務も、単純に消極財産に算入すべきであろうか。確かに金銭債務であるが、実際には支払わされることは稀であり、また、主債務者に資力がある限り、支払っても求償により支払金額を取り戻すことができる。そのため、私的自治の原則に対する例外である取消権制度の運用においては、主債務者が無資力の場合に限り算入を認めるべきである。問題はその証明責任であり、①被告とされた者の方で主債務者の資力を証明した限りで、積極財産から除くことが許されるという考えがある（我妻 182 ～ 183 頁）。②しかし、抑止的運用を心掛けるべきであり、取消債権者の方で主債務者に資力がなく求償を受けられないということの証明責任を負うと考えるべきである[141]。

6-31
　(イ)　物上保証に供されている財産は積極財産に算入すべきか　保証債務に

---

141)　**＊連帯債務**　連帯債務についても、自己の負担部分を超える弁済をすれば他の連帯債務者に求償ができるので、②と同じ問題が当てはまる。保証債務同様に、被告側で、他の連帯債務者に資力があり求償権が確実であることを証明した場合に限り、負担部分を超えた債務部分は消極財産に算入されないと解されているが（我妻 183 頁、柚木・高木 202 頁など）、保証債務と同様に考えるべきである。

ついてと同様の問題として、他人の債務のために担保に供されている財産を
積極財産に算入することの問題がある。物上保証人も、債務は負担しないが
責任を負担しており、抵当権等が実行されれば財産を失い、また、実行を阻
止するため代位弁済をしても、債務者（被担保債権の債務者）が無資力であ
れば求償権はなきに等しいからである。そのため、同様に証明責任が問題に
なり、保証とパラレルに考えれば、①被告側が債務者の有資力を証明しなけ
ればならないという解釈も可能であるが、②本書の立場からは、算入を否定
する取消債権者が債務者の無資力の証明責任を負うと考えるべきである。

6-32　　(c)　**無資力の判断時期**　「債権者を害する」行為といえるか否かはその行
為の当時を基準として判断される。したがって、無資力の判断時期も行為時
になる。そのため、行為時に無資力でなければ、その後無資力になったから
といって取消権が遡及的に成立することはない。

　逆に、詐害行為後に債務者が資力を回復した場合は問題である。資力を回
復した以上、もはや債務者の財産関係に干渉を認めるべきではない。無資力
要件は、成立要件であると同時に存続要件である。その後に再度無資力にな
った場合には、一度資力を回復し取消権が消滅した以上は、取消権は復活し
ないと考えるべきである（我妻 184 頁など通説）。

6-33　**(2)　詐害行為の存在**

　その行為によって無資力となったり、すでに無資力の状態にある者がより
資力を悪化させる場合に、詐害行為が成立する。贈与、債務免除、保証債務
の負担など、見返りなしに財産を減少させたり債務を増加させる行為（☞
6-3 ①）が、詐害行為に該当することは疑いない。問題となるのは、相当価
額での財産の売却（☞ 6-3 ②）や一部の債権者への弁済（☞ 6-3 ③）のよ
うに、計数上は積極財産の総和に減少を生じさせなかったり、積極財産が減
少するがそれに対応して消極財産が減少する場合である。この場合には、繰
り返しになるが、以下の点を考慮すべきである。

---

①　**債権者 vs 債務者──責任財産の保全 vs 債務者の私的自治**
　　取消権は債務者の私的自治への干渉であり、債務者の再建を妨害しな
いように債務者の再建の利益を尊重すべきである。

②　**債権者 vs 第三者（受益者・転得者）**

第 6 章　債権の効力④——詐害行為取消権

——**責任財産の保全 vs 第三者の取引の安全保護**

　　取消権は取引の安全に与える影響が大きく、取引の安全との調整も考えねばならない。

③ **債権者 vs 債権者**——**債権者平等 vs 債権回収の自由競争**

　　平等弁済の確保は破産手続でのみ保護されると考えるか、それとも、破産外での平等弁済確保の制度への転用を積極的に認めるか、それとも、勤勉な債権者論により債権回収の自由競争を尊重するか。

6-34　(a)　**時価相当価額での不動産の売却**[142]——**債務者の私的自治との調整**

　(ア)　**改正法は破産法に倣った**　民法は、「債務者が、その有する財産を処分する行為をした場合において、受益者から相当の対価を取得しているとき」につき、下記 3 つの要件の「いずれにも」該当する場合に限り詐害行為となることを認める（424 条の 2）。判例では土地の売却で問題になっていたが、「財産」一般が対象とされている。破産法 161 条とほぼ同様の規定を民法に導入したものである。

> ①「その行為が、不動産の金銭への換価その他の当該処分による財産の種類の変更により、債務者において隠匿、無償の供与その他の債権者を害することとなる処分（以下この条において「隠匿等の処分」という。）をするおそれを現に生じさせるものであること」（1 号）
> ②「債務者が、その行為の当時、対価として取得した金銭その他の財産について、隠匿等の処分をする意思を有していたこと」（2 号）
> ③「受益者が、その行為の当時、債務者が隠匿等の処分をする意思を有していたことを知っていたこと」（3 号）

6-35　(イ)　**改正前の議論**

　(i)　**費消または隠匿が必要**　改正前は、不動産を相当価格で売却する行為が詐害行為になるかが議論されていた。大判明 37・10・21 民録 10 輯

---

142)　債権譲渡については微妙である。不良債権については、額面 1000 万円でも 100 万円で売却しても詐害行為とはならないこともありえようが、確実な債権については、弁済期までの利息相当額を差し引くなどを除き、額面額よりも低く売却することは詐害行為になる可能性はある。

199

1347 頁は次のようにいう。ⓐ「其代価にして債務者の許に現存し若くは之を有益に利用転換して売却したる物に代る可き価格の現存するが如き場合」は詐害行為ではない。ⓑ「債務者が売却代金を以て優先権を有する他の債権者に対して弁済を為」すことも、詐害行為にならない。しかし、ⓒ「其売却代金にして不相当に低廉な」場合、または ⓓ「相当の代価にて売却せられたりとするも、債務者が受取りたる代金を<u>無益に費消し若くは隠匿</u>」したときは、詐害行為になる。要するに、相当価格で売却された場合には、代金の費消または隠匿がされて初めて詐害行為になる。

6-36 　(ii) **受益者に債務者による有用の資への利用の証明責任あり**　大判明39・2・5民録12輯136頁は、詐害行為取消しは、「相当の価格なるときと雖も、同じく適用せらる」ものとしつつ、「債務者の財産の対価として新に其財産中に入りたるは消費し易き金銭なれば、債務者が一朝之れを消費するときは債権者の担保を減少するもの」であることを理由としていた。受益者側に、債務者の有用の資への使用の証明を要求し、これが免責事由かのような位置づけになっていた。

6-37 　**(ウ) 改正法による変更**

　(i) **判例の変更**　改正法は、判例を破産法161条に倣って根本的に改めた。①債務者に隠匿等の処分を可能とする行為であり (424条の2第1号)、②債務者に、行為の当時、隠匿等の処分の意思があったこと (同条2号)、そして、③受益者が、債務者が隠匿等の処分の意思を有することを知っていたこと (同条3号) を、詐害行為の要件とした。これらを全て取消債権者が証明することが必要になる[143]。

6-38 　(ii) **債務の再建の障害は取り除かれた**　相当価格での売却それ自体は客観的には詐害行為にはならないと考えるべきである。ただ、債権者保護との関係で、債務者が隠匿等の手段として行い、相手方がそのことを知っていれば——善意を抗弁事由 (424条1項ただし書) にするのではなく、悪意を要件とした——、例外的に詐害行為になるにすぎない。この構造は、90条における動機の不法判断のような例外則である。この結果、債務者が事業の再建目的

---

143)　債務者が代金の半分を浪費し、半分を有用の資に充てるつもりの場合には、浪費された部分のみの詐害行為であるが、目的物が不可分なので、債権者は売買全部を取り消し目的不動産の返還を求めることができるのであろうか。やはり、この場合、浪費された限度での価額償還のみに限るべきである。

で土地を売却する場合、詐害行為取消しに脅かされることはなくなった。

◆弁済資金獲得のための不動産の売却

(1) 改正前の判例

　土地の相当価格での売却が特定の債権者への弁済のためである場合、判例はこれを弁済と同様の規律に服せしめようとしている。大判大13・4・25民集3巻157頁は、①「債務者が特に或債権者と共謀し他の債権者を害して或債権者のみに対する弁済の資金に供するの目的を以て自己の不動産を売却したるが如き場合は詐害の意思に出でたること明白なるも」、②「其の売却行為が当初より何等債権者を害するの意思に出でたることなく単に自己の履行せざるべからざる債務履行の資に供せんが為に誠意を以て為したるものなるときは、其の売得金が或債権者のみに対する弁済に充てられたると否とに拘らず其の売却行為は詐害の意思に出でたるものと謂ふべからず」という（大判昭7・12・13新聞3506号7頁も同様）。

(2) 改正法の下での解釈

　改正法の解釈としては、特定の債権者への弁済が424条の2第1号の「隠匿等の処分」に該当するかどうかにかかる。「隠匿、無償の供与その他の債権者を害することとなる処分」（424条の2第1号）には、金銭の借入れと同時に不動産に担保権を設定する行為（同時交換的行為）も含まれる。424条の3第1項の要件も満たすので、弁済目的の売却にも424条の2を適用してよい。この場合、債権者は、売買契約と弁済のいずれか──両方は取り過ぎ──を取り消せることになる。

(b) 一部の債権者への弁済または担保の供与（偏頗行為）
──債権者間の債権回収の調整

㋐ 弁済など債務消滅に関する行為

(i) 逆転現象の解消　424条の3第1項は、「債務者がした既存の債務についての担保の供与又は債務の消滅に関する行為」（いわゆる**偏頗行為**）については、債権者は、下記①②両者の要件を全て具備する場合に限り、「詐害行為取消請求をすることができる」と規定する。

> ① 「その行為が、債務者が支払不能（債務者が、支払能力を欠くために、その債務のうち弁済期にあるものにつき、一般的かつ継続的に弁済することができない状態をいう。次項第1号において同じ。）の時に行われたものであること」（1項1号）、かつ、
>
> ② 「その行為が、債務者と受益者とが通謀して他の債権者を害する意図をもって行われたものであること」（同項2号）

§Ⅱ 詐害行為——詐害行為取消権の要件①

6-42　**(ii)　判例の変更**　改正前の民法の判例によると（☞ 6-43）、②の通謀害意を問題として否認権にはない特別のハードルを設定しつつ、債務者が無資力であればよいので①の制限を受けず、①を要件とする否認権（破 162 条 1 項）よりも適用範囲が広くなり「逆転現象」を生じていた。現行法は、この点を改正し、①という否認権と共通の要件を設定しつつ、従前の判例の②の要件を維持し、否認権よりもハードルを上げ逆転現象を解消したのである。

6-43　●**最判昭 33・9・26 民集 12 巻 13 号 3022 頁**　**[事案]** Y は A（株式会社）振出の約束手形が不渡りになることを知り、A の店舗に取立てに出向いたが、すでに商品は他の債権者が持ち去ってしまい、A は営業を続けることができず社長等の幹部も所在不明となっていた。手形が不渡になると Y も倒産のおそれがあるため、Y は A の社員に支払を強く求め、A が有する売掛代金を A の社員と共に集金して回り、これを手形金の一部弁済に充てた。A の他の債権者 X は、A のこの Y に対する弁済が詐害行為に該当するとして、Y の受領した金額の引渡しを Y に求めた。
　[判旨]「①債権者が、弁済期の到来した債務の弁済を求めることは、債権者の当然の権利行使であって、他に債権者あるの故でその権利行使を阻害されるいわれはない。②また債務者も債務の本旨に従い履行を為すべき義務を負うものであるから、他に債権者あるの故で、弁済を拒絶することのできないのも、いうをまたないところである。④そして債権者平等分配の原則は、破産宣告を<u>まって始めて生ずるものであるから、債務超過の状況にあって一債権者に弁済することが他の債権者の共同担保を減少する場合においても、右弁済は、原則として詐害行為とならず、唯、債務者が一債権者と通謀し、他の債権者を害する意思をもって弁済したような場合にのみ詐害行為となるにすぎない</u>」という一般論を述べる。事案への当てはめとしては、通謀を否定する[144]。

6-44　**(iii)　偏頗行為である**　一部の債権者への弁済は、積極財産（資産）が減るがこれに対応して消極財産（負債）も同額において減り、プラス・マイナスはゼロになる。しかし、A・B が C に対してそれぞれ 1000 万円の債権を有

---

144)　事例については、「本件においては、A は、法律上当然支払うべき自己の債務につき、債権者たる Y から強く弁済を要求された結果、やむなく義務を履行した関係にあるものと認むべきことは当然である。而して本件弁済が、このような関係でなされたとすれば、単に原審認定の如き経緯だけでは、未だ債務者が他の債権者を害する意思をもって、債権者と通謀の上なしたものであるとは解し難く、又他面原審認定の如く、A の社員が弁済のため 24 日から売掛金の集金を行い、その初日の集金は挙げて他の債権者の弁済に充て、その後の集金を以て Y の債務の一部弁済に充てたという事実から見ると、Y と A との間に他の債権者を回避して Y に優先的に弁済しようとする通謀があったとは断じ難い」として、詐害行為を否定した。

202

し（合計 2000 万円）、C が 1000 万円の預金だけを有している場合、1000万円の債務超過・50%の債権回収の可能性であったのが、C が A に預金から 1000 万円を支払うと、B の債権回収の可能性は 50%が 0%になる。しかし、これを詐害行為として取消しを認めたら、誰も債権回収ができなくなる。そのため、破産手続開始までは債権回収は自由であり（自由競争）また、回収に努力した者が利益を受けてよいが（勤勉な債権者論）、ただ債務者が支払不能になった段階に前倒しをして、平等弁済を確保しようとしたのである。

6-45　**(iv)　2つの要件——債務者の行為の問題ではない**　弁済・担保の提供が詐害行為となるためには、①債務者の支払不能時にされたことという時期的要件、および、②通謀害意（通謀的害意）が必要である。①は破産法 2 条 11号と同様の定義規定が括弧書で置かれている。問題は②である。破産法よりも抑止的な権利にするという遠慮と、従前の判例が要件として要求していたことから、明文化されたものである。しかし、その意味は明確ではなく、債務者の行為に拘泥したがゆえの要件であり、どれだけこの要件が機能しているのか不明である。

6-46　**(v)　客観的要件だけで十分**　ここで考慮すべきは、債務者の行為の詐害性ではなく、債権者の債権回収の自由競争である。債権者が一方的に暴力的に取り立てた場合、通謀害意の要件を満たさないとして詐害性を否定する判例があり[145]、問題視されていた。支払不能時までは債権回収は自由競争、支払不能時の債権回収は後日取り消される可能性があるという制限を受けることになる。①の制限で十分であり、通謀害意という要件は無視して、債権者が、債務者が支払不能の状態にあることを知って弁済を受ければよいと考える[146]。

6-47　**(イ)　義務的ではない担保の供与や代物弁済など**
　　　(i)　弁済よりも要件を緩和した　改正法は、「債務者がした<u>既存の債務に</u>

---

145)　判例は、詐害行為取消権は債務者の行為を取り消す制度であるため、債務者の行為のみに着目する。そのため、債権者が手拳で顎を殴打するなど強く支払を求めて、債務者がほかに逃れようもなくやむをえず支払に応じた場合にも、他の債権者を害する通謀があったとはいえないとして、詐害行為とはならないものと判示されている（最判昭 52・7・12 判時 867 号 58 頁）。この結果、債権者が暴力的債権回収をしても、債務者の弁済行為は取り消すことができず、この点は改正法でも変わりがない。暴力的取立ては他の債権者の債権侵害を問題にするしかない。

ついての担保の供与又は債務の消滅に関する行為」が、「債務者の義務に属
せず、又はその時期が債務者の義務に属しないものである場合において、次
に掲げる要件のいずれにも該当するときは［☞①②］、債権者は、同項の規
定にかかわらず、その行為について、詐害行為取消請求をすることができ
る」と規定する（424条の3第2項）。1項より要件が緩和されている点は①で
あり、支払不能になる前30日以内の行為も取消し可能とされている。

① 「その行為が、債務者が支払不能になる前30日以内に行われたものであ
ること」（2項1号）、かつ、
② 「その行為が、債務者と受益者とが通謀して他の債権者を害する意図を
もって行われたものであること」（同項2号）

6-48　**(ii) 改正による制限・明確化**　改正前は、6-49のように議論があった
が、支払不能時または支払不能になる前30日以内にされ、かつ、通謀害意
を要件として、義務ではない代物弁済であっても当然に詐害行為になるもの
ではないことにしたのである。弁済同様に、②は無視してよいと考える。こ
れも破産法162条2項と平仄を合わせる立法である。

6-49　**◆一部の債権者への代物弁済──424条の4との関係**
(1) 改正前の状況
　債権者の1人に対して不相当な価額の財産により行われた代物弁済が、詐害行
為となることは疑いない（424条の4☞6-110）。また、担保物権を有する債権者に
対し担保物をもってする代物弁済は、価格が相当である限り詐害行為とはならな
い。問題は、一般債権者に対する相当価格の財産による代物弁済である。
　代物弁済自体は義務的でない点に差があるためか、判例は詐害性を容易に認め
ていた（大判大8・7・11民録25輯1305頁を初めとして多数の判例がある）。大判大8・
7・11民録25輯1305頁は、「代物弁済は債務者の負担したる給付に代へて他の
給付を為すことに依り弁済と同一の効力を生ずるものにして、即ち債務の本旨に
従ふ履行にあらざれば債務者が之を為すと否とは其自由なるを以て、債務者に於
て債権者を害することを知りて代物弁済を為し且つ之に依り債権者の一般担保を

146）　高須・前掲「地平線」162頁は、集団的債権回収のための制度ということから、「支払不能の事実を認
識すれば、原則的に認められる要件ということになる」という。他方で、「通謀的害意を認めるためにはそ
れなりの事実関係が必要になろう」という厳格な評価もある（多々良周作「弁済・代物弁済の詐害性
（……）」重要問題206頁）。

第 6 章　債権の効力④——詐害行為取消権

減少するに於ては詐害行為を構成」すると述べる。その後、代物弁済として債権譲渡がされた事例において、弁済と同じ通謀害意という基準を当てはめる判決が出されている（最判昭 48・11・30 民集 27 巻 10 号 1491 頁）。

6-50　**(2)　改正法による変更点**

　424 条の 3 第 2 項は、義務的ではないからといって当然に詐害行為と認めるのではなく、支払不能の 30 日以内にされたことを求め、弁済より要件を緩和するにとどめた（通謀害意も要件）。424 条の 4 の過大な代物弁済には時期的な制限はないが、財産の返還は請求できず、超過額のみの取消し・価格償還に限られる。なお、424 条の 3 第 2 項は相当価額での代物弁済に適用されるのみならず、過大な代物弁済にも適用され、同項の要件を満たす限り、超過額分の取消しではなく財産の返還を求めることができる。

6-51　**◆債権者の 1 人に財産を売却し代金債務と相殺する場合**

(1)　改正前の状況

　債権者の 1 人に不動産を売却し代金債務と相殺する場合、実質的には代物弁済に等しく、その解決との整合性が必要になる。最判昭 39・11・17 民集 18 巻 9 号 1851 頁が、「債務超過の債務者が、<u>特に或る債権者と通謀して、右債権者のみをして優先的に債権の満足を得しめる意図のもとに</u>、自己の有する重要な財産を右債権者に売却して、右売買代金債務と同債権者の有する債権とを相殺する旨の約定をした場合には、たとえ右売買価格が適正価格であるとしても、右売却行為は民法 424 条所定の詐害行為にあたる」という。義務ではないから詐害行為とするのではなく、弁済についてと同じ基準によって解決をしている。

6-52　**(2)　改正法による変更点**

　改正法では、424 条の 3 第 2 項に適用される「債務の消滅に関する行為」（破 162 条も同じ）の解釈によることになる。表記行為が実質的に代物弁済であることを考えれば、これに該当すると考えてよい（424 条の 2 を根拠としてもよい☞ 6-40）。なお、相当価額ではない場合には、424 条の 3 第 2 項が適用にならない限り、売買だけを問題にして 424 条 1 項本文で取消しをするのではなく、424 条の 4 を類推適用して超過額分の取消しに限定すべきかは微妙である。

6-53　**◆物的担保の供与**

(1)　2 つの事例を区別すべき

　債務者が特定の債権者に物的担保を供与する場合も、次の 2 つに分けられる。

---

① 債務者が既存の無担保債権者に対し物的担保を供与する場合

② 新たに融資を受けて債務を負担する際に、その債務のために物的

205

§Ⅱ　詐害行為──詐害行為取消権の要件①

担保を供与する場合

①では、担保に供された範囲で積極財産から除外されるが、それに応じて消極財産も差し引かれ、代物弁済に類似した関係となる。他方、②では、担保に供された財産は積極財産から除外されるが、その代わりに金銭が入ってくるため、不動産の相当価額での売買に類似することになる。この点、民法は「既存の債務についての担保の供与」のみ424条の3で規定を置いた。

6-54
(2)　判例および改正法

(a)　①の事例　判例は、①では、「一部の債権者の為めに抵当権を設定するときは、……抵当権の設定に依り一般担保減少の結果として害を被むるべき債権者あるに於ては右の設定行為は此債権者に対し詐害行為を構成する」と当然に詐害性を認め（大判明40・9・21民録13輯877頁）、義務ではない代物弁済に当然に詐害行為性を認めていた判例と歩調をあわせている。改正法では、既存の債務のための担保供与なので、424条の3第2項が適用になり、支払不能時またはその前30日以内にされ、かつ、債権者との通謀害意が必要になる（本書では後者は不要）。

6-55
(b)　②の事例

(ア)　改正前の判例　②の事例では、判例は、有用の資を新たに得るために自己の財産を担保に供する場合には、詐害性を否定している（大判昭5・3・3新聞3123号9頁など）。最判昭42・11・9民集21巻9号2323頁は、「その売買価格が不当に廉価であったり、供与した担保物の価格が借入額を超過したり、または担保供与による借財が生活を営む以外の不必要な目的のためにする等特別の事情のない限り、詐害行為は成立しない」とする。

6-56
(イ)　改正法　改正法では、既存の債務に対する担保供与ではないので、424条の3第2項は適用にならない。担保を供して新たな借入れをするのは、424条の2の隠匿等の処分に該当すると考えられ、同規定により規律するべきである。そのため、支払不能時またその30日前という時期的制限はない。石田504頁以下は、隠匿や浪費などの意思による場合に詐害行為になるという。

6-57
◆人的担保の負担および物上保証

債務者が保証債務を負担する保証契約の締結は、何ら見返りなしに消極財産を増加させる行為であり、当然に詐害行為となると考えられてきた（於保188頁など。判例はない）。これまであまり議論されてこなかったが、求償が可能ということに着眼して、保証債務を消極財産に含めるかの議論（☞6-30）をここに及ぼして考える学説がある（奥田302頁、注民⑽833～834頁［下森］）。しかし、基準時のことを考えると、疑問である。基準時は保証契約時になるが、保証債務の場合

第6章　債権の効力④——詐害行為取消権

には、保証契約時に主債務者の資力が十分であっても、いつ信用不安になり保証人としての責任をとらされることになるのかわからないのである。そのようなリスクを含んだ保証債務の負担は、保証契約当時に主債務者の資力に不安がない場合であっても詐害行為になると考えるべきである。物上保証も同様である。

3　債務者の行為——詐害行為の成立要件②

6-58　(a)　**法律行為に限られない**　詐害行為は「債務者が……した行為」となっており、改正前は「法律行為」とされていたが、弁済などに適用されていたので「行為」と変更した。「行為」とはされたが、その法的効力を取り消すことが必要であるため、財産の損傷・隠匿といった事実行為は取消しの対象とならない。

6-59　(b)　**無効な行為**　では、無効な行為の詐害行為取消しは考えられないのであろうか。判例は、虚偽表示により無効な行為は詐害行為取消しの対象にならないが（大判明41・6・20民録14輯759頁、大判明41・11・14民録14輯1171頁）——債権者代位権によることになる——、第三者が登場し94条2項が適用されて無効の主張ができなくなった場合には、詐害行為取消しを認める。しかし、債権者代位権も詐害行為取消権も責任財産保全のための制度であり、選択を認めてよいというのが通説的理解である（我妻177頁、於保182頁、柚木・髙木193頁、潮見・新Ⅱ762頁、淡路295頁など）。肯定説に賛成したい。

6-60　◆**対抗要件を具備させる行為**——**不動産登記および債権譲渡通知・登記**
(1)　対抗問題は適用にならない
　①取消債権者の債権が詐害行為後の債権であるが、詐害行為について対抗要件（不動産、動産、債権で異なる）が具備される前に取得した債権である場合、一般債権者も177条などの「第三者」に該当し、詐害行為前の債権者とされ、取消権が認められるのであろうか。②贈与などの行為当時は無資力ではなかったが、その対抗要件具備時には無資力になっていた場合に、その贈与等の行為を詐害行為として取り消すことができるかも、問題になる。通説は①②いずれについても詐害行為取消しを否定する（詳しくは☞6-92）。

6-61　**(2)　対抗要件具備行為を詐害行為として問題にできるか**
　(a)　**物権変動**　対抗要件具備行為そのものを詐害行為として問題にすることができるのであろうか（破164条は一定の条件の下に認める）。判例・通説はこれを否定する。
　判例は、不動産の事例について、「物権の譲渡行為とこれについての登記とは

207

もとより別個の行為であって、後者は単にその時からはじめて物権の移転を第三者に対抗しうる効果を生ぜしめるにすぎず、登記の時に右物権移転行為がされたこととなったり、物権移転の効果が生じたりするわけのものではないし、また、物権移転行為自体が詐害行為を構成しない以上、これについてされた登記のみを切り離して詐害行為として取扱い、これに対する詐害行為取消権の行使を認めることも、相当とはいい難い」という（最判昭 55・1・24 民集 34 巻 1 号 110 頁）。

6-62 　(b)　**債権譲渡**　債権譲渡の事例においても、「債務者がこれについてした確定日付のある債権譲渡の通知は、詐害行為取消権行使の対象とならない」とし、「債権の譲渡行為とこれについての譲渡通知とはもとより別個の行為であって、後者は単にその時から初めて債権の移転を債務者その他の第三者に対抗し得る効果を生じさせるにすぎず、譲渡通知の時に右債権移転行為がされたこととなったり、債権移転の効果が生じたりするわけではなく、債権譲渡行為自体が詐害行為を構成しない場合には、これについてされた譲渡通知のみを切り離して詐害行為として取り扱い、これに対する詐害行為取消権の行使を認めることは相当とはいい難い」と判示する（最判平 10・6・12 民集 52 巻 4 号 1121 頁）。以上につき、通説・判例が適切である。

4　主観的要件（詐害性についての悪意）──詐害行為の成立要件③

6-63 　詐害行為取消請求が認められるためには、「債務者が債権者を害することを知ってした」ことが必要である。積極的に債権者に損害を与えることを欲する害意までは必要でない（認識説ないし悪意説）[147]。重大な過失がある場合には債権者保護を優先すべきであり、悪意と同視すべきである。代表行為また代理行為の場合には、代表者また代理人を基準とする。

　まず詐害行為という客観的要件、次いで、債務者の主観的要件として詐害性についての悪意という単純な構造のようであるが、総合判断説は詐害行為性に主観的事情を組み込んで判断する（☞ 6-23）。

5　「財産権を目的としない行為」ではないこと──詐害行為の成立要件④

6-64 　民法は「財産権を目的としない行為」は、詐害行為取消の対象とはなりえないものと規定した（424 条 2 項）。このような要件を置く立法は、比較法

---

147) 　より積極的な意思が必要であるという意思説ないし害意説もあったが、判例は、債権者の 1 人への弁済その他の弁済に準ずる行為については他の債権者を害することの通謀を要求するが、そうでない限り特に害意まで要求することはない。

第 6 章　債権の効力④——詐害行為取消権

的に稀であり、旧民法にもこの要件はなかった[148]）。想定される典型例は婚姻、離婚、養子縁組、認知等の家族法上の行為（身分行為）である。養子縁組をして養育費がかかるようになるとしても、債権者はこれを取り消すことはできない。この規定の根拠は、①身分行為については本人の意思を尊重すべきこと、また、②身分行為は間接的に債務者の財産に影響を及ぼすにすぎないことである。6-65 以下に問題となる行為を取り上げる。

6-65

◆相続の放棄

(1)　判例は詐害行為取消しを否定

　最判昭 49・9・20 民集 28 巻 6 号 1202 頁は、相続の放棄の詐害行為取消しを否定する。その理由として、①「右取消権行使の対象となる行為は、積極的に債務者の財産を減少させる行為であることを要し、消極的にその増加を妨げるにすぎないものを包含しない」、相続の放棄は、「既得財産を積極的に減少させる行為というよりはむしろ消極的にその増加を妨げる行為にすぎない」、②また、「相続の放棄のような身分行為については、他人の意思によってこれを強制すべきでないと解するところ、もし相続の放棄を詐害行為として取り消しうるものとすれば、相続人に対し相続の承認を強制することと同じ結果とな」ることを挙げている。こうして、そもそも詐害性がないという 424 条 2 項とは別の根拠と、相続人の意思（私的自治）の尊重という同項の根拠の 2 つが理由とされている。

6-66

(2)　肯定説もある

　しかし、相続の放棄は財産権を目的とするものとして、取消しの対象となると解する学説もある（大島・前掲書 60 頁以下、潮見・新Ⅱ 770 頁、石田 470 頁）。ただし、相続人の債権者にのみ取消権は認められ、被相続人の債権者（相続債権者）には取消権は認められない（大島俊之「相続と債権者取消権」『現代民法学の理論と実務の交錯』356 頁、潮見Ⅰ 768 頁）。また、制限的肯定説もあり、相続後に債権を取得した債権者についてのみ、その後の相続放棄の取消しを認める学説（竹屋芳昭・民商 73 巻 1 号 91 頁）、相続前の債権者であっても親の財産を頼りに子が借金した場合にも取消しを認めるという学説（前田 280 ~ 281 頁）に分かれる。これに対しては、相続人の権利は、相続後も含めていまだ期待権的なものにすぎず、相続人の自由の方が優先されると批判されている（飯原一乗『詐害行為取消権・否認権の研究』[2008] 65 頁）。形式的・画一的に考えて、家庭裁判所への正規の相続放棄手続まですれば、詐害行為取消しから免れられるという制度的保障を認めてよいと思われる。

148）　工藤祐巌「民法 424 条 2 項の『財産権を目的としない法律行為』の意味について」法政論集 254 号 [2014] 329 頁以下参照。現行民法の原案 419 条には規定がなく、民法整理会で現行 424 条 2 項が追加され、その提案理由としては隠居や婚姻が取消しの対象になることを避けるということにあった。

§Ⅱ　詐害行為——詐害行為取消権の要件①

6-67

◆遺産分割——取消しの可否および内容

(1)　遺産分割は詐害行為取消しの対象になる

　遺産分割の合意は共有物分割同様に（260条に特別規定がある）、詐害行為取消しの対象になる（我妻177頁、川井186頁など）。最判平11・6・11民集53巻5号898頁も、「共同相続人の間で成立した遺産分割協議は、詐害行為取消権行使の対象となり得る」。「けだし、遺産分割協議は、相続の開始によって共同相続人の共有となった相続財産について、その全部又は一部を、各相続人の単独所有とし、又は新たな共有関係に移行させることによって、相続財産の帰属を確定させるものであり、その性質上、財産権を目的とする法律行為であるということができるからである」と、詐害行為取消しを認めている。取消債権者の限定はなく、相続人の債権者と被相続人の債権者のいずれも取消請求が可能になる。

6-68

(2)　取消しの内容

　例えば、ABCがそれぞれ2：1：1の相続分でもって、預金3000万円と3000万円の価格の不動産とを共同相続したとしよう。ABCが遺産分割の合意により、預金はA、不動産はBに帰属させ、Cは何も取得しない（事実上の放棄）ことになったとする。Cの債権者がCによるこの遺産分割の合意を取り消すことができるとしても、その内容については次の2つを考えることができる。

6-69

　(a)　財産ごとに考える　まず、預金と不動産それぞれ別々に詐害行為を問題にすることも考えられる。分割により、預金については、Cが分割取得すべき750万円が遺産分割によりAに移転し、また、不動産については、Cの不動産持分750万円分がBに移転するので、これをそれぞれ取り消すことが考えられる。しかし、この事例で相続分を超えた利得をしていて返還を義務づけられるのは、Bだけであり、Aまで取消しの相手方になるのは適切ではない。

6-70

　(b)　総額で考える　そこで、誰がCの事実上の放棄という詐害行為により利益を受けているかを考えるべきである。そうすると、2分の1の相続分のAが3000万円の預金を取得するのは何ら受益しておらず、受益があるのは、4分の1の相続分（1500万円）なのに3000万円の土地を取得したBである。Bの1500万円分の持分取得を詐害行為として取り消しうるものと考えるべきである。取消しにより、BCの1500万円ずつの共有になる。

6-71

◆離婚に際しての財産分与——取消しの可否および内容

(1)　原則として詐害行為取消しが否定される

　離婚に際して行われる財産分与は、原則として詐害行為とならないと考えられている。その理由につき、財産分与の内容が3つに分けられ、それぞれにつき以下のように説明される。①まず、夫婦の実質的共有財産の清算については、そもそも債務者たる分与者の財産ではなかったのであり、取消しが認められるべきではない。②次に、離婚後の生活保障という点については、債務の履行であり弁済

第6章　債権の効力④──詐害行為取消権

の取消しについての法理によれば足りる、③財産分与に際する慰謝料の支払も②と同様である。

(2)　詐害行為性が認められる場合

しかし、財産分与に仮託した資産隠しから債権者が保護される必要がある。離婚を仮装して財産分与をするのは、取り消すまでもなく無効である。また、慰謝料支払義務があるが、例えば1000万円程度が適正額なのに、慰謝料名目で3000万円の財産分与として支払をすれば、適正額を超えた金額の支払は無効である。しかし、賠償額につき当事者に争いがあってその金額で約束したのであれば、和解契約として有効になり詐害行為取消しによらざるをえない。判例は下記のように、①不相当に過大というだけでなく、②財産分与に仮託してされた財産処分であることを詐害行為の要件としているが、仮託でなくても、不相当に過大であれば詐害行為取消しの余地を認めるべきである。

●**最判昭58・12・19民集37巻10号1532頁**　「離婚における財産分与は、夫婦が婚姻中に有していた実質上の共同財産を清算分配するとともに、離婚後における相手方の生活の維持に資することにあるが、分与者の有責行為によって離婚をやむなくされたことに対する精神的損害を賠償するための給付の要素をも含めて分与することを妨げられない」。「分与者が既に債務超過の状態にあって当該財産分与によって一般債権者に対する共同担保を減少させる結果になるとしても、それが<u>民法768条3項の規定の趣旨に反して不相当に過大であり、財産分与に仮託してされた財産処分であると認めるに足りるような特段の事情のない限り、詐害行為として、債権者による取消の対象となりえない</u>」[149]。

●**最判平12・3・9民集54巻3号1013頁**　(1)　**事案**　Aは多額の負債を抱え、妻Yと協議離婚し、その際にAがYに対して生活費補助としてYが再婚するまで毎月10万円を支払うことおよび離婚に伴う慰謝料（Aの不貞と暴力が離婚原因）として2000万円を支払うことが約束された。XはAに対する債権に基づいて、AY間の財産分与の詐害行為取消しを求めた事例である。不相当の財産分与と認められ、取消しが命じられている。

(2)　**最高裁判旨**　(a)　**財産分与**　「離婚に伴う財産分与は、民法768条

---

[149]　事案への当てはめとして、夫Aと妻Yはすでに結婚生活約21年以上にも及んでいるが、Aには子供までなした女性関係があり、Aは家にはほとんどおらず、家業のクリーニングはYに任せ切りで、自分は不動産業、金融業等を行っていたが多額の負債を抱えて倒産するに至り、離婚にあたって、Aは本件土地を財産分与および慰藉料の支払のためYに与えることにしたものであり、相当な事例と認められ取消しが否定されている。

§Ⅲ　被保全債権の要件——詐害行為取消権の要件②

3 項の規定の趣旨に反して不相当に過大であり、財産分与に仮託してされた財産処分であると認めるに足りるような特段の事情のない限り、詐害行為とはならない」[最判昭 58・12・19 を援用]。「そして、離婚に伴う財産分与として金銭の給付をする旨の合意がされた場合において、右特段の事情があるときは、不相当に過大な部分について、その限度において詐害行為として取り消されるべきものと解するのが相当である」。

6-76

　(b)　**慰謝料の支払**　「離婚に伴う慰謝料を支払う旨の合意は、……新たに創設的に債務を負担するものとはいえないから、詐害行為とはならない。しかしながら、当該配偶者が負担すべき損害賠償債務の額を超えた金額の慰謝料を支払う旨の合意がされたときは、その合意のうち右損害賠償債務の額を超えた部分については、慰謝料支払の名を借りた金銭の贈与契約ないし対価を欠いた新たな債務負担行為というべきであるから、詐害行為取消権行使の対象となり得る」。

6-77

(3)　財産分与の詐害行為取消しの内容

　詐害行為取消しが可能な場合、金銭の支払であれば過大な金額部分のみの取消し、返還請求になるが、例えば 1000 万円が相当なのに、5000 万円相当の不動産を財産分与した場合に、取消内容はどう考えるべきであろうか。

　①まず、廉価販売同様に目的物の返還を請求できる（可分ではない）と考えることもできる（424 条の 6）。受益者の 1000 万円の財産分与請求権が復活することになる。②もう 1 つは、現物返還請求を否定し、424 条の 4（過大な代物弁済）の規定を適用して、過大な金額部分の 4000 万円の価額償還請求権を認めることも考えられる。財産分与の 6-71 の性質からすると、改正法では②によることになる。

---

§Ⅲ
被保全債権の要件——詐害行為取消権の要件②

6-78 **(1)　被保全債権が侵害されたこと——個々の債権者ごとの取消権の成立要件**

　424 条 1 項は、「債権者は」と規定され、債権者は誰でも詐害行為取消請求ができるかのように規定されている——ドイツでは債務名義を有する債権者に限定されているが、日本ではそのような限定はない——。しかし、①金銭債権者以外に認める必要はなく、また、②金銭債権者でも、ⓐ十分な抵当

212

第6章 債権の効力④──詐害行為取消権

権を有する債権者、また、ⓑ詐害行為後の金銭債権者に取消権を認める必要
はない。私的自治の原則に対する例外であり、破産管財人でもないのに、他
の債権者のために取消しをすることを認める必要はない。そのため、当該詐
害行為により害された債権者についてのみ取消権（取消請求権）が認められ
るべきである。

6-79　(a)　**履行不能により損害賠償請求権になった場面**

　㋐　**填補賠償請求権には取消権が認められる**　特定物債権には取消権は認
められない。しかし、履行不能により填補賠償請求権が成立した場合には、
その回収のために債務者の責任財産を保全する必要性がある。この場合に、
詐害行為後の金銭債権者には原則として取消権が認められないため（☞
6-86）、履行不能前にされた詐害行為には、損害賠償請求権者たる債権者は
取消権が認められないのであろうか。

6-80　㋑　**不能前の詐害行為の取消権**　①履行不能による填補賠償請求権は、契
約上の特定物債権の変形であり同一の債権であるとすれば（☞4-16）、詐害
行為前の債権ということになる。損害賠償請求権になって初めて債権が害さ
れたという要件が満たされるため、その時点で取消権が成立することにな
る。②ただし、別債権説また2つの債権の連続性を認める転形論でも、詐
害行為前の原因による債権と考えることができ、取消しが認められる（424
条3項）。したがって、議論の実益はなくなった。

6-81　(b)　**二重譲渡のケース──特定物債権についての応用問題**　例えば、Aが
甲地をBに売却した後、さらにCに売却し、Cに所有権移転登記をしたと
する。この場合に、詐害行為取消権をめぐって2つの問題を指摘できる。
①1つは、AがCへの売却の当時に無資力であった場合には、Bに詐害行
為取消権が認められるか──さらにいうと、Aの他の債権者はどうか──、
②もう1つは、Aが無資力でなくても、Bの債権が二重譲渡により害されて
おり、詐害行為取消権を転用してBにAC間の売買契約の取消しが認めら
れるかということである。判例は②ケースにつき取消権を否定したが（☞
6-82）、その後、①ケースについては、取消権を肯定している（☞6-83）。
①ケースについて取消権を肯定する論理は、6-80と同じである。②ケース
の転用を認めるのは無理である。

6-82

◉**大判大 7・10・26 民録 24 輯 2036 頁**　［事案］木材を A が X に売却した後、引渡しをしないうちに、これをさらに Y に売却し引き渡してしまったため、424 条に基づき、X が Y に対し目的物の返還または価格の賠償（価額償還）を求めた事例である。以下のように判示する（請求棄却）。

　［判旨］424 条をみると、「特定物を売却したる者が之を買主に引渡すに先ち契約に違反して其物を二重に悪意の第三者に売却して之を引渡したる場合に於て、当初の買主は自己の引渡請求権を詐害したるものとして第二の売買行為を取消すことを得るものの如し。然れども民法第 425 条に於て、前条の規定に依りて為したる取消は総債権者の利益の為めに其効力を生ずと規定しあるに由って之を観れば、詐害行為の取消権は、<u>債務者が一般債権者の共同担保を害する法律行為を為したる場合に於て債権者に救済を与うるを目的</u>としたるものと解するを相当とすべく、<u>其債権者は詐害行為取消の結果として債務者に復帰したる財産より平等の割合を以て弁済を受くるに依りて救済を得べきもの</u>なりとす。故に詐害行為の取消権を有する債権者は、<u>金銭の給付を目的とする債権を有する者ならざるべからず</u>」。

6-83

◉**最大判昭 36・7・19 民集 15 巻 7 号 1875 頁**　⑴　**事案**　X は本件建物を A から購入したが、登記をする前に同建物を A は抵当権者 B に代物弁済して抵当権設定登記の抹消登記をし所有権移転登記をし、B はこれをさらに Y に売却し所有権移転登記をした。X が Y に対し、AB の代物弁済契約を取り消し、A への所有権移転登記手続を求めた。原判決はこれを認めたが、最高裁は、代物弁済を詐害行為と認めつつ、被担保債権を差し引いた部分のみを取消しできるにすぎないとして、全部取消しを認めた原判決を破棄する（価額賠償に制限する）。

6-84

　⑵　**最高裁判旨**　(a)　**取消しが可能**　「民法 424 条の債権者取消権は、総債権者の共同担保の保全を目的とする制度であるが、特定物引渡請求権（以下特定物債権と略称する）といえどもその<u>目的物を債務者が処分することにより無資力となった場合には、該特定物債権者は右処分行為を詐害行為として取り消すことができる</u>」。「けだし、かかる債権も、窮極において損害賠償債権に変じうるのであるから、債務者の一般財産により担保されなければならないことは、金銭債権と同様だからである」。「債権者取消権は、総債権者の利益のための債務者の一般財産の保全を目的とするものであって、しかも債務者の無資力という法律事実を要件とするものであるから、所論 177 条の場合と法律効果を異に」し、177 条の法意に反することはない。

6-85

　(b)　**抵当権者への代物弁済は価値の残額部分のみの取消し**　債権者取消権は「債務者の詐害行為により減少された財産の範囲にとどまるべきものと解すべ

第6章　債権の効力④──詐害行為取消権

きである。したがって、……本件においてもその取消は、前記家屋の価格から前記抵当債権額を控除した残額の部分に限って許されるものと解するを相当とする」。「詐害行為の一部取消の場合において、その目的物が本件の如く一棟の家屋の代物弁済であって不可分のものと認められる場合にあっては、債権者は一部取消の限度において、その価格の賠償を請求する外はない」[150]。

6-86 **(2)　被保全債権の成立時期**

(a)　原則詐害行為前の債権＋改正前の例外

(ｱ)　詐害行為前の債権であることを原則として宣言　詐害行為を取り消しうる債権者は、詐害行為によって害された債権者でなければならない。そのためには、詐害行為前に債権を有していて、債務者の財産を責任財産として把握していた債権者でなければならない。判例もこのことを要件として認める（大判大6・1・22民録23輯8頁、最判昭33・2・21民集12巻2号341頁）。

6-87 **(ｲ)　利息や遅延損害金は例外**　前掲最判昭33・2・21は、「債務者の行為が債権者の債権を害するもの」といえるためには、「その行為が取消権を行使する債権者の債権発生の後であることが必要なのである」という原則を宣言する。ところが、詐害行為前の債権であれば、詐害行為後のその利息や遅延損害金も被保全債権と認めていた（最判昭35・4・26民集14巻6号1046頁、最判平8・2・8判時1563号112頁等）。理由は示されていない。

6-88 **(b)　改正法による拡大**

(ｱ)　債権の原因が詐害行為前であればよい　改正法は、(a)(ｱ)が原則であることを前提としつつ、その修正原理を規定した。すなわち、「その債権が第1項に規定する行為の前の原因に基づいて生じたものである場合に限り」取消請求ができるものと規定した（424条3項）。破産債権についての「破産手続開始前の原因に基づいて生じた」（破2条5項）と平仄を合わせたものであり、従来の判例よりも被保全債権の範囲を拡大する実質改正である（中田裕康

---

150)　**＊事後処理**　本判決は価額償還が問題とされたが（改正法により424条の4に明文化された）、全部取消しが認められる場合に、自己への所有権移転登記請求ができるかが問題とされている。しかし、取消しは責任財産の保全のために認められるものであり、取消債権者に移転登記請求権は認められず、あくまで取り戻した不動産につき損害賠償債権の回収のために強制執行をすることしかできないと考えられている（最判昭53・10・5民集32巻7号1332頁）。すなわち、「民法424条の債権者取消権は、窮極的には債務者の一般財産による価値的満足を受けるため、総債権者の共同担保の保全を目的とするものであるから、このような制度の趣旨に照らし、特定物債権者は目的物自体を自己の債権の弁済に充てることはできない」として、取消債権者の所有権移転登記抹消請求は認めたが、自己への所有権移転登記請求は認めない。

215

ほか『講義債権法改正』[2020] 126頁〔沖野〕）。

6-89 　　**（イ）　具体例**　　例えば、委託を受けた保証人の事後求償権（459条1項）について、保証契約後、事後求償権発生前の詐害行為について、424条3項により取消権が認められる。賃借人の敷金返還請求権も、賃貸借契約後の賃貸人の詐害行為に対して取消権が認められる。請負人の担保責任による注文者の損害賠償請求権については、目的物の引渡し前であっても請負契約後の詐害行為について取消権が認められる。契約後の詐害行為であれば、その後の履行期の履行遅滞による損害賠償請求権や、目的物の欠陥による拡大損害の損害賠償請求権も取消権により保全される。

6-90 　**◆将来の債権──調停で成立した将来の婚姻費用の支払に関する債権**
　　将来の債権は、詐害行為時に発生していないので、被保全債権にはならない。ところが、判例は、将来の分の婚姻費用の支払義務について被保全債権とすることを認めている。「いったん家庭裁判所が審判または調停によってこれを決定した以上、……家庭裁判所が、事情の変更によりその分担額を変更しないかぎり、債務者たる配偶者は、右審判または調停によって決定された各支払日に、その決定された額の金員を支払うべきものといわなければならない。その意味においては、この債権もすでに発生した債権というを妨げない」、「これを未発生の債権とみるときは、調停または審判の成立直後、いまだ第1回目の弁済期の到来する以前に、債務者が故意に唯一の財産を処分して無資産となったような場合には、債権者は、詐害行為取消権の行使により自己の債権を保全する機会を奪われることにな」る、「少なくとも、当事者間の婚姻関係その他の事情から、右調停または審判の前提たる事実関係の存続がかなりの蓋然性をもって予測される限度においては、これを被保全債権として詐害行為の成否を判断することが許される」と判示されている（最判昭46・9・21民集25巻6号823頁）。

6-91 　**◆詐害行為後その対抗要件具備までに生じた債権**
　（1）　対抗関係に立つ「第三者」に一般債権者を含めるかという問題
　　詐害行為が対抗要件を要する不動産売買や債権譲渡である場合、その契約は債権発生前にされたが、その対抗要件の具備は債権発生後である場合、その債権の債権者は取消権を有するであろうか。例えば、無資力状態にあるAがその所有不動産を時価よりもかなりの安価でBに売却したが、その登記をしていない間にCがAに対して債権を取得し、その後にBへの移転登記がなされたとする。これは、対抗関係に立つ「第三者」に一般債権者を含めるかという問題である（177条・467条2項）。

216

6-92　**(2)　判例・通説は取消しを否定**

　①登記のない間は一般債権者はその不動産を責任財産として期待して取引をするのであり、177条の第三者として保護すべきであるという少数説がある（我妻179頁）。②しかし、177条の第三者性そして取消しを否定するのが通説である（於保193頁、松坂124頁、星野109頁、川井176頁など）。判例も同様であり（大判大6・10・30民録23輯1624頁）、「債権が其行為以後に発生したるものなるときは、仮令其行為に基き為されたる登記が債権発生の後なるときと雖も、其行為を詐害行為として取消の目的と為し得べきものに非ず」と明言する。177条の第三者性を論じていないが、これに含まれないことは当然視されている。

6-93　**(3)　被保全債権のその他の要件**

　(a)　十分な担保のある債権　質権・抵当権といった特別の物的担保によって担保されている債権は、債務者の一般財産に干渉させる必要性がなく、ただ担保物の価格により担保されていない額についてのみ取消しが許されるにすぎない。他方、物上保証人の提供した財産の上に担保権を有している場合には、その被担保債権につき全額を被保全債権とすることができる。担保権が実行され、被担保債権が消滅しても、物上保証人の同額の求償権が成立するからである（奥田・佐々木・中巻436頁）。これに対して、保証が付いている場合には、必ずしも優先弁済権が保障されるわけではないので、債権者は債権金額全額につき取消権を行使しうる（大判大7・9・26民録24輯1730頁、大判大9・5・27民録26輯768頁、奥田310頁など通説）。

6-94　**(b)　強制執行によって実現できない債権ではないこと（抗弁事由）**　強制力のない債権には、詐害行為取消権は認められない。最判平9・2・25判時1607号51頁は、「詐害行為取消権は、債務者の責任財産を確保し将来の強制執行を保全するために債権者に認められた権利であ」り、「免責決定を受けてこれが確定し」た債権は、「訴えをもって履行を請求しその強制的実現を図ることができなくなったものであり……、その結果詐害行為取消権行使の前提を欠くに至った」として、詐害行為取消権を否定している。改正法は、「債権者は、その債権が強制執行により実現することのできないものであるときは、詐害行為取消請求をすることができない」とこの点を明記した（424条4項）。なお、通説・判例（大判大9・12・27民録26輯2096頁）は、被保全債権の弁済期の到来は、取消権を認めるために必要ではないと考えている。

§Ⅳ　詐害行為取消権の行使

§Ⅳ　詐害行為取消権の行使

1　詐害行為取消権の行使のための要件（受益者らへの対抗要件）

6-95 **(1)　受益者に対する取消請求──悪意が必要（抗弁事由）**

(a)　善意が抗弁事由　詐害行為取消権が以上の要件を満たして成立したとしても、受益者の取引の安全との調整が必要なため、民法は取消権の行使のための特別の要件を設定した。まず受益者について説明するが、取消訴訟の被告とされた受益者が「その行為の時において債権者を害することを知らなかったときは、この限りでない」（424条1項ただし書）と規定されている。抗弁事由であり、証明責任は受益者側に負わされる（大判明42・6・8民録15輯579頁）。424条の2第3号では、詐害行為の成立要件になっている。

6-96 **(b)　債務者の悪意まで知っている必要はない**　ここでの悪意は、「債権者を害すべき事実」を知っているだけよい。債務者の無資力と詐害行為性を認識していればよく、債務者の悪意（☞6-63）まで知っている必要はない。ただし、424条の2第3号は特則である。

6-97 **(2)　転得者に対する詐害行為取消請求──悪意が必要（要件事実）**

(a)　相対的構成を放棄　改正前は相対的取消しであることから、受益者が善意でも転得者が悪意であれば、転得者との関係での詐害行為取消しが認められていた（相対的構成）。改正法は、これを変更した。転得者（「受益者に移転した財産を転得した者」[151]）に対する詐害行為取消請求につき、①転得者の悪意だけでなく（424条の5第1号）──再転得者、再々転得者は全ての転得者の悪意が要件（同条2号）──、②「受益者に対して詐害行為取消請求をすることができる場合」であることを要件としている[152]（424条の5柱書）。絶対的構成が採用されており、これも破産法と平仄を合わせるための改正であ

---

151)　**＊転得者以外の第三者**　詐害行為取消しは財産の返還請求を内容とするので、転得者だけが規定されており、「第三者」一般は保護されていない。Aが甲地をBに贈与し、Bが甲地にCのために抵当権を設定したり、賃貸した場合、また、Cが差押えをした場合にはどうなるのか不明である。実体法上の取消しではなく取消「判決」を問題にしなければならないので、94条2項のような規定にはできないというジレンマがある。判決効の問題に解消され、Bの債権者には取消しを対抗できるが、抵当権者や賃借人には対抗できず、抵当権付き、賃貸不動産のまま取り戻すことになるのであろうか。

第6章　債権の効力④──詐害行為取消権

り、否認権では同様の制限がされている（破170条1項3号）[153]。

6-98　**(b)　転得者の悪意は要件事実**　受益者とは異なり、転得者の悪意は抗弁権ではなく、①②共に詐害行為取消請求の要件として規定されている。そのため、取消債権者が転得者の悪意を証明することが必要になる[154]。受益者の善意は、転得者を被告とする場合も抗弁事由になる。

2　詐害行為取消権の行使（詐害行為取消請求訴訟）

6-99　**(1)　詐害行為取消権の行使方法**

(a)　裁判上の行使　詐害行為取消権は債権者代位権と異なり、「取消しを裁判所に請求することができる」権利であり、訴訟提起が必要である（424条1項本文）。これにつき、①訴権という実体法上の権利と訴訟法上の権利との未分化な時代の名残りと考えるか（川島67頁）、それとも、②取消しの効果は第三者の利害に重大な影響を及ぼすので、裁判所にその要件が満たされているかを判断させ、これを他の債権者も知りうるようにする必要があるため、裁判上の行使が要求されたと考えるか（於保197頁、奥田313頁など）の対立がある（後者の理解でよい）。なお、抗弁による取消しを否定するのが通説であり（淡路308頁）、判例であるが（最判昭39・6・12民集18巻5号764頁）、これを肯定する学説もある（石田508頁）。

6-100　**(b)　取消訴訟の被告**

(ア)　取り消されるのは債務者の詐害行為　取り消されるのはあくまで「債

---

152)　＊**二重の悪意は不要**　受益者が悪意であればよく、転得者は受益者の悪意を知っていること（二重の悪意）までは要求されない。破産法旧170条は転得者に対して、受益者らに主観的要件が充足されていることまで知っていることを要求しており（二重の悪意）、要件として加重に過ぎると批判されていた。そのため、破産法170条1項は、民法改正に際して改正され、二重の悪意を要求する部分は削除された。民法もこれに倣えば、「受益者に対して詐害行為取消請求をすることができる場合」であればよく、二重の悪意までは要件として規定していない。

153)　なお、破産法170条1項2号は、一定の債務者の内部関係者につき悪意の推定規定を置いているが、民法には同様の規定はない。ただし、立法担当官の見解として、善意の者を「藁人形」として介在させた場合には、「悪意の者と一体の者として扱うことができると解される」と説明されている（一問一答106頁注(1)）。

154)　受益者・転得者共に悪意である場合には、債権者は、転得者を被告として財産の返還を求めることも、受益者を被告として価額の償還を求めることもできる。両者に対して請求することは妨げられず、いずれについても勝訴判決を受けることができる。転得者から現物返還、それがだめならば受益者から価額償還といった、主観的選択的併合訴訟は認められない（連帯ではないが、いずれに対しても共同被告で請求するだけ）。ただ執行段階でいずれか先に満足を受けたら、他方の執行はできなくなる。

務者が……した行為」である。転得者や再転得者を被告とする場合であっても、取り消されるのは債務者・受益者間の行為であり、受益者・転得者間の行為ではない。

6-101 　(イ)　**被告とされるべき者**　被告とされるべき者は、取消権の性質に関係して争いがあったが、改正法により解決された（424条の7）。①受益者に対して詐害行為取消請求をする場合には、受益者のみを被告とし（同条1項1号）、②転得者に対して詐害行為取消請求をする場合には、転得者のみを被告とする（同項2号）。いずれの場合にも、債務者は被告にはならない（被告適格がない）。債務免除の場合も、受益者（第三債務者）のみが被告とされる（大判大9・6・3民録26輯808頁）。債務者は当事者適格がないため、共同訴訟的補助参加しか参加形態は考えられない（吉川昌寛「受益者と転得者の悪意……」重要問題233頁）。

6-102 **(2)　手続法上の問題点**

　(a)　**他の債権者の取消請求**　詐害行為取消権ではそれぞれの債権者に取消権が認められ、すでにある債権者により取消訴訟が提起されていても、他の債権者が取消訴訟を提起することは妨げられない（併合される）。債権者ごとに訴訟物があるため——詐害行為の成否は共通であるが、取消権の成否は債権者ごとに判断される——、判決は各債権者につきされる（奥田・佐々木・中巻494頁）。各債権者ごとに全額の認容判決が出され、執行段階で調整するしかない（吉川・前掲論文235頁）。

6-103 　(b)　**破産手続が開始したら**　しかし、債務者につき破産手続開始の決定がされ、破産管財人に否認権が生じた以上は、個々の破産債権者の取消権はもはや行使しえなくなり（大判昭4・10・23民集8巻787頁）、また、すでに提起されている取消訴訟は、破産手続の開始により当然に中断し（破45条1項）、破産管財人はこれを受け継ぐことができる（同条2項）。

6-104 　(c)　**債務者への訴訟告知義務**　債権者は、詐害行為取消訴訟を提起した場合には、遅滞なく、債務者に対して訴訟告知をしなければならない（424条の7第2項）。訴訟告知がされない場合には、裁判所は当該訴えを却下すべきである（奥田・佐々木・中巻492頁）。訴訟告知が債務者への判決効拡張の正当化根拠とされているからである（高須・前掲書86頁、169頁以下）。

第 6 章　債権の効力④——詐害行為取消権

6-105 **(3)　取消しの範囲および内容**

(a)　被保全債権額による制限　詐害行為取消権制度の理解によって、取消しの範囲は変わってくる。取戻しの対象が不可分な不動産であれば議論の余地はないが、金銭の取戻しないし金銭による償還請求の場合が問題である。

①総債権者のために責任財産保全という共同の利益になる行為をするのだと考えれば、破産管財人の否認権同様に、常に全面的な取消しが可能になる。②他方で、個別債権者の債権回収のための制度だと考えれば、特別事情がなければ、債権回収に必要な財産が取り戻せればよいことになる。判例は、建前は①、実際の運用は②といった状況にあり、以下のようである。

6-106 **(ア)　改正前の判例**

(i)　財産を取り戻す場合　①まず、取消しの対象である取引が不可分な 1 つの物を対象としている場合、債権額を超えても全部取消しができる（最判昭 30・10・11 民集 9 巻 11 号 1626 頁）。②ただし、取消しの対象が「本件売買の如く数箇の不動産を其目的物とする法律行為に在ては、……其目的物中少なくとも損害額以上にして最も之に近き価格を有する物件を選み之に関する部分に於て其法律行為を取消すを以て其宜を得たるものとす」と判示する（大判明 42・6・8 民録 15 輯 579 頁）。

6-107 **(ii)　金銭の支払を求める場合**　目的不動産が返還不能であり価額償還による事例で、(i)の②判決を参照として引用しつつ同趣旨が宣言されている。すなわち、「其行為の目的が可分なる場合に於ては、……債権者の損害を救済する為めに必要なる限度に於てのみ其行為を取消し得る」。「金銭債権を有する者は、原則として自己の債権額を超越して取消権を行使することを得ず。唯其損害を救済する為め必要存する場合に於てのみ、其債権額を超へて取消権を行使することを得るに過きざる」ものと判示している（大判大 9・12・24 民録 26 輯 2024 頁）。ただし、他の債権者が配当加入してくることが明らかであれば、債権額を超えて取消しを求めることが認められている（大判大 5・12・6 民録 22 輯 2370 頁）。

6-108 **(イ)　改正法**　424 条の 8 により、「債務者がした行為の目的が可分であるときは、自己の債権の額の限度においてのみ、その行為の取消しを請求することができる」（同条 1 項）、「価額の償還を請求する場合」も同様である（同条 2 項）。「目的が可分」でなければ反対解釈として全部取消しを認めることが

221

§Ⅳ　詐害行為取消権の行使

できるが、そうでない限り、取消債権者の債権額に制限された一部取消しとなる。⑺⑪の例外については明記されなかったが、否定する趣旨ではない。

6-109　**⑺　改正法の下での異説**　集団的な債権回収制度として運用する学説は、取消債権者の債権額に制限されることを疑問視する。一部の債権者が事実上代表のような形で訴訟をして（優先権は認めない）、総債権者のために責任財産を保全するものなので、⑺⑪の②の例外を活用することを考えている（高須・前掲「地平線」154頁）。また、異説として、424条の8の適用を、直接訴権および一部取消判決の場合に限定し、現物を取り戻す全部取消判決を認める学説がある（石田511頁）。

6-110　**(b)　詐害行為が部分的にのみ成立する場合**

⑺　財産の過大な供与　過大な代物弁済については、超過分の詐害行為取消請求しか認められない（424条の4）。これも破産法に倣った改正である（破160条2項）。例えば、1億円の債権者に、3億円の土地を代物弁済に供した場合、1億円の債権分の代物弁済自体は取り消すことはできず、超過する2億円の価格償還請求ができるだけである。代物弁済の取消しは424条の3第2項の要件を満たさなければ認められず、その要件を満たさない過大な代物弁済では、弁済として有効な部分は取り消せず、超過額について価格償還請求のみを認めたのである。

　3億円の土地を1億円で売却した場合には、2億円の価格償還によることはできず、土地の返還請求しかできない（424条の6）。このバランス論から、424条の4を、受益者たる債権者が目的物に担保権を有していた場合にのみ適用し、それ以外の過大な代物弁済では現物返還の請求を認める学説がある（石田502頁）。

6-111　**⑷　現物返還の原則、価額償還の補充性**　部分的に詐害行為が成立する場合、424条の6では不可分な場合には返還困難でなければ現物返還というのが原則である（**価額償還の補充性** ☞6-125）。そうすると、上記のように代物弁済部分は取り消しえないとしても、不可分なので現物返還ができるはずである。424条の4はその例外ということになる。例外規定がない限り、例えば、5000万円の評価額の土地を3000万円で販売すれば、2000万円の価額償還ではなく現物返還しか請求しえない。また、財産分与が過大な場合（☞6-77）、例えば財産分与が3000万円が適切な場合に、5000万円

第 6 章　債権の効力④——詐害行為取消権

の金銭の支払があれば過分であり 2000 万円のみの取消しに限られるが、
5000 万円の土地を譲渡した場合には全部取消しができることになる。

6-112　　(ウ)　部分的な詐害行為

　(i)　**債務超過を生じさせる行為**　例えば、積極財産 5000 万円、消極財産
4500 万円と無資力状態になかった債務者が 1000 万円を贈与した場合、債
権者を害するのは 500 万円の部分だけであり、取消しが許されるのはこの
500 万円の部分だけである（基準時は行為時）。1000 万円の金銭ではなく
1000 万円の不動産を贈与した場合には、取り戻す目的物が不可分なので、
全部取消しを認めて不動産全部の返還を求めることができる。500 万円の価
額償還が認められるのは、現物返還が困難な場合に限られる（424 条の 6）。

6-113　　(ii)　**抵当不動産の抵当権者への過大な代物弁済**　例えば、無資力状態にあ
る債務者が、800 万円の債務のために抵当権が設定してある 1000 万円相当
の不動産をその債権者に代物弁済したとする。この不動産については、一般
債権者の共同担保とされ取消しの対象となるのは、不動産の価格から被担保
債権を控除した 200 万円の部分のみになる。改正法では取消判決は債務者
にも及ぶため（425 条）、代物弁済の全部取消しをして、債権を復活させ抵当
権付きで不動産を取り戻すことができるかのようである。しかし、代物弁済
はこの場合有効なので、424 条の 4 が適用になる。そのため、200 万円の
価額償還請求になる。

6-114　◆**抵当権者以外の者に売却した場合(1)**
　(1)　**抵当権が存続している場合**
　　まず、抵当権付きのまま第三者に不動産を譲渡しそれが詐害行為に該当する場
合には、不動産を抵当権付きのまま返還させることができ、不動産の譲渡全部を
取り消すことができる。譲渡担保の事例であるが、譲渡を全部取り消して土地の
返還を認めた判決がある（最判昭 54・1・25 民集 33 巻 1 号 12 頁）。改正法でも、424
条の 6 の現物返還の原則通りでよい。

6-115　　(2)　**代金による弁済で抵当権が消滅した場合**
　　これに対し、代金で抵当権者に弁済をして、抵当権設定登記の抹消登記がされ
た場合には、全部の取消しをして所有権移転登記の抹消登記は請求できるので
は、過ぎた財産が戻ってくることになる。したがって、受益者たる買主に対して
200 万円の価額償還を請求するしかない（我妻 197 頁）。判例も同様であり、最判
昭 63・7・19 判タ 683 号 56 頁は、「逸出した財産自体を原状のままに回復する
ことが不可能若しくは著しく困難であり、また、債務者及び債権者に不当に利益を

223

与える結果になるから、このようなときには、逸出した財産自体の返還に代えてその価格による賠償を認めるほかない」という。この事例は改正法の影響はない。

6-116　**◆抵当権者以外の者に売却した場合(2)──共同抵当の場合**

　例えばAに対する1000万円のBの債権につき、A所有の甲地（価格1000万円）と乙地（価格1000万円）に抵当権が設定され、その後、甲地がC、乙地がDにそれぞれ500万円で売却され（廉価販売）、代金合計1000万円での弁済により抵当権の抹消登記をしたとしよう。この場合、「売買の目的とされた不動産の価額から右不動産が負担すべき右抵当権の被担保債権の額を控除した残額の限度で右売買契約を取り消し、その価格による賠償を命ずるべき」である。そして、「この場合において、詐害行為の目的不動産の価額から控除すべき右不動産が負担すべき右抵当権の被担保債権の額は、民法392条の趣旨に照らし、共同抵当の目的とされた各不動産の価額に応じて抵当権の被担保債権額を案分した額（以下「割り付け額」という。）による」とされた（最判平4・2・27民集46巻2号112頁）。CDそれぞれに対して500万円の価額償還を請求できるだけである。例えば、Cが善意で取消しができなくても、Dから500万円の価額償還を受けられるだけである。

6-117　(c)　**取消債権者への支払・引渡請求**

　(ア)　**当初は強制執行の準備という理念に忠実に否定**　折衷説が明記され（424条の6）、取消債権者は、詐害行為取消請求として、取消しだけでなく財産の返還（返還困難な場合に価額償還）を請求できる[155]。この点、取消債権者は、自分に返還または償還するよう請求できるかについて、債権者代位権同様に議論があった。詐害行為取消権は、責任財産を保全して強制執行に備える制度であり、正規の執行手続をとって債権回収を他の債権者と共に行うことになるはずである。この理念に忠実に、判例は初め取消債権者への直接引渡請求を否定した（大判大6・3・31民録23輯596頁）。

6-118　(イ)　**責任財産保全を目的としつつ肯定**　その後、判例は取消債権者への直

---

155)　＊**返還請求が問題にならない場合**　債務免除を詐害行為として取り消す場合には、その性質上返還は問題にならず、当然に債権が復活することになる。請求訴訟を併合主張する必要はない。では、贈与や廉価販売がされたが、いまだ履行がされていない場合にはどうであろうか。取消しだけでよく、返還請求は不要である。しかし、取消判決を得ておけば、その後に履行されれば、改めて判決を得る必要なく返還請求権を代位行使できるが、取消債権者の直接請求権は認められない。その不利益をもって取消訴訟をすることを否定する必要はないと思われるが、履行前には詐害行為取消訴訟を否定する意見がある（森田宏樹監修『ケースで考える債権法改正』[2022]104頁[伊藤栄寿]）。

第6章　債権の効力④──詐害行為取消権

接引渡請求を肯定するに至っている（大判大 10・6・18 民録 27 輯 1168 頁）。もちろん、自己の債権の弁済に充てることを認めるためではなく、「他の債権者とともに弁済を受けるため」（最判昭 39・1・23 民集 18 巻 1 号 76 頁）と建前として宣言している。改正法は判例を明文化し、取消債権者は「金銭の支払又は動産の引渡し」を自分にするよう請求でき、また、受益者または転得者は債権者に支払または引渡しをした場合には、債務者に対してその支払または引渡しをしなくてよいことを規定した（424 条の 9 第 1 項・2 項）。取消判決の効力は債務者にも及ぶので、債務者の受益者らへの返還ないし償還請求権が成立し、取消債権者の上記請求権との関係が問題になる（☞ 6-148）。

6-119 　◆**取消債権者による相殺の可否**

(1)　**相殺禁止規定は置かれず解釈に任された**

(a)　**債権の対立が認められる**　例えば、A が B に対して 100 万円の金銭債権を有していて、B のした C に対する 100 万円の贈与の詐害行為取消訴訟を提起して、勝訴判決を受けて、A が C から 100 万円の支払を受けたとする。取消判決の効力は B にも及ぶため、B の C に対する 100 万円の返還請求権が成立し、A が C から 100 万円の返還を受けたため、C の B に対する返還義務は消滅する。問題は、その後の法律関係である。A は B に対して 100 万円の債権を有し、B は A に対して受領した 100 万円の引渡請求権を有することになる。

6-120 　(b)　**相殺は解釈に任された**　まず、B からは、保全された財産であり、相殺をすることは認められないと考えるべきである。問題は A である。責任財産保全制度という理念を貫いて、取消債権者の自己への引渡請求を否定する立法も検討されたが、6-118 のように自己への引渡請求を認める規定が置かれた。とはいえ、責任財産保全のために受け取ったものであり、相殺を禁止する規定を置くことが検討され、解釈に任せる趣旨で、取消債権者による相殺の可否については規定が置かれなかった[156]。

6-121 　(2)　**解釈による相殺の認否**

①取消債権者が受け取った金銭は、信託財産のように独立性が認められるべきであり、B の責任財産として A は管理すべきであり、相殺は許されないという解釈は不可能ではない。②他方で、債権者代位権と同様に、個別債権者の債権回収制度として、詐害行為取消権制度の運用を認めることも考えられる。この立場では、相殺を容認することになる。本書としては、個々の債権者の自由な債権回収

---

[156]　取消債権者による相殺を禁止する規定の導入が見送られた理由は、①相殺を否定すると、債権者の取消権行使へのインセンティブが薄れ、取消権が行使されないようになり、詐害行為取消制度の詐害行為の抑止という機能が減退してしまうこと、また、②少額で、債務者が行方不明といった場合も考えられ、民事執行手続を要求するのは実際上酷なことも考えられることである（一問一答 110 頁）。

225

§Ⅳ　詐害行為取消権の行使

が許される段階であり、全ての債権者にその機会が保障されているので、債権回収の自由競争に任せて構わないと考える（取消訴訟の費用につき先取特権は否定される）。

6-122　◆弁済の取消しの場合
(1)　改正前の判例
(a)　債権が復活し債権者としての権利行使ができる　弁済が詐害行為として取消し可能な場合、取消債権者は、受益者たる債権者に対して、弁済を取り消した上で、受領した金額を自分に支払うよう請求できる。これに対して、受益者は自分も債権者なので——取消債権者と受益者との関係では弁済が効力を失う——、取消債権者と債権額に案分して支払を拒むことができるのかが議論されていた。債務者に対する債権が当然に復活するならば、自分も債権者であることを主張できるために問題になる。

6-123　(b)　判例は按分比例の抗弁否定　この点につき、最判昭46・11・19民集25巻8号1321頁は、以下のように判示して案分比例の抗弁を退け、全額の支払請求を認める（Yは弁済を受けた債権者）。
「Yが、自己の債務者に対する債権をもって、……配当要求をなし、取消にかかる弁済額のうち、右債権に対する按分額の支払を拒むことができるとするときは、いちはやく自己の債権につき弁済を受けた受益者を保護し、総債権者の利益を無視するに帰する」。「取消債権者が受益者または転得者に対し、取消にかかる弁済額を自己に引き渡すべきことを請求することを許すのは、債務者から逸出した財産の取戻しを実効あらしめたるにやむをえない」。

6-124　(2)　改正法の下での解釈
上記判例は、債権者代位権についてと同様に、ここでも「逸出した財産の取戻しを実効あらしめたるにやむをえない」と煮え切らない説明をしており、取消債権者による債権回収のための制度と積極的に認めるものではない。改正法は、取消債権者の自己への引渡請求を認める規定について、弁済の取消しにつき特に例外を認める規定を置いていない（424条の9）。そして、弁済を受けた債権者の債権は、取消しだけでは当然には復活せず、受領した金銭を返還して初めて復活すると規定することにより（☞6-140）、相殺の問題も按分比例の抗弁の問題も切り捨てる解決をした。

6-125　(4)　価額償還請求——価額償還の補充性
(a)　価額償還の補充性
(ア)　現物返還の原則　改正法は、受益者または転得者いずれに対する詐害行為取消請求においても、「その財産の返還をすることが困難であるときは、債権者は、その価額の償還を請求することができる」ものと規定してい

第6章　債権の効力④──詐害行為取消権

る（424条の6第1項・2項）。これは、現物が返還できる場合には価額償還を請求しえないこと、また、例外規定がない限り被保全債権額を超えたり部分的に詐害行為が成立しても、全部の現物返還によるべきことを規定していることになる（**価額償還の補充性**☞6-111）。なお、現物返還を命じられた後に返還不能になった場合、価額償還義務を認めるべきである。

6-126　**（イ）　価額償還の要件──財産の返還が困難なこと**　価額償還請求ができるのは、財産の返還が「困難」な場合である。あえて412条の2第1項の「不能」とは区別し、不能よりも適用範囲を広いものとしようとしたのである[157]。また、不可分の場合には全部取消しが可能であり、差額の価額償還に限られるのではない。

6-127　**（b）　価額償還の「価額」算定基準時**　価額返還がされる場合に、その価額の算定基準時について、判例は、「詐害行為取消訴訟の認容判決確定時に最も接着した時点である事実審口頭弁論終結時を基準とするのが、詐害行為によって債務者の財産を逸出させた責任を原因として債務者の財産を回復させることを目的とする詐害行為取消制度の趣旨に合致し、また、債権者と受益者の利害の公平を期しえられる」という（最判昭50・12・1民集29巻11号1847頁）。改正法は特に規定せず、改正後も先例価値が認められる。

6-128　**（5）　詐害行為取消請求の行使期間（出訴期間）**

　（a）　二重の出訴期間

　（ア）　主観的起算点から2年、客観的起算点から10年　「詐害行為取消請求に係る訴えは、債務者が債権者を害することを知って行為をしたことを債権者が知った時から2年を経過したときは、提起することができない。行為の時から10年を経過したときも、同様とする」（426条）。改正前は、時効と規定され、また、行為の時から20年とされていたが、時効という文言を削除し、また、20年を10年に短縮したのである。この点も、破産法の否

157）　責任説を理念と考える高須教授の考えでは、逸出した責任財産を取り戻すのではなく、受益者らに帰属させたまま強制執行認容を求めることになり、強制執行認容対象財産が被告に存しない場合に価額償還請求が認められることになり、財産の返還困難とは「強制執行認容訴訟の対象となる財産が存しないとき」と合目的的に解釈することを提案している（高須・前掲書101頁）。強制執行の可能性を考えるため、被告が対象財産を占有していなければ「存しない」ということになろうか。滅失したり第三者に有効に譲渡した場合は問題がないが、譲渡されたが契約が無効の場合、第三者に盗まれた場合、資産隠しがされ所在不明の場合など、不能ではないが「困難」として価額償還請求を緩和して行使することを認めようとした趣旨からは、「困難」を緩やかに解釈運用してよいように思われる。

227

認権規定と平仄を合わせたものである（破176条）。

6-129　**(イ)　主観的起算点は債権者ごとに異なる**　詐害行為取消権は取引の安全保護と抵触するため、民法は特に短期の行使期間を設定したのである。債権者ごとに取消権が成立するため、主観的起算点も債権者ごとに判断される。期間の性質は、2年、10年のいずれについても出訴期間となる[158]。なお、転得者を被告とする詐害行為取消訴訟においても、詐害行為から10年が起算される。

6-130　**(b)　取消権の個数と時効**

(ア)　債権者ごとに1つの取消権──債権の個数ごとに成立しない　ある債権者が債権を複数有する場合には、424条の8第1項の被保全債権はその合計額であるが、どの債権を被保全債権として主張するかは自由である。債権が複数あろうと、債権者ごとに1つの詐害行為取消請求権が認められるにすぎない。そのため、出訴期間についても債権ごとに取消権の出訴期間を考えることはない。

6-131　**(イ)　訴訟中に被保全債権が変更された事例**　債権者が甲債権に基づき詐害行為取消訴訟を提起後、被保全債権を甲債権から乙債権に変更したが、その時点では426条の2年が経過していた事例がある。最判平22・10・19金判1355号16頁は、「詐害行為取消訴訟の訴訟物である詐害行為取消権は、取消債権者が有する個々の被保全債権に対応して複数発生するものではない」ため、「攻撃防御方法が変更されたにすぎず、訴えの交換的変更には当たらないから、本件訴訟の提起によって生じた詐害行為取消権の消滅時効の中断の効力に影響がない」と判示した。改正法では時効ではなく出訴期間なので完成猶予は問題にならず、1人の債権者に1つの取消請求権が成立し、出訴期間内に訴訟が提起されればよい。

---

158)　改正前の20年の期間については除斥期間と解するのが通説であったが（於保204頁、奥田328頁、淡路319頁等）、訴訟提起が必要なので相手方の承認によって裁判外で時効中断を認める必要性があることから、これを時効期間と理解する少数説もあった（加藤266頁）。なお、126条と同様に、取消しだけの期間制限か、返還請求権の行使の期間制限も含むものかは問題になるものの、訴訟提起が必要であるため、判決確定後は原状回復請求権は2年ではなく169条により10年の時効期間に服することになる。

第 6 章　債権の効力④──詐害行為取消権

§V
詐害行為取消判決の効力

1　取消判決の効力

6-132　**(a)　人的範囲──債務者およびその全ての債権者**

(ア)　債務者への効力　民法は、「詐害行為取消請求を認容する確定判決は、債務者及びその全ての債権者に対してもその効力を有する」という規定を置いた（425条）。改正前は債務者が掲げられていなかったが、債務者にも取消判決の効力を及ぼす拡大をしたのである（☞6-19）。

6-133　**(イ)　他の債権者への効力**　他の債権者も取消判決の利益を受けることになる。この点は、フランスでは取消債権者が他の債権者を排除して取消対象財産から債権回収ができ、ドイツでも取消債権者は優先権が認められ、比較法的に異例な立法である。

6-134　**(b)　「取消し」の内容**

(ア)　遡及的無効　取消しの内容については、ドイツでは責任的無効、フランスでは無効訴権ではなく対抗不能訴権とされ、いずれにせよ債務者・受益者の契約は有効なまま、取消債権者の責任財産になるにすぎない。これに対し、日本では総則の取消しと同様に無効とするもので、その効力の人的範囲を制限しているにすぎない（債務者に効力が及ぶが相対的取消し）。

6-135　**(イ)　責任説など**　改正前には責任説や対抗不能説もあった。改正後でも、責任財産関係を取り戻すこと（一部取消しという）──相対効で425条の適用はない（石田514頁）──、目的財産自体を取り戻すこと（全部取消しという）を、債権者が選択できるという学説がある（石田463頁。注139も参照）。

6-136　**◆被保全債権の時効の完成猶予・更新**

(1)　改正前の議論

詐害行為取消権の行使は、債務者に対し裁判上の請求をするものではなく、たとえ債務者が補助参加したとしても、債権者の債務者に対する債権は時効により中断しないというのが判例であった（大判昭17・6・23民集21巻716頁、最判昭37・10・12民集16巻10号2130頁）。これに対し、学説には、債権者代位権と同様に、①旧155条に準じて債務者に対する取消訴訟の告知または通知に中断効を認めてよいとするもの（於保202頁）、②実質上債権の主張が裁判上されているものと

§V　詐害行為取消判決の効力

して中断効を認めるもの（高島 112 頁）、③「裁判上の催告」として、訴訟確定から 6 カ月以内に正式な中断手続をとれば中断効が維持されるとするもの（田山 90 ～ 91 頁）などがあった。

(2)　改正法ではどうなるか

改正法では、詐害行為取消訴訟の係属により、被保全債権につき完成猶予が認められ、取消判決により時効の更新が認められるのかという問題になる。①②はこれを肯定することになるが、③では判決後 6 カ月以内に改めて正規の完成猶予のための手続を採ることが必要になる。債務者への訴訟告知があるので、裁判上の催告を認めて時効完成猶予が生じると考え、③によりたい。

◆取消しの遡及効および受益者の受領済み金銭の返還義務の遅滞時期

(1)　遡及効あり

取消しの効力は取消判決の確定により発生するが、その効力は詐害行為時に遡及する。では、受益者の返還義務が金銭の返還義務である場合に、その遅延損害金はいつから発生するのであろうか。それとも、解除や取消しのように原状回復義務として、受領時から利息を付けて返還すべきなのであろうか（益井公司「詐害行為取消権により生ずる受益者の取消権者に対する受領金支払委細無にいつから法定利息あるいは遅延利息が発生すべきか」日法 85 巻 4 号［2020］21 頁以下）。判例は、次のように、債務者の権利ではなく取消債権者の直接請求権につき、遅延損害金を問題にする。

(2)　判例は遅延損害金を問題とし、履行請求時に遅滞を認める

最判平 30・12・14 民集 72 巻 6 号 1101 頁は、「詐害行為取消権は、詐害行為を取消した上、逸出した財産を回復して債務者の一般財産を保全することを目的とするものであ」る。「詐害行為取消しの効果は過去に遡って生ずるものと解するのが上記の趣旨に沿うものといえる。また、詐害行為取消しによる受益者の取消債権者に対する受領金支払債務が、詐害行為取消判決の確定より前に遡って生じないとすれば、受益者は、受領済みの金員に係るそれまでの運用利益の全部を得ることができることとなり、相当ではない。したがって、上記受領金支払債務は、詐害行為取消判決の確定により受領時に遡って生ずる」。「上記受領金支払債務は期限の定めのない債務であるところ、……詐害行為取消判決の確定より前にされたその履行の請求も民法 412 条 3 項の『履行の請求』に当たる」とした。判決の確定を要求するという制限をしつつ、訴訟提起により権利行使があるので 412 条 3 項の適用を訴訟提起時に遡って認めた解決は適切なものである（高須・前掲書 207 頁以下も判例を支持）。

◆弁済・代物弁済の詐害行為取消し

(1)　債務者に取消しの効力を及ぼし債権の回復（復活）を認めた

債務者に取消判決の効力が及ぶため、弁済や代物弁済が取り消された場合、当

第6章　債権の効力④——詐害行為取消権

然に債務は消滅しなかったことになるはずである——425条の3は、過大な代物
弁済は超過金額分の価額償還になり（424条の4）、債権は復活しない——。とこ
ろが、改正法は、「受益者が債務者から受けた給付を返還し、又はその価額を償
還したときは、受益者の債務者に対する債権は、これによって原状に復する」も
のと、受けた給付の返還を条件とした（425条の3）。この規定も、破産法169条
に倣ったものである。この要件を満たして債権が復活する限り、取消判決の効力
は保証人や物上保証人、後順位抵当権者らにも及ぶと考えるべきであり、債権に
付いていた担保も復活することになる。

6-141 **(2)　金銭・財産の返還を要件とした趣旨またその内容**

(a)　相殺の否定　理論的には、取消しによって当然に債権が復活するはずであ
るが、取消判決だけでは当然には債権は復活せず、「給付を返還し、又はその価
額を償還した」ことを債権復活の要件としたのは、政策的な制限である。例えば
100万円の債権の弁済の取消しであれば、債務者または取消債権者に100万円
を返還して初めて債務者に対する100万円の債権が復活することになる。当然
に復活するとしたならば、債務者にも取消しの効力が及び、債務者に受益者に対
する100万円の返還請求権が成立するため、受益者は返還請求権に対して復活
した債権で相殺ができてしまい、それでは弁済を取り消した意味が没却されてし
まうからである——このような制限がない限り相殺ができることが前提とされる
ことが推察できる——。

6-142 **(b)　一部返還**　425条の3は「給付を返還し、又はその価額を償還」としてい
て、全部という制限をしていない。では、100万円の弁済が取り消され、受益者
たる債権者が50万円だけ債務者に返還した場合、50万円分の債権が復活するの
であろうか。これを認めると、残額50万円の返還請求権に対して復活した50
万円の債権での相殺ができてしまう。やはり全額の返還・償還を要件とすべきで
ある。なお、代物弁済の場合で、返還が「困難」な場合には価額償還になり、価
額償還をすることが債権復活の要件になる。

2　債務者の返還・価額償還請求権と受益者の返還請求権

6-143 **(1)　債務者の返還請求権・価額償還請求権（総論）**

(a)　相対的取消しだと法律関係が複雑になる　例えば、AがBに対する
債権に基づいて、Bによる甲画（5000万円相当）のCに対する廉価販売
（1000万円で販売）につき、Cに対して詐害行為取消請求をし、これを認
める判決が出されたとする。改正前は、取消判決の効力は債務者Bには及
ばなかったため、債務者BのCに対する甲画の返還請求権（返還不能の場
合には5000万円の価額償還請求権）、Cの債務者Bに対する代金1000万

231

円の返還請求権は成立せず、AのCに対する甲画の返還請求権（5000万円の価額償還請求権）のみが成立したにすぎない。また、CはBに代金1000万円の返還請求はできないが、BC間では契約は有効のままであり、Cの財産である甲画から、Aが債権の回収をした時点で、BのCに対する不当利得返還義務が成立することになる。

6-144　　**(b)　改正法は債務者に効力を及ぼした**　改正法では、取消判決の効力が債務者にも及ぶので、6-143の例に関する限り、絶対的法律関係になる。BC間で売買契約の効力が取り消され、BのCに対する甲画の返還請求権、CのBに対する代金1000万円の返還請求権が成立する。改正法はBのCに対する権利を明記していないが、424条の9第1項第2文は、債務者も受益者に対して返還請求権を有することを前提とした規定である。法律関係は単純になるが、新たに下記のような種々の問題が生じる。

---

① BC間は原状回復関係であり、545条同様の規律になるのか
　　（利息の受領時からの支払義務など）
② BのCに対する権利とAのCに対する権利の関係
　　（その前提として、Aの権利の分析）
③ 返還についてのCのBまたAに対する同時履行の抗弁権
　　（Aの権利行使への対抗）
④ BC間での相殺の可否（Bから、Cからの両者について問題になる）

　以下では、まず①について確認をし、次いで、②について論じ、その中で関連した③④も併せて検討することにしたい。

6-145　**(2)　債務者についての原状回復関係（6-144 問題①）**

　　(a)　債務者の返還請求権　取消判決の効力は遡及し、受領時に遡って返還義務が成立するが、利息を付けて原状回復義務を認めるのではなく、期限の定めのない債務として遅延損害金の支払が認められている。ただし、判決確定前の訴訟提起時からの遅延が認めれている（☞6-139）。

6-146　　**(b)　取り戻した財産についての債務者の権利**

　　(ア)　債務者に取消判決の効力が及び債務者の財産になる　詐害行為取消しの効力を債務者に及ぼし、債務者に返還請求権を認める結果、債務者に所有

権が復帰することになり、債務者の財産中に戻った逸出財産に対して、債務者の管理・処分権が認められる。また、債務者に返還請求権が認められる (424条の9第1項第2文がこれを前提)。ここに改正法の「現物返還の理論的脆弱性が存する」といわれる (佐藤岩昭「詐害行為取消権における『価格賠償』」瀬川信久ほか編『民事責任法のフロンティア』[2019] 323頁)。今回の改正が債務者に取消判決の効力を及ぼしている点については、比較法的・沿革的にみて適切な法制度設計といいうるのか疑問と評されている。

6-147 　**(イ)　債務者の財産管理権は制限されるべき**　破産管財人のように取消債権者に排他的な管理権が付与されているわけでもなく、債務者が取り戻した財産を占有するのは権原に基づく適法占有であり、使用も妨げられない。しかし、制度趣旨からしてその権限には制限がされるべきであり、第三者に賃貸したり、売却したり、担保に提供することは許されない。ただし、直ちに適切な措置をとらなかった債権者の事情を考慮すれば、善意の第三者にこの制限を対抗できないと考えるべきである。責任財産に戻す一部取消判決を認める考え (石田436頁)、受益者、転得者の財産のまま強制執行を認めるドイツやフランスでは、以上のような問題は生じない。

6-148 **(3)　取消債権者の権利──債務者の権利との関係 (6-144問題②)**

　(a)　問題点の確認

　(ア)　取消債権者の権利　取消債権者は、現物の返還・価額償還を受益者らに対して請求でき (424条の6)、しかも、動産と金銭については自己への引渡しを請求できる (424条の9)。また、債務者にも取消判決の効力が及ぶため、債務者も受益者に対して現物の返還・価額償還を受益者らに対して請求できる。そのため、6-144の問題②が生じることになる。敷衍しよう。

6-149 　**(イ)　受益者の債務者に対する権利**　他方で、受益者 (転得者については☞ 6-160) も債務者に対して返還請求権が認められ (弁済の取消しにおける債権の復活については☞ 6-140)、民法もこれを明記した。すなわち、「債務者がした財産の処分に関する行為 (債務の消滅に関する行為を除く。) が取り消されたときは、受益者は、債務者に対し、その財産を取得するためにした反対給付の返還を請求することができる。債務者がその反対給付の返還をすることが困難であるときは、受益者は、その価額の償還を請求することができる」と規定した (425条の2)[159]。このため、6-144の問題②が生じること

になる。なお、民法は、取消債権者への返還により、債務者への返還義務を免れることを規定するが（424条の9第1項第2文）、債務者への返還もパラレルに考えられる。

6-150 **(b) 取消債権者の権利の法的位置づけ**

(ア) 非独立権利説（財産管理権説）

❶ 優先権を認めない考え 取消債権者は、424条の9第1項により、受益者に対して直接の引渡請求権が認められるが、改正法では債務者にも返還請求権が認められるため、債務者の返還請求権を自己の名で行使する財産管理権が認められているにすぎないと考えることもできる。この解釈によれば、実体法上の権利としては、債務者の返還請求権しか認められないことになる（**非独立権利説**）。

債務者の一般債権者が、債務者の引渡請求権を差し押さえた場合には、次の独立権利説に依拠しつつも、取消債権者の請求権にも差押えの効力が及びその行使は制約されるという考えがある（☞ 6-154)[160]。非独立権利説では、取消債権者もその差押手続で権利行使をしなければならないことになる[161]。

6-151 **❷ 優先権を認める考え** しかし、直接訴権についての排他権説（☞民法総則7-50）によれば、解釈により直接訴権と構成し、取消債権者を優先することができる。現行法の解釈としては、直接訴権（排他権説）によること

---

159) **＊債務者による受領物の返還不能** 例えば、債権者Aの債務者Bが受益者Cから500万円相当の財産を1000万円で買い取った場合、債権者Aはこの買取行為を詐害行為として取消請求ができるが、もし債務者が目的物を他に転売するなどして返還できなければ、「受益者は、その価額の償還を請求することができる」（425条の2第2文）。そうすると、BはCに対して代金1000万円の返還請求、CはBに対して500万円の価額償還請求権を取得し、受益者Cからの相殺が認められ、Bは500万円しか返還請求ができない。Bの詐害行為により害された損失は差額の500万円なので、それで特に不都合はない。

160) 高須教授は、この点は法制審で十分に議論されていないが、あくまでも責任財産保全制度として位置づけ、債務者の個別債権回収のための制度という理解は念頭にはなかったといわれ――判例は責任財産保全制度と宣言し、債務者が受け取らないときのための制度の実効性を確保するという煮え切らない説明であることは先に述べた――、取消債権者の直接請求権と債務者の原状回復請求権との間に「実質的な同一性」を認め、「一体的な扱いをすることに合理性が認められる」という（高須・前掲書203頁）。

161) 他方で、責任財産の保全ということを貫けば異なる解決も考えられる。債務者の権利行使が優先されるべきであり、取消債権者も、差押えに参加して債権回収を行うことになる。集団的な債権回収制度としてこの制度を理解する立場でも、連帯債権ではなく、債務者に帰属する引渡請求権について、債務者が受領しない場合をおもんぱかって、取消債権者に取立権・受領権を認めたにすぎず、仮差押えにより他の債権者が権利行使の意思を表示した場合には、取消債権者が直接請求をすることはできなくなると考えている（高須・前掲「地平線」153頁）。

第 6 章　債権の効力④——詐害行為取消権

も可能であるが、現時点では次の独立権利説によっておく。

6-152　　**(イ)　独立権利説（直接請求権説）**　他方で、取消債権者の債権回収を認める制度であるとすれば、直截に取消債権者に実体法上の独自の権利（直接請求権と呼んでおく）を認めることが考えられる（**独立権利説**）。取消債権者と債務者の 2 つの債権が競合し（連帯債権になる）、他の債権者が債務者の引渡請求権を差し押さえても、取消債権者の直接請求権には処分禁止の効力は及ばないことになる（中田 324 頁）。本書は、2 つの権利行使が競合した場合には、取消債権者の権利行使が優先されるべきであると考える。なお、6-144 の例で、甲画を返還不能で、取消債権者 A が C に 1000 万円の価額償還請求権を有する場合、C も A に金銭債権を有していれば、AC 間で相殺ができる。

6-153　　**◆直接請求権が認められるのは取消債権者だけ——優先的回収可能**

　　424 条の 9 の「債権者」とは取消債権者と制限解釈すべきである。自己へ返還請求ができるのは取消債権者だけであり、他の債権者は、「取消し」の効力は受けるが（425 条）、独立権利説により直接請求権を認められることはない。この結果、取消債権者に事実上優先的な債権回収が認められる。

　　しかし、他の債権者も、債務者の受益者に対する債権を差し押さえることができる（一問一答 108 頁注(2)）。判例のように債務者が受け取らないと困るための便宜的措置というのであれば、取消債権者を優先させるいわれはない。この点、債務者の権利行使に対して取消債権者の権利行使が優先すると考えるべきである。そうすると、債務者以上の権利をその差押債権者に認めることはできないため、結局、取消債権者が優先することになる。なお、一般債権者が、債務者の権利を代位行使して自己への引渡しを請求することはできるが、やはり取消債権者の権利行使が優先する。責任財産保全・債権者平等ということを貫けば、取消債権者に一般債権者に対する優先的な債権回収を保障する必要はないが、債権回収制度としての運用を認める限り、以上のように考えるべきである。

6-154　　**◆債務者の受益者に対する原状回復請求権の差押え**

　　債務者の受益者（転得者も同様に考えてよい）に対する価額償還請求権等の金銭債権を、取消債権者以外の債権者が差し押さえた場合について、以上の考察をまとめておく。① 6-150 の非独立権利説では、取消債権者は債務者の権利を行使するため、取消債権者にも差押えの効力が及ぶことになる。取消債権者も差押手続に参加して、債権者平等により債権回収を図ることになる。責任財産保全の制度という趣旨を貫けばこのような解決も可能である。

　　②独立権利説（直接請求権説）では、取消債権者の債権と債務者の債権と競合

§V　詐害行為取消判決の効力

して連帯債権の関係になる。そして、債権者の債権は「債務者の原状回復請求権に由来する権利であり、債務者の原状回復請求権と実質的に同意の権利である」と考えて、他の債権者が債務者の原状回復請求権を差し押さえた場合には、詐害行為取消請求をした債権者の権利行使は制約されると考えることになる（重要論点237頁［篠原］。同239頁以下［鎌田］、潮見・新I 825頁、奥田・佐々木・中巻489頁など同旨）。本書は、債務者そして差押債権者に対して、取消債権者を優先することは6-151、6-153に述べた。

6-155 **(4)　受益者の債務者に対する権利**

(a)　受益者にも返還請求権が成立する　債務者にも取消判決の効力が及ぶため、「受益者は、債務者に対し、その財産を取得するためにした反対給付の返還を請求することができる」（425条の2）。返還が困難な場合には価額償還になり、債務の消滅に関する行為については別個に規定がある（☞6-140）。廉価販売の場合、受益者たる買主は支払った代金の返還を請求できる。6-139とのバランスからいえば、取消債権者の返還請求時から遅延損害金を支払うことになる反面、債務者にその時点から利息を付けて返還するよう請求できることになると考えるべきである。受益者は物の返還の場合、使用利益を返還すべきであり、債務者も物の返還に使用利益を付けて返還する義務を認めることができる。取り戻した財産について、取消債権者は、受益者の債権に優先する（石田524頁）。

6-156 **(b)　受益者の同時履行の抗弁権（6-144問題③）**

❶　否定説　債務者の同時履行の抗弁権は、これを認めてよい（533条類推適用）。では、詐害行為取消しを受けた受益者側はどうであろうか、これを認めれば、取消債権者による返還請求にも対抗できることになる。

この点、詐害行為取消しについては同時履行の抗弁権の準用規定はなく、425条の2では、受益者からの返還が先履行であるという学説がある（潮見・概要100頁、債権法研究会『詳説改正債権法』[2017] 122頁［中井康之］、森田監修・前掲書119頁［伊藤栄寿］）。受益者は他の債権者を害することを知っているため、他の債権者に優先するような特別の保護を与える必要はないといわれている。

6-157 **❷　肯定説**　しかし、条文の文言からそのような結論は当然には導かれない。そのため、同時履行の抗弁権を認める学説（日本弁護士連合会編『実務解説改正債権法（第2版）』[2020] 174頁）、また、同時履行の抗弁権を認める解釈の余地を認める学説（中田裕康ほか『講義債権法改正』[2020] 149頁［沖野］）もある。この

点、債務者の返還請求に対しては、受益者の同時履行の抗弁権を認めるのは適切である。非独立権利説（☞ 6-150）では、取消債権者の返還請求に対しても対抗できることになる。

6-158 **❸ 折衷説** 独立権利説（☞ 6-152）では、債務者の返還請求に対して同時履行の抗弁権を認めつつも、取消債権者への対抗を否定する余地はある（本書の立場）。また、非独立権利説でも、708条の解釈におけると同様に、債務者による返還請求権の行使には同時履行の抗弁権を対抗できるが、取消債権者による行使には同時履行の抗弁権を対抗できないという解釈も可能である。

6-159 **(c) 受益者による相殺（6-144 問題④）**

(ア) 取消しによる原状回復請求権同士の相殺 取消しによる返還請求権同士の相殺については、債務者が 50 万円の財産を 100 万円で購入し返還不能である事例でいうと、債務者に代金 100 万円の返還請求権、受益者に価額償還請求権 50 万円が成立し、相殺をして受益者は 50 万円のみ返還義務を負う。50 万円の財産を 100 万円で購入したため 50 万円部分について詐害性があり、相殺を認めても、50 万円が戻ってくるので問題がない。

6-160 **(イ) 原状回復請求権以外の債権による相殺**

(i) 相殺を否定すべき 問題は原状回復請求権以外の債権により相殺が主張される場合である。例えば、100 万円の債権につき 40 万円の弁済を受け、その弁済が詐害行為として取り消された場合、弁済を受けていない 60 万円の債権が残っており、40 万円の返還請求権に対して、60 万円の残存債権による相殺は可能であろうか。また、債権者が、弁済を取り消された α 債権（100 万円）とは別の β 債権（50 万円）を有している場合に、β 債権で相殺をすることも問題になる。取り消されて責任財産に戻されるべき財産から、受益者が相殺によって別個の債権を回収できるのは適切ではない（森田監修・前掲書 121 頁［伊藤］）。

6-161 **(ii) 相殺を否定する法的説明** 以上のように詐害行為取消判決による債務者の受益者に対する金銭債権は、(ア)のケースを除き、受益者からも債務者からも相殺使用できないと考えるべきである。問題は相殺ができない条文上の説明である。この点、505 条 1 項ただし書の性質上相殺が許されない場合と考えるべきである。

§Ⅵ　転得者に対する詐害行為取消請求

§Ⅵ
転得者に対する詐害行為取消請求

6-162 **(1)　財産処分行為の場合**

(a)　受益者には取消判決の効力は及ばない

(ア)　民法は2つに分けて規定　転得者に対して詐害行為取消請求ができる場合に（要件は424条の5 ☞ 6-97）、民法は、債務者のした財産処分行為（債務の消滅に関する行為を除く）と債務の消滅に関する行為とに分けて、転得者の債務者に対する権利について特別規定を置いている（425条の4）。まず、前者について説明をしていく。

6-163 **(イ)　事後処理が問題**　例えば、Aが甲地（5000万円相当）を、Bに2000万円で売却し所有権移転登記をし（Aが無資力であり、Bが悪意）、BがこれをCに5000万円で転売して所有権移転登記をしたが（CはAの無資力、Bへの廉価販売の事実につき悪意）、Aの債権者によるCを被告とする取消訴訟によりAB間の売買契約が取り消され、CがAへの甲地の所有権移転登記をしたとする。

この場合、取消判決の効力はBには及ばないので、AB間またBC間ではAB間の売買契約は有効である。したがって、CはBとの関係では有効に甲地の所有権を取得しており、Bに他人物売主の責任追及をすることはできない。AはBからの代金2000万円を保持しつつ、5000万円の甲地が戻ってくることになる。なお、Cに対し、3000万円の価額償還は請求できない（☞ 6-125）。

6-164 **◆転得者に対する詐害行為取消請求と受益者への訴訟告知**

　転得者を被告として詐害行為取消請求をする場合には、債務者の詐害行為の取消判決の効力は相対的に債権者、債務者および転得者との間においてのみ生じるにすぎず、受益者には及ばない（425条の反対解釈）。そのため、転得者を被告とする場合には、受益者に訴訟告知をする必要はなく、債務者のみに訴訟告知をすればよいことになる（424条の7第2項）。これが一般的な理解であるが、異説として、この場合に、転得者に対する詐害行為取消しが目的物を取り戻すこの論者のいう全部取消しの場合には、債務者にも取消判決の効力は及ぶから、「詐害行為は受益者に対する関係でも取り消され」ると考え、そのため、受益者が大きな

238

第 6 章　債権の効力④──詐害行為取消権

不利益を受けるので、受益者にも訴訟告知が必要であるという学説がある（石田510頁）。しかし、受益者に対して取消判決の効力が及ばないことを前提として、425条の4が規定されている。この民法の構成をあまりにも無視するものであり、立法論としてではないと難しい見解のように思われる。

6-165　**(b)　転得者に債務者に対する返還請求権を認めた**

(ア)　受益者が取得すべき権利の取得　6-163の場合、債務者Aには取消判決の効力が及ぶため、甲地から債権者が債権回収をすることは必要なく、甲地をAに取り戻したことにより直ちにAに不当利得が成立し、CのAに対する3000万円の不当利得返還請求権が成立するはずである。この点、民法は、次のように規定した（6-166のように2000万円の債権になる）。

「第425条の2に規定する行為［債務者がした財産の処分に関する行為（債務の消滅に関する行為を除く。）］が取り消された場合」には、転得者は債務者に対して、「その行為が受益者に対する詐害行為取消請求によって取り消されたとすれば同条の規定により生ずべき受益者の債務者に対する反対給付の返還請求権又はその価額の償還請求権」を取得する（425条の4第1号）。

6-166　**(イ)　転得者の出捐を限度とする**　6-163の例では、転得者Cは、Bが被告とされた場合の代金2000万円の返還請求権を取得することになる[162]。なお、425条の4柱書のただし書により、転得者の支払った金額を超えることはできない。もし6-163の事例で、CがBから1000万円で買い取った場合には、CはAに対して1000万円の返還請求しかできないことになる。Aの責任財産が合計6000万円になってしまうが、AB間またBC間に取消しの効力を及ぼさないので、やむをえない。

6-167　**◆転得者の出現を阻止するための保全命令**

転得者が悪意であれば、転得者に対しても詐害行為取消請求が可能であるが、債権者は転得者の悪意を証明しなければならず、新たな負担が増えることになる。そのため、例えば、不動産が廉価で売却された場合に、受益者を相手に詐害行為取消請求をすると共に、転売を阻止しておく必要性がある。その方法として

---

162)　Cは甲地を失い、代金5000万円を支払っているのに、2000万円しか取り戻せず、差額3000万円の損失を負担することになる（損失）。他方で、Bも悪意であり取消訴訟の被告とされる可能性もあるのに、2000万円で購入した甲地を5000万円で販売し、3000万円を手に入れている（利得）。Bが被告にされていれば、5000万円の価額償還義務を負い、3000万円を負担し、Cは5000万円の土地を5000万円を支払って取得しており、利得はない。CからBに対する3000万円の支払請求を認めてもよいが、法的根拠づけが難しい。不当利得を問題にすると、Bの利得につき法律上の原因がないとはいえないからである。

239

は、詐害行為取消権に基づく抹消登記請求を被保全債権とする処分禁止の仮処分によることが考えられる（多々良周作「被保全債権発生前の……」重要論点174頁）。この結果、受益者が仮処分に反して不動産を処分したとしても、仮処分債権者たる取消債権者に対抗することができなくなり、別個に転得者を相手にする詐害行為取消請求をする必要はなくなる。転得者が所有権移転登記を得ていても、その抹消登記請求が可能になる。

6-168 **(2) 過大な代物弁済に関する行為の場合**

(a) 過大な代物弁済の場合 例えば、債務者Aが、1億円相当の甲地を5000万円の債権を持つ債権者Bに代物弁済し所有権移転登記をして、Bが甲地をCに1億円で売却し所有権移転登記をしたとする。そして、BがAの無資力を知っており詐害行為取消請求の要件を満たしていて、CもAが無資力で過大な代物弁済をBに対して行ったことを知っているとする。

Aの債権者は、甲地を取り戻すことはできず、超過額分の価額償還しか請求できない（424条の4）。では、債権者は悪意の転得者Cにも価額償還請求ができるのであろうか。この点、424条の5柱書の「受益者に対して詐害行為取消請求をすることができる場合」とは、財産自体の返還請求ができる場合に限定すべきである。甲地の取得は424条の4によりBに保障され、CはBから問題なく甲地を取得できるのである。Aの債権者はBに対して価額償還を請求できるだけと考えられる（Cにはできない）。

6-169 **(b) 現物の返還請求ができる場合**

(ア) 転得者の保護 他方で、424条の3第2項を満たす場合は、代物弁済を取り消して目的物を取り戻すことができる。6-168の例で、Aの債権者は甲地をBから取り戻すことができた。したがって、Cが悪意であれば、Cから甲地を取り戻すことができる。

この場合、Aは、Bに対する5000万円の債務が消滅したまま、1億円の甲地が戻ってくる。Cを被告にするため、Bには取消しの効力は及んでおらず、AのBに対する債務は消滅したままである。そうすると、過ぎた責任財産が戻ってきてしまう。そのため、民法はこの場合について、転得者Cは、「その行為が受益者に対する詐害行為取消請求によって取り消されたとすれば前条の規定により回復すべき受益者の債務者に対する債権」を「行使することができる」と規定した（425条の4第2号）。

6-170　　**(イ)　転得者の取得する権利**　「行使」だけを問題にしており（破産法 170
条に倣った）、B に債権が復活し、それを C が行使するかのようであるが、
B に取消判決の効力が及ばないのでそれはありえない。そのため、本来 B
に復活すべき 5000 万円の債権を C が取得するものと考えるべきである
──担保も復活し C が取得することになる──。C は 1 億円を支払ってい
るが、5000 万円の債権を取得するだけである。この場合、B が C の損失の
下に 5000 万円を利得していることになり、C の B に対する 5000 万円の不
当利得返還請求権を認めたいところである。ところが、B に取消しの効力が
及ばないため、B の利得は法律上の原因が認められる（注 162 の廉価販売
と同じ問題）。

　　転得者に受益者との契約の解除を認め、425 条の 4 は立法過誤であり適
用の余地はなく、転得者には移転財産から取消債権者に配当された残金が帰
属するにすぎないという異説もある（石田 528 頁）。

第 7 章

多数当事者の債権関係①
——分割債権(債務)・不可分債権(債務)・連帯債権(債務)

第1節　多数当事者の債権関係──総論

7-1　**(a)　多数当事者の債権の規定**　民法は、債権編第1章「総則」第3節「**多数当事者の債権及び債務**」の名の下に（427条～465条の10）、①総則（分割債権・分割債務）、②不可分債権・不可分債務、③連帯債権、④連帯債務、および、⑤保証債務の5つの款を規定している。多数当事者の債権関係の用語法であるが、①「……債務」（不可分債務・分割債務・連帯債務）は債務者が多数の場合、②「……債権」（不可分債権・分割債権・連帯債権）は債権者が多数の場合に使われる。

7-2　**(b)　保証は担保法**　機能の点で保証は債権担保として利用され、フランス民法では「担保」編に、「人的担保」と「物的担保」とがまとめて規定され、保証は前者の1つとして独立担保と経営指導念書と共に規定されている（同法2288条以下）。これに対して、日本民法では、債務者が複数いるということから「多数当事者の債権及び債務」の1つとして規定され、先行する連帯債務の諸規定が必要に応じて準用されている。民法の構成に従い、保証も本書で説明するが、「担保」制度であるということは、保証の勉強に際して常に意識しておく必要がある。

7-3　**(c)　共有規定との関係**　所有権が複数人に帰属する権利関係が「共有」であり（249条以下）、所有権以外の財産権が複数人に帰属する権利関係は「準共有」とされ、共有規定が性質に反しない限り適用される（264条）。債権・債務については、債権者・債務者の数だけ債権や債務が成立し、1つの債権や債務が複数人に帰属するという準共有となる多数当事者の債権関係は稀である（松尾弘「債権の準共有について」法学研究91巻2号［2018］255頁以下参照）。

7-4　**(d)　団体論・共同債権**　1つの債権や債務が複数人に帰属する事例には、合有、総有という「団体論」からアプローチされるべき事例のほか、預金債権のように契約ないし債権の特殊性ゆえに債権の準共有が認められる事例（共同債権☞7-40以下）とがある。合有となる組合については契約法（☞債権各論Ⅰ 15-20以下）、総有となる権利能力なき社団については民法総則で説明する（☞民法総則4-32以下）。

第7章　多数当事者の債権関係①——分割債権（債務）・不可分債権（債務）・連帯債権（債務）

第2節　分割債権（債務）——分割主義（分割原則）

§ I
# 債権・債務の分割主義（分割原則）

1　分割主義（分割原則）の採用

7-5　**(a)　分割主義とは**　「数人の債権者又は債務者がある場合において、別段の意思表示がないときは、各債権者又は各債務者は、それぞれ等しい割合で権利を有し、又は義務を負う」(427条)。

　これは、①債権・債務が複数の者に帰属する場合には、給付が性質上可分であって連帯特約がない限り、債権・債務は頭数に応じて当然に分割されること（**分割主義**ないし**分割原則**という）、そして、②分割の割合は平等とされることを宣言するものである。分割主義は、ローマ法以来諸立法例の採用するところであり、個人主義の思想に基づいている。

7-6　**(b)　分割主義が適用される事例**　Aからヨットを1台を、BCが共同で100万円で購入した場合、代金債務100万円はBCの50万円ずつの債務となり（分割債務）、BCが共有するヨットをDに100万円で売却した場合には、代金債権100万円はBCの50万円ずつの債権になる（分割債権）。

　ある権利関係において、複数人が債権者または債務者になる事例は、①初めから数人で契約をする場合も考えられるが、②実際に問題となる多くの事例は共同相続の事例である。共同相続により、物権は共有または準共有となり持分に分割されるが、同一物を対象とするため制約を受ける。取消権、時効援用権等の形成権は1つの権利として準共有となる（☞ 7-7）。これらに対し、債権は準共有とならず分割債権関係になる（427条が264条の特則）。

7-7　**◆契約当事者たる地位の帰属**
　(1)　契約上の地位、契約上の地位に関する権利
　427条以下は債権・債務についての規定であり、その発生原因である契約自体については別の規律による。契約は当事者が複数いようと1つであり、例えば賃貸人や賃借人について共同相続があっても、1つの契約のままで契約が2つに分

245

第2節　分割債権（債務）——分割主義（分割原則）　　§1　債権・債務の分割主義（分割原則）

割されることはない——それから生じる賃料債権は分割債権・不可分債務（☞
7-27）となる——。そのため、契約の成立、消滅、内容の変更に関わる形成権
は、契約当事者たる地位同様に1つの権利として全員に帰属し分割されることは
ない。契約の取消権、解除権、予約完結権などには427条の分割主義の適用は
ない。

7-8 **(2)　預金契約上の権利**

　預金の共同相続人の1人による取引履歴の開示請求を認めるに際して、預金債
権は分割帰属するが（この点はその後に変更される☞ 7-43以下）「共同相続人全
員に帰属する預金契約上の地位に基づき」取引履歴の開示請求権を「単独で行使
することができる（民法264条、252条ただし書）」という（最判平21・1・22民集63巻
1号228頁）。分割帰属しない場合にも、不可分債権のように、全員が単独で行使
できるものと、預金債権のように全員でなければ行使できないものとがあり、そ
の行使が処分になるのか保存行為になるのかという性質の差に由来するものと思
われる。契約にかかわらない形成権は、私的自治の原則通り分割主義が適用され
る[163]。

2　分割主義の評価

7-9 **(a)　債権**

(ア)　債権の分割主義は適切　　まず、債権については、分割主義は私的自治
の原則の帰結として妥当なものと考えられている。7-6の例では、BCはD
に対して自分の持分の代金だけ請求できればよい。確かに債務者Dにとっ
てはいずれかに全額支払えた方が便利だが、債権者の1人が給付を受領し
た後、他の債権者に分配しない危険がある。

7-10 **(イ)　判例で分割債権が認められた事例**　　判例は、金銭債権は共同相続によ
り当然に分割債権になることを認め（大判大9・12・22民録26輯2062頁、最判昭
29・4・8民集8巻4号819頁）、個別的には、共有地が収用された場合の補償金
請求権（大判明38・10・31民録11輯1459頁、大連判大3・3・10民録20輯147頁）、共
有物に対する不法行為に基づく損害賠償債権（最判昭41・3・3判時443号32頁、

---

163)　例えば、土地の取得時効完成後、援用前に占有者（時効取得者）が死亡し共同相続があった場合に、
援用権が共同相続されるが、1つの援用権が準共有されるのであろうか。もしそうだとすると、全員の同意
がないと自分は時効の利益を享受したいと思っていても、それができず各人の私的自治（自己決定）が無視
されることになる。そのため、判例は傍論であるが、土地の取得時効の事例において、共同相続人の1人
は「自己の相続分の限度においてのみ取得時効を援用することができる」という（最判平13・7・10判時
1766号42頁）。

246

最判昭 51・9・7 判時 831 号 35 頁）などを分割債権としている。当初、預金債権も同様に考えられたが、現在では否定されている（☞ 7-43 以下）。賃借人が複数いる場合に賃料債務は不可分債務とされるが（☞ 7-27）、賃貸人が複数いる場合には賃料債権は分割債権となる。そして、「遺産である賃貸不動産を使用管理した結果生ずる金銭債権たる賃料債権は、遺産とは別個の財産というべきであって、各共同相続人がその相続分に応じて分割単独債権として確定的に取得」し、「後にされた遺産分割の影響を受けない」とされている（最判平 17・9・8 民集 59 巻 7 号 1931 頁）。

7-11 **(b) 債務**

㋐ 債務の分割主義は批判が強い　債務も私的自治の原則からいえば、自分の分だけ支払えば足りるはずであり、他人の分まで支払う義務を負わないのが原則となる。しかし、債務の分割主義については、債権の効力を弱めるものとして債権者保護の観点から批判が強い（注民(11) 23 頁以下［椿寿夫］参照）。そのため、立法論としては、商法 511 条 1 項もあるが、事例によって法律上当然の連帯債務の成立を認めることが要請され、解釈論としても、不可分的給付の対価は不可分といった扱いがされている（☞ 7-27）。

7-12 **㋑ 判例は不可分債務の活用を認めるが限界あり**　判例は債務についても基本的に分割主義を貫徹している。金銭債務など可分債務は共同相続により当然に分割債務になり（大決昭 5・12・4 民集 9 巻 1118 頁）、共同で買い受けた目的物の代金債務も分割債務とされている（最判昭 45・10・13 判時 614 号 46 頁）。連帯債務も共同相続により分割連帯債務になる（最判昭 34・6・19 民集 13 巻 6 号757 頁）[164]。不可分的利益につき不可分債務を認める判例理論には限界があ

---

164)　**＊分割連帯債務**　例えば、A に対して BC が 100 万円の連帯債務を負っていて、C が死亡し DE が 2分の 1 の相続分で共同相続をした場合、DE は 50 万円ずつの分割債務になるか、依然としてそれぞれ B とは連帯債務の関係に立つ（分割連帯債務）。①B が 100 万円を支払えば、DE に 25 万円ずつ求償できる（442 条 1 項）。C に対しては 50 万円を求償できたが、ばらばらに回収せざるをえないことになる。分割連帯債務としたので、求償連帯を認めることはできる。②他方で、D が 50 万円を支払った場合には、B に25 万円、E に 12 万 5000 円の求償ができるのであろうか。しかし、E は 50 万円の債務を負ったままであり、共同の免責を得ておらず、D の E に対する求償権の成立要件は満たしていない。D は 50 万円共同の免責を受けた B に 25 万円を求償できるだけであり、A に対して B と D は 50 万円の連帯債務を負担したままである。B がこれを支払えば D に 25 万円、D が 50 万円を支払えば A に 25 万円を求償できることになる。判例に反対し、DE は 100 万円全額で連帯債務を承継するという不分割承継説もあるが、これでは 100万円の連帯債務が 2 つであったのに 3 つになってしまい、債権者に棚ぼた的利益を与えることになる。DE合計で、B の負担部分 50 万円について 25 万円ずつの実質保証がされればよい。

第2節　分割債権（債務）——分割主義（分割原則）　｜　§Ⅱ　分割債権（債務）の効力

り、黙示の連帯特約の活用も期待されるが、分割主義の壁は高い。

---

§Ⅱ
分割債権（債務）の効力

1　多数当事者の債権関係を考察する３つの視点

7-13　　(a)　**多数当事者の債権関係についての３つのアプローチ**　　多数当事者の
債権関係では、次の３つの関係で問題が考察される。

---

① **対外関係（権利行使・義務の履行）**　複数債権者と相手方債務者、また
　　は、複数債務者と相手方債権者との関係における、請求、受領の権限を
　　めぐる関係である。
② **影響関係（債務者・債権者の１人につき生じた事由の効力）**　複数債権
　　者の１人または複数債務者の１人につき生じた事由が、他の債権者ま
　　たは債務者に効力を生じるかという問題である。
　　ⓐ **相対的効力事由**　私的自治の原則からして、ほかには影響を及ばさな
　　　　いこと（相対的効力）が原則である。
　　ⓑ **絶対的効力事由**　ほかに効力を及ぼす絶対的効力事由も、全面的に効
　　　　力を及ぼすものと、負担割合・分配割合を限度として及ぼすものとが
　　　　考えられる。
③ **内部関係（求償・分配）**　複数債権者間における１人が受領した給付の
　　分配、または、複数債務者間における１人が行った弁済等の求償という
　　多数当事者内部の関係である。

7-14　　(b)　**分割債権・債務では問題は生じない**　　これらにつき分割債権・債務で
は特別の問題は生じない。完全に別個の債権・債務となるので内部関係は問
題とならず、ただ相手方との関係で平等割合と扱われるが内部では異なる割
合を合意していた場合に、自己の部分を超えて弁済した者の求償が問題とな
るにすぎない。対外関係も同様で、１人の債権者または債務者に生じた免

248

第7章　多数当事者の債権関係①──分割債権（債務）・不可分債権（債務）・連帯債権（債務）

除、時効、混同等の事情は他に影響を及ぼさない。ただ、発生原因が契約の場合に、契約関係の規律をめぐって問題になる。次に説明しよう。

2　契約関係をめぐる問題点

7-15 **(1)　反対債務が不可分債務の場合**

(a)　**契約の無効・取消し**　例えば、①AからBとCとが絵画を共同で購入する契約をした場合、BCの代金債務は特約がない限り分割債務となり、他方、②BCが共有する絵画をDに売却した場合、BCの代金債権は分割債権となる。

連帯債務では、1人についての無効または取消しは、他の債務者の債務につき「その効力を妨げられない」と規定されている（437条）。解除権不可分の原則があるため（544条）、解除が除外されている。取消しや無効は個別に認められることが前提になっている。Bにつき契約が無効でも、連帯債務であればCが全額の債務を負担したままであるが（☞7-63）、分割債務だとCの分だけ有効というのは適切でない。Bの無効・取消しを否定するか、または、Cにも無効・取消しを拡大する必要がある（拡大すべき）。

7-16 (b)　**同時履行の抗弁権**　同時履行の抗弁権については、7-15①の例でいうと、売主AのBCへの引渡義務と代金債務（例えば100万円）全額とが同時履行の関係に立つため、BCの債務が50万円ずつの分割債務になるとしても、Aは、BCが全額100万円を提供するまでは、自分の引渡義務について同時履行の抗弁権を対抗できる。Bが自分の分の50万円を提供しても、さらには支払っても、Aは、Cからいまだ残り50万円の提供がない限りBに対する同時履行の抗弁権を失わない。そのため、Cが50万円の支払をしない、また、AもCに請求しないと、膠着状態になる（☞5-31）。

7-17 **(2)　反対債務も分割債務の場合**

(a)　**実質的に複数の契約**　例えば、AがBCに100万円でセメントを100kgを販売した場合、BCの代金債務が50万円ずつの分割債務、BCの引渡債権も50kgの分割債権になる。この場合に、AB間とAC間の50万円での50kgの2つの売買契約が同時にされているものと同視して、無効・取消し、同時履行の抗弁権、さらには解除についてもばらばらに扱ってよいのであろうか。7-15の事例では、複数人で1つの契約を締結したものであ

第3節　不可分債権（債務）　│　§Ⅰ　不可分債権

るが、上記事例は実質的に2つの契約を同時に行ったにすぎない。

7-18　　**(b)　分割した扱いが可能**　7-17の事例では、一部無効・取消しを認める
べきである。また、解除についても不可分の原則を適用せず一部解除を認め
るべきである。確かに、100kgの購入ゆえに特別に割引をしたという事例
であれば問題になる。しかし、買主が1人であっても同じ問題が生じ、売
主が半分だけ渡して残部を渡さないといった売主側の不履行の場合には、買
主から一部解除を認めてよい。また、同時履行の抗弁権についても、Bは自
分の代金の支払をしていれば、Cが不履行の状態にあっても、Aに対して自
分の取り分の50kgの引渡請求につき、同時履行の抗弁権の対抗を受けない
と考えてよい。

第3節　不可分債権（債務）

§Ⅰ
不可分債権

1　不可分債権の意義・要件

7-19　　**(a)　不可分債権の意義**　「数人の債権者があるとき」にその「債権の目的
がその性質上不可分である場合」、これを**不可分債権**という。改正前は、合
意による不可分債権も認められていたが規定が削除され、現在では性質によ
る不可分債権のみが認められているにすぎない（石田762頁以下は、当事者の合意
による不可分を認める）。不可分債権については連帯債権の規定が準用される
（428条）。

7-20　　**(b)　不可分債権の要件**　「債権の目的がその性質上不可分である場合」と
して、例えば不可分物の共同買主の目的物引渡請求権、共有不動産の共有者
の塗装業者に対する履行請求権が考えられる。賃貸人が複数人いる場合の賃
借人に対する家屋明渡請求権も、不可分債権と考えられている（最判昭42・
8・25民集21巻7号1740頁）。賃料について、賃貸人が複数の場合には、賃料債
権は分割債権になる。債権ではないが、共有物について、共有者各人が妨害

第7章　多数当事者の債権関係①——分割債権（債務）・不可分債権（債務）・連帯債権（債務）

排除請求権や返還請求権といった物権的請求権を全面的に行使できることについては、当初の判例は不可分債権に準ずるものと説明していたが、現在では保存行為が根拠とされている（☞物権法 21-62 以下）。

2　不可分債権の効力

7-21　**(a)　連帯債権の規定の準用**　①各債権者は債務者に対して単独で自己に給付すべきことを請求でき、また、債務者は債権者の1人を任意に選んで履行することができ（432条・428条）、全債権者の債権が消滅する。②不可分債権者の1人について生じた事由については、相対的効力が原則である（435条の2・428条）。432条の準用により（428条）、請求と履行は全ての債権者のために効力を生じる（絶対的効力事由）。また、規定はないが、供託、提供、受領遅滞の効果は、他の債権者に対しても効力を生じると解すべきである。混同については次に述べる。

7-22　**(b)　混同の絶対効は準用されていない**　連帯債権では債権者の1人との混同も絶対的効力事由とされているが（435条）、民法は、不可分債権について 433条〜435条を準用から除外しており（428条括弧書）、混同も相対効になる。また、「不可分債権者の1人と債務者との間に更改又は免除があった場合においても、他の不可分債権者は、債務の全部の履行を請求することができる。この場合においては、その1人の不可分債権者がその権利を失わなければ分与されるべき利益を債務者に償還しなければならない」（429条）。例えば、ABがCからヨット1台の贈与の約束を受けたが、BがCを免除しても、AはCに対してヨットの引渡しを請求できる。ヨットは、ABではなく、ACの共有になる。BC間に混同があった場合にも（Aが相続人）、同様に解すべきである。

7-23　**(c)　分割債権化および分配**　特定物を目的とする不可分債権の成立後、履行不能または契約解除により金銭債権たる損害賠償債権に転形した場合には、当然に不可分債権が分割債権に変更される（431条前段）。7-15 の①の事例で、Aが絵画の引渡しを履行不能とした場合、BCのAに対する損害賠償請求権は分割債権となる。

　分配請求については、債権の二重譲渡の優劣決定不能事例も念頭に置かれているため、規定は置かれていない。その場合は別として、原則として平等

251

第 3 節　不可分債権（債務）　│　§Ⅱ　不可分債務

の割合での分配義務が認められる（石田 782 頁）。

§Ⅱ

不可分債務

1　不可分債務の意義・要件

7-24　**(a)　不可分債務の意義**　「数人の債務者があるときに」、その「債務の目的がその性質上不可分である場合」、これを**不可分債務**という（430 条）。不可分債権同様に、合意による不可分債務も認められていたが、改正法により性質上の不可分債務のみに制限された——連帯債務によればよく不都合はない——。不可分債務については、440 条の混同を除き連帯債務の規定が準用される。不可分債務と連帯債務との間に基本的な差異はなく、不可分債務は連帯債務として扱われるという学説もある（石田 772 頁、777 頁）。

7-25　**(b)　不可分債務の要件**　「債務の目的がその性質上不可分である場合」とは、例えば AB の共有物を共同で C に売却した場合の、引渡義務である。為す債務としては、AB が共同で建物の建築を引き受けた場合の建物建築義務が考えられる。判例によって、性質上不可分の解釈が拡大されている事例があり、これは 7-27 に別に説明をする。

7-26　**(c)　分割債務化**　不可分債務が履行不能や契約解除により損害賠償義務になった場合には、分割債務になる（431 条後段）。ただし、7-15 の②の事例で、BC の債務不履行による D に対する損害賠償義務については、719 条 1 項後段の趣旨を類推して、BC の連帯債務と考えるべきである。なお、AB の共有物が C 所有の土地に投棄されている場合（7-20 の逆事例）、C は AB いずれに対しても所有権に基づく物権的妨害排除請求権が認められるが、あえて不可分債務の規定を類推適用する必要はない。

7-27　**◆不可分的給付の対価の支払義務は不可分債務か**
　(1)　給付は可分なのに認められた不可分債務
　　(a)　全部使用収益しうる地位の対価たる賃料　債務の目的がその性質上不可分というのは、「債権の目的」たる給付が不可分である事例が念頭に置かれている

が、判例はこれを拡大して運用している。すなわち、共同賃借人——賃借人が死亡して共同相続が生じた場合——の賃料債務を、判例は不可分債務と認定している（大判大11・11・24民集1巻670頁）。「賃借人相互の間に於ける内部の関係は如何にもあれ、賃貸人との関係に於ては、<u>各賃借人は目的物の全部に対する使用収益を為し得るの地位に存</u>」ることが理由である（大判昭8・7・29新聞3593号7頁）。共有の山林について看守を依頼した共有者の看守料支払義務についても不可分債務とされている（大判昭7・6・8裁判例6巻民179頁）。多くの学説は判例を評価しており（星野154頁、前田315頁など）、不可分的利得の償還や不可分的利益の対価たる給付は原則として「性質上」不可分債務となるという基準が提唱されている（我妻396頁）。

7-28 **(b) 明渡義務の遅滞による損害賠償義務**　上記大判昭8・7・29は、「共同賃借の場合に於て賃貸借終了し賃貸人に目的物を返還するに当りても、<u>各賃借人は目的物全部に付返還義務を負担する</u>ものなるが故に」、「同義務不履行に因り生ずる損害を賠償する場合にも亦各自其の全部に付支払の責に任ずべき」と判示している。共同賃借人の明渡義務は不可分債務であるが、その不履行による損害賠償義務まで不可分債務になる理由は不明である。また、使用利益の不当利得返還義務であれば、実際に使用した賃借人のみが負担するはずである。賃料については「賃借人相互の間に於ける内部の関係は如何にもあれ」と、実際に使用していない賃借人も義務づけられるが、明渡不履行（共同不法行為的になる）や不当利得は、実際に共同に使用している場合にのみ妥当するにすぎない。

7-29 **(2) 反対説**

(a) 使用者に全額の支払義務を認めることは賛成　もし原則通り賃料が分割債務であるとすると、ABが共同相続してAが単独で居住していても、ABの分割債務になり、賃貸人は居住していないBに半額の支払を請求するしかない。Bは支払わないだろうから、Aは全面的に使用していても半額だけ支払えばよいことになり、半額を支払ってさえいれば解除権不可分の原則があるので、賃貸人は解除できない。Bに支払義務を認めるのが適切かは措くが、結論として、Aに賃料全額を支払わせるのは不合理ではない。

7-30 **(b) 連帯債務による学説**　不可分的利益の対価は性質上不可分という一般法理を設定すると、反対給付が不可分債権であれば、全てこの法理が適用になりかねない。物の共同買主は全部の引渡しを求めることができるので、代金も不可分債務ということになってしまい、妥当範囲の限界づけは極めて不明瞭になる。学説には、この場合には連帯債務として扱うべきであるという主張がある（淡路剛久『連帯債務の研究』［1977］247頁以下、淡路336頁、345頁）。共同で賃借や購入する場合、連帯債務の合意を認める考えもある（石田759頁）。

7-31 **(c) 本書の立場**　信義則による連帯債務とでもいうべきものを認めて、賃料につき、ABが共同で居住していればAB共に、Aが単独で居住していればBは分

割債務でＡだけ全額の連帯債務を認めるべきである[165]。共同で使用していれば、不当利得や明渡遅滞による損害賠償についても、連帯債務を負うと考えるべきである。この場合、賃借人の1人が賃借物を損傷した場合、他の賃借人も修補請求ができないだけでなく（606条1項ただし書）、共同不法行為に準じて連帯して善管注意義務違反による損害賠償義務を負う。

2　不可分債務の効力

7-32 **(1)　対外的効力と内部的効力**

(a)　**対外的効力**　7-13の3つの効力について考えると、まず、対外的効力については、債権者は、債務者の1人に対して、または総債務者に対して、同時もしくは順次に全部の履行を請求することができる（436条・430条）。

7-33 (b)　**内部的効力**　次に、内部的効力については、履行のために出捐した費用、7-15の②の例で、ＢがＤへの運送を運送業者に依頼して費用として1万円を支払った場合には、負担部分に応じてＣに求償ができる（442条1項・430条）。ＡＢの持分が3対1の共有不動産の賃貸においては、賃料債権は3対1の分割債権になるが、修繕義務は不可分債務になり、その費用負担が3対1になる（ただし、442条の準用というよりも253条の適用）。

7-34 **(2)　影響関係**

(a)　**履行・相殺・更改は絶対効**　次に影響関係であるが、不可分債務には、440条（混同）を除き連帯債務に関する規定が準用され（430条）、下記表のようになる。

> ×　請求の絶対効なし（430条による441条の準用）
> ○　履行の絶対効あり（性質上当然）
> ○　相殺の絶対効あり（430条による439条の準用）

---

165)　民法（債権法）改正検討委員会は、「不可分の利益の償還または対価の支払については、その債務がその性質上可分であるときは、連帯債務とする。ただし、反対の合意があるときはこの限りでない」と、法定の連帯債務とする提案をしていた（【3.1.6.06】〈2〉）。しかし、改正法ではこのような条文の導入は見送られた。共同賃借人の負担する賃料債務等につき、「金銭の給付を目的とする債務であるから、不可分債務ではない」、「新法のもとでは、連帯債務として処理される」という主張がある（潮見・新Ⅱ619頁）。連帯債務になる根拠は示されていない。

254

第7章 多数当事者の債権関係①──分割債権（債務）・不可分債権（債務）・連帯債権（債務）

> ○ 更改の絶対効あり（430条による438条の準用）
> × 免除の絶対効なし（430条による441条の準用）
> × 混同の絶対効なし
> （430条括弧書による440条の準用除外・441条の準用）

　債務者の1人について生じた事由は、相対効が原則とされ、履行のほか、債務者の1人による更改（438条・430条）、相殺（439条・430条）が絶対的効力事由である。

7-35　(b) **混同は相対効**　債権者と債務者の1人との混同（440条）は準用が排除されているので（430条括弧書）、不可分債権同様に（428条）相対的効力事由ということになる。AB共有の絵画をCに売却し、その後、Bが死亡しCが共同相続した場合、Aが絵画を占有していればCはその引渡しを請求できる。しかし、引渡しがあったものと擬制し、あとはACの共有関係として規律する方が適切であった。

7-36　(c) **債務不履行による損害賠償義務**　履行遅滞による遅延賠償義務、履行不能による填補賠償義務については、431条により、特約がない以上は分割債務になる。しかし、ABの特定物の引渡義務の場合、Aが目的物を占有していたとして、Bが自己の保管義務の履行をAに任せていることになり、履行補助者のような関係になるので、Aの帰責事由はBの帰責事由と同視すべきである。この場合に、ABの損害賠償義務は連帯債務になる。

第4節　連帯債権

1　連帯債権の意義・必要性

7-37　(a) **連帯債権の意義**　「債権の目的がその性質上可分である場合において、法令の規定又は当事者の意思表示によって数人が連帯して債権を有するとき」（432条）、これを**連帯債権**という。「各債権者は、全ての債権者のために全部又は一部の履行を請求することができ、債務者は、全ての債権者のために各債権者に対して履行をすることができる」（同条）。連帯特約は、「当事者」の意思表示が必要であり、債権者と債務者の合意が必要である。

255

第4節　連帯債権

7-38　　**(b)　連帯債権は誰のためか**　例えば、ABCが持分平等で共有する土地を
Dに賃料月額6万円で賃貸した場合、賃料債権はABC各2万円の分割債権
になり、DはABCにそれぞれ支払わなければならず面倒である。他方で、
ABCとしては、分配が確実にされるか不安なので、分割主義で不都合はな
い。そのため、連帯債権とするのは債務者のためである（近藤優子「不可分債
権・連帯債権の供託的機能に関する一考察」法学新報123巻12号［2016］163頁以下）[166]。た
だし、債務者の履行の便宜のためだけであれば、分割債権のまま、ABCの
合意で振込先を例えばAの口座とする合意ができ―― AにBCの債権につ
いての受領代理権を付与――、受領代理権の特約だけで足りる[167]。

7-39　　**(c)　連帯債権の特約の認定は慎重に**　債権者側に全額請求を認めるべき事
情がない限り、連帯債権ではなく受領代理権についての特約と認定すべきで
ある――全額の請求権、取立権までは認めない――。他の債権者にとって危
険であるため、安易に連帯債権と認定すべきではないと評されている（注民
⑾47頁［椿］、奥田376頁、近江172頁）。

　　なお、連帯債権者は全員である必要はなく、先の例で、ABは4万円の連
帯債権、Cは2万円の分割債権という合意も可能である。この場合のABの
連帯債権化には、Cの同意は不要である。

---

166)　連帯債権規定の導入は、具体的な利用例への対処のために立法されたものではなく、また、債権の二
　　重譲渡で優劣を決められない場合について、一部の学説は連帯債権と構成しているが、この議論に解決を与
　　える意図もなかったと評されている（池田127頁）。実務の要請によるものではなく、なるべく相互の受領
　　権付与と認定すべきである。
　　　本文の例を変えてABがその所有の甲画をCに月10万円で賃貸していて、連帯債権の特約が付けられて
　　いるとする。Bが死亡しDEが相続分平等で共同相続したらどうなるであろうか。連帯債務の裏返しで、分
　　割連帯債権になり、Aが10万円の連帯債権のまま、DEはAと5万円の連帯債権の関係に立つと考えるべ
　　きであろうか。連帯債権はCのための制度であるとすれば、DEにも10万円の連帯債権が成立するという
　　処理も考えられる。しかし、債権者の1人が自分の取り分以上の弁済を受け、分配しないというリスクを
　　拡大すべきではなく、また、1人に10万円を支払えば解放されるというCの利益は、Aが10万円の連帯
　　債権を有したままなので保障されており、分割連帯債権でよいように思われる。相互の受領権の付与の場合
　　であれば、5万円の分割債権で、BとAは相互に他方の5万円についての受領権を有していたのであり、B
　　が死亡しDEの2万5000円の分割債権になっても、Aの受領権はそのままになる。DEはAの5万円の債
　　権についての受領権を共同相続するが、DEに受領権はどう帰属するのであろうか。
167)　後述の連帯債務と相互保証と同様の関係が、連帯債権と相互受領権の付与との関係でも認められる
　　（連帯債権は実質的には相互受領権付与）。ABCが2万円の賃料債権を分割取得するが、他の賃料について
　　受領権が与えられ全員が6万円の受領権が認められる場合と、連帯債権と形式的にした場合の法的扱いに
　　不合理な差が生じないようにすべきである。AD間の相殺については、受領権付与の場合には2万円のみし
　　か相殺適状は認められない。Dの一まとめによる弁済の利益を保護するものが連帯債権であれば、連帯債
　　権と構成しても同様の制限がされるべきである（434条は制限解釈すべき）。

第7章　多数当事者の債権関係①——分割債権（債務）・不可分債権（債務）・連帯債権（債務）

7-40
◆**共同債権・共同債務**
(1)　共同債権・共同債務
　(a)　共同債権
　　(ア)　共同債権の意義　債権には、法令または合意により全員でなければ行使できない債権も考えられる。各債権者が単独で全部の履行請求ができる連帯債権や不可分債権とは異なり、全員で全部の請求ができるのみである。これを**共同債権**といっておく（中田裕康「共同型の債権債務について」『継続的契約の規範』[2022] 341頁）。共同債権では、全員が共同で権利の行使をしなければならないが、権利行使名義が全員であれば、受領権をそのうちの1人に認めて1人への履行を有効な弁済とすることができる。

7-41
　　(イ)　債権の準共有　言葉以上の問題なのかは措くが、共同債権を1つの債権の準占有と理解する学説もある（山田到史子「預貯金債権の共同相続」深谷格ほか編『生と死の民法学』[2022] 333頁以下参照）。権利行使は処分に当たるため、全員による行使が必要なことの条文上の根拠が説明しやすい。多数当事者の債権関係か準共有かの2択ではなく、1つの債権であっても、複数人に帰属するので、債権の準共有たる多数当事者の債権関係と考えるべきである。

7-42
　(b)　共同債務　また、債務について、債務者全員が共同で債務を履行することが義務づけられ、全員が共同して履行して初めて債務の本旨に従った履行となる**共同債務**というものも考えられる（中田・前掲343頁）。例えば、ABC3人組の歌手グループの出演義務がこれに該当する（**集団的債務**ともいわれる）[168]。複数人が、同じ内容の給付を義務づけられるだけの不可分債務や連帯債務とは異なり、全員が共同で行うことが給付内容になっているのである。ABC全員で履行しなければ完全な履行にならない。

7-43
(2)　預金債権など
　(a)　定額郵便貯金債権　定額郵便貯金についての法律を根拠に、定額郵便貯金の債権については、「同法は同債権の分割を許容するものではなく、同債権は、その預金者が死亡したからといって、相続開始と同時に当然に相続分に応じて分割されることはない」とされている（最判平22・10・8民集64巻7号1719頁）[169]。この判決は、分割債権にならないというだけでその法律関係を明らかにしていない。なお、金銭債権は共同相続により分割債権となるが、それを含めて898条1項の「共有」を認める「共有の二重の構造説」もある（緒方直人「相続可分債権・可分債務と『当然分割』判例法理」『家族法の理論と実務』[2011] 689頁）。

7-44
　(b)　普通預金債権　その後、最大決平28・12・19民集70巻8号2121頁は、まず、普通預金債権および通常貯金債権につき、「1個の債権として同一性

---

168)　限界づけは難しい。ボクシングにおいてAとBのタイトルマッチは、2人揃わなければ試合にならないが、共同して履行するというのとは異なる。また、コンサートに歌手ABCが出演するというのも同様であり、全員が揃わなければ主催者の債務は完全な履行ではないというだけである。

を保持しながら、常にその残高が変動し得るものである。そして、この理は、預金者が死亡した場合においても異ならない」。「普通預金債権及び通常貯金債権は共同相続人全員に帰属する」が、「同一性を保持しながら常にその残高が変動し得るものとして存在し、各共同相続人に確定額の債権として分割されることはない」とした。

7-45　　　(c)　**定期預金債権**　同判決は、定期貯金債権について、「相続により分割されると解すると、それに応じた利子を含めた債権額の計算が必要になる事態を生じかねず、定期貯金に係る事務の定型化、簡素化を図るという趣旨に反する」として、「共同相続された普通預金債権、通常貯金債権及び定期貯金債権は、いずれも、相続開始と同時に当然に相続分に応じて分割されることはなく、遺産分割の対象となる」とした[170]（最判平 29・4・6 金法 2064 号 6 頁も同旨）。なお、銀行は「預金」、郵便局（現ゆうちょ銀行）は「貯金」、両者をあわせて「預貯金」というが、以上の議論は「貯金」にも当てはまる。

7-46　　**(3)　共同債権の法的構成**

　　(a)　**不可分債権ではない——全員の共同行使が必要**　いずれも全員で共同しなければ払戻請求ができないが、(2)(b)は全員ですれば一部請求も可能なのに対して、(2)(c)では全部請求しか認められない[171]。他人の分まで単独で請求できるのは適切ではないので、連帯債権や不可分債権は全員が全額の権利行使を単独でできるが、共同債権では単独行使は認められない。

7-47　　(b)　**債権の合有・総有とも異なる**　共同債権の法的説明については、分割されないこと、全員での共同行使が必要なことは上記判例が認めるが、それ以上の内

---

169)　**＊信託受益権など**　最判平 26・2・25 民集 68 巻 2 号 173 頁は、①「投資信託受益権は、口数を単位とするものであって、その内容として、……可分給付を目的とする権利でないものが含まれている」ことから、「相続開始と同時に当然に相続分に応じて分割されることはない」、また、②国債についても、「個人向け国債は、法令上、一定をもって権利の単位が定められ、1 単位未満での権利行使が予定されていないものというべきであり、このような個人向け国債の内容及び性質に照らせば、共同相続された個人向け国債は、相続開始と同時に相続分に応じて分割されることはない」とする。また、最判平 26・12・12 金判 1463 号 34 頁は、投信受益権の「元本償還金又は収益分配金の交付を受ける権利は上記受益権の内容を構成するものであるから、共同相続された上記受益権につき、相続開始後に元本償還金又は収益分配金が発生し、それが預り金として上記受益権の販売会社における被相続人名義の口座に入金された場合にも、上記預り金の返還を求める債権は当然に相続分に応じて分割されることはなく、共同相続人の 1 人は、上記販売会社に対し、自己の相続分に相当する金員の支払を請求することができない」という。

170)　**＊預貯金債権の特例**　判例による限り、相続財産たる預金は遺産分割がされるまで凍結されることになる。遺産の管理のために預金を使用する必要があれば全員の名で払戻請求をすればよいが、相続人ごとの必要資金としては凍結されてしまう。そのため、2019 年相続法改正により、909 条の 2 が創設された。預金が複数ある場合には、預金ごとに「相続開始の時の債権額の 3 分の 1」に相続分を乗じた額、例えば 600 万円の預金であれば 3 分の 1 の 200 万円につき、相続分が 2 分の 1 であれば 100 万円については、「単独でその権利を行使することができる」ことにされた。ただし、法務省令により 150 万円という上限が定まっており、先の例で預金を 1200 万円とすると 200 万円になる計算であるが、150 万円に限界づけられる。これに基づいて権利を行使した「預貯金債権については、当該共同相続人が遺産の一部の分割によりこれを取得したものとみな」される。

第 7 章　多数当事者の債権関係①──分割債権（債務）・不可分債権（債務）・連帯債権（債務）

容は明らかにされていない。そのため、1 つの債権が全員に帰属する準共有であり、各債権者はその準共有持分を有するにすぎないことになる。1 つの債権が全員に帰属するのは合有や総有でも同じであるが、合有や総有では、その団体の執行権限のある者が権利行使をできる。債権の準共有持分は債権そのものではないことから、準共有持分に対する強制執行は、債権執行ではなく民事執行法 167 条のその他の財産権に対する強制執行による（小池邦吉「改正相続法の下での可分債権の遺産分割での扱い」『宮本健蔵先生古稀記念論文集』［2022］582 頁以下）。

7-48 　　(c)　**分割債権だが一体的行使が必要という構成も可能**　ただし、分割債権であるが、1 つの債権同様の一体的規律に服する一束にまとまった債権という構成も不可能ではない。分割債権だとすれば債権譲渡はできるが、一体的規律を受けるという拘束が承継されることになる。代位行使や差押えについても、権利行使については一体的規律に服することになる。所有権でいえば、共有者全員に持分を認めるが目的物の処分は全員によることが必要、契約の解除権や取消権、賃料増減額請求権といった契約上の地位に関わる権利についていえば、1 つの権利として全員に帰属し全員の行使が必要であるという規律に近い。

2　連帯債権の効力

7-49 **(1)　対外的効力・内部的効力**

　(a)　**対外的効力**　連帯債権の各債権者は、全ての債権者のために給付の全部または一部の履行を請求でき、また、債務者は全ての債権者のために各債権者に履行をすることができる（432 条）。7-38 の例であれば、ABC はそれぞれ全員が 6 万円の賃料の支払を求めることができ、D はいずれかに 6 万円を支払えば、全員に対して賃料の支払義務を免れる。

7-50 　(b)　**内部的効力**　例えば、A が 6 万円全額の支払を受けたとする。分配義務ないし分配請求権については規定がない。これは、債権譲渡で優劣決定

171)　**＊相殺**　①被相続人が個人事業者で銀行に対して債務を負担していた場合、銀行による損金債権との相殺は可能であったが、共同相続されるとどうなるのであろうか。例えば、AB が相続分平等で甲の C 銀行に対する 100 万円の債務を共同相続した場合、債務は分割債務、銀行からいうと AB に対する 50 万円ずつの債権になる。C は、これを自働債権として、AB が取得した預金、例えば 100 万円の普通預金債権を受働債権として相殺をすることができるのであろうか。AB からはどうであろうか。②また、C が A に対して固有の債権、例えば 100 万円の債権を有する場合、C からまた A からの相殺はどうなるであろうか。
　①銀行からの相殺の期待の保護がされるべきであり、他方で、共同行使が必要なので、AB からの相殺は共同で行う必要があると思われる。②については、共同行使は銀行の保護のためであり、銀行側が認めれば分割行使も可能である。銀行 C から の A に対する債権による A の C に対する預金債権額（2 分の 1）については相殺を認めてよい。AB からの相殺は共同行使が必要であるが、共同行使を A は相殺、B は現金の受領という形で行うことは可能なように思われる。

第4節　連帯債権

ができない場合を連帯債権と理解するためであり、その場合に分配義務を認めるかどうかは議論があるからである。しかし、本書はこの場合は連帯債権とは構成しない。この場合に連帯債権と構成すると、433条が適用されるので適切ではない。7-38の事例では、BCのAに対する2万円の分配請求権を認めるべきである。442条2項を類推適用して、BCが請求していなくても、Aは受領後にBCへの分配まで当然に利息を付けて支払わなければならないのかは、微妙である。

7-51　**(2)　影響関係**

(a)　相対効の原則──異なる意思表示は有効　請求と履行が絶対的効力事由とされており、明文はないものの、提供、供託、受領遅滞の効果も絶対的効力事由が認められるべきである。432条（請求、弁済）〜435条（混同）を除いて、「連帯債権者の1人の行為又は1人について生じた事由は、他の連帯債権者に対してその効力を生じない」と、連帯債務同様に相対効を原則としている（435条の2本文）。「ただし、他の連帯債権者の1人及び債務者が別段の意思を表示したときは、当該他の連帯債権者に対する効力は、その意思に従う」と、特約の可能性が確認されている（同条ただし書）。

7-52　**(b)　債権全額についての絶対的効力事由**　債権全額についての絶対的効力事由として規定されているのは、4つである。①まず、「各債権者は、全ての債権者のために全部又は一部の履行を請求することができ」（432条）、請求に絶対効が認められている。したがって、請求による履行遅滞、時効の完成猶予、更新といった効力は全員に及ぶことになる。②次に、債務者は「全ての債権者のために各債権者に対して履行をすることができる」（同条）。弁済は絶対効が認められる。③「債務者が連帯債権者の1人に対して債権を有する場合において、その債務者が相殺を援用したときは、その相殺は、他の連帯債権者に対しても、その効力を生ずる」（434条）。債務者による相殺のみが規定されているが、債権者からの相殺も絶対効が認められる。④「連帯債権者の1人と債務者との間に混同があったときは、債務者は、弁済をしたものとみなす」（435条）。7-38の例でいうと、Cが死亡しDが単独相続をした場合、ABの賃料債権は4万円の連帯債権になる。

7-53　**(c)　被分与利益の限度での絶対的効力事由**　分与されるべき利益の限度での絶対的効力事由として、「連帯債権者の一人と債務者との間に更改又は免

第7章　多数当事者の債権関係①——分割債権（債務）・不可分債権（債務）・連帯債権（債務）

除があったときは、その連帯債権者がその権利を失わなければ分与されるべき利益に係る部分については、他の連帯債権者は、履行を請求することができない」と規定されている（433 条）。7-38 の例でいうと、A が D に賃料を免除した場合（債権放棄）、A の D に対する 6 万円の連帯債権は消滅する。BC の連帯債権は存続するが、A に分配すべき 3 分の 1 で免除の効力が生じ、4 万円の連帯債権になる。債権の二重譲渡で優劣決定不能の場合、分配義務を認めない考えでは、本条は適用が否定されるべきである。

第 5 節　連帯債務

§Ⅰ
連帯債務の意義および本質

1　連帯債務の意義

7-54 **(1)　複数の債務（債権）が成立する**

(a)　連帯債務の意義　「債務の目的がその性質上可分である場合において、……数人が連帯して債務を負担するとき」、これを**連帯債務**という（436 条）。A から絵画を BC が 100 万円で共同購入する場合、特約がなければ代金債務は分割債務になるが（427 条）、BC が連帯して代金全額を支払うことを約束したり（連帯特約）、または、BC が画商を営む商人であれば商法 511 条 1 項により、BC が連帯債務を負担することになる。

7-55 **(b)　共通の給付目的の複数の債務**　連帯債務においては、債務者ごとに 1 つの債務が存在し、それぞれ全部の給付をすべき債務を負い、保証債務のように主従の関係はない。しかし、債務は複数併存するものの（BC それぞれ 100 万円の代金債務）、100 万円の代金の支払を受けるという目的のための 2 つの手段にすぎず、債務者の 1 人が支払をすれば、その金額が全額に至らなくても全債務者の債務がその分消滅する。同じ目的は、相互に保証債務を負担することでも実現できる（☞ 7-79）。

7-56 **(c)　債権も複数存在する**　A の BC に対する 2 つの債権があるので、債権

者 A は例えば B に対する債権だけを D に譲渡することができる（大判大 8・12・15 民集 25 輯 2303 頁）。その場合にも連帯関係は維持され、A の C に対する債権、D の B に対する債権となり、連帯債務と同時に連帯債権にもなる。債権を全部 D に譲渡した場合には、対抗要件は債務者 BC ごとに備えなければならない（相対的効力事由）。

7-57 **(2)　連帯債務の特殊事例**

　連帯債務は、7-54 の例でいえば、各債務者の債務が全く同一である必要はなく、100 万円の代金債務につき BC それぞれが 70 万円を限度とした連帯にする（**一部連帯**）、B だけ 100 万円の連帯債務を負担させ、C は 50 万円の分割債務にするということも可能である（**不等額連帯**）[172]。また、期限などの内容を異にしてもよい。さらに、一部の債務者にのみ遅延利息を約定することも可能である。連帯債務者の一部の債務者の債務についてのみ担保を設定することが可能であり、例えば、B の債務についてだけ保証債務を成立させることも可能である── 464 条はこれを前提とした規定──。

2　連帯債務の本質──連帯二分論から緩やかな一元論へ

7-58 　　**(a)　改正前の不真正連帯債務の承認**　改正前は、連帯債務には請求、免除、消滅時効といった数多くの絶対的効力事由が認められ、このような絶対的効力事由が否定される不真正連帯債務が連帯債務と区別されていた[173]。ところが、改正法は、請求、免除、時効完成といった絶対的効力事由を認め

---

172)　＊**連帯免除**　一度成立した連帯債務について**連帯免除**が可能である。例えば、A に対して BC が 100 万円の連帯債務を負う場合に、① BC50 万円ずつの分割債務にする**絶対的免除**のほかに、② B だけを連帯免除し自己の負担額たる 50 万円のみの債務とし、C は依然として 100 万円の連帯債務にする**相対的免除**も可能である。相対的免除の場合に、例えば A に対して BCD が 300 万円の連帯債務を負担していたが、D が連帯免除され自己の負担すべき 100 万円のみの分割債務になった場合に、旧 445 条が 444 条の特則を規定していた。B が A に 300 万円弁済したが、C が無資力の場合、旧 445 条では、B は D に 100 万円求償できるだけであり、444 条は適用されずその原因を作った債権者 A に 50 万円を求償することになっていた。ところが、旧 445 条は削除された。したがって 444 条が適用されるので、相対的免除でも、B は C から回収できない 444 条 1 項による 50 万円の求償を、免除を受けた D に対してすることになった。債権者はこのような負担を引き受けることを意図しているとは限らないことが理由である（一問一答 125 頁）。

　しかし、ここでも絶対的効力事由と全く同じ議論が当てはまる。それは不訴求の意思表示と考えるべきであり、本当の免除の場合には、旧 445 条が削除されたので、504 条の趣旨を類推して、D が負担すべきであった 50 万円分につき B は 50 万円の免責を受け、A は B に 250 万円しか請求できないと考えるべきである（B は 150 万円負担し、D には 100 万円だけ求償できる ［D は連帯債務者でないので 444 条は適用にならず、150 万円の求償ができない］）。

第7章 多数当事者の債権関係①——分割債権（債務）・不可分債権（債務）・連帯債権（債務）

る規定を削除したため、議論の実益が大きく失われた。改正法はこの区別を
否定し連帯債務を一元化する趣旨を含んでいる（連帯二分論の解消）。

7-59 **(b) 改正法は不真正連帯債務概念を否定** 2つの概念を異なるものと認め
るか否かという学理的議論があり、この点で区別を疑問視する学説の意見が
強く、連帯債務の一元化が改正法において目指された。連帯債務を一元化し
た上で、状況に応じて多様な扱いをすればよいと考えられたのである（緩や
かな一元論）。影響事由を従前の不真正連帯債務に合わせて最低限度にとど
め、不真正連帯債務も連帯債務のうちに取り込む素地を作り、求償について
の不真正連帯債務についての制限を否定して連帯債務に合わせたのである
（潮見Ⅱ587頁）。しかし、不真正連帯債務を認める解釈の可能性は残されてい
る（☞ 7-78以下）。

> §Ⅱ
> # 連帯債務の成立

1 法令による連帯債務

7-60 　連帯債務は、「法令の規定又は当事者の意思表示」によって成立する（436
条）。まず、法律による連帯債務としては、一般規定として商法511条1項
があり、ABが商人であり共同で商品を購入した場合、AB間に連帯特約が
なくても代金債務は連帯債務となる。

　民法には、719条や761条がある。夫婦の日常家事債務（761条）は、一
方が契約をしても他方も連帯債務だけ負担する。これとのバランスからいっ
て、夫婦が共同で日常家事に関わる契約した場合に、761条の趣旨から全員

---

173) **＊連帯二分論** ドイツ普通法では、絶対的効力事由が多く認められる「共同連帯」と、共同不法行為
における「単純連帯」とを区別する「連帯二分論」があり、前者は単一の債務が複数人に帰属しているのに
対して、後者は債務が複数あると説明されていた。しかし、共同連帯でも債務は複数あると考える「債務多
数説」が支配的になり、1つの債務か否かで2つの連帯債務を分ける連帯二分論は否定された。ドイツ民法
では相対効を原則とする連帯債務が規定され、共同不法行為について不真正連帯債務という概念を認めて、
異なる規律が模索される。日本では、フランス法の流れを汲んだ旧民法における「連帯義務」（債権担保編
52条以下）、「全部義務」（同73条）の区別の影響を受けた上で、連帯債務・不真正連帯債務という連帯二
分論が議論された（注民(11)49頁以下［椿］）。

263

が連帯債務を負うと考えるべきである[174]。また、複数の者の 709 条の不法行為が競合した場合、共同不法行為の要件を満たさないとしても、427 条の分割主義が適用され、損害賠償義務は分割債務になるのではなく、不真正連帯債務の成立を認めるべきである。不真正連帯債務論を否定すると、共同不法行為を広く認めて連帯債務としなければならないことになる。

2 意思表示による連帯債務

7-61 **(1) 法令・特約なければ連帯債務なし**

次に意思表示によっても連帯債務とすることができる。契約による債務の場合には、連帯についての合意が必要である。負担付遺贈について、遺言により連帯債務を生じさせることも可能と考えられている。分割主義が原則であるため、連帯特約を主張する債権者側が連帯特約の存在を証明しなければならない[175]。

7-62 **(2) 黙示の意思表示または一般法理による可能性**

特別事情がありそれが証明されたならば、事実上の推定を認めることは可能であり、黙示の連帯特約を認定した判例もある（最判昭 39・9・22 判時 385 号 50 頁）。判例は必ずしも分割原則を厳格に貫こうとはしていないと評されている（淡路 346 頁）。複数人による契約の場合には、黙示の意思表示によることができるが、契約成立後の共同相続の事例ではそのようなわけにはいかず、不可分債務による解決が採用されている（☞ 7-27）。なお、本書は信義則上の連帯債務——「法令」による連帯債務になる——を活用しようとしていることは 7-31 に述べた。

7-63 ◆**債務者の 1 人についての無効・取消し**

「連帯債務者の 1 人について法律行為の無効又は取消しの原因があっても、他

---

174) 761 条については、ヨーロッパ家族法委員会によるヨーロッパ家族法原則は、夫婦の連帯責任の規定を置いておらず、日本でも廃止論が提案されている（松久和彦「ヨーロッパにおける日常家事債務の連帯責任」立命館法学 369＝370 号［2017］651 頁以下、福田清明「民法 761 条の果たしている機能から導かれる同条廃止論」明治学院大学法学研究 104 巻［2018］17 頁以下）。

175) 現行民法の原案 448 条では、ドイツ民法（草案）に倣って、「数人が契約により共同して債務を負担したる場合においては、各債務者は連帯してその履行の責に任ず。但し反対の定めあるときはこの限りにあらず」という一般規定が予定されていた。しかし、これは削除され実現しなかった。連帯推定はわが国の慣習にそぐわない、連帯特約は黙示の意思表示によっても認定できることが削除の理由である（鈴木尊明「427 条分割原則の展開と連帯関係の認定(1)」法研論集 155 号［2015］179 頁以下）。

第7章　多数当事者の債権関係①——分割債権（債務）・不可分債権（債務）・連帯債権（債務）

の連帯債務者の債務は、その効力を妨げられない」(437条)。例えば、AからBC
が共同で商品を購入し代金100万円を連帯して支払うことを約束したが、Bについ
ては取消原因があり取消しがされたとする。この場合、AとBCの売買契約
が、AC間の売買契約になり、Cは100万円の債務を負担したままで、その代わ
り本来共有になるべきであった所有関係はCの単独所有になる。Bに求償できな
い代わりに、Bが取得すべきであった持分を取得することになる（分割債務につ
き☞7-15以下）。

§Ⅲ
連帯債務の対外関係

7-64　**(1)　1つの給付のための2つの債権**

　連帯債務においては、「債権者は、その連帯債務者の1人に対し、又は同
時に若しくは順次に全ての連帯債務者に対し、全部又は一部の履行を請求す
ることができる」(436条)。例えば、Aに対してBCが100万円の連帯債務
を負っている場合、AはBにもCにも100万円の支払を求めることができ
る。ただし、合計200万円を受け取れるものではなく、例えばBが100万
円を支払えば、Cの債務も消滅する。各債務者に対し同時に全部の履行を訴
求しても、重複訴訟の禁止に触れることはなく、全員に全額の勝訴判決を得
られる。

7-65　**(2)　破産手続における扱い**

　連帯債務者の「全員又はそのうちの数人若しくは1人について破産手続
開始の決定があったときは、債権者は、破産手続開始の時において有する債
権の全額についてそれぞれの破産手続に参加することができる」(破104条1
項)。注目されるのは、これに続けて、「他の全部の履行をする義務を負う者
が破産手続開始後に債権者に対して弁済その他の債務を消滅させる行為
(……)をしたときであっても、その債権の全額が消滅した場合を除き、そ
の債権者は、破産手続開始の時において有する債権の全額についてその権利
を行使することができる」ものとされている点である (同条2項)。7-64の例
では、Bについて破産手続開始の決定がされ、Aは100万円の配当加入後
にCから50万円の支払を受けたとしても、Aは当初の100万円の届出債

権額により配当を受けられる（ただし、50万円を限度とする）。「破産手続開始の時において有する債権」で配当加入するので、Cから50万円の支払を受けていれば、AはBの破産手続に50万円の債権で配当加入できるだけである（立法論的には批判が強い）。

§Ⅳ
連帯債務者の1人につき生じた事由（影響関係）

1　総論

7-66 **(1)　改正前は絶対的効力事由が多かった**

(a)　満足事由は絶対的効力　弁済のように債権者が満足を受ける事由は、連帯債務が1つの給付を受けるための複数の手段にすぎないので、連帯債務者の1人によるものでも全ての連帯債務を消滅させる（共同の免責）。それ以外の事由については、立法例によりどこまで絶対的効力を認めるかは分かれている（注民⑾78頁［椿寿夫］参照）。

7-67 **(b)　改正前は請求・免除・時効も絶対的効力**　改正前の民法は絶対的効力事由を広く認め、請求、免除、消滅時効なども絶対的効力事由とされていた。理論的には、主観的共同関係（請求について）や相互保証（免除などの負担部分型の絶対的効力事由）により説明でき（☞7-121）、結果は妥当であった。免除や消滅時効については、他の連帯債務者を免責せず、免除等を受けた債務者に求償できないのは弁済をした債務者に酷であり、他方で、求償できたのでは免除や消滅時効の意味がないからである。

7-68 **(2)　不真正連帯債務を含めるため絶対的効力事由を削減**

ところが、改正法は、請求だけでなく、免除や消滅時効も絶対的効力事由から除外した。相対的効力が原則であり（441条）、性質上当然の弁済などの絶対的効力事由は別として明文規定による絶対的効力事由を大幅に削減した[176]。これは、主として共同不法行為で認められていた不真正連帯債務を連帯債務規定に取り込んで、連帯債務概念を一元化するためである（☞7-59）。絶対的効力事由の規定を任意規定と明記して、必要ならば、特約に

第7章　多数当事者の債権関係①——分割債権（債務）・不可分債権（債務）・連帯債権（債務）

より修正すればよいと考えたのである。

2　絶対的効力事由

7-69 **(1)　性質上当然の絶対的効力事由——絶対的効力事由①**

　連帯債務は、一種の担保であり（実質相互保証☞7-79）、債権回収の可能性を高める手段であるため、債権者が債権回収の目的を達成する場合には、債務者の1人によるものであっても連帯債務は全て消滅することになる。したがって、弁済や供託といった満足事由は当然、これに準ずる満足事由（供託も）も絶対的効力事由と考えられる。民法は、連帯債務者からの相殺について絶対効を規定しているが（439条1項）、債権者からの相殺であっても、絶対的効力事由となる。代物弁済については、新たな合意であるが、求償において他の債務者に不利益を及ぼさないので（☞7-102）、他の連帯債務者の同意を必要とせず絶対的効力事由と認めてよい。また、弁済提供がされた場合、債権者が受領していれば弁済として絶対効が生じたはずであり、公平の観点から提供および受領遅滞も絶対効を認めてよい。

7-70 　**◆他の債務者の相殺権**
　　なお、債務者の1人につき債権者と相殺適状がある場合には、改正前は、「その連帯債務者の負担部分についてのみ他の連帯債務者が相殺を援用することができる」と規定されていた（旧436条2項）。「相殺を援用することができる」というのは、相殺権まで認めるのか（処分権説）、それとも、支払を拒むことができるだけなのか（抗弁権説）の対立があった。判例は処分権説を採用し（大判昭12・12・11民集16巻1945頁）、学説にもこれを支持する主張は少なくなかったが、ドイツ民法に倣い抗弁権に限定すべきであるという主張が有力であった。改正法は抗弁権説を採用し、「他の連帯債務者は、債権者に対して債務の履行を拒むことができる」と変更した（439条2項）。

7-71 **(2)　民法の規定する絶対的効力事由——絶対的効力事由②**

　(a)　削除された絶対的効力事由　改正前は、「履行の請求」は絶対的効力事由とされていた（旧434条）。この結果、債権者は債務者の1人に請求すれ

---

176)　2017年改正法は、当事者の特約に任せる領域を増やしている。民法が後見的に任意規定を置いて最も妥当な解決を標準として設定するのではなく、何が妥当なのか評価が多様化していることから、任意規定を抑止的にして、自分の利益を実現するためには自らの努力を求めていることになる。ただ消費者取引では、その努力ができるのは事業者だけであり、任意規定を消費者保護のために機能させようとしたのが消費者契約法10条であるが、その方向性とは抵触することになる。

ば足りた。ところが、改正法ではこの規定は削除され、債権者は自ら全債務者に請求をしなければならないことになった。また、改正前には、免除（旧437条）と消滅時効（旧439条）も絶対的効力事由とされていたが、これらも削除された。事後処理が問題になるが、この点は 7-91 以下に述べる。

7-72　（b）**現行規定の絶対的効力事由**　改正後も残された満足事由以外の絶対的効力事由は、更改（438条）と混同（440条）だけである。混同は、A に対して BC が 100 万円の連帯債務を負担していたが、C が A に吸収合併された場合、A に対する B の債務も消滅する。もし A に対する B の 100 万円の債務が存続させると、B は A に 100 万円を支払った上で、C を承継した A に 50 万円を求償でき、それは無意味である。C を承継した A には、B に対する 50 万円の求償権が認められる。更改の 438 条と書きぶりが違うが、更改では新たな債務の履行まで求償権が成立しないためである——出捐が求償のためには必要（☞ 7-87）——。

3　相対的効力事由

7-73　（1）**相対効の原則**

（a）**債務不履行以外**

（ア）**相対効の原則とその根拠**　「第438条、第439条第1項及び前条に規定する場合を除き、連帯債務者の1人について生じた事由は、他の連帯債務者に対してその効力を生じない」（441条本文）。以上までの、性質上の絶対的効力事由および明文による絶対的効力事由以外は、相対効の原則通りである。これは私的自治の原則の帰結である。改正前に絶対的効力事由とされていた請求、免除また消滅時効は、規定が削除され、相対的効力事由になった。時効の完成猶予・更新事由も相対効である。

7-74　（イ）**債権譲渡と破産免責**　連帯債務者の全員に対する債権を譲渡した場合、債権譲渡の通知・承諾についても、通知を受けたまたは承諾をした債務者についてのみ対抗力が生じるにすぎない。裁判所による破産免責についても、破産法 253 条 2 項は「免責許可の決定は、破産債権者が破産者の保証人その他破産者と共に債務を負担する者に対して有する権利……に影響を及ぼさない」と、明記している。免除が相対効になったことと平仄が合うが、実質保証であり保証債務と同じ扱いをするという積極的意義が認められる。

第7章　多数当事者の債権関係①──分割債権（債務）・不可分債権（債務）・連帯債権（債務）

7-75　**(b)　債務不履行**

(ｱ)　追完および代金減額請求権　債務不履行について帰責事由があるか否かも個別的に判断されると考えられている。例えば、Aに対してBCが共同でセメント100kg販売し、その引渡義務が連帯債務とされた場合、Bが引き渡したセメントが契約内容に適合していない場合、不完全履行をしたのはBでありCではない。しかし、不完全履行がされた事実については、絶対効を認めてよい。Aは、Bに対してのみならずCに対しても、追完請求権（562条）また代金減額請求権（563条）を取得する。

7-76　**(ｲ)　損害賠償請求権**　問題は帰責事由である。損害賠償義務についても、Cには帰責事由がないのでCが免責されると考えるべきではない（415条1項ただし書）。この点、連帯債務者は連帯債務の不履行による損害賠償義務につき連帯して責任を負うと考えるべきである。フランス民法1319条は、連帯債務者は連帯債務の不履行につき連帯して責任を負う旨を規定する。連帯債務者は、相互に他の債務者の行為について責任を引き受けていると考えるべきだからである。

7-77　**(2)　特約による変更可能──特約による絶対効の付与**

　相対効の原則に対しては、「ただし、債権者及び他の連帯債務者の1人が別段の意思を表示したときは、当該他の連帯債務者に対する効力は、その意思に従う」と規定され（441条ただし書）、別段の意思表示による例外が認められている。例えば、請求の絶対効を認める特約をすることは許される。契約自由の原則の当然の帰結である。免除については、いわゆる**絶対的免除**の合意も可能である[177]。また、免除を受けた者の負担部分について絶対効を付与する合意も可能である。その場合、Aに対してBCが100万円の連帯債務を負担し負担割合平等であるとして、Bが100万円全額の免除を受ければ、Bの負担部分50万円につきCも免除の効力を受ける。Cが50万円を支払ってもBには求償ができず、Bは50万円の免除の利益を受けることになる。7-98に述べるように、真の免除の意思表示であればこの特約を当然

177)　**＊絶対的免除の場合**　絶対的免除は、1人の免除の効力が他の連帯債務者に及ぶというのではなく、債権者AがBだけでなくCもあわせて免除をする合意である。AB間の合意ではあるがCまで免除をする第三者のためにする契約を含んだ合意であり、Cも債務を免れる。例えば、Aに対してBCが100万円の連帯債務を負担していて、Bが50万円を支払って残額についてBC共に免除を受けるAB間の合意である。BC間では50万円の連帯債務として、BはCに25万円の求償ができる。

第5節　連帯債務　│　§V　連帯債務の内部的効力（求償関係）

に認めるべきである。

---

§V
連帯債務の内部的効力（求償関係）

1　求償権

7-78 **(1)　連帯債務の場合**

(a)　求償が可能　「連帯債務者の1人が弁済をし、その他自己の財産をもって共同の免責を得たときは、その連帯債務者は、その免責を得た額が自己の負担部分を超えるかどうかにかかわらず、他の連帯債務者に対し、その免責を得るために支出した財産の額（……）のうち各自の負担部分に応じた額の求償権を有する」（442条1項）。例えば、AからBCが代金を連帯して支払う約束でヨットを100万円で購入するに際して、BCの債務を連帯債務としたとする。BがAに100万円を支払った場合、ヨットはBCの持分平等の共有になり、BはCに50万円の求償ができる[178]。

7-79 **(b)　相互保証と同じ**　BCは、427条の原則により代金債務を50万円ずつ負担するにすぎない。債権者Aは債権回収を確実ならしめるため、BにCの50万円の代金債務につき、CにBの50万円の代金債務につき連帯保証をさせることができる（相互保証）。Bは代金債務50万円、Cの代金債務についての保証債務50万円（合計100万円）を負担することになる。連帯債務の場合には、BもCも代金債務100万円を連帯して負担するという形をとるが、実質は上記同様の相互保証である。同じ担保という目的を、相互保証という形で実現するか、連帯債務という形で実現するかという形式の差で、法的効果に大きな差が生じるのは好ましくない。

---

178)　**＊連帯債務者間の弁済者代位**　連帯債務者間において501条の弁済者代位が可能であろうか。連帯債務者の1人について抵当権が設定されているといった場合も考えられるので、弁済者代位を認めてよいであろう。実質的に、連帯債務は相互保証であることを考えれば、自己の負担部分を超える部分は他人の債務の弁済だからである。共同保証ではないが、代位は自己の負担部分を超えることを必要と考えるべきである。この点で、不真正連帯債務については疑問が残る。債務者間の公平は同様に妥当するので、弁済者代位や444条の適用を認めてよいと考えられる。

7-80 (c) **免除や時効では相互保証と不合理な差がある** Bが100万円を支払えば、Cに50万円を求償できる。この結論は、連帯債務も相互保証も変わらない。しかし、Bの債務が免除されたり時効にかかった場合、相互保証だとCもBの代金債務についての保証債務を免れ、自分の50万円の代金債務のみ支払えば足りる。この点は、連帯債務では絶対効が認められず（☞7-68）、適切ではない。

7-81 (2) **不真正連帯債務の場合**

(a) **全部義務としての不真正連帯債務** 不法行為の競合の場合には不真正連帯債務になる（本書は不真正連帯債務を認める☞7-120以下）。Aの運転する甲車と、Bの運転する乙車が、AB両者の過失により衝突し、甲車が道路脇のC所有の家屋に突っ込みこれを損傷したとする（Cの損害100万円）。Aは単独の事故であれば単独で全額の賠償義務を負い、このことはBも同様である。

　7-78の半分ずつ代金を出し合って物を購入する関係のように、実質的に相互に他の債務者の債務部分を保証している関係ではない。分割主義が適用にならない全部義務が競合しているにすぎない。連帯債務と区別して「不真正連帯債務」と呼ばれるが、全く本質の異なる債務関係である（旧民法では「全部義務」という連帯債務と区別された概念があった）。

7-82 (b) **不真正連帯債務の法的効果**

(ア) **本来は求償権なし** 不真正連帯債務では、2つの独立した債務が競合しているだけであり、Aが免除されたり、Aの債務が時効にかかっても、Bの債務には何ら影響はない。もちろん満足事由は他の債務者にも効力を有する。そして、Aが賠償しても自分の債務を賠償しただけであり、Bへの求償権は生じない。しかし、それでは賠償した者が馬鹿を見ることになり、誰も賠償しようとはしないことになり、被害者保護の支障になる。

7-83 (イ) **公平の観点から例外的な求償権を認める** そのため、債務者間の公平また被害者保護という観点から、求償権を認めるべきである。しかし、公平の観点から認められる特別の求償権なので、自己の負担割合を超えた賠償をした場合に、超えた部分に限り認められる。ABの過失割合に従って負担割合が平等だとすると、Aが60万円をCに賠償すれば、AはBに対して10万円の求償権を取得する。442条1項は適用されず、444条・465条1項

第5節　連帯債務 ｜ §Ⅴ　連帯債務の内部的効力（求償関係）

の趣旨の類推ないし信義則が求償権の根拠となる（☞7-126）。

2　負担部分（負担割合）

7-84　**(a)　負担部分の意義**　求償権が認められる範囲を決める基準は、「負担部分」と呼ばれる（442条1項参照）。負担部分は、連帯債務者の内部関係にあって各自が負担すべき負担割合である（例えば50％）。負担部分の決定については民法に規定がないが、次のように決定される。

7-85　**(b)　負担割合の認定**　①まず、債務者間の合意で自由に負担割合を決めることができる。負担部分はゼロであってもよい。444条2項がこれを前提としているが、この場合は保証債務と解する学説もある（石田787頁）。例えば、未成年者の起こした事故につき、父親が「どんな償いでもさせていただきます」と言った事例で、子の損害賠償義務と同額の連帯債務の成立が認められている（浦和地判昭59・9・12判時1141号122頁）。②合意がないまたは明らかでないときは、連帯債務者の受けた利益の割合によって定まり、③それも明らかでないときは、平等と推定するしかない（427条の趣旨の類推）。

7-86　**(c)　不真正連帯債務の負担割合**　不法行為による損害賠償義務の不真正連帯債務の場合には、負担割合は過失割合や寄与度など、類型に応じて公平の観点から決められ、これらが不明な場合には平等と扱われる。

3　求償権の成立要件（442条1項）[179]

7-87　**(1)　事後求償権**

(a)　自己の財産による共同の免責が要件　「弁済をし、その他自己の財産をもって<u>共同の免責</u>を得た」（442条1項）ことが、求償権の成立要件であ

---

179)　**不等額連帯（一部連帯）と求償**　例えば、Aに対して、BCが1：1の負担割合で連帯債務を負担しているが、Bは1000万円全額、Cは自分の負担部分の500万円（分割債務）または700万円についてBと連帯して債務を負担しているとする。①Bが1000万円支払えば500万円、500万円を支払っても250万円をCに求償できる。②問題はCによる支払である。Cが500万円を支払ったら、Bに250万円求償できると考えるべきではない。確かにBの1000万円の債務も500万円になり、共同の免責を与えている。しかし、Cについては自分の負担部分の支払に充てられるべきである。さらに問題なのは、Cが700万円の債務を負担している場合である。やはり、500万円支払えばBに250万円求償できるのではなく、自分の負担部分を超える支払を求償が認められるための要件と考えるべきである。Cが600万円支払って100万円の求償ができるにすぎない（奥田・佐々木・中巻557頁）。Cが700万円全額支払って350万円求償できるというのはありえないからである。連帯債務に共同相続があった場合については注164に説明した。

る。「共同の免責」とは、7-78 の例でいうと、B が A に 100 万円を支払うことにより、C の債務も消滅することである。自己の財産の出捐が必要なため、B の更改により C の債務も消滅するも（438条）、新債務の履行まで求償権は成立しない。

7-88　**(b)　負担部分を超えることの要否（不要）**　改正前は、自己の負担割合を超える弁済をすることが必要なのかは議論があり、通説は不要説を採用し（我妻 433 頁、奥田 365 頁、淡路 369 頁、川井 229 頁など）、判例（大判大 6・5・3 民録 23 輯 863 頁）も同様であった。これを必要とする少数説もあったが（フランス民法 1317 条 2 項は必要説を明記）、改正法は、「その免責を得た額が自己の負担部分を超えるかどうかにかかわらず」と、不要説によることを明記した。

7-89　**(c)　不真正連帯債務への適用**　本書は、不真正連帯債務には 442 条 1 項は適用されないと考える（☞ 7-124）。しかし、連帯二元論は解消されたと理解するのが一般的であり、共同不法行為者間の求償にも 442 条 1 項が適用されると評されている（大塚直「債権法改正の不法行為法への影響」民法学 I 112 頁、山田誠一「多数当事者の債権および債務（保証債務を除く）」民法学 II 171 頁）[180]。

7-90　**(2)　事前求償権**

保証人には事前求償権が認められており（460条）、相互保証か連帯債務かで不合理な差を認めるべきでなければ、連帯債務に 460 条を類推適用すべきである——不真正連帯債務には類推適用しない——。破産法 104 条 3 項は、「破産者に対して将来行うことがある求償権を有する者は、その全額について破産手続に参加することができる。ただし、債権者が破産手続開始の時において有する債権について破産手続に参加したときは、この限りでない」と規定している。保証人と連帯債務者のいずれにも適用される。

---

180)　ただし、全ての共同不法行為に妥当するかも今後の解釈問題であり、あえて法文にない不真正連帯債務という概念を用いるまでの必要性はなく、例外的に求償に特則が認められる場合があると説明すれば足りるともいわれている（内田 III 466 頁）。不真正連帯債務概念にはよらないが、442 条 1 項の適用を制限する余地は認めることになる。「連帯」と規定された 719 条の共同不法行為事例については、連帯債務の効力また求償に関する規定が適用になるが、共同不法行為に当たらない複数の不法行為が競合してまたは不法行為と債務不履行が競合した事例については、連帯債務にならず分割債務になるか、または、従前の不真正連帯債務概念がなお機能するという解釈が可能だという主張がある（大坂恵理「連帯債務」大塚直編『民法改正と不法行為』[2020] 34 頁）。

第5節 連帯債務 §V 連帯債務の内部的効力（求償関係）

7-91

◆免除や消滅時効の完成があった場合と求償

⑴ 改正前の絶対効の根拠

(a) **相互保証事例とのバランス** 改正前は、免除や消滅時効にも絶対効が認められ、Aに対してBCが負担割合平等で100万円の連帯債務を負担している場合に、Bが免除を受ければ、Cの債務は50万円になった（旧437条）。AはBしか免除していないのに、Cが免除の効果を受けるのは、実質相互保証ということによる（☞7-79）。

7-92

(b) **求償の無駄を省くだけか** この点は、求償の無駄を省くためといった説明もされていた。もしCの債務が100万円のままでは、CはAに100万円を支払わなければならず、そうすると、Bに50万円求償でき、Bは免除を受けているのでAに対して50万円を求償できることになる。Aは結局手元に残るのは50万円になるので、始めからCに対する債権を50万円にした方が簡単でよいというのである（被害者側の過失の「財布は1つ」論に似ている）。

7-93

(c) **求償を不能にしたことによる免責** この説明は前提が誤っている。Bが免除を受けたところで債務が消滅し、BCは連帯債務者ではなくなる。その結果、Cが100万円を支払っても、442条1項の連帯債務者間の求償の要件を満たしていないので（Cの出捐でBが免責を受けたわけではない）、CはBに求償できないはずである。その結果、Aが免除をしたおかげでCはBに求償できなくなるという、担保保存義務違反にも似た理由でCの免責を認めるというのであれば理解できる。

7-94

⑵ 求償ができる事例は免除なのか

(a) **免除の不利益は債権者が負担** こうして免除を受けたBを保護する必要があり、他方で、Cがいわれない求償不能の不利益を負担するのは適切ではなく、AはBを免除した以上は、Bの負担部分については債権回収を得られない不利益を負担すべきである。

7-95

(b) **債権者が不利益を負担しないのは免除か** 確かに、AはCからは100万円を全額回収し、Bから自ら債権回収はしないが、BがCから50万円の求償を受けることは関知しないと考えている事例がありうる。その場合を「相対的免除」などと説明もされたが、それは免除と呼ぶべき代物ではなく、「不訴求」の意思表示にすぎないと考えるべきである。AはBからは債権回収はせず、Bが支払ってCに対する求償不能のリスクを負担しなくてよいという利益を与えるものにすぎない。

7-96

(c) **免除は絶対効** Cを一切免責しないのは、免除ではなく不訴求の意思表示にすぎないと考えるべきである。絶対効の規定はなくなったが、本当の免除であれば、負担部分型の絶対的効力事由になると考えるべきである。441条ただし書の特約を認めるべきである。石田800頁も、他の連帯債務者に効力を及ぼさない旨の合意があれば免除は相対効であるが、そのような合意がない限り負担部分

第 7 章　多数当事者の債権関係①——分割債権（債務）・不可分債権（債務）・連帯債権（債務）

に応じた絶対的効力を認める。

7-97 **(3)　民法の採用した解決**

(a)　特例として求償権を認める　連帯債務者の 1 人に免除や時効完成があった場合、もはや連帯債務者ではないので、他の債務者が弁済をしても「共同の免責」の要件を満たさず、442 条 1 項による求償はできない。そのため、民法は別個に「連帯債務者の 1 人に対して債務の免除がされ、又は連帯債務者の 1 人のために時効が完成した場合においても、他の連帯債務者は、その 1 人の連帯債務者に対し、第 442 条第 1 項の求償権を行使することができる」という規定を置いた（445 条）。免除を受けた連帯債務者に保証人がいる場合、保証人にも類推適用すべきである。本来成立しない求償権を認めて、免除を受けた B に C からの求償を受忍させようというのであるから、B から債権者 A への求償は否定される。

7-98 **(b)　不訴求の意思表示の事例に限定すべき**　しかし、これでは免除を受けた意味がない。これは免除ではなく不訴求の意思表示であるというのが本書の立場であり[181]、445 条は不訴求の意思表示にのみ適用されることになる。B の債務が自然債務になるだけであり、C には何らの効力も及ぼさない。消滅時効については絶対効を認めて、445 条の適用を否定するしかない（時効の存在理由は後退し、時効制度の理解に再検討を促すという批判がされている［福田誠治「多数当事者の債権・債務(2)——連帯債務」詳解 234 頁］）。

4　求償権の内容

7-99 **(1)　出捐額＋利息等の支払義務**

(a)　出捐額の負担部分に応じた求償　連帯債務者の 1 人がその出捐により共同の免責を受けた場合（代物弁済は次述）、自己の負担部分を超えるか否かにかかわらず、他の債務者に「負担部分に応じた額の求償権」を取得する（442 条 1 項）。

7-100 **(b)　免責後の利息**　実質他人の債務の弁済部分の求償であり（☞ 7-79）、

---

181)　債務免除を絶対的効力事由ではなくした理由は、債権者が、「他の連帯債務者との関係でも債務を免除する意思を有しているとは限らない」ということである（一問一答 122 頁）。ならば、他の債務者を免責することを容認していれば絶対的効力事由になる（絶対的免除と負担部分型免除とがある）。改正法はそれを 441 条ただし書の特約によろうというスタンスであるが、本書のように不訴求の意思表示によることも可能である。差が生じるのは証明責任の点である。本書のように絶対効を原則、不訴求の意思表示を例外だとすれば債権者がそれを証明しなければならない。ところが、民法だと、本当の免除であることは債権者側が証明することになる。確かにこの点は大きい。しかし、免除は絶対効であって不訴求の意思表示が例外であり、免除自体が相対効が原則で絶対効のある免除が例外というものではない——負担部分型絶対効に対して絶対的免除は例外といえる——。理論的に不合理であり、証明責任の点については、不訴求の意思表示であることを事実上推定すべきである。

275

650 条 1 項・459 条と同質のものであり、そのため利息の当然の支払義務が認められている。すなわち、免責行為をした連帯債務者は、「前項の規定による求償は、弁済その他免責があった日以後の法定利息及び避けることができなかった費用その他の損害の賠償を包含する」ものとされる（442 条 2 項）。ただし、事後の通知を要件と考えるべきである。

7-101 **(c) 避けられなかった費用**　避けられなかった費用としては、弁済をするために借金をし、そのためにかかった抵当権設定登記の費用がこの例として認められている（大判昭 14・5・18 民集 18 巻 569 頁）。損害としては、強制執行を受けて負担をさせられた訴訟費用や執行費用が考えられる（大判大 5・9・16 民録 22 輯 1716 頁、大判昭 9・7・5 民集 13 巻 1264 頁）。

7-102 **(2) 代物弁済の事例**

(a) 免責額を超える価格の財産の場合　代物弁済をしたときは、「その免責を得るために支出した財産の額」が「共同の免責を得た額を超える場合にあっては、その免責を得た額」に制限される（442 条 1 項括弧書）。A に対して BC が 100 万円の連帯債務を負担する事例でいうと（負担割合平等）、B が 100 万円の弁済に代えて、150 万円相当の財産で代物弁済をした場合、これにより BC の連帯債務は消滅するが、B は C に対してその財産の半額 75 万円ではなく、50 万円しか求償はできない。B が代物弁済をすることは自由であるが、これによって C に不利益を与えるべきではないからである。

7-103 **(b) 免責額を下回る価格の財産の場合**　他方、80 万円の財産で代物弁済をした場合には、「支出した財産の額……のうち各自の負担部分に応じた額」なので、40 万円しか求償できない。その評価の基準時は出捐時とされている（大判昭 13・11・25 民集 17 巻 2603 頁）。以上の規律は、100 万円のうち 50 万円が代物弁済で消滅した場合にも適用される。

5　求償権の制限

7-104 **(1) 事前の通知を怠った場合**

(a) 債権者への対抗事由の求償への対抗　①「他の連帯債務者があることを知りながら」、②「連帯債務者の 1 人が共同の免責を得ることを他の連帯債務者に通知しないで弁済をし、その他自己の財産をもって共同の免責を得た場合」、③「債権者に対抗することができる事由を有していたときは」（以

第 7 章　多数当事者の債権関係①──分割債権（債務）・不可分債権（債務）・連帯債権（債務）

上が要件）、他の連帯債務者は、「その負担部分について、その事由をもって
その免責を得た連帯債務者に対抗することができる」(443条1項前段)。

　例えば、A から BC が絵画を共同で購入した代金 100 万円を連帯して支
払うことを約束した場合に、同時履行の抗弁権が BC には成立しているの
に、C が代金を支払った場合、B は C からの求償に対して A による絵画の
引渡しとの同時履行の抗弁権を主張しうる。

7-105　(b)　**相殺**

　(ア)　**相殺を対抗できる**　「債権者に対抗することができる事由」が相殺で
あった場合、上の例で、B が A に対して 50 万円の反対債権を有しており相
殺適状にあったならば──相殺権が成立していたことが必要──、C が B
に事前に通知をせずに A に 100 万円を支払った場合、B は C の 50 万円の
求償権の行使に対して A に対する反対債権により相殺をもって対抗でき
る。B が A に対する債権につき有している、相殺によって 50 万円の回収不
能のリスクを回避する利益を保障するためである。

7-106　(イ)　**事後処理**　この場合、C が B の求償に対して A に対する債権で相殺
をもって対抗したならば、C は B に求償しえた 50 万円分については A に
対して「債務の履行を請求することができる」(443条1項後段)。この規定
は、B の A に対する 50 万円の債権を代位取得することを認める規定と考え
られる。

7-107　**(2)　事後の通知を怠った場合**

　(a)　**制度趣旨**

　(ア)　**遅れた善意による免責行為の保護**　①「弁済をし、その他自己の財産
をもって共同の免責を得た連帯債務者が、他の連帯債務者があることを知り
ながらその免責を得たことを他の連帯債務者に通知することを怠ったた
め」、②「他の連帯債務者が善意で弁済その他自己の財産をもって免責を得
るための行為をしたときは」（以上が要件）、「当該他の連帯債務者は、その
免責を得るための行為を有効であったものとみなすことができる」(443条2
項)。要件として明記されていないが、443条1項の事前の通知がされてい
ることが前提である（最判昭 57・12・17 民集 36 巻 12 号 2399 頁）。債権者から請求
を受けたことは要件ではない。免責行為は代物弁済や相殺でもよい。

7-108　　(イ)　**有効とみなす形成権の付与**　例えば、A に対して BC が 120 万円の

277

連帯債務を負担している事例において、Bが120万円を支払ったが、これをCに通知せず、Bの弁済を知らずにCが事前の通知をして、Aに120万円の支払をしたとする。この場合、すでにBの弁済によりBCの連帯債務は消滅しているので、Cの弁済は無効になる。この結果、BのCに対する60万円の求償権が成立し、CのBに対する求償権は成立せず、CのAに対する120万円の不当利得返還請求権が成立し、回収不能のリスクを負担することになる。この不利益に対して、Cを保護したのが上記の規定である。

7-109 **(b) 保護の法的構成** 上記の例で、Cは自分の弁済を「有効であったものとみなすことができる」が、その効力が誰との間で生じるのかは議論がある。①CがBに対して（Bとの関係で）自分の弁済を有効にできるだけなのか（**相対的効果説**）、それとも、全ての者との関係で自分の弁済が有効であることを主張できるのか（**絶対的効果説**）、が議論される。

BのCに対する求償権は否定され、CのBに対する求償権が認められる点は共通である。問題は、①Aに対して不当利得返還請求権を持つ者（Aからの回収不能のリスクを負う者）は誰なのか、また、②もう1人連帯債務者Dがいる場合に、Dに対して求償権を持つのは誰かである。7-110以下に検討する。

7-110 **◆有効と「みなす」効果の法的構成**
(1) 絶対的効果説
(a) 法律関係が単純 Cが善意で弁済をすると、Bの弁済の効力は失われCの弁済が有効になるという効果を、全ての者との間で生じることを認めるのが**絶対的効果説**である（鳩山278頁等旧通説、近時としては船越305頁、石田816頁）。

絶対的効果説では、全ての者との間でBの弁済は無効、Cの弁済が有効となり、①BがAに支払った120万円の返還請求権を取得し、②Dに対して40万円を求償できるのはCになる。法律関係が単純になる利点がある。

7-111 **(b) 絶対的効果説の問題点** ところが、全く問題がないわけではない。例えば、Bが期日に120万円を弁済し、その後に、Cが443条2項の要件を満たす弁済を支払時までの利息を付けて150万円支払ったとしよう（ケース①）。Cの150万円の弁済が有効になり、CはDに50万円の求償権を取得する。債権者Aが棚ぼた的利益を受けることになる。また、Bが90万円の財産で代物弁済をしていたが、Cが120万円を支払った場合（ケース②）、同じように、CはDに40万円の求償権を取得し、債権者Aは120万円を保持し、90万円の財産をBに返還すればよく、棚ぼた的な利益を受けることになる。

第7章　多数当事者の債権関係①——分割債権（債務）・不可分債権（債務）・連帯債権（債務）

7-112
(2)　相対的効果説

(a)　**判例は相対的効果説**　判例（大判昭7・9・30民集11巻2008頁）は、「第2の免責行為を為したる債務者が叙上の権利を行使したる効果が単に右の当事者間に止まり、当事者間の相対的関係に於てのみ第2の免責行為を有効なりしものとして求償関係を整理せしむるもの」と、443条2項の効果をBC間に制限する**相対的効果説**を採用する。通説もこの立場である（我妻438頁、林ほか419頁［高木］、川井231頁、潮見II 611頁等）。本書も、Bの弁済をCに対抗することを制限する一種の対抗不能規定であると考える。

7-113
(b)　**絶対的効果説の難点は回避できる**　この考えでは、絶対的効果説の不都合が回避できる。AやDとの関係ではBの弁済が有効で、Cの弁済は無効であり、BがDに、ケース①では40万円、ケース②の代物弁済の事例では30万円求償できるだけである。AはCに、ケース①では150万円、ケース②では120万円の返還義務を負うことになる。これによりAの棚ぼた的利益の取得を回避できる。

7-114
(c)　**相対的効果説に残された問題点**　Aに対して不当利得返還請求権をCではなくBが取得することの説明、また、CがDに求償できないことの事後処理が、新たに問題として浮上する。ケース①で考えてみたい。

ⓐまず求償の点であるが、BC間ではCの弁済が有効であり、Dに求償できるのはCのはずなのに、Dとの関係ではBが求償権を取得することを不当利得として、CはDの分も含めてBに80万円（100万円ではなく）を求償できることになる（潮見II 611頁は、CはBに対しDに対する求償権を不当利得としてその移転請求を認める）。ⓑ次にAへの返還請求であるが、BにAに対する120万円、CにAに対する30万円の返還請求権を認めると、Cに30万円分の回収不能のリスクを負担させることになる。Cは30万円分をBに請求でき、BがAに対する150万円の返還請求権を取得すると考えるべきである。

6　償還無資力者がある場合の求償権の拡大

7-115
(1)　全員が負担部分を有する場合

(a)　**負担部分に応じて公平に分担**　「連帯債務者の中に償還をする資力のない者があるときは、その償還をすることができない部分は、求償者及び他の資力のある者の間で、各自の負担部分に応じて分割して負担する」（444条1項）。

例えば、Aに対してBCDが300万円を負担部分平等で連帯債務を負担する場合に、Bが300万円を弁済したが、Dが求償に応じる資力が一切ないとする。Bは、Dの負担部分である100万円につき、BC間で負担部分に応

279

じて、すなわち 2 分の 1 の 50 万円につき C に対して求償することができる。物の購入の場合、BCD の共有になり、253 条 2 項が適用される。

7-116 **(b) 公平が根拠** 本規定は、債務者間の公平を保ち、債務者が安心して弁済をできるようにしたのである。D が資力を回復すれば適用がなくなり、C がすでに 50 万円を支払っていれば D に不当利得返還請求ができる。連帯免除があった事例（444 条 2 項）については、注 172 に述べた。

7-117 **(2) 負担部分のない債務者がいる場合**

(a) ケース① 負担部分がない者も連帯債務者になれるが（物の購入の場合、共有者にならない）、7-115 の事例で、① BC がいずれも負担部分がない場合、また、② B は負担部分がなく、CD が 2 分の 1 ずつで負担する場合については議論があった。①の事例につき、444 条を類推適用し頭割り平等で分担させるのが判例（大判明 39・5・22 民録 12 輯 792 頁、大判大 3・10・13 民録 20 輯 751 頁）、そして通説であった。改正法ではこれが明文化され、「求償者及び他の資力のある者がいずれも負担部分を有しない者であるときは、その償還をすることができない部分は、求償者及び他の資力のある者の間で、等しい割合で分割して負担する」ことにされた（444 条 2 項）。

7-118 **(b) ケース②** 7-117 ケース②は 444 条 1 項の規定通りになり、負担部分のある者が負担することになる。B は D の分 150 万円全額を C に求償できる（合計 300 万円求償できる）。他方、ケース②で、C が 300 万円を支払い、D が無資力の場合は、C は B に求償できない。負担部分のない者が 1 人の場合には、この者は一切求償義務を負わないことになる。なお、ケース①では、465 条 1 項の類推適用の余地がある（☞ 8-105）。

7-119 **(3) 償還できない点に求償権者に過失がある場合**

ただし、「償還を受けることができないことについて求償者に過失があるときは、他の連帯債務者に対して分担を請求することができない」（444 条 3 項）。D の破産手続に B が配当加入せず求償についての支払を一切 D から受けられなかった場合には、C に負担割合に応じた求償はできない。例えば、D から 100 万円の求償権のうち 20 万円は回収できた場合には、その 20 万円は B が負担する。この結果、D への 100 万円の求償権から 20 万円を差し引いて、80 万円の 2 分の 1 ＝ 40 万円を B が C に求償できることになる。

第7章　多数当事者の債権関係①——分割債権（債務）・不可分債権（債務）・連帯債権（債務）

§Ⅵ
不真正連帯債務

1　不真正連帯債務の意義

7-120 **(1) 判例による不真正連帯債務論の承認**

(a) **絶対効の否定**　判例は、719条の共同不法行為者の損害賠償義務につき、当初は連帯債務とみて免除についての旧437条を適用した（大判大3・10・29民録20輯834頁）。しかし、その後の判例は、使用者と被用者の責任を不真正連帯債務とみて、その1人との和解がされても現実の弁済がない限り他の債務には影響がないとし（最判昭45・4・21判時595号54頁）、また、自賠法の共同運行供用者につき不真正連帯債務として、混同についての旧438条の適用を否定した（最判昭48・1・30判時695号64頁）。さらには、715条の使用者の債務と709条の被用者の債務は「別個の債務にして連帯債務に非ず」として、被用者の損害賠償義務の時効による消滅は、使用者の債務に影響を与えないとする（大判昭12・6・30民集16巻1285頁）。

7-121 (b) **不真正連帯債務の根拠**　連帯債務は、実質相互保証の関係があり（☞7-79）、相互保証の場合との間に不合理な差を認めるべきではない。これに対して、不真正連帯債務は、全部義務が併存・競合しているにすぎず、相互保証の事例との整合性を考慮する必要はない。また、請求についても旧規定では絶対効が認められていたが（旧434条）、債務者間の主観的共同関係を前提とした、債権者保護のための政策的規定であり、不真正連帯債務の事例には当然に妥当するものではなかった。

7-122 **(2) 不真正連帯債務論への疑問提起と改正法**

(a) **不真正連帯債務論への疑問提起**　かつては、不真正連帯債務ないし全部義務という、連帯債務と区別される概念を認めるのが通説であった（我妻443頁、松坂163頁など）。これに対し近時では、不真正連帯債務という概念は積極的な内容を持つものではなく、連帯債務についての民法の規定（特に絶対的効力事由の規定）を適用するのが妥当でない各種の場合の総称であり、絶対的効力事由に関する規定を排除するだけの意味で、不真正連帯債務など

281

第 5 節　連帯債務 ｜ § Ⅵ　不真正連帯債務

という概念を認める必要はないと考える学説が増えていた（星野 171 頁、平井 345 ～ 346 頁、鈴木 340 頁、前田 348 頁、淡路・前掲書 165 頁、235 頁）。

7-123　**(b)　改正法**

(ア)　不真正連帯債務を否定する立場での立法　改正法は、連帯債務と不真正連帯債務の差の解消を、連帯債務規定を不真正連帯債務の内容に合わせることで図り、必要に応じて自由に合意で変更・追加してもらうというスタンスで立法しようとした（☞ 7-68）。これは、絶対的効力事由を制限し、求償についても負担割合を超えた支払をすることを要件とすることで実現されるはずであった。ところが、実務界から後者について異議が出され、442 条 1 項で負担部分を超えることは要件にはされないことになった。そのため、442 条 1 項の改正は、従前の不真正連帯債務を連帯債務規定の基本に据えることを越え、不真正連帯債務についての判例を変更する形になった。

7-124　**(イ)　改正法での解釈の可能性**　①不真正連帯債務という概念を否定し、1 つの連帯債務に一元化して、全ての連帯債務について 442 条 1 項を適用すると考えるのが一般的理解である。判例が変更されたと理解することになる。②他方で、不真正連帯債務概念を認め、これには 442 条 1 項を適用せず、従前の判例を先例として残す考えも可能である。本書は②と考えている。実務家には、改正法後も不真正連帯債務を認める意見が有力である（日本弁護士連合会編『実務解説改正債権法（第 2 版）』[2020] 184 頁 [飯島奈津子]、債権法研究会『詳説改正債権法』[2017] 149 頁、154 頁 [赤坂務] など）。436 条の連帯債務の要件についての規定が、不真正連帯債務を含むことを一義的に示しているとはいい難く、判例が「変更されたと明確に示されていない以上は、従前の判例法理を維持すると考えるべき」との主張がされている（平井健一郎「不真正連帯債務……」重要論点 249 頁）。

2　改正法下での不真正連帯債務の効力

7-125　**(1)　求償以外**

最後に、改正法でも不真正連帯債務概念を認める本書の立場から、すでに各所で説明したが、不真正連帯債務の連帯債務と異なる点をまとめておきたい。

不真正連帯債務においても、満足事由は絶対効が認められる。連帯債務に

第 7 章 多数当事者の債権関係①――分割債権（債務）・不可分債権（債務）・連帯債権（債務）

ついては、改正法でも免除と消滅時効は解釈により負担部分型の絶対的効力事由と認めるが、不真正連帯債務については相対的効力事由のままである（判例維持）。絶対的免除が可能なことは、不真正連帯債務においても同様である。改正法で絶対的効力事由とされた更改と混同については、更改は相対的効力と考えられるが、混同については、被害者側の過失の「財布は1つ」論のように、同一財産に帰属した以上は、440条を不真正連帯債務に類推適用してよい。

7-126 **(2) 求償**

不真正連帯債務者間の求償については、442条の類推適用によるのではなく、444条・465条1項の趣旨の類推、または、信義則による求償を認め、自己の負担部分を超えた支払をし、またその超えた部分に限り可能であると考える。要するに、従前の判例が維持されるべきであるというのが本書の考えである。判例は、不真正連帯債務につき求償を認め（最判昭41・11・18民集20巻9号1886頁、最判平10・9・10民集52巻6号1494頁）、「自己の負担部分を超えて損害を賠償したときは、その超える部分」についての求償に制限をしている（最判平3・10・25民集45巻7号1173頁）。

第 **8** 章

多数当事者の債権関係②
——保証債務（人的担保）

§Ⅰ 保証債務の意義および法的構成

§Ⅰ
保証債務の意義および法的構成

1 保証債務の意義

8-1 (1) 保証債務の意義

　「保証人は、主たる債務者がその債務を履行しないときに、その履行をす
る責任を負う」（446条1項）。他人の債務（**主たる債務**ないし**主債務**という）
を代わりに履行する債権者に対する義務を**保証債務**といい、その債務者を**保
証人**という。また、主債務を負担する債務者を**主たる債務者**ないし**主債務者**
という。保証の対象となる主債務に限定はなく、他人が代わりに履行できる
債務であれば何でもよいが、実際に行われているのは金銭債務の保証であ
る。特に断らない限り、以下では金銭債務の保証について説明をしていく。

8-2 (2) 保証は人的担保制度

　保証債務は担保の一種であり、抵当権などの**物的担保**に対して**人的担保**と
いわれる。保証債務は、債権者からみると履行を請求できる債務者を増や
し、責任財産を増やすことになるので、債権の回収をより確実なものとする
ものである。保証は、主債務者には、保証人に迷惑をかけないよう誠実に経
営をし、また、弁済をすることへの心理的プレッシャーになる。

2 保証法の現代的課題──保証人に応じた多様な保証法理

8-3 (1) 個人保証（消費者保証）

　(a) 情義的関係に基づく軽率な保証人　これまでの保証法理は、いわゆる
情義的保証人、すなわち主債務者に頼まれて義理人情により断れずに、ま
た、まさか責任を追及されることはないと考えて軽率に保証契約をしてしま
う、保護すべき個人保証人を念頭に置いていた。そのため、保証法において
は、担保の要請と調整させつつ、どこまで保証人を保護するかが課題とされ
た。一方で、担保という観点から、いざというときには債権回収として機能
するという債権者の期待を保護する必要があるが、保証人の責任を可能な限
り軽減することが理念とされ、債権担保の方法として「個人保証からの脱

却」が求められている。その根拠をまとめると以下のようである。

> ① 主債務者との情義的関係に基づいて保証人になる。
> ② 保証契約また主債務者との保証委託のいずれも無償である。
> ③ 保証人は、保証（特に根保証）契約の内容をよく理解していない。
> ④ 保証人は、主債務者の営業状況につき<u>十分な情報を得ておらず</u>、また、<u>その経営に影響を及ぼすことはできない</u>。
> ⑤ 保証されている取引により、<u>保証人は経済的に利益を受けない</u>。
> ⑥ 借金をするのとは異なり、万が一の場合以外は履行の必要性がない。
> ⑦ 保証人は、支払わされることはないと軽率に考えて保証に応じている。

8-4　**(b)　保護の必要性のない個人保証人**　同じ個人保証でも、会社の経営者が会社の債務について保証する場合には、情義的保証人のような保護は必要ではない。個人＝会社といった経済的実態がある場合、経営者による会社債務の保証は、他人の債務のためというよりも、実質的には自分の債務のため、すなわち自分の利益のためである。経営者以外に、どのような人間を保証人保護の規制を緩和してよい者と考えるのかは、限界づけの難しい問題である。

8-5　**(2)　事業者保証（法人保証）**

　現代における保証は、個人保証以外にも多様なものが存在しており、これらを同一に規律するのは適切ではない。

　①まず、信用保証協会の保証、銀行や商工ローンがそのローンのために設立した保証会社による保証、さらには、銀行による保証（支払承諾）のように、保証料をとって合理的な計算で行われる保証がある。情義的保証についての保証人保護法理を適用する必要はない。②また、保証料をとらない無償の保証であっても、親会社が子会社の債務を保証したり、関連会社間の保証のように、グループ企業の内部でそのグループ全体の利益のために保証がされる事例がある。無償ではあるが、情義的関係から保証がされているものではない。これらの保証類型では、解釈論また立法論として、個人保証とは柔軟に差を認めるべきである（保証主体に応じた多様な保証法理の承認）。

3　保証債務の法的構成

8-6　**(1)　主債務とは別個の債務**[182]

❶　同一内容別債務説

(ア)　主従のある同一内容の債務　主債務のほかに保証債務を認めない異説もあるが（☞ 8-12）、民法は、主債務とは別に保証債務が存在することを認め、保証債務を「多数当事者の債権及び債務」の節に規定した。ただし、保証債務の法的構成については2つの構成が主張されている。

　まず、保証債務は主債務と同じ内容の債務であるが、ただ2つの債務の間に主従の関係（付従性）が認められると考える**同一内容別債務説**があり、これが通説である（我妻450頁、淡路380頁など）[183]。

8-7　**(イ)　自分の債務の弁済**　保証人は、債権者との関係では、「自分の債務を弁済する」が、主債務者との関係では、「他人の債務を弁済する実質を有する」といわれる（我妻487頁）。主債務は被担保債務、保証債務はそのための担保という関係にあり、付従性が認められる（☞ 8-16）。

8-8　**❷　代位弁済義務説**

(ア)　代位弁済義務　これに対し、保証債務は主債務を代わりに履行する義務（代位弁済義務）であり、主債務が100万円の金銭債務ならば100万円の金銭債務になると考えることもできる（**代位弁済義務説**）。主債務者も保証人も主債務を履行するので債務は1つという学説もあるが（岡村194）、代位弁済義務を否定する必要はない。

8-9　**(イ)　弁済の二重構造性**　この構成であれば、保証債務の履行は第三者弁済にもなるため、弁済者代位が成立することを説明しやすい。本書はこれを採

---

182)　保証債務を否定する学説は別として、保証債務にさらに担保を付けることができる。保証債務についてさらに保証債務を成立させたり、保証債務に保証人が抵当権を設定するだけでなく（実質的には主債務者との関係では物上保証と同じ）、第三者が抵当権を設定することもできる（保証債務についての物上保証）。

183)　**＊同一内容性への疑問**　例えば建物の建築についての建築保証では、保証人は自ら工事を行うことを約束するのではなく、建設会社を手配して建物を完成させることを約束しているにすぎないと考えて、主債務との同一性がないことを認める。この場合、同一性がないが保証に準ずるので「準保証」と扱う学説もあるが（於保258頁以下）、近時は直截に保証債務の同一内容性を要件ないし本質としない学説が有力である（内田416頁、潮見・新II 638頁、中田576頁）。本書の代位弁済義務説では、契約自由の原則からそのような契約と認めて、保証に準じて性質上可能な限り保証規定を類推適用すればよいと考える。なお、「履行の担保」説もあり、一身専属義務の保証では、損害賠償義務を負うという形で、すでに一身専属義務の履行を担保しており、その意味で一身専属義務についても保証債務の成立が認められている（石坂983頁以下）。

用し、代位弁済を主債務者との関係で義務づけるのが履行の引受であるのに対して（☞ 9-171）、代位弁済を債権者との関係で義務づける場合を保証債務と考える。条文も、「その履行をする責任」（446 条 1 項）、の「その」とは主債務と考えられ、459 条 1 項は「主たる債務者に代わって弁済……」と規定している。

8-10
◆保証債務の弁済と債務承認の対象
❶説では、弁済するのは保証債務であり、主債務も満足を得て消滅することになる。他方、❷説では、主債務を代位弁済しており、それが同時に保証債務の弁済になる。しかし、弁済の対象と、時効の更新事由としての債務承認の対象とは別の問題として考えられるべきである。❷説では主債務も当然に債務承認しているが、❶説でも、保証債務は主債務を当然の前提としているため、主債務も承認していることになる。保証人が主債務者を相続し、保証人として支払をした事例で、「保証人が主たる債務を相続したことを知りながら保証債務の弁済をした場合、当該弁済は、特段の事情がない限り、主たる債務者による承認として当該主たる債務の消滅時効を中断する効力を有する」と評されている（最判平 25・9・13 民集 67 巻 6 号 1356 頁）。なお、共同保証人が分別の利益を知らずに全額を支払った場合、保証債務がない部分の保証債務の履行は数量的に無効となるが、主債務はあるため主債務の弁済として有効としつつ、保証債務を超える部分につき弁済の錯誤無効（改正前）によった判決がある（札幌地判令元・5・13 裁判所ウェブサイト）。一部保証であることを知らずに主債務を全額支払った事例と同じになる。

8-11
◆保証債務の内容をめぐる異説
⑴ 担保するという給付義務
於保教授は、「担保する給付」概念を提案し、「終局的には担保実現のための与える給付がなされることもあるが、担保給付の本体は担保状態にある」という（於保 25 頁以下）。保証債務を負担して、信用を与えることを給付と認める趣旨のようである（注 183 の「履行の担保」説も参照）。金山教授は、盗難保険において、保険契約者は、「保険者の担保する給付（安全）を見えない形であれ受けていると評価すべきなのである。保証契約においても、保証の要素の履行は同様に考えられる。つまり、債権者は主債務者との関係でいわば不払いの潜在的な被害者なわけであるが、その場合に備えて普段から保証人に担保する給付をなさしめているわけである」という（金山直樹『現代における契約と給付』[2013] 203 頁以下）。

8-12
⑵ 保証債務否定説（責任財産の拡大）
加賀山教授は、保証を「債務なき責任」と理解し、保証人は、「一般財産からの弁済の責任を負う」という（加賀山茂『現代民法担保法』[2009] 145 頁以下）。「履行をする責任」と規定されていることから、債務は主債務だけであり、抵当権につ

いても物権が別個に成立するのではなく債権の効力を高める責任的効力が認められるだけであり、保証債務はなく主債務につき保証人の一般財産に責任が拡大されるだけであると考える。保証「債権」はなく、債権者は保証人には履行請求できず、その一般財産に対して強制執行をすることができるだけとなる。しかし、保証人に対して履行を求める訴訟提起が認められており、裁判外でも保証人への請求は普通に行われており、保証「債権」を否定することは、実務を根本から覆すことになる（保証債務を独立させる学説はドイツに古くからあったが、我妻449頁は、付従性による説明に遥かに及ばないと批判する）。

8-13 **(2) 主債務との同一内容性**

(a) 他人が履行できる債務であることが必要 同一内容の別の債務と構成すれば当然、代位弁済義務と構成しても、保証債務は主債務を代位弁済する義務であるから、合わせ鏡のように主債務と同じ内容となる──ただし、量的に一部保証も可能──。第三者により履行が可能な債務でなければならないため、一身専属的給付について保証債務は成立しえず、その不履行による損害賠償義務等の将来債務の保証が考えられるだけである。例えば、Ａが、芸術家Ｂに彫刻の作成を依頼し、ＣがＢの連帯保証人になったとする。Ｂの債務は一身専属的債務であり、Ｃは、Ｂが債務不履行をした場合の「責任」、すなわち損害賠償義務を引き受けたものと解釈される（石田848頁）。以下には売主の債務の保証について検討してみたい。

8-14 **(b) 特定物売主の債務の保証**

(ア) 特定物債務の保証を認める大審院判決 ＡからＢが不動産を買い受け、その際、ＹはＡのために保証人となった──Ｂの権利義務をＸが承継──。その後、Ａが履行しないうちに、本件不動産がＡの債権者により差し押さえられ競売に付され、Ｙが競落し所有者となった。そのため、ＸはＹに対し保証債務の履行として所有権移転手続を求めた。

原審は、ＹはＡの債務不履行による損害賠償義務を保証するにすぎないものと判示した。しかし、大審院は、「保証人が其の間何等かの事由より当該不動産の所有権を取得し、以て自ら本旨に従う履行を為し得に至ること是固より不可能の事に属せざるは、夫の他人の権利の売買が一般に有効なることに鑑るも亦思半に過ぐべければなり」と判示し、原審判決を破棄した（大決大13・1・30民集3巻53頁）。

8-15 **(イ) 最高裁判決による変更** しかし、最大判昭40・6・30民集19巻4

号 1143 頁（☞ 8-55）は、「特定物の売買における売主のための保証において
は……売主の債務不履行に基因して売主が買主に対し負担することあるべ
き債務につき責に任ずる趣旨でなされるものと解するのが相当である」と判
示した。大判大 6・10・27 の変更を宣言するだけであるが、8-14 判決も変
更したものと考えてよく、売主の債務の保証は、債務不履行による損害賠償
義務や原状回復義務の保証と考えるべきである。8-14 の事例は、契約に立
ち会って販売に協力しているので、Y は 177 条の「第三者」ではないとい
え（背信的悪意）、そして、抹消登記に代えて所有権移転登記を認めること
は可能なことから——妄贈与事件等（最判昭 46・10・28 民集 25 巻 7 号 1069 頁）
——、変更後の判例の下でも本判決の結論は支持されてよい。

8-16 (3) 保証債務の付従性・随伴性

(a) 内容上の付従性

(ア) **主債務の内容と同じ内容の債務として成立**　保証債務は「担保」制度
として位置づけられ、その結果、担保制度の共通の性質として付従性・随伴
性が認められる。まず、保証債務の内容は主債務と同一内容であり、その内
容を超えることはできない（**内容上の付従性**）。民法は、「保証人の負担が債
務の目的又は態様において主たる債務より重いときは、これを主たる債務の
限度に減縮する」と規定している（448 条 1 項）。代位弁済義務ということか
らの帰結である。ただし、保証債務は主債務とは別の義務であるため、保証
債務についてだけ違約金を定めることはできる（447 条 2 項）。

8-17 (イ) 主債務の内容のその後の変更

(i) **保証人に不利な変更**　主債務が保証契約後に変更されれば、保証債務
もそれに併せて変更される。ただし、「主たる債務の目的又は態様が保証契
約の締結後に加重されたときであっても、保証人の負担は加重されない」
（448 条 2 項）。すなわち、保証人が一度引き受けた負担の不利な変更は、付従
性を制限し保証人に対抗できないものとしたのである。例えば、主債務の利
息の利率が 5％であったのを、保証契約後に、債権者と主債務者の合意によ
り 7％に変更しても、保証人が責任を負うのは 5％の限度のままである。た
だし、保証人の承諾を得れば、変更を保証人に対抗することができる。期限
の利益の喪失（137 条）は、保証人に対抗できる（☞ 8-77）。

8-18 (ii) 保証人に有利な変更　保証人に有利な変更は、保証人に効力を及ぼ

す。例えば、主債務の利率が5％から3％に軽減される場合である。期限の猶予については、保証人は、448条1項によりこれを援用するか、不利な変更であるとして——その間の利息が増える——459条の2の制限を受けることなく（☞ 8-100）、当初の期限に支払うかの選択ができると考えるべきである（事前求償権につき、460条2号ただし書）。

8-19　**(b)　成立・消滅上の付従性**　保証債務は主債務なしには考えられず——代位弁済する債務が存在しない——、主債務がその発生原因である契約の無効または取消しにより発生しない場合には、保証債務も発生しない（**成立上の付従性**）[184]。主債務の存在が保証契約の有効要件であるといってもよい。主債務が弁済、免除、消滅時効の援用などにより消滅すれば、保証債務も代位弁済の目的を失い消滅する（**存続上の付従性**）。主債務の消滅時効の完成により、保証人には時効援用権が認められる（145条括弧書）。

8-20　**(c)　随伴性**　また、主債務者に対する債権が譲渡された場合、主債務と共に新たに債権者となった譲受人に保証人に対する債権も移転する。債権の側からみると、A→B債権（主債務）にA→C債権（保証債務）は随伴して移転することを意味し、付従性の帰結であるが、特にこれを**随伴性**と呼ぶ（対抗要件は、主債務についての債権譲渡につき具備すれば足りる☞ 8-89）。

8-21　**(4)　保証債務の補充性——単純保証の原則**

　民法は、保証人の責任を、原則として債権者が主債務者に請求し、その財産から債権回収をしたが回収しえなかった残額についての責任に制限をした。すなわち、保証人に催告および検索の抗弁権を認めたのである（452条・453条）。主債務者から回収できない分を補充的に保証人から回収することができるにすぎず、これを保証債務の**補充性**という[185]。

---

184)　**＊制限行為能力者の保証人**　民法は、主債務が行為能力の制限を理由に取消し可能であることを知りながら、保証人が保証契約を結んだ場合には、取消しにより主債務が消滅しても、保証人は「同一の目的を有する独立の債務を負担したものと推定する」（449条）と規定した。

　例えば、Aが未成年で親の同意が得られないが契約を締結しようとしている場合、相手方は取消しのリスクがあるので契約に応じないが、Bが責任を負い保証人になるというので契約を締結したとする。案の定、Aの親が契約を取り消した場合、Bはこれにより生じる損害を賠償することを合意したものと考えられる（損害担保契約）。「同一の目的」の債務負担の場合は、例えば、Aが買主の場合、契約が取り消されれば、Bは代金債務を負担することになる。この場合、117条1項の履行責任と同様に、債務だけ負担するのではなく、相手方たる売主はBとの売買契約を成立させることができる。なお、449条には、「主たる債務の不履行の場合」も規定されているが、意味のない規定と考えられている（石田852頁は反対）。

しかし、民法は、補充性を排除し保証人を主債務者と連帯して責任を負わせる特約を可能としている（454条）。実際の保証契約はほぼ例外なく連帯保証とされており、補充性は有名無実化されている。

8-22 ◆**保証と区別すべき取引**[186]

(1) **損害担保契約（請求払無因保証）**

保証契約とは異なり付従性のない特殊な契約に**損害担保契約**という合意がある。保険会社以外の者による損害保険のようなものであり、債務不履行による損害に限らないが、保証との関係では、債務不履行により生じる損害を、債務者が責任を負うかどうか——主債務が成立するかどうか——を問わず、生じた損害を補填することを約束する契約である。古くあるものとしては、**身元引受契約**がその例である。身元引受人は、身元を引受けられた被用者が就業中に使用者に与えた損害につき、被用者が責任を負い賠償義務が生じる場合はもちろん、被用者に責任がなく、したがって主債務がなくても責任を負わなければならない。近時では国際取引において行われている損害担保契約（無因保証）を認めた判決がある（大阪高判平11・2・26金判1068号45頁）。

8-23 (2) **経営指導念書**

(a) **経営指導念書の意義**　信用の十分ではない子会社が、金融機関から融資を受けたり、新たに取引を開始するに際し、親会社が金融機関や相手先に対して、子会社の経営を支援し迷惑をかけないことを約束することがある。取引上、これは**経営指導念書**と呼ばれており、保証とはせずに法的責任を曖昧にすることが意図されている。①保証債務は貸借対照表に負債として計上しなければならず親会社の信用を害すること、また、②会社による保証には取締役会の承認が必要なため、これらを回避するために行われる。そのため、親会社側は保証と認定されることを避けようとし、他方で、債権者側としては何とか法的に意味のある合意に

185) **＊最終不足額保証**　ドイツ法には、最終不足額保証という、補充生をさらに強化した保証があり、債権者が回収できなかった主債務の最終的欠損についてのみ、保証人が履行する責任を負う保証がある。「欠損」の内容は合意により決まり、特定の担保を実行した場合の不足額を指すものなど様々なものがあるといわれる（山本敬三「契約としての保証」『法律行為法・契約法の課題と展望』[2022] 156頁）。地方公共団体の損失補償契約は、民法上の保証よりも補充性が場合によって強化、場合によって緩和された保証と考えることができる（山本宣之「民法の保証理論からみた安曇野事件訴訟」産法9巻1＝2号 [2012] 72頁以下）。

186) **＊表明保証など**　保証と従前混乱がみられたものに「身元引受」（身元保証ではない）があり、有料老人ホーム入居契約では、保証人が金銭債務を負担するのに対して、身元引受人は、身上監護や、入居者の認知症が進んだ場合に後見開始などの手続をとったり、入居者が死亡した場合に遺体・遺品の引取りなどを義務として引き受ける者である。また、「**表明保証**」は、企業買収等に際して、売主が買主に対して、契約締結日や譲渡日などのある特定の時点における財務や法務などの一定項目について、「その内容が正しいことを表明し保証する」ことであり、「保証」という言葉が使われているというだけで、保証のように第三者が債務を引き受けるものではない。もとは英米法に由来する取引であり、内容に誤りがあった場合に、損害賠償条項を入れておけば損害賠償が可能になる。

§Ⅱ　保証債務の成立

8-24

　(b)　**経営指導念書の効力**　判例は、経営指導念書を保証とは認めず、さらに法的効力のある合意とさえ認定することも否定している（東京地判平 9・4・28 金判 1040 号 48 頁、東京地判平 11・1・22 判時 1687 号 98 頁など）。しかし、学説には、保証ではないが、弱い法的義務を認め、義務違反による損害賠償責任を認める提案がされている（椿久美子「取引における保証・物上保証の機能」『現代取引法の基礎的課題』 [1999] 487 頁）。保証債務を避けた趣旨からして、経営破綻をさせない結果債務は負担しておらず、経営破綻をさせないよう親会社として努力をする手段債務を負担していると解すべきである。手段債務であるので、必要とされる支援の内容またその違反の事実については、損害賠償を請求する債権者側に証明責任がある。

§Ⅱ
保証債務の成立

1　保証契約による保証債務の成立

8-25

(1)　要式契約

　(a)　**要式契約とした理由**　民法は保証契約についても諾成契約という原則を貫いていたが、2004 年の改正により「保証契約は、書面でしなければ、その効力を生じない」（446 条 2 項）と規定され、保証契約は要式契約とされた[187]。書面は公正証書であることは要求されておらず、必要な記載事項——根保証では極度額は必須（465 条の 2 第 3 項）——も法定されていない。主債務を生じさせる契約と別個に保証契約書を作ることは必要ではない。例えば、金銭消費貸借契約書、賃貸借契約書等の保証人欄に保証人として署名するのでもよい（大阪高判平 20・12・10 金法 1870 号 53 頁）[188]。保証契約締結の代理権授与にも書面が必要であり、保証の内容が書面に記載されることが必要である（石田 838 頁）。

---

187)　**＊法律規定による保証債務の成立**　合名会社の社員、合資会社の無限責任社員の会社債務の弁済義務（会社 580 条）や問屋の履行担保責任（商 553 条）は、法定の保証債務と評されている（於保 256 頁、奥田 383 頁、淡路 382 頁）。使用者責任は、被用者の不法行為責任を代わりに履行すべき義務にすぎないとすれば、実質的には保証債務にすぎないが、使用者責任を固有の責任原理に基づく損害賠償責任と考えれば、不真正連帯債務にすぎないことになる。

第8章　多数当事者の債権関係②——保証債務（人的担保）

8-26　**(b)　電子書面の許可・書面交付義務**　「書面」とは伝統的には「紙」であるが、電磁的記録（その定義は151条4項）によってされた保証契約も、「書面」によるものとみなされている（446条3項）。

　債権者から保証人への書面の交付は必要ではない。ノンバンクの貸金業者が融資に際して保証契約をする場合には、借主に対するのと同様に保証人に書面交付が義務づけられているが（貸金17条3項）——契約締結前にも契約内容を説明する書面の交付が義務づけられる（同法16条の2第3項）——、違反しても保証契約の効力に影響はない。

8-27　**(2)　保証契約の当事者など**

　(a)　保証契約の当事者　保証契約は、債権者と保証人との契約により締結されるのが普通である。また、主債務者と保証人との契約により、保証契約を第三者のためにする契約として行うことも可能である。債権者が受益の意思表示をして、保証債権が発生することになる（537条3項）。

8-28　**(b)　主債務者未確定の根保証**　いわゆるホステス保証の場合には、ホステスが店に雇用されるに際して、自分の客をツケで飲食させる場合にはその債務について保証をするという、主債務者未定の包括的な根保証契約の合意がされている。また、売掛保証では、売主（債権者）と保証人たる会社とで、買主（債務者）に知らせることなく同様に包括的保証——有償保証であり保険が付けられる——がされている。主債務者の保証人に対する保証委託は、保証のための要件ではない。

8-29　**◆書面要件をめぐる問題点**

　(1)　保証契約の代筆・代署

　保証契約書の代筆・代署は可能であろうか。東京高判平24・1・19金法1969号100頁は、「その内容を了知した上で他の者に指示ないし依頼して署名ないし記名押印の代行をさせることにより、書面を作成した場合、その他保証人となろうとする者が保証債務の内容を了知した上で債権者に対して書面で上記と同視し

---

188)　**＊保証書の差入れでよいか**　保証意思が書面で表示されていればよいので、保証人により保証書を署名押印して債権者に交付するのでもよいのか、それとも契約書において表示されることが必要なのかは議論がある。立法関係者の解説では保証書の差入れでもよいということであるが（吉田徹・筒井健夫『改正民法の解説［保証制度・現代語化］』[2005] 13頁。潮見・新II 643頁、中田569頁、近江187頁、奥田・佐々木・中巻634頁等が賛成）、これに対し、保証契約書を作成するか、申込み・承諾共に書面でされることを必要とする学説（加藤467頁）、個人保証については書面要件の認定は厳格にされるべきであり契約書でない書面では書面要件を満たさないという学説（内田405頁）がある。

295

§Ⅱ 保証債務の成立

得る程度に明確に保証意思を表示したと認められる場合に限り、その効力を生ずる」とした。当該事例は偽造された書面であり、保証を無効とする（東京地判平23・1・20 判タ 1350 号 195 頁も、書面要件の充足を否定）。

8-30　**(2) 書面によらない保証の履行**

　(a) 履行がされても無効　贈与契約の場合には、書面がなくても履行後は返還請求できないが（550 条）、保証契約にはそのような制限はない。そのような規定を置くと、債権者による強引な取立てを助長することになるので、あえて同様の規定を置くことを避けた（吉田・筒井・前掲書 14 頁）。保証契約が書面によらない場合に、保証が履行されてもその弁済は債務がないので無効であり、保証人は債権者に対して返還請求できると考えるべきである（中田 486 頁）。これに対し、軽率に保証契約を締結することはあっても、軽率に履行することはほとんど考えられないという理由で、履行後は保証人は無効を主張できないという学説もある（石田 838 頁）。8-10 の札幌地判令元・5・13 の論理では、主債務はあるので、主債務の弁済としては有効になる。

8-31　**(b) 主債務者への求償**　ただし、債権者が支払不能になっていたり所在不明になっていたりして、債権者に返還請求するよりも、主債務者に求償できた方が、保証人としては有利な場合も考えられる。そのため、保証人には、無効を主張しないで主債務者へ求償することを認め、債権者や主債務者からは無効を主張できないと考えられている（中田 570 頁）。追認可能とすると、債権者が追認を迫り面倒である。債権者に対する不当利得返還請求権を被保全債権として、代位権の直接訴権への転用により、債権者の主債務者に対する債権を行使できると考えたい。

8-32　**(3) 書面はあるが無権代理の場合**

　また、保証契約に書面が作成されているが無権代理人が行った場合に、本人（保証人）の追認は口頭でされても有効であろうか。保証契約における要式契約の趣旨が、証拠を残して後日の紛争を回避するということにではなく、契約締結を慎重にさせるという趣旨にあるとすれば、軽率に口頭で追認して有効となるのではその趣旨を没却する。書面で追認されれば有効になると考え、その方法としては、追認書を別に作成するのではなく、保証人の署名欄に改めて追認がされたことを追記し、保証人に署名押印してもらう方法が考えられる。もし貸金等債務で、保証意思宣明公正証書も偽造である場合には、これへの追認はありえず、この場合には全てやり直すしかない。

8-33　**(3) 主債務者の依頼・同意不要**

　(a) 主債務者の保証委託は不要　保証契約は保証人と債権者の間の契約であり（例外もあり☞ 8-27）、主債務者は当事者ではない。通常は主債務者から頼まれて保証人になるのであるが、主債務者の委託は保証契約の要件では

第 8 章　多数当事者の債権関係②——保証債務（人的担保）

なく、主債務者の同意なしに保証契約を締結することも可能である（8-28のホステス保証）。保証契約は主債務者の意思に反してさえ行うことができる（462条2項はこれを前提）。ただ委託の有無、委託を受けない場合も主債務者の意思に反しているか否かにより、求償権の内容において差が認められる（☞ 8-97）。また、事前求償権は、受託保証人にのみ認められる。

8-34　　(b)　**主債務者の委託の際の保証人保護の必要性**　主債務者による保証人への依頼に際して、信用不安があるのに事業はうまくいっていると説明したり、また、信用不安の状況にあることを秘匿することがままみられる。債権者との保証契約においては第三者の詐欺となり、また、錯誤においては動機の錯誤にすぎないことになる。債権者は自己の本来負うべき債権回収不能のリスクを個人保証人に転嫁するものであるため、このような詐欺・秘匿が行われやすいことから、債権者には主債務者の信用状態についての調査義務、保証人に対する情報提供をして保証人が誤認していないか確認する義務を信義則上認めるべきである（債権者の個人保証人保護義務☞ 8-40）[189]。

2　事業債務の個人保証の特則

8-35　**(1)　主債務者の保証委託に際する情報提供義務——事業債務の個人保証一般**

　(a)　主債務者の保証委託に際する情報提供義務

　(ア)　情報提供義務の内容　改正法では、個人保証人保護規定が導入されている（契約成立後の情報提供義務☞ 8-78）。

　まず、事業のために負担する債務（以下「事業債務」という）のための個人保証または個人根保証を委託をする場合に、主債務者は、「委託を受ける者に対し、次に掲げる事項に関する情報を提供しなければならない」として（465条の10第1項）、以下の3つについての情報提供義務を導入した。

> ① 「財産及び収支の状況」(1号)

189）　最判平 28・1・12 民集 70 巻 1 号 1 頁は、信用保証組合 Y と金融機関 X との保証契約につき、「X 及び Y は、本件基本契約上の付随義務として、個々の保証契約を締結して融資を実行するのに先立ち、相互に主債務者が反社会的勢力であるか否かについてその時点において一般的に行われている調査方法等に鑑みて相当と認められる調査をすべき義務を負う」ことを認め、「X がこの義務に違反して、その結果、反社会的勢力を主債務者とする融資について保証契約が締結された場合には、本件免責条項にいう X が『保証契約に違反したとき』に当たる」ものと判示した。

§Ⅱ　保証債務の成立

② 「主たる債務以外に負担している債務の有無並びにその額及び履行
　状況」（2号）
③ 「主たる債務の担保として他に提供し、又は提供しようとするものが
　あるときは、その旨及びその内容」（3号）

8-36　　（イ）　**情報提供義務の適用要件**　個人保証人にのみ適用され、法人保証人に
は適用されない（同条3項）。また、事業上の債務の保証の委託に限られるた
め、住宅ローンの保証、賃貸保証、病院への入院保証、有料老人ホームへの
入居についての保証など個人債務についての保証には適用されない。①〜③
の3つの事項は、保証人になるかどうかの判断に必要な事項である。

8-37　　（b）　**情報提供義違反の効果**
　　（ア）　**取消権の付与**　主債務者が上記の情報提供義務に違反し、必要な情報
提供を怠ったり、また、虚偽の情報提供をした場合、保証人が例えば主債務
者の信用不安を知らず、または、主債務者に信用不安はないと誤認して保証
契約を締結してしまうことになる。従来は、第三者の詐欺、動機の錯誤が問
題になったが、改正法は保証人に情報提供義務違反の事例につき保証契約の
取消権を認めた（465条の10第2項）。以下の要件を満たすことが必要である。

① 情報の不提供または事実と異なる情報の提供がされたこと
　（情報提供義務違反）
② それにより保証の委託を受けた者が1号から3号の「事項について誤
　認をし」たこと
③ 「それによって保証契約の申込み又はその承諾の意思表示をした」こと
④ 「主たる債務者がその事項に関して情報を提供せず又は事実と異なる情
　報を提供したことを債権者が知り又は知ることができた」こと

8-38　　（イ）　**立法の意義**
　　（ⅰ）　**錯誤よりも要件を緩和**　以上は基本的に錯誤の基礎事情誤認型に該当
するが（95条1項2号）、その事情が基礎とされていることを保証契約におい
て保証人が債権者に表示していたこと（同条2項参照）は必要とされておら
ず、特則となっている。取消しと構成されているため、取消しの規定が適用

298

第 8 章　多数当事者の債権関係②──保証債務（人的担保）

され、例えば 126 条の消滅時効に服する。

8-39　**(ii)　残された課題**　①～③だけで取消しを認める立法であれば、個人保証
人保護として画期的であった。しかし、④を要件として債権者保護との調整
に留意したため、錯誤取消しと大して変わらない規定となってしまった。
95 条の基礎事情の錯誤については、「保証契約の内容に取り込まれる」こと
を必要とする解釈もあり（実務上の課題 201 頁［潮見］）、この立場であれば、465
条の 10 第 2 項は、95 条に対して、より大きな例外を認めたことになる。
8-34 に述べたように、解釈によって、債権者に主債務者から委託に際して
適切な情報提供がされたことの確認義務を認めれば、本規定はさらに個人保
証人保護に資することになる[190]。

8-40　◆**債権者の保証人に対する契約締結に際する情報提供義務**
　　　事業者たる債権者は、個人たる保証人と保証契約を締結するに際して、主債務
者の財産状態を調査し、知りえた情報を保証人に提供することを、信義則上義務
づけられると考えるべきである。債権者は、その負担すべきリスクを第三者たる
保証人に転嫁するものであるから、個人保証人は軽率で無償にて保証人になるた
め、保証人になるかどうかの判断において重要な事項につき、債権者は情報を提
供すべきである。その違反については、不法行為による損害賠償請求も考えられ
るが、不作為による詐欺、錯誤取消しの要件の緩和などによる救済のほか、信義
則上責任を制限するという中間的な解決も考えられる。石田 878 頁以下は、同
様の義務を債権者に認めるが、465 条の 10 第 2 項を参照として（類推適用
か）、保証人に保証契約の取消権を認める。

8-41　**(2)　保証意思宣明公正証書の作成**
　　　──事業債務たる貸金等債務の個人保証の特則

　　(a)　制度趣旨

　　(ア)　クーリングオフとは異なり予防　改正法は、事業債務たる「貸金等債
務」についての個人保証ないし個人根保証については、保証契約締結の 1

---

190)　金融業界からは、保証人が主債務者から適切な説明を受けているかどうかは、保証意思宣明の際に公
証人によりチェックされるので、債権者としては公証人の作成した宣明証書を徴求すれば足りると主張され
ている（岡本雅弘ほか「債権法改正と金融実務への影響」金法 2004 号［2014］25 頁［三上徹]）。実務は
そのようになろうが、情報提供されたかどうかの確認を超えて、その内容（特に主債務者の資産状況など）
が、債権者が把握している内容と合致しているかどうかのチェックまで債権者には求められる（白石・前掲
論文 36 頁参照）。主債務者が粉飾決算をして債権者と共に保証人も騙していた場合には、債権者・保証人
間の保証契約は共通錯誤になり、95 条の錯誤取消しを認めることができる（実務上の課題 200 頁［岡]）。

299

§II　保証債務の成立

カ月以内に保証人となろうとする者が公正証書により「保証債務を履行する意思を表示していなければ、その効力を生じない」ものとした（465条の6第1項）。保証人が個人である場合に限られ、法人保証は排除される（同条3項）。保証意思の表示から1カ月の熟慮期間を置くわけではなく、同一書面ではできないものの同じ機会に保証契約も行ってよいことになる[191]。しかし、同日に保証契約まで締結することは許されないという主張がある（茆原洋子「保証被害者救済の実務と民法改正」現代消費者法39号［2018］48頁）。

8-42　　(イ)　**公証人にかかっている**　この制度は、公証人が個人保証の被害防止の役割を果たすことを期待したものである。公証人は主債務者により情報提供がされているか確認し、保証しなければならない関係か等を聞き出して、必要がなければ保証人に止めるよう助言をして、水際で被害の発生を回避することが期待されている（白石大「保証」ジュリスト1511号［2017］38頁）[192]。断れない者はどうあっても断れないが、公証人の助言を受けたということを理由にすれば保証委託が断りやすくなる。公証人は粛々と書面を作ればよいというものではない（思いとどまったら報酬が得られないが）。この制度が機能するかどうかは、偏に公証人にかかっている[193]。

8-43　　(b)　**保証意思宣明公正証書の内容にかかる要件**　保証人になろうとする者は、公証人に、①特定債務の保証の場合には、債権者、主債務者、主債務の元本、利息、違約金、損害賠償額などの合意の有無・内容、自ら履行する意思を有し、連帯保証の場合には主債務者への請求・強制執行を経ずに保証人

191)　保証意思宣明公正証書の作成後に、保証契約の内容が変更され異なる内容の保証契約が締結された場合（例えば、極度額100万円が200万円に加重された、50万円に軽減された）、軽減は保証意思宣明公正証書の作成をやり直す必要はないが（白石・後掲論文39頁）、保証意思宣明公正証書の内容よりも加重する場合には、保証契約は無効と考えるべきである。石田836頁以下は、この制度を疑問視し、保証契約が公正証書で結ばれればよいし、また、保証契約締結後に保証意思宣明公正証書が作成されると、瑕疵が治癒され効力を生じることを認める。

192)　公証人を介在させることにより「安易に理由もなく重大な負担を引き受けてしまうことが防止されるだろうと考えられた」と説明されているが（山本敬三『民法の基礎から学ぶ民法改正』［2017］140頁）、人間関係から断わることが難しい情義的保証人にとって、無駄な手間と費用が増えるだけで、公証人にも予防の役割が期待できるのか疑問視されている（茆原・前掲論文48頁以下）。「民法の一部を改正する法律の施行に伴う公証事務の取扱いについて」（令元・6・24法務省民総第190号民事局長通達）が発せられている。保証意思宣明公正証書の作成に関する公証事務の取扱いを定めたものである。なお、料金は1件あたり1万1000円と定められている。

193)　一度した保証契約の内容を変更することができ、例えば個人根保証で極度額を変更できるが、保証契約は要式契約なので変更の合意も書面によることが必要であり、さらに465条の6の趣旨からいえば、変更についても事前に変更した内容の保証意思の表明を公正証書で行うことが必要になる。

300

第8章　多数当事者の債権関係②——保証債務（人的担保）

が履行しなければならないことを、「公証人に口授すること」が必要である（465条の6第2項1号イ）[194]。②根保証の場合には、極度額や元本確定期日の有無、確定までに生じる主債務についての履行をすることも口授すべき内容となる（同号ロ）。公証人は、この口授を筆記し、保証人になろうとする者に読み聞かせ、または閲覧させ（同項2号）、保証人になろうとする者は、この書面に署名・押印し——これができない場合には公証人がその事由を付記して、署名に代えることができる——（同項3号）、最後に公証人が以上の方式に従って作成したものであることを付記し、署名・押印する（同項4号）。

8-44　（c）　**適用要件**　以上の規律は、主債務が事業のために負担した「貸金等債務」である場合、また、同債務を主債務の範囲に含む場合（根保証）の保証人の求償権についての保証（いわゆる求償保証）、また、主債務にこのような求償権が含まれる根保証に準用されている（465条の8第1項）。この場合も、法人が保証人になる場合には適用除外とされる（同条2項）。さらに個人保証人でも適用除外とされる事例が認められている[195]。

194）　「口授」については、保証人になろうとする者が口がきけない者である場合には、通訳人（手話）により申述し、または、自署して「口授」に代えなければならない（465条の7第1項）。また、保証人になろうとする者が耳の聞こえない者である場合には、公証人による読み聞かせは、通訳人の通訳をもって代えることができる（同条2項）。いずれの場合にも、公証人は、これらの特例によったことを付記することが必要である（同条3項）。

195）　＊適用除外事例　個人であっても、①主債務者が法人である場合に、理事、取締役、執行役またはこれらに準じる者（465条の9第1号）、総株主の議決権の過半数を有する者（同条2号イ）、総株主の議決権の過半数を有する株式会社の総株主の議決権の過半数を有する者（同号ロ）、総株主の議決権の過半数を有する株式会社の総株主の議決権の過半数を有するのが株式会社である場合に、その会社の総株主の議決権の過半数を有する者（同号ハ）、また、法人が株式会社以外の場合に、これらに準ずる者（同号ニ）、また②主債務者が個人である場合に、これと「共同して事業を行う者」または主債務者が行う「事業に現に従事している」主債務者の配偶者（同条3号）については、適用が除外される（宣明公正証書不作成の抗弁に対して、債権者側の再抗弁になる）。配偶者は法律上の配偶者に限られ、保証契約の有効・無効に関わるものであるため、形式的な要件が採用されていると説明されている（一問一答156頁）。

　　例えば、妻が実際には夫の事業に従事していないのに、これを従事しているものと説明して債権者を誤解させ、保証意思宣明公正証書が作成されなかった場合、債権者は妻に対して不法行為（709条）により損害賠償を請求することができる（実務上の課題182頁［潮見］）。また、禁反言の法理に対応する信義則によって、「保証人による（根）保証契約の無効主張を許さず、保証人に対する保証債務の履行請求を認める余地は否定されるものではない」という主張がある（重要論点154頁［内田］）。債権者はいずれの主張によるか選択できると考えたい。

301

3 保証契約の特別の要件

8-45 (1) 主債務の要件

保証債務は他人の債務を代位弁済する債務であるから、保証債務が成立するためには、保証人が代わりに履行できる主債務の存在が必要となる（売主の債務の保証☞ 8-14）。将来の債務の保証契約も主債務さえ特定されていれば有効に成立する。ホステス保証のように、主債務者を特定することなく包括的に保証契約を締結した場合も、その要件を満たして主債務が発生して初めて個々の保証債務が成立することになる。将来発生する不特定多数債務を包括的に保証する根保証契約も有効である（☞ 8-167 以下）。

8-46 (2) 保証人の要件

(a) **保証人を立てる義務がある場合に必要な保証人の要件** 契約、法律または裁判所の命令によって債権者が保証人を立てる義務があるときは、保証人は次の2つの要件を満たす者でなければならない（450 条 1 項）。

> ① 「行為能力者であること」（1 号）
> ② 「弁済をする資力を有すること」（2 号）

保証人が後日この要件を欠くことになった場合、債権者は債務者に対して、要件を満たす別の保証人を立てるよう要求できる（同条 2 項）。抵当権における担保維持保存義務に匹敵する義務を主債務者に認めるものである。ただし、債権者が自ら保証人を指名した場合には、①②の要件を満たす保証人を立てる義務は認められない（同条 3 項）。

8-47 (b) 保証人が要件を欠いていた場合

債権者が、要件を満たさない保証人との保証契約を締結した場合、先の①②の要件は有効要件ではないので、保証契約は有効に成立し、保証人は責任を免れない。ⓐ債権者が保証人の無資格につき悪意であれば、450 条 3 項を類推適用して債権者は代わりの保証人を立てることを請求できない（於保 262 頁、奥田 389 頁）。ⓑ債権者が善意のときは、債務者は保証人を立てる義務をいまだ完全に尽くしたことにはならず、債権者は資格を満たした保証人を立てるよう請求できる（450 条 2 項からの当然解釈）。

第 8 章　多数当事者の債権関係②——保証債務（人的担保）

> ## §Ⅲ
> # 保証債務の範囲

1　問題となる債務

8-48　**(a)　利息なども含まれる**　保証の対象となる債務は、保証契約により自由に決められる。この点につき、民法は「保証債務は、主たる債務に関する利息、違約金、損害賠償その他その債務に従たるすべてのものを包含する」と規定した（447条1項）。本規定は解釈規定ないし任意規定にすぎず（346条と同様）、利息については保証しないなどの合意は契約自由の原則により有効である。どのような債務を保証の対象にするかは当事者の合意に任され、保証債務の成立を主張する債権者が主張・立証責任を負う。

8-49　**(b)　保証契約の解釈による——規範的解釈**

(ア)　問題となる債務　保証債務の範囲に含まれるのかが議論されている債務として、主債務を発生させた契約が解除された場合の損害賠償義務および原状回復義務がある。例えば、①売主の債務の保証は、売主の不履行による損害賠償義務の保証を含むことは 8-15 に述べたが、売主が債務を履行せず買主により契約を解除された場合に、損害賠償義務や受領した代金の返還義務につき、保証人が責任を負うのか、また、②買主の債務を保証した場合に、契約解除後の損害賠償義務や目的物が返還不能の場合の価額賠償義務についても、保証人が責任を負うのかが議論されている。この点を以下に説明しよう。

0-50　**(イ)　保証契約の規範的解釈の問題**　ここで問題となる保証契約の解釈は、いわゆる規範的解釈であり、解釈に名を借りた判例による任意規定の創設である。このほか、消費貸借契約上の貸金債権につき保証をしたが、消費貸借契約が無効である場合、結局は貸金債権と同額の不当利得返還請求権が成立するため、その債務の保証へのいわば無効行為の転換が認められないかが問題とされている[196]。

303

§Ⅲ　保証債務の範囲

2　契約解除事例における主債務

8-51　**(1)　契約解除による損害賠償義務**

(a)　契約解釈の問題　古くには、賃貸保証は賃料債務の保証であり、契約解除後の賃借物の返還義務不履行による損害賠償義務は、保証の範囲に含まれないとした判決があった（大判昭14・1・28新聞4392号7頁）。しかし、その後、売主の債務の保証（大判明38・7・10民録11輯1150頁）、買主の債務の保証（大判明40・7・2民録13輯735頁）、賃貸保証（大判明43・4・15民録16輯325頁、大判昭13・1・31民集17巻27頁）において、解除の効果論に拘泥せずに、契約解除後の損害賠償義務についての保証人の責任が認められている。契約解釈として、妥当な結論である。

8-52　**(b)　契約解除の法的構成とは別の問題**　学説には、契約解除における直接効果説を貫いて、契約解除後の損害賠償義務は契約上の債務とは別個独立の債務であるとして、保証人の責任を否定する主張があった（勝本正晃『債権総論中巻之一』［1934］373頁）。現在では、保証契約でどこまでの債務が保証されているかという保証契約の解釈という観点から考えられるようになっており、保証人の責任を肯定するのが通説である（我妻468頁、於保264頁、前田361頁）。填補賠償についても、契約上の債務かどうかではなく、保証契約の解釈により保証の対象になることを根拠づけるべきである。

8-53　**(2)　契約解除による原状回復義務**[197]

(a)　保証契約の解釈により処理される

(ア)　契約上の義務に限定する当初の判例　かつては、契約解除につき直接効果説を採用し、原状回復義務は不当利得返還義務であり、契約上の義務でないことから、保証人の責任を否定する判例（大判明36・4・23民録9輯484頁、

---

196)　農協による員外貸付けの事例につき、不当利得返還債権の保証であったと認めるべきであるという上告理由が、原審判決は「右消費貸借が原判示の理由により無効である以上、右保証もまた無効であ」ると判断しており理由不備はないとして退けられている（最判昭41・4・26民集20巻4号849頁）。他方で、抵当権設定またその実行後の事例で（競落人に対する抹消登記請求）、労金の員外貸付けを無効としつつ、「結局債務のあることにおいては変りはない」、「本件抵当権も、その設定の趣旨からして、経済的には、債権者たる労働金庫の有する右債権の担保たる意義を有するものとみられるから、Xとしては、右債務を弁済せずして、右貸付の無効を理由に、本件抵当権ないしその実行手続の無効を主張することは、信義則上許されない」とされている（最判昭44・7・4民集23巻8号1347頁）。違反を知ってした理事その者が抵当権を設定したものであり、理事が保証人になりかつ支払後に限り、本判決の射程が及ぶことになる。

304

第 8 章　多数当事者の債権関係②——保証債務（人的担保）

大判明 41・6・4 民録 14 輯 663 頁、大判大 6・10・27 民録 23 輯 1867 頁）、そして学説が
あった（鳩山 305 頁、勝本・前掲書 373 頁など）。

8-54　　**(イ)　契約の解釈に任せる現在の判例**　　しかし、否定説は、契約解除の効果
論の問題から離れて、いかなる債務が保証されているのかという、保証契約
の解釈の問題として解決すべきであると批判された。現在では、契約当事者
のための保証は、契約当事者として負担することがありうる一切の債務を保
証し、契約の不履行によって相手方に損失を被らせないためのものであるか
ら、解除後の原状回復義務や損害賠償義務も保証債務の範囲に含まれると考
えるのが通説である（我妻 468 頁、於保 264 頁、前田 361 頁）。判例も、現在では原
状回復義務を保証契約の解釈として保証の範囲に含めている[198]。

8-55　　**(b)　売主の債務の保証**　　売主の債務の保証について、特定物債務自体が保
証の対象になるのかが議論されていた（☞ 8-14）。その後の判例で、売主の
債務の保証は、売主が債務を履行しなかった場合のための保証であり、売主
の債務不履行により生じる種々の債務を対象とすることが認められる。

　　最大判昭 40・6・30 民集 19 巻 4 号 1143 頁は、「特定物の売買における
売主のための保証においては、通常、……売主の債務不履行に基因して売主
が買主に対し負担することあるべき債務につき責に任ずる趣旨でなされるも
の」とし、「債務不履行により売主が買主に対し負担する損害賠償義務につ
いてはもちろん、特に反対の意思表示のないかぎり、売主の債務不履行によ
り契約が解除された場合における原状回復義務についても保証の責に任ず
る」と明言する（大判大 6・10・27 を変更することを宣言する）[199]。

---

197)　**＊無効・取消しの場合**　解除の場合と同様に、法的構成を離れて、どのような債務を保証したかとい
　う保証契約の解釈によって解決される（近江 193 頁、中田 578 頁）。債務の履行を確保することが意図され
　ているので、債務不履行による損害賠償義務や原状回復義務は保証の対象になるが、例えば、詐欺の売主に
　ついての保証は、その損害賠償義務や代金返還義務には及ばないと考えられる。ただ、例えば、詐欺を知り
　つつまたは容易に知りえたのに、買主や売主の債務について保証をしたのは幇助（719 条 2 項［過失でも
　よい］）に該当し、損害賠償義務を負う。
198)　**＊買主の原状回復義務**　買主の代金債務について保証した場合には、明確に保証の対象が代金債務と
　定められている。買主が代金を支払わなければ保証人はその責任を負うが、買主が契約を解除され、目的物
　を返還できず原状回復義務（代金債務と実質的には等しい）を負う場合に、確かに明示的には保証対象では
　なく、保証人も代金債務についての責任だけ念頭に置いていても、規範的解釈としてはこれも保証対象にし
　て不合理ではない（本書も肯定する）。学説には、保証内容について保証人の認識が低く保証人の予期して
　いるところとはいえないと批判するものがある（安井宏「保証債務」『基本問題セミナー 2』［1988］83
　頁）。しかし、契約解除は債権者（ここでは売主）を保護する制度でありながら、解除を選んだら担保を奪
　われるというのは債権者に酷であり、保証人に過ぎた利益を与えることになる。

305

§Ⅲ 保証債務の範囲

3 一部保証

8-56 **(a) 2つの一部保証が可能** 例えば、主債務が 100 万円の債務であると
して、保証人が 50 万円のみ保証する合意も可能である。限定根保証の場合
に、確定した債務が 1000 万円で、限度額が 500 万円であれば、結果的に
一部保証になる。一部保証の内容としては 2 つの合意が考えられ[200]、いず
れの合意かが不明な場合に、いずれと解釈すべきかが問題となる[201]。

---

① **50 万円は債権者が確実に回収できることを保証するもの**
　　この場合、主債務者が 50 万円弁済すればその目的は達せられ、50
　万円主債務が残っていても保証債務は消滅する。
② **保証人が支払うべき限度を 50 万円に限定したにすぎないもの**
　　この場合には、主債務者が 50 万円を支払っても、主債務が残ってい
　る限り 50 万円を限度として保証債務を負い続けることになる。

8-57 **(b) いずれか不明な場合** いずれと定めるかは当事者の自由であるが、保
証は債権担保であることから債権者に有利に解釈をして、いずれか不明の場
合は②と推定されるという主張がある（我妻 467 頁、奥田 392 頁、船越 323 頁）。確
かに、保証人も事業者であればそのような扱いは不合理ではない。しかし、
保証契約書は事業者たる債権者により一方的に作成されることを考えれば、
約款について不明な場合の「作成者に不利に」の原則を適用して、債権者が

---

199) その後、請負人の債務の保証につき、最判昭 47・3・23 民集 26 巻 2 号 274 頁は、「工事代金の前払
を受ける請負人のための保証は、特段の事情の存しないかぎり、請負人の債務不履行に基づき請負契約が解
除権の行使によって解除された結果請負人の負担することあるべき前払金返還債務についても、少なくとも
請負契約上前払すべきものと定められた金額の限度においては、保証する趣旨でなされるものと解しえられ
る」と判示する。
200) このほかに割合的に考える提案があり、100 万円の債務について 50 万円の保証というのは、50%の
保証ということであり、50 万円を主債務者が弁済した後には、残り 50 万円について 25 万円の責任を保証
人は負うという提案をする（小杉茂雄「保証の改正をどのように考えるか」『法律時報増刊 民法改正を考え
る』[2008] 235 頁）。これを限定根保証にも適用する。
201) 初めから一部保証であれば保証契約の解釈の問題になるが、一部無権代理、一部無効や一部取消しの
場合、例えば 500 万円の借入について保証人になる契約締結の代理権を与えたが、1000 万円を借り入れそ
の保証契約を代理して締結した場合、500 万円の限度で有権代理になる。この場合には、保証契約の解釈で
はなく、保証債務の性質などを考慮して解決されるべきである。そうすると、担保としての不可分性からは
500 万円が残っている限りは責任を負うことになる（確定後の根保証も同様）。

第8章　多数当事者の債権関係②——保証債務（人的担保）

①か②か明確に規定せず、保証人が①と理解する可能性のある条項を作成した以上は、保証人に有利な①と解釈すべきである[202]。

§Ⅳ　保証債務の対外関係

1　債権者の権利——保証契約における事由の対抗

8-58　保証は人的担保であり、主債務が履行期において履行されない場合、債権者は保証人に対して保証債務の履行——主債務の代位弁済——を請求することができる。これに対して、保証人は、保証契約についての不成立・無効・取消しを主張し、履行を拒むことができる。単純保証では、補充性の抗弁を対抗できる（☞ 8-70）。保証人だけ免除を受けることも可能である。主債務について時効が完成していないのに、保証債務だけが時効にかかることはありえない（☞ 8-91）。

2　保証人の主張しうる権利

8-59　**(1)　付従性に基づく抗弁**

(a)　原則として援用可能　「保証人は、主たる債務者が主張することができる抗弁をもって債権者に対抗することができる」（457条2項）。保証人は、主債務者の有する抗弁権だけでなく、主債務を生じさせた契約が無効であったり、取消しや解除により効力を失い主債務が発生していないまたは消滅したことも主張できる。

8-60　**(b)　抗弁権など**　例えば、代金債務の保証人は、主債務者である買主の同時履行の抗弁権を対抗でき、貸金債務の保証人は、手形が振り出されている

---

202)　＊**一部保証と債権譲渡**　一部保証の場合に、債権の一部、例えば100万円のうち50万円が譲渡された場合には、不可分性があるので譲渡人の50万円の債権、譲受人の50万円の債権いずれも保証の対象とされたままとなる。したがって、譲受人と譲渡人のそれぞれの50万円の債権はいずれも50万円の保証債務により保証されていて、両者が50万円を先に回収することができる。なお、充当の問題として位置づけて、当事者の充当の合意や指定がなければ、保証されていない部分に充当されるという学説がある（石田858頁）。

307

§Ⅳ　保証債務の対外関係

場合、手形と引換えにのみ保証債務の履行に応ずる旨を主張しうる（最判昭40・9・21民集19巻6号1542頁）。主債務者が全部または一部の弁済をしたならば、付従性による[203]保証債務の全部または一部消滅を主張でき、主債務の債務免除も同様である。保証契約成立後の主債務者についての事由については、8-75以下に説明するのでそこに譲る。

8-61　(c)　**主債務者の形成権は問題**　問題となるのは、主債務者に、時効援用権、契約の取消権、解除権、また、相殺権といった形成権が認められる場合である。保証人にも、これらの形成権を相対的に認めるか、それとも主債務者がこれらの形成権を有していること——形成権は給付未履行の場合には抗弁権的に機能する——を援用して拒絶権を認めるか、さらには一切の保護を認めないか、の選択になる。以下に考察をしよう。

8-62　(d)　**主債務の消滅時効**

(ｱ)　**保証人に時効援用権が認められる**　保証人が保証債務の承認をして保証債務の時効の更新がされている場合などでは、主債務の時効は完成したが、保証債務の時効は完成していないということが起こる。この場合にも、主債務が消滅すると保証債務も付従性により消滅する関係にあり、保証人も主債務の時効を援用する直接の利益（正当な利益）があるため（大判大4・7・13民録21輯1387頁など）、保証人に主債務の消滅時効につき固有の援用権が認められている（145条括弧書に明記）。この点について敷衍してみよう。

8-63　(ｲ)　**主債務者・保証人の援用・放棄**

(ⅰ)　**主債務者の援用以外は相対効**　①保証人による援用・放棄は主債務者に効力を及ぼさない。②主債務者の援用は絶対効を認めて不都合ない。③他方、主債務者が時効の利益を放棄しても（信義則による援用権の喪失も）、保証人の援用権に影響はなく、保証人は自己との相対的な関係で主債務の時効による消滅、そして付従性による保証債務の消滅を主張できる。

8-64　(ⅱ)　**保証人による支払約束**　保証人も時効の利益を放棄できるが——時効の完成を知らなければ信義則による援用権の喪失——、主債務者がその後に

---

203)　457条3項（相殺）を、保証債務の付従性ではなく補充性によって根拠づける主張もある（遠藤研一郎「保証の『補充性』概念の序論的考察」新井誠先生古稀記念論文集［2021］126頁以下）。主債務者の相殺権の援用ではなく、連帯保証でもこの限度で補充性を認めることになり、債権者に対して相殺によって債権回収をするよう主張できることになる（代位行使につき☞8-69）。

308

第8章　多数当事者の債権関係②——保証債務（人的担保）

援用した場合には、その絶対効（☞②）を援用して保証債務の付従性による消滅を援用することは可能である。一方、保証人が時効利益の放棄を越えて、独立債務を負担することも可能である。しかし、その認定は慎重にされるべきである（☞民法総則9-67）[204]。

8-65　(e)　**主債務を生じさせた契約の取消権・解除権**

(ア)　**保証人に取消権は認められるか**　主債務を生じさせた契約が取り消された場合、保証債務も消滅する。では、いまだ主債務者により取消しがされていない段階において、保証人にいかなる権利を認めるべきであろうか。主債務者が夜逃げしたり、会社で事実上倒産している場合には、主債務者による援用が期待できない。取消権者は120条に法定され、そこには保証人は含まれていない。

8-66　(イ)　**判例は取消権を否定**　保証人が自己との相対的関係での取消権を認める肯定説も主張されたが（末弘厳太郎「主債務者の取消権と保証人」『民法雑記帳(下)』[1983]9頁以下）、通説・判例は、120条の取消権者に含まれないと解し保証人の取消権を否定している（大判昭20・5・21民集24巻9頁）。通説は、主債務者が取消し可能であり効果不確定の間に、主債務者が取消しをして履行を拒絶できる限り付従性に基づく拒絶権を認めていた。

8-67　(ウ)　**抗弁権説を明文化**　改正法は、457条3項の規定を新設して抗弁権説を明文化した。すなわち、「主たる債務者が債権者に対して相殺権、取消権又は解除権を有するときは、これらの権利の行使によって主たる債務者がその債務を免れるべき限度において、保証人は、債権者に対して債務の履行を拒むことができる」という規定を新設した（457条3項）。主債務者にも保証人保護義務があり、これらの権利を行使して保証人を解放すべきであるため、保証人保護のために政策的に導入した抗弁権と考えることができる（同条2項の確認規定ではなく、創設規定）。代金減額請求権（563条）についても類推適

204）　＊**主債務の時効完成後の保証人による弁済**　主債務の時効が完成した後、主債務者が援用する前に保証人が支払えばその支払は有効である。①したがって、保証人が主債務者に通知をせずに支払った場合には、主債務者に対する求償権を取得するが、その請求に対して主債務者は時効をもって対抗できる（463条1項）。②次に、主債務者が援用をした後に保証人が支払えば、求償権は成立しない。支払が無効なので、保証人は債権者に不当利得返還請求できるだけである。ただし、保証人が主債務者に通知をしたにもかかわらず、主債務者が適切な対応をしなかったため、保証人が弁済をした場合に、主債務者の不法行為として、保証人は主債務者に損害賠償請求をしうる（中田584頁）。

309

用が考えられる。

8-68 **(f) 主債務者の相殺権**

(i) 改正前は議論あり　主債務者が債権者に対して反対債権を有しており相殺適状にあるが、主債務者および債権者のいずれからも相殺の意思表示がされていない場合、保証人は債権者の請求に対してどのような主張をしうるであろうか。当初は、「主たる債務者の債権による相殺をもって債権者に対抗することができる」と規定されていて（旧457条2項）、①相殺権まで認める処分権説と、②付従性に基づく拒絶権を認める抗弁権説との争いがあった。

8-69 **(ii) 抗弁権説を明文化**　確立した判例があったわけではなかったが、改正法は抗弁権説を明文化した（457条3項）[205]。しかし、抗弁権を認めるにとどまらず、主債務者には保証人保護義務があり、受託保証人には免責請求権の行使として、主債務者の相殺権の代位行使を認めるべきである。

8-70 **(2) 補充性に基づく権利**

(a) 催告の抗弁権

(ア) 催告の抗弁権の意義　保証債務の補充性により、債権者が保証人に履行を請求したときは、保証人はまず債務者に対して催告をするよう主張することができ（452条）、これを**催告の抗弁権**という。しかし、裁判外の催告でよいため、実益はないと評価されている。催告の抗弁権が行使されたのに、債権者が主債務者への催告を怠り、その後主債務者から全部の弁済を得られなくなった場合には、保証人は直ちに催告をすれば弁済を受けられた限度においてその義務を免れる（455条）。

8-71 **(イ) 催告の抗弁権が認められない場合**　保証人が催告の抗弁権を有しない場合として、①主債務者が破産手続開始決定を受けた場合（452条ただし書）、②主債務者が行方不明の場合（同条）、③連帯保証とされている場合（454条）

---

205)　**＊物上保証人への類推適用**　457条3項は物上保証人に類推適用できるのであろうか。旧457条2項の物上保証人への類推適用を認めた判例もある（大阪高判昭56・6・23判時1023号65頁）。学説には、物上保証人は目的物件の価額の限度で債務を負担するという物上債務論の観点から（不可分性にもかかわらず、物件価額の弁済により抵当権を消滅させることができる）、旧457条2項の類推適用を認める主張がある（鈴木録弥「『債務なき責任』について」『物的担保制度をめぐる論集』［2000］41頁以下）。物上債務という概念を認めなくても、457条2項の類推適用を肯定することは可能であり、本書も類推適用を肯定したい。

がある。実際上、ほとんどの保証契約は③の連帯保証特約を付けており、ここに述べる2つの抗弁権が認められることはない。

8-72　**(b)　検索の抗弁権**

(ア)　検索の抗弁権の意義　民法は補充性に基づく抗弁権をもう1つ認めている。すなわち、保証人は、①主債務者に「弁済をする資力があり」、かつ、②「執行が容易であること」を証明して、「まず主たる債務者の財産について執行を」するよう債権者に主張できる（453条）。これを**検索の抗弁権**という。検索の抗弁権が行使されたのに債権者が執行を怠り、その後主債務者から弁済を受けられなくなったときは、直ちに執行をすれば弁済を受けられた限度で、保証人は責任を免れる（455条）[206]。

8-73　**(イ)　検索の抗弁権の要件**　主債務者の財産への執行が問題であり、主債務者が抵当権を設定していればそれを実行するよう求めることができるが、物上保証人が設定した抵当権については検索の抗弁は認められない。主債務者の資力が十分でありかつ執行容易であることの証明責任は、保証人が負う。主債務者に「弁済をする資力があり」というのは、完済の資力がある必要はなく、債権額に比して相当と思われる程度の額を弁済するに足る資力があればよい（通説）。

8-74　**(ウ)　検索の抗弁権が認められない場合**　連帯保証の場合には、検索の抗弁権も認められない（454条）。検索の抗弁自体には催告の抗弁権についての452条ただし書のような除外事由はない。(ア)の①②の抗弁を否定する事由であるが、抗弁の成立要件なので、債権者はこれを争えば足りる。

---

206)　**＊連帯保証の場合**　連帯保証の場合には、主債務者の財産から回収するかどうかは自由である。では、主債務者から適時に債権回収をしなかったため、弁済期以降に主債務者の資力が悪化し、保証人が求償しても回収が期待できなくなった場合、保証人は何らの保護を受けないのであろうか。情義的保証人に対して、債権者の信義則上の保証人保護義務（保証人の配慮義務）を認めるべきであり、連帯保証であっても主債務者のみ財産からの優先的な債権回収義務を認めて、その義務違反の場合には信義則による責任制限を認めるべきである。債権者の保証人に対する不法行為を問題にする学説もある（大澤慎太郎「保証人の保護に関する一考察」私法79号［2017］103頁）。

§V　主債務者・保証人に生じた事由の効力（影響関係）

§V
主債務者・保証人に生じた事由の効力（影響関係）

1　主債務者について生じた事由の効力

8-75　**(1)　付従性に基づくもの**

(a)　保証人に対する効力

(ア)　保証人に有利な事由　「保証人は、主たる債務者が主張することができる抗弁をもって債権者に対抗することができる」（457条2項）。この「抗弁」は、保証契約当時のものだけでなく、保証契約後に生じた抗弁も含まれる。主債務について履行期が延期されたならば、保証人もこれを援用できる（大判大9・3・24民録26輯392頁）。ただし、保証人に選択権を認めるべきである（☞ 8-18）。この結果、保証債務の時効の起算点も変更される（大判明37・12・13民録10輯1591頁）。

8-76　**(イ)　保証人に不利な事由**　他方で、保証人に不利益な変更は、「主たる債務の目的又は態様が保証契約の締結後に加重されたときであっても、保証人の負担は加重されない」（448条2項）。債権者と主債務者間で主債務の目的や態様を変更することは自由であるが、保証人には対抗できないのである。主債務者が期限の利益を放棄して、期限の1カ月前に支払を約束したり、約定利息の利率を例えば10%から15%に変更しても、保証人には対抗できない。消滅時効の完成猶予や更新については、民法に特例が規定されており、この点は後述する（☞ 8-91）。

8-77　**◆主債務者の期限の利益の喪失**
　　448条2項に規定しているのは、主債務の「目的又は態様」の「加重」である。時効完成後に、主債務者が援用権を放棄・喪失しても、保証人に固有の援用権が認められるため、何ら影響はない。他方、時効完成前の更新や完成猶予は、保証人に効力が及ぶ（457条1項）。主債務についての期限の利益喪失はどう考えるべきであろうか。保証契約後に、新たに期限の利益喪失条項を結んだ場合には、保証人には対抗できない。これに対し、法定の期限の利益喪失事由（137条）や保証契約時から存在する期限の利益喪失条項については、保証人に対抗できそうである。ただし、例えば、保証契約後に、主債務者が担保提供の合意をして、その提供ができなかったため期限の利益を失った場合には、保証人に対抗できな

第 8 章　多数当事者の債権関係②――保証債務（人的担保）

いと考えるべきである。保証契約前にその担保提供の合意があれば対抗できてよいが、保証人がこれを知らなかった場合には、その提供がされないことによる期限の利益の喪失を保証人に対抗できないという学説がある（石田 846 頁）。

8-78　◆債権者の保証人に対する情報提供義務
　改正法は、保証契約後に主債務者に生じた事由につき、保証人に対する債権者の情報提供義務を 2 つ規定した（契約締結時につき☞ 8-40）。
(1)　主債務の履行状況についての情報提供義務
　(a)　義務内容　まず、受託保証人は、債権者に対して「主たる債務の元本及び主たる債務に関する利息、違約金、損害賠償その他その債務に従たる全てのものについての不履行の有無並びにこれらの残額及びそのうち弁済期が到来しているものの額」について情報提供を請求でき、債権者は請求があったならば「遅滞なく」これらにつき保証人に対して「情報を提供しなければならない」（458 条の 2）。

8-79　　**(b)　適用範囲・違反の効果**　主たる債務者の委託を受けて保証をした受託保証人であればよく、法人保証人にも適用される。また、事業債務の保証に限定されておらず、個人債務についての保証にも適用される。この義務に違反し、情報提供を怠ったまたは虚偽の情報提供をした場合の効果については、何も規定されていない。損害賠償義務を認めたり、信義則上保証人の責任を制限する一事由として考慮することが考えられる。

8-80　**(2)　主債務者が期限の利益を喪失したことの通知義務**
　また、改正法は、主債務者が期限の利益を失った場合には、債権者に保証人への主債務についての期限の利益喪失を 2 カ月以内に通知することを義務づけ（458 条の 3 第 1 項）、これを債権者が怠った場合には、通知があるまでの遅延損害金については、保証人に履行を請求できないという制限をした（同条 2 項）[207]。これは、保証人が遅延損害金が膨らむ前に代位弁済する機会を保障しようとする趣旨である。保証人からの請求があったことは必要ではない。これは個人保証人保護のための規定であり、保証人が法人の場合には適用されない（同条 3 項）。個人保証人であればよく、受託保証人であることは要求されていない。また、事業債務の保証であることも必要ではない。住宅ローンの保証にも適用される。

207)　**＊保証人が悪意でも通知義務は認められるか**　458 条の 3 第 1 項は、660 条 1 項ただし書のように通知の相手方が事実を知っている場合を除外していない。①保証人が知っていれば通知の必要はないため、通知不要説も主張されている（潮見・新Ⅱ 673 頁）。②立法担当官は通知必要説であり（筒井ほか・保証 53 頁以下）、通知不要説では、債権者が保証人の悪意を争うことができることになり好ましくなく、通知義務違反だけで形式的画一的に解決できることが好ましい――通知義務違反は保証人に証明責任あり――。通知必要説が適切である（中田 581 頁、奥田・佐々木・中巻 686 頁）。

313

§V 主債務者・保証人に生じた事由の効力（影響関係）

8-81 **(b) 付従性が制限される場合**

(ア) 債務消滅行為の取消しなど 例えば、主債務者のした代物弁済が債権者により詐欺を理由に取り消された場合、主債務は消滅しなかったことになるため、保証債務も消滅していなかったことになる。保証人は96条3項の第三者には該当しない。主債務者のした弁済や代物弁済が、主債務者の債権者によって詐害行為として取り消された場合、取消判決の効力は主債務者には及び（425条）、担保という従たる性質を考えれば保証人にも効力が及ぶと考えるべきである。破産法上の否認権の行使につき、一旦消滅した保証債務は当然に復活するとした判例がある（最判昭48・11・22民集27巻10号1435頁）。

8-82 **(イ) 保証人が援用できない主債務者についての事由**

(i) 明文規定がある場合 主債務者が個人であり破産免責を受けた場合、保証など担保に影響を及ぼさないことが明記されている（破253条2項。民再177条2項、会更203条2項も同様）。破産免責については、債務を消滅させるという理解もあるが（債務消滅説）、通説・判例は、債務は消滅せず強制力だけが消滅するものと考えている（自然債務説）。保証人は、主債務者の主張しうる事由を主張できるのが原則であるが（457条2項）、この場面では付従性が制限されていることになる。

8-83 **(ii) 明文規定がない場合** さらに、規定はないが、主債務者が死亡して相続人が限定承認をしても（915条・922条）、責任財産が相続財産に限られるだけで、債務自体は制限されず相続人に承継され、保証債務には影響を与えない（我妻485頁、淡路400頁など。大判昭5・12・24民集9巻1205頁）。保証債務は、主債務者が破産したり死亡して相続人が限定承認した場合のための担保であり、主債務や主債務者が消滅した場合には、付従性が否定され独立債務になることがその性質上内在していると考えられる（主債務者が法人で解散し消滅した場合につき☞8-84）。

8-84 **◆主債務者たる法人が倒産し解散した場合**

(1) 主債務者が消滅するが保証債務は存続（判例）

主債務者が法人であり倒産手続を経て解散した場合、主債務者が存在しなくなるので主債務が消滅する。しかし、このような場合に対処するための担保であるので、保証債務を付従性によって消滅させるのは妥当ではない。そのため、学説は保証債務の存続を認め、判例も、「主たる債務者の人格消滅に因り<u>主たる債務の消滅する場合にも亦保証債務の消滅するものと為すは</u>、保証債務を認めたる法

第8章　多数当事者の債権関係②——保証債務（人的担保）

律の精神に副はざるものと為さざるべからず」。「主債務者たる株式会社が破産手
続終了の結果其の債務を弁済するに至らずして其の人格を失ふに至りたる場合の
如きは、寧ろ主債務者が其の債務を履行せざる場合に該当するものと解するを相
当とする」と判示する（大判大11・7・17民集1巻460頁）。保証債務が存続する根
拠については、何も説明がない。学説の説明は分かれる。

8-85

(2)　法人格の存続を擬制する

　法人が破産により解散しても債務との関係では法人格が存続するとして付従性
と辻褄を合わせようとする学説がある（我妻485頁、松坂178頁、奥田401頁、川井
254頁など）。しかし、最判平15・3・14民集57巻3号286頁は、「破産終結決
定がされて会社の法人格が消滅した場合には、これにより会社の負担していた債
務も消滅するものと解すべきであり、この場合、もはや存在しない債務について
時効による消滅を観念する余地はない」と判示している。主債務は消滅するが、
保証人は免責されないことを認めている。破産法253条2項（☞8-82）と同様
の解決を、明文規定なしにどう根拠づけるのか疑問が残る。

8-86

(3)　保証の本質からの説明

　(a)　保証債務のまま存続させる学説　法人格は消滅して主たる債務は消滅する
が、保証債務に影響はないと説明するのが判例であり（前掲）、学説にも主債務
の消滅を認めつつ保証債務の存続を認める主張がある（船越336頁）。すなわち、
この根拠を、「保証の本質、つまり保証というのは主たる債務者の資力不足のと
きにこそその支払を担保するという点に、求めなければならない」といわれてい
る（船越337頁）。「保証の本質」から、保証債務の存続を説明するのである。

8-87

　(b)　独立債務への転形　ただそれはもはや保証債務ではなく、主債務がなくて
も存続する独立債務である。保証債務は、主債務者が倒産して解散した事例にお
いては、独立債務として存続する債務として設計されているのであり、債務が同
一性を保ったまま付従性を失い独立債務となると考えるべきである。

8-88

◆破産外の私的整理における債務免除の場合

　実務上は、私的清算手続がとられたり債権者会議により債務者の更生のための
手続が進められる事例が多い。その場合に、保証人がいるならば、保証人に支払
を約束させ、主債務者の債務を免除することが考えられる。保証人が支払を約束
しておきながら、付従性を援用して保証債務の消滅を主張することを認めるのは
適切ではない。そのため、判例は次のように意思表示の解釈により解決している
（最判昭46・10・26民集25巻7号1019頁）。すなわち、債権者委員会でXに対する
主債務者の債務を80％免除し、連帯保証人Yが債権全額を支払うことを議決
し、連帯保証人がこれを承諾した事例で、Yは、主債務者の「債務の一部が免除
されたにもかかわらず、あえて右免除部分を含む債務全額につきXに対しその
履行をなすべき債務を負担する旨の意思表示をした」と分析し、この場合には、

315

§ V 主債務者・保証人に生じた事由の効力（影響関係）

　Yは「右意思表示によって主たる債務につき免除があった部分につき付従性を有しない独立の債務を負担するに至ったものというべく、同人が負担していた連帯保証債務は右の限度においてその性質を変じた」と説明している[208]。

8-89 **(2)　随伴性に基づくもの**

　(a)　債権譲渡　保証人に対する債権だけを譲渡することはできない。他方で、主債務者に対する債権が譲渡された場合に、保証人に対する債権も当然に随伴して譲受人に移転する（随伴性☞ 8-20）。この場合、債権譲渡の対抗要件については、主債務者につき対抗要件が具備されれば、保証人に対しても当然に譲渡を対抗でき、保証人に対して別個に債権譲渡の通知・承諾をすることは不要である。①理論的には、保証人に対する債権の譲渡ではなく、随伴性の効果による担保の移転にすぎないこと、また、②保証人が事前の主債務者への通知義務を遵守すれば、主債務者から債権が譲渡されていることの情報を受けられることから、妥当な解決である。

8-90 　**(b)　免責的債務引受**　併存的債務引受では主債務者が債務者にとどまっているため問題がないが、免責的債務引受については、保証人の承諾がない限り保証債務は消滅する（472条の4第3項）。なぜなら、保証人は、主債務者がAなので自分が支払わされることはないと思って保証人になったのに、見ず知らずのBに主債務者が変更されてはこの信頼が害されるからである。また、保証人が弁済をした場合に、Aならば求償の可能性があったのに、Bからは求償が受けられなくなる可能性もあるからである。

8-91 **(3)　債権の強化のために民法が特に認めたもの**

　「主たる債務者に対する履行の請求その他の事由による時効の完成猶予及び更新は、保証人に対しても、その効力を生ずる」（457条1項）。

　本規定は、担保が被担保権と独立して消滅時効にかかることを回避する規定であり[209]、抵当権についての396条と同趣旨の規定である。457条1

208）　破産法の規定の趣旨によって解決をする下級審判決もある（東京地判昭51・8・26下民集27巻5〜8号552頁）。それによると、「法人について破産的清算に代わる内容の私的整理がなされた場合には、そこにおいて、残余債権につき債務免除ないしは権利放棄等の手続がなされたとしても、それらは保証人や担保義務者に対しては影響を及ぼさないと解するのがむしろ合理性があるというべきである」という。主債務につき免除と考えず、主債務者に対しては請求しないという不訴求の合意と考える余地がある。主債務は自然債務になるが、その性質上、保証人はこれを援用することはできず、主債務限りの自然債務化がされているものと考えられる。また、改正法では、免責的債務引受が、旧債務者の免除、新債務者による債務の新たな負担という構成になったので、このような事例はまさに免責的債務引受によることが可能になる。

316

項につき付従性の帰結であるととれるような言及をした判決もあるが（最判昭 43・10・17 判時 540 号 34 頁）、むしろ、担保という性格から政策的に置かれた規定と理解すべきである（於保 276 頁、奥田 402 頁、淡路 401 頁）。主債務の時効完成前に、保証債務の時効が完成することはありえないことになる。457 条 1項の趣旨からして、主債務が確定債権化した場合に、その効果は保証債務に及ぶものと考えられる（最判昭 43・10・17 前掲、最判昭 46・7・23 判時 641 号 62 頁。石田 908 頁は反対）。

2 保証人について生じた事由の効力

8-92 　(a) **満足事由は絶対効**　保証人が行った弁済、代物弁済、供託、相殺など債権を満足させる事由は——相殺は債権者から保証人に対するものでもよい——、主債務を代位弁済するものであり（☞ 8-8）、主債務者にもその効力が及ぶのは当然である。更改も同様に考えてよい。混同は保証債務が消滅するだけである。なお、連帯保証については 8-132 で述べる。

8-93 　(b) **それ以外は相対効**　保証人が行ったそれ以外の事由については主債務者に効力が及ばないのが原則であり、保証人が保証債務を承認しても主債務の時効は更新されず——主債務の承認の部分も（153 条 1 項）——、保証人が債権譲渡の通知を受けても主債務者には効力は及ばない[210]。保証人について判決を得て保証債務が確定債権化しても、主債務者にその効力は及ばない（大判昭 20・9・10 民集 24 巻 82 頁）。保証人が支払期限の猶予を受けたり、免除を受けても、主債務者には影響はない。

---

209)　ただし、梅 170 頁は、本規定を保証債務の補充性によって根拠づけるかのようである。そのように考えると、補充性の抗弁権が認められず保証人に請求が可能な連帯保証の場合には、457 条 1 項は適用がないと制限解釈されるべきことになる。しかし、そのような解釈は学説、判例の認めるところではない（遠藤・前掲論文 128 頁以下参照）。石田 873 頁は、457 条 1 項は主債務についての完成猶予や更新についての保証人への効力の規定であり、保証債務についての完成猶予や更新の効力を定めた規定ではないという。

210)　＊**主債務者を相続した保証人による保証債務の一部弁済と残主債務の承認**　保証人が主債務を相続した後に、保証債務の一部を弁済した場合、保証債務の残部の承認になる。しかし、保証人の保証債務の承認は主債務の時効に影響はない。しかし、同一人が主債務者にもなっているため、「保証債務の弁済は、通常、主たる債務が消滅せずに存在していることを当然の前提とする」こと、また、「保証債務の弁済であっても、債権者に対し、併せて負担している主たる債務の承認を表示することを包含するものといえる」ことから、「特段の事情のない限り、主たる債務者による承認として当該主たる債務の消滅時効を中断する効力を有する」ものとした（最判平 25・9・13 民集 67 巻 6 号 1356 頁）。改正法では債務承認は時効の更新事由になる（152 条 1 項）。

8-94 **◆保証人に対する権利行使による時効の完成猶予・更新の主債務者への効力**
　保証人に対する時効の完成猶予また更新は、主債務また主債務者には効力が及ぶことはないと考えられている。そうすると、主債務者が無資力なので、債権者が保証人に対して履行を求めて訴訟を提起しても、訴訟中に主債務の時効が完成してしまい、保証人がこれを援用できることになる。これを阻止するためには、主債務者も被告として訴訟を提起する必要があるが、それは負担が大きいといわれる。フランスでは、保証人に対する時効中断の効力が主債務者にも及ぶことが認められていることを参考に、保証人に対する時効の完成猶予や更新が生じた場合に、債権者が保証債務の完成猶予・更新を主債務者に通知するか、主債務者がそれを知ったときには、主債務者にも完成猶予・更新の効力が生じると解する学説がある（石田 910 頁）——保証債務の確定債権化も主債務者への効力を認める（石田 911 頁）——。解釈論としては難しいと考えられる。ただ、債権者が主債務者との間で、保証人についての完成猶予・更新の効力は主債務者に及ぶという特約をすることは有効と認めるべきである。

§Ⅵ
保証人の求償権

1　総論

8-95 　**(a)　保証に特別規定あり**　保証債務の履行は、主債務者との関係で代位弁済をしたことになる（通説につき☞ 8-7）。主債務者の委託を受けていれば委任事務処理の費用となり、委託を受けていなければ事務管理また不当利得が問題となる。しかし、民法は、委任の有無により区別をして、保証人の求償権について特に規定を置いた。民法に規定のない事項については、委任の規定、事務管理・不当利得の規定により規律されることになる。

8-96 　**(b)　問題となる委任規定**　委任では、①事前の費用支払請求権（649 条）、②債務負担後の代位弁済請求権（650 条 2 項）、③費用支出後の求償権（同条 1 項）の 3 つが認められ、受託保証人にもこれらが適用されることになる（福田誠治「委任等の法理からみた二重支出の不利益割当基準」『民商法の課題と展望』[2018] 351 頁以下参照）。これらと保証の求償規定との関係が問題になる。

　なお、保証人の求償権についての規定は、物上保証人にも準用されている

（351条・372条）。以下に、受託保証人か否かで分けて説明をしていこう。

2 受託保証人の求償権

(1) 2つの求償権

委託を受けた保証人（以下「**受託保証人**」という）につき、民法は、①弁済その他の出捐をした後の求償権（事後求償権）のほかに、②一定の要件の下に弁済等の出捐をする前の求償権（事前求償権）を認めている。

受託保証人の上記①②の求償権と、8-96の①〜③の民法の規定との関係は疑問が残る（保証委託契約につき、福田誠治『保証委託の法律関係』［2010］参照）。以下には、上記①②の求償権につき検討してみたい。

(2) 事後求償権

(a) 求償権の内容

(ｱ) 弁済期後に債務消滅行為がされた場合の求償権 受託保証人が、「主たる債務者に代わって弁済その他自己の財産をもって債務を消滅させる行為」（債務の消滅行為）をした場合に、保証人が主債務者に対して求償権を取得する（459条1項）。連帯債務についての442条2項が準用され（同条2項）、弁済その他免責がされた日以後の法定利息、および、避けることができなかった費用その他の損害の賠償を請求することができる。650条1項を保証に適用した規定である。弁済は委任事務でないと考えると（☞8-109）、その拡大適用になる。

(ｲ) 一部弁済および代物弁済 全額を弁済する必要はなく、弁済した額について求償権が成立する。また、代物弁済をした場合について（459条1項括弧書）、①例えば、100万円の債務につき、保証人が150万円の財産で代物弁済をしても、保証人は100万円の求償しかできない（465条1項にも類推適用すべきである）。②反対に、100万円の債務につき、80万円の財産で代物弁済をして全額を消滅させた場合には、80万円の求償権を取得するにすぎない。「そのために支出した財産の額」の求償権と規定されていることから当然に導かれる結論である。

◆弁済期前に債務の消滅行為がされた場合

(1) 主債務者の保護①

受託保証人が、「主たる債務の弁済期前に債務の消滅行為をしたときは」、主債

§Ⅵ 保証人の求償権

務者が「その当時利益を受けた限度において求償権を有する」(459条の2第1項前段)。この場合、主債務者が保証人の求償に対して、「債務の消滅行為の日以前に相殺の原因を有していたことを主張するときは」(求償請求に対して、債権者に対する反対債権で相殺をもって対抗する場合[463条1項])、「保証人は、債権者に対し、その相殺によって消滅すべきであった債務の履行を請求することができる」(同項後段)。443条1項後段と同趣旨の規定である。

8-101
(2) **主債務者の保護②**

保証人による事前の弁済がされた場合には、直ちに求償権は成立するが、主債務の弁済期以降ではないとこれを行使できず(459条の2第3項)、また、「弁済期以後の法定利息及びその弁済期以後に債務の消滅行為をしたとしても避けることができなかった費用その他の損害の賠償」が請求できるにすぎない(同条2項)。ただし、保証人の同意を得ることなく、債権者が主債務の弁済期を延期しその間の利息の支払が約束された場合には、保証人は利息が膨らむ前に従前の債権額を支払う必要があり、本規定は適用にならないと考えられる(齋藤由起「主たる債務の弁済期の延期による保証人への影響」『社会の変容と民法の課題(上)』[2018] 524頁☞8-18)。

8-102
(b) **求償権の制限**

(ア) **事前の通知義務違反**　連帯債務と同様に、保証人には主債務者に対する弁済前また後の通知義務が規定されている。まず、事前の通知義務であるが、改正前は、443条を保証人に広く準用していたが(旧463条1項)、改正法は、「保証人が主たる債務者の委託を受けて保証をした場合において、主たる債務者にあらかじめ通知しないで債務の消滅行為をしたときは、主たる債務者は、債権者に対抗することができた事由をもってその保証人に対抗することができる。この場合において、相殺をもってその保証人に対抗したときは、その保証人は、債権者に対し、相殺によって消滅すべきであった債務の履行を請求することができる」と規定し(463条1項)、受託保証人に適用を限定している(無委託保証人につき☞8-125)[211]。

8-103
(イ) **事後の通知義務違反**　次に、事後の通知義務については、委託の有無を問わず、保証人は、債務消滅行為をした場合に、そのことを主債務者に通知しなかったため、主債務者が善意で債務消滅行為をした場合には、主債務者は自己の債務消滅行為を有効とみなすことができる(463条3項)。連帯債

---

211) この点は強行規定ではないので、保証人と主債務者との合意により修正は可能である。例えば、信用保証協会への保証委託契約では、保証協会は債権者により請求された場合には、主債務者さらには求償保証人に対して通知、催告なしに弁済をすることができる旨の条項が規定されている。

第 8 章　多数当事者の債権関係②──保証債務（人的担保）

務におけると同様に、絶対的効果説か相対的効果説の争いがここでもみられる（☞ 7-116）。主債務者が自己の消滅行為を有効とみなした場合（形成権の行使）、一旦生じた弁済者代位や共同保証人への求償権の成立も覆り、債権者に不当利得返還請求するしかなくなる。

8-104
◆主債務者にも受託保証人への事後の通知義務を認めた
(1)　主債務者にも事後の通知義務を認めた
　主債務者が保証人に保証を委託している場合には、保証人の利益への配慮義務が認められ、その一環として主債務者の弁済等についての受託保証人への通知義務が認められている。すなわち、主債務者が債務消滅行為をした場合にもその通知を受託保証人に対してするべきであり、これを怠ったため、その後に、保証人が善意で弁済等の債務消滅行為をした場合には、保証人は自己の弁済等を有効とみなすことができる。保証人は 8-102 のように事前の通知が要求されるので、保証人が事前の通知をしたことが必要である（463 条 2 項）。

8-105
(2)　絶対的効果か相対的効果か
　本条の適用については、共同保証人が 2 人以上いる場合に、465 条 1 項が類推適用される場合を含めて、相対的効果か絶対的効果かはやはり問題になる。①債権者との関係でも、保証人の弁済が有効で、主債務者の弁済が無効になるのか、②主債務者は保証人の求償を拒絶できないが、弁済者代位が認められ、例えば主債務者の弁済により解放されたと思った抵当権の物上保証人にも、頭割りで代位が認められるのであろうか。それは物上保証人に酷であるから、相対的効果にとどめ、物上保証人には 463 条 2 項の効果を主張できないと考えるべきである（465 条 1 項の類推適用も同様）[212]。

8-106
(3)　事前求償権（免責請求権）

(a)　事前求償権の意義

(ア)　免責請求権で十分　受託保証人は、3 つの場合に弁済前であっても主債務者に対して求償権が認められている（460 条）。これを**事前求償権**という。しかし、弁済もしていないのに、なぜ保証人に「求償」権が認められるのか。主債務者に保証人に対して支払わせるのではなく、債権者に支払わせた方が 2 度の支払を省略できる。また、受託保証人には、651 条 2 項によ

212)　**＊共同保証人がいる場合**　600 万円の債務の主債務者 A、連帯保証人 BC として、A が弁済したが BC に通知をせず、B が AC に通知をして弁済をしたとする。①絶対的効果説では、B の弁済が有効となり、B の A への 600 万円の求償だけでなく、C への 300 万円の求償も認められる。②相対的効果説では、C との関係では A の弁済が有効のままになり、B は A に 600 万円の求償はできるが、C への 300 万円の求償ができないことになる。A の弁済により C が保証債務を免れた利益を奪うべきではなく、相対的効果説が適切である。

り主債務を履行して免責をするよう請求できれば（免責請求権）、それで十分である。

8-107　**(イ)　事前の「求償権」を認めると不都合**　保証人が事前に支払を受けながら、これを債権者に支払わないという危険もある——そのために担保提供を抗弁として認める（461条1項）——。免責請求権ならば保証人の債権者が代位行使しても債権者への支払しか請求できないが、保証人の事前求償権が単なる金銭債権だとすると、保証人の債権者がこれを差し押さえまた代位行使をして横取りできてしまう。事前求償権を法的にどう構成するかは議論があり、次にこの点を説明してみよう。

8-108　**(b)　事前求償権の法的構成**

　(ア)　事前の費用償還請求権の制限か

　(i)　前払費用支払請求権の制限規定なのか　まず、受託保証人に限定されていることから、事前求償権の根拠を保証委託契約に求めることが考えられる。委託を受けた保証人にとって代位弁済は委任事務処理であると考えれば、委任の規定によって、保証人は代位弁済のための金額の支払を、委任事務処理費用の前払請求として認められることになる（649条）。ところが、それでは保証を委託した意味がなくなるため、民法は、保証人の前払請求権＝事前求償権を制限したことになる（我妻491頁、淡路402頁以下）。

8-109　**(ii)　政策的な保護規定である**　しかし、保証契約の委託は、保証契約の締結を依頼するものであり、直接に第三者弁済まで委託するものではない。前払費用請求権という理解に反対し、保証委託契約の趣旨、特に信用供与期間の終了を理由に、保証からの免責を求める権利を認める学説がある（高橋眞『求償権と代位の研究』[1996] 86頁以下）。免責を実現するために弁済資金の支払を主債務者に請求しうるものとするのは——主債務者に二重弁済が強いられないように抗弁権が認められている——、合理性があると評される（高橋・前掲書87頁以下）。「保証人の債務が拡大することを防止するため」（近江200頁）、「その負担を合理的な範囲に限定するための制度」（中田591頁）といった説明もされている。

8-110　**◆「求償権」以外の理解**

　(1)　比較法的に異例な立法

　　フランス民法2309条は、保証人が主債務者に対して、将来の求償権を保全す

るための担保を予め請求することを認める規定と理解されている。ドイツ民法775条は、保証人の主債務者に対する解放請求権（免責請求権）を規定し、主債務が弁済期になっていない場合には、主債務者は解放に代えて担保を提供できるというだけである。弁済もしていないのに、「求償権」を認めるのは異例である。求償権は不当利得返還請求権の性質を持つものであり（前払費用請求権は求償権ではない）、事前求償権は「求償権」とはいうものの異なる権利であり、「解放請求権」としての特徴を持つと評される（潮見・新Ⅱ710～711頁）。そのため、立法論として解放請求権（免責請求権）とすべきであるという提案もあり（古積健三郎「保証人の事前求償権の法的性質」新報113巻7＝8号［2007］27頁以下）、改正論議では廃止論も出され検討されたが、実務界の反対も強く結局は維持された。

8-111 **(2)　解釈論としての免責請求権等の提案**
　事前求償権に対しては、立法論として異論が出されているが（渡邊力「受託保証人の事前保護制度」法と政治62巻1号(上)［2011］1頁以下参照）、460条が「求償権を行使することができる」と規定しているため、解釈論として異説を主張する学説は少ない。その中で、受託保証人の「事前求償」の主張が一次的な請求内容となるが、二次的には、461条2項の義務から「担保請求」および「免責請求」の主張も事前求償の請求内容に潜在的ないし副次的に含まれているとみる余地があるという主張がされている（渡辺・前掲論文79頁）。これは事前請求権と共に免責請求権を認める考えであるが、解放請求権に対して、主債務者は担保を供してこれを免れることができ、解放請求権は担保請求権と変わるところはないとして、「事前求償権は担保提供請求権を意味する」と解する学説もある（石田897頁）。

8-112 **(イ)　免責請求権への縮減可能性**
(i)　免責請求権と再構成　本書としては、保証人保護に必要な限度に縮減して運用すべきものと考える（ドイツ民法775条は免責請求権にとどめる）。すなわち、文言には反するが、保証人の事前「求償権」ではなく免責請求権と再構成する。650条2項では、保証債務を主債務者に代位弁済するよう請求することになるが、それは迂遠なので、460条が主債務者が主債務を弁済して保証人を免責するよう請求することを認めた規定と理解する。
　なお、主債務者につき倒産手続が開始した場合、債権者が破産手続に参加しない場合には、保証人が弁済前に将来の求償権に基づいて破産手続に参加することができる（破104条3項）。事前求償権を問題にする必要はない。

8-113 **(ii)　免責請求権ということの帰結**　保証人の債権者が、免責請求権を差し押さえたりまたは代位行使しても、債権者に支払をして保証人を免責させるよう請求できるだけである。免責請求権であるため、例えば、2000万円の

債務について 1000 万円のみの 8-56 ①の一部保証の場合、保証人は 2000
万円全額を弁済するよう請求できる。主債務者は保証人に対して金銭債権を
有していても、相殺はできない（保証人からも相殺できない）。

8-114

◆物上保証人への 460 条の類推適用
(1) 判例は否定
　物上保証人には保証人についての規定が準用されているが（351 条・372 条）、そ
こで問題にされているのは、事後求償権であり、460 条を物上保証人に類推適用
することができるかが問題になる。
　この点につき、判例は否定している（最判平 2・12・18 民集 44 巻 9 号 1686 頁）。事
前求償権は委任事務処費用の前払請求権の性格を有するが、物上保証人の場合に
は、委任事務処理は抵当権の設定にすぎないこと、「抵当不動産の売却代金によ
る被担保債権の消滅の有無及びその範囲は、抵当不動産の売却代金の配当等によ
って確定するものであるから、求償権の範囲はもちろんその存在すらあらかじめ
確定することはでき」ないことが、否定する理由である。

8-115

(2) 本書の立場
　しかし、本書のように、免責請求権と考えれば、物上保証人に免責請求権を認
めてよい（類推適用肯定）。破産手続については破産法 104 条 3 項は物上保証人
にも適用されることとの整合性も保たれる。委任事務処理の前払費用支払請求権
ではなく、また、不可分性があるので、物上保証人は被担保債権全額を免責のた
めに支払うようにできて然るべきであり——被担保債権全額なので判例の指摘す
る問題は当てはまらない——、否定説のいずれの理由も適切ではない。

8-116

(c) 事前求償権の要件と主債務者の抗弁権
(ア) 事前求償権の成立要件　受託保証人が事前求償権（本書では免責請求
権。以下同様）を行使できるのは、次の 3 つの場合である。

---

① 「主たる債務者が破産手続開始の決定を受け、かつ、債権者がその破産
財団の配当に加入しないとき」（460 条 1 号）
② 「債務が弁済期にあるとき。ただし、保証契約の後に債権者が主たる債
務者に許与した期限は、保証人に対抗することができない」（同条 2 号）
③ 「保証人が過失なく債権者に弁済をすべき旨の裁判の言渡しを受けたと
き」（同条 3 号）

---

　②は弁済期が到来しているのに債権者が主債務者に履行請求しないでいる
うちに、主債務者の資力が悪化し保証人が損失を被るのを防ぐためである。

第 8 章　多数当事者の債権関係②——保証債務（人的担保）

また、保証人は弁済期の主債務者の財産状態を考慮して保証をしたのであり、そのため、債権者が主債務者に期限の利益を与えた場合であっても、保証人の事前求償権は当初の弁済期に成立する。

8-117　　**(イ)　主債務者ができる法的主張**　主債務者は「保証人に対して償還をする場合において」、①保証人に担保を供させ、または、自己に免責を得させることを請求できる（461条1項）。また、主債務者は、②供託をし、担保を提供し、または、保証人に免責を得させて償還義務を免れることができる（同条2項）。しかし、本書のように免責請求権にすぎないと考えれば、この規定は無視してよい。担保提供を求める抗弁権が付いているので、保証人は事前求償権を自働債権として主債務者に対して相殺をすることはできないといわれるが、本書の免責請求権説ではそもそも相殺適状が否定される。

8-118　　**◆事前求償権と事後求償権の関係**
　(1)　時効をめぐる問題点
　　(a)　事後求償権の時効の起算点
　　(ア)　2つは別の権利である　事前求償権と事後求償権は1本の同一の債権であると考えれば、5年の消滅時効の期間は、保証人が事前求償権の成立を知った時から起算されることになる。しかし、2つは別の債権であると考えれば、弁済などによって事後求償権が成立し、その時点から5年の時効が起算されることになる。なお、事前求償権についてはそもそも時効の進行を否定することも考えられる。東京高判平19・12・5金判1283号33頁は、「受託保証人の事前求償権は、受託事務である保証債務の履行責任が存在する限り、これと別個に消滅することはない（その消滅時効が進行を開始することもない）と解すべきである」と判示する（下村信江「受託保証人の事前求償権と消滅時効の進行」NBL919号［2009］70頁以下も時効否定説）。事前求償権を免責請求権と考える本書の立場では、事後求償権と別個の権利であることは当然であり、また、免責の必要がある限り存続し、消滅時効にはかからない。

8-119　　**(イ)　判例も別権利説**　この問題を初めて扱った最判昭60・2・12民集39巻1号89頁は、事後求償権は、「免責行為をしたときに発生し、かつ、その行使が可能となるものであるから、その消滅時効は、委託を受けた保証人が免責行為をした時から進行するものと解すべきであり、このことは、委託を受けた保証人が、……事前求償権……を取得したときであっても異なるものではない。けだし、事前求償権は事後求償権と……は別個の権利であり、その法的性質も異なるものというべきであり、したがって、委託を受けた保証人が、事前求償権を取得しこれを行使することができたからといって、事後求償権を取得しこれを行使しうることとなるとはいえないからである」とした。

325

§Ⅵ　保証人の求償権

8-120　　(b)　**事前求償権についての完成猶予手続と事後求償権**　最判平 27・2・17 民集 69 巻 1 号 1 頁は、「事前求償権は、事後求償権と別個の権利ではあるものの……、事後求償権を確保するために認められた権利であるという関係にあるから、委託を受けた保証人が事前求償権を被保全債権とする仮差押えをすれば、事後求償権についても権利を行使しているのと同等のものとして評価することができ」、「改めて事後求償権について消滅時効の中断の措置をとらなければならないとすることは、当事者の合理的な意思ないし期待に反し相当でない」として、「事前求償権を被保全債権とする仮差押えは、事後求償権の消滅時効をも中断する効力を有する」とした。改正法では、事前求償権に基づく仮差押えによる時効の完成猶予の効力は事後求償権に及ぶことになる。免責請求権についても妥当すると考えてよい。

8-121　**(2)　時効以外の問題点**

(a)　**担保の問題**　保証人が将来の事後求償権のために、主債務者から担保の設定を受けていた場合に、その担保目的物が第三者により競売された場合には、主たる債務の弁済期が到来しているときは、保証人はいまだ免責行為をしていなくても、担保目的物の競落代金から優先弁済を受けることが認められている（最判昭 34・6・25 民集 13 巻 6 号 810 頁）。この判決と 8-120 の判決と両立させることは容易ではないとされている（鈴木 321 頁）。両求償権の同一性を認めれば後者の判例は説明が付くが（事後求償権のための抵当権の被担保債権に事前求償権も含める）、前者の判例とは矛盾するというわけである。免責請求権では、配当金を債権者のために供託するよう請求できることになる。

8-122　　(b)　**その他の問題**　①時効、②担保以外にも、③事前求償権に基づいて訴訟を提起している最中に、保証人が弁済した場合にどうなるか、④保証人に対して主債務者が金銭債権を有していてそれが差し押さえられた後に、保証人が弁済した場合、⑤事前求償権成立後、事後求償権成立前の主債務者の詐害行為を取り消せるかといった問題がある。

前後 1 つの権利と考えれば全ての問題は解決できる。判例・通説の別権利説（また本書の免責請求権説）でも、④⑤は原因が差押えや詐害行為前であることから解決は可能である。③は民訴の議論に譲る。訴訟物が別であり、係属中に免責請求権は弁済により消滅している。

3　委託を受けない保証人（無委託保証人）の求償権

8-123　(a)　**事前求償権は認められない**　委託を受けない保証人（以下「無委託保証人」という）の求償権については、主債務者の意思に反するか否かでその範囲が異なっている。事務管理が成立するという理解もあるが（鳩山 327 頁）、保証人となることは、主債務者のために行っているが、主債務者の事

326

務ではなく事務管理ではない（岡村227頁）。無委託保証人には、事前求償権——本書では免責請求権——は認められない[213]。

8-124　（b）　**求償の内容**　①保証人となったことが主債務者の意思に反しない場合には、主債務者が保証人の免責行為の「当時利益を受けた限度において」求償を請求しうる（462条1項・459条の2第1項）。受託保証人と異なり、免責の日以後の法定利息および損害賠償は請求できない。この求償権は、本人の意思に反しない事務管理者の費用償還請求権（702条1項）の範囲と同様である。②保証人になったことが主債務者の意思に反する場合には、保証人は主債務者が現に利益を受ける限度においてのみ求償しうる（462条2項）。これは、本人の意思に反した事務管理者の費用償還請求権（702条3項）の範囲と同様である。463条3項については、主債務者の意思に反する無委託保証人が弁済しても、主債務者はこれを無視して有効な弁済をなしうる。

8-125　（c）　**通知義務**　①保証人の通知義務については、ⓐ事前の通知義務についての463条1項の反対解釈として、保証人が通知をしても、主債務者は保証人に主債務者への対抗事由を対抗できることになる。ⓑ事後の通知義務については、同条3項の反対解釈により、無委託保証人でありかつ主債務者の意思に反する場合には、主債務者は通知を受けるか否かを問わず、自分の弁済を有効とみなすことができることになる。②主債務者の保証人への通知義務は、受託保証人に対してのみ認められ、無委託保証人には認められず、その後に無委託保証人が善意で弁済しても無効であり保護されない（同条2項）。

213）　＊**無委託保証人の求償権の破産手続における処遇**　最判平24・5・28民集66巻7号3123頁は、破産者に対して債務を負担する受託保証人の破産手続開始後の弁済による求償権については、「この求償権を自働債権とする相殺は、破産債権についての債権者の公平・平等な扱いを基本原則とする破産手続の下においても、他の破産債権者が容認すべき」であるが、破産者に対して債務を負担する「無委託保証人が破産者の破産手続開始前に締結した保証契約に基づき同手続開始後に弁済をして求償権を取得した場合についてみると、この求償権を自働債権とする相殺を認めることは、破産者の意思や法定の原因とは無関係に破産手続において優先的に取り扱われる債権が作出されることを認めるに等しいものということができ、この場合における相殺に対する期待を、委託を受けて保証契約を締結した場合と同様に解することは困難」とされ、相殺が否定されている。

4 数人の主債務者がいる場合の保証人の求償権——連帯債務について

8-126 **(1) 連帯債務者全員のために保証人になった場合**

連帯債務者全員のために保証人となった場合、例えば、A に対する BC の 100 万円の連帯債務につき、D が BC いずれについても連帯保証をしたとする。①B の債務についての保証債務と C の債務についての保証債務とが 2 つ成立するのではなく、②抵当権のような、BC の連帯債務いずれも保証する 1 つの連帯保証債務が成立すると考えるべきである——BC が 50 万円ずつの分割債務でも、D の 1 つの 100 万円の保証債務となる——。そのため、D が保証人として 100 万円を支払った場合、BC のいずれの債務についても代位弁済したことになり、D に対する BC の求償義務は 100 万円の連帯債務になる。

8-127 **(2) 連帯債務者の 1 人のために保証人になった場合**

(a) 保証人の弁済により連帯債務は全部消滅 他方、連帯債務者の 1 人のために保証人になった場合、例えば、A に対する BC の 100 万円の連帯債務につき、D が B のために連帯保証をしたとする。この場合には、D は、B の保証人として B の債務の第三者弁済をしたのと等しいことになる。C の債務は、B が弁済したのと同様に消滅する。その後の法律関係はどうなるのであろうか。

8-128 **(b) 保証人の求償権——直接請求権の付与** ①B が、保証人 D により自己の債務を弁済してもらったことになり、B の C に対する 50 万円の求償権が成立する。②そして、D には B に対する、100 万円の求償権が成立する。③D は、C の債務は第三者弁済していないので、C に対する求償権は成立しないはずである。ところが、民法は、「他の債務者に対し、その負担部分のみについて求償権を有する」ものと規定した (464条)。D は、①の B の C に対する 50 万円の求償権について、B の他の債権者と債権者平等というのは公平ではない。そのため、D に C に対する直接請求権を認めたのである。完全直接訴権として、B が D に負担部分を超えて支払うまでは、①の B の C に対する求償権は成立しないと考えるべきである。

第8章 多数当事者の債権関係②——保証債務（人的担保）

§Ⅶ
連帯保証

1 連帯保証の意義および発生原因

8-129 **(1) 連帯保証の意義**

　保証人が「主たる債務者と連帯して債務を負担」する場合を**連帯保証**という (454条)。連帯保証に対して、補充性のある保証を、**単純保証**という。しかし、保証債務なのに連帯債務というのは理解できない。主債務者を免除しても免除の効力は保証人に及ぶべきであり、付従性によって規律されるべきである。「連帯特約」で意図されているのは、連帯債務化ではなく、補充性の抗弁や分別の利益の否定にすぎない。そうすると、連帯保証とは単純にそのような特約のされた保証と考えれば足りる。ただし連帯保証という表現が定着しているので、本書でも便宜上連帯保証という表現によることにする。

8-130 **(2) 連帯保証の特殊性・発生原因**

　(a) 連帯保証の特殊性　連帯保証の特則は3つであり、①補充性に基づく抗弁権の否定 (454条)、②連帯債務者の影響関係についての規定が準用されること (458条)、③および、共同保証の場合の分別の利益の否定である (☞ 8-139)。①と③は、連帯債務になるからではなく、特約または法律によりこれらが排除されるにすぎない。②は、逆に「連帯」ということに拘泥した規定であり、削除して何ら構わない。②③については、8-132以下に説明する。

8-131 　**(b) 連帯保証の発生原因**　連帯保証は、当事者の特約による場合と、法律による場合とが考えられる。法令としては、商法に特別規定があり、『保証人がある場合において、債務が主たる債務者の商行為によって生じたものであるとき、又は保証が商行為であるときは、主たる債務者及び保証人が各別の行為によって債務を負担したときであっても、その債務は、各自が連帯して負担する」(商511条2項) と規定されている。

329

2 連帯保証の特別の効力——補充性の否定以外について

8-132 **(a) 連帯保証人について生じた事由**

(ア) 民法の規定 連帯保証は、8-130の①～③の特則以外は、保証債務の規定が適用される[214]。連帯保証では、438条（更改の絶対効）・439条1項（相殺の絶対効）・440条（混同の絶対効）および441条（相対効の原則）は、連帯「保証人について生じた事由について準用する」ものとされる（458条）。主債務者について生じた事由は、保証の規定または法理により規律される。

8-133 **(イ) 準用規定への疑問** 相対効が原則であるのは当然であり、保証人がした相殺により主債務が消滅することも当然である。準用規定を待つまでもない。したがって、準用の意味があるのは、438条（更改）および440条（混同）だけである。更改の絶対効は単純保証でも認められるべきであり、「連帯」ということから導かれるものではない。混同は、連帯債務では弁済を擬制して（440条）、求償だけにする——そうでないと全額弁済させて求償するという無駄手間になる——必要があるが、保証では単純か連帯かを問わず、保証債務を混同で消滅させれば足りる。準用を無視すべきである。

8-134 **(b) 共同保証における効力** なお、連帯保証の場合には、分別の利益が否定されるが（☞ 8-139）、連帯が根拠ではなく、連帯とすることにより保証の効力を「強化」することの意思が表示されているのであり、それを分別の利益に対する特約の意思表示と認めるべきである。以上、連帯債務になることから導かれる効果はなく、8-130①③はそれぞれについての特約ということから導かれることになる。「連帯」保証という表現・概念は歴史的沿革によるものであり、無視してよい（8-130①③の特約の簡易な表示にすぎな

---

214) **＊最判昭52・9・22判時868号26頁** 本判決は、債権者が主債務者所有の不動産と連帯保証人所有の不動産とにつき代物弁済予約（現在の仮登記担保）をしている場合に、主債務者所有の土地が約9292万円の評価額であり、被担保債権が約3685万円であり、他方、連帯保証人所有物件は同人らの生活の本拠ないしその隣接地であることから、債権者が「全物件を自己の所有に帰せしめようとすることは、担保の趣旨に照らし相当でなく、過剰競売を防止する目的に出た民事訴訟法675条、あるいは広く権利の濫用を禁止した民法1条3項の法意にももとる」とし、主債務者所有物件についてのみ実行しうるものとした原審判決を支持している。連帯保証とはいえ、主債務者の財産だけで債権回収が十分可能な場合には、保証人の財産の担保権実行は許されないというべきである（権利濫用ではなく保証人に解釈上このような抗弁権を認めるべきである）。

い）。

§Ⅷ
共同保証

1　共同保証の意義および種類

8-135　「数人の保証人がある場合」（456条・465条1項）、これを**共同保証**という。これも、その態様によりいくつかの類型に分けることができる。その基準となるのは次の2点である。

---

① **債権者・保証人間**　単純保証か連帯保証か

② **保証人間**　保証人間に連帯特約があるか（ある場合を**保証連帯**という）

　次にみるように、民法は共同保証人に分別の利益を認め、共同保証人の債務が分割債務になることを原則とするが、①につき連帯保証であるか、②につき保証連帯である場合には、分別の利益が否定される。

2　共同保証の対外関係

8-136 **(1)　分別の利益——分割保証債務の原則**

　(a)　共同保証への分割主義の適用　「数人の保証人がある場合には、それらの保証人が各別の行為により債務を負担したときであっても、第427条の規定を適用する」（456条）。例えば、AのBに対する100万円の債権につき、CとDとが保証人になった場合、427条の分割主義の適用により、CもDも100万円の債務の保証をしたのに50万円の分割保証債務になる——ローマ法では、共同保証人の債務は100万円であるが分別の抗弁の主張ができるだけであった——。このように、共同保証の場合には分割責任となり保証人の責任が軽減されることを、保証人の利益として**分別の利益**という。同時に保証する必要はなく、Cが保証人になった後にDが保証人になれば、Cの保証債務は100万円から50万円に軽減される[215]。一度受けた

§Ⅷ　共同保証

利益は、その後にＤが免除されたりＤの債務につき消滅時効が完成しようと失われることはない。

8-137　**(b)　分別の利益と特約**　保証人を数人取るということは、債権の効力を強化することを意図しているはずであり、分別の利益は立法論として疑問である。ドイツ民法769条は、保証を共同で引き受けたときでなくても、「各自は連帯債務者としての責任を負う」ものと規定する。日本民法は分別の利益を放棄する積極的特約を必要としたが、連帯保証にそのような特約を含むものと考えるべきである（☞8-130）。

8-138　**(2)　分別の利益が否定される場合**

(a)　分別の利益が否定される事例　465条1項は、保証人に分別の利益が否定される事例を規定していると考えられ、それは以下の3つである。

---

①　主債務が不可分債務である場合
②　各保証人が全額を弁済すべき旨の特約がある場合
　ⓐ　連帯保証である場合
　ⓑ　保証連帯の特約がある場合

---

①は実際にはほとんど考えられない。②ⓑは、保証債務が連帯債務（**保証連帯**という）になるので、分割主義の適用が排除される。

8-139　**(b)　連帯保証**　連帯保証の場合にも、456条は適用されないと考えられている（大判明39・12・20民録12輯1676頁）。連帯とした趣旨から、分別の利益を排除する「各保証人が全額を弁済すべき旨の特約」を認めることになる（☞8-138②ⓐ）。なお、連帯保証人に共同相続があれば、連帯債務が分割連帯債務になるように、分割連帯保証債務になる。

単純保証人と連帯保証人とがいれば、単純保証人についてだけ分別の利益

---

215)　分別の利益については、齋藤由起「分別の利益に関する一考察」阪法69巻3＝4号［2019］291頁以下、下村信江「共同保証における分別の利益の再検討」金法2134号［2020］15頁以下参照。フランス民法2302条は共同保証人は全部の債務について責任を負うが、同法2303条では、共同保証人は債権者に訴権を分割してその負担を縮減させるよう請求できると規定するのみであり、形成権的な位置づけになっている。共同保証人の存在を知らないと、この権利を行使せず支払ってしまうことになるので、日本の427条を適用し当然に分割債務になるという立法──知らずに全額支払っても不当利得として債権者に返還請求できる（ただし☞8-10）──の方が適切である。ただし、全額を支払った保証人は、第三者弁済としてこれを追認し、主債務者に求償することも選択できると考えるべきである。

第 8 章　多数当事者の債権関係②——保証債務（人的担保）

が認められる。分別の利益が認められない連帯保証人には 465 条 1 項が適用される。

3　共同保証人の 1 人について生じた事由の効力（影響関係）

8-140　(a)　**分別の利益がある場合および保証連帯の場合**　共同保証人の 1 人について生じた事由の他の保証人への効力については、保証人が分別の利益を有する場合には、分割債務となり問題は生じない。保証連帯では、保証人間に連帯の合意があるので、連帯債務の規定が適用になる。

8-141　(b)　**連帯保証の場合**　問題は連帯保証人が数人いる場合であり、A の B に対する 100 万円の債権につき、C と D とが連帯保証人になった場合である。C による弁済、相殺などの満足事由については、それにより B の主債務が消滅するので、D の保証債務も付従性で消滅する。A が C を免除した場合については 8-155 に説明する。A と C とで更改契約がされた場合にも、主債務そして D の保証債務も消滅すると考えてよい。AC の混同については（C による A の相続など）、C の保証債務が消滅するだけであり（440 条を準用しない☞8-133）、D の保証債務はそのままである。

4　共同保証人間の求償関係

8-142　**(1)　共同保証人間の求償権——弁済者代位との関係**

　共同保証人の 1 人が、弁済その他の債務消滅行為をして主債務を消滅させた場合、主債務者に対して求償しうるのは当然であるが、民法はさらに共同保証人間でも求償を認めている[216]。すなわち、数人の保証人がある場合において、①「主たる債務が不可分であるため」または②「各保証人が全額を弁済すべき旨の特約があるため」、共同保証人の 1 人が「その全額又は自

---

216)　＊**共同保証人間の求償権の趣旨および主債務者への求償権との関係**　最判平 27・11・19 民集 69 巻 7 号 1988 頁は、「民法 465 条に規定する共同保証人間の求償権は、主たる債務者の資力が不十分な場合に、弁済をした保証人のみが損失を負担しなければならないとすると共同保証人間の公平に反することから、共同保証人間の負担を最終的に調整するためのものであり、保証人が主たる債務者に対して取得した求償権を担保するためのものではないと解される」とした。このことから、「保証人が主たる債務者に対して取得した求償権の消滅時効の中断事由がある場合であっても、共同保証人間の求償権について消滅時効の中断の効力は生じない」ものと判示している。しかし、主債務者が無資力かどうか問うことなく弁済者代位が可能なはずであり、本文に述べたように、特別の保護を創設したという理解には疑問がある。そして、改正法では固有の求償権を被保全債権として、主債務者に対する債権を代位行使できるのである。

333

己の負担部分を超える額を弁済したとき」、442 条から 444 条（受託保証人の求償権についての規定）を準用するものと規定されている（465 条 1 項）。また、③「前項に規定する場合を除き、互いに連帯しない保証人の 1 人が全額又は自己の負担部分を超える額を弁済したとき」に、462 条（委託を受けない保証人の求償権の規定）を準用するものと規定している（465 条 2 項）。

8-143　◆事前・事後の通知義務

　共同保証人間に保証連帯が認められる場合には、連帯債務についての 443 条が適用になる。問題は、共同保証人がいずれも連帯保証にすぎない場合である。相互に求償関係が認められることから、事前・事後の通知による保護が必要なことはここでも同様である。そのため、443 条を類推適用して、ほかに連帯保証人がいることを知っている場合に限り、事前・事後の通知義務を認めるべきである。仮に、8-141 の事例で、C が弁済後、D に通知をせず、D が事前の通知をした上で弁済をした場合、D は自分の弁済を有効とみなすことができる（形成権）。そして、相対的効果説によれば、CD 間では、D の C に対する求償権のみが認められる。主債務者 B に対して求償権を取得するのは C であるが、D は全額について自己に移転させること、またはその取得を不当利得として C に対する 100 万円の不当利得返還請求求償権を取得すると考えられる。

8-144　(2)　465 条 1 項の求償権

　(a)　連帯保証の事例を含む　465 条 1 項の「各保証人が全額を弁済すべき旨の特約」とは何であろうか。考えられるのは、保証連帯である。連帯保証の場合には、保証人間に連帯がないので同条 2 項によることも考えられる。しかし、判例は、連帯保証の場合にも 465 条 1 項の適用を肯定している（最判平 7・1・20 民集 49 巻 1 号 1 頁）。この点、先に述べたように、「各保証人が全額を弁済すべき旨の特約」とは、要するに分別の利益を排除する特約の意味と解すべきである（☞ 8-139）。そうすると、ⓐ保証連帯の場合だけでなく、ⓑ連帯保証にも分別の利益を排除する特約を認めることができる。

8-145　(b)　弁済者代位との関係

　(ア)　主債務者からの求償不能のリスクを公平に分担　465 条 1 項は、共同保証人間の公平を図るために政策的に求償権を創設し、特例であるので 442 条 1 項とは異なり、自己の負担部分を超えた弁済を要件としたものである。もし C が弁済したら、弁済者代位（499 条）により、D に対する保証債権 100 万円全額を代位取得できるというのは、適切ではない。頭割りで代位制度を適用することも考えられるが、それでは例えば 20 万円支払って

第 8 章　多数当事者の債権関係②——保証債務（人的担保）

も 10 万円を一部代位できることになる。

8-146　　**(イ)　弁済者代位と同趣旨しかし要件を制限**　465 条 1 項は弁済者代位を
制限して、負担部分を超える弁済をした場合に、その超える部分のみ他の共
同保証人に対して権利行使ができるように制限した規定である——事前求償
権は認められない（石田 916 頁は事前の担保提供請求権を認める）——。弁済者代位
を制限するために置かれた規定である。当初の 501 条に共同保証人間の代
位規定が置かれなかったのは、そのためである。

8-147　　**(ウ)　465 条 1 項の求償権につき弁済者代位を認めた**　しかし、保証債権
に担保が付いている場合には、弁済者代位を認める実益がある。そのため、
改正法は、共同保証人間にも弁済者代位を認めつつ、465 条 1 項の共同保
証人間の求償権を限度とし、465 条 1 項の求償権に弁済者代位をいわば接
ぎ木したのである（501 条 2 項括弧書☞ 10-145）。なお、自己の負担部分を超えた
弁済をしたことを不要と考える学説もある（石田 919 頁）。

8-148　**(3)　465 条 2 項の求償権**

　　(a)　分別の利益が認められる場合の求償権　465 条 2 項は、「前項に規定
する場合を除き、互いに連帯しない保証人の 1 人が全額又は自己の負担部
分を超える額を弁済したとき」、462 条（委託を受けない保証人の求償権）
を準用する。分別の利益が認められる場合と異なり、442 条 2 項の準用が
ないため、出捐時からの利息を請求できない点が大きな差である。通説・判
例は、連帯保証の事例には 465 条 1 項を適用しており、同条 2 項は分別の
利益が認められる事例についての規定であると考えている（我妻 507 頁）。共
同保証人の 1 人が、分別の利益があるのに全額を弁済した場合につき、
8-10 のような判決がある。

8-149　　**(b)　委託を受けない保証人と同じ求償権**　例えば、A に対する B の 100
万円の債務につき、C と D が単純保証をして分別の利益がある場合に C が
100 万円を支払うと、C は B の主債務につき、2 分の 1 は保証債務の履
行、2 分の 1 は単なる第三者弁済をしたことになる。C は主債務者 B に対
して、2 分の 1 保証人としての求償権、2 分の 1 第三者弁済者としての求償
権、合計 100 万円の求償権を取得する。そのほかに、D に対しても 50 万円
の求償権が認められる。また、弁済者代位により D に対する保証債権を 2
分の 1 の 50 万円につき代位取得することになる。501 条 2 項括弧書は、

335

§Ⅷ 共同保証

465 条 1 項に限定しておらず、同条 2 項にも適用される。

8-150 **◆主債務者が無資力の場合と負担部分を超えた弁済の要否**
(1) 主債務者が無資力の場合に適用除外すべきか

465 条 1 項では自分の負担部分を超えた債務消滅行為をした場合に、その超えた額だけ求償できるものとされているが、主債務者が無資力の場合には、465 条 1 項の制限はなく、負担部分を超えた弁済をすることは不要であるという考えがある。東京高判平 11・11・29 判時 1714 号 65 頁は、「連帯債務者の一部に無資力者がいる場合の負担割合を定めた民法 444 条を準用し、債権者に弁済をした連帯保証人は、弁済額が自己の負担部分の額を超えないときでも、他の連帯保証人に対し、本来の負担割合に応じた金額……を求償することができる」ものとする。465 条 1 項の適用を否定し、444 条の準用（類推適用）により支払った金額につき頭割りでの求償を認めることになる。

8-151 **(2) 主債務者の無資力は組込み済み（適用してよい）**

465 条 1 項は、主債務者への求償ができない場合に、支払った保証人が求償不能のリスクを全面的に負担するのは公平ではないため、保証人間の公平を図るために特別の求償権を認めた規定と考えられている。まさに主債務者が無資力の場合に対処するために、444 条同様に当然には出てこない求償権を、法が公平を来たすために認めたのが 465 条 1 項の求償権であり、主債務者無資力は初めから織り込み済みである。主債務者が無資力の場合でも 465 条 1 項をそのまま適用してよい（野田恵司＝横田典子「共同保証人の弁済と求償、代位の要件」判タ 1144 号 [2004] 24 頁、奥田・佐々木・中巻 748 頁）。東京高判平 12・11・28 判時 1758 号 28 頁も、主債務者が無資力であっても 465 条 1 項を適用する。

8-152 **◆主債務者による弁済の 465 条 1 項の求償権への影響**

例えば、A の B に対する 100 万円の債権につき、CD が連帯保証をしたとする。①主債務者が 50 万円を支払えば CD の債務も 50 万円になり、その後に C が 30 万円支払えば、当初の 50 万円ではなく、主債務者の弁済により減額した 50 万円を基礎として、2 分の 1 の 25 万円を超える 5 万円の求償が D に対して認められる。②では、C が 50 万円をまず弁済した場合、この段階では D に対して求償権は認められないが、その後に主債務者 B が残りの 50 万円を支払ったらどうなるのであろうか。ⓐ求償権は認められないままなのか、それとも、ⓑ計算し直して 25 万円の求償を認めるのか。

東京高判平 12・11・28 判時 1758 号 28 頁は、ⓐの解決を採用した[217]。しか

---

217) 「保証人が自己の負担部分を超える額を弁済したかどうかは、当該弁済の時における主たる債務の額を基準として判断するのが最も公平であり、相当であると解される。その後の主たる債務の弁済や免除等の偶然の事情によって共同保証人間の求償権の行使の可否や求償権の範囲を定めるのは、法的安定性を害するものであり、相当ではない」と判示する。

第 8 章　多数当事者の債権関係②——保証債務（人的担保）

し、主債務者の弁済が、保証人の弁済の前か後かで、保証人間に不公平が生じるのは適切ではなく、ⓑの解決が適切である。

◆共同保証人が 3 人いる場合また物上保証人がいる場合

⑴　共同保証人が 3 人いる場合

例えば、900 万円の主債務について ABC が連帯保証をしている場合、A が 900 万円を弁済すれば、BC に 300 万円ずつ求償権を取得できる——さらに 444 条の類推適用可能——。では、A が 600 万円を支払ったらどうであろうか。BC に 150 万円ずつ求償権を取得すると考えるべきである。また、この求償権につき、501 条 2 項括弧書により弁済者代位が可能である。

⑵　物上保証人がいる場合

なお、弁済者代位と関連して、例えば、900 万円の債務につき、連帯保証人が AB、物上保証人が C であるとして、C は代位弁済すれば AB に 300 万円ずつ保証債権を代位取得できる。では、A が 900 万円を支払ったらどうなるのであろうか。C の設定した抵当権について 300 万円の限度で代位取得できるのはよいが、問題は B についてである。①465 条 1 項により、共同保証人間で 2 分の 1 である 450 万円の求償権を取得するのであろうか。②しかし、465 条 1 項が弁済者代位とパラレルな制度であることを考えると、300 万円のみの求償権と考えるべきである。さらに問題は一部弁済である。A が 600 万円のみを支払った場合、A は C の抵当権に 200 万円のみ代位できるが、B については、残りの 400 万円につき 300 万円を超える 100 万円についてのみ求償できるにすぎない。

◆共同保証人の 1 人の免除の効力

⑴　問題点

A の B に対する 100 万円の債権につき CD が連帯保証をしたが、C が A から債務免除を受けたとする。B が無資力の場合に、D は 100 万円を A に弁済しても、C に 50 万円を求償できた。しかし、D が弁済した時には共同保証人の要件を満たしていないので、465 条 1 項の「数人の保証人がある場合」に該当せず、C に求償できない。また、D の弁済で C が共同の免責を受けたわけでもない。A は C を免除するのは自由であるが、D に不利益をもたらすことは認められるべきではない。弁済者代位であれば、504 条が適用になるが、465 条 1 項には 504 条に匹敵する免責規定は置かれていない。

⑵　免除を受けた保証人に利益を与えない解決

①まず、免除を受けた C に対して、D が 465 条 1 項の求償権の行使を認め、D の保護を図ることが考えられる（445 条のような解決）。その説明としては、465 条 1 項の「数人の保証人がある場合」というのを、1 度数人が保証人になっていればよく、その後に免除があっても要件充足したままということが考えられ

337

る。しかし、これでは免除の利益を受けられないことになる。②そこで、Aの免
除の意思表示の解釈として、免除ではなく不訴求の合意と認定することが考えら
れる。そして、免除である以上は、免除を受けたCに利益を与え、Dを保護す
るために、免除をした債権者Aに不利益を負わせるべきである。問題はそれを
どう構成するかであり、次にDを保護する構成について検討してみたい。

8-157

(3) 免除を受けた保証人に利益を与え、他の保証人も保護する解決

(a) **改正前の議論** ①改正前は、連帯債務に免除の絶対効を認める規定があり
(旧437条)、それを共同保証人に適用できないかが議論されていた。いわば、504
条の代用として旧437条を機能させようとしていたのである。この点、判例
は、保証連帯の場合か商法511条2項に該当する場合でなければ、「各保証人間
に連帯債務ないしこれに準ずる法律関係は生じないと解するのが相当であるか
ら、連帯保証人の1人に対し債務の免除がなされても、それは他の連帯保証人に
効果を及ぼすものではない」と、旧437条の適用による免責を否定していた（最
判昭43・11・15民集22巻12号2649頁）。しかし、旧437条は改正で削除された。

8-158

(b) **改正法** 465条1項には504条に匹敵する規定がないのが問題である。
これを弁済者代位と異なり免責を認めない趣旨と理解するのは、不合理な差を容
認することになり適切ではない。①465条1項に504条を類推適用することが
1つ考えられる。②さらにいえば、改正法では501条2項括弧書により465条
1項の求償権に501条の弁済者代位を結び付けるので（☞10-144）、504条を直
接適用することができる。したがって、Dは、Aからの100万円の請求に対し
て、504条を援用して50万円の支払を拒むことができる。

$$\S\text{IX}$$
根保証（継続的保証）

1 根保証の意義・種類および法的構成

8-159

(1) 根保証の意義および規律

(a) **根保証の意義** 「一定の範囲に属する不特定の債務を主たる債務とす
る保証契約」を**「根保証契約」**という（465条の2第1項）——以下、単に**「根
保証」**という——。金融機関と事業者との当座貸越契約、食材の卸問屋と弁
当の生産者との間の食材の継続的供給契約、さらには、賃貸借契約といった
継続的契約関係においては、継続的に多数の債権が発生することが予定され

第8章　多数当事者の債権関係②──保証債務（人的担保）

ている。取引ごとに保証契約をしてもらうのは煩雑であり、一定の基準により特定された将来の債権を包括的に保証することへの実務上の要請が高い。特定した債権の保証を、根保証と区別して**特定保証**という[218]。

8-160　　(b)　**根保証の規律**　根保証については、規定がなかった当初は判例法理により規律されていた。2004 年の民法改正により、個人根保証のうち貸金等債務を主債務とする根保証を規律する規定が導入されたが、個人根保証でも、貸金等債務以外の個人根保証は依然として判例法により規律されていた。2017 年改正は、465 条の 2 および 465 条の 4 第 1 項については一切の個人根保証に適用を拡大したが、465 条の 3 および 465 条の 4 第 2 項については貸金等債務の根保証への適用に限定することを維持した[219]。法人による根保証は依然として規定がなく、判例法理に任される。

8-161　**(2)　根保証の法的構成**

(a)　**2 つの根保証の可能性**

(ア)　**継続的保証（個別保証集積型根保証）**　根保証には次の 2 つの種類が考えられる。

当初、継続的契約関係として根保証を構築しようとした西村博士により、継続的保証という概念が提案された[220]。主債務が発生するごとに、それに対応して「派生する支分債務としての具体的保証債務」が成立することになる。2004 年の改正により、「根保証」という表現が採用されたため、根保証を 2 つに分けて表現するようになり、この類型は「**個別保証集積型**」と呼ばれる。主債務に対応して個別保証債務が成立するため、債権者は保証債

218)　＊**賃貸保証の根保証の範囲**　いかなる範囲の債務が根保証の対象になるのかは根保証契約の解釈による。賃貸保証では（中田裕康「不動産賃貸人の保証人の責任」『継続的契約の規範』[2022] 174 頁以下参照）、賃貸借契約が更新された場合の更新後の債務が保証の対象になるのかは後述する（☞ 8-179）。賃貸保証では、その他、目的物の損傷による損害賠償義務が保証の対象になることは争いはないが、保証人の同意なしに賃借人が転貸し、転借人が目的物を損傷した場合も問題になるが、利用補助者の過失なので、賃借人が損害賠償責任を負うので、転借人の 613 条の義務が保証の対象になるのかを考えるまでもなく、根保証の対象になる。転貸借の場合、保証人が賃借人に代わり賃料を支払った場合、賃借人の転借人に対する転貸料債権への代位を考えるまでもなく、賃貸人の 613 条 1 項の転借人に対する賃料債権を代位取得できる。

219)　保証目的で、しかしその規制を回避するために併存的債務引受という体裁をとっても、保証に関する規律が類推適用されるべきであると考えられている（重要論点 155 頁［内田］）。

220)　西村博士は、継続的保証を「継続的債権契約の特質を具えている保証契約を指称する」といい、「継続的保証にあっては、保証人は、保証契約成立後その終了に至るまで、終始、継続的に、抽象的基本的保証責任を負担し、契約所定の一定の事由の発生するごとに、この基本的保証責任から派生的に発生する支分債務としての具体的保証債務を負担する」という（注民⑾ 144 頁［西村信雄］）。

339

務の履行を請求でき、また、主債務に対応する債権が譲渡されれば、保証債務も随伴することになる[221]。個別保証債務の発生は、継続的契約たる根保証契約の効力によることになる（☞8-162）。

8-162 ◆**基本たる保証債務と支分たる保証債務**
　利息債務につき、利息を発生させる源として基本権たる利息債権と具体的に発生した金銭債権たる支分権たる利息債権とを区別するように（☞2-59）、①根保証においても、個別的な保証債務を発生させる源である基本たる保証債務と、具体的に発生した金銭債務たる支分たる保証債務とが区別される（石田921頁は、基本的保証債務と具体的保証債務という）。②フランスでは、保証される債務の枠を定めその範囲内の債務を保証する債務（obligation de couverture）と、その範囲内の債務が発生した場合にそれを支払う金銭債務（obligation de règlement）とを分けるのが、近時の学説である。本書としては、利息について述べたように、包括的に将来の債務を保証する債権的な効力を介在させることは否定するところではなく、これを「債務」と構成することに反対するだけである。その基準に合致する債務を保証の対象とする効力を、「根保証契約の効力」として認めれば足りると考える。

8-163 **(イ)　狭義の根保証（根抵当権類似型根保証）**　我妻博士は(ア)説を改説し、「根保証・信用保証においても、保証人の一般財産による責任が現実の担保価値として把握され、将来その保証が実現される際に、確定された債権によってその帰属と数量が決定される……とみるのが、両者［注：根抵当・根保証］共通の理論として、事柄を明瞭にするであろう」と述べるに至った（我妻462～463頁）。この立場では、将来の確定時に存する主債務を保証する根保証にすぎない（荒川重勝「根担保論」星野英一編『民法講座別巻(1)』［1990］181頁以下などにより発展される）。根抵当権と同様の扱いをすることになるため、「**根抵当権類似型**」と呼ばれている。

8-164 **(b)　民法の規定との関係**
(ア)　「根保証」と表示──適用範囲を制限する意図なし　(a)(ア)(イ)の2つの根保証は、いずれもその旨の合意がされれば有効である。問題は、いずれか不明な場合にいずれと認定すべきか、また、民法の根保証の規定はいずれに

---

221)　将来債権についての集合債権譲渡でも同じであり、例えば将来の賃料債権を2年分譲渡した場合には、根保証がされていれば、譲受人の下で賃料債権が成立するごとに、保証債務がそれに対応して成立することになる。根抵当権類似型では、確定時に賃貸人が有する債権が保証の対象になるので、譲受人が取得した債権は保証の対象にならない。

第8章　多数当事者の債権関係②——保証債務（人的担保）

適用されるのかである。民法の規定は「根保証」「確定」という用語を認めていて、②の狭義の根保証のみに適用されるかのようであるが、この点は、当時すでに慣用されていた「根保証」という用語を採用しただけで、この問題を解決する意図はなかった。民法の規定はいずれの根保証にも適用可能であり、「根保証」という表現は汎用性のあるものとして使用されているのである。そのため、いずれの根保証かで差が生じるのは、民法に規定のない事項に関することになり、判例で問題になったのは随伴性である。

8-165　　(イ)　**判例は個別保証集積型と推定**　最判平 24・12・14 民集 66 巻 12 号 3559 頁は(ア)の根保証との推定を認めた。「根保証契約を締結した当事者は、通常、主たる債務の範囲に含まれる個別の債務が発生すれば保証人がこれをその都度保証し、当該債務の弁済期が到来すれば、当該根保証契約に定める元本確定期日（……）前であっても、保証人に対してその保証債務の<u>履行を求めることができるものとして契約を締結し、被保証債権が譲渡された場合には保証債権もこれに随伴して移転する</u>ことを前提としているものと解するのが合理的である」とした。8-161 の個別保証集積型と推定したのである（学説としても、中田 612 頁）。そのため、確定前に債権が譲渡された場合でも、譲受人は保証債務付きの債権を取得し、これを行使できる。

8-166　　(ウ)　**判例の射程**　上記判例は、法人根保証の事案であるが、一般論として述べており、個人根保証にも射程は及ぶかのようである。しかし、確定前に保証人に履行請求できるという内容は、債権者に有利で根保証人に不利な内容である。法人根保証であれば、担保なので債権者に有利に解釈して構わないが、個人根保証では不明確な場合には、「作成者に不利に」という解釈が妥当するはずである。それゆえ、上記判例の射程は個人根保証には及ばず、いずれの根保証か明確ではない場合には、個人根保証に関する限り——経営者などによる個人根保証は除外する——、むしろ 8-163 の根抵当権類似型と認定すべきである。

2　個人根保証の規律

8-167 **(1)　保証限度額（極度額）設定の必要性——包括根保証の禁止**

　　(a)　**個人根保証についての包括根保証の禁止**

　　(ア)　**全ての個人根保証につき極度額設定を要件とした**　根保証には、保証

341

する限度額（**極度額**という）を定めない**包括根保証**と（さらに保証期間の定めもない場合に限定して使用することもある）、極度額が定められた**限定根保証**とがある。2004年の根保証規定の導入前は、判例は包括根保証は公序良俗に違反せず有効と認めていたが、2004年改正により「貸金等債務」の個人根保証に限りこれを無効とした。その後、2017年改正により全ての個人根保証につき包括根保証が禁止された（465条の2第2項）。

8-168　**(イ)　要件は個人根保証ということだけ**　①465条の2第2項の適用要件は、根保証人が「法人でない」ことだけである。個人であれば、事業者でも有償でもよいことになる。さらに、個人会社で株式全部を保有する経営者の会社債務の根保証にも適用される（465条の9第2号・3号のような例外規定はない）。しかし、制限解釈は不可能ではなく、少なくとも法人格否認の法理が適用になる場合の経営者は適用除外としてよい。

　②主債務については、貸金等債務という制限はなく、また、事業上の債務である必要もなく、個人の債務でもよい。例えば、個人賃借人のための賃貸保証、有料老人ホームの入居契約上の債務の保証などにも適用される。

8-169　**(b)　極度額についての要件**

　(ア)　債権極度額で金額を定める必要がある　元本だけの元本極度額では足りず、利息等を含めて債権全体についての債権極度額でなければならず、さらには保証債務独自の違約金等もこれに含まれる。「前項に規定する」極度額を定めなければ根保証契約は無効とされるので、極度額を規定したが債権極度額を約定した場合も無効になる。極度額について口頭での合意はあるが契約書に記載されていなければ、446条2項により契約は無効になる（465条の2第3項）。また、極度「額」を定めることが必要なので、主債務総額の20%といった合意ではこの要件を満たさないことになる。

8-170　**(イ)　金額の適切性**　では、極度額を定めればいくら巨額でもよいのであろうか。フランスでは、特定保証も含めて保証人の資産・収入とのバランスを失する額の保証は無効とされている。日本では議論されたものの同様の立法は見送られた。しかし、不合理に巨額な保証は、個人根保証については極度額を要求して規制しようとした465条の2の趣旨から、これを無効と解すべきである。また、そこまで巨額ではなくても、保証人の資産や収入と比較して不相当な場合には、信義則による責任制限や任意解約権などの保護を認

めることが考えられる。

8-171 **(2) 元本確定期日（保証期間）**

(a) 適用範囲

(ア) 個人貸金等根保証 2004年改正は個人根保証一切ではなく、主債務の範囲に「金銭の貸渡し又は手形の割引を受けることによって負担する債務」（「貸金等債務」）が含まれる場合に、その適用を限定していた。包括根保証禁止は上記のように拡大が実現されたが（☞ 8-168）、保証期間については拡大されず、貸金等債務（その括弧書での定義規定も465条の3第1項に移された）の個人根保証に限定されたままとされた。

8-172 **(イ) 拡大が見送られた理由** 貸金等債務であれば、新たな保証人を出さない限り融資をしないといった対応が可能なのに対して、賃貸保証では新たな保証人を立てないと使用させないとはいえないため、拡大に不動産業界から異論が出され、拡大がされなかったのである。しかし、継続的供給契約の代金の根保証では、新たな保証人を出さないと取引をしないという対応ができる。立法論として改正の余地があり、また、解釈論としても拡大適用を認める余地はある。

8-173 **(b) 個人貸金等根保証の規律**

(ア) 確定期日（保証期間）を定める場合 まず、保証期間を定める場合に、5年を超えて定めることを禁止した。5年を超えた場合には、期間の定めを全て無効とし期間の定めのない根保証としている（465条の3第1項）。一度定めた有効な確定期日を変更する合意も可能であるが、変更日から5年を超える場合にはその変更は効力を生じない（同条3項本文）。ただし、元本確定期日の前2カ月以内に確定期日を変更する場合には、その合意からは5年を過ぎていても変更前の確定期日から5年を超えなければ、その合意は有効である（同項ただし書）。

元本確定期日の合意は必ず書面でしなければならない。また、元本確定期日の変更も3年を超えるものについても書面でしなければならない（465条の3第4項による446条2項・3項の準用）。

8-174 **(イ) 確定期日（保証期間）を定めない場合** 5年を超える期間を定めたために期間の定めのないものと扱われる事例を含めて、期間の定めがない場合には、個人貸金等根保証契約締結の時から3年の経過する日が元本確定期

日とされる（465 条の 3 第 2 項）。ただし、3 年経過まで根保証人は責任を免れないというのは、次にみる従前の判例法理が契約締結から 2 年程度で**任意解約権**を認めていたこととの関係で疑問を生じる。極度額が不相当に高額な事例については、解釈上、任意解約（確定請求）権も認めるべきである。なお、確定期日が定められていないが、主債務を生じさせる取引について期間が定まっている場合は、8-177 に述べる。

8-175　(c)　**個人貸金等根保証以外**

(ア)　**改正法の確定期日の規制は適用されない**　個人貸金等根保証以外については、個人根保証であっても上記の規制は適用されない。

この結果、貸金等根保証でなければ個人根保証でも、5 年以上の期間の根保証も有効になる。保証期間の定めのない場合に、3 年で確定することもない。賃貸保証や入院保証だけでなく、継続的供給契約の代金の根保証も適用除外となる。

8-176　(イ)　**期日の定めがない場合と任意解約権**　改正前の包括根保証の事例では、根保証人は相当期間経過後は相当の予告期間を置いて将来に向かって──既発生の債務については責任を免れない──保証契約を解約することが認められていた（大判大 14・10・28 民集 4 巻 656 頁、大判昭 7・12・17 民集 11 巻 2334 頁、大判昭 9・2・27 民集 13 巻 215 頁など）。これは**任意解約権**と呼ばれ、事情にもよるが実務上 2 ～ 3 年経過すると認められている。改正法では極度額が定められたので、個人根保証人保護はそれで十分であり、包括根保証についての任意解約権の判例の先例価値は疑問視されている。この点、極度額が不相当な金額の場合には、任意解約権を認めるべきである。

8-177　◆**基本たる法律関係の更新と根保証人の責任**
(1)　**継続的供給契約上の債務の根保証**
(a)　**基本たる契約についての期間だけの保証**　主債務を生じさせる基本たる法律関係について契約期間が定まっているが、根保証契約については確定期日（保証期間）が定められていない場合、主債務者・債権者間の契約が更新された場合に、保証人の責任はどうなるであろうか。信用保証では、更新後の契約について保証人の責任が否定されている（大判昭 9・6・9 裁判例 8 巻民 142 頁）[222]。信用保証は保証人に酷になりがちということで、学説も賛成している（川井 271 頁）。

8-178　(b)　**契約解釈の問題である**　これは契約解釈の問題であり、次の賃貸借の、①更新されて続くのが通常であること、②予期に反した巨額な責任が生じることは

第8章　多数当事者の債権関係②——保証債務（人的担保）

原則としてないことといった基準は、事例によっては継続的供給契約上の債務の根保証にも当てはまる。確かに包括根保証が禁止されたという事情は大きい。しかし、この点を明記しなかった不利益は、基本的には契約書を作成する債権者側が負担すべきであるという「作成者に不利に」の原則を適用すべきである。更新後も責任あると明記がないので保証人が安心する可能性を作出しており、保証人が更新後も責任を負うことを覚悟すべき特段の事情——主債務者たる会社の経営者である等——がない限り、原則は更新後には責任がないと考えるべきである。

8-179　**(2)　賃貸保証**

　　(a)　原則として更新後も責任あり

　　(ア)　判例は更新後も責任を認める　賃貸保証では、上記と当初は同様に考えられていたが（大判大5・7・15民録22輯1549頁）、正当事由制度導入後において、最判平9・11・13判時1633号81頁は、「賃貸借の期間が満了した後における保証責任について格別の定めがされていない場合であっても、反対の趣旨をうかがわせるような特段の事情のない限り、更新後の賃貸借から生ずる債務についても保証の責めを負う趣旨で保証契約をしたものと解するのが、当事者の通常の合理的意思に合致する」と判示した。

8-180　　　**(イ)　更新後も責任が存在する理由**　その理由として挙げられているのは、①「期間の定めのある建物の賃貸借においても、賃貸人は、自ら建物を使用する必要があるなどの正当事由を具備しなければ、更新を拒絶することができず、賃借人が望む限り、更新により賃貸借関係を継続するのが通常であ」る、②「賃借人のために保証人となろうとする者にとっても、右のような賃貸借関係の継続は当然予測できるところであり」、また、③「保証における主たる債務が定期的かつ金額の確定した賃料債務を中心とするものであって、保証人の予期しないような保証責任が一挙に発生することはないのが一般であることなど」である。

8-181　　　**(b)　信義則による制限は可能**

　　(ア)　傍論として制限を肯定　ただし、上記判例は、「賃借人が継続的に賃料の支払を怠っているにもかかわらず、賃貸人が、保証人にその旨を連絡するようなこともなく、いたずらに契約を更新させているなどの場合に保証債務の履行を請求することが信義則に反するとして否定されることがあり得る」という制限を傍論的に認めている。

8-182　　　**(イ)　信義則による制限の射程**　上記判決は滞納しているのに更新をしている場合に限定されている。しかし、賃料の滞納があり、それにもかかわらず、賃貸人

---

222)　貸金等債務の根保証については2004年改正法との関係を考える必要がある。基本契約が2年とされ、根保証について期間の定めがない場合に、本文の判例では根保証は当初の2年の基本契約上の債務だけを保証することになるが、改正法では期間の定めのない根保証は3年の期間と法定されるので、更新後もあと1年は責任が存続することになるのであろうか。しかし、根保証契約の解釈として同じ契約期間を約束したという扱いをするのだとすれば、改正後も従前の判例が妥当する（上記では2年で終了）。

345

が保証人からの回収を考えて、賃貸借契約を解除せず放置した場合一般に——期間の定めのない賃貸借でもよい——、賃貸保証人の信義則による責任制限を認めるべきである。

8-183 (3) 個人根保証における元本の確定

(a) 個人根保証に共通の元本確定事由

(ア) すべての個人根保証に適用される確定事由　まず、個人根保証一般についての元本確定事由があり、①「債権者が、保証人の財産について、金銭の支払を目的とする債権についての強制執行又は担保権の実行を申し立てたとき」、②「保証人が破産手続開始の決定を受けたとき」、および、③「主たる債務者又は保証人が死亡したとき」の3つである（465条の4第1項1号〜3号）。いずれも、根保証は確定してしまいながら、取引は続くという不都合は認められない事例である。

8-184 (イ) 確定の根拠　①と②は、この事由があった以降は、保証人の資力を信頼して主債務者との取引を継続することを認めるべきではないからである。③については、保証人の死亡については、判例は包括根保証の場合に限り根保証人たる地位の相続を否定していたが、民法は、限定根保証にしながら根保証人の死亡を元本確定事由とし、さらに、主債務者の死亡も元本確定事由としたのである。これは、特定保証と異なり根保証は、債務者・根保証人の信頼関係ないし特別の情義的関係を基礎にしていることによる。

8-185 (b) 個人貸金等根保証に特有の元本確定事由　個人貸金等根保証の場合には、さらに、①「債権者が、主たる債務者の財産について、金銭の支払を目的とする債権についての強制執行又は担保権の実行を申し立てたとき」——強制執行または担保権の実行の手続の開始があったときに限る——、および、②「主たる債務者が破産手続開始の決定を受けたとき」も、元本確定事由とされている（465条の4第2項1号・2号）。

　貸付取引ではこれらの事由が生じたならば、債権者と主債務者との取引関係が破綻しており、その後に債務が発生することは通常は考えられないからである。これに対し、賃貸保証の場合には、主債務者につき破産手続が開始しても賃貸借契約は存続するため、元本の確定を認めるわけにはいかない。

8-186 (c) 解釈による特別解約権

(ア) 改正前の特別解約権　2004年改正前は、判例により、包括根保証人

第 8 章　多数当事者の債権関係②——保証債務（人的担保）

について、保証期間が定まっている場合でも、また、即時の解約が可能な**特別解約権**が認められていた。特別解約権が認められる事由は、①主債務者の資力悪化（大判大 14・10・28 民集 4 巻 656 頁など）、ないし、②主債務者の背信行為（最判昭 39・12・18 民集 18 巻 10 号 2179 頁）である。また、それ以外の特殊事例でも特別解約権が認められていた（☞ 8-188）。賃貸根保証でも、根保証人に特別解約権が認められていた（大判昭 8・4・6 民集 12 巻 791 頁、大判昭 14・4・12 民集 18 巻 350 頁）。

8-187　　**(イ)　改正法と特別解約権**　改正法では包括根保証が禁止されたので、個人根保証人保護はそれで十分であり、確定事由は安易に拡大することはできない。しかし、定められた極度額が根保証人の資産・収入との比較で不相当である場合には、貸金等根保証に限らず継続的供給契約上の債務の根保証についても、特別解約権（根抵当権類似型では、確定請求権。以下同じ）を認めることが可能であると思われる（石田 934 頁はこのような限定をせず解約権を認める）。改正法においても一般規定を設けることが検討されたが、表現が難しいために断念されただけで、特別解約権が否定されたわけではない（吉田・筒井・前掲書 45 頁、53 頁、潮見・新Ⅱ 752 頁）。

8-188　　**◆一定の職務・地位を離れたことに基づく特別解約権**
　　(1)　代表取締役・従業員
　　代表取締役が会社の債務を保証する場合のように、一定の地位に基づいて保証した場合、その者がその地位を離れたならば保証契約を解約できると解されている（大判昭 6・11・24 新聞 3376 号 12 頁、大判昭 16・5・23 民集 20 巻 637 頁）。その地位を離れると当然に保証契約が効力を失うのではなく、保証人に解約権が発生するだけである。保証期間が定まっていても、解約可能である。同様の問題は、会社の債務を従業員が保証したが、退職した事例においても生じる。大阪地判昭 49・2・1 判時 764 号 68 頁は、保証（限定根保証）契約の解釈として、従業員は、退職後の債務まで保証していないとした。これらは元本確定事由としては規定されていないが、特別解約権の原因として認められるべきである。

8-189　　**(2)　配偶者**
　　妻が夫の債務について根保証をしたり、夫の経営している会社の債務について根保証したが、その後、離婚した場合にも同様の問題がある。事情変更の原則により、根保証契約は確定するという意見がある（実務上の課題 181 頁［黒木］）。規定なしに当然の確定事由を解釈により認めることになる。②本書としては、債権者が知らずに取引を続けるリスクがあるので、信義則上、解約権を認めるにとどめるべきであると考える。そして、離婚後に解約がされていなくても、基本契約

347

§IX　根保証（継続的保証）

が更新される場合には、債権者には、保証人に対して保証人としての責任存続を承諾するかどうかの確認義務があり、これが怠られた場合には更新後の債務について保証人は責任を負わないと考えるべきである。

8-190
◆身元保証
(1)　身元保証の意義と極度額・責任期間
　(a)　意義と極度額（不要）　「被用者の行為に因り使用者の受けたる損害を賠償することを約する身元保証契約」については、保証人の責任が広汎でしかも長期にわたるため、身元保証人の責任を制限する判例が積み重ねられ、これを基礎として昭和 8 年に「身元保証ニ関スル法律」（身元保証法）が制定されている。「被用者の行為に因り使用者の受けたる損害を賠償することを約する身元保証契約」は、損害担保契約と考えられている。保証限度額についての合意は必要とはされていない。書面は要求されていないが、民法 446 条 2 項・3 項を適用すべきである。

8-191
　(b)　責任期間　①期間が定められなかった場合、身元保証契約はその成立の日から 3 年間効力を有する——商工業見習者については 5 年——（身元保証法 1条）。②保証期間を定める場合も、保証期間は 5 年を超えることはできず、これより長い期間を定めた場合には 5 年を超える部分は無効とされる（同法 2 条 1項）。更新も可能であるが、その期間は 5 年を超えることができない（同条 2 項）。

8-192
(2)　債権者の通知義務など
　使用者は、①被用者に業務不適任または不誠実な事跡があって、このため身元保証人の責任を惹起するおそれがあることを知ったとき、または、②被用者の任務または任務地を変更し、このために身元保証人の責任を加重しまたはその監督を困難にしたときには、遅滞なく身元保証人に通知しなければならない（身元保証法 3 条）。この通知義務の違反の効果については、身元保証法に規定がないが、身元保証人の責任の有無または責任額を決定するための一要素とされるにすぎないと解されている。身元保証人が、上記の通知を受けるか、または、上記①②の事実を知った場合には、身元保証人は契約を将来に向かって解除（告知）することができる（同法 4 条）。

8-193
(3)　責任の制限など
　「裁判所は身元保証人の損害賠償の責任及其の金額を定むるに付被用者の監督に関する使用者の過失の有無、身元保証人が身元保証を為すに至りたる事由及之を為すに当り用いたる注意の程度、被用者の任務又は身上の変化其の他一切の事情を斟酌す」る（同法 5 条）。保証限度額がない場合を念頭に置いていると思われるが、限度額の定めがあっても責任制限が認められるべきである。本法は片面的強行法規であり、本法と異なる約束は身元保証人に不利益なものは無効とされる（同法 6 条）。

348

3 法人根保証契約の求償保証の制限

8-194 **(1) 法人根保証に極度額がない場合**

(a) 潜脱の可能性 法人による根保証契約には 465 条の 2 以下は適用されず、包括根保証も可能でありまた元本確定期日が契約から 5 年を超えていても有効である。これに求償権の保証という「特定」債務——しかし額は未確定——の保証とを組み合わせることにより、民法の個人根保証の規制が潜脱されるおそれがある。

例えば、AB の金融取引により B が負担する債務について子会社 C に根保証をさせ、C が B に対して取得する求償権について、D が個人保証をしたとする。求償保証が「不特定の債務」の保証ではなく、未確定であるが特定債務の保証だとすると、個人根保証の規制を回避できてしまう。

8-195 **(b) 間接的な規制の導入** そのため、民法は、法人根保証人——貸金等債務が含まれることは必要ではない——の求償権について個人が保証人になる場合につき、法人根保証が極度額の定めがない場合には、個人による求償保証は無効とした (465 条の 5 第 1 項・3 項)。法人が保証人の場合が除外され (同条 3 項)、個人求償保証人保護のための規定である。

8-196 **(2) 法人貸金等根保証契約についての元本確定期日による制限**

(a) 間接的な規制の導入 法人による根保証契約であり「主たる債務の範囲に貸金等債務が含まれるもの」については、元本確定期日の定めがない場合には、個人によるその求償保証は無効とされる (465 条の 5 第 2 項)。この規定も求償保証人が法人の場合には適用除外とされる (同条 3 項)。この規定も、求償保証とすることによる貸金等債務の個人根保証の規制が潜脱されるおそれを回避するためのものである。

8-197 **(b) 残された問題** 465 条の 4 の潜脱についてはこれを制限する規定はない。①求償保証人 D が死亡した場合、D の相続人が求償保証人たる地位を相続する。②また、主債務者 B が個人で死亡し、その相続人が事業を承継しても、法人根保証人 C の根保証は確定しないことになる。これらの場合、求償保証人に一種の特別解約権を認めるべきである。

第 9 章
債権譲渡・債務引受・履行の引受・有価証券

第1節　債権譲渡 ｜ §Ⅰ　総論

第1節　債権譲渡

§Ⅰ
総論

1　債権譲渡の意義

9-1 **(a) 債権譲渡の意義**　譲渡とは意思表示により権利を移転させることであり、その対象が債権の場合が、債権譲渡である。債権者たる譲渡人と譲受人との契約によるのが普通であるが（売買、贈与、代物弁済、譲渡担保等など）、単独行為である遺言により債権を移転させることもできる[223]。

9-2 **(b) 債権譲渡の対象たる債権**　譲渡される債権は、通常は取引上の金銭債権である。原因関係から切り離されて流通性が高められている証券化された債権を「**有価証券**」といい（520条の2以下）、特別法のものとして手形や小切手がある。また、電子化された債権として**電子記録債権法**（2007年制定）による**電子記録債権**[224]がある。なお、クロークにおける手荷物預り証のような札や紙片類は**免責証券**といわれ、有価証券ではない。

　民法は、有価証券については、債権総論第7節「有価証券」に規定を置き、第4節「債権の譲渡」には、証券化されていない債権（改正前は「指名債権」と呼ばれていた）の譲渡についての規定を置いている。

---

223)　債権譲渡以外の債権の移転原因としては、相続、賠償者代位、弁済者代位、保険代位、代償請求権などがある。債権譲渡の取消しや解除についても、判例を応用すれば実質的な復帰が認められることになる。なお、契約譲渡に伴う債権の移転は、契約譲渡自体を問題として考えれば足りる。

224)　電子記録債権（「でんさい」と呼ばれる）は、手形のように原因債権から切り離された債権であり、磁気ディスク等をもって電子債権記録機関が作成する記録原簿への発生記録をすることにより成立し（同法15条）、譲渡記録によって譲渡の効力が発生する（同法17条）。善意取得（同法19条）、抗弁の切断（同法20条）、電子記録名義人に対してした電子記録債権についての支払は、その名義人がその支払を受ける権利がなくても、支払者に悪意または重過失がない限り有効である（同法21条）等、手形のような流通性が図られている。電子債権記録機関は民間により担われ、公的記録機関が用意されているわけではない。政府により電子債権記録機関として指定された機関が、記録機関としての事業が可能である。現在、日本電子債権機構株式会社（JEMCO［ジェムコ］）、株式会社全銀電子債権ネットワーク（でんさいネット）等合計5つの機関が、電子債権記録機関として指定されている。

第9章　債権譲渡・債務引受・履行の引受・有価証券

2　債権譲渡の実際的必要性

9-3 **(1)　債権譲渡がされる場合**

　　債権についていえば、実際に債権譲渡の必要性が認められる場合のほとんどが金銭債権である。金銭債権が譲渡されるのは、以下のような場合である。

　　①まず、弁済期未到来の債権を譲渡し、弁済期前に資金を獲得するために行われる[225]。②次に、いわゆる不良債権が債権回収の専門機構や会社へ売却されている。③また、債務者が倒産に瀕している場合に、その債権者が債務者の有する売掛代金債権などを代物弁済として譲り受けることもされる。この危機対応型の債権譲渡では、多重譲渡が行われる可能性がある。④現在最も多く行われているのは、債権の譲渡担保、しかも、将来の集合債権の譲渡担保である。

9-4 **(2)　債権譲渡の官民あげての推進**

　　(a)　債権譲渡に対する偏見　上記①〜③は真の債権譲渡であるのに対して、④は譲渡担保である。しかも、将来のいわゆる「集合債権」が譲渡の対象とされ、資金獲得の手段である。したがって、実行によって確定的に譲受人の債権になるまでは、譲渡人が債権を回収し、これを自己の事業資金として利用することになる。日本ではかつて、債権の譲渡は③の倒産間際の会社にみられる事象であったため、債権譲渡は危機的な会社が行うものだという根強い偏見がある。そのため、債務者たる取引先は債権譲渡の事実を知ると、債権者の事業運営について不安を覚え、取引の萎縮につながりかねないことになる。

9-5 　　**(b)　ABL の官民あげての推進**　アメリカでは売掛代金債権の約13％が流動化しているのに対して、日本では約1％しか流動化していないといわれる。そのため債権の流動化を推進するために特別立法がされ、また、いわゆ

---

225)　**＊ファクタリング**　企業が、その日常取引により取得した大量の金銭債権を、ファクタリング会社（ファクター [factor]）に割り引いた金額で販売し即時に現金を入手する取引が、ファクタリングである。ファクターは、債権回収により、差額分を利益として上げることができる。譲渡人（assignor）は、資金の調達ができるというだけでなく、ファクタリングを利用することで、債務不履行（回収不能）のリスクを回避でき、また、債権回収を行う必要がなくなり、自らの本業に専念することができるという利点がある。将来の債権も譲渡の対象になるが、担保のための集合債権譲渡とは異なる制度である。

353

第1節　債権譲渡 ｜ §I　総論

るABL（☞担保物権法注67）が官民あげて推進され、これまで債権譲渡を
推進するための立法が導入されている（☞9-6）。今後はイレギュラーな危
機対応型の譲渡から、正常業務型の集合債権譲渡（事業資金獲得のための譲
渡担保）へと、債権譲渡が変わることが期待されている。

9-6
◆債権譲渡をめぐる特別法
(1)　譲渡特例法
　①大量の小口債権群を有するリース会社、クレジット会社では、大量の小口債
権を譲渡して資金を獲得できるようにするために、1992年6月にいわゆる**特定
債権事業規制法**が制定された（いわゆる特定債権法）。次の譲渡特例法制定後、
2004年12月30日に廃止された。②また、法人の有する民法上の債権（金銭債
権に限る）の譲渡の対抗要件について、現在の動産債権譲渡特例法（「動産及び
債権の譲渡の対抗要件に関する民法の特例等に関する法律」。本書では単に**譲渡
特例法**という）が、1998年6月12日に制定されており、当初は債権譲渡だけ
の法律であったが、2004年改正により動産譲渡の規定が追加され名称も変更さ
れた。債権譲渡を債権譲渡登記ファイル[226]に譲渡登記をすることにより、第三
者に対する対抗力を付与する特別立法である（☞9-71）。

9-7
(2)　資金流動化法およびサービサー法
　③また、債権の管理、回収、投資、資金調達業務を行い、債権を譲り受ける特
定債権譲受業者（SPC）のための「特定目的会社による特定資産の流動化に関す
る法律」（**SPC法**と略称される）が1998年に制定・施行され、2000年の改正に
際して「資産の流動化に関する法律」（**資産流動化法**と略称される）と法律名も
変更された。④債権の回収のために「債権管理回収業に関する特別措置法」（サ
ービサー法）も同年に制定され翌1999年から施行されている。これらの法律
は、不良債権の処理等を促進するため、債権管理回収業を法務大臣による許可制
として民間業者に解禁し──債権管理回収を専門とする会社をサービサーという
──、許可業者に対して必要な規制・監督を加え、債権回収過程の適正を確保し
ようとするものである。

3　債権譲渡の法的説明

9-8 **(1)　債権の移転の法的根拠づけ**

(a)　**処分行為・準物権行為である**　物についての物権行為のように、債権

---

226)　当初は、商業登記簿に債権譲渡登記をする方法によって開始されたが、商業登記簿は誰でも登記事項
証明書が取れるため、信用不安の状況にあると誤解されかねないことを恐れて債権譲渡登記がされることは
多くなかった。そのため、2005年7月26日改正（同年10月1日施行）で、商業登記簿への登記ではな
く指定法務局等（東京法務局だけ）の債権譲渡登記ファイルに登記する方法に変更された。

第 9 章　債権譲渡・債務引受・履行の引受・有価証券

についてもこれを処分する準物権行為を観念することができる[227]。物権変動同様、売買の中に債権行為と準物権行為を含めて考えるのが一般的理解である。これに対し、債権の売買の場合、売買契約が債権譲渡であるが、売買契約を原因たる債権契約とし、これと債権の譲渡契約とを区別する学説もある（石田 946 頁）。

9-9　(b)　**債権の上の所有権は必要か**　物の場合には、移転の対象となる所有権自体に「処分」が権利として認められており（206 条）、債権など他の財産権の譲渡の根拠として、債権などについても所有権を観念する必要があるのではないかという疑問が出てくる。しかし、これは不合理な議論であり、現在では、権利の帰属を移転させる権限は「帰属」主体に、「帰属」の属性として認められるものであって、物についても「所有権」そのものではなく、所有権の「帰属」主体に認められるものと考えられるようになっている（林滉起「債権の帰属の法的構造に関する試論」早稲田法学会誌 72 巻 2 号［2022］89 頁以下）。なお、将来の集合債権の譲渡の法的構成については後述する（☞ 9-25 以下）。

9-10　(2)　**債権譲渡の派生的効果**

(a)　**従たる権利関係**　債権譲渡により財産権としての債権が同一性を保って移転する。債権譲渡の効力により、債権に従たる権利関係（利息の約定、違約金の約定等）は当然に移転する。基本権たる利息債権を問題とするとその移転を認めることになるが、利息の合意にすぎないと考えれば、利息についての特約が付いた債権の譲渡と考えれば十分である。他方、既発生の利息債権や違約金債権は、特にこれを含めない限りは譲渡の対象とはならない。

9-11　(b)　**対抗要件**　既発生の利息債権を譲渡する場合も、従たる権利としての当然の移転ではなく、別個の譲渡行為になるため、既発生の利息債権についての対抗要件を満たすことが必要になる。

抵当権、保証債権などの担保も付従性によって移転（随伴）する。随伴性

---

227)　＊**他人の債権の譲渡**　物における他人物売買と同様に、他人の債権を自己の債権と称して譲渡することも考えられる。例えば、A の B に対する 100 万円の債権を、C が A から譲り受けた（または相続した）と称して D に譲渡し、B に確定日付ある証書で譲渡通知をしても、譲渡また通知は無効である。ただ対抗要件を具備した場合、後日譲渡の効果が認められれば、その時点から対抗力が認められる。「自己の権利に属さない他人の有する債権を他に譲渡し、その債権の債務者に対して確定日附ある譲渡通知をした場合にも、原審認定のような事実関係のもとにおいては、その譲渡人に右債権が帰属するとともに特別の意思表示を要せず当然に右債権は譲受人に移転し、その後譲受人は右譲渡通知をもって民法 467 条 2 項の対抗要件を具備した」とした原審の判断は正当と認められている（最判昭 43・8・2 民集 22 巻 8 号 1558 頁）。

第1節 債権譲渡 §Ⅱ 債権の譲渡性と譲渡制限の意思表示

による移転であり、債権譲渡について債務者また第三者に対する対抗要件を具備すれば、担保の移転につき別段の対抗要件を必要としない。

---

§Ⅱ 債権の譲渡性と譲渡制限の意思表示

---

1 譲渡性の原則

9-12 **(a) 財産は譲渡性があるのが原則** 財産権の移転を「帰属」から導くならば（☞ 9-9）、一身専属性が認められない限り、帰属主体はその帰属を他の者に移転させることができる。債務者の承諾は要件ではない。民法も、「債権は、譲り渡すことができる。ただし、その性質がこれを許さないときは、この限りでない」と規定し（466条1項）、債権の譲渡性を原則として宣言している。ローマ法では、債権は人と人の関係であり譲渡が否定されていたが、近代になって債権の譲渡性が認められ、譲渡性を確認する規定が置かれたのがそのまま残されたものである。

9-13 **(b) 債権の譲渡性が制限される場合** 債権の一部のみの譲渡も可能である。また、将来の債権、しかもこれを一定の基準でまとめて譲渡することも可能であり、この点については 9-14 で説明する。譲渡性が制限される場合は次の2つの場合である。譲渡禁止特約は、譲渡性を否定することはできず、債権者に対する債権的効力しかないことは後述する（☞ 9-40）。

> ① 性質上許されない場合（466条1項ただし書）
> ② 法律の規定により譲渡が禁止されている場合（各法律規定☞ 9-57）

---

2 将来の集合債権の譲渡（対抗要件との関係も含む）

9-14 **(1) 有効要件**

(a) 当初の判例は特定性＋αの要件を設定 古く大審院時代の判例は、一般論として将来債権譲渡の有効性を広く認め（大判昭9・12・28民集13巻2261

第9章 債権譲渡・債務引受・履行の引受・有価証券

頁）、戦後は最判昭53・12・15（☞9-15）が出され、将来の不特定多数の債権の譲渡を認め、その要件として、①債権が特定されていることだけでなく（ⓑⓓ）、②発生の確実性（ⓒ）、また、③それほど遠い将来のものではないこと（ⓐ）を要件とした。しかし、その後、最判平11・1・29により、①は必須ではあるものの、②は不要とされ、③は公序良俗違反の判断に解消されることになった（☞9-18）。

9-15

> ●**最判昭53・12・15判時916号25頁** ［事案］保険医が不特定多数の被保険者に対して診療することにより、将来取得すべき国民健康保険団体連合会・社会保険診療報酬支払基金等の支払機関に対する診療報酬債権の譲渡が問題とされた事例（1年分の譲渡担保）である。
> ［判旨］「現行医療保険制度のもとでは、診療担当者である医師の被上告人ら支払担当機関に対する診療報酬債権は毎月一定期日に1か月分づつ一括してその支払がされるものであり、その月々の支払額は、医師が通常の診療業務を継続している限り、一定額以上の安定したものであることが確実に期待されるものである。したがって右債権は、将来生じるものであっても、ⓐそれほど遠い将来のものでなければ、特段の事情のない限り、ⓑ現在すでに債権発生の原因が確定し、ⓒその発生を確実に予測しうるものであるから、ⓓ始期と終期を特定してその権利の範囲を確定することによって、これを有効に譲渡することができるというべきである」と判示して、一定の制限の下に譲渡性を認めた。

9-16 **(b) その後の判例と改正法**

㋐ 判例変更 債権の特定性以外にⓐⓒのような要件を設定することは、比較法的にみて異例であった。そのため、学説の批判を受け、判例はその後9-18のように変更される。特定性があればよく、どれだけ取引がされるか不確実なものでもよい。期間を制限しようとした点は、債務者の事業への支障や他の債権者に対する担保の独占という観点から、公序良俗違反により規制をすればよく、しかも、それは期間だけにかかる問題ではない。ある賃貸ビルの賃料債権全部を10年分譲渡しようと、ほかにいくつも賃貸ビルを持っていれば公序良俗違反とはならない。また、全部無効ではなく、相当期間を超える期間部分の譲渡を公序良俗違反により無効とすることも考えられる。

9-17 **㋑ 改正法** 改正法は、将来債権の譲渡が有効なことを宣言するだけで（466条の6第1項）、要件については規定せず解釈に任せた。そのため、改正

357

後も上記判例の先例価値が認められることになる。予め譲渡された債権がその後に成立した場合、「譲受人は、発生した債権を当然に取得する」とのみ規定がされている[228]（同条2項）。集合債権の場合、その法的構成は明らかにされておらず、この規定は解釈に委ねられている（☞ 9-25 以下）。

9-18 ●**最判平 11・1・29 民集 53 巻 1 号 151 頁** (1) **事案** Ｙが医師であるＡに融資をし、その債権回収のために、Ａから、ＡのＢ（社会保険診療報酬支払基金）に対する昭和 57 年 12 月から平成 3 年 2 月までの各月の診療報酬債権の一定額を目的とする債権譲渡を受け、これにつき確定日付ある証書でＢに通知がされている。その後、Ａが国税を滞納したので、Ｘ（国）は、平成元年 7 月から平成 2 年 6 月までの 1 年間にＡがＢから受けるべき診療報酬債権を滞納処分として差し押さえた。Ｂが債権者不確知を理由に供託をしたので、ＸＹ間で供託金還付請求権の帰属をめぐって争いになり、Ｘが差押えにより取立権を取得したことの確認をＹに対して求めた。原審判決は、9-15 判決を当てはめて、ＹＡ間の債権譲渡契約の効力を否定し、Ｘの請求を容認した。最高裁はＹによる上告を受け入れ、9-15 判決を以下のように変更して、ＹＡ間の契約を有効と認めている。

9-19 (2) **判旨①——特定性が必要** ①「弁済期が到来すべき幾つかの債権を譲渡の目的とする場合には、適宜の方法により右期間の始期と終期を明確にするなどして譲渡の目的とされる債権が特定されるべきである」。②「原判決は、将来発生すべき診療報酬債権を目的とする債権譲渡契約について、一定額以上が安定して発生することが確実に期待されるそれほど遠い将来のものではないものを目的とする限りにおいて有効とすべきものとしている。しかしながら、……右債権が見込みどおり発生しなかった場合に譲受人に生ずる不利益については譲渡人の契約上の責任の追及により清算することとして、契約を締結するものと見るべきであるから、右契約の締結時において右債権発生の可能性が低かったことは、右契約の効力を当然に左右するものではない」。

9-20 (3) **判旨②——公序良俗による規制** 「もっとも、契約締結時における譲渡人の資産状況、右当時における譲渡人の営業等の推移に関する見込み、契約内容、契約が締結された経緯等を総合的に考慮し、将来の一定期間内に発生すべ

---

228) これは、最判平 19・2・15 民集 61 巻 1 号 243 頁の「将来発生すべき債権を目的とする債権譲渡契約は、譲渡の目的とされる債権が特定されている限り、原則として有効」であり（最判平 11・1・29 民集 53 巻 1 号 151 頁を援用）、「将来発生すべき債権を目的とする譲渡担保契約が締結された場合には、……譲渡担保の目的とされた債権が将来発生したときには、譲渡担保権者は、譲渡担保設定者の特段の行為を要することなく当然に、当該債権を担保の目的で取得することができ」、この場合に、「譲渡担保契約に係る債権の譲渡については、指名債権譲渡の対抗要件（民法 467 条 2 項）の方法により第三者に対する対抗要件を具備することができる」（最判平 13・11・22 民集 55 巻 6 号 1056 頁を援用）というのに倣ったものである。

第9章 債権譲渡・債務引受・履行の引受・有価証券

き債権を目的とする債権譲渡契約について、<u>右期間の長さ等の契約内容が譲渡</u><u>人の営業活動等に対して社会通念に照らし相当とされる範囲を著しく逸脱する</u><u>制限を加え、又は他の債権者に不当な不利益を与えるものであると見られるな</u><u>どの特段の事情の認められる場合には、右契約は公序良俗に反するなどして、</u><u>その効力の全部又は一部が否定される</u>ことがある」（YA 間の契約には効力を否定されるべき特段の事情はない）。

9-21 **(2) 将来債権譲渡の対抗要件**

(a) 判例の状況

(ア) 判例は対抗要件具備を認める 最判平 13・11・22 民集 55 巻 6 号 1056 頁は、「既に生じ、又は将来生ずべき債権は、甲から乙に確定的に譲渡されており、……上記債権譲渡について第三者対抗要件を具備するためには、指名債権譲渡の対抗要件（民法467条2項）の方法によることができる」という（最判平 19・2・15 民集 61 巻 1 号 243 頁も同様）[229]——譲渡人に取立権限を認め、債務者に譲渡人への支払を求めても、第三者対抗要件の効果を妨げるものではないともいう——。

9-22 **(イ) 法的構成は不明** 物については「集合物」に 1 つの所有権を認めて、その移転の対抗要件具備が認められているが、判例は、集合債権については 1 つの集合債権を認めその対抗要件の具備は認めていない。個々の債権の譲渡の対抗要件を問題にするしかない。後述 9-29 の立場では、その基本権限の譲渡の対抗要件を問題にすることになるが、判例はそのような立場は明言していない。

9-23 **(b) 改正法による明文化・法的構成の留保**

(ア) 改正法による明文化 将来債権譲渡でも、譲渡について契約時の譲渡通知で包括的に対抗力を保全できることになる。集合物の場合に個々の動産に効力が及ぶのは構成部分になった時であるが、対抗力は当初の占有改定により包括的に認められるのと同様に考えられる。改正法は 467 条 1 項括弧書（2 項はこれを前提）に「現に発生していない債権の譲渡を含む」と規定

---

229) 民法の対抗要件は債務者への通知が必要なので、甲建物の賃料債権といったように、誰が賃借人（債務者）になるか未確定の場合には、対抗要件を具備することは難しい。ところが、譲渡特例法では、このような集合債権譲渡も登記可能であり、第三者対抗要件に限ってではあるが、対抗力を取得することが可能である（☞ 9-71）。

第1節　債権譲渡 | §Ⅱ　債権の譲渡性と譲渡制限の意思表示

し、予め発生前に対抗要件具備が可能なことを規定している。

9-24　　**(イ)　基本権限の譲渡構成の可能性**　ただし、個々の債権を発生させる法的地位の譲渡を問題とし、個々の債権は譲受人の下で発生するという構成では、「譲渡」されるのはこの法的地位であり、これについての対抗要件具備を問題にすることができる（☞9-29）。改正法は、467条1項括弧書で対抗の対象としては、あくまでも「債権」の譲渡を問題にしている。

9-25　　**◆集合債権の譲渡は何の譲渡か**
　　(1)　最判平19・2・15民集61巻1号243頁
　　　(a)　個々の債権を当然に取得する　標記判決は、466条の6第2項の「譲受人は、発生した債権を当然に取得する」との規定導入に際して参考とされた判決である。租税債権との優劣が問題とされた事例である。「譲渡担保の目的とされた債権が将来発生したときには、譲渡担保権者は、譲渡担保設定者の特段の行為を要することなく当然に、当該債権を担保の目的で取得する」ことを認める。

9-26　　　**(b)　その前提としての「財産」の取得**　国税徴収法24条6項（法定納付期限前に譲渡担保財産になっていたことを適用除外のために要求する）[230]の解釈においては、「国税の法定納期限等以前に、将来発生すべき債権を目的として……譲渡担保契約が締結され、その債権譲渡につき第三者に対する対抗要件が具備されていた場合には、譲渡担保の目的とされた債権が国税の法定納期限等の到来後に発生したとしても、当該債権は『国税の法定納期限等以前に譲渡担保財産となっている』ものに該当する」という。

　　債権の取得は債権の発生時だが、集合債権譲渡担保の合意がされその対抗要件を具備していれば、すでに譲受人の「譲渡担保財産」になっているというのである。譲受人はすでに何を「財産」として取得しているというのであろうか。

9-27　　**(2)　法的構成の可能性**
　　　(a)　分析的構成（将来債権の譲渡の包括的予約）
　　　❶　包括的な対抗力取得を認める考え　物とは異なり1つの「集合債権」を観念しえないため、個々の債権を問題にする分析的構成が考えられる。将来債権の譲渡の包括的な予約がされ、債権が発生するごとに当然に譲渡の効力が発生することになる。ただその対抗力の取得時期については、2つの考えが可能である。1つは、包括的な1つの対抗要件でよいだけでなく、その対抗力もその時点で保全され、債務者がその後に倒産しようと破産管財人に対抗できるという理解である。これであれば、譲渡担保権者は安心して融資ができる。

9-28　　　**❷　個々の債権発生時に対抗力取得を認める考え**　他方で、包括的な1つの対

---

230)　当時の国税徴収法24条6項は「譲渡担保権者が国税の法定納期限等以前に譲渡担保財産となっている事実を、その財産の売却決定の前日までに、証明した場合」等には、譲渡担保権者の物的納税責任について定めた同条1項の規定は適用しない旨規定していたということである。

第9章　債権譲渡・債務引受・履行の引受・有価証券

抗要件具備でよいが、対抗力は実際に債権が成立し譲渡の効力が発生した時に認められるという考えも可能である。しかし、これでは、債務者が倒産した場合には担保として意味をなさないことになる。他の債権者の利益との調整は公序良俗で行うというのが判例の立場であるので、判例は❶と理解してよい。

9-29　**(b)　何らかの基本的権限の移転を想定する学説**

(ア)　譲受人の下で将来の債権は発生　物のように集合物という個々の動産を包含する概念を設定して、それについて対抗要件具備を認めることはできないが、債権の場合には債権だからこそ、その発生原因を問題にした解決が考えられる。以下の考えでは、将来の債権は譲受人の下で発生することになる。

9-30　**(イ)　学説は様々**　①「当該債権の債権者たる地位や処分権能は、譲渡時に譲受人に移転する」という学説（池田真朗『債権譲渡の発展と特例法』[2010] 193頁）、②「譲渡の目的となった債権が発生したときに、当然にその債権者となる法的地位」を譲渡人から譲受人に確定的に移転することと理解する学説（中田689頁）、③将来発生する債権について「債権者となる地位」が、「将来債権」という1つの財貨として移転するという学説（潮見・新Ⅱ362頁）、④「目的債権の帰属の変更という『債権譲渡の効果』が確定的に生じている」、「譲受人には、当該債権が発生したときにはこれを当然に取得し得る法的権能が帰属している」という学説（森田宏樹「将来債権譲渡」潮見佳男ほか編『詳解改正民法』[2018] 275頁、277頁）などがある。

9-31　**(ウ)　利息や賃料のような構成**　利息や賃料の基本権たる債権、支分権たる債権と同様の構成を提案する学説もある。すなわち、一定の要件を満たせば一定の債権を取得しうる法的地位を基本的将来債権とし、これから具体的債権（具体的将来債権）が発生する。基本的将来債権が将来債権譲渡の対象であり、譲受人の下で具体的将来債権が当然に成立する（石田950頁）。

9-32　**(c)　本書の立場**　本書も(b)の立場であり、年金であれば、年金受給権という基本権とこれに基づいて発生する個々の年金債権のように——これを基本権たる「債権」・支分権たる債権という必要はない——、個々の債権を発生させる法的地位の一定期間分の譲渡を認め、譲受人の下でその期間分の個々の債権が発生することになる。以上の学説は説明に差はあれ、基本的理解に差はない。

9-33　**◆将来債権の譲渡予約**

将来債権の譲渡予約は、「本件予約においては、AにXに対する債務の不履行等の事由が生じたときに、Xが予約完結の意思表示をして、Aがその時に第三債務者であるYらに対して有する売掛代金債権を譲り受けることができるとするものであって、<u>右完結の意思表示がされるまでは、Aは、本件予約の目的となる債権を自ら取立てたり、これを処分したりすることができ、Aの債権者もこれを差し押さえることができる</u>のであるから、本件予約が、Aの経営を過度に拘束

361

第1節　債権譲渡　§II　債権の譲渡性と譲渡制限の意思表示

し、あるいは他の債権者を不当に害するなどとはいえず、本件予約は、公序良俗に反するものではない」とされている（最判平 12・4・21 民集 54 巻 4 号 1562 頁）。その反面、「指名債権譲渡の予約につき確定日付のある証書により債務者に対する通知又はその承諾がされても、……上記予約の完結による債権譲渡の効力は、当該予約についてされた上記の通知又は承諾をもって、第三者に対抗することはできない」ことになる（最判平 13・11・27 民集 55 巻 6 号 1090 頁）。その結果、予約形式は実際には使われなくなっている。

9-34

◆停止条件付き債権譲渡

(1)　条件成就時の債権が譲渡の対象

特定の第三債務者らに対する現在および将来の売掛代金債権を債権者に包括的に譲渡することとし、その債権譲渡の効力発生時期について、破産手続開始の申立てがされたとき等として、債務者に信用不安が生じた時に直ちに、債権譲渡の効力が生じたものとして債権譲渡の通知をすることも可能である。これは、一方で停止条件成就までは債権譲渡の効力は生じておらず取り過ぎで公序良俗違反になることを避け──この点は予約と同じ──、譲渡自体は事前に行って危機時期にその効力を生じさせ、破産法 160 条 1 項 2 号の危機否認の適用を避けることが意図されている。

9-35

(2)　判例は危機否認を認める

ところが、最高裁は、旧破産法 72 条 2 号（現 160 条 1 項 2 号）の、危機時期の到来後に行われた債務者による担保供与等の行為を全て否認の対象とし、債権者間の平等および破産財団の充実を図ろういう同規定の趣旨に反し、その実効性を失わせるものであり、「その契約内容を実質的にみれば、上記契約に係る債権譲渡は、債務者に支払停止等の危機時期が到来した後に行われた債権譲渡と同視すべきもの」であるとして、危機時期以前になされた停止条件付き債権譲渡が否認権の対象となることを認めた（最判平 16・7・16 民集 58 巻 5 号 1744 頁）。その結果、この方式も実務では用いられなくなっている。

9-36

◆将来の賃料債権の譲渡（または差押え）とその後の事由との関係

(1)　賃貸借契約の終了等

将来の賃料債権譲渡後に賃貸借契約が解除されれば、債務不履行解除だけでなく合意解除でもそれ以降の賃料債権は発生しないので、譲受人が債権を取得することはなく、また、譲渡後に賃貸人と賃借人につき混同があった場合も同様である（差押えの事例であるが、最判平 24・9・4 金判 1413 号 46 頁）。債務免除については、債権譲渡では、もはや譲渡人は受領はできても免除の権限はなくその免除は無効であり、将来債権たる賃料債権の差押え（民執 151 条）の事例について、賃貸人による免除を差押債権者に対抗できないとされている（最判昭 44・11・6 民集 23 巻 11

第9章　債権譲渡・債務引受・履行の引受・有価証券

号 2009 頁）。9-29 の考えでも、契約の存在は当然の前提であり、契約終了後の基本的権限は失効する。

9-37　**(2)　賃貸不動産の譲渡**

　問題は、賃貸不動産が第三者に譲渡された事例である。賃料は法定果実として元物の所有者に帰属する（89 条 2 項）。将来の賃料債権の譲渡後に、賃貸不動産が譲渡された事例につき、東京地裁執行処分平 4・4・22 金法 1320 号 65 頁は、「賃料債権は賃貸人の地位から発生し、賃貸人の地位は目的物の所有権に伴うものである。ゆえに、賃貸人であった者も所有権を失うと、それに伴って賃貸人の地位を失い、それ以後の賃料債権を取得することができない」。「賃料債権の譲渡人がその譲渡後に目的物の所有権を失うと、譲渡人はそれ以後の賃料債権を取得できないため、その譲渡は効力を生じないこととなる」と判示する[231]。改正法では立法で解決することが検討されたが、調整が難航し規定を置くことは断念された。9-29 の考えでは、債権ではなく債権を取得しうる法的地位の譲渡なので、賃貸不動産が譲渡されても有効なままで、その譲渡人の下で依然として賃料債権が発生する。

3　債権の性質による譲渡性の否定

9-38　**(a)　性質上譲渡できない債権**　債権はその性質上譲渡が認められないことがある（466 条 1 項ただし書）。問題となるのは金銭債権以外であり、また、債権だけの問題ではなく、契約上の地位が一身専属性を認められる場合も考えられる。まず、債権者により給付内容が変わってくる場合である。例えばＡの甲建物の塗装をしてもらう契約上の債権を、別の建物を所有するＢに譲渡することはありえない。交互計算（商 529 条）に組み入れられた債権のように、特定の債権者との間に決済されるべき特殊な事情ある債権も、性質上譲渡ができない（大判昭 11・3・11 民集 15 巻 320 頁）。

9-39　**(b)　契約上の地位が問題となる事例**　その債権の基礎になっている契約が

---

231)　他方で、将来の賃料債権の差押え後に、賃貸建物が譲渡された事例につき、最判平 10・3・24 民集 52 巻 2 号 399 頁は、「建物所有者の債権者が賃料債権を差し押さえ、その効力が発生した後に、右所有者が建物を他に譲渡し賃貸人の地位が譲受人に移転した場合には、右譲受人は、建物の賃料債権を取得したことを差押債権者に対抗することができない」。「けだし、建物の所有者を債務者とする賃料債権の差押えにより右所有者の建物自体の処分は妨げられないけれども、右差押えの効力は、差押債権者の債権及び執行費用の額を限度として、建物所有者が将来収受すべき賃料に及んでいるから（民事執行法 151 条）、右建物を譲渡する行為は、賃料債権の帰属の変更を伴う限りにおいて、将来における賃料債権の処分を禁止する差押えの効力に抵触するというべきだからである」という。賃貸人が賃料債権を取得するという 87 条 2 項の原則とは抵触せず、それへの差押えの効力が問題になっている点が、賃料債権の譲渡事例とは異なる。

363

当事者の特別の信頼関係に依拠する場合には、相続性はなく譲渡性も認められない。使用借権（594条2項）、賃借権（612条1項）、雇主の権利（625条1項）について、債権譲渡ができないことが明記され、規定はないが、委任契約上の債権も譲渡できないと考えられている（大判大6・9・22民録23輯1488頁）。ただし、債務者が承諾をすれば契約の譲渡が認められる（淡路434頁）。また、抽選によって取得したマラソン大会に出場する権利、入学試験に合格して入学手続を経て在学契約上の種々の債権なども、その人限りであり相続や譲渡の対象にならない。

4 譲渡制限の意思表示（譲渡制限特約）

9-40 **(1) 物権的効力から債権的効力へ**

(a) 改正前の物権的効力説による立法　改正前は、**物権的効力説**が採用され、物権とは異なり債権は譲渡性のない債権を創ることができ、ただ取引安全保護のため、譲受人が善意の場合には譲渡禁止特約を対抗できないものと規定していた（旧466条2項）。起草者は、このような立法は少数であることを認識しつつ、それが「今日の日本の国情に最も通じる」（譲受人による過酷な取立てから債務者を保護する）という理解に基づいて、譲渡禁止を認める規定を置いたのである（池田眞朗『債権譲渡と民法改正』[2022] 157頁）。

9-41 **(b) 改正法による債権的効力説への変更**

㋐ 債権的効力説の採用　改正法は、これを一変し、「当事者が債権の譲渡を禁止し、又は制限する旨の意思表示（以下「譲渡制限の意思表示」という。）をしたときであっても、債権の譲渡は、その効力を妨げられない」と規定した（466条2項）。譲渡の禁止・制限を当事者間の債権的効力にとどめ**（債権的効力説）**[232]、譲受人が悪意の場合に債務者保護との調整を図る規定を置いた（☞9-44）。ただし、預貯金債権については、物権的効力説が維持されている（466条の5第1項）。

---

232)　**＊譲渡人の債務者に対する債務不履行**　譲渡人は債権譲渡をしない債務を負担していたため、債権譲渡をしたことは債務者に対する債務不履行になる。そのため債務者は譲渡人に損害賠償を請求できるが、どのような損害があるのか認定は容易ではない。できれば違反の場合の違約金などを定めておくのが効果的である。また、債務が履行不能になるが、契約全体からみれば付随義務違反にすぎないので、債権を生じさせた売買契約等の契約解除（468条1項が適用され、545条1項ただし書の適用は排除される）は認められない（森田宏樹監修『ケースで考える債権法改正』[2022] 167頁［三枝健治］）。

第 9 章　債権譲渡・債務引受・履行の引受・有価証券

9-42　**(イ)　譲渡禁止と譲渡制限**　なお、用語であるが、債権譲渡を一切禁止する譲渡禁止特約と、譲渡に一定の条件を付ける譲渡制限特約とがあり、民法は両者を包括して「譲渡制限の意思表示」と称している（466条2項括弧書）。この2つのいずれかで、特に民法の規制が変わることはない。単独行為により発生する債権もあるため広く「意思表示」と表記しているが、以下では、両者を含めて「**譲渡制限特約**」と呼ぶ。

9-43　**◆債権的効力説に変更をした理由**

債権的効力説に変更した理由は、①まず比較法的事情[233]、そして、②理論的には、債権の内容は自由に合意できるが、財産権としての債権について第三者に効力を及ぼす合意をすることはできないこと、③また、ABLといった、債権しかも将来の集合債権を譲渡することによる資金調達が官民あげて推進されている現在、その支障になるものは1つでも多く取り除くという政策的配慮（一問一答161頁）、④さらには、物権的効力説では説明ができない判決が出されたということがある[234]。⑤付け加えれば、改正前は、譲受人が善意・無重過失であれば譲渡は有効になり、譲渡人への弁済は無効になるので譲受人に支払わなければならないが、譲受人が善意・無重過失かどうかという微妙な判断に、債務者の譲受人への弁済の有効・無効がかからしめられるという不都合があった。

9-44　**(2)　悪意または重過失ある譲受人に対する債務者の拒絶権──債務者の保護①**

(a)　債権者の拒絶権・譲渡人への弁済権

(ア)　債権者固定の利益の保護　債務者には、譲渡に伴う事務処理や誰に弁済したらよいのかをめぐって生じる紛争を避けるために、債権の譲渡を制限する必要性ないし利益が認められる（**債権者固定の利益または弁済先固定の**

---

233)　フランス民法1321条4項では、譲渡制限がされている場合には、債務者の同意が必要とされるが、他方で、商法442-6条Ⅱは、事業者に対する債権についての譲渡制限を無効としている。要するに個人債務者についてのみ譲渡制限が有効としていることになる（白石大「債権譲渡制限特約に関する法改正の日仏比較」『社会の変容と民法の課題(上)』[2018] 547頁）。

234)　**＊最判平21・3・27民集63巻3号449頁**　譲渡禁止特約付きの請負代金債権が譲渡され、注文者が債権者不確知として請負代金を供託したため、譲渡人が譲受人に対して、譲渡は無効であるとして供託金の還付請求権が自己に帰属することの確認を求め、譲受人が反訴として、債権譲渡が有効であるとして供託金還付請求権が自己に帰属することの確認を求めた事例である。最高裁は、譲渡禁止の特約は、債務者の利益を保護するためのものであり、譲渡人には「譲渡の無効を主張する独自の利益を有しない」、「債務者に譲渡の無効を主張する意思があることが明らかであるなどの特段の事情がない限り、その無効を主張することは許されない」とし、譲渡人の請求を棄却し、譲受人の反訴請求を認容した。譲受人が悪意ないし有過失ならば債権譲渡の効力が生じていないはずであり、どのようにしてこの結論を説明するかについて物権的効力説では難渋したのである。

365

利益）。また、債権者による譲渡は譲渡制限特約の違反である。そのため、改正法は、譲渡の効力を認めた上で、譲渡制限特約につき悪意または重過失のある「譲受人その他の第三者に対して」（差押債権者、代位債権者、破産管財人なども含まれる）、債務者は、①「その債務の履行を拒むことができ」——抗弁権があるので相殺もできない——、かつ、②「譲渡人に対する弁済その他の債務を消滅させる事由をもってその第三者に対抗することができる」と規定した（466条3項）[235]。

9-45 **(イ) 受領権のない譲渡人への弁済が有効** 債務者には譲受人に対する拒絶権だけでなく、譲渡人に本規定により取立権・受領権が付与されるわけではないが[236]、478条同様に受領権のない者への弁済を有効と主張する権利が与えられていることになる——譲渡人は譲受人に対して、不当利得返還義務を負う——。善意または重過失は譲渡時を基準とする。譲受人は次に述べるように、譲渡人への支払請求ができるので、譲り受けた債権の時効の起算・進行には何ら影響はない。

9-46 **(ウ) 適用事例** 善意・重過失の対象は譲渡制限特約である。譲渡制限特約は知っていたが、債務者の承諾を得ていると信じていた場合には、債務者の承諾につき善意・無過失であれば、466条3項の適用は排除されると考えるべきである。なお、質権設定も債務者の債権者固定の利益を実質的に害するため、466条2項以下は債権質に準用されていないが、類推適用されるべきである（重要論点95頁［末廣]）。

9-47 **(b) デッドロック（膠着）状態とその解消**

(ア) 譲渡人への支払請求権 上記(a)の事例では、債務者は、悪意の譲受人には上記の拒絶権を行使し、他方で、譲渡人にも〝支払うことができる〟というだけで、誰にも支払わなくてよい状態になる（デッドロック［＝膠着]

---

235) 二重譲渡された場合には第三者対抗要件を満たした譲受人につき、466条3項の適用が問題になる。第三者対抗要件を満たせば譲受人が悪意であっても同項の対抗を受けるだけで債権を取得しうることになる。複数の譲受人が同時に第三者対抗要件を具備した場合には、債務者は、悪意の譲受人には拒絶権が認められるが、善意無重過失の譲受人に対しては拒絶権は認められないことになる。

236) 譲受人が、譲渡人に取立権を付与することができるのかは議論されているが、債権はあっても取立権がない者が、他人に取立権（代理権受領権）を付与することはできない。これは、譲渡人に対する取立権の付与も同様である。ただし、取立権（請求権）もあるが法定の拒絶権が債務者に付与されているのだとすると、取立権の付与は有効だが、第三者への付与同様に、譲渡人に付与しても債務者には466条3項の拒絶権が認められることになる。

状態）。民法は、この状況を打開するために、「債務者が債務を履行しない場合において、同項に規定する第三者が相当の期間を定めて譲渡人への履行の催告をし、その期間内に履行がないときは、その債務者については、[466条3項を] 適用しない」とした（同条4項）。譲渡人には取立権はないので、譲渡人が請求しても無効である。

9-48　**(イ)　譲渡人への支払がされなかった場合**　譲受人が、債務者により466条3項の抗弁を行使された場合、相当期間を定めて譲渡人への履行を催告して、その期間内に譲渡人に履行をしなかったならば、同項の適用が排除されることになる[237]。この催告ができるのは同項に規定する第三者であり、譲受人だけでなく、譲受人の差押債権者なども含まれる。

　相当期間経過後に譲渡人への弁済等ができなくなるので、債務者の譲渡人について生じた事由の対抗に関する規定が、この場合には対抗要件具備ではなくこの相当期間経過時と読み替えられている（468条2項・469条3項）。

9-49　**(ウ)　譲渡人に破産手続開始があった場合の供託請求権**　譲受人が、債権全額を譲り受け、債務者その他の第三者対抗要件を満たしている場合には、譲渡制限特約につき悪意または重過失があっても、譲受人は「債務者にその債権の全額に相当する金銭を債務の履行地の供託所に供託させることができる」（466条の3）。この場合には、466条の2第2項・3項が準用される。本規定は366条3項と「同様の規定」と説明されている（潮見・概要152頁）。譲渡人に支払われることを避け、倒産手続外での債権の回収ができるようにしたのであり、悪意の譲受人は、供託請求と譲渡人への支払請求のいずれが適切か、事例ごとに判断し選択する必要がある。供託請求権の履行の強制は、民事執行法157条4項によることになる。

9-50　**(エ)　供託請求権の要件**　上記供託請求権の要件は、①全額の譲受けと、②対抗要件の具備だけである。善意・無重過失は要件ではない。善意・無重過失の譲受人は自分への支払請求ができるが、供託金請求権も認められる。466条3項の拒絶権が認められるのは、譲受人への支払請求に対してに限

---

237)　**＊同時履行の抗弁権付きの債権の場合**　譲渡制限特約付きの債権が売買代金債権であり、債務者たる買主が目的物の引渡しとの同時履行の抗弁権を主張できる場合、466条4項の譲受人による譲渡人に対する支払請求に対しても、債務者（買主）は同時履行の抗弁権を対抗することができる。したがって、債務者は譲渡人への支払請求も拒絶できるため、相当期間経過しても466条4項の効果は認められない（白石大「債権譲渡制限特約を譲受人に対抗しうる場合の法律関係」法教478号［2020］22頁参照）。

第1節　債権譲渡 §Ⅱ　債権の譲渡性と譲渡制限の意思表示

られる。したがって、供託請求されたのに、債務者が譲渡人に支払ってしまった場合、譲受人が悪意でもその弁済は無効となる。

9-51 **(3)　債務者の供託権——債務者の保護②（新たな供託原因）**

　　譲渡制限特約がされた金銭債権が譲渡された場合、債権譲渡は上記のように有効であり債権者は不明ではない。しかし、民法は、債務者を保護するために、債務者に譲受人に対する拒絶権を認めると共に、債権全額についての履行地の供託所における供託権を認めた（466条の2第1項）。譲受人の悪意または重過失は要件とはされていない。債務者は、この供託をした場合、遅滞なく、譲渡人および譲受人に対して供託の通知をしなければならない（同条2項）。この場合、供託金の還付請求は、譲受人のみがなしうる（同条3項）。

9-52 **(4)　譲渡ではなく差押えがされた場合——譲渡制限特約は対抗できない**

　　(a)　差押えには対抗できない　私人の合意によって差押えのできない債権を作り上げることはできないため、悪意または重過失ある「第三者」に対する履行拒絶などを認める466条3項は、「譲渡制限の意思表示がされた債権に対する強制執行をした差押債権者に対しては、適用しない」ものとされる（466条の4第1項）。譲渡制限特約付きの債権の差押えがされた場合、差押債権者が譲渡制限特約を知っていても、差押えは妨げられず、預貯金債権についても同様である（466条の5第1項・2項）。

9-53 　　**(b)　悪意・重過失の譲受人の差押債権者（対抗可能）**　譲渡制限特約付きの債権が譲渡され、譲受人が悪意または重過失により466条3項の制限を受ける場合には、譲受人の債権者がこの債権を差し押さえたとしても、債務者は466条3項の事由をこれに対抗することができる（466条の4第2項）。譲受人の債権者は譲受人以上の保護は受けられないためである。

9-54 ◆**将来債権譲渡後の譲渡禁止特約**

　　将来債権が譲渡された場合、譲渡制限特約についての譲受人の悪意・重過失は、譲渡時を基準として判断されるはずである。したがって、途中で悪意になったからといって、それ以降に発生した債権について466条3項が適用されることはない。ただ、譲渡後、467条の対抗要件具備時までに譲渡人と債務者とで譲渡制限特約が結ばれた場合、「譲受人その他の第三者がそのことを知っていたものとみなして」、466条3項（預貯金債権については466条の5第1項）が適用される（466条の6第3項）。譲渡を知らずに、債務者が譲渡制限特約をした場合に、債務者対抗要件を満たしていないので、弁済は有効であり譲受人にも主張で

368

第9章　債権譲渡・債務引受・履行の引受・有価証券

きるが、譲渡制限特約は 468 条 1 項の対抗事由とはいえないので（譲渡性は否定されない）、あえて悪意と擬制することで 466 条 3 項を適用したのである。

9-55　◆転得者との関係
(1)　悪意譲受人からの転得者
　譲渡制限特約につき譲受人が悪意でも、譲受人は債権を取得しておりその行使が制限されるだけである。よって、債権を譲渡することができ、転得者は、悪意または重過失でない限り、債権を有効に取得しかつその行使が制限されることはない。転得者も悪意であれば、466 条 3 項が適用されることは疑いない。A の B に対する債権につき、C が悪意で取得、C が債権をさらに D に譲渡し D も悪意だとすると、B は D の支払請求を拒絶できるが、D は 466 条 4 項に基づき誰への支払を請求できるかというと、支払を固定された A になる。債務者 B が 466 条 3 項で弁済できる「譲渡人」は A になる。

9-56　**(2)　善意の譲受人からの悪意転得者**
　他方、善意譲受人からの悪意転得者については、①譲受人が善意・無重過失であれば、債務者の債権者固定の利益は失われていることから、藁人形の事例を除き、債務者は特約を転得者に対抗できないという学説が有力である（潮見・新 II 401 頁、中田 634 頁、奥田・佐々木・下巻 824 頁）。②しかし、466 条 3 項の法定の制限は、債権の取得を否定するのではなく、債務者に拒絶権を認めるだけなので、悪意転得者も同項の制限を受けると考えることができる。例えば、A の B に対する債権を善意の C が譲り受け、悪意の D が転得した場合にも、C の所での債権者固定の利益の主張を認めるべきである。D は、同条 4 項により、B に対して C への支払を請求でき、同規定の「譲渡人」は C になる。

5　法律による譲渡禁止

9-57　法律により譲渡が禁止されている債権が譲渡されても、譲渡は無効である。譲渡禁止債権としては、民法上のものとして扶養請求権（881条）、特別法のものとして、恩給受給権（恩給11条1項）、生活保護を受ける権利（生活保護59条）、年金受給権（国民年金24条）、災害補償を受ける権利（労基83条2項など）、社会保険給付を受ける権利（健康保険61条など）がその例である。生活のための財源として債権者が確実に給付を得られることを保障し、自己の債権者に迫られて譲渡させられるのを防止しようとするものである。振込み指定などの効力も否定され、また、債権者への取立委任は脱法行為となり無効となる。

第1節 債権譲渡 §Ⅲ 債権譲渡の効力および債務者への対抗要件

9-58 **◆差押禁止債権との関係**
　譲渡が法律上禁止された債権は、債権者本人が給付を受けることを保障するものであるから差押えも禁止される。しかし、民事執行法152条の差押禁止債権の全てについて譲渡が禁止されているわけではない。通説は、差押禁止財産は債務者（差押禁止債権の債権者）の意思に基づかないでその処分を禁じるだけの場合もあり、その場合には債務者が譲渡することは許され、債権の譲渡まで許されないかは個別に考えている（我妻525～526頁、於保306頁、奥田434頁）。同条の差押禁止債権に着目して、債権者の生活保障のために差押えを禁止するものであり、譲渡も禁止しなければならないと考える学説もある（林ほか492頁、前田401頁、淡路435頁、潮見Ⅱ539頁）。後者が適切である（ドイツ民法400条は、差押禁止債権の譲渡を禁止している）。

§Ⅲ
債権譲渡の効力および債務者への対抗要件

1　総論

9-59 **(1)　債権譲渡の効力総論──債権と共に移転する権利関係**
　(a)　債権者が援用する権利関係　債権譲渡の効力は、譲渡人から譲受人に債権が同一性を保って移転することである。①その債権に担保が付いていれば、保証債権、抵当権なども当然に移転する（随伴性）。②債権に利息の約束がされていれば、そのような特約付きの債権として移転する（☞9-10）。③譲渡された債権につき詐害行為取消権が成立していれば、譲渡前の詐害行為であっても譲受人に取消権が帰属する。

　これに対して、契約解除権や契約取消権は、契約当事者たる地位と結び付いた権利であり、契約当事者たる地位が移転していないため、債権と共に移転することはない（解除権につき、大判大14・12・15民集4巻710頁）。

9-60 　**(b)　債務者が援用する権利関係**　他方で、債務者側の地位については、その債権に対して債務者が有する同時履行の抗弁権、時効援用権などの権利は、債務者が債権譲渡によりいわれのない不利益を受けるべきではないので、債務者は譲受人に対抗しうる（☞9-87）。また、債権を発生させた契約についての取消権や解除権も譲受人に対抗でき、例えば契約を取り消して譲

370

第9章　債権譲渡・債務引受・履行の引受・有価証券

受人の取得した債権を消滅させることができる。さらに、債務者が債権者に債権を有していて相殺を期待できたのに、債権が譲渡されたことにより、相殺の期待を害されるべきではなく、譲受人に対して相殺をもって対抗できて然るべきである。改正法は相殺について、469条に詳細な規定を設けて規律している（☞9-97）。

9-61　**(2)　債権譲渡の対抗要件総論**

　　物の譲渡と異なって、債権の場合は譲渡の客体が債務者に対する権利であるため、債権譲渡では2つの局面での対抗が考えられる。この2つの区別をしない学説もある（石田960頁）。

> ①　第三者への対抗（467条2項）
>
> ②　債務者への対抗（同条1項）

9-62　**(a)　第三者への対抗**　①は、物権と同様の「第三者」との対抗関係である。同一の債権が複数人に譲渡された場合のみならず、一方で譲渡、他方で債権質の設定という対抗関係も考えられる。民法は、フランス民法に倣い（当時の規定）、確定日付のある証書による譲渡人による債務者への通知または債務者による承諾を対抗要件とした（467条2項）。

9-63　**(b)　債務者への対抗**　②は、物権にはない債務者に対する権利（相対権）という特質から、債権特有の対抗として問題となる。債務者に対して譲受人が債権者と認められるための要件、いわば権利行使要件である。債務者への対抗要件は、第三者に対するよりも要件が緩和されている（467条1項）。

9-64　**◆2つの立法主義**
**　　　ドイツ主義（当然対抗主義）とフランス主義（対抗要件主義［制定当時］）**
(1)　当然対抗・債務者の劣後譲受人への弁済保護（ドイツ法）

　　物権変動同様に、債権譲渡における債務者また第三者との関係の規律については、ドイツ民法とフランス民法とには顕著な差が認められる（池田眞朗『債権譲渡の研究［増補二版］』［2004］16頁）。

　　まず、ドイツ民法は、絶対的法律関係しか認めず、対抗不能という相対的な権利関係は認めない。債権譲渡では、物権行為を別個に要求する形式主義は採用せず、先に債権譲渡を受けた者が債権を取得できる。また、債務者にも債権譲渡を

371

当然に対抗できる。債権譲渡を知らない債務者を保護するため、譲渡人や二重に譲渡を受けた第2譲受人にした善意による弁済を有効としている（同法407条・408条）。また、譲渡人が債務者に譲渡通知をした場合には、通知を受けた譲受人に弁済をすれば、それが先に債権を取得した者でなくても有効となる（同法409条）。

9-65

(2) 対抗要件主義（フランス法）——改正により債務者に限定

(a) 当初規定は対抗要件主義　他方で、フランス民法では、当初規定では（旧1690条）、第三者——債権譲渡の当事者以外の者であり債務者も含まれる——に対しては、債務者への通知（譲受人による裁判所の執達吏を利用した送達［裁判所を介することで真正を確保し、また、配達日付が記録される］）または債務者の承諾（第三者との関係では公正証書、債務者との関係では私署証書でよい）を対抗要件としていた。日本民法の467条は、これを修正した対抗要件主義を導入した。

9-66

(b) 債務者への対抗要件だけに変更　2016年改正により、債権譲渡は書面によらなければ効力を生じないものとして要式行為となり（1322条）、その証書の日付時に債権譲渡の効力が生じ（1323条1項）、かつ、それだけで第三者に対抗することができるものとされ、争いがあればその証明責任は譲渡人が負い、その証明はいかなる方法によることも可能であるとされた（同条2項）。競合する債権譲渡は証書の日付が先の譲渡が優先するものと、ドイツ同様の当然に債務者以外の第三者への対抗を認めた（1325条）。他方で、債務者に対しては、通知をするかまたは承諾を受けて初めて対抗できるものと規定した（1324条1項）[238]。事業上の債権の譲渡については、特別法としてダイイ法が導入されている。

9-67

(3) 日本法の特殊性

(a) 第三者への対抗要件の緩和　日本民法は、改正前のフランス民法を参考にして対抗要件主義を導入したが、かなり制度設計が異なっている。まず、裁判所の執達吏（現行法の執行官）による譲渡通知は要求しない。その代わり通知の真正を確保するために、譲渡人による通知を必要とし、かつ、証書の作成を要件とした。また、複数の譲渡の優劣を証書で決められるように、到達の日付を証書で確定することにした。ところが、裁判所の執達吏であれば配達日付を残せるが、公証人に譲渡証書を作成してもらうのでは、作成の日付しか記入できないという致命的な制度設計のミスがあった。

9-68

(b) 債務者への対抗要件のさらなる緩和　また、債権譲渡の負担を軽減するた

---

238)　債権譲渡においては債務者保護のために要件（譲渡通知は債務者に対する効力発生要件）を要求し、第三者に対する対抗要件は不要であるが、債務者が後れた譲受人に弁済したことを救済する規定を用意する立法として、オーストリア債権譲渡法またオーストリア民法の規定がある（古谷壮一「オーストリア一般民法典における債権譲渡契約の債務者以外の第三者に対する効力」『比較民法学の将来像』[2020] 297頁以下参照）。日本法の解釈としても、債権譲渡は当事者の合意だけでは生ぜず、確定日付ある証書による通知・承諾を効力発生要件と位置づける学説もある（石田963頁）。

第9章　債権譲渡・債務引受・履行の引受・有価証券

めに、債務者への対抗には、譲渡人による通知は必要であるが、証書を要求しないものとして要件を軽減した。順序は467条1項が先に規定されているが、同条2項が原則で、1項は要件を緩和したものであり、467条1項が原則と逆に誤解されがちな形になっている（改正前の旧468条1項・2項も）。

2　債権譲渡の債務者および第三者への対抗

9-69 **(1)　債務者に対する対抗要件としての通知または承諾**
──債権譲渡に対する債務者の保護①

(a)　**債権譲渡の通知または承諾**

(ア)　**形式的・画一的な債務者の保護**

(i)　**対抗要件主義の導入**　日本民法は債権譲渡について対抗要件主義を採用し、「債権の譲渡（現に発生していない債権の譲渡を含む。）は、譲渡人が債務者に通知をし、又は債務者が承諾をしなければ、債務者その他の第三者に対抗することができない」と規定した（467条1項）。AのBに対する100万円の代金債権が、AからCに譲渡されても、Aによる譲渡通知がされない限り、Bはこれを否認して、Cの請求を拒絶でき、また、Aへの支払は有効であり、Aから免除、支払期日の猶予等を有効に受けることができる。

9-70 (ii)　**債務者の善意・悪意不問**　債権譲渡は債務者の承諾なしに行われるため、債務者は債権者が誰であり誰に支払ったらよいのか不安な立場に置かれる。債務者の善意・無過失での譲渡人に対する弁済を保護する立法も考えられるが、善意・無過失をめぐって紛争になり、債務者にいらぬ調査義務を負わせることになる。また、弁済しか保護されない。対抗不能法理によりかつ善意・無過失を要件としなければ、通知の有無だけで画一的に保護され、また、弁済だけでなく、免除等種々の譲渡人との合意を有効とできる。そのため、⑴譲渡を債務者に知らしめることを債務者への対抗要件とし、かつ、⑵虚偽の譲渡の主張を防ぐために譲渡人による通知を要求したのである。

9-71 **◆譲渡特例法**

(1)　第三者への対抗要件

　9-6に説明した譲渡特例法は、まず第三者対抗要件を先に規定し、「法人が債権（金銭の支払を目的とするものであって、民法第3編第1章第4節の規定により譲渡されるものに限る。以下同じ。）を譲渡した場合において、当該債権の

373

第1節　債権譲渡 ┃ §Ⅲ　債権譲渡の効力および債務者への対抗要件

譲渡につき債権譲渡登記ファイルに譲渡の登記がされたときは、当該債権の債務者以外の第三者については、同法第467条の規定による確定日付のある証書による通知があったものとみなす。この場合においては、当該登記の日付をもって確定日付とする」と規定し（同法4条1項）、譲渡登記による第三者対抗要件の具備を認める。日本では、債権譲渡に対する根強い偏見があるため、債務者に通知をして知らせることなく——**サイレント方式**といわれる——第三者対抗要件の具備を可能としたのである。同じ債権につきいくつも譲渡登記が可能なため、譲渡の優劣を登記の日付で決することになる。

9-72　**(2)　債務者への対抗要件**

債権譲渡登記は、第三者に対する対抗要件にすぎず、債務者が知らないのに対抗され譲渡人に弁済しても無効とされては困るので、債務者への対抗要件を別に規定している。すなわち、「前項に規定する登記（以下「債権譲渡登記」という。）がされた場合において、当該債権の譲渡及びその譲渡につき債権譲渡登記がされたことについて、譲渡人若しくは譲受人が当該債権の債務者に第11条第2項に規定する登記事項証明書を交付して通知をし、又は当該債務者が承諾をしたときは、当該債務者についても、前項と同様とする」と規定した（同法4条2項）。登記があるので譲受人による譲渡通知が認められるのである。例えば、AのBに対する100万円の債権が、Cに譲渡されこれが譲渡登記されたが、Aがこの債権をDに二重に譲渡し、DがBから100万円の支払を受けた場合、BのDへの支払は有効である——CはDに対して不当利得返還請求ができる——。

9-73　**(イ)　債務者への対抗不能の法的効果**　債務者への対抗は、177条のように財産の帰属を争う問題ではなく、「民法467条1項所定の通知又は承諾は、債権の譲受人が債務者に対して債権を行使するための積極的な要件ではなく、債務者において通知又は承諾の欠けていることを主張して譲受人の債権行使を阻止することができるにすぎない」と考えられている（最判昭56・10・13判時1023号45頁［抗弁権説］）。そのため、同判決は、対抗要件を具備していなかったが、債務者が事実審において対抗要件欠缺の主張しなかった事例で、請求を認容した原審判決は正当として是認している。

9-74　**(ウ)　抗弁権ではなく対抗不能**　9-69の例でいえば、466条3項のように、CのBに対する債権になっているがBに拒絶権が認められるのではなく、Bは債権譲渡がない、すなわち債権者はAのままと主張できるのである。権利行使要件といわれるが（近江223頁［権利主張要件］、潮見・新Ⅱ422頁［権利行使要件］など）[239]、そもそも権利の移転を主張できず、AC間では移転、BC間では移転していないという相対的法律関係になる。467条1項は強行規

374

第 9 章　債権譲渡・債務引受・履行の引受・有価証券

定ではなく、特約で通知不要とすることが可能と考える学説が多いが（我妻541 頁、於保 308 頁）、強行規定という理解もある（潮見・新Ⅱ 423 頁）。債務者が個人の場合には、消費者契約法 10 条により、467 条 1 項を適用除外とする特約は無効とされるべきである。

9-75　◆ **467 条 1 項は譲渡以外にも適用があるか**

(1)　**債権譲渡の取消し・解除**

(a)　**債務者保護の必要性はある**　467 条は「債権の譲渡」についての規定であるが[240]（質権設定にも準用されている［364 条］）、債務者を債権者の変更により不安定にさせないという要請は、債権譲渡以外にも当てはまる。弁済者代位による債権の移転（代位取得）にも 467 条が準用されている（500 条）。賠償者代位については 422 条により当然に代位すると規定されているが、取得について債権者の同意が不要というだけであり、467 条の類推適用が当然に否定されるものではない。422 条の 2 の代償請求権も同様である。

9-76　(b)　**類推適用は可能**　まず、債権譲渡の取消し・解除については、判例は 467条の適用を肯定する。判例は、①AのBに対する債権がCに譲渡され、通知・承諾がされている場合には、解除または取消しがCから通知されるかBが承認しない限り対抗できないとし（大判明 45・1・25 民録 18 輯 25 頁、大判昭 3・12・19 民集 7 巻 1119 頁など）、②これに対し、A→Cの譲渡につきいまだ通知・承諾がないうちに解除または取消しがされた場合については、通知・承諾なしにAは債権の復帰をBに対抗しうるとする（大判大 14・10・15 民集 4 巻 500 頁）。債務者側からは通知・承諾なしにも譲渡の事実を主張できることから、②の場合にも取消しまたは解除につき通知・承諾を必要とするという考えもある（柚木・高木 356 頁、注民⑾ 377 頁［明石三郎］、林ほか 495 〜 496 頁［高木］）。

9-77　(2)　**債権譲渡の詐害行為取消し**

次に、AのBに対する債権のCへの譲渡が詐害行為として取り消された場合も、取消しにつき通知・承諾がなければ債務者Bに取消しを対抗できないと考えられる。改正前の判決であるが、東京高判昭 61・11・27 判タ 641 号 128 頁は、「Xは、詐害行為取消による原状回復を計る方法として、Y［受益者たる譲

---

239)　通知の債務者対抗力は遡及することはない。通知を受ける前に、譲受人の行った催告は、その後に譲渡人による通知がされても時効中断の効力が生じることはない（大判大 3・5・21 民録 20 輯 407 頁、大判昭 6・9・22 新聞 3318 号 18 頁など）。他方で、通知を受ける前に、譲渡人が催告した場合に、債権者でない者による催告であり効力はないことになる。

240)　遺贈も単独行為による債権譲渡である。467 条は債権の譲渡と規定し契約の場合に限定しておらず、遺贈にも 467 条が適用される（最判昭 49・4・26 民集 28 巻 3 号 540 頁）。「相続人または遺言執行者」が譲渡通知をすることになる。なお、債権は当然に分割債権になるが、遺産分割により、自己の相続分を超えた債権を取得した者が債務者にその履行を求めるためにも、467 条 1 項の適用があり、通知または承諾が必要とされている（最判昭 48・11・22 金法 708 号 31 頁）。

受人〕に対し、第三債務者……に対し債権譲渡が詐害行為により取消された旨の通知をすることを求めることができる」という。しかし、判決があるので、取消債権者が取消しの通知をすることができると考えてよい。

9-78　**◆遺産分割などにより相続分を超えた債権を取得する場合**
　　(a)　**相続分を超えた債権の取得には対抗要件必要**　相続法改正により、「相続による権利の承継は、遺産の分割によるものかどうかにかかわらず、次条及び第901条の規定により算定した相続分を超える部分については、登記、登録その他の対抗要件を備えなければ、第三者に対抗することができない」と規定された（899条の2第1項）。債権も対象になる。

9-79　　　(b)　**対抗要件についての特例**　また、対抗要件についての特別規定があり、債権については、「相続分を超えて当該債権を承継した共同相続人が当該債権に係る遺言の内容（遺産の分割により当該債権を承継した場合にあっては、当該債権に係る遺産の分割の内容）を明らかにして債務者にその承継の通知をしたときは、共同相続人の全員が債務者に通知をしたものとみな」すことになっている（同条2項）。他の共同相続人の通知を要せず、債権を取得した相続人による遺言や遺産分割の内容を明らかにして債務者に通知することを認めたのである。「第三者」対抗要件の規定であるが、債務者への対抗に類推適用すべきである。

9-80　(b)　**対抗要件としての譲渡通知**
　(ア)　**譲渡通知の主体など**
　(i)　**通知の法的性質・方法**　債権譲渡の通知は、債権譲渡の事実を債務者に知らせる行為であり、法的性質は観念の通知である[241]。意思表示ではないが、意思表示規定を類推適用してよい（代理人または使者によりすることが可能。到達により効力が生じる）。債務者に対する対抗要件については方式は問わず、口頭でもメールでもよい[242]。フランスでは、裁判所の執達吏

241)　＊**中間省略通知（譲渡登記）**　AのBに対する債権が、AからCに譲渡され、CがさらにDに譲渡した場合に、AがBに、①Cに譲渡し、CがDに譲渡したことを通知しても、Cに対抗力が認められるだけである（ただし、CからDへの譲渡通知書を預かり、2つの通知書を一緒に送れば別）。Cへの譲渡通知がないのに、CがBに対してDに譲渡した旨通知をしても無効だが、その後に、AがCへの譲渡を通知すると、有効になると考えてよい。②AからDに譲渡されたと通知したらどうであろうか（譲渡登記も考えられる）。現在の債権者はDであることを知らせており、また、インフォーメーションセンターとしての債務者にその情報がインプットされている（譲渡登記では、Dが債権者であることは公示される）。その後に、Cがその債権をさらにEにも譲渡した場合、先の中間省略的通知は有効であり、EはDに債権取得を対抗できるのであろうか。中間者Cの同意がある場合に限り有効であろうか。問題提起にとどめる。なお、Cが対抗要件を具備しないままDに譲渡し、DがCD間の譲渡につき対抗要件を具備しても、Dは対抗力を取得しない。

376

第9章　債権譲渡・債務引受・履行の引受・有価証券

の送達によっていたのを、日本民法は要件を緩和したのである。

9-81　**(ii)　通知ができる者**　譲渡通知を有効に行えるのは譲渡人であり、譲受人はこれを行うことはできない。執達吏による通知を不要としたため、譲受人が譲渡通知をできるとなると、譲渡があったかどうかのチェックがなくなってしまう。そのため、譲渡人の通知を必要としたのである。ただし、譲渡通知の名義人が譲渡人であればよく、譲受人が譲渡人の代理人として行ったり、または、譲渡人に譲渡通知書を作成してもらい、それを譲受人が内容証明で送っても、譲渡人による譲渡通知として有効である。譲受人が債権者代位権の転用により自ら譲渡通知をすることはできない（我妻530頁、中田650頁）。譲渡人の譲渡通知を要求した趣旨が没却されてしまうからである[243]。

9-82　**(イ)　譲渡通知の相手方**　通知は「債務者に」対してされるが、債務者に破産手続が開始した場合には、破産管財人が債務者の財産を管理するため、通知は破産管財人に対してしなければならない（最判昭49・11・21民集28巻8号1654頁）。債務者が複数いる場合については、①連帯債務では通知は相対的効力事由であり、全債務者に個別に通知をすることを要する。②不可分債務には連帯債務の規定が準用されるため（430条）、同様に考えられる。③保証債務では、主債務者に通知をすれば保証人にも対抗しうるが、保証人に通知をしたとしても主債務者に効力が及ばないだけでなく、保証人に対しても対抗力を生じない（☞8-92）。④合有債務は、組合事業につき代理権を持つ者に組合を名宛人として、総有債務の場合も、社団事業につき代理権を持つ者

---

242)　**＊みなし到達条項**　相手方が転居したり法人の事務所を変更したため、郵便の配達ができなかったとしても、契約時に届け出た住所に発送すれば到達したものとみなすいわゆる「みなし到達条項」が契約条項の中に置かれることがままみられる。意思表示規定については97条2項も新設されそれと同趣旨の条項であり、効力を認めるのは妨げない（☞民法総則6-319）。これを債権譲渡通知にも適用してよいのかは問題になる（97条2項も同様）。この点、東京高判平27・3・24判時2290号47頁は、「民法は、債務者の認識を通じて、債権についての取引の安全を確保しようとしているから、債権譲渡においては、その通知を発したことよりも、通知が債務者に到達したことを重視すべきである」とし、債務者が譲渡通知のあったことを容易に認識することができたと認めるに足りる証拠もないため、みなし到達規定により債権譲渡通知が到達したものと解することは相当ではないとする。この趣旨からすると、97条2項により到達とみなすこととも認められないことになりそうである。

243)　大判昭5・10・10民集9巻948頁は、譲渡通知の代位行使を否定するが、「訴外Aが債権者として債務者たるYに対する関係に於て其の債権をXに譲渡したる事実をYに通知することは、AがYに対し債権者として有する権利に非ざるを以て、該通知は代位行使の目的と為るべきものに非ず」と、通知をするのは権利ではないことを理由にしている。代位行使の対象は「権利」であり、通知をするのは権利ではないから代位行使はできないという理由づけは不当であり（中田650頁）、本文のように考えるべきである。

に社団を名宛人として通知がされるべきである。

9-83　**(c)　対抗要件としての債務者による承諾**　債務者による債権譲渡の承諾は、債権譲渡の事実を了知したことを表示する債務者の行為であり、観念の通知である。方式は問わない。承諾をするのは債務者であるが、相手方については規定がない。譲受人・譲渡人のいずれに対してしてもよいと解されている（大判大6・10・2民録23輯1510頁）。承諾は明示である必要はなく、譲受人による譲渡の主張に対して、これを争わず支払猶予を求めて猶予を受けるなどの行為があれば、黙示的な承諾が認められる。

9-84　**(d)　通知または承諾がない間の効力**　この点は9-73に説明した通りである。判例は、抗弁権説であるが、学説は対抗要件をいわば権利行使要件として位置づけている。しかし、権利は移転していて行使できないということを超えて、債務者との関係では譲渡人が債権者のままであり、そのことから譲渡人への弁済が有効になる等の種々の効果が認められる[244]。

9-85　**(2)　通知または承諾の効力──債務者への対抗力の発生**

　通知または承諾がされると、債権譲渡により譲り受けた債権を譲受人が債務者に行使しうるようになる。9-73の抗弁権説では、債務者の抗弁がなくなる。9-74の権利行使要件説では、債権が譲渡人ではなく自分に帰属していることを前提とした法的主張ができることになり、支払請求ができるだけでなく、譲渡人にした弁済は無効になり、また、譲渡人のした免除なども無効になる。

9-86　**◆ 478条の適用**

　対抗要件具備後の譲渡人への弁済については、極めて例外的な事例での478条の適用の可能性がある。例えば、東京地判平11・1・22判時1693号88頁は、譲渡通知配達前の同日午前10時過ぎに銀行窓口に電信振込送金に必要な書類を全て提出し、正午の配達の後に銀行から書類を受領し、午後3時16分に銀行が振込通知電文を発信したこと、正午頃配達された本件債権譲渡通知の封入された封書を開封せず代表者に対する格別の連絡もせずに被告代表者の机の上に置いたままにしておいたことも小規模会社においてはやむをえないなどとして、善意・無過失として478条の適用を認めている（控訴審たる東京高判平11・8・26金判

---

244)　**＊譲渡後の債務者に不利な事由**　債権譲渡後に、債務者が譲渡人に対して支払の延期を求め、債務承認（152条1項）として時効更新の効果が生じる場合、債務者は譲渡を否定しつつ自分に有利な事由だけ取り出して主張できるというのは適切ではない。債務者が譲渡を認める場合には、債務者は自分に有利な事由が譲渡人につき存在していても、援用はできない。

第 9 章　債権譲渡・債務引受・履行の引受・有価証券

1074 号 6 頁も原判決支持）。

9-87 **(3)　債務者の抗弁の譲受人への対抗──債権譲渡に対する債務者の保護②**

(a)　対抗可能性が原則　「債務者は、対抗要件具備時までに譲渡人に対して生じた事由をもって譲受人に対抗することができる」（468 条 1 項［改正 468 条 1 項は、改正前は同条 2 項であったが、改正前の判例・学説の議論の紹介においては、便宜上現在の 468 条 1 項と表記する］）。

　債権譲渡により、債権は同一性を失わず譲渡人から譲受人に移転し、債務者は、その債権の行使に対して譲渡人に主張できた抗弁事由──例えば、同時履行の抗弁権──を譲受人にも主張できる（相殺については 469 条で別個に規定）。譲受人としては思わぬ抗弁の対抗を受けるという不利益があるが、債権譲渡によって債務者が不利益を受けるべきではなく、債務者保護を取引安全保護に優先させている。なお、改正前は、債務者による異議をとどめない承諾という制度があったが、削除された[245]。

9-88 **(b)　対抗できる事由はいつまでの事由か**　債務者が譲受人に対抗できるのは「対抗要件具備時までに譲渡人に対して生じた事由」に限られ、対抗要件具備後に生じた事由は対抗ができない。譲渡後、対抗要件具備までの譲渡人に生じた事由は譲受人に対抗できることが、この反対解釈として導かれる。以下には、譲受人への対抗が問題となる事由を考察したい。なお、466 条 4 項と 466 条の 3 については、対抗要件具備時を基準時とする原則に対する例外が規定されている（468 条 2 項）。

9-89 **(ア)　契約の取消し**　①債権を生じさせた契約を債務者が詐欺などを理由に取消しをした後に、対抗要件が具備された場合、すでに取消しにより債権は消滅していたことを対抗事由として譲受人に対抗できる。②対抗要件具備後に、債務者が契約を取り消したら、取消しによる債権の消滅は対抗要件具備後の事由になるため、譲受人には対抗できないのであろうか。しかし、詐欺による契約であり、買主は取消しをして代金の支払を免れることができたのである。要するに、すでに「取消権が成立していた」のである。②では取消しではなく、取消権が成立していることを譲受人に対して対抗でき、この対抗できる取消権を行使して、代金を消滅させることができることになる。

9-90 **(イ)　契約の解除**

(ⅰ)　解除または解除権の成立は対抗できる　同様の問題は契約解除につい

379

ても考えられる。①契約解除後に対抗要件が具備された場合には、解除によって代金債権が消滅していたことを対抗事由とすることができる。②問題は対抗要件具備後の解除の事例であるが、これもさらに２つに分けられる。ⓐまず、対抗要件具備時に、約定または法定の解除権が成立していた場合である。この場合には、取消権が成立していた場合と同様に、解除権が成立していたことを対抗事由と認めることができる。ⓑでは、対抗要件具備時にいまだ解除権が成立していなかった場合には、債務者はその後に債務不履行があり、契約を解除したことを対抗できないのであろうか。次に検討したい。

9-91 **(ⅱ) 双務契約における解除の可能性**　双務契約においては、相手方の債務が履行されない場合には、契約を解除して自己の債務の支払を免れるという法的地位ないし期待が、契約と同時に成立していたといえる。最判昭42・

245)　＊抗弁放棄の意思表示　実際には旧468条1項は資金調達のための債権譲渡取引実務においては大いに重宝されていたのであり、代替ルールの保障は規定削除には不可欠であることが指摘されている（池田真朗『ボワソナードとその民法（増補完結版）』［2021］488頁以下）。この点、債権譲渡の事前・事後に債務者の譲受人に対する意思表示により、改正前と同様の効果を認めることは可能と考えられている。①まず、債務の内容が争われている場合に、同一内容の新たな債務を引き受ける合意も可能である。これには「和解」の効力が認められる（弁済とか、取消原因についての対抗不能）。②次に、債権が存在することは疑いなく、同時履行の抗弁権やその後の解除、さらには相殺などにつき、これらを譲受人には行使しない約束をすることができる（468条1項は強行規定ではない）。相殺、時効援用などは「抗弁権」の放棄といってよいが、その後の解除等については不作為義務を負担するにとどまらず、「対抗不能」を私人間で合意するものと考えられる。黙示の意思表示も考えられないではないが、これらの意思表示が極めて例外的なものであることを考えると、その認定は特に慎重にされるべきである（磯村保『事例でおさえる民法改正債権法』［2021］241頁）。債務者の不利な地位を不当に利用して抗弁権を放棄させた場合には、放棄自体の効力が否定される可能性がある（磯村・同241頁）。
　　譲受人は譲渡前に抗弁放棄の意思表示を確認してから譲り受ければよいので、取引の安全が害されることはないと説明されている（一問一答177頁）。譲受人に対する意思表示ではなく、債権者・債務者間で例えば継続的供給契約を締結する際に、それから生じる将来の代金債権につき、包括的な抗弁の放棄が認められるという考えがある（池田・前掲182頁以下）。しかし、債務者が抗弁権を放棄するには、その抗弁を有していることを知っていなければならないという意見もあり、ただ、意思表示の解釈次第では、債務者が認識しておらず、放棄する意図がなかった抗弁も放棄されてしまうことがありうるという主張もされている（白石大「債権譲渡における債務者の包括的抗弁権放棄の効力」『法律行為法・契約法の課題と展望』［2022］210頁）。その上で、実務の要請を受け入れて包括的な抗弁放棄を認めつつも、広く認めることには慎重であるべきであるという。そして、意思表示解釈につき「意味付与説」を採用した上で、個別的な検討がされる。時効が債務承認により信義則上援用ができなくなることから、包括的抗弁放棄により時効の援用ができなくなるという。譲渡制限特約も、放棄の自覚がなくても、包括的抗弁放棄により抗弁が放棄されたという。ただし、債務者の知・不知を問わず一切の抗弁を放棄するという合意により、このような個別的排除が否定できるのかは問題である。これを条件として、債権者と取引をしてもらっており、取引を受けられるといった利益を得ているといった事情があるというべきなのか、逆に、債権者がこれに応じなければ取引には応じないと、優越的な地位を利用して合意させていると評価すべきなのであろうか。事情によっては、公序良俗違反無効により、一定の抗弁（例えば、債権不成立、既弁済）についてまで放棄させる部分は無効と考えるべきである。

10・27 民集 21 巻 8 号 2161 頁は、このことを認める。すなわち、「請負人の有する報酬請求権は……仕事完成義務の不履行を事由とする請負契約の解除により消滅する」ことを問題として、「右報酬請求権が第三者に譲渡され対抗要件をそなえた後に請負人の仕事完成義務不履行が生じこれに基づき請負契約が解除された場合においても、<u>右債権譲渡前すでに反対給付義務が発生している以上、債権譲渡時すでに契約解除を生ずるに至るべき原因</u>が存在していた」と認めている。

◆第三者保護規定との関係

── 468 条 1 項 (旧 468 条 2 項) と 94 条 2 項・96 条 3 項・545 条 1 項ただし書

(1) 94 条 2 項と 468 条 1 項

(a) **規範の抵触**　債務者は譲渡人に対抗できる事由を譲受人に対抗できるのであるから、仮装売買契約上の債権を、仮装売主が第三者に売却した場合、債務者たる仮装買主は譲受人に虚偽表示無効 (94 条 1 項) を主張できることになる。ところが、94 条 1 項の無効は善意の第三者には対抗できない (同条 2 項)。そこで、94 条 2 項と 468 条 1 項の規範抵触が認められ、いずれを優先させるかを考えなければならない。

(b) **468 条 1 項 (当時 2 項) を適用する当初の判例**　当初の判例は、468 条 1 項 (当時は 2 項) を適用して、「虚偽の意思表示に因る無効は、所謂譲渡の通知を受くるまでに譲渡人に対して生じたる事由なること弁を待たずして明なるを以て、Y は之を X に対抗することを得べし。乃ち本訴の場合に於ては X が善意の譲渡人たると否とを問はず、<u>民法第 94 条に所謂第三者に該当せざること</u>亦自明なり」とした (大判明 37・1・28 民録 10 輯 57 頁。大判明 38・6・6 民録 11 輯 881 頁、大判明 44・4・18 民録 17 輯 225 頁)。

(c) **94 条 2 項を適用する新判例**　ところが、その後の判例は、94 条 2 項を適用し、譲受人が善意であれば債務者は虚偽表示無効を対抗できないものと変更する。すなわち、「民法第 94 条第 2 項の規定は、虚偽の意思表示が債権の発生に関する場合にも適用すべきものにして、債権を生ぜしむる意思表示の虚偽なることは、<u>同法第 468 条第 2 項の所謂譲渡の通知を受くるまでに譲渡人に対して生じたる事由中に包含せざる</u>」ものであるとした (大判大 3・11・20 民録 20 輯 963 頁)。いずれの規範を優先するかで、94 条 2 項の「第三者」に仮装契約上の債権の譲受人は含まれないとするか (変更前判例)、468 条 1 項の対抗事由には第三者保護規定のある虚偽表示無効は含まれないとするか (変更後判例)、説明の仕方が変わることになる。

(2) 96 条 3 項と 468 条 1 項

詐欺によりされた契約上の債権が譲渡され、その対抗要件具備後に取消しがされた場合も、96 条 3 項と 468 条 1 項の関係が問題となる。96 条 3 項の「第三

者」に詐欺による契約上の債権の譲受人は含まれないとするか、468条1項の対抗事由には第三者保護規定のある詐欺取消権の成立という事由は含まれないとするか、という問題である。この点についての判例はない。虚偽表示をしたというほどの重大な帰責事由が債務者にはない。利益衡量的には、被詐欺者には騙されたという落ち度はあるが、債権譲渡は債権者が勝手にするものであり、抗弁の対抗を受けるというリスクを譲受人が負担するのが大原則であることを考えれば、468条1項を優先適用し被詐欺者の保護を優先することも考えられる。

9-96　**(3)　545条1項ただし書と468条1項**

さらには、解除の可能性があることまで広く468条1項の対抗事由に認められるため（☞9-90）、契約上の債権が譲渡され対抗要件具備後に債務者により契約解除がされた場合に、468条1項と545条1項ただし書の抵触の優劣決定も問題になる。

通説・判例は、545条1項ただし書を適用せず、債務者Bは解除して譲受人Cに弁済を拒絶することができると考えている（大判明42・5・14民録15輯490頁、大判大7・9・25民録24輯1811頁、奥田442頁など）。大判明42・5・14は、「民法第545条第1項但書の第三者とは、特別なる原因に基き双務契約の一方の債権者より其受けたる給付の物体に付き或る権利を取得したる者を云うものにして、解除せられたる契約を基礎とし其契約より生ぜし債権其ものを譲受け其権利を承継する者を云うにあらず」と判示した。

判例は、94条2項についての旧判例同様に（☞9-93）、468条1項が優先適用され545条1項ただし書の適用が排除されることを、同ただし書の「第三者」ではないと説明しているのである。正確にいえば、「第三者」の要件を具備するが（新たな法律上の利害関係の取得）、468条1項の適用が優先されるため、545条1項ただし書の適用が排除されると説明すべきである。

9-97　**(ウ)　債権譲渡と相殺**

(ⅰ)　当初の判例（相殺適状説）　差押えと相殺と同様の問題は、債権譲渡においても議論されている。判例は当初、相殺適状説を採用し、受働債権の譲渡時に自働債権が弁済期になかった事例で、相殺を否定した（大判明40・7・8民録13輯769頁）。また、自働債権の弁済期は到来していたが、譲渡された受働債権が譲渡時に弁済期が到来していなかった事例で、譲渡通知までに期限の利益を放棄して相殺適状になっていなければならないと、相殺の対抗を否定した（大判大元・11・8民録18輯951頁など）。

9-98　**(ⅱ)　判例の第2段階（相殺適状修正説）**　しかし、その後、「相殺適状に在るが為には、反対債権は已に弁済期に在ることを必要とするは論無きも、主債権に付ては之を必要とせず。債務者に於て即時に其の弁済を為すの権

第 9 章　債権譲渡・債務引受・履行の引受・有価証券

利ある以上、期限抛棄の意思表示は現に之を為さずとも、債務者は直ちに相殺を為すを妨げざる」とされ、いわゆる**相殺適状修正説**が採用される（大判昭 8・5・30 民集 12 巻 1381 頁）。受働債権について、期限の利益を放棄して相殺適状にできる場合にまで相殺適状を肯定したものである。しかし、相殺適状の理解については、508 条についてであるが変更される（☞ 11-24）。

9-99　　**(iii)　相殺の期待・利益の保護（制限説）**　ところが、その後、468 条 1 項の対抗要件具備時までに生じていた事由を問題として、相殺の期待を問題にするようになる。転付命令がされた事例について、最判昭 32・7・19 民集 11 巻 7 号 1297 頁は、「債務者が債権者に対し債権の譲渡または転付前に弁済期の到来している反対債権を有するような場合には、<u>債務者は自己の債務につき弁済期の到来するを待ちこれと反対債権とをその対当額において相殺すべきことを期待する</u>のが通常でありまた相殺をなしうべき利益を有するものであって、<u>かかる債務者の期待及び利益を債務者の関係せざる事由によって剥奪することは、公平の理念に反し妥当とはいい難い</u>」とした。

9-100　　**(iv)　無制限説の採用と改正法**　しかし、511 条につき制限説採用後に昭和 45 年判決により無制限説が採用され（☞ 11-65）、468 条 1 項においても自働債権の弁済期が受働債権の弁済期よりも後の事例で、原判決が制限説に依拠して相殺を否定したのを破棄し、相殺を認める判決が出されている（最判昭 50・12・8 民集 29 巻 11 号 1864 頁）。ただし、判決文自体は一般論として無制限説を述べてはおらず、事例判決といえ先例価値は微妙である。

改正法は、511 条とパラレルに無制限説を採用する明文規定を新設した。すなわち、「債務者は、対抗要件具備時より前に取得した譲渡人に対する債権による相殺をもって譲受人に対抗することができる」と、規定した（469 条 1 項）[246]。

---

246)　＊**譲渡制限特約がある場合の対抗要件具備時**　譲渡制限の意思表示がされていることを知っているまたは重過失で知らなかった譲受人が、債務者に相当期間を定めて譲渡人への履行を催告したが履行されなかった場合に、譲受人が債務者に対して権利行使可能になった場合には（466 条 4 項）、対抗要件具備時は「第 466 条第 4 項の相当の期間を経過した時」と読み替えられる。また、466 条の 3 により、譲渡制限の意思表示がされた債権の悪意または重過失による譲受人につき、譲渡人につき破産手続開始の決定がされ供託請求ができる場合には、対抗要件具備時は、「第 466 条の 3 の規定により同条の譲受人から供託の請求を受けた時」と読み替えられる（469 条 3 項）。

383

第1節　債権譲渡 ┃ §Ⅲ　債権譲渡の効力および債務者への対抗要件

9-101

◆無制限説のさらなる拡大（スーパー and ハイパー無制限説）[247]

(1)　対抗要件具備前の原因に基づく債権

　改正法は、さらに、対抗要件具備後に取得した債権であっても、「対抗要件具備時より前の原因に基づいて生じた債権」も、債務者は相殺をもって譲受人に対抗することを認める（469条2項1号）。これは差押えと相殺についての511条2項と同様の規定である。

　例えば、A→B100万円の債権につき、Cが保証人になったが、それ以前またその後に、BがCに100万円の債権を取得していれば、Cは保証債務を履行してもBに対する求償権で、Bの債権と相殺することを期待できた。ところが、BがCに対する100万円の債権をDに譲渡してしまい、その後にCが保証債務を履行しBに対する100万円の求償権を取得すると、譲渡通知後に取得した債権になる。上記規定のおかげで、この場合も、CはDに対して、Bに対する求償権を自働債権とする相殺を対抗できるのである。

9-102

(2)　譲渡された債権の発生原因である契約に基づいて生じた債権

　(a)　譲渡された債権と同じ「契約に基づいて生じた債権」　改正法は、さらに拡大を進めて、債権の発生原因が対抗要件具備後でもよい類型を用意した。すなわち、「前号に掲げるもののほか、譲受人の取得した債権の発生原因である契約に基づいて生じた債権」については、対抗要件具備前の原因による債権でなくても、相殺をもって譲受人に対抗できるものとした（469条2項2号）。この類型は511条では認められておらず、債権譲渡と差押えとで差を認めることが妥当なのか議論がされたが、議論が尽くされないまま立法に致っている。

9-103

　(b)　本規定の適用事例　本規定は将来債権の譲渡の事例を考えており（一問一答181頁）、例えば、AB間で継続的供給契約（基本契約）が締結され、この契約上の代金債権（集合債権）がCに譲渡され、譲渡通知がされた事例で、その後の売買契約により引き渡された目的物に不適合があったため、BがAに対して損害賠償請求権を取得した場合である。上記規定の「契約」は個々の売買契約ではなく、基本契約と解する必要がある。賃貸借契約において、将来の賃料債権が譲渡されその譲渡通知後に賃借物の損傷があり、賃借人が修理をして費用償還請求権を取得した場合も同様である。

9-104

(3)　相殺が否定される場合

　以上の要件を形式的に満たすが、その趣旨が当てはまらない場合につき、例外を適用しないことが注意的に宣言されている。すなわち、「ただし、債務者が対抗要件具備時より後に他人の債権を取得したときは、この限りでない」とされて

---

247)　DCFR Ⅲ.-5：116条3項b号は、成立時期を問わず、譲渡された債権と「密接に関連する債権」による相殺を認める。岩川隆嗣『双務契約の牽連性と担保の法理』(2020) 480頁は、469条2項2号を、「自働債権と受働債権に期限の共通性に基づく法的牽連性が認められる場合の規律である」と理解する（学説につき、同書481頁以下参照）。

第 9 章　債権譲渡・債務引受・履行の引受・有価証券

いる（469 条 2 項ただし書）。

　例えば、A が B から請け負った建物の建築報酬債権を C に譲渡し対抗要件を具備したが、AD 間の請負契約がそれ以前に締結されていて、不適合な建物が建築され、D が A に対して損害賠償請求権を取得し、それを B が譲り受けた事例である。形式的には、B が取得したのは対抗要件具備前の原因に基づいて生じた債権であるが、B の相殺の期待を考える余地はない。

§Ⅳ
債権譲渡の第三者への対抗要件

1　確定日付ある証書による譲渡通知または承諾

9-105　**(1)　確定日付ある証書を要求した趣旨**

(a)　譲渡通知は到達により効力が生じる

(ア)　確定日付ある証書を必要とした　467 条 2 項は、債務者以外の「第三者」に対する対抗につき――したがって、同条 1 項は債務者への対抗要件規定となる――、「前項の通知又は承諾は、確定日付のある証書によってしなければ、債務者以外の第三者に対抗することができない」と規定する[248]。譲渡特例法については 9-71 に説明した。劣後する譲受人は債権を取得できないが、譲渡担保の場合には、後順位譲渡担保権の取得を考える余地がある（☞注 250）。

9-106　**(イ)　到達の日付を証書で確定**　譲渡通知は、前述したように観念の通知であるが、97 条 1 項の類推適用により、債務者への「到達」により効力（対抗力）が生じる。したがって、同一債権が二重に譲渡された場合には、その優劣は到達（対抗力発生）の先後により決められる。改正前のフランス民法は、裁判所の執達吏により譲渡通知を配達してもらい配達時を記録し、その

---

248)　抵当権付きの債権を A が B に譲渡し確定日付ある証書で債務者に通知をしたが、抵当権については付記登記をしないでいたところ、A が C にも債権を譲渡し C が抵当権設定登記に付記登記をしたとする。抵当権は従たる法律関係であるので、債権同士の争いについては債権の対抗要件で優劣を決め、抵当権はその運命に従うと考えるべきであろう。したがって、抵当権付きの債権を B が取得することになる。

385

記録により優劣が確認できるようにしていた[249]。日本で、証書そして日付を要求したのは、「到達」時をごまかせないように、到達を証書の日付で確定させようとする趣旨である。

(b) 到達の先後で優劣を決める理由

(ア) 判例は債務者の公示機能を重視　後述最判昭和49・3・7は、譲渡通知は「到達」により優劣を決める理由を、「債権を譲り受けようとする第三者は、先ず債務者に対し債権の存否ないしはその帰属を確かめ、債務者は、当該債権が既に譲渡されていたとしても、譲渡の通知を受けないか又はその承諾をしていないかぎり、第三者に対し債権の帰属に変動のないことを表示するのが通常であり、第三者はかかる債務者の表示を信頼してその債権を譲り受けることがある」。「民法の規定する債権譲渡についての対抗要件制度は、<u>当該債権の債務者の債権譲渡の有無についての認識を通じ、右債務者によってそれが第三者に表示されうる</u>ものであることを根幹として成立している」と説明している。

(イ) 到達により効力が生じるという以上の意義　こうして、到達により通知の効力が生じるので到達の先後で優劣が決まる、という以上の意味が、「到達」には認められている。第三者が債権取引をする際には債務者に問い合わせをする実情に鑑み、インフォメーションセンターたる債務者への情報のインプットは、先に公示をしたに等しいことになる。いわば、情報入力時の先後を証書で確定したのである。譲渡通知の効力発生時期ということを超えて、債権譲渡の公示という観点から「到達」の意義を考察している。

(2) 優劣を決める「日付」とは

(a) 到達日付説が本来の正当な理解　そうすると、債務者への情報入力の時点、すなわち譲渡通知の到達の先後で債権譲渡の優劣が決められ、到達時が証書で確定されるべきことになる。譲渡通知証書の作成日付では足りない。対抗要件主義を採用した以上、到達が基準になる。譲渡の先後で優劣が決まるのではなく、債権譲渡契約書の作成日付を確定しても何の意味はな

---

249)　2016年改正により、債権譲渡は要式行為とされ（1322条）、譲渡の効力は書面の日付の時に発生し（1323条1項）かつその時から第三者への対抗力が認められた（同条2項前段）。書面の日付により形式的に決めるのが原則であるが、日付の真実性が争われている場合には、書面以外のいかなる証拠方法によっても譲渡時を証明することができる（同項後段）。到達は第三者対抗力の基準ではなくなったのである。

い。

　そうすると到達日付以外の日付ある証書では、467条2項の要件を満たさず無効になる（**到達日付説**）。判例も当初は、到達日付を要求した（大判明36・3・30民録9輯361頁、大判明40・11・26民録13輯1154頁）。

9-110　**(b)　証書日付説へ──証書の日付は無意味**

　㋐　通知・承諾に日付があればよい　ところが、判例はその後、「債務者に対して旧債権者の為す通知行為又は債務者の為す承諾行為に付確定日附ある証書を必要としたるものにして、通知又は承諾ありたることを確定日附ある証書を以て証明すべきことを規定したるに非ず」と判例変更をした（大連判大3・12・22民録20輯1146頁）。通知または承諾書に確定日付さえあればよく、作成日付でもよいことになった（**証書日付説**）。

9-111　**㋑　到達を証書の日付を離れて証明すべき**　本来の理念に反するが、「確定日附ある証書」という文言にも反せず、無効な譲渡通知だらけになってしまうことを避けるため（☞9-67）、学説もやむをえず判例を受け入れている（我妻542頁、柚木・髙木375頁、於保318頁、淡路473頁等）。その結果、書面の作成「日付」では優劣が決定できないことになり、到達をいかなる証拠手段によっても証明することが許されることになる。467条2項が何のためにある規定なのか疑問になり、日付については死文化されたに等しい。

2　通知または承諾を要する第三者

9-112　**(1)　通知の欠缺を主張する正当な利益を有する者**

　467条2項の「第三者」は、177条同様に「通知の欠缺を主張するに正当の利益を有する者」と考えられている（大判大2・3・8民録19輯120頁）。しかし、不動産賃借人への賃料請求事例が問題となる177条とは異なり、94条2項などと同様の第三者の定義ないし理解で足りる。対抗不能の法的構成は、177条と同様に、法定取得・失権説（☞物権法6-14）でよい。AのBに対する債権がCに譲渡されれば、債権はCに移転するが、Aがこの債権をさらにDに譲渡しDが先に対抗要件を具備すると、AからCへの債権の移転の効力が否定され、DがAから有効に債権を取得することになる[250]。

9-113　**(2)　第三者の具体例**

　467条2項の第三者に該当する者としては、例えば、①債権の二重譲受

第1節 債権譲渡 §Ⅳ 債権譲渡の第三者への対抗要件

人（代位弁済者も）、②譲渡人から債権質の設定を受けた者、③債権を差し押さえた譲渡人の債権者、④譲渡人が破産した場合の破産管財人などが考えられる。譲渡人の単なる一般債権者は、第三者に含まれない。「第三者」の主観的要件については規定していないが[251]、形式的・画一的に確定し善意を問題としない趣旨からして、故意的に対抗要件具備を妨害したなど背信的悪意者を除外すれば足りる（異説として、石田964頁）。

3 確定日付ある証書による通知が競合した場合

9-114 **(1) 優劣の判断基準**

(a) 到達日付が確定されていれば証書の日付 同一の債権が二重に譲渡された場合、①両者に確定日付のある証書による譲渡通知がされている場合、到達日付がある証書（配達証明付きの書留郵便など）はその日付で優劣が決められる。②一方が確定日付ある証書による譲渡通知であれば到達時（到達日付であればその日付）、他方が譲渡登記の場合には後者の登記の日付の先後で優劣が決められることになる。③いずれも譲渡登記の場合には、登記の日付の先後で優劣が決められることになる。

9-115 **(b) 作成日付の場合は到達の先後による** 判例は証書日付説によるため、作成日付ある証書でも有効であるが、その場合、日付の先後で優劣を決めるのではなく、債務者への到達の先後で優劣を決めることになる。最判昭49・3・7民集28巻2号174頁は、債権譲渡と差押えとが競合した事例であるが、「467条の対抗要件制度の構造に鑑みれば、債権が二重に譲渡され

---

250) **＊後順位譲渡担保権** 質権設定であれば、優劣が質権設定通知の到達の先後で決められ、後れた方は劣後する質権を取得する。一方真正の債権譲渡ならば、後れた譲受人は債権を取得しえない。では、譲渡担保はどう考えるべきであろうか。動産については、占有改定が対抗要件であるが、集合動産譲渡担保では後れる譲受人には劣後する譲渡担保権の取得が認められている（☞担保物権法4-13）。しかも、物については、譲渡担保権設定契約とか譲渡担保権、譲渡担保権者といった説明まで普通に行っている。所有権に名を借りた譲渡担保権を考えている。では、債権ではどう考えるべきであろうか。所有権とは異なり、債権について譲渡担保権を取得するとはいいにくい（債権には所有権を認めない☞9-9）。債権の譲渡担保権設定、債権の譲渡担保権者とはいいにくい。しかし、先順位譲渡担保権が消滅したら、後順位譲渡担保権が最優先順位の譲渡担保権になるという扱いを認めてよい。担保のための債権譲渡であれば、いくつも譲渡できて優劣を決められる（即時取得なし）と考えてよいように思われる。

251) DCFR Ⅲ.-5：121条1項は、二重した譲渡につき、債務者への譲渡通知が先にされれば、先行する譲受人に優先するものと規定するが、ただし書で、譲受け時に、先行する譲渡を知っているまた知っていたと合理的に期待される場合はこの限りではないと、主観的要件を明記している。立法としてはありうる選択肢であるが、467条1項では主観を問わないことにしたので、本文のように解するしかない。

第9章 債権譲渡・債務引受・履行の引受・有価証券

た場合、譲受人相互の間の優劣は、通知又は承諾に付された確定日付の先後によって定めるべきではなく、確定日付のある通知が債務者に到達した日時又は確定日付のある債務者の承諾の日時の先後によって決すべきである」ると判示する（**到達時説**）。学説はこれに賛成し、到達時説が通説となっている（林ほか 467 頁［髙木］、平井 149 頁、前田 414 頁、淡路 479 頁等）。

9-116 **(2)　通知の同時到達または優劣を決しえない場合の処理**

(a)　優劣決定不能の法律関係——いずれも債権者　債権の二重譲渡の場合に、確定日付ある証書の到達の先後が不明な場合、または、同時に到達した場合、両譲受人はどのような法的地位に立たされるのであろうか。

　この点、判例は優劣決定不能とする。最判昭 55・1・11 民集 34 巻 1 号 42 頁は、「指名債権が二重に譲渡され、確定日付のある各譲渡通知が同時に第三債務者に到達したときは、各譲受人は、第三債務者に対しそれぞれの譲受債権についてその全額の弁済を請求することができ、譲受人の一人から弁済の請求を受けた第三債務者は、他の譲受人に対する弁済その他の債務消滅事由がない限り、単に同順位の譲受人が他に存在することを理由として弁済の責めを免れることはできない」と明言した。

9-117 **◆差押通知と譲渡通知の競合**

　債権の二重譲渡における譲渡通知の競合と同様の問題は、同一債権についての債権譲渡通知と差押通知の競合においても生じる。判例はこの問題も到達の先後で解決し、「指名債権の譲渡にかかる確定日付のある譲渡通知と右債権に対する債権差押通知とが同時に第三債務者に到達した場合であっても、右債権の譲受人は第三債務者に対してその給付を求める訴を提起・追行し<u>無条件の勝訴判決を得ることができる</u>」と述べる。下線部は二重譲渡の全ての債権者に当てはまる。

9-118 **(b)　連帯債権か**

(ア)　共通の結論　二重譲渡の優劣が決定できない場合、例えば、A の B に対する 100 万円の債権が、C 次いで D に譲渡されていずれも確定日付ある証書による通知がされ B に同時に到達したとする。①C も D も、債務者 B に対する対抗要件を具備している。②また、その後に、A がこの債権を E に譲渡した場合、CD いずれも第三者対抗要件を満たしているので、いずれも E には自分が債権者であると主張できる。

9-119 **(イ)　連帯債権説**　C にも D にも債権が認められ、多数当事者の債権関係としての連帯債権ないし連帯債権類似の関係と考える学説がある。その結

果、連帯債権についての規定（432条以下）により規律されることになるが、分配義務を認めない考えでは、433条を適用することはできない。

◆分配義務の認否また根拠

(a) **分配義務** 連帯債権説も、分配義務（分配請求権）を認めるか否かでさらに見解が分かれる。①これを否定する学説もあるが（中田672頁）、②肯定する学説が多い——これも平等割合によるもの（林ほか523頁［高木］、平井150頁）、出捐額によるもの（前田415頁）とがある——。しかし、肯定説は根拠づけに難渋する。相互に対抗できないので、分配義務（分配請求権）を不当利得に根拠づけるのは難しく、そのため、不当利得の擬制的適用と説明されている（池田・前掲書［研究］285頁［(ウ)説だが便宜上］、淡路480頁）。

(b) **分割債権説** 分配義務を認めるのであれば、初めから分割主義（427条）の原則通り分割債権になるという学説もある（椿寿夫『財産法判例研究』［1983］181～182頁）。それなのになぜ通説・判例は分割債権としないのかというと、非のない債務者が分割弁済を強いられるのを回避するためである。各譲受人が全額を請求できるのはこの債務者保護の反射的効果にすぎず、427条が本来当てはまることから、公平の観点から分配義務を導くことになる。

(ウ) 非多数当事者債権説 しかし、処分の対象としての財産権たる債権は1つしかありえないことは、所有権についてと同様である。債権は1つしかないが、CD間では優劣を決められないため、Cを中心とした法律関係、Dを中心とした法律関係でそれぞれ債権が認められるが、同じ次元で2つは存在していない[252]。多数当事者の債権関係は、同一次元で両立する2つの債権がある、ないし、1つの債権が複数人に帰属するものであり、それとは似ているが大きく異なる（伊藤進「判批」昭和55年度重判88頁、池田・前掲書［研究］147頁以下、近江233頁）。

(エ) 本書の立場および分配義務 本書は(ウ)を支持する。連帯債権の規定を類推適用する必要はなく、CD相互に対抗できない1つの債権であり、債務者Bには債務は1つなので、いずれかに弁済、相殺等をすればCD全ての債権は消滅することになる。これに対して、Cの免除はDには影響はない。混同も同様である。一方が弁済を受けても不当利得にはならず、分配請

---

252) 177条について、Aが土地をBとCとに譲渡し、いずれも所有権移転登記をしていない場合、①Aとの関係ではBもCも所有者と主張できるという考えがあるが、②私見の法定効果・失権説では、Cが登記をしない限りBが所有者である。債権についても、法定取得・失権説を適用してよいと考えている。しかし、債権譲渡の優劣を決められない場合には、私見であっても①のように考えることは矛盾ではない。

求権（分配義務）は認められない（池田・前掲書［研究］285頁は9-120にみたように分配請求を認める）。

9-124 **◆債務者が債権額を供託した場合——差押えが競合した場合**

(a) **判例は分割債権化を認める** 9-126の最判平5・3・30は、国税債権に基づく国Xによる差押えと債権譲渡が競合した事例で、公平の観点から供託金還付請求権を「案分した額」で「分割取得」するとした。これは二重譲渡にも当てはまる解決であり、到達が先後不明であり、本文のCDの優劣が決められない場合、債務者による供託を受け入れている[253]。そこで、供託金還付請求権について、両者の差押えが競合することが考えられる。さらにいえば、Bの財産に対してCDの差押えが競合した場合も問題になる。

9-125 (b) **執行請求権のみ制限すれば足りる** 相互に債権取得を対抗できないので、他方の差押えの効力を争うことはできない。かといって、裁判所が任意にいずれかに全額を配当してよいというのは不合理である。多数当事者の債権関係ではないが、差押えが競合したならば両者が相互に対抗できないので、公平の観点から案分での配当がされると説明すれば十分である。ところが、一方が他方に配当異議や供託金還付請求権の取立権を有することの確認を求めたために、「分割取得」と苦肉の説明をしたのである。しかし、全額の債権を有するが、執行請求権は公平の観点から按分した割合での主張に制限されると考えれば足りる。

9-126 **●最判平5・3・30民集47巻4号3334頁** (1) **事案** 国税債権に基づく国Xによる差押えの通知とYへの債権譲渡の譲渡通知の到達の先後が不明なため、債務者Aが債権額を供託した。そのため、国が債務者の有する供託金還付請求権を差し押さえた上、Yを相手方として、Xが供託金還付請求権の取立権を有することの確認を求める訴訟を提起した。

9-127 (2) **原審判決** 原審判決は、本件債権差押通知と本件債権譲渡通知のAへの各到達時の先後関係が不明である場合には、XYはお互いに自己が優先的地位にある債権者であると主張することは許されず、Aに対し自己の債権の優先を主張しうる地位にはないとして請求を棄却した。しかし、最高裁は次のように判示して、原審判決を破棄している。

9-128 (3) **判旨** (a) **原則の確認** 「各通知の到達の先後関係が不明であるためにその相互間の優劣を決することができない場合であっても、それぞれ

---

253) 厳格に区別すれば、同時到達の場合にはいずれも債権者となることが明確であり供託原因はないが、到達の先後が不明の場合には、先に到達した方が債権者になるのにそれが不明なので、債権者が不明という要件を満たすことになる（中田671頁）。債権譲渡においては、債務者の不安定な立場に鑑みて厚く保護すべきであり、供託原因を緩和して前者についても供託を有効と認めるべきである。譲受人が供託を無効と主張して、債務者に支払請求することを認めるべきではない。

第1節　債権譲渡　│　§Ⅳ　債権譲渡の第三者への対抗要件

の立場において取得した第三債務者に対する法的地位が変容を受けるわけではないから、国税の徴収職員は……差し押さえた右債権の取立権を取得し、また、債権譲受人も、右債権差押えの存在にかかわらず、第三債務者に対して右債権の給付を求める訴えを提起し、勝訴判決を得ることができる」が、「差押債権者と債権譲受人との間では、互いに相手方に対して自己が優先的地位にある債権者であると主張することが許されない」。

9-129　　**（b）　分割取得に制限**　しかし、債務者が債権額に相当する金員を供託した場合には、「被差押債権額と譲受債権額との合計額が右供託金額を超過するときは、差押債権者と債権譲受人は、公平の原則に照らし、被差押債権額と譲受債権額に応じて供託金額を案分した額の供託金還付請求権をそれぞれ分割取得するものと解するのが相当である」。

4　その他の問題点

9-130　**（1）　二重譲受人がいずれも単なる通知にとどまる場合**

（a）　**判例は債務者への対抗を認める**　債権の二重譲受人がいずれも単なる通知にとどまる場合には、いずれも第三者対抗要件を満たしていない。しかし、債務者に対する対抗要件は満たしていることになる。

判例は、債権につき質権が設定された後に、債権譲渡がされた事例で、「譲受人も其譲渡を以て質権者に対抗することを得ざれば、第三債務者に於て質権の行使を拒み得べき理由な」しとした（大判大8・8・25民録25輯1513頁）。譲受人間で対抗できないが、債務者には対抗できることになる。

9-131　　（b）　**学説は分かれる**

❶　**債務者はいずれの請求も拒絶できないという学説**　判例に賛成し、債務者は両譲受人に対して弁済を拒絶できず、いずれも債務者には対抗できると考える学説がある（平井151頁、淡路476頁、潮見・新Ⅱ660頁、中田673頁）。通知到達が同時である必要はなく、いずれに支払っても有効であり債務を免れ、譲受人間に分配請求を認めるかどうかは、9-114以下の議論とパラレルに考えることになる。この説は、債務者はいずれの請求も拒めるのはおかしいと❷説を批判するが、いずれかが467条2項の要件を満たすまでの暫定的な拒絶であり、そのような厚い保護を債務者に与えることは不当ではない。

9-132　❷　**債務者はいずれの請求も拒絶できるという学説**　これに対し、債務者は、いずれの譲受人に対しても弁済を拒絶できるが──いずれの債権者も相

第9章　債権譲渡・債務引受・履行の引受・有価証券

互に対抗できない効果として、債務者にも対抗できなくなる——、債務者は
いずれにも弁済をすることができると考える学説もある（我妻 545 頁、林ほか
523 頁［髙木］、奥田 452 頁、田山 145 頁）。例えば C への譲渡通知が到達していれ
ば、確定日付ある証書によらなくても債務者には対抗できる。その後、D
の通知も届いた場合、債務者 B に、CD いずれの請求も拒絶できるという保
護を認めるべきである。民法上の債権譲渡については、できる限り債務者の
保護が図られるべきであり、本説に賛成したい。

9-133　**(2)　確定日付ある通知到達後に、債務者が劣後する譲受人に弁済をした場合**

　　(a)　**478 条の適用の可能性あり**　467 条 1 項の債務者対抗要件を満たし
た後に、債務者が譲渡人に弁済した場合、ごく例外的に 478 条の適用の余
地があり（☞ 9-86）、同様の可能性は 467 条 2 項についても認められる。

　　最判昭 61・4・11 民集 40 巻 6 号 558 頁は、確定日付ある証書により譲
渡通知がされた後、債権譲渡を解除する旨の通知がされ、同債権について債
権差押え・取立命令の送達があったため、債務者が解除を信じて差押債権者
に弁済をしたが、解除が無効であった事例である。478 条の適用可能性を認
めつつ、本判決は、467 条 2 項は「債務者の劣後譲受人に対する弁済の効
力についてまで定めているものとはいえず、その弁済の効力は、債権の消滅
に関する民法の規定によって決すべきものであ」ると、478 条の適用の可能
性を認める。

9-134　　(b)　**無過失の評価は厳格**　上記判決は、「債務者において、劣後譲受人が
真正の債権者であると信じてした弁済につき過失がなかったというために
は、優先譲受人の債権譲受行為又は対抗要件に瑕疵があるためその効力を生
じないと誤信してもやむを得ない事情があるなど劣後譲受人を真の債権者で
あると信ずるにつき相当な理由があることが必要であると解すべきであ
る」、と述べている。事案については債務者の過失を認め、結論としては適
用が否定されている[254]。

---

254)　さらに過失の点について、「債務者において、劣後譲受人が真正の債権者であると信じてした弁済につ
き過失がなかったというためには、優先譲受人の債権譲受行為又は対抗要件に瑕疵があるためその効力を生
じないと誤信してもやむを得ない事情があるなど劣後譲受人を真の債権者であると信ずるにつき相当な理由
があることが必要である」と述べる。

第1節　債権譲渡　│　§V　取立てのためにする債権譲渡

---

§V
取立てのためにする債権譲渡

1　取立権付与か信託的譲渡か

9-135　　**(a)　取立てのための信託的譲渡も可能**　債権の移転には、所有権の移転と同様に、移転の「原因」が必要である。売買、代物弁済といった最終的な移転の原因となるもの、信託財産として受任者の名で管理してもらうためのもの、譲渡担保のような担保が考えられる。信託については、物と異なり、債権をその名で管理してもらうということは考えられず、その名で債権回収をしてもらうことになる[255]。信託目的の債権の譲渡も有効であり、467条や特例法による譲渡登記により対抗力を取得することができる。

9-136　　**(b)　取立委任・代理権付与でも可能**　しかし、取立てだけであれば取立委任をして、代理権を授与すれば足りる。信託的にも、権利を移転する意思までなければ、債権譲渡は虚偽表示であり無効となる (94条1項)。取立てを容易にするために、譲渡を仮装し自己の債権として取立て・受領をできるようにしたにすぎないことになる。いずれの合意がされたか明確でない場合には、判例は当初、取立授権にすぎないと推定したが (大判大15・7・20民集5巻636頁)、その後、大判昭9・8・7民集13巻1588頁は、信託的債権譲渡と認めて、譲受人のした債務免除を有効とした。

2　信託的譲渡

9-137　　すでに述べたように、債権は信託目的で譲渡することも可能である。その場合、譲受人への弁済が有効なのはよいが、譲受人のした免除が有効なのか問題になる。取立委任にすぎない場合には、代理権についての契約解釈の問

---

255)　ただし、訴訟、示談交渉させることを主として目的としている場合には、信託法10条（信託は、訴訟行為をさせることを主たる目的としてすることはできない）また弁護士法73条（「何人も、他人の権利を譲り受けて、訴訟、調停、和解その他の手段によって、その権利の実行をすることを業とすることができない。」）に違反し、債権譲渡は無効である。弁護士法73条は、同法72条の非弁行為の禁止を受けて、弁護士でない者が行うことも禁止するものであり、これに違反した債権譲渡は無効とされる（東京高判平3・6・27判時1396号60頁）。

394

第9章　債権譲渡・債務引受・履行の引受・有価証券

題になり、基本的には取立てを委託したのであり免除の権限は与えていない。ところが、信託的譲渡の場合には、債権が移転しており、取立て目的を超える行為をしない債権的拘束力があるにすぎない。債権を譲渡したり、債務者に対して一部免除をしても、譲渡人との関係で債務不履行になるだけであり、有効な行為である。債務者が取立目的の譲渡であることを知っていたとしても、免除の効力は否定されることはない（大判昭9・8・7民集13巻1588頁）。

第2節　債務引受および履行の引受

---

§I
併存的（重畳的）債務引受

1　併存的債務引受の意義および要件

9-138 **(1)　併存的債務引受の意義**

(a)　併存的債務引受が基本形　債務引受には、併存的債務引受と免責的債務引受とがあり、当初の民法には規定がなく解釈により運用されていたところ、改正法により明文規定が導入された。

まず、併存的債務引受について説明する。民法が併存的債務引受を先に規定するのには理由がある。改正前は、免責的債務引受が基本形であったが（☞9-141）、改正はこれを変更し、併存的債務引受を基本形としたからである。

9-139 **(b)　併存的債務引受の意義**　民法は、併存的債務引受につき、「併存的債務引受の引受人は、債務者と連帯して、債務者が債権者に対して負担する債務と同一の内容の債務を負担する」と規定した（470条1項）。例えば、AがBに対して100万円の債権を有しているとして、Cが新たにBと同じ100万円の内容の債務をAに対して負担し、BCが連帯債務者になる、これが併存的債務引受である──連帯債務の発生原因の1つ──。

9-140 **(c)　債務を新たに負担するのが債務引受──債務の移転を認めない**　これ

395

に加えて、Bの債務を免責するのが免責的債務引受であり、併存的債務引受の修正バージョンということになる[256]。なぜこのような構成を採用したのかというと、改正前の理解を変更し、債務は、債権とは異なり移転させることができないと考えたためである。そのため、この民法の規定には任意規定（推定規定）を超えた意味が認められることになる。

9-141　◆**改正前は免責的債務引受が基本形──債務の移転を認める**

（a）**改正前は債務の移転を認める**　改正前は、債務引受は債権譲渡の債務版と理解され（野澤正充『契約法の新たな展開』[2022] 523頁）、上の例でいえば、Bの債務をCが引き受けるのは、債務が同一性を保ってBからCに移転するものと考えられていた。すなわち、免責的債務引受が基本形であった。BからCに債務が移転するため、Bは債務を免れることになる。他方、Bの債務と同一内容の債務をCが新たに引き受けるのが併存的債務引受であり、債務を移転させる債務引受ではないことになる。ただし、Bが債務を負担したまま、同じ内容の債務をCに移転するという「設定的債務引受」説もあった（野澤・前掲書525頁）。

9-142　（b）**債務の移転は不可能か**　制度設計が全く逆であり、なぜ改正法がこのような変更をしたのかというと、債権とは異なり、債務は意思表示により移転させることはできないという理解に基づく。財産権である債権については、「帰属」主体にこれを移転させる権限が認められるが、債務の処分権限は債務者にはないと考えられたのである──債務者の変更は更改が用意されている（514条1項）──。しかし、確かに「譲渡」ではないが、債権者の承諾を要件として、第三者が債務を同一性を保って引き受けることは認められてよい[257]。

---

256)　改正に際しても、免責的債務引受を「債務の移転」構成で規定し、次いで併存的債務引受を規定すべきであり、両者は意義も異なるので成立要件から区別して考えるべきであるという提案もされていた（池田真朗「債権譲渡から債務引受・契約譲渡へ」『内池慶四郎先生追悼論文集・私権の創設とその展開』[2013] 163頁以下）。改正法のような併存的債務引受を原理として免責的債務引受をその亜種とする法制は、沿革かつ比較法的な観点から「特異なもの」と評されている（野澤・後掲書537頁）。フランス民法1327条以下は2016年改正で、「債務の譲渡」と明記しており、ドイツでも議論はあったが債務の移転が認められている（大橋エミ「19世紀ドイツ法における債務引受概念の生成(1)～(3・完)」法学雑誌67巻1＝2号・3号・4号 [2021～2022] 参照）。

257)　***強行規定で他の合意の可能性はないのか**　債務の移転はできないと考えると、債務引受の規定は強行規定であり、これ以外の構成による債務引受はできないことになる。債権契約であれば、契約自由なので任意規定と考えることができるが、処分行為である。しかし、ドイツやフランスでは債務の移転を認めており、理論的な理由で強行規定と解する必然性はない。債務の意思表示による移転が可能だとすると、民法の規定は任意規定でありこれと異なる合意が可能になる（石田1006頁は、免責的債務引受を解釈により債務の移転と構成する）。免責的債務引受を、民法の構成とは異なり債務の移転として構成する合意も有効になる。本書はこのような特約の可能性を認めるが、債務移転構成では法律関係がどうなるか個々の問題についてまで説明する余裕はないので、他の構成の可能性を指摘するにとどめる。

第 9 章　債権譲渡・債務引受・履行の引受・有価証券

9-143 **(2)　債務引受の必要性**

(a)　**保証とパラレルな制度**　保証ではなくあえて併存的債務引受を選択するのは、付従性が認められるのを避けるためである。例えば、息子の起こした事故につき、父親が責任をとることを被害者に約束した場合に、併存的債務引受と認定されている（横浜地判平 6・5・24 交民集 27 巻 3 号 643 頁）。そのため、併存的債務引受については、保証との関係を意識して考察する必要がある。

9-144 (b)　**黙示の意思表示による特殊事例**　特殊な事例として、貸金業者が関連会社を設立し、その有する貸金債権をそれに全て譲渡した事例がある。主要な財産である債権を全て譲渡し、過払金返還義務を譲渡会社に残す不合理極まりない事例である。過払金返還義務を新会社が併存的債務引受をしたものと扱われている（最判平 23・9・30 判時 2131 号 57 頁）。契約解釈によっているが、法定の効果を認めたに等しい。付従性を回避するために、保証ではなく併存的債務引受とされている。

9-145 (c)　**債務だけ移転する必要性はない**　債務者自身を免責する必要性がある場合には、免責的債務引受が用いられる。会社の再建を支援するため、債権者が債権放棄をして、第三者が独立債務を負担することも可能であるが、これを免責的債務引受で行うことが可能である。事業譲渡も、債務も対象に含まれるため、債権は譲渡できるが、債務については免責的債務引受による必要がある。また、抵当権付きの不動産の譲渡を受ける際に、債務を引き受けることも考えられる。併存的債務引受だけを行うのは、(a)(b)のような保証代用の事例である。

9-146 **◆併存的債務引受と保証**

連帯債務では負担部分のない実質保証も可能と考えられており、そのような連帯債務を併存的債務引受により負担することも可能である（444 条 2 項などが前提としている）。そうすると、保証か併存的債務引受かは、いずれの契約形式をとったかという形式の問題に帰することになる。しかし、ドイツでは、引受人が債務について固有の利益を有すれば併存的債務引受（連帯債務）、そうでなければ保証と考えられており、日本でも実質に応じてこの 2 つを区別する考えもある。B が最終的な負担をする場合は保証であり、最終的な負担を分担し合う場合を併存的債務引受と解する（石田 1001 頁）。実質に応じていずれかが決められることになり、この考えでは、負担部分のない場合は必ず保証となる。保証の規制が

397

第2節　債務引受および履行の引受 ┃ §1　併存的（重畳的）債務引受

ないがしろにされないためには、この学説のように考えるか、または、負担部分がない連帯債務には保証の規定を類推適用するか、いずれかが必要になる。

9-147 **(3) 併存的債務引受の要件**

(a) 債務についての要件　併存的債務引受は、①引受の対象となる債務が有効に存在することが必要であり[258]、また、その債務が第三者によっても実現できることが必要になる。連帯特約をする必要はなく、470条1項により2つの債務は連帯債務として扱われる。通常は金銭債務であるが、金銭債務である必要はなく、例えば建物の建築請負人の債務でもよい。

9-148 **(b) 書面によることは不要**　保証の代用として用いられるとしても、併存的債務引受は、保証契約とは異なり要式契約にはなっていない。また、個人根保証など、保証についての規律も準用されていない。保証人保護の趣旨を及ぼすべき場合には、保証と法性決定をするか（☞9-146）、保証人保護規定の類推適用が許されると考えられている（日本弁護士連合会編『実務解説改正債権法』[2017] 287頁、債権法研究会編・前掲詳解273頁［井上聡］、中田706頁）。前者では、併存的債務引受と称していても保証とされることがあり、その場合、書面によらなければ無効になる（石田840頁）。

9-149 **(c) 契約当事者**

(ア) 債権者と引受人の契約による場合　契約当事者については、2つに分けて規定されている。債権者、債務者および引受人の3者で契約ができるのは当然である。

　まず、「併存的債務引受は、債権者と引受人となる者との契約によってすることができる」ものとされている（470条2項）。債務者の承諾は不要である。保証契約とのバランスからいっても、債務者の承諾を要件とする必要はない。9-143の父親が息子の不法行為について損害賠償を約束する事例のように、債務者の知らない間に、さらには債務者の意思に反しても併存的債務引受を行うことは可能である。

9-150 **(イ) 債務者と引受人の契約による場合**　また、「併存的債務引受は、債務

258）引受の対象となる債務が存在していない場合、債務移転構成によらないので、引受人の債務だけ成立するかのようであるが、債務者と「連帯して」債務を引き受けるという契約なので、引受契約は無効になる。例えば、100万円の債務を引き受けたところ、債務が弁済により50万円消滅していて50万円であった場合、引受人だけ100万円の債務を負担するということはなく、引受人の債務もまた50万円になる。この意味では付従性が認められることになる。

第9章　債権譲渡・債務引受・履行の引受・有価証券

者と引受人となる者との契約によってもすることができる」が、「この場合において、併存的債務引受は、債権者が引受人となる者に対して承諾をした時に、その効力を生ずる」(470条3項)。第三者のためにする契約であり、第三者の受益の意思表示が必要となり (537条3項)、債権者が「承諾」をした時に効力を有するものとしたのである。承諾の意思表示は、引受人に対してすることが必要である。第三者のためにする契約なので、「第三者のためにする契約に関する規定に従う」ことになる (470条4項)。

2　併存的債務引受の効果

9-151　**(1)　引受人と債権者の関係——連帯債務だが保証とパラレルな扱い**

(a)　債務者の主張しうる抗弁を主張しうる　併存的債務引受の効果として、引受人は「債務者と連帯して」「同一の内容の債務」を負担することになる (470条1項)。したがって、その債務について債務者が主張できる事由を、引受人も主張できることになる。すなわち、「引受人は、併存的債務引受により負担した自己の債務について、その効力が生じた時に債務者が主張することができた抗弁をもって債権者に対抗することができる」(471条1項)。例えば、代金債務であれば、目的物の引渡しとの同時履行の抗弁権を主張しうる（この意味で付従性あり）。

9-152　**(b)　債務者の取消権・解除権を根拠とした抗弁権**　また、「債務者が債権者に対して取消権又は解除権を有するときは、引受人は、これらの権利の行使によって債務者がその債務を免れるべき限度において、債権者に対して債務の履行を拒むことができる」(471条2項)。改正法は、保証人についてと同様に (457条3項)、ここでも抗弁権構成を採用している。相殺については、連帯債務についての439条2項が適用され、債務者Bが負担部分100%であれば、引受人はBの反対債権全額につき抗弁権が認められる。

9-153　**(2)　債務者と引受人の関係**

(a)　連帯債務とされた　引受人は別個の新たな債務を負担するが、連帯債務であり、保証債務とは異なり、債務に主従はなく引受人の債務は代位弁済義務ではなく固有の債務である。この複数債務者の関係をどう説明するかは改正前は議論されており、特に当事者が連帯債務とする旨を表示しない限り不真正連帯債務となると解する学説 (我妻577頁) に対し、判例は連帯債務と

399

考えていた（最判昭41・12・20民集20巻10号2139頁など）。この点、改正法は「連帯」と明記した（470条1項）。

9-154　**(b)　連帯債務として規律される**　債務者と引受人の関係は、連帯債務の規定によることになる。弁済前後の通知義務などが適用される。求償については、連帯債務の規定により可能であるが、負担部分がなく実質的に保証に等しい場合には、引受人が弁済などによって債権者に満足を与えた場合には、債務者に全額求償ができる。

9-155　**(3)　担保への効力**

　　併存的債務引受がされた債務に担保が付いている場合、元の債務者はそのままで引受人の債務が加わるだけなので、第三者の提供した担保であってもそのまま存続する。保証債務も同様である。保証人と実質的に保証と同視されるべき併存的債務引受人については、保証人が2人になったのに等しいため、465条を類推適用して相互に求償を認めるべきである。

§Ⅱ
免責的債務引受

1　免責的債務引受の意義および要件

9-156　**(1)　免責的債務引受の意義**

　　民法は、免責的債務引受けについて、「免責的債務引受の引受人は債務者が債権者に対して負担する債務と同一の内容の債務を負担し、債務者は自己の債務を免れる」と規定する（472条1項）。改正法では、債務「引受」は、債務の移転ではなく、引受人による債務者の債務と同一内容の新たな債務の引受と統一的に構成されている。そのため、免責的債務引受は、債務者を免除する代わりに、引受人が新たな債務を負担するものと構成されている。

9-157　**◆債権者による債権の処分という観点から**

　　債務者側から考察して、債務者が債務を処分（譲渡）することができることには理論的に疑義があることが、改正法の基本にあることはすでに説明したが、これを債権者による債権の処分ということから説明する学説がある。すなわち、債

務者を変えるのは、債権者による債権の処分として可能であり、Aは債権はその
ままで、債権の相手方をBからCに代えるという債権の処分権を有するものと
説明する（石田1010頁）。債務者を変更する更改も債権の処分であるが、債務引受
では、債権の同一性を保ったままでの処分になる。この債務者変更という処分に
は、債務者Bの同意は不要とされる。他方で、BCで債務者をBからCに代える
合意をするのは、Aに処分権が帰属しているので、Aの承諾（追認）が必要にな
る。

9-158 **◆免責的債務引受の対抗**

　免責的債務引受が債務の移転であれば、債権譲渡のように対抗が問題になる。
BからCへの免責的債務引受後に、Aの債権者が債務者をBとして債権を差し
押さえてきた場合に、Bは免責的債務引受の対抗要件が必要であろうか。この
点、改正法は、Bについては債務免除による免責という位置づけなので、免除の
対抗が問題になるにすぎない。免除を受けたことの対抗要件は不要である。した
がって、Bは差押債権者に免除を対抗できる。もちろん、差押え後に、AがBに
対して免責的債務引受をしても、差押債権者には対抗することはできない。差押
えがされると、Aは免除ができなくなるからである。

9-159 **(2) 免責的債務引受の要件**

　(a) 債務についての要件 引受けの対象となる債務が有効に存在している
こと、また、債務の内容が第三者によっても実現しうることが必要なこと
は、併存的債務引受と同様である。契約当事者については、債権者、債務者
および引受人の3者でできるのは当然であり、民法は以下の2つの場合に
ついて規定している。

9-160 　**(b) 契約当事者**

　(ア) 債権者と引受人との契約 まず、「免責的債務引受は、債権者と引受
人となる者との契約によってすることができ」、債務者の同意さらにはその
意思に反しないことは必要ではなく、「免責的債務引受は、債権者が債務者
に対してその契約をした旨を通知した時に、その効力を生ずる」（472条2
項）。保証や第三者弁済は債務者の承諾なしにでき、また、免除は、債権者
の一方的意思表示によることができるのと平仄を合わせたものである。通知
の到達により効力が生じるので、その前に債務者が弁済すれば有効である。

9-161 　**(イ) 債務者と引受人との契約** また、「免責的債務引受は、債務者と引受
人となる者が契約をし、債権者が引受人となる者に対して承諾をすることに
よってもすることができる」（472条3項）。債務の引受けは第三者のためにす

第2節 債務引受および履行の引受 §Ⅱ 免責的債務引受

る契約であるが、債務者の免除は債務者と引受人との合意でできるものではない。そのため、470条3項とは異なり、472条3項では債権者の承諾は成立要件とされている。承諾の意思表示は引受人に対してすることが必要である。

2 免責的債務引受の効果[259]

9-162 **(1) 抗弁の対抗など**

(a) 抗弁の対抗 「引受人は、免責的債務引受により負担した自己の債務について、その効力が生じた時に債務者が主張することができた抗弁をもって債権者に対抗することができる」(472条の2第1項)。また、「債務者が債権者に対して取消権又は解除権を有するときは、引受人は、免責的債務引受がなければこれらの権利の行使によって債務者がその債務を免れることができた限度において、債権者に対して債務の履行を拒むことができる」(同条2項)。結論としては、債務移転構成と同じ効果が法定されている。

9-163 **(b) 元債務者・債権者間の権利** 元債務者は、免責的債務引受により債務を免れたとしても、契約の取消しや解除をすることはでき、その場合には引受人の債務も消滅する。

旧債務者が債権者に対して反対債権を有していたとしても、その相殺を引受人は抗弁として援用できない(奥田・佐々木・下巻981頁)。さもないと第三者が債務を引き受けた意味がなくなるからである。債権者の相殺権については、債権者は承諾の自由があるので、承諾した以上は債権者も旧債務者に対して相殺ができなくなると考えてよい。

9-164 **(2) 担保への効力——担保を引受人の債務に移す意思表示が必要**

(a) 改正法による発想の逆転 改正前は、免責的債務引受を債務の移転と理解したため、担保もそのまま移転した。第三者の提供した担保については、その保護のために特別の免責を考えればよかった。ところが、改正法では、債務者を免責し、引受人が新たな債務を負担するため、債務者の債務に

---

259) 免責的債務引受では、引受人は、引き受けた債務を弁済したとしても求償権は取得せず(472条の3)、弁済による代位は生じない。その結果、旧債務者が債務負担後に詐害行為をしていても、債務引受人は、旧債務者に対して免責的債務引受の見返りとして何らかの債権を取得しようと、詐害行為取消権は認められない(最判平10・6・22民集52巻4号1195頁の原審判決はこの結論を認める)。

402

第9章　債権譲渡・債務引受・履行の引受・有価証券

ついての担保はそのままでは付従性により消滅することになる。そのため、債務者交替による更改のように、引受人の新債務に担保だけ承継させる意思表示を認め（472条の4第1項本文）、また、そのような意思表示がなければ担保は消滅するということを基本視点としている。出発点が全く逆転したことになる。

9-165 **(b) 保証と法定担保以外**

(ｱ) 引受人の設定した担保権　「債務者が免れる債務の担保として設定された担保権を引受人が負担する債務に移すことができる。ただし、<u>引受人以外の者がこれを設定した場合</u>には、その承諾を得なければならない」（472条の4第1項）[260]。「移すことができる」ということは、当然には移転しないということであり、引受人が物上保証人として設定した抵当権も同様である。この点、物上保証人による免責的債務引受にはその債務の担保に「移す」意思表示が含まれていると解される。

9-166 **(ｲ) 引受人以外の者が設定した担保権**　「引受人以外の者がこれを設定した場合」は、その承諾を得なければ、引受人の新債務の担保に「移す」ことは認められない（472条の4第1項ただし書）。第三者Dの設定した抵当権については、ABCの合意でCの負担する新債務に移転させることはできず、Dの承諾なしにABCで移転の合意をしても無効であり、Bの債務の消滅と共に消滅する。「引受人以外の者」には、債務者Bも含まれ、ACで免責的債務引受をして、Bが設定した抵当権を移転する合意をしても無効である。ABCで合意がされた場合には、Bの意思表示には担保の移転の承諾も含まれていると解してよい。

9-167 **◆債務移転説の立場からの評価**
　　改正法でも、免責的債務引受を債務の移転と考える学説では、債務が同一性を保って移転するので、担保も付従性というかどうかは措くが、当然にBに対する債権の担保からCに対する債権の担保になる。そのため、担保を移転する意思

---

260)　**＊連帯債務への免責的債務引受の効果**　Aに対してBCが連帯して100万円の債務を負担しているが、CがDに免責的債務引受をしてもらったとする。担保ではないが類似する利益状況が認められる。BはCだから求償可能と思っていたのに、債務者がCからDに代えられてしまったことになる。フランス民法1328-1条2項は、免責的債務引受の場合に、他の連帯債務者は、自己の負担部分のみの債務に縮減されることを認めている。BCの債務が100万円で負担部分が2分の1ずつの場合には、Dは100万円の債務を引き受けるが、Bの連帯債務は50万円になる。日本においても、Bの承諾を得ない限り同様に考えるべきである。

403

表示は不要である（石田1015頁）。BまたはCが提供した担保については、意思表示が不要となる。これに関係する規定部分は無視することになる。ただ第三者の設定した担保の場合には、付従性による移転とは異なり、債務者を変更することになり大きな利害関係を有するため、その承諾を特に要件とし、承諾がないと消滅することにしたと理解することになる。承諾がないと担保は消滅するが、新たなCの債務の担保を設定するのではないので、追認でよく、472条の4第2項が事後的な追認を否定しているのは不合理であり、追認も認めることになる。

9-168　**(c)　保証と法定担保**

(ア)　保証　上記の規定は保証債務についても準用され（472条の4第3項）、保証債務の主債務を引受人の債務に変更するには保証人の承諾が必要である。民法はこの承諾は、「書面でしなければ、その効力を生じない」ものとし（同条4項）、この書面は、「電磁的記録」によることも可能である（同条5項）。保証人に承諾を求めるに際しては、465条の10の類推適用の余地がある。

9-169　**(イ)　法定担保**　以上に対して、留置権、先取特権といった法律上当然に成立する担保については、特定の債権のために法が認めたものであるから、改正前の債務の移転構成においては、債務者が変わっても存続すると解するのが通説であった。ところが、改正法では新たな債務の負担である。しかし、9-162の実質的同一性を保持する趣旨から、当然に移転すると考えるべきである。472条の4第1項も「設定した」担保に限定しているので、その制限はこれらには及ばない。

9-170　**(3)　求償権**

　債務だけ免責的に引き受けることはありえず、何らかの特別事情に基づいて行われるはずである。そのため、改正法は、「免責的債務引受の引受人は、債務者に対して求償権を取得しない」と規定し、求償権を否定した（472条の3）。例えば、A会社の一部門を独立させて、B会社を設立し、その部門にかかる債務をBが免責的債務引受をした場合、BからAへの求償権は成立せず、これはBが債務を履行した後も変わることはない。

第9章 債権譲渡・債務引受・履行の引受・有価証券

§Ⅲ
履行の引受（履行引受）

1 意義

9-171 **(a) 履行の引受の意義** 履行引受（履行の引受）は、引受人が債務者に対して、債権者に代位弁済する債務を負担する合意である——債務の一部も可——。債務者が、履行引受人に対して自分の債務につき代位弁済するよう求める債権を取得するにすぎず、債権者には履行引受人に対する債権は成立しない。AがBに対して100万円の債権を有する場合、BのCに対する代位弁済を求める債権、CのBに対する代位弁済をする債務を成立させることになる。Cによる弁済は、第三者としての弁済となる。

9-172 **(b) 履行の引受と区別される場合①** 為す債務における履行代行者の場合には、例えば運送人が下請運送人に運送させる場合、その運送は依頼者との関係では運送人が履行補助者により履行をしている。第三者の弁済ではなく、債務者の履行を代わりに行っているにすぎない。そのため、債務者についての拘束に服することになる。

9-173 **(c) 履行の引受と区別される場合②** また、支払指図は、例えば、9-171でCからの借入れとすると、100万円をBの指図によりAの銀行口座に振り込むのは、第三者弁済ではない。ここでは、CからBへの貸金交付義務の履行、BからAへの100万円の債務の履行の2つの履行（弁済）がされている。100万円の金銭を本来ならば、CからB、BからAと交付しなければならないが、Bの指図により直接Aに交付したが、法的にはCからB、BからAに交付したものと擬制するものである。占有改定で物の交付がなくても、意思表示で引渡しがあったものと擬制するのと同様である。

2 履行の引受の効果

9-174 **(a) 債務者に対する抗弁** 履行引受については改正法も特に規定を置かず解釈に任せている。例えば、代金債務の履行引受の場合、債務者が同時履行の抗弁権を有している場合に、履行引受人は債務者による代位弁済請求に対

405

第3節　有価証券

して同時履行の抗弁権を主張することができる。また、債務者に契約解除権や取消権がある場合には、履行引受人に債務者の代位弁済請求に対する拒絶権を認めてよいように思われる。

9-175　　(b)　**履行引受人の債務不履行**　履行引受人が約束した履行をしない場合には、債務不履行になる。債務者が履行が遅れたために違約金を支払わされたり、利息や遅延損害金を支払わされたことが損害となり、債務者はその賠償を請求できる。履行引受人が第三者弁済をした場合には、求償権を取得し（650条1項）、また、弁済者代位が認められる。その性質上、前払費用請求権（649条）を認めるべきではない。履行引受人が複数いる場合に、465条1項の類推適用が考えられる。

第3節　有価証券

1　有価証券の意義

9-176　　(a)　**改正前規定**　改正前の民法には、債権譲渡の規定の中に、指名債権の譲渡に続けて、指図債権の譲渡についての規定が置かれていた（旧469条以下）。また、総則の「物」の規定の中に、無記名債権を「動産とみなす」という規定が置かれていた（旧86条3項）。他方、有価証券一般については、商法に一般規定が3か条だけであるが置かれていた（商517条〜519条）。

9-177　　(b)　**改正法**　改正法は、これらの規定を削除し、民法において債権総則に第7節「有価証券」という新たな節を設けた。有価証券については特に定義規定が置かれていないが、私法上の権利を表章する証券であり、それによって表章される権利の発生、移転または行使が証券によってされるものである。為替手形、約束手形、小切手がその代表であり、そのほか、貨物引換証、預り証券、倉荷証券、船荷証券といった商法に規定があるもの、さらには特別規定のない商品券、図書券なども有価証券の例である。

　民法は、有価証券を、①指図証券、②記名式所持人払証券、③その他の記名証券、および、④無記名証券の4つに分けて規定している。

第9章 債権譲渡・債務引受・履行の引受・有価証券

2 指図証券

9-178 **(1) 指図証券の意義と流通の保護**

(a) 譲受人を表記（裏書）した証券の交付が必要

(ア) 指図証券の意義 指図証券とは、手形、小切手に典型的にみられるように、証券に権利者が記載されるため、その権利の譲渡は意思表示だけでは足りず、裏書譲渡、すなわち、①「表記金額を下記被裏書人またはその指図人にお支払いください」と、権利の譲受人を紙面に表記し、そして、②証券を交付することが必要である証券化された権利である。

9-179 **(イ) 指図証券の譲渡** 「指図証券の譲渡は、その証券に譲渡の裏書をして譲受人に交付しなければ、その効力を生じない」と、民法は譲渡が意思表示＋証券の裏書＋証券の交付によってされる要式行為であることを確認している（520条の2）。裏書の方式についても規定し、「指図証券の譲渡については、その指図証券の性質に応じ、手形法（……）中裏書の方式に関する規定を準用する」ものとする（520条の3）。また、「指図証券の所持人が裏書の連続によりその権利を証明するときは、その所持人は、証券上の権利を適法に有するものと推定」される（520条の4）。

9-180 **(b) 善意取得・債務者の対抗事由**

(ア) 善意取得 権利の証券化は権利の流通を促進するためのものであるため、性質は債権であっても、動産以上の流通の確保＝取引安全の保護が図られている——証券化された債権では、即時取得ではなく善意取得という——。「何らかの事由により指図証券の占有を失った者がある場合において、その所持人が前条の規定によりその権利を証明するときは、その所持人は、その証券を返還する義務を負わない。ただし、その所持人が悪意又は重大な過失によりその証券を取得したときは、この限りでない」という、動産の即時取得以上の厚い保護を認めている（520条の5）。

9-181 **(イ) 抗弁の切断** また、譲受人保護のため、債務者の抗弁が制限され、「指図証券の債務者は、その証券に記載した事項及びその証券の性質から当然に生ずる結果を除き、その証券の譲渡前の債権者に対抗することができた事由をもって善意の譲受人に対抗することができない」ものとされている（520条の6）。468条1項の対抗可能という原則に対して例外を認め、証券化

407

第3節　有価証券

された債権の流通を図っているのである。

9-182 **(2)　弁済に関わる規定**

　「指図証券の弁済は、債務者の現在の住所においてしなければならない」（520条の8）。民法では債権者の住所地での持参債務が原則であるが（484条1項）、債務者の住所地への取立債務にしているのである。民法の原則では、確定期限が定まっている場合には、その期日経過だけで当然に履行遅滞になるが（412条1項）、「指図証券の債務者は、その債務の履行について期限の定めがあるときであっても、その期限が到来した後に所持人がその証券を提示してその履行の請求をした時から遅滞の責任を負う」ものとされている（520条の9）。そして、証券を提示されて請求をされても、「指図証券の債務者は、その証券の所持人並びにその署名及び押印の真偽を調査する権利を有する」ため、必要な調査のため支払が遅れても履行遅滞の責任を負うことはない。この調査は権利にすぎず義務ではないが、「債務者に悪意又は重大な過失があるときは、その弁済は、無効」とされる（520条の10）。

9-183 **(3)　指図証券の質権設定**

　520条の2から520条の6までの譲渡についての規定は、「指図証券を目的とする質権の設定について準用」されている（520条の7）。例えば、質権設定は、質権設定の裏書をして質権者に交付することが成立要件になる（520条の2の準用）。また、質権の善意取得も可能である（520条の5の準用）。

　520条の2から520条の6までは、質権の「設定」についての準用であり、成立した質権の行使については、520条の8以下が適用される。質権者による取立ても、質権者が証券を提示して支払を請求して初めて履行遅滞になる（520条の9）。

9-184 **(4)　証券の喪失**

　指図証券は、上記のように証券を提示して請求しなければ支払を請求できないが、そうすると、証券を喪失すると権利行使ができなくなってしまう。そのため、「指図証券は、非訟事件手続法（……）第100条に規定する公示催告手続によって無効とすることができる」ものとされ（520条の11）。「非訟事件手続法第114条に規定する公示催告の申立てをしたときは、その債務者に、その債務の目的物を供託させ、又は相当の担保を供してその指図証券の趣旨に従い履行をさせることができる」ことになっている（520条の12）。

408

第 9 章　債権譲渡・債務引受・履行の引受・有価証券

3　記名式所持人払証券

9-185 **(1)　記名式だが所持人に支払われる証券**

　民法は、「記名式所持人払証券」を、「債権者を指名する記載がされている
証券であって、その所持人に弁済をすべき旨が付記されているものをいう」
と定義している（520条の13括弧書）。記名式所持人払証券の譲渡は、「その証
券を交付しなければ、その効力を生じない」ものとされ（同条）、証券の交付
は譲渡の効力要件であるが、裏書は必要ではない。したがって、証券の交付
だけで有効に、証券上の権利を譲渡できることになる。債務者は、証券の所
持人に支払をすればよいことになる。この点、「記名式所持人払証券の所持
人は、証券上の権利を適法に有するものと推定する」（520条の14）。したがっ
て、特に権利者であることを疑って調査すべき特段の事情がない限り、証券
の所持人に支払えばその支払は有効になる。

9-186 **(2)　記名式所持人払証券の善意取得**

　また、記名式所持人払証券の善意取得について、「何らかの事由により記
名式所持人払証券の占有を失った者がある場合において、その所持人が前条
の規定によりその権利を証明するときは、その所持人は、その証券を返還す
る義務を負わない。ただし、その所持人が悪意又は重大な過失によりその証
券を取得したときは、この限りでない」と、悪意または重過失がなければ善
意取得が可能とされている（520条の15）。また、証券取得者保護のため、「記
名式所持人払証券の債務者は、その証券に記載した事項及びその証券の性質
から当然に生ずる結果を除き、その証券の譲渡前の債権者に対抗することが
できた事由をもって善意の譲受人に対抗することができない」ものとされて
いる（520条の16）。

　以上の譲渡についての規定は、記名式所持人払証券を目的とする質権の設
定について準用される（520条の17）。また、指図証券についての520条の8
から520条の12までの規定は、記名式所持人払証券に準用される（520条の
18）。

409

4 その他の有価証券

9-187 **(1) その他の記名式証券**

　民法は、以上のほかに、「その他の記名証券」と題して、「債権者を指名する記載がされている証券であって指図証券及び記名式所持人払証券以外のものは、債権の譲渡又はこれを目的とする質権の設定に関する方式に従い、かつ、その効力をもってのみ、譲渡し、又は質権の目的とすることができる」と規定する（520条の19第1項）。証券に権利者が記載されているが、その権利の譲渡が予定されていない権利であり、債権譲渡の一般規定により譲渡、質入れされ、その効力も一般の債権のそれにより規律される。対抗要件は467条により、善意取得制度は適用されない。そして、譲渡は予定されていなくても、権利行使には証券が必要なため、証券喪失に関する520条の11および520条の12の規定が準用されている（520条の19第2項）。

9-188 **(2) 無記名債権**

　証券により権利行使がされるが権利者が証券には表示されていない無記名証券（商品券など）に、記名式所持人払証券についての第2款の規定が準用される（520条の20）。したがって、譲渡は証券の交付によることになり（520条の13の準用）、所持人は適法な権利者と推定される（520条の14の準用）。また、譲受人には悪意または重過失がなければよいため、動産以上に取引の安全性が図られている。なお、以上の「交付」は、178条の「引渡し」とは異なり、現実の引渡しが必要であり、占有改定では足りない。

9-189 　　　**◆チケット不正転売禁止法**

　　　ところで、「特定興行入場券の不正転売の禁止等による興行入場券の適正な流通の確保に関する法律」（いわゆるチケット不正転売禁止法）が2018年12月14日に公布され、2019年6月14日から施行されている。「映画、演劇、演芸、音楽、舞踊その他の芸術及び芸能又はスポーツ」についての「特定興行入場券」のいわゆる「ダフ行為」を罰則を設けて禁止している。すなわち、特定興行入場券の不正転売を禁止し（同法3条）、また、特定興行入場券の不正転売を目的とする特定興行入場券の譲受けを禁止し（同法4条）、その違反には「1年以下の拘禁刑若しくは100万円以下の罰金に処し、又はこれを併科する」ものとされている（同法9条1項）。

第10章
債権の消滅①
——弁済

第1節　債権の消滅原因——総論

第1節　債権の消滅原因——総論

10-1 **(1)　「債権の消滅」の節に規定されている債権消滅原因**

　民法は、債権編総則の第6節（473条以下）「債権の消滅」に、弁済、相殺、更改、免除および混同という5つの債権の消滅原因を規定している。債権は、物権のように"存続"を目的とする権利ではなく——不動産賃借権のような継続的給付を求める債権は除く——、履行（弁済）＝満足を受けて"消滅"することを目的とする権利である。債権の満足の方法も、債務者または第三者がする任意の弁済による任意的実現と、強制執行または担保権の実行による強制的実現とが考えられる。また、本来の給付を得るのではなく、代物弁済の合意による場合もあり、相殺は強制的実現の一種である。任意的実現が債権者の協力を得られないために行えない場合には、供託をすることによって債務を免れることができる。その他、混同によって債権は消滅し、また、債権者は免除をすることもできる。

10-2 **(2)　「債権の消滅」の節以外の債権消滅原因**

　契約が、取消し、解除等により消滅すれば、契約上の債権も消滅する。「債権の消滅」の節に規定されている事由以外に、債権だけの消滅原因としては、まず、債権の消滅時効がある。改正前は、債務の履行不能の場合、債務者に帰責事由がある事例では塡補賠償請求権へと変容して債権は存続するが、債務者に帰責事由がない場合には（例えば塗装を依頼していた建物が大地震で倒壊）、債権は消滅すると考えられていた。しかし、改正法は、債務者に不能の抗弁を認めるだけで、債権は消滅しないものとした（412条の2第1項）[261]。改正前は、危険負担において反対給付義務も当然に消滅することになっていたが、反対給付義務についても、履行拒絶権が成立するだけに変更された（536条1項）[262]。債権者（買主）は、債務者（売主）に帰責事由がなくても契約解除ができ（542条1項1号）、自身の反対債務（代金債務）を免れるためには契約解除をする必要がある。

---

261)　債務者に帰責事由があっても、同一性理論を否定する立場では（☞4-16）、塡補賠償請求権は債務不履行の効果として新たに成立した債権となり、履行不能になった債権は不能の抗弁が成立したまま存続することになる。本書の立場では、転形し当初の債権は消滅する。

412

第10章　債権の消滅①——弁済

第2節　弁済

> # §I
> # 弁済の意義および法的性質

1　弁済の意義

10-3 **(1)　弁済による債務消滅を明記——債務者が債権者に弁済をしたこと**

　473条は、「債務者が債権者に対して債務の弁済をしたときは、その債権は、消滅する」と規定をするが[263]、「弁済」についての定義はしていない。履行の裏返しなので（☞10-6）、履行が何であるかを考えればよく、給付の内容を債務の本旨、すなわち債務の内容通りに実現することである。通常の用語法としては、弁済というと借金「返済」を彷彿させ、金銭の支払のみを表すかのようであるが、履行と表裏一体の概念であり、金銭債務以外の履行も弁済に含まれる。

10-4 **(2)　第三者弁済や履行の強制・担保権の実行**

　(a)　3つの事例が問題になる　473条では「弁済をした」という、債務者の任意の行為が規定されている（☞①）474条により第三者も「債務の弁済」ができるが、債権が弁済者代位により移転し、債務の消滅原因ではない

---

[262]　＊**請求権の否定と債権の否定**　「請求（を）することができない」という表現は412条の2第1項・562条2項・563条3項・567条1項・705条や708条で採用されている。日本では請求権＝債権と理解され、724条の「請求権」は債権の意味であり、請求権が時効で消滅するというのは債権が消滅するということである。ところが、708条のように不当利得返還請求権（債権）はあるが履行請求権がない事例もあり、請求権＝債権の否定か履行請求権だけの否定なのかは各規定ごとに判断するしかない。債務者に履行不能につき帰責事由がある場合には、履行不能になった債権は填補賠償請求権へと同一性を保って変形し、履行利益の損害賠償が認められる。412条の2第1項につき、①債務者に帰責事由がある場合には填補賠償請求権への変形により当初の履行を請求できないという意味にすぎず、②債務者の帰責事由によらない場合には債務の消滅を認めるべきである。こう考えれば、536条1項についても反対給付義務も当然に消滅すると考えることができる。412条の2第2項については、原始的不能な給付を目的とする契約も有効に成立し、債務者に帰責事由があれば、履行利益の賠償義務を認める政策的規定と考えれば足りる。

[263]　473条は「債務者」の弁済のみに債権の「消滅する」効果を認める。474条1項で「第三者」の弁済は、「第三者もすることができる」と規定しており、第三者も有効に弁済できるが、499条により「債権者に代位する」という効果が生じるだけである。そのため、債権は消滅せず、代位弁済者に移転することになる。473条で、債務者の弁済のみを消滅原因としているのはこのためである。

413

（☞②）。さらにいうと、強制執行や担保権の実行は（☞③）、債務者や第三者が「弁済をした」のではない。

---

① 債務者による任意の弁済（債権の消滅原因）

② 第三者による任意の弁済（債権の移転原因）

③ 強制執行・担保権の実行

　　（債権の消滅原因／物上保証人や第三取得者については債権の移転原因）

10-5 **(b)　弁済を任意のものに限定すべきか**　弁済を①②の任意のものに限定し、③の強制履行は弁済ではなく、弁済に準じて扱うか、それとも弁済を任意のものに限定せず、強制的に「弁済をさせた」ものも含めるべきであろうか。この点、弁済をめぐる規定を強制執行や担保権の実行の場合にも適用するかどうかを規定ごとに考えればよく（例えば、499条）、弁済であるかどうかを性質決定してから帰納的にこれらの規定の適用を考える必要はない。実益のある議論ではない。

10-6 ◆**「弁済」と「履行」という用語**

　民法には、同じ場面を「履行」と「弁済」の２つの用語で使い分けている。①債権の消滅といういわば債務者側から債務の消滅原因として説明する場面の規定では、「弁済」という用語が使われる傾向にある。第三者の弁済、弁済者代位、弁済提供、弁済供託、弁済費用等である。②他方で、債権者の方から、「債権の効力」として損害賠償、解除や履行的実現を求める場面では、債務不履行、履行の強制、履行期日、履行補助者、履行不能、履行遅滞、不完全履行等「履行」という用語が用いられている（492条は弁済と履行の２つとも使用）。債務不弁済、弁済強制、弁済不能とはいわない（奥田・佐々木・下巻1010頁参照）。これに対して、給付（給付行為）は弁済ないし履行と同意義ではなく、弁済の構成要素にすぎないといわれている（平井164頁はこの区別に反対）。

2　弁済の法的性質——弁済意思の要否[264]

10-7 **(1)　客観的外形的に履行の事実があればよいのか**

　弁済（履行）の法的性質は、古くから議論されている。①法律行為説、②非法律行為説、③給付が法律行為であれば法律行為、給付が事実行為であれば事実行為とする折衷説があったが、近時は、④準法律行為説が通説である（注民⑿47頁以下［奥田昌道］参照）。議論の中心は、弁済には弁済意思が必要かと

414

いう点にある。例えば、AがBへの支払のつもりで、誤って別の債権者Cの口座に振り込んだ場合、弁済（履行）は無効なのであろうか。

10-8 **◆弁済＝要物契約説**

　弁済を契約であると考える学説がある（石田549頁以下）。債務者が、債務を消滅させるつもりで「給付行為」を行い、債権者は、債権を消滅させる意思で給付を「受領」し、債務者と債権者の間で、債務消滅についての意思の合致があると考える。債務者の給付行為が契約の申込み、債権者による給付の受領が、申込みの承諾であり、給付の受領を要件としており、一種の要物契約であると考える。複数の債務がある場合には、どの債務を消滅させるかについて合意をすることになる。合意がなく債務者の充当指定の場合は、債務者の指定という法律行為によることになり、それもなくて法定充当の場合には、法律の効果とする（石田554頁以下）。為す債務や賃貸借のような継続的給付の場合には、合意をどう構成するのかはわからない。10-7は合意がないので、弁済は無効になる（原因がなくても、預金は成立するが、不当利得となり相殺ができる）。

10-9 **(2) 弁済意思不要説が通説・判例**

　現在の通説は弁済意思を不要とし、弁済は債権の目的が達せられたという客観的事実によって債権を消滅させるものであり、弁済者の弁済意思の効果として債権が消滅するものではないと考えている[265]。10-10の判例は、弁済意思の表示を問題とし、実際の弁済との多少の齟齬があっても有効であると処理した。そうすると、弁済意思が全くなければ無効になりそうである。10-7の事例では、AのCへの弁済は無効になる。ただし、弁済行為も意思表示同様に客観的に判断する可能性がある。

10-10 > **●大判大9・6・2民録26輯839頁　[事案]** 残元金と大正6年8月6日より同8年12月16日までの利息として金580円27銭を提供そして供託し、弁済日である大正8年12月17日分の利息の弁済を表示していなかったが、債務者が提供そして供託した金円は12月17日分の利息をも弁済するに足りる金額であった事例である。大審院は、17日分の利息についても提供また供託を有効としている。

264）　債権者側の「受領」行為が必要なのかは難しい問題である。郵便受けに、目的物を入れておくのでも、包括的な受領が認められるのか——意思表示の到達とは別の問題——。いわゆる「置き配」という、玄関前に荷物を置いていく配達方法があるが、「提供」とはいえても「受領」はなく、債権者の承諾がなければ引渡義務の履行にはならない。

265）　不作為債務、例えば隣接した土地の所有者間で2階建て以上の建物を建てないと合意した場合、これを遵守しているのであれば、債務不履行がないという点を考えればよく、不作為債務が履行され、履行によって債務が消滅していると考える必要はない。

第2節　弁済 ｜ §Ⅱ　弁済の要件・効果──総論

> [判旨] ①弁済には「必ずしも債務者に於て其履行に因りて債務を消滅せしむるの意思を特に表示することを必要とするものに非ざるのみならず」、②仮に弁済に意思表示を要するとしても、「苟も債務者に於て或特定せる債務に付き弁済すべき旨の意思を表示し、現に其債務を消滅せしむるに足るべき給付を為したる以上は、……債務者の弁済意思か債務の内容に多少一致を欠く点ありとするも之を以て弁済の効力を否定すべきものにあらず」。

§Ⅱ
弁済の要件・効果──総論

10-11　**(a)　弁済の要件総論**　弁済が有効となるためには、次の要件を満たすことが必要である（弁済意思の問題は☞ 10-7）。

> ①　**弁済の主体**
>   ⓐ　**弁済者**　弁済をすることができる者であること。債務者に限らず（474条）、代理人等でもよい。
>   ⓑ　**弁済の相手方（受領者）**　受領権者への弁済（例外☞ 478条）
> ②　**弁済の内容**　「債務の本旨」に適合した給付を実現すること（415条）[266]

①ⓐの弁済者では、第三者の弁済が検討され、①ⓑの受領権者については、債権者が受領権を持たない場合、第三者が受領権を持つ場合、そして、受領権を持たない者への弁済が有効になる例外的場合が検討される。②につ

---

266)　＊**預貯金口座への払込み（振込み）**　金銭債務の場合には、金銭の引渡し（支払）による履行だけでなく、様々な決済（資金決済）があり、その1つに預貯金口座への振込みがある。手形や小切手の交付によっても、それをさらに現金化する前に弁済としての効力を認めることができる。預貯金口座への振込みにつき、民法は、「債権者の預金又は貯金の口座に対する払込みによってする弁済は、債権者がその預金又は貯金に係る債権の債務者に対してその払込みに係る金額の払戻しを請求する権利を取得した時に、その効力を生ずる」と規定し（477条）、債権の消滅時期を明らかにした。しかし、どのような場合に払込みによることができるのか要件は規定していない。預貯金口座への振込みによる弁済は、その旨の合意がある場合に限り弁済としての効力を認めることが、実務上の混乱を回避するという観点からは妥当であるともいわれる（債権法研究会編『詳説改正債権法』[2017] 301頁[日比野]）。原則的には合意が必要であり、取引通念により振込みによることが合理的であれば、合意なしにも許される。約束と異なる方法によった場合には、弁済は有効だが債務不履行であり損害があれば賠償を問題にすることも考えられる。

416

第 10 章　債権の消滅①——弁済

いては債務不履行のところで検討するが、他人物による弁済については、弁済の規定に置かれているので、10-13 に説明をしておく。

10-12　**(b)　弁済の効果総論**　次に、弁済の効果は債権（債務）の消滅であり（473 条）[267]、さらに担保権や保証債務などが付従性によって消滅する。注意すべきは、弁済が債務の消滅原因とされるのは、・債・務・者・の・弁・済に限られていることである（473 条）。第三者も弁済ができるが（474 条 1 項）、その効果はそこでは規定されていない。第三者が弁済した場合には、弁済者代位の効果が発生し、第三者弁済は債権の消滅原因ではなく債権の移転原因である（☞ 10-115 以下）。

10-13　**◆第三者所有物による弁済の効力**
(1)　弁済は無効だが返還請求ができない
　民法は、「弁済をした者が弁済として他人の物を引き渡したときは、その弁済をした者は、更に有効な弁済をしなければ、その物を取り戻すことができない」と規定する（475 条）。さらに有効な弁済をして引き渡した物を取り戻すことを問題にしているので、種類物売買を念頭に置いた規定というべきであろうか。例えば、A ペットショップが、B から希少種である甲亀 1 匹の注文を受けて、たまたま C から預かっていた甲亀を引き渡したとする——この亀を売買した特定物売買ではない——。所有権は移転せず弁済は無効であるが、A は所有者ではないので、B に対して甲亀の返還を求めることはできない。しかし、もし引渡しだけに即時取得（192 条）の適用を認めれば、弁済が有効になる。

10-14　**(2)　弁済が有効になる場合**
　上記の場合、「債権者が弁済として受領した物を善意で消費し、又は譲り渡したときは、その弁済は、有効とする。この場合において、債権者が第三者から賠償の請求を受けたときは、弁済をした者に対して求償をすることを妨げない」ものとされる（476 条）。上の例では、買主 B が甲亀を他に転売して引き渡すと弁済が有効となるという趣旨のようである。B に悪意または過失があれば、C の所有権侵害になるので、損害賠償を義務づけられ、B は A に「求償」ができるというのである。弁済は有効になるので、債務不履行は問題にできず、契約解除もできない。B に過失がなければ C に対して賠償を義務づけられることはなく、本規定

---

267)　**＊弁済の取消しなど**　弁済が詐害行為取消しの対象となることは先に説明した（☞ 6-41）。当事者の合意で弁済を取り消すことは、契約自由の原則からして認めてよい。最判昭 35・7・1 民集 14 巻 9 号 1641 頁は、賃貸人が、賃借人から賃料として現金と小切手を受け取ったが、その後、賃借人が返還を求めこれに応じて返還した事例で、「弁済が事実行為であっても、これによって生じた法律上の効果を当事者双方の合意により排除することは何ら妨げなく、しかも、弁済の目的物を合意の上弁済者に返還することは、特別の事情がないかぎり、弁済の効果を排除する合意を伴うものと推認し得る」として、「債務は未だ履行のない状態に立ちかえった」と認めている（不履行解除を認める）。

第2節　弁済　§Ⅲ　有効に弁済をすることができる者

は適用にならない。その場合はそもそも即時取得を認めてよい（☞10-13）。

§Ⅲ

有効に弁済をすることができる者

1　第三者の弁済の原則的許容

10-15　民法は、「債務の弁済は、第三者もすることができる」と規定する（474条1項）。例えば、Aに対してBが100万円の損害賠償義務を負っており（A社の金を横領するなどして）、Bの父親Cが、Aに100万円の賠償金を支払う場合である。民法は、第三者も弁済ができることを認めた。第三者による提供、供託は有効であるが、第三者による更改、代物弁済[268]や相殺には問題がある（☞11-15）。

　　実際上問題になるのは、金銭の支払である。以下の説明では金銭の支払を念頭に置いて説明し、必要に応じて金銭債務以外についても言及する。

10-16　◆**第三者の弁済と区別すべき場合──履行補助者（代行者）・支払指図**

　　　「第三者の弁済」は、第三者が弁済者すなわち弁済主体になる場合であり、「履行代行者」はあくまでも債務者が第三者たる履行代行者を用いて弁済をしていることになり、第三者弁済ではない。会社は、従業員、下請人また復受任者を利用してその債務の履行を行っているのである。従業員らは給与・報酬を契約によって得ることが考えられ、第三者弁済として求償権を取得することはない。また、金銭の支払でも、支払指図の事例は、第三者が債務者の指図により債務者に一旦金銭を渡してから債権者に引き渡すのを省略しただけであり、第三者弁済ではない（☞9-173）。

---

268)　＊**第三者による代物弁済**　代物弁済は弁済ではなく契約であるが、第三者が代物弁済をしても、その求償権に442条1項括弧書や459条1項括弧書のような制限をすれば、債務者に不利益はない。また、更改も同様である。債務者の承諾なしに、第三者が更改や代物弁済をしても有効と考えてよい（474条1項の類推適用）。

第 10 章　債権の消滅①——弁済

2　第三者の弁済に対する制限

10-17 **(1)　性質上の制限**

　民法は、「その債務の性質が第三者の弁済を許さないとき」は、第三者弁済が認められないと規定している（474条4項）。問題になるのは為す債務であり、誰が給付をするかで給付の価値が異なってしまう場合（いわゆる**一身専属的給付**）、第三者が債務者の代わりに履行（弁済）することは認められない。Aという有名歌手の出演契約は、Aでなければ履行にならない。この要件は、履行代行者についても当てはまり、Aという有名な彫刻家が、依頼された彫刻を弟子Bに代わりに製作させても、それはA作にはならないので、履行にはならない。

10-18 **(2)　意思表示による禁止ないし制限**

　第三者による弁済は、「当事者が第三者の弁済を禁止し、若しくは制限する旨の意思表示したとき」にも許されない（474条4項）。金銭債務について債権者が第三者弁済を禁止・制限する必要性はない。ただ、当事者間に相互に取引があり、交互計算（商529条）の合意をして相殺による決済を予定している場合には、第三者の弁済を禁止することになる。第三者が禁止条項につき善意・無過失で弁済をしても、これを保護する規定はなく無効である。

10-19 **(3)　正当な利益を有しない第三者についての特別の制限**

　以上の制限が認められない事例においても、「弁済をするについて正当な利益を有する者でない第三者」は、債務者また債権者の意思に反する場合には弁済ができないことになっている（474条2項本文）。性質上第三者弁済が可能な事例について、以上までをまとめると、下記の表のようになる。

---

1. 第三者弁済禁止条項がある場合→第三者弁済はできない
2. 第三者弁済禁止条項がない場合
   ① 債務者の意思に反しない場合→有効
   ② 債務者の意思に反する場合
     ⓐ 正当な利益を有する場合→有効
     ⓑ 正当な利益を有しないが、債権者が善意であった場合→有効
     ⓒ 債務者の委託を受けた第三者が弁済しそのことを債権者が知ってい

419

　　　　る場合→有効

　　ⓓ 以上のいずれにも該当しない場合→無効⇐無効はここだけ

10-20　　㋐　**正当な利益とは**

　（i）　**法律上の利害関係が必要か**　改正前には、②ⓐは「利害関係」が必要
とされ、判例は、法律上の利害関係でなければならず、事実上の利害関係で
は足りないとしていた。改正により「利害関係」が「正当な利益」に変更さ
れたが（500条の表記に合わせた）、法律上の利益に限定されるべきかがや
はり議論されることになる。「正当な利益」という表現は、177条の「第三
者」についての判例で、登記欠缺を主張する「正当な利益」で慣用され、改
正法では145条括弧書の時効援用権者について用いられている。

10-21　　（ii）　**広く解すべき**　改正前の「利害関係」よりも広げようとした趣旨から
は、債務者には特に不利益がない限り広く運用すべきである。父親が住宅ロー
ーンを残し失踪し、自宅に設定された抵当権が実行されようとしている場
合、その建物に母が居住しているため、息子が実行を阻止するために第三者
弁済をする場合でもよい。併存的債務引受をして弁済をすることができるこ
ととのバランス（470条2項）、また、㋑①のようにほとんど問題にならなく
なったため、「正当な利益」という要件は無視してよい。

10-22　　㋑　**正当な利益を有しない場合**　正当な利益を有しない第三者は、債務者
の意思に反して弁済をすることはできず（474条2項本文）、その弁済、提供、
供託などは無効となる。①ただし、債権者が、債務者の意思に反する弁済で
あることを知らなかったときは、債権者を保護するために、弁済──提供や
供託は無効と考えてよい──は有効とされている（同項ただし書）。このただし
書により問題は事実上解決され、正当な利益が問題になることはほとんど考
えられなくなった。②次に、正当な利益を有しない第三者が、「その第三者
が債務者の委託を受けて弁済をする場合において、そのことを債権者が知っ
ていたときは、この限りでない」とされている（474条3項）。

第 10 章　債権の消滅①──弁済

$$§ Ⅳ$$
弁済の相手方（弁済受領権者）

1　弁済受領権者

10-23　**(1)　債権者の受領権に対する制限**

(a)　債権者の受領権が制限される場合

(ア)　債権が差し押さえられた場合　弁済は受領権を有する者に対してしなければ無効である。債権者が受領権を有するのが原則であるが、債権者の受領権が制限され、これに弁済をしても無効とされる場合がある。まず、債権が差し押さえられた場合、例えば、AがBに金銭債権を有し、BもCに金銭債権を有している場合（CをAからみて**第三債務者**という）、AがBのCに対する債権を差し押さえた場合、民法はCがBに弁済したら、差押債権者Aは「その受けた損害の限度において更に弁済をすべき旨を第三債務者に請求することができる」と規定する（481条1項）。民事執行法145条1項では、裁判所の差押命令により、債権者Bは受領権を失うことが明記されている[269]。

10-24　**(イ)　差押え以外**[270]　①また、破産手続開始の決定を受けると破産者の有する債権について包括的に差押えの効力が生じ、管理処分権は破産管財人に専属する（破78条）。②債権に債権質が設定された場合、第三債務者が弁済をして質にとった債権を消滅させられるわけにはいかないので、債権者の受領権は奪われ、これに支払っても弁済は無効になる。③物上代位（304条）も、

---

269)　差押えから1週間して初めて、差押債権者は取立てが可能になる。その間に複数の債権者による差押えが競合した場合には、第三債務者には供託義務が生じ（民執156条2項）、差押債権者の1人に弁済しても無効である。

270)　＊**制限行為能力者**　このほかに、本人保護のために受領権が制限される場合が考えられる。成年被後見人は、事理弁識能力を欠くため、金銭や財産を受け取っても適切な管理ができず、盗まれたり、なくしてしまうのが関の山である。そのため、取り消しうる受領ではなく、受領については無効と考える必要がある（奥田・佐々木・下巻1033頁）。後見人が受領権限を持つことになる。これは被保佐人についても同様であるが（13条1項1号）、被保佐人は保佐人の同意があれば有効に受領ができる。未成年者も同様であり、親権者に受領権が認められ、また、親権者の同意があれば未成年者も有効に受領ができる（軽微な給付の受領は有効）。

421

担保権者の差押えにより債権質同様の権利関係になる（☞担保物権法2-81）。10-23の例で、AがBからCに対する債権の取立権限の付与を受け、債務者Cに自己への支払を約束させても、CのBへの支払は有効であり、Aに対して不法行為になるにすぎない（代理受領☞担保物権法4-83）。

10-25　(b)　**債務者の受領権が制限される場合の第三債務者の保護**　債権者が受領権を制限される場合、債務者が債権者に弁済をしても無効となる。そのため、債権者の受領権の制限を知らない債務者の保護が必要になる。

　①まず、差押えについては、「差押えの効力は、差押命令が第三債務者に送達された時に効力を生ずる」ものとされている（民執145条5項）。②破産手続開始の場合には、破産宣告を知らずに債務者がした弁済は有効とされている（破50条）。③債権質の設定については、債権譲渡の対抗要件が準用されている（364条）。④物上代位も、判例は、差押えによって初めて債権質と同様の権利関係になることを認める（☞担保物権法2-81以下）。債権者代位権が訴訟上行使されても、債務者は自己の債権の受領権限を制限されない（423条の5）。

10-26　**(2)　債権者以外の者が受領権を有する場合**

　債権者の代理人が受領権を与えられている場合には、本人たる債権者と併存して代理人に受領権が認められることになる。他方で、10-25の事例では、債権者の受領権がはく奪され、第三者である差押債権者（民執155条1項）、破産管財人（破78条）、債権質権者（366条1項）、抵当権者——物上代位の場合——に対して自己の名での受領権限が与えられる。これらの者は、債務者のために受領をするのではなく、債権者ないし債権者の代表者として債権回収をする者であり、また、債務者の代理人としてではなく自己の名での受領権が認められる。債権者代位権の場合には、代位債権者に自己の名での受領権が認められる（423条の3）——詐害行為取消しについての424条の9も同様——。

2　表見受領権者への弁済

10-27　**(1)　債権の「取引」安全保護（第三者保護）の否定**

　(a)　**債権譲渡取引は保護されない**　財産権の帰属への信頼に対する「取引」安全保護（権利外観法理）は、動産につき192条、不動産については

第 10 章　債権の消滅①──弁済

94 条 2 項の類推適用により実現されているが、債権については民法上取引安全保護規定は用意されていない。証券化された債権については、証券の所持人という外観を問題にでき、流通促進のための手厚い保護が用意されている（☞ 9-180、9-186）。債権者ではない者から債権を善意・無過失で譲り受けても、譲受人は債権を取得することはできない。

10-28　**(b)　債権譲渡が保護される場合**　債権の仮装売買の場合には、仮装買主からの譲受人は 94 条 2 項により保護される。債権者の代理人による売却については、表見代理による保護が可能であるが、それは債権の帰属への信頼ではなく、代理権への信頼保護である。ただ、本人を偽った場合に 110 条の類推適用が認められるので、代理人が債権者を装って債権を譲渡すれば有効となる可能性がある。

10-29　**(2)　弁済についての保護**

(a)　債権の準占有者から表見受領権者へ

(ア)　債権の準占有者への弁済（改正前）　弁済については、弁済者が善意・無過失であればこれを有効として保護する弁済保護制度が用意されている（478 条）。改正前は、「債権の準占有者」への弁済と規定され、債権者としての外観を有する者に限定されるかのようであった。ドイツなど、このような一般規定のない立法もある。判例・通説は、債権者の代理人らしい外観を有する者も債権の準占有者に含まれると考えていた。

10-30　**(イ)　表見受領権者への弁済（改正法）**　改正法は判例を条文化し、「受領権者（債権者及び法令の規定又は当事者の意思表示によって弁済を受領する権限を付与された第三者をいう。以下同じ。）」でなくても、「取引上の社会通念に照らして受領権者としての外観を有するもの」（以下 **表見受領権者** という）に対してした弁済は、「その弁済をした者が善意であり、かつ、過失がなかったときに限り、その効力を有する」ものと規定した（478 条）。10-33 の全ての類型への適用が条文上も可能なことが明記された[271]。表現の支障を取り除いただけで、特に適用範囲を拡大する意図はない。

---

271)　債権者とされる者が死亡していても 478 条は適用される。例えば、A が死亡し BC が相続人であるとして（相続分 2 分の 1）、B が生前から A と同居し A の預金を管理しており、A の D 銀行に対する 4000 万円の預金につき、A 死亡後に A の代理人として 2000 万円の支払を受けたとする。D 銀行が善意・無過失ならば 4000 万円の預金のうちの 2000 万円の支払として有効になる（東京高判平 27・11・26 金判 1484 号 25 頁）。

第2節 弁済 │ §Ⅳ 弁済の相手方（弁済受領権者）

10-31 **(b) 権利外観は雑多**

(ア) 取引安全保護の信頼は多様　①財産権の帰属への信頼保護は、ⓐ登記の公信力、ⓑ動産の即時取得、②他人の財産についての処分権への信頼は表見代理、③財産権者の同一性（財産権者を装う事例）への信頼保護は110条の類推適用と、場面によって外観また信頼の内容が異なり、その信頼保護は異なった制度により運用されている。478条では「受領権者としての外観」が問題とされており、「受領権者」には、債権者だけでなく、その代理人や財産管理権者も含まれ、それら全ての外観を有する者が問題になる。

10-32 **(イ) 478条で保護される信頼**　動産の占有、不動産の登記とは異なり、債権の帰属の外観は明確ではない。また、債権について取立権（受領権）を有することへの信頼も保護される。代理人らしい外観は表見代理では要求されていない。「外観」が要求されているので——代理人ならば委任状の所持——、単に代理人であるといった自己申告だけでは足りないことになる。この点、善意・無過失の運用によって解決されるべきであり、「外観」の認定に拘泥する必要はなく、誰もが信じる外観があれば善意・無過失と推定されると考えればよい。

10-33 **(3) 制度の妥当性**

(a) ３つの類型が含まれる　債権については、第三者の取引安全は保護されないのに（☞ 10-27）、債務者の弁済の保護が認められるのはなぜであろうか。債務者は、取引の場合には取引をするかどうかは自由であるのに対して、弁済を義務づけられていること、また、弁済は簡易・迅速になされるべき要請があることから、同じ債権をめぐる外観でも、弁済についてはより厚い保護が必要になるのである。しかし、「弁済」という共通項があるとはいえ、問題となる事例は一様ではなく、次の３つに分けられる（川地宏行「民法478条の適用範囲と真の債権者の帰責事由」伊藤進先生古希記念『現代私法学の課題』[2006] 213頁以下による）。

---

① **債権の帰属誤認型**　債権譲渡が無効な場合や、表見相続人の事例であり、債権者がＡなのにＢを債権者と信じた場合

② **受領権限誤認型**　詐称代理人などの事例

③ **債権者の同一性誤認型**　詐称債権者の事例であり、債権者はＡとわか

第 10 章　債権の消滅①——弁済

> っているが、Ｂが債権者Ａと詐称した事例。

10-34　**(b)　他の外観法理との比較**　取引でいえば、①は財産権の帰属についての外観法理の問題であり、動産では 192 条、不動産では 94 条 2 項の類推適用によることになる。②は表見代理の問題、そして、③は 110 条の類推適用の問題であり、②と③は動産、不動産、債権いずれの取引にも当てはまる。不動産を例にすると、Ａ所有の不動産につきＢが登記名義を有する事例が①、所有者Ａの登記名義になっている場合に、ＢがＡの代理人として取引をする事例が②、Ｂが所有者Ａ本人と詐称して取引をする事例が③にそれぞれ該当する。

10-35　**(c)　日本の特殊な一般的弁済者保護制度**　ドイツには、478 条のような一般規定はなく、①の類型の各論的な規定がいくつかあるだけである（受取証書の持参人への弁済という一般規定はある）。他方、フランスでは「表見債権者」への弁済を保護する一般規定があり（2016 年改正前は「債権の準占有者」）、表見相続人や債権の表見譲受人など上記①の類型が考えられている[272]。日本民法はこの一般規定たる債権の準占有者への弁済制度を導入し、予定されていたのは①の事例であったが、判例により②③の類型にまでその適用が拡大され——②③への類推適用でもなく「債権の準占有者」の解釈による——、改正法はこれを明文化した。しかし、①～③のそれぞれの解釈をめぐっては、解釈において事例の差を考慮すべきである。

10-36　**(4)　478 条の要件**

　478 条が適用されるための要件は、①受領権者としての外観を有する者に、②善意・無過失で弁済がされたことである。弁済者は債務者に限らず、第三者弁済でも、債務者の代理人や破産管財人でもよい。代理人（従業員等）による弁済の場合には、101 条の適用により本人の指図による場合を除き、善意・無過失は代理人について判断する。③規定にはないが、外観作出・放置についての債権者の帰責事由の要否については議論されている。こ

---

272)　ドイツやフランスの立法・解釈と比して、日本の債権の準占有者保護がかなり広い理解をされている点について、川地・前掲論文 193 頁以下参照）。10-33 ②③は権利外観法理であるが、10-33 ①は債権の帰属をめぐる争いから債務者を離脱させるという基本理念に基づくものであり、供託制度との類似性が指摘されている。

425

第2節　弁済　│　§Ⅳ　弁済の相手方（弁済受領権者）

の点を次に検討したい。

10-37　**(a)　債権者の帰責事由の要否**

❶　帰責事由不要説　判例・通説は、債権者の帰責事由により外観が作出されたことを要件にはしない（帰責事由不要説）。弁済の有効性を弁済者の善意・無過失だけで簡易に判断するようにしたことから、債権者の帰責事由を争うこと自体を禁止する必要がある。ただし、債権者の帰責事由の有無を何ら考慮しないというのではなく、弁済者の注意義務の程度を債権者の帰責事由の有無・程度に応じて操作し、無過失の認定に影響を及ぼすことを認めている（奥田 504 頁、中田 393 頁等）。また、外観作出について債権者に帰責事由があれば、債務者の要件を善意・無重過失に軽減する提案もされている（佐久間毅「民法 478 条による取引保護」法学論叢 154 巻 4 ～ 6 号［2004］411 頁）。

10-38　**❷　帰責事由必要説**　他方で、債権者が何ら帰責事由もないのに債権を失うのは酷であり、債権者に帰責事由を必要とする提案もある（注民⑿ 1287 頁［沢井裕］、淡路 526 頁以下、潮見Ⅱ 217 頁、石田 648 頁）。即時取得において盗品を特別扱いするように、権利を失う者の帰責事由を考慮することは外観法理と抵触するものではない。ただし、損害賠償義務を負うための要件とは異なり、「外観の作出に債権者の行為が寄与していると評価するのが相当であるという程度の事情」が認められればよいと評されている（潮見・新Ⅱ 217 頁）。このように緩和する限り、不要説と必要説とは紙一重である。

10-39　**(b)　類型化する学説**　類型化して考察する学説もあり、10-33 ①の債権帰属誤認型については債権者の帰責事由不要、10-33 ②③の受領権誤認型および債権者同一性誤認型については債権者の帰責事由を必要とすることを提案している（川地・前掲論文 219 頁）。10-33 ②③については表見代理またその類推適用（過失と区別された意味での帰責事由を必要と考える）とのバランス論も考える必要があり、本書もこれを支持したい。また、①から③を通じて、利益考量論的観点から、「外観」の作出・放置につき権利を失う債権者に重大な帰責事由があれば、弁済者側の要件を善意・無重過失に軽減すべきである[273]。

---

[273]　なお、学説には、預金債権について債権者に重大な帰責事由がある場合に、銀行に過失があって 478 条が適用されない場面でも、418 条の類推適用により請求できる債権額を減額できるという主張がある（注民⒅ 652 頁［能見善久］）。

第 10 章　債権の消滅①──弁済

10-40

◆弁済に際する銀行の確認義務

(1)　原則は印影の照合──偽造印の場合

　「銀行が通帳と払戻請求書の提出により預金の払戻請求を受けた場合には、他に正当な払戻請求でないことをうかがわせる特段の事情がない限り、当該預金口座の届出印の印影と払戻請求書に押捺された印影との照合により正当な払戻請求であると判断されて払戻しがされた場合には、……銀行は免責される」。「届出印の印影と払戻請求書に押捺された印影とを照合するに当たっては、……金融機関としての銀行の照合事務担当者に対して社会通念上一般に期待されている義務上相当の注意をもって慎重に行うことを要し、かかる事務に習熟している銀行員が右のごとき相当の注意を払って熟視するならば肉眼をもって発見し得るような印影の相違が看過されたときは、銀行側に過失の責任がある」（東京高判平 12・11・9 金判 1109 号 19 頁）。照合の点で過失が認められた事例として、横浜地判平 12・10・30 判時 1740 号 69 頁などがある。

10-41

(2)　特段の事情がある場合の例外──届出印が使われた場合

　銀行による預金の払戻しに際する注意義務については、次のようにいわれる。銀行は、「何らかの契機により、銀行の窓口で預金の払戻請求をしている者が正当な受領権限を有しないのではないかと疑わしめる事情が存在した場合には、本人か代理人であるかを尋ね、本人であれば、住所、生年月日、電話番号などの個人的情報を尋ね、場合によっては身分証明書の提示等を求め、代理人であればその氏名、立場等を尋ね、場合によっては、本人に電話するなどして、窓口に来店している請求者が正当な受領権限を有することを確認しなければならない」（東京高判平 14・12・17 判時 1813 号 78 頁）。したがって、預金者だとして払戻請求をしている者につき疑いを抱くべき特段の事情があれば、銀行には、生年月日や暗証番号などを言ってもらうなど、特別の本人確認義務が負わされる。

10-42

◆キャッシュ・ディスペンサー（現金自動支払機）などによる現金引出し

(1)　免責条項に基づく免責

　預金者ではない者が、キャッシュカードを用いてキャッシュ・ディスペンサー（CD。ATM と違い現金の払出しや残高照会のみ）により預金の払戻しを受けた事例につき、最判平 5・7・19 判時 1489 号 111 頁は、「銀行の設置した現金自動支払機を利用して預金者以外の者が預金の払戻しを受けたとしても、銀行が預金者に交付していた真正なキャッシュカードが使用され、正しい暗証番号が入力されていた場合には、銀行による暗証番号の管理が不十分であったなど特段の事情がない限り、銀行は、現金自動支払機によりキャッシュカードと暗証番号を確認して預金の払戻しをした場合には責任を負わない旨の免責約款により免責される」と、478 条によらずに免責を認めている。

427

第2節 弁済 §Ⅳ 弁済の相手方（弁済受領権者）

(2) 478条による免責

　他方で、預金通帳と暗証番号とで現金自動入出機（ATM）による引出しが行われた事例については、同引出しにつき免責条項がなかったため478条の適用可能性を認めたが、当てはめとして銀行にシステム構築・運用上の過失を認めて弁済を無効としている（最判平15・4・8 ☞ 10-44）。478条を適用すると、弁済が有効（→預金者が100％損失負担）または弁済無効（→銀行が100％損失負担）というオール・オア・ナッシング的処理しかできないことになる。この点、478条の適用を肯定しながら、法の欠缺領域であることを根拠に、418条を類推適用し、銀行・預金者間での割合的損失の配分を提案する考えがある（笠井修「現金自動入出機を利用した不正な払戻しと預金者の保護」NBL774号［2003］34頁、35頁）。

●最判平15・4・8民集57巻4号337頁　(1)　機械払システムによる払渡しと478条　「債権の準占有者に対する機械払の方法による預金の払戻しにつき銀行が無過失であるというためには、……払戻しの時点において通帳等と暗証番号の確認が機械的に正しく行われたというだけでなく、機械払システムの利用者の過誤を減らし、預金者に暗証番号等の重要性を認識させることを含め、同システムが全体として、可能な限度で無権限者による払戻しを排除し得るよう組み立てられ、運営されるものであることを要する」。

　　(2)　本事例におけるシステム構築と過失の有無　本事例では、「Yは、通帳機械払のシステムを採用していたにもかかわらず、その旨をカード規定等に規定せず、預金者に対する明示を怠り（……）、Xは、通帳機械払の方法により預金の払戻しを受けられることを知らなかった」。「無権限者による払戻しを排除するためには、預金者に対し暗証番号、通帳等が機械払に用いられるものであることを認識させ、その管理を十分に行わせる必要があることにかんがみると、通帳機械払のシステムを採用する銀行がシステムの設置管理について注意義務を尽くしたというためには、通帳機械払の方法により払戻しが受けられる旨を預金規定等に規定して預金者に明示することを要するというべきである」（通帳機械払について知らせていない過失を認めて、支払を無効とした）。

◆偽造カード・盗難カード預金者保護法

(1)　カード払いについての特別法の制定

　人間による確認を経た支払ではなく、カードを用いた機械による払戻しについては、478条が想定していた事例ではなく、同条による解決には限界がある[274]。そのため、特別立法が要請され、2005年に議員立法により偽造カード・

盗難カード預金者保護法（偽造カード等及び盗難カード等を用いて行われる不正な機械式預貯金払戻し等からの預貯金者の保護等に関する法律）が成立している。478 条では実現できない柔軟な解決を図っており、偽造カードか盗難カードかで、預金者の救済が異なり、また、全額の救済を与えない中間的解決も導入されている。本法は、預金の機械式の払戻しについての規定であり、偽造や盗難によるクレジットカードを用いた商品の購入などの取引については適用されない。

10-47 ### (2) 偽造カードの事例

まず、偽造カードについては、民法 478 条の要件を加重し、金融機関の善意・無過失だけでなく、預金者に重過失があることが、機械式の払戻しが有効になるための要件とされている（同法 4 条）。478 条では帰責事由は不要と考えられているが、これを修正し、帰責事由がない場合のみならず、帰責事由があるが重大な過失とはいえない場合には、478 条による免責は認められないことになる。免責を主張する金融機関に、預金者に重過失があったことの証明責任が負わされる。

10-48 ### (3) 盗難カードの事例

(a) **補てん請求権による保護**　他方、盗難カードによる払戻しについては、478 条の要件を加重するのではなく、「当該盗取に係る盗難カード等を用いて行われた[275] 機械式預貯金払戻しの額に相当する金額の補てんを求めることができる」だけである（同法 5 条 1 項）。銀行側が善意・無過失で 478 条の保護を受ける場合でも、預金者には本法により補填請求権が認められる。ただし、預金者が直ちに金融機関に盗難届けを出し、十分な説明をし、かつ、捜査機関に盗難届けを出していることが必要である。

10-49 (b) **折衷的解決**　支払が有効か否かでは図ることのできない折衷的解決が、補填請求という構成にしたために可能になっている。金融機関が善意・無過失で、預金者に過失があった場合には、4 分の 3 の補填に制限される（同法 5 条 2 項）。また、免責事由として、①預金者の重過失[276]、②払戻しをした者が、配偶者、二親等以内の親族、同居の親族その他の同居人または家事使用人であること、または、③預金者が必要な金融機関への説明において、重大な事項について偽りの

---

274)　そのほかにも、インターネットバンキングでは、パスワードを不正に取得して、本人になりすまし、他の口座に不正送金する等して預金を盗み取る犯罪が起きている。特別法はないが、全国銀行協会は、インターネットバンキングで預金を不正に引き出された際には、銀行に過失がない場合でも、預金者に過失がなければ全額補償するという申し合わせを発表している（2008 年 2 月）。補償の対象となるのは個人の預金者であり、銀行への速やかな通知と充分な説明、捜査当局への被害事実等の事情説明等キャッシュカードやクレジットカード被害の補償と同様の条件が設定されている。被害発生日の 30 日後までに銀行への通知が行われなかった場合、親族等による犯罪の場合には補償は行われない。近時は、第三者が、登録に必要な情報を入力して勝手にインターネットバンキングの登録を行い、不正送金を行う事例もみられる。

275)　盗難カードによる払戻しか否かが問題となり、盗難カードによるものと認定して銀行の填補責任が認められたものとして東京地判平 24・1・25 判時 2147 号 63 頁がある。

第2節　弁済　│　§Ⅳ　弁済の相手方（弁済受領権者）

説明をしたこと、これらを金融機関が証明できれば補填義務を免れる（同条3項）。

10-50　**(5)　弁済以外への拡大（類推適用）**

　(a)　義務の履行が根拠であり義務でない行為には適用がない　478条が適用されるのは弁済であり、義務の履行という特殊性ゆえに、取引以上の保護を認めているのである。義務という特殊性が根拠であるため、債務ではなく物権的返還請求権に対応する返還義務にも類推適用してよい。他方、それに応じるかどうかが自由である代物弁済、更改などの法律行為に類推適用することはできない。では、経済的実質は「弁済」であるが、それに応じることは「義務ではない」場合に、弁済という実質に着目して478条を類推適用すべきであろうか、それとも、義務であるという根拠が妥当しないので類推適用を否定すべきであろうか。次に検討したい。

10-51　**(b)　義務ではないが弁済の実質を有する行為**

　(ア)　解約が有効でないといけない　判例は、定期預金の期限前払戻しについて478条を適用（類推適用といわない）している。定期預金の期限前払戻しには、期限前の契約の解約が有効であることが必要になる。では、債権者でない者が、債権者を装って、定期預金を期限前に解約して払い戻した場合、解約自体が無効なので、払戻しも有効になる余地はないのであろうか。

10-52　**(イ)　判例は478条を適用する**　判例は、「定期預金契約の締結に際し、当該預金の期限前払戻の場合における弁済の具体的内容が契約当事者の合意により確定されているときは、右預金の期限前の払戻であっても、民法第478条の適用をうける」と判示する（最判昭41・10・4民集20巻8号1565頁）。預金者に期限前の解約が認められているため、解約して払戻しを請求されたら、銀行はこれを拒めない（義務的）。解約が権利として保障され、銀行が解約・払戻請求に応じなければならないので、478条を適用してよい。ただし、注意義務は単なる弁済よりも高くなると解されている（奥田508頁）。

---

276)　東京地判令3・2・19金判1618号37頁は、オレオレ詐欺的ケースにつき、預金者の重過失を認め補填を否定した。87歳の高齢女性たる預金者Xが、詐欺グループの一味から電話があり、偽造されたXのキャッシュカードで預金が引き出されたのでキャッシュカードを調べるから預金口座を開設している銀行名、口座番号、暗証番号を教えるよう告げられ、暗証番号を含むこれら全てを教えた。その後、詐欺グループの一味が、Xの自宅を訪れ玄関先で封筒を差し出し、カードを封入して封筒に保管しておくよう告げられ、各カードを当該封筒に入れ、捺印を求められ印鑑を取りにその場を離れた間に、別の封筒にすり替えられキャッシュカードを盗取された。裁判所はXの重過失を認め、XからのY銀行への預金の払戻請求を認めなかった。

430

第 10 章　債権の消滅①──弁済

◆ **478 条の類推適用による弁済以外への拡大**

(1)　**定期預金を担保とした貸付（預金担保貸付）**

(a)　**478 条の類推適用を肯定**　まず、無記名定期預金を解約するのではなく、相殺予約によりこれを担保にして、預金者を装った第三者が手形割引取引を受け、その後に貸付金と預金とが相殺された事例において、預金者の認定に関わる問題であるが、478 条の類推適用により銀行が救済されている（最判昭 48・3・27 民集 27 巻 2 号 376 頁）。

(ア)　**最高裁判旨**　「銀行が、無記名定期預金債権に担保の設定をうけ、または、右債権を受働債権として相殺をする予定のもとに、新たに貸付をする場合においては、預金者を定め、その者に対し貸付をし、これによって生じた貸金債権を自働債権として無記名定期預金債務と相殺がされるに至ったとき等は、実質的には、無記名定期預金の期限前払戻と同視することができるから、銀行は、銀行が預金者と定めた者（……）が真実の預金者と異なるとしても、銀行として尽くすべき相当な注意を用いた以上、民法 478 条の類推適用、あるいは、無記名定期預金契約上存する免責規定によって、表見預金者に対する貸金債権と無記名定期預金債務との相殺等をもって真実の預金者に対抗しうる」と判示した。

(イ)　**478 条の類推適用により不可能な相殺を有効にする**　①形式は貸付（消費貸借「契約」）であるが、②実質は期限前の定期預金の払戻しであり、善意・無過失でされた実質払戻しを保護する必要がある。「弁済」保護規定なので消費貸借契約を有効にして貸金債権を成立させることはできない。そこで、その後の相殺までも含めて、自働債権がなく相殺適状にないのに相殺を478 条の類推適用により有効にしたのである。

(b)　**善意・無過失の判断時期**

(ア)　**相殺を問題としつつ貸付を基準時**　ところが、そうすると相殺に 478 条を類推適用するので、相殺の時に善意・無過失が必要になるのではないかという疑問を生じる。しかし、実質「弁済」は貸金の交付であり、その時点での善意・無過失でよいはずである。その後、記名式定期預金につき、預金者以外の者が預金者の替え玉を用いて預金に債権質を設定して融資を受けた事例で、478 条の類推適用を肯定し、銀行側の善意は、相殺時ではなく貸付時──すなわち実質期限前払戻し時──を基準として判断すべきであり、貸付後に悪意に変わっても相殺は有効であるという新たな判断を示した（最判昭 59・2・23 民集 38 巻 3 号 445 頁）。

(イ)　**実質的に貸付の保護**　しかし、実質弁済である貸付名目での金銭交付が保護されるべきであり、その後の相殺を有効とするのは事後処理的解決である。債権なしにどうして相殺ができるのか、478 条の類推適用による相殺というのは理論的な難点がある。むしろ、預金を担保にした貸付を有効とすれば、その後の相殺について説明に窮することなく、また、善意・無過失の判断が貸付時ということも説明がつく。この点、478 条と 94 条 2 項の類推適用による方法が考えら

れ、基本代理権は不要とすべきである。

(2) 判例のその後の拡大

(a) 総合口座貸越　最判昭 63・10・13 判時 1295 号 57 頁は、総合口座貸越への 478 条の類推適用を肯定した。A 銀行に B が定期預金を有しており、C が B の預金通帳と届印を盗み出して B と偽って、預金をした支店とは別の支店で期限前解約・払戻を求めたところ、契約店以外で解約には応じていないといわれたため、B と偽る C が、普通預金について総合口座取引規定に基づき貸越限度額まで引き出したいと申し入れた。A 銀行側はこれに応じ、C が B 名義で作成した「普通預金支払請求書」と通帳を差し出したので、A 銀行側は届出印と印影が一致することを確認した上で、当座貸越により B を名乗る C に貸越限度額の 90 万円を交付した。「478 条の類推適用によって、右相殺の効力をもって真実の預金者に対抗することができる」と判示し、総合口座の貸越における注意義務は普通預金の払戻しにおけると「おおむね同程度」として、銀行の過失を否定した。

(b) 債権質を設定してする貸付　最判平 6・6・7 金法 1422 号 32 頁は、預金者の代理人と偽って預金に質権を設定して貸付金名目で支払を受けた事例でも、「金融機関が、自行の定期預金の預金者の代理人と称する者に対し、右定期預金を担保に金銭を貸し付け、その後担保権（質権）実行の趣旨で、右定期預金を払い戻して貸付債権の弁済に充当した場合には、民法 478 条が類推適用される」とした。(a)(c)(d)とは異なり義務の履行そのものではなく、経済的実態が期限前払戻しというだけで類推適用を肯定してよいのか、問題意識は感じられない。

(c) 生命保険の保険者貸付

(ア) 本判決の注目点　銀行取引を超えて、生命保険契約における契約者貸付条項に基づいて、保険者の妻が無権代理で貸付を受けた事例で（その後離婚）、保険会社の過失を認めて 110 条の適用は否定されたが、478 条の類推適用が肯定されている（最判平 9・4・24 民集 51 巻 4 号 1991 頁）。貸付が約款上義務であり、貸付自体が契約上の義務の履行であること、そして、そのことから「貸付」を有効としていることが注目される。

(イ) 本判決判旨　「本件生命保険契約の約款には、保険契約者は Y から解約返戻金の九割の範囲内の金額の貸付けを受けることができ、保険金又は解約返戻金の支払の際に右貸付金の元利金が差し引かれる旨の定めがあり、本件貸付は、このようないわゆる契約者貸付制度に基づいて行われたものである。右のような貸付けは、①約款上の義務の履行として行われる上、②貸付金額が解約返戻金の範囲内に限定され、保険金等の支払の際に元利金が差引計算されることにかんがみれば、その経済的実質において、保険金又は解約返戻金の前払と同視することができる。そうすると、保険会社が、右のような制度に基づいて保険契約者の代理人と称する者の申込みによる貸付けを実行した場合において、右の者を保険契約者の代理人と認定するにつき相当の注意義務を尽くしたときは、保険会社は、

民法 478 条の類推適用により、保険契約者に対し、<u>右貸付けの効力を主張する
こと</u>ができる」と述べられている。

(d) カードを用いた当座貸越

(ア) **478 条適用否定判例** カードを用いた CD や ATM 利用による当座貸越
（カードローン）については、最高裁判決はなく 478 条の類推適用につき下級審
判決は分かれる。福岡地判平 11・1・25 判タ 997 号 296 頁はこれを否定してい
る。「カードを使用した当座貸越について、補助参加人銀行に極度額までの当座
貸越の義務はないから、右当座貸越を……銀行の債務の弁済と同視することはで
きず……民法 478 条を類推適用すべき基礎を欠く」。「民法 478 条の類推適用に
ついて原告らの引用する判例は、いずれも当該払戻しを経済的に見れば、債務の
一部についての前払と同視できる事案についてのものであり、本件とは事案を異
にする」。「民法の原則に戻り、取引行為における外観信頼保護の規定である表見
代理規定の類推適用によって決すべきである」という。

(イ) **478 条適用肯定判例** これに対し、東京高判平 14・2・13 金法 1663 号
83 頁および東京地判平 15・4・25 金法 1679 号 39 頁は、カードローンに 478
条の類推適用を肯定している。後者は、銀行は「カードローン契約を締結すれ
ば、カード契約者から借入の申込があれば、一定の限度額内においては融資の実
行が義務付けられるのであり、その状況は預金の払戻の場合と同様であるから、
この場合にも民法 478 条が類推され」という。預金の払戻しではなく貸付金の
交付義務の履行であるが、その前提たる借入れの申入れという法律行為が問題に
なっている。貸付が義務であることから 478 条の類推適用されるべきである。

(3) 学説の状況

❶ **478 条類推適用説** 判例に賛成し、478 条の類推適用を肯定するのが通
説であるといえる。相殺を有効とする構成には 2 つの説明が可能である。①ま
ず、貸付が無効で相殺適状がないが、相殺を 478 条の類推適用により有効とす
るのが、判例の説明である。②しかし、問題となっているのは、貸金の交付が実
質的に期限前の定期預金の払戻しであり、直截にここに 478 条を類推適用する
ことも考えられる。478 条の趣旨を逸脱してしまうが、貸付を有効とし、相殺適
状が認められるので、相殺を論理的に説明しうることになる。最判平 9・4・24
（☞ 10-60）は、478 条の類推適用により「右貸付けの効力を主張することがで
きる」という（淡路 530 頁も、弁済になぞらえられるのは貸付であると評する）。

❷ **110 条類推適用説** 478 条類推適用説に反対する学説も少なくない。契
約に対して弁済を特別に保護すべき理由は、それが義務であって簡易迅速に決済
されるべきだからであり、実質弁済の経済的意味があるからといって、義務的で
あり簡易迅速に処理されるべきであるとは限らないからである。まず、債務者は
貸付に応じることは義務ではなく、義務的である弁済についての 478 条の特別
の保護規定を問題にするのではなく、帰責性を要求する 110 条またその類推適

第 2 節　弁済 §Ⅳ　弁済の相手方（弁済受領権者）

用によるべきであるという主張がされている（安永正昭「民法478条の適用・類推適用とその限界」林良平先生献呈『現代における物権法と債権法の交錯』[1998] 441頁以下）。

10-66　　❸　**94条2項類推適用説**　他方で、学説には、このような場合には、94条2項の類推適用によるべきであるという主張や（高島平蔵「判批」判評180号24頁）、94条2項および110条の類推適用によるべきであるという主張もされている（平井宜雄「判批」『民法の基本判例［第2版］』[1999] 143頁）。実質的に期限前払戻しというだけでは足りず、さらにそれが義務である場合に限って救済を認めるべきである——事実上応じるのが慣行といった場合に拡大してよい——。問題はその条文根拠である。しかも、貸付自体を有効にしたい。契約を有効とするため債権者の帰責事由も必要としたいところであり、478条と94条2項の類推適用ということは無理であろうか。

10-67　**⑹　478条の効果——当然に債務が消滅するのか**

　受領権がない者への弁済は本来は無効であるが、478条の要件を満たす場合には、「弁済は……その効力を有する」と規定されている。したがって、債務者は債務を免れ、第三者弁済であれば弁済者代位の効力を生じる。その結果、債権を失った債権者は、弁済を受領した表見受領権者に対して、不当利得返還請求権、不法行為に基づく損害賠償請求権を取得することになる。問題は、この効力が当然に生じるのか、それとも形成権として再構成して、弁済者の援用によって初めて生じるのか、である。

10-68　　**⒜　選択を認めない判例（当然有効説）**

　　㋐　条文通り　判例（大判大7・12・7民録24輯2310頁）は、AのBに対する債権につき、BがCに対して478条の要件を満たす弁済をした場合に、Bが弁済は無効であると主張してCに不当利得返還請求したのに対して、Cへの不当利得返還請求権は債権を失った債権者Aのみが取得し、弁済したBはこれを有しないと判示した（石田651頁は賛成）。BのCへの不当利得返還請求に対して、Cが478条を援用することを認めることになる。

10-69　　**㋑　この解決の問題**　本来ならば弁済は無効であり、「利益といえども強制できない」というのが外観法理の原則であり、Bに援用するかどうかの選択を認めるべきである。結果の実際上の妥当性からしても、債務者Bは、478条の要件を満たすか微妙な事例もあり、争えば勝てるかもしれないが、あえて478条を問題にすることを避けることも認めるべきであるため、学説はこぞって判例に反対している。

第 10 章 債権の消滅①──弁済

10-70 　(b)　**選択を認める学説**　学説は、弁済者が478条を援用するか否かの自由を認めている。10-68 の例でいうと、B は、478条を援用して A の請求を拒絶するか、A に支払い、また支払う前でも、弁済は無効であると主張して、C に対して不当利得返還請求または不法行為による損害賠償請求をするかの選択を認める。ただし、その法的構成の点で、学説は分かれている。

10-71 　**❶　抗弁権説**　まず、478条は弁済者 B に履行拒絶の抗弁権を認める**抗弁権説**がある（我妻281頁）。確かに抗弁権であれば、行使するかどうかは自由であり、弁済は無効なので不当利得返還請求権が成立しており、これを行使することができる。しかし、債権は消滅せず、抗弁権だけを認めるというのは、「その効力を有する」という文言に反する。また、債務者が抗弁権を行使した場合、債権者が受領者に対して不当利得返還請求権を取得することを、弁済が無効なのにどう説明するのか疑問になる[277]。

10-72 　**❷　援用権説**　他方、478条の効果は当然に生じるのではなく、債務者がその効果を援用して初めて生じるものとする**援用権説**もある（注民⑿81～82頁［沢井]）[278]。消滅時効が「消滅する」（166条1項）と規定してあるのに、援用権が成立しその行使によって債務が消滅すると考えるように（停止条件説）、弁済者に援用権を認めることになる。時効同様に援用権者が問題になり、保証人がいる場合に、時効とパラレルに考えれば、保証人にも固有の援用権が認められるのであろうか。また、この立場では、第三者弁済の場合には（保証人など）、弁済者が援用権者となり、弁済者代位の効力を主張するかどうかの選択を代位弁済者に認めることになる。

10-73 　**❸　当然有効・放棄肯定説**　時効において、解除条件説では、条文通り時効完成により当然に債務は消滅し、債務者は時効の利益を放棄することにより消滅しなかったことにできる。これと同様に、478条の要件を満たすことにより当然に債務は消滅するが、債務者は弁済が有効とされる利益を放棄す

277）　受領者が、弁済者の不当利得返還請求に対して、これを拒絶するために478条を援用するのは、「信義則に反する（矛盾行為の禁止［禁反言]）」という主張もある（潮見・新Ⅱ205頁。中田395頁も、抗弁権説が妥当としつつも、第三者弁済にも対応できることからこれを支持する）。

278）　奥田・佐々木・下巻1061頁は、債権消滅の効果は確定的に生ずるものではなく、債務者がこの効果を主張した場合、あるいは、債権者がその効果を承認した場合に初めて確定的に効果が生ずるという。即時取得で、占有改定により即時取得の効果が生じるが確定的ではなく、現実の引渡しが必要であるという解決を彷彿させる。

435

ることができると考えるべきである。有効・無効の選択を認める場合の法的構成は、無効ベースで有効とする援用権（形成権）を認める、有効ベースで有効とされる利益の放棄を認めるという 2 つの構成が考えられる（相続は当然相続させ、放棄を認める）。外観法理に基づく制度では（94 条 2 項等）、当然にその効力が生じるが放棄が可能と考えるべきである。

10-74 ◆**債権者による受領者への返還請求に対する 478 条不適用の主張の可否**

(1) **債権者の不当利得返還請求に対する 478 条の不適用の主張**

(a) **478 条の要件を満たさない場合である**　本文に説明したのは、債務者による返還請求に対して受領者が 478 条を援用できるかという問題であった。事例を変えて、債権者が 478 条により損失ないし損害を被ったとして、受領者に対して不当利得返還ないし損害賠償を請求したのに対して、受領者が 478 条の要件を満たしておらず、債権者は依然として債権を保持している、したがって、損害ないし損失はないという主張をすることが許されるであろうか。

10-75　(b) **判例は信義則による主張制限を認めた**　A 銀行に対する預金 100 万円が BC により共同相続され、BC それぞれ 50 万円ずつの分割債権になったのに（当時の判例）、B が 100 万円全額の払戻しを受けた場合に、C が B に 50 万円の不当利得返還請求したとする。B が、A 銀行には過失があり弁済は無効なので、C の A 銀行に対する 50 万円の預金債権は存在しており、自分が 50 万円を返還すべき相手は A 銀行であると主張したならば、認められるであろうか。最判平 16・10・26 判時 1881 号 64 頁は、原審判決は債権が存続しており損害はないとして、C の B に対する請求を棄却したのを破棄し、C の主張は<u>信義誠実の原則に反し許されない</u>として、C の B に対する請求を認めている[279]。

10-76　(c) **実体法における解決の可能性**　判例は、訴訟上の主張が信義則に反して許されないものとして、訴訟法レベルで解決しており、実体法レベルでの疑問が残される。10-75 の例で、無効な弁済であるが、債権者 C は A の B への払戻しを追認して有効な弁済とし、自己に帰属すべき給付分につき、B に対する不当利得返還請求権を認めることが考えられる（次の事例も同様）。

10-77 (2) **債権者の損害賠償請求に対する 478 条の不適用の主張**

(a) **事案**　判例は 10-75 の法理を不法行為による損害賠償請求にも当てはめている（最判平 23・2・18 判時 2109 号 50 頁）。X による自己を保険金受取人とする郵便局の簡易生命保険契約につき、Y_1 および Y_2 が X に無断で保険金等の支払請求手続をとり、郵便局員 Y_3 が X の意思確認を怠り Y_1 および Y_2 に保険金等を

---

279)　他方で、銀行が、分割債権（当時の判例）を超える金額の払戻しを受けた共同相続人に対して、超過部分の払戻しの無効を主張して、超過して受領した金額の返還を請求するためには、銀行が他の相続人に債権が残っている分割債権についての支払をしたことは必要ではない（最判平 17・7・11 金判 1221 号 7 頁）。

第 10 章　債権の消滅①——弁済

支払った事例である。Xが、Yらに対し、不法行為に基づく損害賠償を求めた。原審判決は、Y₃に過失があり、有効な弁済とはならない以上、<u>Xは、依然として本件保険金等請求権を有しているから、本件保険金等相当額の損害が発生したと認めることはできない</u>として、請求を棄却した。最高裁は次のように判示して、原審判決を破棄する。

10-78 　(b)　**判旨**
　(ア)　**478条の成否をめぐる争いを避ける利益の保護**　「Y₁及びY₂が、依然として本件保険金等請求権は消滅していないことを理由に損害賠償義務を免れることとなれば、Xは、Yらに対する本件保険金等の支払が有効な弁済であったか否かという、自らが関与していない問題についての判断をした上で、請求の内容及び訴訟の相手方を選択し、攻撃防御を尽くさなければならないということになる。……<u>何ら非のないXがこのような訴訟上の負担を受忍しなければならないと解することは相当ではない</u>」。

10-79 　(イ)　**478条を争うことを信義則上禁止**　「以上の事情に照らすと、<u>上記支払が有効な弁済とはならず、Xが依然として本件保険金等請求権を有しているとしても</u>、Y₁及びY₂が、<u>Xに損害が発生したことを否認して本件請求を争うことは、信義誠実の原則に反し許されない</u>」(10-75の最判平16・1・26を援用)。また、過失のあった「Y₃においても、共同不法行為責任を負うY₁及びY₂と同様に、Xに損害が発生したことを否認して本件請求を争うことは、信義誠実の原則に反し許されない」。

---

§Ⅴ
弁済が無効な場合

10-80 　(a)　**その後に債権者に交付されても無効になってしまう**　478条が適用されない限り、弁済受領権がない者への弁済は原則通り無効である。買主Aの自宅に配達したところ、たまたま娘Bが子供を連れて里帰りしていて、A宛ての荷物を受け取って、その後帰宅したAに渡したとする。Bには受領の代理権はないので、債務者は引渡義務を有効に履行したことにはならず、荷物が債権者Aに渡っていたとしても弁済の効力は生じておらず、債務者の引渡義務は存続していることになる。また、AがBに対して100万円の債権を有しており、Bが受領権のないAの社員Cに100万円を支払い、Cがこれを権限ある職員に渡した場合も同様である。

437

10-81 　(b) **債権者が利益を受ければ弁済を有効とした**　479条は「前条の場合を除き、受領権者以外の者に対してした弁済は、債権者がこれによって利益を受けた限度においてのみ、その効力を有する」と規定し、債権者が利益を受ければ、その限度で弁済が当然に有効になることを認めた。権利関係を簡易に清算するための規定であり、弁済者が受領者に受領権限のないことを知っていても、本条の適用を妨げない。10-80の例では、物の引渡し、100万円の支払が当然に有効になる。50万円しか渡さなければ、50万円の限度で有効になる。船主に支払うべき運賃を船長に支払い、船長がこの運賃を船主のために航海費用の支払に充てた事例に、本条の適用が肯定されている（大判昭18・11・13民集22巻1127頁）。

§Ⅵ
弁済者の証拠保全のための権利

1　弁済の証拠確保の必要性

10-82　弁済により債権が消滅したことは、債務者が証明しなければならない。実際には弁済をしていても、訴訟では、弁済の証明がされない以上は、裁判所は弁済がされていないものとして、支払を命じることになる。そのため、債務者にとって、弁済の証拠確保は重大な関心事である。確かに、消滅時効制度により、弁済の証拠がなくなっても時効援用によって債務者は保護されるが、民法は弁済の証拠確保のための制度を用意している。それが、弁済者の受領者への受取証書の交付請求権（486条）、および、債権証書の返還請求権（487条）である。

2　受取証書交付請求権

10-83 (1)　受取証書——弁済者は電磁的記録を選択できる

　(a)　**受取証書の交付請求権**　「弁済をする者は、弁済と引き換えに、弁済を受領する者に対して受取証書の交付を請求することができる」（486条1項）。「弁済をする者は、前項の受取証書の交付に代えて、その内容を記録し

た電磁的記録の提供を請求することができる。ただし、弁済を受領する者に不相当な負担を課するものであるときは、この限りでない」（同条2項）[280]。486条2項は2021年改正により導入された制度であり、弁済者から請求できるだけで、債権者が書面に代えて電磁的記録の提供によることはできない。

10-84　**(b)　受取証書への署名押印への協力義務**　受取証書とは、弁済受領の事実を証明する書面であり、形式は問わない（領収書が典型である）。物や金銭の受領のみならず、為す債務を債権者が受けた場合にも、債権者が為す債務の履行を受けたことの確認書に署名押印を求められ（検収）、また、宅配便でも受取証書に署名または押印を求められる。このように、弁済者側で受取証書を用意している場合には、受領者の義務はそれへの署名や押印による協力義務という形になる。

10-85　**(2)　受取証書交付との同時履行の抗弁権（引換給付の主張権）**
　　(a)　弁済前に成立している　改正前は10-83の下線部分の文言がなく、弁済をしたことの証明書なので、論理的には、まず弁済をしてからその交付を請求できるにすぎないはずであった。しかし、先に弁済をして受取証書の交付をしてもらえない場合に、弁済者の保護は形骸化する。そのため、解釈によって、債務者に弁済前に受取証書の交付との同時履行の抗弁権が認められていた（大判昭16・3・1民集20巻163頁など）。改正法はこの点を10-83下線部を追加することで明文化したのである。

10-86　**(b)　一部弁済や代物弁済の場合**　受取証書交付請求権は、一部弁済や代物弁済についても認められる。ただし、一部弁済や代物弁済を受けるかどうかは債権者の自由であり、「引き換えに」という主張は認められず、債権者が任意に受け取って初めて受取証書交付請求が成立するにすぎない。

10-87　**◆受取証書交付請求権の成立時期**
　　(a)　債権の成立と共に成立しているのか　486条の弁済者の拒絶権を同時履行の抗弁権と理解するのが通説であるが、そのように考えてよいのかは疑問がある。というのは、同時履行の抗弁権がある場合には、債務者は履行期が過ぎても履行遅滞には陥らないが、受取証書の交付請求権は当然に成立していて、債務者

---

280)　受取証書作成の費用については、債権者側に交付義務があるので債権者が負担する。もっとも、宅配便では運送業者が受取証書を用意し、債権者が——法的には無効であるが、実際上家族など同居者が署名したり、押印することで済まされている（追認により有効になる）——これに署名するのが普通である。

第2節　弁済　│　§Ⅵ　弁済者の証拠保全のための権利

が何もせずに履行期を過ぎても、同時履行の抗弁権があり遅滞に陥らないと考えるべきではない。条文も「弁済をする者は」と規定しており、その解釈として要件の加重が必要になる。

10-88　　(b)　**提供により成立する**　この点、債務の本旨に従った提供があって初めて弁済提供者に受取証書交付請求権が成立すると考えるべきである。「弁済をする者」とは、弁済提供者と解すべきである。同時履行の抗弁権とは異なる特別な弁済拒絶権と構成する説があり（注民⑬244頁、246頁［沢井］など）、適切である。大判昭16・3・1民集20巻163頁も「弁済者が弁済を為さんとするに当り受取証書の交付を請求したるに拘らず、弁済受領者が之を応諾せざるに於ては、弁済者は弁済の為め現実に為したる提供物を保留し得るものと云ふべく、此の場合弁済者は提供物を交付せざることに付正当の理由あるものにして遅滞の責を負ふことなきものとす」と判示し、同時履行の抗弁権とは述べていない。

3　債権証書の返還請求権

10-89　**(1)　全額弁済による債権証書の返還請求権**

　(a)　**債権証書の意義**　民法は、さらに、「債権に関する証書がある場合において、弁済をした者が全部の弁済をしたときは、その証書の返還を請求することができる」と規定した（487条）。債権証書とは、債務者が作成し債権者に交付する債権の成立を証明する書面で（借用証書や預金証書など）、契約書とは別のもので、債権の存在を証明して取立てを容易にするためのものである。

10-90　(b)　**返還させる必要性**　債権証書を債権者が保持していることは、債権が存在することを推定させるため、上記の返還請求権を認めたのである。487条は弁済についてのみ規定しているが、相殺、免除など他の原因で債務が消滅した場合についても適用を認めてよい。なお、債権証書の返還を請求しうるのは、全額弁済した場合に限られ、一部弁済の場合には、債権証書に一部の弁済を受けた旨を記載するよう請求しうる（通説）。

10-91　**(2)　引換給付の抗弁（否定）**

　弁済者は、債権者の請求に対して債権証書の返還との引換えでの履行を主張できないと考えられている。その理由は、①条文上「全部の弁済をした」ことが要件とされていること、②債権証書が紛失している場合には債権者は債務の履行を求めることができなくなること——この場合は、債権証書紛失の旨を記載した文書の提出を求めるか、受取証書にその旨を記載するよう請

第 10 章　債権の消滅①——弁済

求しうる——、また、③受取証書との同時履行の抗弁権を認めることにより、弁済の証拠の確保は図られていること、などである。

　なお、有価証券については、証券の提示をして請求することができ（520条の9・520条の18）、証券の引渡しとの同時履行の抗弁権が認められる。

$$§Ⅶ$$
$$弁済をめぐる補充規定$$

1　弁済の場所および時間

10-92　**(1)　弁済の場所**

　(a)　民法の原則（補充規定）　弁済すべき場所（履行場所）については、まず契約で定められ、契約の内容が明確でない場合には取引慣行や契約締結時の状況など諸事情を考慮して定められるべきである。それでも定まらない場合に、民法は補充規定に従う。

　①特定物の引渡しについては、「債権発生の時にその物が存在した場所において」引き渡すこと、②その他の弁済については、不特定物の引渡しや為す債務の履行については、「債権者の現在の住所において」することを要する（484条1項。なお、574条・664条の特則がある）。運送費用がかかるため、債権者が自由に引渡場所を指定できるわけではない。金銭については、支払場所よりも支払方法（決済の方法）が問題になる。

10-93　**(b)　商法の原則**　商法には、「商行為によって生じた債務の履行をすべき場所がその行為の性質又は当事者の意思表示によって定まらないときは、特定物の引渡しはその行為の時にその物が存在した場所において、その他の債務の履行は債権者の現在の営業所（営業所がない場合にあっては、その住所）において、それぞれしなければならない」と、ほぼ同趣旨の規定が置かれている（商516条1項）。

10-94　　**◆工場引渡しの場合の荷下し等**
　　引渡場所までの運送費用は債務者負担になるが、「買主工場渡し」の合意の場合に、工場に着いた後の、トラックからの荷下ろし、そして所定の場所までの運

441

搬については、いずれの負担なのかは問題になる。この点、異なる合意がされていない限り、買主負担と考えられている（江頭憲治郎『商取引法（第8版）』[2018] 21頁）。これは買主が自分で設置する場合であり、異なる合意も考えられる。運送だけでなく、設置まで債務内容になっていれば、買主の指示した工場内の特定の場所まで搬送して設置することまでが、売主の義務になる。

10-95 **(2) 弁済の時間帯**

民法は、「法令又は慣習により取引時間の定めがあるときは、その取引時間内に限り、弁済をし、又は弁済の請求をすることができる」と規定している（484条2項）。商法旧520条に置かれていた規定であるが、民法に一般規定を置いて、これを削除したのである。本規定は、履行期ないし弁済期日において履行請求できる時間帯を規定したものである。取引時間内にされた弁済提供でなければ提供の効果は認められず、また、取引時間内にされた請求でなければ、請求の効果は認められない。

2 弁済費用の負担

10-96 **(1) 原則として債務者負担**

弁済費用とは、弁済のために要する費用（履行費用）であり運送費、荷造費などである。弁済費用は債務者の負担とされている（485条本文）。特約は可能である。金銭債務でも、銀行振込みの場合には債務者がその手数料を負担することになる。これに対し、契約書作成の費用などの契約費用は、売買契約につき当事者が平等に負担すると規定され（558条）、これは他の有償契約に準用されている（559条）。

10-97 **◆義務の履行費用は義務者の負担**

485条は義務者が義務履行の費用を負担するという一般論を確認したものにすぎない。一般論として義務の履行に要する費用は、義務の内容として当然に義務者が負担すべきであり、物権的請求権についての行為請求権説によれば、運送や妨害除去費用は義務者の負担になる。信義則上の義務のための費用であれば、義務者がその費用を負担する。使用者の労働者に対する安全配慮のための費用、例えば必要な健康診断を行う費用などは使用者の負担である。不法行為においても同様であり、工場が近隣への騒音防止のために、防音工事を施す費用は、工場経営者の負担となる。義務なしに他人のために何かをすれば、そのための費用を費やす場合は、事務管理になる。

第 10 章　債権の消滅①——弁済

10-98 **(2)　債務者負担の原則に対する例外**

(a)　債権者の行為による弁済費用の増加など　債権者の住所が引渡場所となっていたところ、債権者が住所を移転したために余計な費用がかかったなど、債権者の行為によって弁済の費用が増加した場合には、「その増加額は、債権者の負担とする」ものとした（485条ただし書）。また、債権者の受領拒絶または受領不能によって、「その履行の費用が増加したときは、その増加費用は、債権者の負担」とされる（413条2項）。

10-99 **(b)　無償契約**　また、個別的な例外として、委任事務処理費用（650条・665条）、事務管理費用（702条）がある。委任や寄託契約は無償委任が前提となっているからであり——事務管理ももちろん無償——、有償委任では初めから費用が報酬に含まれていれば別個に費用を請求できない。また、有償契約である運送、建物建築等の請負は、当然その履行費用が報酬として算入されているため、10-96の原則通りである。

10-100 **◆債権者の取立費用**

(1)　損害賠償請求はできない

取立債務については、取立て（引取り）に要する費用は債権者の負担である。なお、金銭債権につき、債務者が夜逃げしたため債務者を捜索するために費用がかかっても、419条により損害賠償としては遅延利息しか請求できない。「485条にいう弁済の費用は、運送費、荷造費、為替料、関税など、債務を履行するために要する費用を意味する」として、取立費用の請求を退けた判決がある（東京地判昭55・11・28判時1003号113頁）。しかし、取立てのために増加した費用として、485条ただし書を類推適用して債務者に負担させることができて然るべきであり、下記判決は適切である。

10-101 **(2)　取立費用としての請求（東京地判昭48・5・30判時724号48頁）**

(a)　訴訟費用・執行費用　民訴法89条（現61条）により債権者が勝訴すれば、訴訟費用は債務者の負担となり、同法554条（現民執42条1項）は必要な範囲の執行費用を債務者の負担と定め、「訴訟費用、執行費用は債権を公権力により強制的に取立てるための取立費用に属するから、法は必要な範囲の取立費用を債務者の負担と定めたとすることが可能である」という。

10-102 **(b)　取立費用も認める**　「債務者が債務の行為を遅滞したとき、債権者はまず訴訟外において内容証明郵便、電話等で催告などをして弁済を求めるのが通常であり（民法153条は裁判外の催告でも一定の時効中断の効力を認めている。）またこれは債務者が債務の履行を遅滞したことにより債権者が止むを得ず行うものであるから、この費用は債務者の負担とするのが衡平の原則に適する」という。

443

第2節 弁済 | §Ⅶ 弁済をめぐる補充規定

10-103 　　　(c) **相当な範囲に限られる**　ただし、「債務者が債権取立に不必要であった取立費用を負担すべきいわれはないから、債務者が負担する取立費用は必要な範囲に限られる」と述べる。結論として、10 数回にわたり弁済を催告したため負担した 6808 円の電話料金を債務者の負担としている。

3　弁済の充当

10-104 **(1)　充当の意義——原則は合意が最優先**

　同一当事者間に、同種の債務が複数あり、弁済者の為す給付がその全部を消滅させるのに足りない場合、どの債務の弁済としての効力を認めるべきかを決めなければならない。これを**充当**ないし**弁済の充当**（**弁済充当**）という。この点、弁済者と受領者（債権者）との合意でいかようにも充当の仕方を決めることができる。合意による充当（**合意充当**）は、以下に述べる制限を受けることなく——任意規定にすぎない——行うことができる（490 条)[281]。充当は、以下のようになる。

---

① 合意充当が最優先（490 条）

② 合意充当がない場合

　ⓐ 元本、利息、費用の充当の順序は指定で変更できない
　　　（必要的法定充当 [489 条]）

　ⓑ それ以外は指定充当が可能（指定充当 [488 条 1 項〜 3 項]）

　ⓒ 指定がない、ないし認められないときは、民法の充当規定による
　　　（補充的法定充当 [488 条 4 項]）

10-105 **(2)　合意のない場合の充当**

　(a)　指定で排除できない必要的法定充当　合意がない限り、費用、利息お

---

281)　ただし、抵当権の実行による配当においては、合意があっても法定充当による。最判昭 62・12・18 民集 41 巻 8 号 1592 頁は、「同一の担保権者に対する配当金がその担保権者の有する数個の被担保債権のすべてを消滅させるに足りないときは、右配当金は、右数個の債権について民法 489 条ないし 491 条の規定に従った弁済充当（以下「法定充当」という。）がされるべきものであって、債権者による弁済充当の指定に関する特約がされていても右特約に基づく債権者の指定充当は許されない」とし、理由として、「不動産競売手続は執行機関がその職責において遂行するものであって、配当による弁済に債務者又は債権者の意思表示を予定しないものであり、同一債権者が数個の債権について配当を受ける場合には、画一的に最も公平、妥当な充当方法である法定充当によることが右競売制度の趣旨に合致する」ことを挙げる。

よび元本を支払うべき場合には、この順での充当によることが必要である（489条）。合意により排除できるので強行規定ではないが、弁済者の一方的指定によっては排除できない必要的法定充当である。もしこのような制限がなければ、利息の発生を阻止するために、弁済者はまず先に元本への充当を指定することになるが、それを許さないことにしたのである。複数の債権があり、それぞれに利息、費用の負担がある場合には、全ての債権について、まずは費用、次に利息、次に元本の順で充当することになる。

10-106　**(b)　指定充当**

(ア)　弁済者の指定充当　充当についての合意がなければ、(a)の必要的法定充当は変更できないが、弁済者が「給付の時に、その弁済を充当すべき債務を指定することができる」（488条1項）。これを指定による充当（**指定充当**）という。弁済者の指定に対して受領者は異議を述べることはできない。弁済者は、第三者でもよく、第三者が弁済した場合には、債務者ではなく弁済者が指定できる。ただし、債務者が直ちに異議を述べた場合には次の規定を類推適用して、補充的法定充当によるべきである。

10-107　**(イ)　受領者による指定充当**　弁済者が指定をしないときは、弁済受領者が「その受領の時に」弁済を充当すべき債務を指定することができる（488条2項本文）――受領代理権には、充当指定権が含まれていると考えてよい――。ただし、この受領者側の指定に、弁済者が「直ちに異議を述べた」ならば、指定の効力は認められない。この場合、改めて弁済者が指定することはできず、次の補充的法定充当によることになる。いずれの指定も、相手方に対する意思表示による（同条3項）。

10-108　**(c)　補充的法定充当**　指定充当がされなかったか、指定充当が効力を否定された場合、また、指定がされたが債務がなく無効な場合[282]、民法の補充的充当規定に従って充当される（488条4項）。債務者の利益のために次のような基準が設定されている。なお、法定充当と、時効更新事由としての債務承認とは別の問題であり、3つの借入金があり、全額の支払に足りない金額を借入金の支払として支払った場合、充当は下記表通りに充当されるが、債務承認としては全部の借入金の債務承認として時効中断（現更改）が認められている（最判令2・12・15民集74巻9号2259頁）。

445

第3節　弁済者代位（弁済による代位）　　§I　債務者に対する求償権保護のための制度

① **弁済期**にある債務が弁済期にない債務よりも先に充当される（1号）

② 弁済期にある債務または弁済期にない債務の間では、債務者のために**弁済の利益**が多いもの（利息の約定の有無、利率の有無、担保の有無などにより決定される）が先に充当される（2号）

③ 債務者のために弁済の利益が相等しいときは、弁済期が先に到来したものまたは先に到来すべきものを先に充当する（3号）

④ 債務者のための弁済の利益も弁済期もいずれも相等しい債務については、「各債務の額に応じて」充当する（4号）

第3節　弁済者代位（弁済による代位）

§I
債務者に対する求償権保護のための制度

10-109　　(a)　**第三者弁済では求償権が発生する**　第三者弁済が有効な場合には、代位弁済者——実際に問題になるのはほとんどが保証人——は債務者に対して求償権を取得する。求償権の根拠としては、ⓐ保証人については保証規定（459条以下）、ⓑ履行引受の場合には、委任の費用償還請求権（650条1項）、ⓒ債務者の依頼を受けずに弁済をした場合には、事務管理の費用償還請求権（702条）、また、不当利得返還請求権（703条）になる。第三者が予め贈与の趣

282）　指定がされたが債務が存在せず指定が無効な場合にも拡大してよい。最大判昭39・11・18民集18巻9号1868頁は、利息制限法1条2項（当時）があるため元本への充当を否定した先例（最大判昭37・6・13民集16巻7号1340頁）を変更し、「債務者が利息、損害金の弁済として支払った制限超過部分……の債務は存在しないのであるから、その部分に対する支払は弁済の効力を生じない。従って、債務者が利息、損害金と指定して支払っても……指定は無意味であり……指定がないのと同一であるから、元本が残存するときは、民法491条の適用によりこれに充当される」とした。指定を無効として「指定がないのと同一」と考えて、「指定をしないとき」（488条）に含めて法定充当を可能としたのである。最判平19・2・13民集61巻1号182頁は、第1貸付について過払金が生じる場合に、債務がなく無効な弁済となる過払部分の弁済を、第2貸付の債務への弁済として充当できるかが問題とされた事例で、「基本契約が締結されているのと同様の貸付けが繰り返されており、第1の貸付けの際にも第2の貸付けが想定されていたとか」、充当に関する特約があるなど特段の事情がない限り、第2貸付への充当は認められないとしている。

446

第 10 章　債権の消滅①──弁済

旨を表明していた場合には求償権は成立せず、また、成立後に債務者を免除することもできる。

10-110　(b)　**代位弁済者の求償権保護**　民法は、代位弁済者の求償権保護のために、債権者が有していた債権およびその担保を取得し、求償権のために行使することを認めた (499条)。これを**弁済者代位**（条文上の正式名称は、第3目「**弁済による代位**」）という。もし第三者弁済により債権は消滅し、付従性により担保も消滅するとしたならば、代位弁済者が無担保の求償権を取得するだけで、債務者の他の債権者が、債務者自身はいまだ弁済していないのに、担保が解放され一般責任財産となる利益を受けることになる。債務者やその債権者にそのような利益を享受させる必要はなく、他方で、代位弁済者の保護を図る必要があるため、弁済者代位制度を導入したのである。

§II
弁済者代位の意義および法的構成

1　意義

10-111　**(1)　弁済者代位制度の導入**

　第三者による弁済が有効であれば、弁済の効力により債権（これを求償権に対して、**原債権**という）は消滅するはずである。ところが、民法は代位弁済者の求償権保護のために、「債務者のために弁済をした者は、債権者に代位する」と規定した (499条)。「債権者に代位する」という表現の意味は明確ではないが、弁済者代位に債権譲渡の467条を準用していることからわかるように (500条)、原債権を弁済により消滅させずに (☞ 10-12)、代位弁済者に移転させるものである──代位取得という──。代位弁済者は、「債権の効力及び担保としてその債権者が有していた一切の権利を行使することができる」ものと規定されている (501条1項)。

10-112　**(2)　弁済者代位を正当化する根拠**

　(a)　求償権保護、誰も害さない　弁済者代位が認められる根拠は、①一方で、保証人を中心として求償権保護の必要があることにとどまらず (☞ 10-

447

110）、②他方で、それにより特に害される者はいないことに求められる。この「誰も害さない」（当初の法律関係が存続していた場合よりも不利益を受けない）から本来消滅すべき債権や担保を存続させるということは、弁済者代位の前提条件であり、その運用に際して常に意識する必要がある。この点について敷衍しよう。

10-113　　**(b)　誰も害さないこと**　ⓐ債務者は依然として弁済していない以上、債権またはその担保が存続しても不利益を受けるわけではない。ⓑ債務者の他の債権者も、棚ぼた的な利益が得られないというだけである。ⓒ債権者も満足を受けるので不利益はない——ただし、一部代位についてはその利益への配慮が必要——。ⓓ後順位抵当権者についても、債務者が弁済していない以上、順位上昇という棚ぼた的利益を与える必要はない——ただし、被担保債権については注意が必要——。

2　法的構成

10-114　　**(a)　担保の取得だけではなぜいけないのか**　①求償権確保のために必要なのは、原債権に付いていた担保にすぎない。そうすると、求償権のために担保だけ取得することを認めればよいようにもみえる（そう考えるのが**接木説**）。しかし、それでは「誰も害さない」からという弁済者代位の前提条件を満たせない。というのは、これでは、被担保債権が原債権から求償権に差し替えられてしまい、原債権よりも求償権の利息の方が高い場合に、後順位抵当権者が弁済者代位により不利益を受けることになるからである。ただし、求償権に担保を結びつけつつ、原債権の限度でという制限をすれば問題は解消する（新接木説）[283]。

10-115　　**(b)　債権移転説が判例・通説**
　　(ア)　原債権の代位取得　最判昭59・5・29民集38巻7号885頁は、「弁済による代位の制度は、代位弁済者が債務者に対して取得する求償権を確保するために、法の規定により弁済によって消滅すべきはずの<u>債権者の債務者</u>

283）　接木説によりつつ、第三者を害することはできないという要請と調和させるために、原債権の限度という制限をする修正説（新接木説）も提案されている（村田利喜弥「消滅時効における原債権の確定と求償権との関係」ジュリ1130号［1998］124頁）。原債権の取得は余計であり、求償権こそ中心に据えるべきであるという考えによる。500条が原債権の移転を前提としていることは無視することになる。

に対する債権（以下「原債権」という。）及びその担保権を代位弁済者に移転させ、代位弁済者がその<u>求償権の範囲内で原債権及びその担保権を行使する</u>ことを認める制度であ」ると考えている（**債権移転説**）。これが通説である（我妻 253 頁、於保 388 頁、奥田 538 頁等）。

10-116　**(イ)　誰も害さない**　この構成では、「代位弁済者が弁済による代位によって取得した<u>担保権を実行する場合において、その被担保債権として扱うべき</u>ものは、原債権であって、保証人の債務者に対する求償権でない」ことになる（同上判決）。抵当権の被担保債権は原債権のままであり、後順位抵当権者は害されず、担保の付いた原債権を、求償権の回収のために行使できることになる。代位弁済者は、求償権と原債権の 2 つの債権を取得することになる（☞ 10-118）。

10-117　**◆求償権による限界づけ**
　　あくまでも求償権を確保するための従たる制度であるため、原債権に高額の利息の合意があったため、原債権の額が求償権よりも大きい場合でも、求償権の限度で原債権を、そしてその担保権を行使できるにすぎない。注意すべきは、これは金額についての原則にすぎず、求償権には担保がなかったのに原債権の担保を利用して優先弁済を受けるなど、金額以外の点では本来の債権では得られなかった利益を受けることは妨げられず、むしろその利益を享受させるのが弁済者代位制度である。これを 10-124 の判決は「一種の担保」といい、田原裁判官の補足意見はそのことから原債権と求償権との関係を「原債権と求償権との関係は、求償権を担保するべく原債権が移転するもので、<u>その移転の法的構成は、譲渡担保に類する</u>」とまでいうのである。

10-118　**◆原債権と求償権の関係**
(1)　求償権のための従たる権利──原債権の付従性
　　最判昭 61・2・20 民集 40 巻 1 号 43 頁は、原債権と求償権の関係につき、両債権は、「元本額、弁済期、利息・遅延損害金の有無・割合を異にすることにより総債権額が各別に変動し、債権としての性質に差違があることにより別個の消滅時効にかかるなど、<u>別異の債権ではあるが、代位弁済者に移転した原債権及びその担保権は、求償権を確保することを目的として存在する附従的な性質を有し、求償権が消滅したときはこれによって当然に消滅し</u>[284]、<u>その行使は求償権の存する限度によって制約されるなど、求償権の存在、その債権額と離れ、これと独立してその行使が認められるものではない</u>」と判示している。債権移転説によれば、代位弁済をした者は、弁済者代位により原債権と求償権の 2 つの債権を取得することになるが、求償権と原債権とには主従の関係が認められている[285]。

第3節　弁済者代位（弁済による代位）　　§Ⅱ　弁済者代位の意義および法的構成

10-119

(2)　弁済者代位と債務者の破産
──２つの債権の時効完成猶予・行使また確定債権化

(a)　**代位弁済後における債務者の破産手続開始**　代位弁済後に債務者が破産手続開始決定を受けた場合、代位弁済者により求償権が破産債権として届出されることになる。そして、求償権が債権表に記載されると確定判決を受けたと同じ効果が認められ（破124条3項・221条）、確定債権となる（169条［旧174条の2］）。したがって、時効が更新されまた時効期間が10年となる。この場合に、代位取得した原債権はどうなるかという疑問がある。原債権については時効の更新はなく、また、時効期間も5年のまま完成してしまうのであろうか。しかし、付従性により、同様の効果を認めるべきである（396条・457条1項の趣旨より）。

10-120

(b)　**破産手続開始後における代位弁済**　これに対し、債権者が原債権を破産債権として届け出て、原債権につき時効の更新、確定債権化の効果が発生した後に、保証人による代位弁済がありこの確定債権となった原債権を代位取得したらどうであろうか[286]。代位弁済者が破産債権（原債権）について代位を理由として名義変更をするが、それが求償権にどのような効力を及ぼすのであろうか。

この問題につき、判例は改正前の事例で、①求償権についても時効中断は肯定したものの、②原債権についての旧174条の2の効果が求償権に及ぶことは否定している（最判平7・3・23民集49巻3号984頁☞10-121、最判平9・9・9金判1035号29頁）[287]。届出は代位したことの届出であり求償権の存在を当然の前提とした権利行使なので、①は適切である（改正法では147条1項4号の完成猶予、2項の更新）。②については、求償権を届出していない以上やむをえない。

学説には、代位弁済者に原債権が移転した途端、原債権の長期時効がふいにな

---

284)　**＊内入弁済がされた場合**　求償権の消滅により原債権が消滅するというのは、一部弁済でも同様である。100万円の求償権と共に100万円の原債権を取得した代位弁済者に対して、債務者から30万円がとりあえず支払われた場合、求償権が70万円になり、原債権も30万円分消滅する。最判昭60・1・22判時1148号111頁は、「債務者から右保証人に対し内入弁済があったときは、右の内入弁済は、右保証人が代位弁済によって取得した求償権のみに充当されて債権者に代位した原債権には充当されないというべきではなく、求償権と原債権とのそれぞれに対し内入弁済があったものとして、それぞれにつき弁済の充当に関する民法の規定に従って充当される」という。

285)　**＊原債権についての詐害行為取消権**　原債権が、債務者の詐害行為前に成立しており、債権者に詐害行為取消権が成立していたが、弁済者代位があり求償権が成立したのは詐害行為後である場合、求償権を中心に考えるので、保証人らは原債権の詐害行為取消権を行使することはできないのであろうか。424条3項では、債権の「原因」が詐害行為前に成立していれば詐害行為取消権を認めるので、求償権が詐害行為後に成立していても、保証債務をすでに詐害行為前に負担していた場合には、詐害行為取消権を認めてよい。

286)　**＊代位弁済後の原債権の和議手続による変更**　最判平7・1・20民集49巻1号1頁は、原債権について和議開始があった後に保証人の弁済があった事例で、「和議開始決定の後に弁済したことにより、和議債務者に対して求償権を有するに至った連帯保証人は、債権者が債権全部の弁済を受けたときに限り、右弁済による代位によって取得する債権者の和議債権（和議条件により変更されたもの）の限度で、求償権を行使し得るにすぎない」という。「和議制度の趣旨にかんがみても、和議債務者に対し、和議条件により変更された和議債権以上の権利行使を認めるのは、不合理だからである」という。

450

第 10 章　債権の消滅①——弁済

ってしまうのはおかしいと批判がある（半田吉信「求償債権の消滅時効」千葉 16 巻 2 号［2001］21 頁以下）。しかし、代位弁済制度は求償権を保護するための制度と考えれば、求償権が 5 年しか保護されない以上はやむをえない。

10-121

●**最判平 7・3・23 民集 49 巻 3 号 984 頁　(1)　求償権の消滅時効——届出名義の変更により中断（改正前）**「債権者が主たる債務者の破産手続において債権全額の届出をし、債権調査の期日が終了した後、保証人が、債権者に債権全額を弁済した上、破産裁判所に債権の届出をした者の地位を承継した旨の届出名義の変更の申出をしたときには、<u>右弁済によって保証人が破産者に対して取得する求償権の消滅時効は、右求償権の全部について、右届出名義の変更のときから破産手続の終了に至るまで中断する</u>」。保証人の取得した原債権は、「求償権を確保することを目的として存在する附従的な権利であるから（……）、保証人がいわば求償権の担保として取得した届出債権につき破産裁判所に対してした右届出名義の変更の申出は、求償権の満足を得ようとしてする届出債権の行使であって、<u>求償権について、時効中断効の肯認の基礎とされる権利の行使があったものと評価するのに何らの妨げもない</u>し、また、破産手続に伴う求償権行使の制約を考慮すれば、届出債権額が求償権の額を下回る場合においても、右申出をした保証人は、特段の事情のない限り、求償権全部を行使する意思を明らかにしたものとみることができるからである」。

10-122

　(2)　求償権の確定債権化（否定）　しかし、「<u>届出債権につき債権調査の期日において破産管財人、破産債権者及び破産者に異議がなかったときであっても、求償権の消滅時効の期間は、民法 174 条ノ 2 第 1 項により 10 年に変更されるものではない</u>」。「けだし、破産法 287 条 1 項により債権表に記載された届出債権が破産者に対し確定判決と同一の効力を有するとされるのは、届出債権につき異議がないことが確認されることによって、債権の存在及び内容が確定されることを根拠とするものであると考えられるところ、債権調査の期日の後に保証人が弁済によって取得した求償権の行使として届出債権の名義変更の申出をしても、<u>右求償権の存在及び内容についてはこれを確定すべき手続がとられているとみることができないからである</u>」。

287)　**＊原債権の完成猶予手続後の代位弁済と求償権への完成猶予の効力（肯定）**　債権者が物上保証人に対して申し立てた不動産競売の開始決定正本が主債務者に送達された後に、代位弁済をした保証人が、債権者から物上保証人に対する担保権の移転の付記登記を受け、差押債権者の承継を執行裁判所に申し出た場合には、承継の申出について主債務者に対して旧 155 条所定の通知がされなくても、代位弁済によって保証人が主債務者に対して取得する求償権の消滅時効は、承継の申出の時から不動産競売の手続の終了に至るまで中断するとした最判平 18・11・14 民集 60 巻 9 号 3402 頁がある。

第3節　弁済者代位（弁済による代位）　│§Ⅱ　弁済者代位の意義および法的構成

10-123
(3)　労働債権の代位取得と破産外行使の可否

　破産手続開始の決定を受けた会社の従業員の給料債権を代位弁済した者が、求償権のために、代位取得した給料債権の支払を、破産手続によらないで破産会社に対して求めることができるのかが問題とされている。求償権は破産債権として破産手続によってのみ支払を受けられるにすぎないが、原債権が給料債権であることを理由に破産手続外の権利行使を認めるべきなのかという問題である。10-124判決はこれを肯定した。同判決にはそれまでの判例にはなかった、「原債権を求償権を確保するための一種の担保として機能させることをその趣旨とする」という説明が追加されているが（☞ 10-126）、この追加が大きく影響しているのである。求償権は無担保なのに、原債権の担保権を行使できるのと同様に、原債権の効力を強化する法的扱いについての利益を求償権が享受できても、不合理ではない。また、「誰も害さない」という原則に抵触していない。

10-124
●最判平 23・11・22 民集 65 巻 8 号 3165 頁　(1)　原審判決（否定）
　(a)　**労働者の保護**　上記問題について否定的な解決をした。その理由は2つである。まず、破産法149条1項の給料債権は、「労働者の当面の生活維持のために必要不可欠のものであって確実に弁済されるのが望ましいことから、労働債権の保護という政策目的に基づき創設された財団債権であり、これが代位弁済された場合、上記政策目的は達成されたことになる。弁済による代位により上記請求権を取得した者が破産手続によらないで上記請求権を行使することができると解することは、上記政策目的を超えて他の破産債権者に不利益を及ぼすことになり、相当でない」。

10-125
　(b)　**求償権の限度でのみ効力**　原債権は、「代位弁済者が債務者に対して取得する求償権を確保することを目的として存在する付従的な性質を有し、求償権の存在、その債権額と離れ、これと独立してその行使が認められるものではなく、求償権の限度でのみその効力が認められるものである。……求償権が破産債権（破産法2条5項）にすぎない場合には、求償権に対し付従性を有する原債権についても、求償権の限度でのみ効力を認めれば足り、破産手続によらなければ、これを行使することはできない」。

10-126
　(2)　**最高裁判旨**　原判決を破棄差し戻す。
　(a)　**一種の担保としての機能**　「弁済による代位の制度は、代位弁済者が債務者に対して取得する求償権を確保するために、法の規定により弁済によって消滅すべきはずの原債権及びその担保権を代位弁済者に移転させ、代位弁済者がその求償権の範囲内で原債権及びその担保権を行使することを認める制度であり……、原債権を求償権を確保するための一種の担保として機能させることをその趣旨とするものである」。

10-127
　(b)　**求償権が制約されていても原債権の行使可能**　「この制度趣旨に鑑

第 10 章　債権の消滅①——弁済

みれば、求償権を実体法上行使し得る限り、これを確保するために原債権を行使することができ、求償権の行使が倒産手続による制約を受けるとしても、当該手続における原債権の行使自体が制約されていない以上、原債権の行使が求償権と同様の制約を受けるものではない」。「弁済による代位により財団債権を取得した者は、同人が破産者に対して取得した求償権が破産債権にすぎない場合であっても、破産手続によらないで上記財団債権を行使することができるというべきである」。

10-128　　　(c)　**他の破産債権は害されない**　「このように解したとしても、他の破産債権者は、もともと原債権者による上記財団債権の行使を甘受せざるを得ない立場にあったのであるから、不当に不利益を被るということはできない。以上のことは、上記財団債権が労働債権であるとしても何ら異なるものではない」。

10-129　　**(4)　共益債権の代位取得と再生手続上の行使**

　同様の問題として、保証人が代位弁済により共益債権を代位取得した場合に、求償債権は再生債権ではなくても、再生債権を行使して再生手続外で債権の回収ができるのであろうか。10-124 判決直後に、同様に「原債権を求償権を確保するための一種の担保として機能させることをその趣旨とする」ことを認めて、「この制度趣旨に鑑みれば、弁済による代位により民事再生法上の共益債権を取得した者は、同人が再生債務者に対して取得した求償権が再生債権にすぎない場合であっても、再生手続によらないで上記共益債権を行使することができる」とされる。「以上のように解したとしても、他の再生債権者は、もともと原債権者による上記共益債権の行使を甘受せざるを得ない立場にあったのであるから、不当に不利益を被るということはできない」とする判決が出されている（最判平 23・11・24 民集 65 巻 8 号 3213 頁）。

　①求償権以上の保護を担保という趣旨から弁済者代位により与えることは適切であり、また、②債務者はいまだ弁済をしていないのであり、それによりその他の債権者は本来覚悟した以上の不利益を受けるものではなく、第三者を害するものではないことが理由である。適切であり、賛成したい。

453

第3節 弁済者代位（弁済による代位）　§Ⅲ　弁済者代位の成立要件および対抗要件

$$§Ⅲ$$
弁済者代位の成立要件および対抗要件

1 成立要件

10-130　(a)　**債権者の同意不要**　弁済者代位の要件は、「債務者のために弁済をした」ことである[288]。改正前は、弁済について正当な利益を有するか否かで分けて、①これを有する場合には（**法定代位**）、当然に弁済者代位の効力が生じるが、②これを有しない場合には（**任意代位**）、債権者の承諾が必要とされていた（旧499条）。しかし、債権者の承諾を要件とする理由が不明であり、改正法は、正当な利益の有無にかかわらず当然に代位するものとした。よって、法定代位・任意代位という区別は不要であり、弁済につき正当の利益の有無を、条文（500条・504条）ごとに検討すれば足りる。

10-131　(b)　**求償権が成立すればよい**　弁済は任意弁済に限られず、保証人が強制執行を受けたり物上保証人が担保権の実行を受けた場合でもよい。求償権の保護が弁済者代位の目的であり、求償権が発生する事例であればその趣旨が当てはまるからである。また、「弁済」に限られず、求償権が発生すればよいので、第三者が代物弁済、供託、相殺（認められる場合）をした場合でも弁済者代位の規定の適用または類推適用を認めてよい。

2 対抗要件

10-132　(a)　**正当な利益があれば対抗要件不要**　弁済者代位が原債権の移転であるとすると、債権の移転について対抗要件の要否が問題になり、正当な利益の有無による差はここに残されている。すなわち、「第467条の規定は、前条の場合（弁済をするについて正当な利益を有する者が債権者に代位する場合を除く。）について準用する」ものとされている（500条）。債権が債権者から

---

288)　なお、特殊な事例としては、従業員が交通事故により死亡し、社葬が行われた事例で、「会社の支出した社葬に関する費用のうち前記社会通念上相当と認められる範囲に限り、本来損害賠償義務として加害者において負担すべきものを会社が第三者として弁済したものとして、会社は遺族の有する右損害賠償請求権を代位取得する」と構成した判決がある（佐賀地判昭46・4・23交民集4巻2号681頁）。

454

代位権者に移転するため、467条を準用するが、弁済をするのに正当な利益を有する者については[289]、対抗要件不要としたのである（代位弁済者に正当な利益の証明責任を負わせる）。例えば、保証人の場合には、原債権の代位取得について、債務者にも第三者にも——弁済を受けた債権者の債権者が債権を差し押さえてきた場合など——当然に対抗可能としたのである。

10-133 **(b) 二重代位の対抗関係** 同一債務者のための第三者弁済が、AついでBとされた場合、債務者への通知義務またその不履行による自己の弁済の対抗不能については規定されておらず、467条2項によって優劣が決められることになる。ABが共同保証人の場合には、対抗要件が不要であるので、先の弁済者代位が優先することになる。ただし、465条1項により443条2項が準用されているので、事後の通知義務違反により、後のBの弁済そして弁済者代位が有効となる場合も考えられる。

§Ⅳ
代位者・債務者間の効果

1 原債権などの権利の取得と保全される求償権

10-134 **(a) 民法の規定する2つの内容** 弁済者代位の効果として、2つの内容が規定されている。①まず、代位弁済者は「債権の効力及び担保としてその債権者が有していた一切の権利を行使することができる」（501条1項）。②ただし、「前項の規定による権利の行使は、債権者に代位した者が自己の権利に基づいて債務者に対して求償をすることができる範囲内（……）に限」られるという制限をする（同条2項）。括弧書については10-160で説明する。

---

289) 弁済をするについての正当な利益と表現は統一したが、474条2項と500条括弧書とで、その内容は同一である必要はない。474条2項では債務者の意思に反してもよい。500条では債務者および第三者への対抗という適用場面が異なるので、より厳格な運用が必要になる。

　500条括弧書の弁済について正当な利益を有する者については、改正前の議論が参考になり、①まず、弁済をしないと債権者から執行を受ける地位にある者として、物上保証人、第三取得者、保証人などが考えられる。②次に、債務者に対する権利を保全する必要がある者として、後順位抵当権者、転借人、土地賃借人からの建物賃借人などが考えられる。474条2項と異なり単なる事実上の利益を有するにすぎない者は含まれない。

第3節　弁済者代位（弁済による代位）　§IV　代位者・債務者間の効果

10-135 **(b)　求償権保障・求償権の金額への限定**

(ア)　501条1項　(a)①については、代位弁済者は原債権を取得しその抵当権や保証などの担保だけでなく詐害行為取消権等の債権回収に寄与する一切の権利を取得し「行使することができる」のである。原債権の保証契約が無権代理によってされた場合に、無権代理人に対して117条1項の責任を追及する権利も代位取得の対象となる。

10-136 **(イ)　501条2項**　(a)②については、原債権の取得が求償権のいわば担保のための手段であり、「債務者に対して求償をすることができる範囲内」という、求償権の金額に限界づけられることを規定するものである——金額による限界づけであり、債権の効力強化は(a)①の目的——。括弧書は、共同保証人間では、主債務者に対する求償権ではなく、共同保証人間の求償権（465条1項）がその担保される求償権とされることを規定するものである（☞ 10-160 以下）。

10-137 **◆弁済者代位と共同抵当の場合の後順位抵当権者の代位**

(1)　2つの代位の衝突——物上保証人の代位を優先

(a)　債務者所有不動産に後順位抵当権者がいる場合　物上保証人は自己の不動産の抵当権が実行された場合、債務者に対して求償権を取得し、債務者が自己の不動産に抵当権を設定していた場合には、原債権とその抵当権を代位取得し、これを求償権のために行使できることになる。ところが、物上保証人設定の抵当権と債務者設定の抵当権とが共同抵当権になるので、いずれかに後順位抵当権がいる場合に392条2項の後順位抵当権者の代位も問題になり、501条の弁済者代位との関係を考える必要が生じるのである。

10-138 **(b)　物上保証人の代位を保護**　判例は、①債務者設定不動産の後順位抵当権者は392条2項の代位はできず、②他方で、物上保証人はその不動産の抵当権が実行されたならば501条により全面的な代位ができるものとする（最判昭53・7・4民集32巻5号785頁）。物上保証人に成立した501条の代位の期待が、債務者が自己の不動産に第2順位の抵当権を設定することによって害されるべきではないためである（最判昭60・5・23民集39巻4号940頁も同旨）。

10-139 **(2)　物上保証人所有不動産の後順位抵当権者の権利**

(a)　後順位抵当権者の保護の必要性　物上保証人の不動産に後順位抵当権者がいる場合には、その抵当権は実行により消滅してしまいそうである。しかし、そうすると、物上保証人の求償権また代位取得した債務者所有不動産の抵当権は、物上保証人の一般債権者の平等な責任財産になってしまう。また、債務者所有不動産の抵当権が先に実行された場合に対して、一般債権者に棚ぼた的利益を与え

第 10 章　債権の消滅①——弁済

10-140　　　(b)　**判例は後順位抵当権者を保護**　10-138 の最判昭 53・7・4 はこの問題を解決するため、「後順位抵当権者は物上保証人に移転した右抵当権から優先して弁済を受けることができる」ものとした。その理由は、①「物上保証人は、自己の所有不動産に設定した後順位抵当権による負担を右後順位抵当権の設定の当初からこれを甘受している」こと、②「共同抵当の目的物のうち債務者所有の不動産が先に競売された場合、又は共同抵当の目的物の全部が一括競売された場合との均衡上、物上保証人所有の不動産について先に競売がされたという偶然の事情により、物上保証人がその求償権につき債務者所有の不動産から後順位抵当権者よりも優先して弁済を受けることができ、本来予定していた後順位抵当権による負担を免れうるというのは不合理である」ことである。

10-141　　　(c)　**保護の法的構成**　法的構成としては、「392 条 2 項後段が後順位抵当権者の保護を図っている趣旨にかんがみ、物上保証人に移転した一番抵当権は後順位抵当権者の被担保債権を担保するものとなり、後順位抵当権者は、あたかも、右一番抵当権の上に民法 372 条、304 条 1 項本文の規定により物上代位をするのと同様に、その順位に従い、物上保証人の取得した一番抵当権から優先して弁済を受けることができる」と説明する。しかし、物上代位とは異なり、「後順位抵当権者はその優先弁済権を保全する要件として差押えを必要とするものではない」と説明する。

2　代位取得が問題となる権利

10-142　**(1)　契約解除権**

　　弁済者代位は求償権の確保を目的とする法定の債権移転であるから、債権の従たる担保（これが代位の主眼）もこれに伴い移転する。それ以外に、代位取得される「債権の効力」として債権者が有していた権利には、どのような権利が含まれるのであろうか。担保ではないが、詐害行為取消権のように責任財産保全を目的とした権利も取得すると考えてよい[290]。契約解除権については、502 条 4 項が、一部代位の場合には、契約の解除は債権者のみ

---

290)　＊**租税債権の代位取得（否定）**　特殊な問題として、租税債権を保証人らが代位弁済した場合に、主債務者に対する求償権と共に租税債権を代位取得し、租税債権としての優先的扱いを受けられるかが問題とされている。東京地判平 17・3・9 金法 1747 号 84 頁は、そもそも租税債権の代位取得を否定する。その控訴審判決である東京高判平 17・6・30 金法 1752 号 54 頁は、「求償権は、本件支払承諾 1 及び 2 に基づく控訴人の破産会社に対して有する優先性のない事後求償権であり、破産宣告がされている場合は、破産債権としてしか行使できない抗弁が附着したものである」、「弁済による代位によって取得したと主張する本件租税債権も、破産債権である求償権の限度でのみ効力を認めれば足りる」とし、租税債権につき代位取得を認めるものの、求償権の限度での保護を認めれば足りるとする。

457

ができることを規定しており、反対解釈をすると全部代位の場合には代位弁済者が契約解除権を取得するかのようである。しかし、債権譲渡で述べたように、契約当事者たる地位と結び付いた取消権、解除権は、債権と共には移転しないのである。

10-143 **(2)　原債権の代位弁済後の利息債権**

　(a)　**原債権と求償権の利率が異なる場合**　例えば、AがBに年15％の利率で1000万円の貸付をして、Cが保証人になると共にBは自己の土地・建物に抵当権を設定したとする。CがAに1000万円を支払い、代位弁済から1年後に抵当権を実行したとして、配当を受けられる利息額はいくらであろうか。①代位取得したAの債権には年15％の利息の約定があり、1年後には150万円の利息が生じ、②他方、CのBに対する求償権は、法定利率（例えば、3％）による利息を生じさせ（459条2項・442条2項）、1年後には50万円の利息が生じているとする。

10-144 　(b)　**求償権に限界づけられる**　弁済者代位はCの求償権の支払を確保するものにすぎず、それを超えた利益をCに与えるものではない。民法も「求償をすることができる範囲内（……）に限り」と、このことを明記したのである（501条2項）。Cは原債権と求償権の2つの債権を持ち、求償権のために原債権を行使するのであるから、行使できる範囲は求償権の範囲内（50万円）に限られる（最判昭59・5・29☞10-115）。

10-145 　　　**◆求償権についての遅延利息の特約**

　　　(a)　**求償権の利息額の方が大きい事例**　例えば、AがBに年10％の利息で貸付をして、Cが保証人となると共にBが自己の土地・建物につき抵当権を設定したが、他方で、BC間でCの将来の求償につき年15％の利息を支払う約束がされたとする。Bが返還できず、Cが1000万円（元利合計）を支払ったが、Bが求償に応じないのでCが代位取得した抵当権を実行した場合に、Cが配当を受けうる利息額はいくらであろうか。

　　　ここでは逆に求償権の方が原債権よりも大きい。すなわち、①代位される原債権は年10％の利率で100万円の利息しか生じていないのに対し、②求償権については年15％の特約があり150万円の利息をCはBに請求できる。

10-146 　　　(b)　**原債権の利息額に限界づけられる**　通説・判例である債権移転説では、抵当権の被担保債権はあくまで原債権であり求償権ではなく、単に求償権の支払に充てるために原債権そして抵当権を行使できるにすぎない。したがって、抵当権で担保されるのは100万円のみであり、残りの50万円については無担保の債権

第 10 章　債権の消滅①——弁済

となる。これが、通説であり、判例である。最判昭 59・5・29（☞ 10-115）は、「特約によって求償権の総額を増大させても、保証人が代位によって行使できる根抵当権の範囲は右の極度額及び原債権の残存額によって限定されるのであり、また、原債権の遅滞損害金の利率が変更されるわけでもなく、いずれにしても、右の特約は、担保不動産の物的負担を増大させることにはならず、物上保証人に対しても、後順位の抵当権者その他の利害関係人に対しても、なんら不当な影響を及ぼすものではない」と判示する。「誰も害さない」という弁済者代位の原則が垣間見られる。

§V
代位者・債権者間の効果（一部代位）[291]

1　改正前の議論

10-147 **（1）　一部代位における問題点**

　A が B に対し 1000 万円の貸金債権を有し、この債権のために C が保証人になると共に B は自己の不動産につき抵当権を設定し、C が 500 万円のみ弁済したとする。500 万円分の債権は代位により C に移転し、C は債権と共に抵当権も取得する。A にも債権が 500 万円残っていて、これも抵当権により担保されている。AC 共に B に対して 500 万円を請求しうることは疑いないが、抵当権をめぐる AC の関係はどう考えたらよいであろうか。問題は 2 つである（渡邊力「一部弁済による代位」法と政治 69 巻 2 号上［2018］121 頁以下参照）。なお、民法は、「代位した者」（501 条）、「代位者」（502 条）、「代位権者」（504 条）を使い分けている。

> ① **抵当権の実行権者**　一部代位者も単独で抵当権を実行できるか。
> ② **競落代金の配当**　競落代金の配当は、一部代位者と債権者は平等か。

---

[291]　**＊債権者の代位弁済者への協力義務**　代位弁済者は債権者に対し受取証書の交付を請求でき（486 条）、また、債権証書と債権者が占有する担保物（質物、留置物）を交付するよう請求できる（503 条 1 項）。これは、代位弁済者が代位取得した権利の保全と実現を確保するための規定である。一部弁済の場合には債権証書へ一部弁済による代位があった旨を記載するよう求めるだけで、担保物の交付も請求できず、一部代位弁済者にその監督をさせるよう請求できるだけである（同条 2 項）。

第3節　弁済者代位（弁済による代位）│§V　代位者・債権者間の効果（一部代位）

10-148 **(2)　改正前における平等主義による立法と判例による変更**

(a)　平等主義による立法　当初の民法は、「債権の一部について代位弁済があったときは、代位者は、その弁済をした価額に応じて、債権者とともにその権利を行使する」と規定していた（旧502条1項）。規定は明確ではないが、起草者は代位者に抵当権と対等の地位を認める趣旨——**平等主義**——でこの規定を起草したのである。①につき、一部代位権者も抵当権を実行でき、②につき、配当も債権者と平等となる。しかし、これは、弁済者代位制度の「誰も害さない」という前提条件と抵触するため、立法論として疑問視されていた——債権者が値上がりを期待しているのに実行を強いられ、いまだ保証債務を負担している保証人が平等の配当を受けるのは疑問——。

10-149 **(b)　判例による債権者優先主義の採用**　判例は、最判昭60・5・23民集39巻4号940頁において、「債権者と共に債権者の有する抵当権を行使することができるが、この抵当権が実行されたときには、その代金の配当については債権者に優先されると解するのが相当である。けだし、弁済による代位は代位弁済者が債務者に対して取得する求償権を確保するための制度であり、そのために債権者が不利益を被ることを予定するものではなく、この担保権が実行された場合における競落代金の配当について債権者の利益を害するいわれはないからである」と、**債権者優先主義**を採用した。抵当権の実行については、一部代位者が単独で実行することを認めた古い判例があったが（大決昭6・4・7民集10巻535頁）、これにより変更されたと考えられる。

2　改正法による債権者優先主義の採用

10-150 **(1)　債権者優先主義を明記**

改正法は、①につき、502条1項を「債権の一部について代位弁済があったときは、代位者は、<u>債権者の同意を得て、</u>その弁済をした価額に応じて、債権者とともにその権利を行使する<u>ことができる</u>」と下線部分を変更し、一部代位権者が単独で抵当権の実行をできるものではないことを明記した。一方、「前項の場合であっても、債権者は、単独でその権利を行使することができる」と、債権者は単独で抵当権を実行できることを確認する（同条2項）。また②につき、「前二項の場合に債権者が行使する権利は、その債権の担保の目的となっている財産の売却代金その他の当該権利の行使によっ

460

て得られる金銭について、代位者が行使する権利に優先する」と規定し（同条3項）、配当について債権者が優先することも明記した[292]。

10-151 **⑵　債権者優先主義の根拠**

確かに、10-147 の例を修正して A が被担保債権の一部 500 万円を譲渡したのであれば、AC は抵当権を準共有し、①実行は処分であり全員の一致が必要になり（264条・251条）、また、②配当も平等である。ところが、弁済者代位は、本来は弁済により消滅する権利を、「誰も害さない」から存続させ行使を認めるのであり、ここでは「債権者を害さない」限度で代位が認められるにすぎないのである。債権者を害さない限度で一部代位者の権利が認められるにすぎず、同一次元で保護される権利関係ではない。そのため、一部代位権者は単独で抵当権を実行することはできないが、抵当権の準共有とは異なるため、抵当権者は単独で抵当権の実行をすることができる。

10-152 **◆複数の債権が 1 つの抵当権で担保されその 1 つの債務のみの保証の場合**

⑴　保証人は全部の義務を尽くしている

本文に挙げた例は、1 つの債権が抵当権により担保されている事例であるが、1 つの抵当権に複数の債権、例えば α 債権（1000 万円）と β 債権（1000 万円）とが担保されている場合に、その 1 つの α 債権のみについて保証人がいる場合に、保証人が α 債権 1000 万円全額の弁済をして、α 債権全部を代位取得した事例はどう考えるべきであろうか。10-147 とは異なり、保証人が自分の責任を全て果たしている。

10-153 **⑵　改正前の判例と改正法**

⒜　平等主義による判例　改正前の最判平 17・1・27 民集 59 巻 1 号 200 頁は、502 条（改正前）を適用せず平等主義による解決を認めた。この場合は「当該抵当権は債権者と保証人の準共有」になるという。そのため、配当につき、「両者間に上記売却代金からの弁済の受領についての特段の合意がない限り、上記売却代金につき、債権者が有する残債権額と保証人が代位によって取得した債権額に応じて案分して弁済を受ける」と、準共有ということから平等分配

---

292)　**＊譲渡担保の一部代位**　一部代位の対象が譲渡担保の場合、一部代位権者は同一順位の譲渡担保権（担保のための所有権）を代位取得するが、代位取得であることから債権者に劣後し、また、その実行も債権者のみが可能である。帰属清算型における実行による所有権の取得については、債権者が優先し、例えば 100 万円の債権で保証人が 50 万円支払って一部代位したが、実行により取得した譲渡担保目的物の価格が 60 万円であれば、債権者が 50 万円、一部代位権者が残り 10 万円の持分を取得して共有になる。処分清算型であれば、債権者のみ処分でき、60 万円で売却された場合、債権者が 50 万円を取得し、残り 10 万円が一部代位権者のものとなる（求償権は 40 万円になる）。清算金を支払うべき場合、帰属清算型であれば、目的物の価格が 120 万円であるとしたならば、50% の持分ずつの共有になり、清算金も持分に応じて 10 万円ずつ支払うことになる。

461

第3節　弁済者代位（弁済による代位）　│　§Ⅵ　担保負担者相互間の利害調整

を認める。その理由として、①「債権者は、上記保証人が代位によって取得した債権について、抵当権の設定を受け、かつ、保証人を徴した目的を達して完全な満足を得ており、保証人が当該債権について債権者に代位して上記売却代金から弁済を受けることによって不利益を被るものとはいえ」ないこと、および、②「保証人が自己の保証していない債権についてまで債権者の優先的な満足を受忍しなければならない理由はない」ことを挙げる[293]。

10-154　　(b)　**改正法での解釈**　しかし、保証人が残債務について保証債務を負わないとしても、本来は代位弁済者は求償権しか取得しないのに、「弁済者代位は債権者を害し得ない」から代位を認めるという原則は、この事例にも当てはまる。改正法は、「債権の一部について代位弁済があったときは」と規定するのみであり、文言としてはこの事例にも等しく適用し、債権者優先主義による解決が可能である。

§Ⅵ

担保負担者相互間の利害調整

1　利害調整の必要性

10-155　**(1)　調整規定がないとどうなるか**

　弁済者代位は原債権に付いている担保（人的担保たる保証を含めて）を取得することに意義がある。では、担保を負担する第三者が数人いて、その1人による弁済者代位にも501条1項を適用し、「一切の権利を行使することができ」、他の担保負担者の抵当権や保証債権を全面的に代位取得できるのであろうか。例えば、AのBへの貸金債権の担保のために、Cが保証人となり、Dが自己の甲地に、Eが乙地にそれぞれ抵当権を設定したとする。もし501条1項だけであれば、次のようになる。

> ①　Cが弁済したら、Dの甲地およびEの乙地の抵当権を取得する。
> ②　次に、DがCに代位弁済したら、DがEの乙地の抵当権を取得する。

---

[293]　同じ保証人が、α債務とβ債務のいずれも保証人になっている場合には、判例は当てはまらず、債権者が優先すると考えられている（渡邊・前掲論文144頁）。判例の理由の②がこの場合には当てはまらないからである。

462

第 10 章　債権の消滅①——弁済

③　その後、DがEの乙地の抵当権を実行したら、Eには代位できる担保は残っていない。

10-156　**(2)　全面的代位を調整する規定の必要性**

(a)　債務者への求償不能リスクの公平な分担　上記①〜③のようになると、ⓐ代位が転々と続くことになるし、また、ⓑ誰が最後になるかの偶然で債務者Bへの求償不能のリスクの負担者が決まるという不合理さがある。問題になる事例は、債務者が無資力状態にあり求償不能の場合であり、"債務者の求償不能のリスクの負担を担保負担者間にどう公平に分担させるか"が問題になる。上記③では、Eが貧乏くじを引くことになる。

10-157　**(b)　弁済者代位を制限して調整**　債務者Bからの求償不能のリスクを、偶然によって決まる誰か1人が全面的に負担するのは合理的ではない。そこで民法は501条3項を設けて特別の規律をしたのである。これにより、ⓐ代位は1回だけしか認められず[294]、また、ⓑ誰が代位しようと債務者への求償不能のリスクを担保負担者間で公平に負担することになる[295]。上記の例では、①のみになり、しかも、CはDの甲地およびEの乙地の抵当権にそれぞれ3分の1の代位ができるだけである。

2　各担保負担者間の負担割合

10-158　**(1)　物上保証人間**

(a)　求償不能リスクの公平な負担　物上保証人のみが複数いる場合には、

---

294)　ただし、本文の例を変えて、AのBへの貸金債権の担保のために、Bが自己の甲地に抵当権を設定し、Cが保証人となり、Dが自己の乙地に抵当権を設定し、その後、Bが甲地をEに売却したとする。負担割合は、C2分の1、D2分の1、E100％負担である。そのため、Cが弁済すると、CはDの乙地の抵当権に2分の1だけ代位でき、Fの甲地の抵当権には100％代位できる。CがEの甲地の抵当権を実行して回収すればよいが、仮にDの乙地の抵当権を実行したら、さらにDによるEの甲地の抵当権への代位が生じる。イレギュラーな事例では、代位は1回では済まないことになる。CにDの乙地の抵当権の実行を否定するわけにもいかない。

295)　公平という観点からは、担保負担者に債務者である会社（個人会社）の経営者が含まれている場合には、債務が返済できないのはその経営責任によるのであり、何ら責任のない他の保証人や物上保証人と同様に501条3項を適用してよいのか疑問になる。東京高判平11・11・29判時1714号65頁は、「訴外会社の代表取締役として、不明朗な決算処理を行い、債務を膨らませて訴外会社を倒産させたXが、訴外会社の債務を弁済したからといって、訴外会社の事情を説明されないまま物上保証及び連帯保証をした亡Aないしその相続人であるYらに対し、求償権を行使することができるとするのは極めて不当であり、Xの請求は信義則に反し、権利の濫用として認められない」として、経営者に100％負担させている。

463

「各財産の価格に応」じてのみ代位が認められる（501条3項3号・2号）。例えば、代位される債権が1000万円で、Aが2000万円、Bが3000万円の価格のそれぞれの所有不動産に抵当権を設定したとして、A40％：B60％の割合で債務者からの求償不能の危険を負担する。Aが1000万円をCに代位弁済した場合、AはBの不動産上の抵当権につき60％分すなわち600万円分だけ代位して、600万円分だけ抵当権を実行して配当を受けられる。この結果、Aは400万円、Bは600万円の求償権を有し、債務者への求償不能のリスクを公平に負担することになる。

10-159　**(b)　物件価格によるのが公平**　頭割でなく、不動産の価格に応じて負担を分けたのは、より重い負担を債権者に対する関係で負担した者は、代位のレベルでも重い負担を負うことが公平であると考えられたためである。なお、Aは原債権自体600万円しか代位取得しないので、BはAに600万円を弁済すれば、不可分性に抵触することなく、免責され抵当権は消滅することになる。代位が確定するのは誰かが弁済者代位をした時点であり、物件価額に応じた負担割合を決める基準時は、弁済者代位が生じた時と考えるべきである。この規定は任意規定なので、特約により変更できる。

10-160　**◆共同保証人間の代位──501条と465条1項のコラボ**
(1)　保証債権も代位取得の対象になる
　物上保証人と保証人間の弁済者代位の調整は501条3項4号に規定され、保証債権も弁済者代位の対象となる。しかし、同項には共同保証人間の代位について何ら規定をしていない。それは、共同保証人間には465条1項により弁済者代位ではなく、固有の求償権を認めることで主債務者への求償不能のリスクを公平に分担させているからである。こうして、担保負担者間の求償不能のリスク分担の方法としては、①弁済者代位を認めこれを公平な範囲に制限する方法、および、②担保負担者間に公平な限度で固有の求償権を認める方法の2つがあることがわかる（下村信江「共同保証人間の求償権と弁済による代位」近畿大学法科大学院論集13号[2017] 43頁以下参照）。

10-161　### (2)　465条1項による調整
　では、②の方法による共同保証人間では、弁済者代位は否定されるのであろうか。501条3項に規定がなく、465条1項を置いたということは、排他的で弁済者代位を否定する趣旨と考えるべきであろうか[296]。確かに501条3項では一部代位が認められるが、465条1項では自己の負担部分を超えた弁済をした場合に超えた額のみ求償できるにすぎず、これを弁済者代位を認めることにより蔑ろにするわけにはいかない。他方で、保証債権に抵当権などの担保が付いている場合

第 10 章　債権の消滅①——弁済

に、無担保の 465 条 1 項の固有の求償権ではなく、弁済者代位により保証債権の担保の取得を認める必要がある。

10-162　**(3)　465 条 1 項の求償権に弁済者代位を結びつけた**

　(a)　465 条 1 項の求償権による弁済者代位　改正前はこの点についての規定がなく問題があったが、改正法は 501 条 2 項に括弧書で「保証人の 1 人が他の保証人に対して債権者に代位する場合には、自己の権利に基づいて当該他の保証人に対して求償をすることができる範囲内」に限ることを規定した。共同保証人間にも弁済者代位を認めることを宣言しつつ、他方で、465 条 1 項の負担部分を超えて初めて求償できるという制限を結びつけるため、被保全債権を共同保証人間の求償権としたのである。

10-163　　**(b)　物上保証人もいたらどうなるか**　なお、AB が共同保証人、C が物上保証人の場合、A が全額弁済した場合、A は、B に対して 465 条 1 項の求償権により 2 分の 1、501 条 3 項 4 号により C に 3 分の 1 代位できるのではなく、AB 間も 3 分の 1 に制限されるべきである。これは弁済者代位だけでなく、465 条 1 項の求償権にも当てはまり、3 分の 1 の求償権に限定すべきである（☞ 8-154）。この結果、A は 3 分の 1 を超えた支払をすれば B への求償が可能になる。

10-164　**(2)　保証人・物上保証人間**

　(a)　頭割りによる　保証人と物上保証人間では、「その数に応じて」のみ代位が認められる（501 条 3 項 4 号）。例えば、A の B への貸金債権 1000 万円の担保のために、C が自己の甲不動産に抵当権を設定し、D が保証人となり、D が弁済したとすると、原債権そして C の甲不動産の抵当権を 500 万円を限度として代位取得できることになる。C が代位弁済したならば、A の原債権および D に対する保証債権を、500 万円を限度として代位取得できる。

10-165　**(b)　物上保証や保証人が複数いたら**　保証人が D_1 および D_2 の 2 人いる場合には、CD_1D_2 は頭割り 3 分の 1 ずつの負担となるが、他方で、物上保

296）　**＊連帯債務者間の代位**　同じ問題は連帯債務にも当てはまる。例えば、ABC が 300 万円の債務について連帯債務を負担しているとする。全くの第三者 D が代位弁済した場合には、A らに対する債権者の債権を代位取得する。では、A が弁済した場合には——負担部分については実質的には BC の債務の代位弁済である（本書の相互保証説）——、どうであろうか。BC に対して 442 条で負担部分に応じた固有の求償権を取得し、また、ここでは共同保証のように主債務者からの求償不能の公平な負担という考慮は当てはまらない。そして、C が求償不能であれば 444 条が用意されている。全く弁済者代位は関係ないかのようであるが、B の債務について抵当権が設定してある場合、これを B に対する求償権の限度で（また 444 条により拡大されればその限度で）原債権と共に代位取得を認める必要性がある。501 条 2 項括弧書の類推適用を認めるべきである（不真正連帯債務についても求償権を認めるため拡大してよい）。

証人が C_1 と C_2 の 2 人いる場合には、3 分の 2 の物上保証人負担分は、「各財産の価格に応じて」負担割合が決められる（501条3項4号ただし書）。物上保証人間では、担保物件の価格に応じた負担を認めるのが公平だからである。

◆物上保証人所有の物件価格がその負担割合に満たない場合

10-166

(a) **問題点の確認**　例えば、9000 万円の債務につき AB が連帯保証人、C が物上保証人になったとする。民法の規定によれば、ABC それぞれ 3 分の 1、金額にして 3000 万円ずつの負担割合となる。ところが、もし仮に C の物件の価格が 3000 万円に足りないとしたら（例えば、2000 万円）、どう解すべきであろうか。もし、501 条 3 項 4 号の通りに、3000 万円ずつの負担割合だとすると、A が保証債務を履行した場合、B に 3000 万円代位、C に 3000 万円代位するが C からは結局は 2000 万円しか回収できないことになる。これは公平ではない。2 つの解決策が考えられる。

10-167

(b) **解決方法**　①まず、444 条を類推適用するということが考えられる。②また、そもそも 501 条 3 項 4 号は、物件価格が物上保証人の負担割合を超える場合を前提としており、物件価格が負担割合に満たない場合については、物上保証人の負担はその物件価格（2000 万円）を限度として、その残額（7000 万円）を A と B とで頭数に応じて分けるということも考えられる（3500 万円ずつ）。結論には差はない（②によっておく）。

◆物上保証人につき共同相続があった場合

10-168

(1) 判例の立場

(a) **物上保証人が複数いる事例と同視**　例えば、900 万円の債務につき A が連帯保証人、B が物上保証人になったとする。もしその後に、新たに C が物上保証人に追加されれば、計算をやり直すことになる。では、B が死亡し B_1 と B_2 とが相続分平等で共同相続をし、その結果、物上保証人が 2 人になったならばどうであろうか。判例は、「単独所有であった物件に担保権が設定された後、これが弁済までの間に共同相続により共有となった場合には、弁済の時における物件の共有持分権者をそれぞれ一名として右頭数を数えるべき」ものとした（最判平 9・12・18 判タ 964 号 93 頁）。AB_1B_2 それぞれ 3 分の 1 の負担となる。

10-169

(b) **判例の理由づけ**　その理由は、①「弁済による代位は、弁済がされたことによって初めて生ずる法律関係である」、②「弁済の時点においては、各相続人がそれぞれ相続によって自己の取得した共有持分を担保に供している」、①＋②の形式的な三段論法で、「各相続人それぞれが民法 501 条 5 号の物上保証人に当たる」ということである。また、「全共有者が共有持分を担保に供した場合には、共有者ごとに頭数を数えるべき」であり、「この場合と、単独所有であった物件に担保権が設定された後に弁済までの間に相続又は持分譲渡等により共有になった場合とで、頭数を別異に解することは、法律関係を複雑にするだけで、必

第 10 章　債権の消滅①——弁済

ずしも合理的でない」とも付け加えている[297]）。

10-170　　(c)　**弁済があるまで負担割合は未確定**　上記で重要なのは①である（☞10-169）。①の論理からは、保証人 A、甲地につき B、乙地につき C が抵当権を設定している場合に、B が死亡し C がこれを相続したら、物上保証人が C のみになり、A は 3 分の 1 の負担割合から 2 分の 1 の負担割合になる。当初は A だけ（100％）、B が加わり 50％になり、C がさらに加わり 33.3％になり、負担割合は未確定なのと同様に考えることになる。「弁済時を基準時として法律関係の簡明を帰するのが相当」として判例を支持する学説もある（中田 426 ～ 427 頁）。

10-171　(2)　**相続と新たな担保の追加とを同視すべきではない**
　　(a)　**担保は増えていない**
　　(ア)　**判例は法律関係の簡明化を優先**　上記判例も、「確かに、相続という偶然の事情により頭数が変化することは当事者の意思ないし期待に反する場合がないではないが、このように頭数が変化する事態は、<u>保証人の増加、担保物件の減失等によっても起こり得ることであり、弁済時における人数と解すること</u>により法律関係の簡明を期するのが相当である」と、問題があることは認めている。

10-172　　(イ)　**相続は新たな負担者が増加した事例とは異なる**　新たに物的担保が追加される場合には、物的担保の総和が増加し、それに伴い既存の保証人らの負担割合が軽減されて不合理はない。しかし、共同相続の場合には、物的担保の総和は変わらずに、負担者の数だけが増えるのである（注 297 の保証人の共同相続と比較せよ）。それなのに、保証人らの負担割合が軽減され（先の例では 3 分の 1 になる）、物上保証人の負担割合だけ加重されることになるのは（合計 3 分の 2 になる）、公平に反する。代位の負担割合は当事者の公平を旨として決められるべきであり、この点の考慮が判例には欠けているといわざるをえない。

10-173　　(b)　**物上保証人の負担の共同相続によるべき**　やはり物上保証人に共同相続があったり、抵当権の対象たる土地を分筆してその一部を第三者に譲渡しようと、1 人分の負担割合のまま承継されると考えるべきである（10-170 では C は 2 人分負担）。したがって、保証人 A は 2 分の 1 ＝ 450 万円負担、B_1 と B_2 はそれぞれ 4 分の 1 ずつ ＝ 225 万円の負担になると考えるべきである。ちなみに、この観点からいえば、A 保証人、B が甲地、C が乙地の物上保証人で、B が C から乙

---

297)　**＊保証人に共同相続があった場合**　しかし、保証人 A、甲地につき B が抵当権を設定している場合に、A が死亡し相続分平等等で A_1 と A_2 とが共同相続をしても、900 万円の保証債務を A_1 と A_2 が 450 万円ずつ相続するだけなので、保証債務は合計 900 万円のままということで、B の負担割合は 2 分の 1 のままになると思われる。ちなみに、A_1 と A_2 の間の求償はどうなるのであろうか。900 万円の債務に、AB がそれぞれ 450 万円の一部保証をした場合には、450 万円を超える支払を義務づけられないが、900 万円をいずれかが支払ったならば、465 条 2 項による求償ができる。上の例では、A_1 が 450 万円を支払った場合には、A_2 に 4 分の 1 ＝ 112 万 5000 円を求償でき（また代位も）、B の甲不動産の抵当権について 2 分の 1 代位できることになる。B が 900 万円を支払えば、A_1A_2 それぞれに対して保証債権 225 万円を代位取得することができることになる。

467

第3節　弁済者代位（弁済による代位）　§Ⅵ　担保負担者相互間の利害調整

地を買い取った場合には、甲地と乙地に抵当権を設定している物上保証人Bが1人いるだけとして、ABは2分の1ずつの負担割合と計算し直すのではない。Aは3分の1、BはCの物上保証人たる地位を承継し、物上保証人2人分の3分の2を負担部分とすると考えるべきである。

10-174 **(3)　保証人（物上保証人）・第三取得者間**

(a)　第三取得者は全面的に負担

(ア)　第三取得者も担保負担者　債務者の設定した抵当権付きの不動産を債務者から取得した第三取得者は、抵当権の追及力により、自己の所有の不動産に他人の債務のために抵当権が成立していることになり、物上保証人に似た立場になる。では、そのほかに保証人がいる場合に、保証人と物上保証人と同様に考えるべきであろうか（この点、異説として、石田621頁以下）。

10-175 **(イ)　第三取得者は保証人に代位しない**　この点、民法は債務者からの「第三取得者……は、保証人及び物上保証人に対して債権者に代位しない」と規定した（501条3項1号）。例えば、AがBに融資をする際に、Bがその所有の不動産に抵当権を設定し、他方でCが保証人になった後に、Bがその不動産をDに譲渡した場合、①Cが弁済すればDの不動産上の抵当権に全額代位できるが、②Dが弁済してもCに対する保証債権には代位できず、Cは保証債務を免れることになる。同様の処理は、物上保証人と第三取得者間にも当てはまる。

10-176 **(b)　結果の妥当性**　もし、民法と異なり、Dを物上保証人のように扱い、CDにつき頭割で負担させると、ⓐCはBの不動産に全部代位でき求償が可能だと思って保証人となったのに、後にDに譲渡されたならば半分しか代位できなくなり、Cの弁済者代位の期待が裏切られてしまい不当である。ⓑ他方で、第三取得者は債務者の負担（全面的負担）を引き継ぐものであり、それを覚悟して取引に入る者である。ただし、第三取得者が生じた後の保証人については、ⓐの考慮が当てはまらないため、別異に解する余地がある。

10-177 **◆物上保証人からの第三取得者は物上保証人の地位を承継する**

同じ第三取得者でも、債務者からの第三取得者は100％の負担を引き継ぐが、物上保証人からの第三取得者はその負担割合を引き継ぐにすぎない。例えば、Aが保証人でBが物上保証人であれば、501条3項4号により2分の1ずつの負

担割合となるが、Bが抵当不動産をCに譲渡した場合、法的にはCは第三取得者である。しかし、第三取得者だとしても、両者を同一に扱うべきではない。

そのため、民法は、501条3項1号括弧書で「第三取得者」を債務者からの第三取得者に限定し、他方で、物上保証人からの第三取得者を「物上保証人とみなして」いる (同項5号)。したがって、CはBの2分の1の負担割合を承継し、両者の関係は保証人と物上保証人の関係として規律される。第三取得者からの第三取得者は、第三取得者たる地位を承継する (同号)。

10-178 **(4) 第三取得者間**

(a) 代位が可能 「第三取得者の1人は、各財産の価格に応じて、他の第三取得者に対して債権者に代位する」(501条3項2号)。債務者が共同抵当権を設定した後、例えば甲地がA、乙地がBに譲渡された場合に、甲地の抵当権が実行され債権者が全額の債権回収をした場合、債務者所有の抵当不動産は100%負担なので相互に代位は生じないとするのは、公平ではない。そのため、民法は、物件価格に応じて公平に負担することを認めた。この場合にも、後順位抵当権者がいても (☞10-137以下)、501条の適用が優先され、392条2項の適用は排除される。

10-179 **(b) ほかに保証人 (物上保証人) がいる場合** ABのほかに、例えば保証人 (ないし物上保証人) Cがいる場合、CはABのいずれの抵当権についても全額の代位が可能であるが (501条3項1号)、そのいずれかが実行された後には、AB間では同項2号による代位が認められることになる。

10-180 **◆債務者の所有物の上にも抵当権がある場合**

(1) 第三取得者の不動産で割り付けるか

例えば、AがBに対し1800万円の債権を有し、Bが自己所有の甲地 (時価1500万円)、乙地 (時価1000万円)、および、丙地 (時価500万円) に抵当権を設定した後、乙地がC、丙地がDに譲渡され、Cが全額代位弁済した場合に、CD間ではどう負担部分を計算すべきであろうか。2つの考えが可能である。

まず、Cが債務者B所有の甲地に全額代位しうる以外に、CD間でも1800万円をその土地の価格に応じて1200万円対600万円に負担を分けて、CはD所有の丙地にも600万円代位することも考えられる。その後にCが甲地と丙地の抵当権を実行した場合、Cは甲地からまず1500万円の配当を受け、丙地から残り300万円の配当を受け、Dは代位の対象がなくなる。

10-181 **(2) 債務者所有不動産の価格を差し引くべきである**

そこで、次に考えられるのは、債務者所有の甲地の価格 (1500万円) を控除した残額300万円についてのみCDで分配され、乙地200万円、丙地100万円

469

の負担となり、CはD所有の丙地に100万円だけ代位できるという考えである（我妻259頁）。501条3項の趣旨は債務者への回収不能の危険をどう公平に分担するかということにあり、その趣旨からいえば、債務者から確実に回収しえない部分にその適用は制限されて然るべきであり、これが妥当である。

3 保証人と物上保証人を兼ねる者の負担部分

10-182 **(1) 問題点**

(a) 2人分の負担か　同じ者が保証人となると共に物上保証人にもなっている場合、例えば、AのBに対する9000万円の債権の担保のために、CDが、それぞれ自己の不動産につき抵当権を設定しており（不動産の価格はC：6000万円、D：3000万円とする）、他方で、Dは保証人にもなっているものとする。この場合、Dは保証人でありかつ物上保証人であるが、その負担部分はどう計算すべきであろうか。2人分の負担部分を負担するものとして計算すべきであろうか。501条3項は、この問題を解釈に任せ、改正法も規定を設けなかった。

10-183 **(b) 501条3項は公平に基づく意思推定規定**　501条3項は、任意規定であり、当事者が自由に負担部分を決められるが、合意がされなかった場合の補充規定として、最も公平な解決を規定したものである。そのため、当事者の通常の意思はどうか、結論として当事者に最も公平な負担部分の割当てはどのようなものなのかを考える必要がある。

10-184 **(2) 2人説（二重資格説）**

(a) 2人説の内容　まず、少数説として、両資格を兼ねる者は、保証人と物上保証人の2人分の負担部分を負うと考える学説がある（我妻261頁、水本129頁、前田481〜482頁など）。保証人がD1人、物上保証人がCDの2人、合計3人の負担者がいるものとして計算する。保証人としてDは3分の1の3000万円を負担し、CDは残りの6000万円を不動産の価格に応じて、2：1でC：4000万円、D：2000万円で抵当権につき負担をすることになる。資格は重畳しないので、Dの合計5000万円は、3000万円は保証人として一般財産から、2000万円が抵当権から回収できるにすぎない。

10-185 **(b) 2人説の根拠と問題点**　この説の根拠は、より重い責任を引き受けた者は、他の共同担保者との関係でも重い負担を忍ぶのが公平であるというこ

とであり、また、物件価格の差を公平に負担割合に反映できるという利点もある。しかし、2つの資格を兼ねたからといって特に重い負担を引き受けたという意識はないといわれ、取引通念を無視して公平を考えるわけにはいかない。また、保証債務に抵当権を設定した場合とのバランスも問題になる。さらにいえば、1人説とは異なり、抵当権の負担部分が上の例では2000万円のみになり、結果の妥当性にも疑問がある。

10-186 **(3)　1人説**

(a)　1人説も多様　これに対して、あくまで1人として計算する学説（**1人説**）もあるが、その内容は分かれる。①保証人ないし物上保証人のいずれか1人として計算するのは（**単一資格説**）、二重の資格を兼ねていることを無視することになる。②他方、代位者にいずれかの選択を認める考え（**資格選択説**）ではその有利な負担割合になる選択をすることになり、先に代位弁済をした者が有利となり公平かは疑問になる。③そのため、1人につき2つの担保方法が競合しているにすぎず、「2つの資格による1つの負担」をしていると考えるのが通説・判例（☞ 10-189）である（**資格併存説**）。次に説明したい。

10-187 **(b)　資格併存説の内容**　資格併存説では、負担部分は単純に頭数で決定するが、Dの2分の1の負担部分（4500万円）につき保証人・物上保証人の両資格で重畳的に責任を負い、Cが代位したならば負担部分に至るまで保証債務、抵当権のいずれを行使してもよいことになる。

10-188 **(c)　資格併存説の問題点**　この考えの問題点は、他の者が物上保証人であったり、さらには両資格を兼ねている場合、物件価格の差が無視される点である。10-182の例の物件価格をそれぞれC：4000万円、D：8000万円と変更すると、Dは保証人を兼ねなければ1：2の負担であったのに、保証人を兼ねると1：1に負担が軽減されることになる[298]。この解決の最大の利点は、計算が簡単であることである。公平と計算の単純さを総合考慮すると資

---

298)　1人として扱いながら、物上保証人がほかにもいる事例で、その1人の負担部分を頭割ではなく、不動産の価格に応じて算出した判決がある（仙台高判平16・7・14判時1883号69頁）。中田366頁は、基本的に判例を支持しつつ全員が二重資格者の場合は物上保証人1人説が妥当であると説く。卓見であるが、保証人としての負担が無視されてしまう難点がある。石田626頁以下は、保証人と物上保証人を兼ねる者は、抵当物件だけでなく保証人として一般財産で全面的責任を負担しているため、1人としての負担割合は保証人として計算するのが適切であるという。

格併存説が最も妥当であると評価されており（内田Ⅲ96頁、近江287頁）、本書もこの立場を支持したい。

10-189

> ●**最判昭61・11・27民集40巻7号1205頁**　判例はすでに大判昭9・11・24民集13巻2153頁で1人説を採用したが、二重資格者が代位弁済者で保証人への代位であったため資格の詳細は不明であった。これに対し、本判決は二重資格者への代位の事例で、1人として抵当権への代位を認め、次のように判示した（判旨の条文は改正前規定である）。
>
> 　[判旨] 501条ただし書後段4号・5号の規定（改正後の501条3項3号・4号）は、「保証人又は物上保証人が複数存在する場合における弁済による代位に関し、右代位者相互間の利害を公平かつ合理的に調整するについて、<u>代位者の通常の意思ないし期待によって代位の割合を決定するとの原則に基づき</u>、代位の割合の決定基準として、担保物の価格に応じた割合と頭数による平等の割合を定めている」。①「二重の資格をもつ者は代位者の頭数のうえでは2人である、として代位の割合を決定すべきであると考えるのが代位者の通常の意思ないし期待でないことは、取引の通念に照らして明らかであり」、また、②「二重の資格をもつ者を頭数のうえであくまで1人と扱い、かつ、その者の担保物の価格を精確に反映させて代位の割合を決定すべきであると考えるのが代位者の通常の意思ないし期待であるとしても、右の2つの要請を同時に満足させる簡明にしてかつ実効性ある基準を見い出すこともできない」。③「そうすると、複数の保証人及び物上保証人の中に二重の資格をもつ者が含まれる場合における代位の割合は、民法501条但書4号、5号の基本的な趣旨・目的である公平の理念に基づいて、<u>二重の資格をもつ者も1人</u>と扱い、全員の<u>頭数に応じた平等の割合</u>であると解するのが相当である」。

10-190

◆二重資格者についての発展問題

(1) 保証人が物上保証人から抵当物件を取得した場合

　まず、保証人A、物上保証人BCがいるとして（または、Cも保証人）、保証人Aが、物上保証人Bから抵当不動産を取得した場合は、他の保証人ないし物上保証人Cとの関係において、負担部分はどう計算されるべきであろうか。①物上保証人の負担部分を承継し2人の資格で別々に負担部分が計算されるべきか、それとも、②負担割合は固定されたものではないとして（☞10-170）、頭割で2分の1の負担部分を保証人と物上保証人の二重の資格で負担すると考えるべきであろうか。負担部分は未確定であるとしても、新たな負担者が増えて、既存の負担者は負担部分が軽減される形での変動である。ABC3人の負担部分が成立後に、ABの負担部分を1つとして、Cが2分の1の負担部分に加重されるのは適切ではない。①の解決によるべきである。

472

第 10 章　債権の消滅①——弁済

10-191
(2)　二重資格者が抵当不動産を譲渡した場合

　A が保証人ないし物上保証人で、B が保証人兼物上保証人であるとして、B が抵当権の設定された不動産を C に譲渡し、B は保証人だけになったらどうなるであろうか。① AB の頭数で 2 分の 1 ずつ分けていたが、負担割合は固定されたものではないとして、ABC の 3 人で計算し直すのか、それとも、②あくまで B が 1 人であったと同じ立場を B と C が有し、A は 2 分の 1 につき B の保証の責任を追及することも、C の不動産につき抵当権を実行することもできると解すべきであろうか。②だとさらに BC 間の代位が残ってしまい、①と考えるべきである。

10-192
(3)　二重資格者についての担保保存義務違反

　(a)　問題となる事例　さらに二重の資格者の一部の担保が放棄された場合の効果が問題になる。例えば、AB が C の D に対する 4000 万円の債権について、A は保証人と物上保証人とを兼ね、B は物上保証人にすぎないとしよう。C が B の抵当権を放棄すると、A は保証人・物上保証人いずれの責任も 2 分の 1 免責される。また、C が B の保証債務を免除しかつ抵当権も放棄すれば、B が 2 分の 1 免責されることは疑いない。問題は、C が A の保証債務だけ免除、または抵当権だけを放棄した場合である。抵当権だけ放棄した事例を考えよう。いくつかの考えが可能である。

10-193
　(b)　考えられる解決方法　①担保が残っているので免責を一切しないという考え、②その担保で全額の回収ができたので、全額の免責をするという考え、③免責については半分ずつとし、A 負担の 2000 万円の半分の 1000 万円だけ免責する考え、また、④抵当権を中心とし、抵当権についてはその担保分全額を免責するが、保証債務については、抵当権で回収できない限度での免責にとどめる考え（1 人としての負担額 2000 万円につき、物件価格が 1500 万円ならば、抵当権放棄では 1500 万円のみの免責、保証債務の免除では 500 万円の免責、物件価格が 3000 万円ならば、抵当権放棄は 2000 万円全額免責、保証債務の免除は免責なし）などが可能である。④によるべきである。

4　代位における負担割合の特約

10-194
(1)　特約の可能性

　代位についての負担割合の規定は、10-189 判決が述べているように当事者の意思推定に基づく、当事者の公平、すなわち当事者の私的利益の調整のための規定であるから、任意規定であり特約によって変更できる。換言すれば、501 条 3 項は、当事者が負担割合について合意をしていない場合についての補充規定にすぎない。ただし、消費者契約の場合には、消費者の負担

473

割合を増やす合意は消費者契約法 10 条に違反して無効とされる可能性がある。問題は、特約の後順位抵当権者と債権者への対抗である。

10-195 (2) 第三者への対抗

(a) 後順抵当権者への対抗

(ア) 後順位抵当権者は害される——契約は第三者を害しえない
例えば、A の B に対する 1000 万円の貸金債権の担保のために、C が自分の甲地（価格 1000 万円）に抵当権を設定し、他方で D が保証人となったが、CD 間で C が全面的に負担する旨の特約がされたとする。その後、甲地に E の C に対する 1000 万円の債権の担保のため第 2 順位の抵当権が設定され、D が保証人として 1000 万円を支払ったとする。

501 条 3 項 4 号によると、C と D は半分ずつ 500 万円負担することになるため、D は、甲地の抵当権には 500 万円しか代位できず、競落代金 1000 万円は 500 万円が D に配当され、残り 500 万円は E が配当を受ける。ところが、CD 間の特約が E に対抗できるとなると、D は 1000 万円全額代位でき、E は全く配当を受けられないことになる。では、第三者に不利益を与える合意をすることはできないので、特約は無効または後順位抵当権者に対抗できないのであろうか。

10-196 (イ) 判例・通説は対抗を認める

(i) 理由① 判例は、501 条 3 項 4 号は任意規定であり、これと異なる特約は有効であり後順位抵当権者に対抗できるという（最判昭 59・5・29 民集 38 巻 7 号 885 頁）。「同号は、共同抵当に関する同法 392 条のように、担保不動産についての後順位抵当権者その他の第三者のためにその権利を積極的に認めたうえで、代位の割合を規定している」ものではないことが理由である。代位の負担割合は CD が自由に定めることができ、特約がされていない場合の後順位抵当権者の上記利益は、当事者が特約をしないことによる反射的な利益にすぎないのである。

10-197 (ii) 理由② また、「後順位の抵当権者その他の利害関係人は、債権者が右の根抵当権の被担保債権の全部につき極度額の範囲内で優先弁済を主張した場合には、それを承認せざるをえない立場にあ」り、「右の特約そのものについて公示の方法がとられていなくても、その効果を甘受せざるをえない立場にある」ことも理由である。特約がなくても、A が甲土地の抵当権を実

第 10 章　債権の消滅①——弁済

行したら、E は全く配当を受けられないのである。E はゼロを覚悟すべき立場にある[299]。

10-198　(b)　**債権者への対抗**　代位についての特約の債権者への対抗も、担保保存義務との関係で問題となる。10-195 のように CD 間で物上保証人 C が全部負担する特約がされているとする。この特約を知らずに A が C の抵当権を放棄したとして、504 条により D が免責を受けるのは、法定の 500 万円分だけか、それとも特約に従い 1000 万円か、という問題が生じる。

　この点について最高裁判決はなく、東京高判昭 60・7・17 判時 1170 号86 頁は、債権者は、その担保保存にあたり、特約の有無を念頭に置いて対処すべきであり、「債権者は、法定代位権者に照会するなどして、容易に右特約の存否、内容を知り得る」と、債権者に対してその認識または承諾の有無を問わずに特約の対抗を認めている。賛成したい。

---

§Ⅶ
債権者の担保保存義務違反による免責

1　担保保存義務の意義

10-199　**(1)　代位の期待の保護の必要性**

　(a)　**代位前に代位の期待が成立している**　保証人や物上保証人らは、弁済者代位の可能性を考えて担保を負担している。例えば、A に対する B の2000 万円の債務につき、C が保証人になり、B がその所有の不動産に抵当権を設定したとする。C としては、B が支払えなくても債権者は抵当権から回収し、保証人として責任をとらされることはないと期待している。そして、たとえ C が支払うことになっても、C は B の設定した抵当権に代位でき、支払った分はこれにより確実に取り戻すことができる。こうして、保証人 C には、弁済前にその抵当権を代位取得できるという期待が成立してお

---

[299]　ただし、後順位抵当権者が登場した時には負担割合変更の合意がなかったが、その後に負担割合を変更する合意がされた場合、後順位抵当権者には民法の規定に基づく代位によるという具体的な期待が成立しており、この場合の負担割合の変更は後順位抵当権者には対抗できないと考えられる。

475

第3節　弁済者代位（弁済による代位）　│　§Ⅶ　債権者の担保保存義務違反による免責

り（いわば既得権）、法的保護の対象である。

10-200　　**(b)　債権者に抵当権等の処分権はある**　Ａが、保証人からの回収を考え
て抵当権を放棄した場合、抵当権の放棄は有効とせざるをえない。しかし、
これによりＣは代位の期待を害される。Ｃの代位の期待を侵害したので、
不法行為という保護も考えられるが、「損害」の認定が厄介である。そのた
め、民法は代位の正当な期待を有する者を保護し、また、その方法につき
「損害」を問題にしないで、免責という形式的画一的な解決が可能な方法を
導入した[300]。

10-201　**(2)　代位権者の免責制度**

　　(a)　処分行為は有効だが担保負担者を免責　民法は、「弁済をするについ
て正当な利益を有する者（以下この項において「代位権者」という。）があ
る場合において、債権者が故意又は過失によってその担保を喪失し、又は減
少させたときは、その代位権者は、代位をするに当たって担保の喪失又は減
少によって償還を受けることができなくなる限度において、その責任を免れ
る。その代位権者が物上保証人である場合において、その代位権者から担保
の目的となっている財産を譲り受けた第三者及びその特定承継人について
も、同様とする」、と規定した（504条1項）。

10-202　**(b)　債権者の担保保存義務──義務違反は取引通念により判断**　法定代位
権者が債権者の有する物的・人的担保につき代位の期待を有する場合に、債
権者はこれを消滅させたり減少させたりすることが禁止され──**担保保存義
務**という──、これに違反した場合には、不利益を受ける代位権者は「償還
を受けることができなくなる限度」で責任を免れることになる。義務といっ
ても賠償義務を生じさせる積極的義務ではなく、いわゆる間接義務である。
ただし、「前項の規定は、債権者が担保を喪失し、又は減少させたことにつ
いて取引上の社会通念に照らして合理的な理由があると認められるときは、
適用しない」（同条2項）。実質的にはただし書である。

---

300)　**＊保証人となった後の担保の追加と504条の適用**　なお、代位の期待は、保証債務を負担した時に確
　　　定するものではなく、その後の担保の追加の可能性があって流動的であり（10-168の最判平9・12・18判
　　　タ964号93頁参照）、例えば、保証人になった時点では債務者または第三者の財産が担保とされていなか
　　　ったとしても、その後に債務者または第三者の財産に例えば抵当権が設定されれば、その時点で代位の期待
　　　が成立するので、債権者にはこの場合でも担保保存義務が負わされる（最高裁判決はないが、例えば、福島
　　　地会津若松支判平12・5・30判タ1104号188頁）。

476

第 10 章　債権の消滅①──弁済

2　免責の要件──債権者の故意・過失による担保の喪失・減少

10-203 **(1)　合理的な理由は債権者側に証明責任**

　免責の要件は、①代位債権者の存在、②その代位の期待が成立している担保を債権者が喪失または減少させたこと、および、③それにつき債権者に故意または過失があること、である。これらに対して、④「取引上の社会通念に照らして合理的な理由がある」ことは、抗弁事由であり、免責を争う債権者側が証明をすることが必要である。担保放棄等の違法性は、代位権者が証明する必要はなく、債務者は担保の放棄・減少の事実を証明すればよく、債権者はそれに取引通念からして合理的な理由があることを証明して免責を阻止できることになる。

10-204 **(2)　担保の保存や適時の実行懈怠も担保保存義務違反になる**

　担保の喪失または減少は、積極的に抵当権を放棄したり保証債務を免除する場合に限らず、抵当権の設定契約をしていながら抵当権設定登記手続を怠っている間に目的物が第三者に譲渡され移転登記がされた場合（大判昭6・3・16民集10巻157頁）、抵当権を実行しない間に目的物の価格が低下した場合も、それが社会通念に照らし合理的な理由があると認められないならば、免責事由になる。担保の喪失または減少につき、債権者に故意または過失が必要であり、債権者が担保権の実行をしないでいる間に担保物の価格が下落してしまった場合である。それが取引界の一般常識からみて著しく当を失するとみられる特段の事情がない限り、故意・過失を否定するのが通説・判例（大判昭8・9・29民集12巻2443頁など）である。

3　免責の効果

10-205 **(1)　免責の内容**

　(a)　損害賠償ではなく免責　免責の意味については、保証人であれば保証債務が免責額分消滅し、物上保証人であれば目的物の物的な負担（債権者からいえばその物件から得られる額）が免責額分消滅することになる。もし全額の配当を受けてしまったら、免責額分は債権者が法律上の原因なく受領したことになり不当利得が成立し、物上保証人に返還しなければならない。間接義務にすぎないといわれるが、「損害」の認定を要しないので、法的保護

477

は損害賠償より厚いといってよい。

10-206　**(b)　免責額はその担保から回収しえた額**　免責の範囲であるが、「担保の喪失又は減少によって償還を受けることができなくなる限度において」免責が認められる。例えば、AがBに5000万円の融資をするに際して、債務者Bが自己の不動産（3000万円相当）に抵当権が設定され、他方でCが連帯保証人になったが、その後に、Aが抵当権を放棄したとする。Bが資力十分であるとしても、その抵当権から代位して回収しえた額（3000万円）が免責される。形式的に決められ、債務者が資力十分であっても免責を受けられる。担保目的財産の価格の評価時は原則として担保喪失時である[301]。

10-207　**(2)　免責の効果は当然に発生するか**

504条1項は、以上の要件を満たすと「その責任を免れる」と規定している。文言通り当然に保証債務の消滅等の効果が発生すると考えるべきであろうか。時効では、時効期間経過により当然に債務が消滅すると規定されながら、援用を必要とする形成権構成が解釈により採用されている。

①まず、代位権者には免責を主張する形成権が認められ、その行使により免責の効果が発生するという構成が考えられる。②しかし、判例は、規定通りに当然免責の効果が発生し、第三取得者に引き継がれることを認めている（☞10-208）。ただ法定代位権者がそれを欲しないのであればその効果を遡及的に放棄することができてよい。

10-208　　**◆抵当権放棄後の第三取得者にも免責主張が認められるか**

例えば、AのBに対する5000万円の債権について、Bが自己所有の甲不動産（8000万円相当）に抵当権を設定し、他方で、Cが自己所有の乙不動産に抵当権を設定したが、AがB所有の甲不動産の抵当権を放棄し、その後に、Cが抵当権付きのままで乙不動産をDに売却したとする。Dは504条1項の免責を主張し、Aによる乙地の抵当権の実行を阻止できるのであろうか。

判例（最判平3・9・3民集45巻7号1121頁）は、第三取得者の法定代位が問題になった事例で、「第三取得者はもとより乙不動産のその後の譲受人も債権者に対して民法504条に規定する免責の効果を主張することができる」という。物上保証人において「抵当不動産によって負担すべき右責任の全部又は一部は当然に消滅」し、「その後更に右不動産が第三者に譲渡された場合においても、右責任

---

301)　判例は、①担保の全部を喪失した場合にはその喪失が確定した時（前掲大判昭6・3・16［抵当権登記を怠った場合]）、②担保の減少の場合には残部の担保権実行時（大判昭11・3・13民集15巻339頁［共同抵当権の一部の放棄]）を基準としている。

478

第 10 章　債権の消滅①——弁済

消滅の効果は影響を受けるものではない」と説明する。改正法はいずれの立場か
を示すことなく、504条1項後段で第三取得者も同様＝「責任を免れる」という
結論だけを明記した。

10-209
◆一部弁済を受け残債務につき保証債務を免除した場合（一部免除）
（1）　免除額に応じた免責（判例）

　AのBに対する500万円の債権につき、Cが物上保証人、Dが保証人になっ
たが、Dが一部弁済をして残額の免除を受けた場合、504条1項によるCの免
責はどう計算されるべきであろうか。次の2つのケースを分けて考える。

> ⓐ　**負担部分を超える免除**
> 　　Dが200万円支払い、300万円免除を受けた場合
> ⓑ　**負担部分を超えない免除**
> 　　Dが300万円支払い、200万円免除を受けた場合

10-210
　（a）　免責額　まず、免除を受けた額を負担割合に乗じて免責額を計算すること
が考えられ、これが判例である（大判昭15・9・21民集19巻1701頁）。ⓐ300万円
の免除だと、Cは150万円の免責を受けることになる。一部代位したDの100
万円と共に債権者AはC所有の不動産の抵当権から150万円を回収できるだけ
である。ⓑ次に、Dの免除が200万円だとすると、Cは100万円の免責を受け
る。一部代位したDはCの不動産の抵当権につき150万円代位でき、免責100
万円により縮減した債権者Aの100万円と共に抵当権から回収できることにな
る（502条が適用になる）。

10-211
　（b）　事後処理　ⓐでは、合計250万円の抵当権の実行がされ、免除を受けて
いないCは原則通りの2分の1たる250万円を負担する。Aは合計350万円し
か回収できず、Dがその分すなわち150万円分負担が軽減され、Aからの回収
不能のリスクの負担は100万円にとどまることになる―― 200万円支払ったが
100万円について抵当権に一部代位でき、150万円について負担が軽減される。
ⓑでは、Dは300万円弁済して代位した抵当権から150万円回収でき、その負
担は150万円になり、100万円軽減される。この100万円は免除をした債権者
Aが負担することになり、Dから300万円、Cから100万円、合計400万円を
回収できるだけになる。

10-212
（2）　判例に対する異説

　これに対して、負担割合を超える免除がされた場合に、その超えた額だけ免責
を認める考えがある。ⓐの事例では、Cは50万円のみ免責され（Aは450万円

479

回収できる）、他方、ⓑの事例では、Cは一切免責されないことになる（Aは
500万円全額回収できる）。確かにこれは債権者に有利な解決であり、債権者の
意図に親和的な解釈であるといえる。しかし、一部弁済でもその金額に応じた代
位が認められることと整合性が保たれない。債権者の意思に合致した解決を模索
しようというのであれば、むしろ免除ではなく不訴求の合意であるとして、代位
には影響を与えず504条1項の適用は認められないと考えるべきである。そう
でない限り、判例のように考えるべきである。

4 担保保存義務免除特約

10-213　**(a) 強行規定ではない**　504条は強行規定ではなく、債権者・保証人間で
は担保保存義務を免除する特約が結ばれることが多い。フランスでは、保証
人を保護するため、1984年に民法が改正され、担保保存義務を排除する特
約を無効とした。わが国に同様の立法はないが、個人保証人については、消
費者契約法10条により、場合によっては担保保存義務免除条項を無効と考
えることができる。最判平2・4・12金法1255号6頁は、担保保存義務免
除特約は有効なこと、その効力の主張が信義則に反しあるいは権利濫用に該
当することがありうることを認める。事案では、担保の差換えに重大な過失
があるとはいえないとして、免責条項を有効とした（重過失を認め効力を否
定した原審判決を破棄）。

10-214　**(b) 信義則・権利濫用による規制**

(ｱ) 合理性・正当性の考慮　その後、最判平7・6・23民集49巻6号
1737頁は、担保保存義務免除特約について、「当該保証等の契約及び特約
が締結された時の事情、その後の債権者と債務者との取引の経緯、債権者が
担保を喪失し、又は減少させる行為をした時の状況等を総合して、債権者の
右行為が、<u>金融取引上の通念から見て合理性を有し、保証人等が特約の文言
にかかわらず正当に有し、又は有し得べき代位の期待を奪うものとはいえな
いとき</u>は、他に特段の事情がない限り、債権者が右特約の効力を主張するこ
とは、信義則に反するものではなく、また、権利の濫用に当たるものでもな
い」とした。合理性があっても担保保存義務を免れないが、合理性がある場
合に担保保存義務を免せしめる特約は有効となる。しかも、重過失は除かれ
る。

10-215　**(ｲ) 改正法**　上記判決は、違反を否定したのではなく、免除特約を有効と

第 10 章　債権の消滅①──弁済

したのであるが、改正法は特約を離れて、担保を減少させても「取引上の社会通念に照らして合理的な理由がある」場合に、担保保存義務違反自体を否定した（504条2項）。この要件を満たさない場合に免除特約が問題になるが、合理的理由がない事例の免除が果たして有効なのか、疑問である。

10-216　◆担保保存義務免除特約と第三取得者

　　　例えば、AがBに融資をするに際して、Bがその所有の甲地に抵当権を設定すると同時に、Cがその所有の乙地に抵当権を設定し、AC間でAの担保保存義務を免除する特約がされたとする。この場合に、①Aが甲地の抵当権を放棄し、その後に、Cが乙地をDに売却した、または、②Cが乙地をDに売却後、Bが甲地の抵当権を放棄したとして、Dには免除特約を対抗できるのであろうか。

　　　少なくとも、すでにCの下で抵当権が放棄されていた①の場合には、Cにつき免除の効果が発生することなく、Dにそのまま抵当権が承継される[302]。

第 4 節　弁済提供、受領遅滞および弁済供託

§ I
弁済の提供（弁済提供）

1　弁済提供の意義

10-217　(a)　**債権者の受領などの協力がないと履行ができない**　ほとんどの債務は、その弁済（ないし履行）につき多かれ少なかれ債権者の協力が必要である。例えば、物の引渡しでは債権者による受領が必要であり、債権者の指定

---

302)　*担保保存義務免責特約と後順位抵当権者　例えば、AのBに対する融資につき、B所有の甲地とC（物上保証人）所有の乙地とに抵当権が設定され、乙地にCがDのために後順位抵当権を設定した場合、乙地の抵当権が実行されるとCは旧501条前段により甲地の抵当権を代位取得し、DはCが代位取得した抵当権を自己の債権のために行使できる（最判昭53・7・4民集32巻5号785頁）。この場合に、AC間で担保保存義務免責特約がありAがBの抵当権を放棄すると、Cの抵当権を行使することを期待していた後順位抵当権者Dが害されるが、504条は当事者が自由に決められる事項についての任意規定であり、規定と異なる合意がされている可能性を後順位抵当権者は甘受すべきである。ただし、後順位抵当権者Dが登記後に、AC間で担保保存義務免責特約をしてAがBの甲地の抵当権を放棄した場合には、免責特約の効力をDに対抗できないと考えるべきである。

481

第4節　弁済提供、受領遅滞および弁済供託　│　§I　弁済の提供（弁済提供）

する場所での引渡しでは債権者に引渡場所を指定してもらう必要がある。さらには、まず債権者側の行為がなければ履行に着手することさえできない場合もある。債権者が持参する物の修理などの事例である。

債権者が必要な協力をしないと債務者は履行をできない場合でも、履行期を過ぎれば債務を履行していない＝債務不履行があることになる。しかし、債務不履行により債務者に生じる種々の不利益を免れさせる必要がある。

10-218　**(b)　債務者は履行をしなくても提供により免責される**　民法は、「債務者は、弁済の提供の時から、債務を履行しないことによって生ずべき責任を免れる」と規定した（492条）。これを**弁済提供**（以下では単に**提供**という）という[303]。免責は受領遅滞の効果とするのが普通の立法であるが、提供→免責と直に結び付け、提供の効果として、免責と受領遅滞自体を並列的関係に位置づけるという異例な立法である。しかし、解釈によって、提供→受領遅滞→免責や危険の移転等と、受領遅滞制度に一本化し、提供は受領遅滞の要件と再構成すべきである——提供がなくても遅滞にならないこともある（☞10-228）——。なお、弁済を契約と考える学説では（☞10-8）、提供は弁済契約の申込みとなる（石田555頁）。

2　弁済提供の要件

10-219　**(1)　「現実」の提供**

「弁済の提供は、債務の本旨に従って現実にしなければならない」（493条本文）。すなわち、提供と認められるためには**現実の提供**が必要になる。この結果、提供の要件は以下のように整理することができる。

---

① 弁済することのできる者による提供であること（代理人や第三者も可）

---

303)　**＊提供に関わる法規定**　10-241以下に述べるように、「提供」を要件とする制度には種々の制度がある。①まず、債務不履行の責任を免責する弁済提供制度（492条）、②債権者に不利益を負担させる制度として、ⓐ債務者の注意義務の軽減（413条2項）、ⓑ「提供」が要件として表示されていないが増加費用の債権者負担（413条2項）、ⓒ債権者の帰責事由による履行不能との擬制（413条の2第2項）、ⓓ有償契約における債権者への危険の移転（567条2項）である。③受領義務を認める見解で受領義務の遅滞になるための要件は規定がなく、493条の提供（現実の提供）または準備をして受領を催告すること（いわゆる口頭の提供）が、債権者の受領義務違反＝受領遅滞となるための要件になる。その上で、解除できるためには542条・543条の要件を満たすこと、損害賠償請求には415条1項ただし書による免責の可能性がある。④また、同時履行の抗弁権を阻止する要件としても規定されている（533条）。

482

第10章　債権の消滅①——弁済

② 債務の本旨に従う提供であること（内容、時期[304]、場所）

③ 提供が現実にされること

10-220　　(a)　**提供が債務の本旨に従うこと（10-219②の要件）**

(ア)　**質的な債務内容適合性**　　提供が有効になるためには、債務の内容に適合した提供でなければならない。特定物の引渡義務の場合、改正前は特定物ドグマが認められていたため、瑕疵ある物の提供でも債務の本旨に合致した有効な提供であった。ところが、改正法では特定物であっても契約で約束された性能・品質を備えた目的物を引き渡す義務が認められるため、契約内容に適合しない目的物の提供では提供の効果が認められないことになる。ただし、軽微な不適合については提供の効力を認める余地はある。特定物の不適合で、修補不能の場合には、物の提供としてはそれ以上のことはできないので、提供と認めることができる。

10-221　(イ)　**数量的な債務内容適合性——不足すると全部無効**　　数量的に債務の本旨に合致しない一部提供も有効な提供とはならず、提供された一部についても提供の効果は生ぜず、提供は全部無効である[305]。例えば、1000貫のメリヤスの引渡しで150貫だけ提供した場合（大判昭2・5・16新聞2702巻6頁）、元本の金額のみ提供し、利息の提供をしなかった場合（大判大4・12・4民録21輯2004頁）、履行遅滞後に遅延利息を提供しなかった場合（大判大8・11・27民録25輯2133頁）、いずれも提供の効力が一切否定されている。

10-222　(ウ)　**軽微な不足で善意の場合は例外**　　ただし、①債務者が利息額の計算間

---

304)　履行期後に提供する場合には、遅延損害金をあわせて提供しなければ、債務の本旨に従った弁済の提供とはいえない（大判大8・11・27民録25輯2133頁）。履行期前の提供は、期限の利益が債務者にのみ存する場合には、これを放棄できるので有効である——債権者のみまたは債権者にも期限の利益がある場合には、提供は無効——。その後に期限が到来しても遅滞に陥らないが、期限の利益を放棄したので、債権者がその後に履行請求したならば、期限前の主張はできない。

305)　**＊超過提供**　超過する提供も原則として有効である。しかし、賃借人が、甲建物の賃料に加えて、乙建物と丙土地も賃借したと主張して、これらの賃料も含めて提供し、「この全額を受領しなければ支払わない意思であった」事例で、甲建物の賃料の提供について効力が否定されている。乙建物と丙土地の賃貸を賃貸人が争いその部分の受取りを拒絶したため、賃借人が一切支払をしなかった場合、「賃貸人が、争われている目的物に相当する賃料をも合せて受領すれば、それが賃貸借の目的物となっていることを承認していたと認められる資料となるおそれがあるから、債務の本旨に従った履行の提供があったものとすることはできず、賃貸人が提供の全額について受領を拒絶するのは相当であって、受領の遅滞もまた生ずるものでない」とされた（最判昭31・11・27民集10巻11号1480頁）。

483

違いで僅少の不足が生じ（ⓐ債務者の善意＋ⓑ僅少の不足が要件）、その受領を拒絶するのが信義則に反すると認められる場合―― 529 円 8 銭に対し527 円の提供（大判大 9・12・18 民録 26 輯 1947 頁）、代金 1 万円の提供で 100 円不足した場合（大判昭 9・2・26 民集 13 巻 366 頁）、804 円 95 銭に対し 7 円 40 銭不足した場合（大判昭 13・6・11 民集 17 巻 1249 頁）など――、または、②提供額が確定されておらず、正確な債権全額を債務者に提供することを期待できない場合には（僅少の差である必要はないが、要件が加重される。一部供託で述べる☞ 10-274）、一部提供であっても有効と認められている。

10-223　◆金銭以外による提供

　　金銭債務について、金銭以外での提供（口頭の提供の場合には準備）が有効かは議論されている。この点、金銭以外のものでも、支払が確実なものであれば、提供の要件を満たすものと考えられている。郵便為替（大判大 8・7・15 民録 25 輯1331 頁）、銀行振出しの自己宛小切手（最判昭 37・9・21 民集 16 巻 9 号 2041 頁）などにつき、現実の提供が認められている。小切手の提供については、履行について述べたように、小切手が支払に代えて交付される場合には交付により債務が消滅し、支払のために交付された場合には、換金された時に債務が消滅するため、後者の小切手では提供とは認められない（石田 562 頁）。金銭ではなく物品の引渡しについても、倉庫証券などにより引渡しをする旨の合意があれば、倉庫証券などの提供によって提供として有効になる（石田 565 頁）。

10-224　**(b)　提供が現実にされること（10-219 ③の要件）**　提供は「現実に」されなければならない。「現実に」とは、債権者の協力なしに履行行為の主要な部分ができる場合に、債権者の協力があれば弁済が完了しうる程度に債務者の側ですべき一切の行為を完了することである[306]。例えば、債権者が不在で、在宅した妻が受領書を持っていなかったため支払わなかった場合（大判明 38・3・11 民録 11 輯 349 頁）、目的物を交付すべき場所が特定の倉庫の場合に、そこに目的物を現存させて債権者が取りに来たならば直ちに受領しうるようにしておいた場合には、現実の提供になる（我妻 226 頁）。また、債務者

---

[306]　債権者側から、「債務者において弁済が債務の本旨に従ったものであると確認して受領をすること以外に何もしなくてよいような態様で行う提供」と定義づける学説もある（石田 557 頁）。なお、現実の提供のためには必ずしも目的物の分離は必要ではない。例えば、ガソリンの引渡義務が持参債務であり、債権者がその容器に充填してもらって引渡しを受ける、または、ガソリンスタンド経営者が債権者で地下のタンクに充填してもらう内容の場合、売主（債務者）がタンクローリーにガソリンを詰めて、買主（債権者）の自宅に行くまたはガソリンスタンドに行けば、現実の提供になる。

第 10 章　債権の消滅①——弁済

が履行期日に履行場所に目的物を持参すれば、債権者が不在または不出頭であったため、本人に提供できなくてもよい。移転登記義務について、代金の受領と引換えに登記すべき場合に、売主が期日に登記所に出頭したのも現実の提供になる（大判大 7・8・14 民録 24 輯 1650 頁）。また、債務者本人が持参する必要はなく、転買人が同行し支払の準備を整えていれば、債務者の現実の提供としての効力が認められる（大判昭 5・4・7 民集 9 巻 327 頁）。

10-225　◆取立債務で不完全な指定をして引渡しの準備をした場合（深川渡事件）

　　　（a）　事案　取立債務の事例で参考となる判決として大判大 14・12・3 民集 4 巻 685 頁（**深川渡事件**）がある。肥料商 X（売主）が Y（買主）に大豆粕 740 枚を売り渡し（大正 9 年 4 月 1 日）、売渡場所として深川渡として 5 月中に代金と引換えに引き渡す合意がされた——深川渡とは、売主指定の深川所在の倉庫または付近の艀船繋留河岸で引渡しが行われる慣習——。X は、5 月中旬以降、大豆粕を深川丸三倉庫に準備し、引取りと代金の支払を求めたが、Y が代金支払に応じないため——価格が暴落していたようである——、X が支払を催促後売買契約を解除し損害賠償を求めた。Y は引渡場所の通知がないと争う。

10-226　　　（b）　大審院判決　原審判決は場所の指定として十分ではなく（提供の効力は認められず）、Y は代金につき支払遅滞にならないと判示した。しかし、大審院は、「Y に於て誠実に取引するの意思あらば、相手方に対する一片の問合せに依り直ちに之 [正確な場所] を知ることを得べかりしものにして、斯かる場合には信義の原則に依り Y は右問合せを為すことを要し、之を怠りたるに於ては遅滞の責を免るることを得ざるものとす」、原判決を破棄する。履行場所すなわち提供場所の表示として買主に不明確であったが、買主は信義則上確認すべきであり、そうすればすぐに明らかになる。履行遅滞を認めた上で、過失相殺がされれば足りる。

10-227　**（2）　口頭の提供**

　（a）　提供の要件を緩和する制度なのか

　❶　**口頭の提供も提供という理解**　現実提供の原則に対する例外として、次の場合には、「弁済の準備をしたことを通知してその受領の催告をすれば足りる」ものとされている（493 条ただし書）。これは講学上**口頭の提供**と呼ばれ、このように条文形式に従って免責制度たる提供制度として理解する考えが通説・判例である（**口頭の提供説**と呼んでおく）。下記は提供が口頭の提供に緩和されるための要件と理解されている。

　① 「債権者があらかじめその受領を拒」んでいる場合

485

第4節　弁済提供、受領遅滞および弁済供託　│　§1　弁済の提供（弁済提供）

② 「債務の履行について債権者の行為を要する」場合

10-228　**❷　口頭の提供は受領遅滞の要件という理解**　しかし、条文の形式には反
するが、10-227①②だけで債務者が履行遅滞を免れ、この要件さえ満たせ
ば口頭の提供、さらには履行の準備さえなくても履行遅滞にはならない。債
務者は履行の準備をしているか否かを問わず、10-227①②だけで履行遅滞
の責任を免れる。10-229①〜③は、債権者を受領遅滞に陥らせるための要
件を緩和したにすぎない（**受領遅滞説**と呼んでおく）。また、提供は危険移
転等でも要件になるが（567条2項）、その要件を緩和したことにもなる。493
条の規定の仕方には反するが、解釈によってこのように再構成すべきであ
る。

10-229　**(b)　口頭の提供の要件──受領遅滞の要件**

　　(ア)　口頭の提供の3要件　10-227の要件を満たすと、責任を免れるため
には口頭の提供で足りるというのが一般的理解であり、口頭の提供と認めら
れるための要件は以下の3つである。

---

　① 弁済の準備をしたこと
　② 弁済の準備をしたことを債権者に通知したこと
　③ 受領の催告をしたこと

10-230　**(イ)　必要な準備**　取引通念上必要とされる弁済の準備をしておけば足り
る。①債権者の受領拒絶の場合には、債権者が翻意して履行を求めてきたな
らば、遅滞なく給付ができる状態、②債権者の協力が必要な場合には、債権
者が債務の履行について必要な行為をしたときに、それに応じて遅滞なく履
行をすることができる状態を作出すればよい（石田558頁）。種類物または制
限種類物の引渡義務の場合、取立債務であれば債権者が取りに来たらいつで
も分離できるような態勢を整えていればよく、種類債権の特定とは異なり引
渡しの目的物を分離しておくことは要件ではない（☞2-44）。

10-231　**(ウ)　受領遅滞説では**　受領遅滞説では、この①〜③は債権者の受領遅滞の
要件であり、提供による免責の要件ではないことになる。トリミングの予約
をしていたのに客が来ない場合、③の催告をしなくても、履行遅滞の責任は

486

負わないが、催告をすれば、債権者が受領遅滞となり、ほかの客の予約を入れられなかった損害の賠償請求をすることが考えられる。

10-232　**[エ]　口頭の提供で足りる場合①──「債務の履行について債権者の行為を要するとき」**　「債務の履行について債権者の行為を要するとき」とは、債権者に受領以外に履行に協力する行為が必要な場合である。債権者が債務者の店舗まで取りに来る場合、債権者が指定した場所で引き渡す義務、債権者が供給する材料での物の製作などがこの例である。この場合には、債務者は履行の準備をして債権者に協力を求めれば提供の効果が認められる。債務者がすべき準備の程度、また、債権者に要求される協力の程度は、信義則によって決定される（我妻223頁）。

10-233　**◆遅滞を免れるためには通知・催告が必要か**
　①確定期限が定まっている場合には、まず債権者の行為が必要であっても（取立債務の場合、債権者がペットのトリミングを予約して出向く場合等）、履行期を過ぎれば、債務者は準備をして債権者に受領の催告（口頭の提供）をしなければ、412条1項により当然に履行遅滞になるというのが、口頭の提供説の帰結である。②他方、受領遅滞説では、受領催告（口頭の提供）は履行遅滞を免れるための要件ではなく、受領遅滞のための要件であり、10-227①②の要件さえ満たせば、そもそも履行遅滞にならない。ただし、債務者に信義則上の義務として、債権者への通知義務が認められる事例であれば、履行遅滞はなくても、信義則上の義務違反による債務不履行を問題にする余地はある。

10-234　**◆売主の所有権移転登記義務**
　売主の所有権移転登記義務については、債権者（買主）との共同申請により行うため、債務の履行に債権者の協力が必要な場合であるとして、口頭の提供で足りるという理解がある（我妻231頁）。ただし、登記に必要な書類を調えて、銀行で司法書士に登記を依頼して同時に銀行に代金の振込を依頼する手続による場合、銀行に必要な書類を携えて出向くことが必要であり、現実の提供が必要であるという評価もされている（船越438頁）。登記所で現金と引換えに登記手続をする場合、「何月何日何時、○○法務局出張所に代金持参の上こられたい」と通知をした上で、その日時に登記に必要な書類を持って登記所に出頭して現実の提供が認められることになる。判例も、「不動産の所轄登記所に於て売買代金を授受すべき場合に於て、契約履行の期日に売主が其登記を為すの目的を以て登記所に出頭したるときは、売主は債務の本旨に従ひたる弁済の提供を為したるものと云ふべく、買主にして該期日に登記所に出頭せざるか若くは出頭するも代金の支払を拒みたるときは、買主は遅滞の責を免かるるを得ざる」ものとしており、現実

第4節　弁済提供、受領遅滞および弁済供託　│　§1　弁済の提供（弁済提供）

の提供が必要なことを前提としている（大判大7・8・14民録24輯1650頁）。

10-235　　㋑　**口頭の提供で足りる場合②**
　　　　　——「債権者があらかじめその受領を拒」んだとき

　❶　**口頭の提供説**　債権者の協力なしに現実の提供ができる場合でも、債権者が予め受領を拒絶している場合には、弁済の準備をして債権者にその旨を通知して受領を催告するだけでよい[307]。債権者が受領を拒絶しており、現実の提供をしたところで無駄になることが予想されるのに、あえて現実の提供を要求するのは債務者に酷であるためである。この場合に要求される弁済の準備は、債権者の請求があれば直ちに弁済しうる状態を調えておく必要がある。口頭の提供説では弁済の準備は必要なので、その準備もせずに受領を催告しても、履行遅滞を免れないことになる。「準備」については、目的物の分離が必ずしも必要ではないことはすでに述べた。

10-236　　❷　**受領遅滞説**　これに対し、受領遅滞説（本書の立場）では、債権者が受領を拒絶していれば、それが明確かどうかを問うことなく、催告なしでも履行遅滞に陥ることはなく、受領催告（口頭の提供）は債権者を受領遅滞に陥らせるための要件にすぎない。この場合にも、債務者に信義則上債権者への通知義務が認められる場合には、履行遅滞はなくても信義則上の義務違反は認められる。

10-237　　◆**口頭の提供は必ず必要か**
　　　⑴　**受領拒絶の意思が明らかな場合——提供なしに免責**
　　　493条は債権者が予め受領を拒絶していても、債務者が債務不履行による不利益を免れるためには口頭の提供が必要としているが、債権者が拒絶の意思が固く受領を促しても無駄と思われる場合には、口頭の提供は不要と考えられている[308]。他方、受領遅滞説では受領遅滞の要件であり、明確に受領拒絶をしていても、受領遅滞には受領の催告（口頭の提供）は必要になる。債務者の履行遅滞については、10-227の事情があればそれだけで履行遅滞を免れる。

10-238　　⑵　**判例は不動産賃貸借の事例**
　　　判例は、賃貸人が契約の解除を主張し賃借人に明渡しを求めている場合につき、「債務者が言語上の提供をしても、債権者が契約そのものの存在を否定する

---

307)　種類物50kgの売買契約がされた場合に、買主が40kgしか受け取らないといっている場合に、40kgは受領するといっているのであるから、受領遅滞になるのは残りの10kgの部分だけかというとそうではなく、50kg全部について受領遅滞になると考えるべきである。したがって、売主は50kg用意して、全部につき口頭の提供によることができる。

488

第 10 章　債権の消滅①——弁済

等弁済を受領しない意思が明確と認められる場合においては、債務者が形式的に弁済の準備をし且つその旨を通知することを必要とするがごときは全く無意義であって、法はかかる無意義を要求しているものと解することはできない。それ故、かかる場合には、債務者は言語上の提供をしないからといって、債務不履行の責に任ずるものということはできない」とする（最判昭 32・6・5 民集 11 巻 6 号 915 頁）。賃貸借を超えて一般論として述べており、物の引渡しについても妥当しようが、危険の移転のためにはあくまでも提供が必要になる（567 条 2 項）。

10-239　**(3)　受領遅滞を解消するための要件**

　債権者がこの状態を打破して債務者の債務不履行を問えるようにするためには、「［賃貸人］は、賃貸借の終了を理由とする賃料の受領拒絶の態度を改め、以後……［賃借人］より賃料を提供されれば確実にこれを受領すべき旨を表示する等、自己の受領遅滞を解消させるための措置を講じたうえでなければ、……［賃借人］の債務不履行責任を問えない」とされている（最判昭 45・8・20 民集 24 巻 9 号 1243 頁）。この点は、また 10-263 以下で取り上げる。受領遅滞説では、受領拒絶または不協力が遅滞にならないための理由なので、これを解消して初めて債務者の履行遅滞を問えるようになる。

10-240　**(4)　弁済（履行）の準備は必要**

　口頭の提供説では口頭の提供として認められるための要件を履行の準備に緩和しているにすぎず、履行の準備は免責のために必要である。(2)の扱いは「賃借人において言語上の提供をすることが可能なことを前提としているものであって、経済状態不良のため弁済の準備ができない状態にある賃借人についてまでも債務不履行の責を免れるとするものではない」、として賃貸人による解除が有効とされ（最判昭 44・5・1 民集 23 巻 6 号 935 頁）、「債務者が経済状態の不良のため弁済の準備ができない状態にあるときは、そもそも債権者に協力を要求すべきものではない」ことが理由とされている。本書の立場では、10-227 の事情があれば履行遅滞を免れ、債務者の弁済の準備は不要である（北居 I 317 頁以下も準備不要）。

308)　**＊口頭の提供なしに履行遅滞の責任を免れる法的根拠**　提供もないのに債務者が履行遅滞の責任を負わないことを、口頭の提供説ではどう説明すべきであろうか。①原則は現実の提供が必要であり、本来「提供」とは現実の提供である。②例外的に、提供のための準備をして、その旨を通知し受領を催告すれば、遅滞の責任を免れるのは、厳密にいえば提供はないがその準備だけで免責するものであり、口頭の提供とは提供なしにその準備＋通知＋受領催告で免責を認めるものである（492 条の拡大）。③これをさらに軽減し、提供の準備だけでよいとするのは、さらに 492 条を拡大するものであり、492 条の要件を規定した 493 条の拡大適用ということができる。これに対して、受領遅滞説では、10-227 の事情だけで履行遅滞を免れるので、履行の準備をしていなくてもよい。

489

第4節　弁済提供、受領遅滞および弁済供託 ┃ §I　弁済の提供（弁済提供）

3　弁済の提供の効果──受領遅滞との関係

10-241 **(1)　提供（弁済提供）の効果──受領遅滞の効果との関係**

　弁済提供の効果として、債務者は、「債務を履行しないことによって生ずべき責任を免れる」(492条)。免責以外に問題となる効果としては、後述の受領遅滞による損害賠償義務と契約解除のほかに、危険の移転や注意義務の軽減、増加費用の請求などもある。そのため、提供による免責という効果と、これらの効果との関係が問題になる[309]。

---

① 損害賠償（遅延損害金も含む）義務

② 利息の発生

③ 違約金支払義務

④ 担保権実行を受ける

⑤ 契約解除を受ける

10-242 **(2)　提供と受領遅滞の関係──提供は受領遅滞の要件**

　ドイツやフランスでは、提供→受領遅滞→免責、危険の移転等という構成であるが、日本では、提供→免責 (492条)、提供→受領遅滞→責任（内容不明）を負う (旧413条) と分けて規定されていたため、提供と受領遅滞との関係が問題にされた。本来、提供→受領遅滞→免責、危険の移転等なのに、提供→免責と直接に規定してしまった立法過誤だともいえる。そのため、現行法解釈としても、免責も受領遅滞の効果の1つに位置づける考えがある (石田363頁)。本書もこれに賛成し、提供→受領遅滞→免責、危険の移転等と再構成する。10-227の事情があれば、提供しなくても履行遅滞にはならないが (412条の制限解釈。履行遅滞だが提供で免責されるのではない)、提供がない限りは受

---

309)　＊**「一切の責任」を修正**　改正前は、増加費用の負担や危険の移転などは、弁済提供の効果なのか、受領遅滞の効果なのか議論された。改正法は、改正前の「債務の不履行によって生ずべき一切の責任を免れる」というのを、「債務を履行しないことによって生ずべき責任を免れる」と修正する（「一切の」を取る）ことにより、「弁済の提供と受領遅滞の効果を明確に整理」したということである（一問一答188頁）。履行遅滞による責任を免れることだけが効果だということを示し、492条以外の「提供」の効果はそれぞれ別の規定の「提供」の解釈によることになる（413条の2第2項・567条2項）。同時履行の抗弁権の行使を阻止する効果は、533条の「提供」の効果であり、同規定の「提供」の解釈により運用される。

490

領遅滞にならない。

10-243 **(3) 受領遅滞の要件・効果**

(a) 改正413条 改正前413条は、「債権者が債務の履行を受けること
を拒み、又は受けることができないときは、その債権者は、履行の提供があ
った時から遅滞の責任を負う」と規定し、「責任」の内容また法的性質が議
論されていた。債権者が受領義務を負い、その不履行を理由に、債務者が契
約を解除しまた債務不履行による損害賠償を請求できるかが問題になってい
たのである。しかし、改正法は債権者の「責任」規定を削除し、受領遅滞の
効果として異論なく認められていた注意義務の軽減（413条1項）および増加
費用の債権者負担（同条2項）を規定するにとどめた。

10-244 **(b) 関連する個別規定** 提供により危険の移転が認められること（567条2
項）、また、債権者に帰責事由がある場合の規定（536条2項・562条2項・563条
3項・606条1項ただし書・611条1項反対解釈・624条の2第1号反対解釈・634条1号反対
解釈等）と連動させる規定として、履行不能を債権者の帰責事由によるもの
とみなす規定が置かれている（413条の2第2項）。

10-245 **(c) 解除や損害賠償責任** 受領遅滞に基づく債務者からの債権者に対する
損害賠償請求権や解除権については、解釈に任せて規定を置かなかった。ド
イツ民法293条以下には「債権者遅滞」（受領遅滞）についての詳細な規定
があるが、損害賠償や解除の規定はない。フランス民法は、2016年改正で
1345条に債権者遅滞の規定を導入したが、利息の発生が阻止されることと
危険が移転することのみを規定するにすぎない。本書の立場では、免責も含
めて受領遅滞の効果とし、損害賠償や解除は、契約上の付随義務や信義則上
の義務の問題に解消される（☞10-255以下）。

10-246 **(d) 受領遅滞の効果①——注意義務の軽減および増加費用の負担**

㋐ 注意義務の軽減 413条は「受領遅滞」と題して、2つの規定を置
く。まず、「履行の提供」があったのに、「債権者が債務の履行を受けること
を拒み、又は受けることができない場合」——**受領遅滞（ないし債権者遅
滞）**、受領不能という——、「その債務の目的が特定物の引渡しであるとき
は、債務者は、履行の提供をした時からその引渡しをするまで、自己の財産
に対するのと同一の注意をもって、その物を保存すれば足りる」と規定する
（同条1項）。物の保管義務が、善管注意義務から自己の財産と同一の注意義務

に軽減される。債権者の帰責事由は要求されていない。

10-247　　**(イ)　増加費用の負担**　同じ受領遅滞の表題の下に、「債権者が債務の履行を受けることを拒み、又は受けることができないことによって、その履行の費用が増加したときは、その増加額は、債権者の負担とする」という規定も置かれている（413条2項）。債権者の帰責事由は必要とはされていない（485条ただし書と同様）。提供が必要なので、債権者が受領を予め明確に拒絶していたため、債務者が口頭の提供をせずに期日を過ぎた場合でも、期日経過後の保管費用には適用にならない（485条ただし書は適用される）。

10-248　　**(e)　受領遅滞の効果②——危険の移転・債権者の帰責事由の擬制**
　　(ア)　危険の移転　民法は、売買契約において、物をめぐる危険は「引渡し」によって売主から買主に移転することを原則とし（567条1項）、その例外として、「売主が契約の内容に適合する目的物をもって、その引渡しの債務の履行を提供した」が、「買主がその履行を受けることを拒み、又は受けることができない場合」、危険が買主に移転することを認めている（同条2項）。これは、請負などその他の有償契約に準用される（559条）。買主に帰責事由があることは必要ではない。「提供」の効果として位置づけられているが、提供による受領遅滞の効果と考えるべきである。

10-249　　**(イ)　受領遅滞後の履行不能を債権者の帰責事由によるものと擬制**　また、民法は、「債権者が債務の履行を受けることを拒み、又は受けることができない場合において、履行の提供があった時以後に当事者双方の責めに帰することができない事由によってその債務の履行が不能となったときは、その履行の不能は、債権者の責めに帰すべき事由によるものとみなす」とも規定する（413条の2第2項［売買については567条2項に同様の規定あり］）。危険の移転には債権者の帰責事由は不要なので（☞10-248）、543条・562条2項・563条3項において意義がある。

10-250　　**◆修補可能な損傷**
　　受領遅滞中の滅失また修補不能な損傷については、413条の2第2項により、債権者の帰責事由が擬制される。しかし、不能であることが要件なので、受領遅滞中の修補可能な損傷については適用されないことになる。そのため、不可抗力で損傷し、修補可能ならば債権者の帰責事由の擬制は認められないことになる。567条2項は、債権者の帰責事由は要件ではないのでよいが、543条・562条2項・563条3項については、債権者の帰責事由の擬制がないと適用が認められ

第 10 章　債権の消滅①——弁済

ず、解除、追完請求、代金減額が認められることになる。しかし、修補が可能かどうかによってこのような差を認めるのは適切ではなく、413 条の 2 第 2 項は、損傷が修補可能な場合にも類推適用すべきである。

4　受領義務の認否——受領遅滞による契約解除および損害賠償請求

10-251　10-243 に述べたように、改正前は 413 条に債権者の「責任」が規定されていたため、413 条の「責任」は、受領義務がないのに認められる法定責任なのか、それとも、受領義務を認めて債務不履行責任なのかが議論されていた。ところが、413 条が債権者の「責任」規定でなくなったため、この議論は、債権者に受領義務を認めて債務不履行——信義則上の義務違反——を認めて、415 条また 542 条の適用を認めるかという、415 条・541 条・542 条の解釈の問題に解消された。

　この点、債権者はにとって受領は権利であって義務ではなく、受領遅滞は債務不履行なのかどうかという理論的議論は残されたままである。

10-252 **(1)　法定責任説（信義則上の受領義務否定説）**

　(a)　受領は権利であって義務ではない　改正前の 413 条の「責任」について、債権者は受領につき権利のみを有し義務を負うものではなく、義務違反もないのに負わされる責任であり、法定の責任であると考える学説があり、これを**法定責任説**と呼んでいた。法定責任説は、古くは通説であった（鳩山 172 頁、柚木・高木 155 頁、於保 117 頁、林ほか 71 頁［林］、平井 175 頁）。確かに受領義務を給付義務として引き受けることは、契約当事者の一般的な意識ではない。そのため、次の債務不履行責任説も信義則上の義務としての協力義務として肯定しようとしている（内田 109 頁）。

10-253　**(b)　法定責任説でも債務不履行責任の追及は可能**

　(ア)　特約は可能　しかし、特約によって受領義務を認めることは可能であり、黙示の合意を活用すれば次の債務不履行責任説とほとんど変わらなくなる。信義則上の義務と紙一重であるが、規範的解釈として、場合によっては受領義務を認めることができる。それは必ずしも当事者の意思の探求ではなく、妥当な結果の実現が意図されるからである。

10-254　**(イ)　反対給付義務の不履行**　また、債権者が受領を拒むのは、契約の成立や効力を争っていたり——継続的契約関係で契約の終了を主張することが多

493

第4節　弁済提供、受領遅滞および弁済供託 ｜ §1　弁済の提供（弁済提供）

い——、給付物について難癖をつけている場合であり、自己の債務を履行していないであろうから、債務者はその反対給付の不履行を理由として、損害賠償や契約解除が認められる。この観点から解決できない事例は、債権者側の債務が後履行義務でありいまだ履行期になっていない場合である。

10-255 **(2)　債務不履行責任説（信義則上の受領義務肯定説）**

(a)　受領義務を認める　これに対し、債権者に受領義務を認め、受領拒絶を債務不履行とし、債務者による損害賠償請求や契約解除を認める**債務不履行責任説**が近時は有力である（我妻236頁以下、松坂139頁、星野134頁、鈴木149頁、沢井83頁、前田294頁、近江93頁、幾代通『民法研究ノート』[1986] 161頁）。信義則により支配される債権関係において、債権者も、信義則上、債務者が履行するために必要な協力をする義務を負い、その一環として物の受取りも含まれ、これらを広く「受領義務」と位置づけることができる。もちろん契約で明示または黙示に、受領義務を合意することも可能である。

10-256 **(b)　物の引取義務に限定されない——一般的協力義務**　物の受取りのみを受領義務として認める折衷説もある。確かに債権を行使するか否か——演劇の鑑賞券を購入しても行くかどうか——は自由である。債権は放棄（免除）ができる。債権を放棄する意思表示をするまでもなく、行使しない、履行を受けない自由は認められてよい。ところが、ここで問題になっているのは、例えば楽器屋に注文していた楽器が届いた、クリーニングを頼んでできあがったのに取りにいかないというように、保管しなければならないために債務者に迷惑がかかる事例である。債権者には、債務者に迷惑をかける自由はなく、これは物の受取りに限られるものではない。広く履行への協力義務を認めるべきである[310]。

---

310)　＊**受領義務の強制**　債務者は債権者に対して、受領義務の履行（要するに受領）を強制することができて然るべきである（間接強制による）。確かに、債務者は供託や解除ができるが、供託や解除は義務ではない。信義則上の義務のみならず、不法行為法上の義務も含めて、その必要がある場合には、義務の履行につき強制が認められるべきである。義務の反面として、受領「請求権」や不可侵義務違反の停止請求権が認められるべきである。ただ差止めについて、公益的理由から損害賠償は認めても、差止め（履行の強制）はできない事例も考えられるが、受領義務の履行については、買主の登記引取義務の強制は異論がなく、使用者に対する労働者の就労の受領義務も肯定してよい。義務にも間接義務という、損害賠償義務を導いたり履行の強制が認められない義務も認められるが、受領義務を間接義務と考えるべきではない。

第 10 章　債権の消滅①——弁済

10-257

◆判例の状況

⑴　決定責任説を採用

　物品の継続的な一手販売契約で買主が途中で受領を拒んだため、売主が引取義務違反を理由に契約を解除して損害賠償を求めた事例につき、大審院は、「然れども売買に於て、買主は其目的物を受領すべき権利を有するも、之を受領すべき義務を負担するものに非ず。随て買主が売買の目的物の受領を拒絶したりとせば、是れ権利の不行使にして受領遅滞の責を負うも、債務の不履行にあらず。売主は之を理由として売買を解除し得可からず」と述べ、売主の請求を棄却した原判決を支持する（大判大 4・5・29 民録 21 輯 858 頁）。その後も、「債務者の債務不履行と債権者の受領遅滞とは、その性質が異なるのであるから、一般に後者に前者と全く同一の効果を認めることは民法の予想していないところというべきである。民法 414 条、415 条、541 条等は、いずれも債務者の債務不履行のみを想定した規定であること明文上明らかであり、受領遅滞に対し債務者のとりうる措置としては、供託・自動売却等の規定を設けているのである」として、契約解除を否定している（最判昭 40・12・3 民集 19 巻 9 号 2090 頁）。

10-258

⑵　債務不履行を認めた最高裁判決（硫黄鉱石事件）

　その後、X が採掘する硫黄鉱石の全量を年最低 4000 トンを Y に売り渡す契約がされたが、市況悪化のため Y が途中で引取りを拒絶した事案で、X の Y に対する損害賠償請求を認めた原判決を支持し、「X は Y に対し右鉱石を継続的に供給すべきものなのであるから、信義則に照らして考察するときは、X は、右約旨に基づいて、その採掘した鉱石全部を順次 Y に出荷すべく、Y はこれを引き取り、かつ、その代金を支払うべき法律関係が存在していたものと解するのが相当である。したがって、Y には、X が採掘し、提供した鉱石を引き取るべき義務があったものというべきであり、Y の前示引取の拒絶は、債務不履行の効果を生ずる」と判示した（最判昭 46・12・16 民集 25 巻 9 号 1472 頁）。

10-259

⑶　判例の評価・展望

　⑵の判決は、従前の法定責任説を変更する一般論は宣言しておらず、事例判決にすぎない。しかも、「信義則に照らして考察するときは」というのは、法定責任説を維持しつつ信義則を介して黙示の特約を認定しただけなのか、それとも、法定責任説を修正しこのような重大な事例では信義則上の受領義務を認める折衷的解決をしたのか、判旨からは明確ではない。いずれにせよ、本事例に匹敵する重大な事例では、受領義務が認められ、その違反による債務不履行を問題にできる。確かに、本判決後、判例変更を明言する最高裁判決はないが、信義則上の義務として安全配慮義務を認める判決が出され、説明義務など信義則により支配される信頼関係における相手方の利益に対する積極的配慮義務が認められるようになっている。履行に対する協力義務だけ別扱いというのは一貫した解決ではない。将来、最高裁による信義則上の協力義務、その 1 つとして受領義務を認める

495

判決が出されるものと予想される。

◆受領不能か履行不能か争われる場合

(1) 領域説による解決が考えられる

例えば、工場が焼失して労働者は就業できなくなった場合、これは使用者（債権者）の受領不能であろうか、それとも、労働者（債務者）の履行不能であろうか。後者だとしても労働者には帰責事由がないので損害賠償義務はないが、危険負担の原則通り、債権者に帰責事由がない限り、賃金支払請求権を取得できないことになる（536条2項）。

ドイツ民法615条は、使用者が受領遅滞にあると労働者は報酬請求権を失わないと規定するが、日本法の解釈としては、履行不能の問題と位置づけた上で、いわゆる領域説——いずれの支配領域での事故でリスク負担を決める——により、使用者に負担させようという考えが有力である。①工場の火災事例は使用者の危険負担、②労働者（被用者）の自宅が火災で、労働者が火傷で就労できなくなったのは労働者の危険負担、ということになる。従業員のストライキは、使用者の支配領域ということになる。

(2) 判例の状況

(a) 民法536条2項を適用し帰責事由を必要とする　しかし、判例は、労働組合によるストライキの事例で、「労働者の一部によるストライキが原因でストライキ不参加労働者の労働義務の履行が不能となった場合は、使用者が不当労働行為の意思その他不当な目的をもってことさらストライキを行わしめたなどの特別の事情がない限り、右ストライキは民法536条2項の『債権者ノ責ニ帰スヘキ事由』には当たらず、当該不参加労働者は賃金請求権を失う」とする（最判昭62・7・17民集41巻5号1350頁）。

(b) 労働法による修正　ところが、判例は労基法26条の休業手当を認めることにより労働者を救済している。「労働基準法26条の『使用者の責に帰すべき事由』の解釈適用に当たっては、いかなる事由による休業の場合に労働者の生活保障のために使用者に前記の限度での負担を要求するのが社会的に正当とされるかという考量を必要とするといわなければならない。このようにみると、右の『使用者の責に帰すべき事由』とは、……民法536条2項の『債権者ノ責ニ帰スヘキ事由』よりも広く、使用者側に起因する経営、管理上の障害を含む」とする（最判昭62・7・17民集41巻5号1283頁）。100％保証の民法536条2項と60％以上保障の労基法26条と二段階の保障になっており、同じ帰責事由につき後者を広く解する柔軟な姿勢は評価されるべきである。

第 10 章　債権の消滅①——弁済

5　受領遅滞の解消

10-263 **(1)　受領する意思があることを通知すれば足りる**

　受領遅滞により、債権者への危険の移転等の効果が発生するが、この効果を阻止するには、受領遅滞を解消することが必要である。そのためには、債権者が受領に必要な準備を調えて、受領する意思を債務者に通知をすることが必要である（最判昭 35・10・27 民集 14 巻 12 号 2733 頁［買戻し］）。売主は提供により履行遅滞の責任を免れていたが、買主が受領する意思を表示して目的物の引渡しを求めたならば、それ以降は引渡しをしなければ履行遅滞になる。

10-264 **(2)　賃貸人による明確な拒絶事例**

　問題は、債権者が明確に拒絶し、債務者による口頭の提供さえ不要とされる場合である。この場合には、賃貸人（債権者）の受領遅滞解消のための行為は、少しハードルが高くなっている。賃料の支払を請求するのでは足りず、拒絶の理由であった、例えば更新拒絶を撤回する旨を通知することが必要になる。

　最判昭 56・3・20 民集 35 巻 2 号 219 頁は地上権消滅請求の事例であるが、「賃貸人が賃借人の賃料の不払を理由として契約を解除するためには、単に賃料の支払を催告するだけでは足りず、<u>その前提として、受領拒絶の態度を改め、以後賃料を提供されれば確実にこれを受領すべき旨を表示する等、自己の受領遅滞を解消させるための措置を講じなければならない</u>」という（最判昭 45・8・20 ☞ 10-239 判決を引用）。

§Ⅱ
弁済供託

1　意義

10-265 　**(a)　供託の意義**　**供託**とは、広くは法令の定める一定の場合に、金銭その他の物を供託所または一定の者に寄託することをいう。供託が認められるのは、法令の規定によって供託が認められている場合に限られるが、民法が規

497

第4節　弁済提供、受領遅滞および弁済供託 │ §Ⅱ　弁済供託

定しているのはいわゆる弁済供託である。このほかに、担保のためにする供託（担保［保証］供託）、強制執行のためにする供託（執行供託）[311]、保管のための供託（保管供託）、没取目的の供託（没取供託）がある。

10-266　**(b)　弁済供託**　**弁済供託**は、債権者が目的物の受領を拒絶したなどの場合に、弁済者が債権者のために目的物を供託所に供託して「債務の消滅」という効果を受ける制度である（494条）。

　①弁済提供制度では債務不履行による不利益は免れるが、債務を負い続け、債務者は債権者が受領するまで債務から解放されない。②また、債権者が不明な場合には提供のしようがない。このように、提供だけでは債務者の保護としては不十分であるため、民法は、提供とは別に弁済供託という制度を用意したのである。以下では、供託とは弁済供託の意味で用いる。

2　要件

10-267　**(1)　概論**

　①供託は、「弁済の目的物」を供託所に預けることが必要であるため、「弁済の目的物」のある債務でなければならない。②供託できるのは、債務者に限らず第三者弁済が許される場合の第三者でもよい。③そして、供託ができるためにはいわゆる**供託原因**が必要である。民法が規定した供託原因は以下の(a)～(c)の3つである。④供託が有効になるためには、供託目的物が債務の本旨に従うことが必要である（一部供託につき☞10-274）。

10-268　**(2)　供託原因**

　(a)　債権者による受領拒絶　1つ目の供託原因は、「弁済の提供をした場合において、債権者がその<u>受領を拒んだとき</u>」である（494条1項1号）。改正前は、単に「債権者が弁済の受領を拒み」と規定されていたため、予め受領を拒絶している場合にも供託ができるかが議論されていた。判例は提供を必要とし（大判明40・5・20民録13輯576頁）、学説の多くはこれに反対していたが、判例を明文化したのである。ただし、予めの受領拒絶が明確な場合には、口頭の提供も不要なので、直ちに供託ができる（大判明45・7・3民録18輯

---

311)　**＊執行供託**　金銭債権が差し押さえられた場合、第三債務者は債権額を供託することができ（民執156条1項）、これは義務ではなく権利であることから**権利供託**と呼ばれる。また、差押えが複数競合した場合には、第三債務者は供託を義務づけられ（同条2項）、これを**義務供託**という。

第 10 章　債権の消滅①——弁済

684頁）。賃貸人が契約の更新を拒絶しているため、将来の賃料の受領拒絶も予想されるとしても、いまだ供託原因のない将来の賃料債務を数か月分まとめて供託することはできない。

10-269　**(b)　債権者による受領不能**　2つ目の供託原因は、「債権者が弁済を受領することができないとき」である（494条1項2号）。債権者が不在——夜逃げなど——で提供できない場合は、受領不能というべきであろうか。判例は、「債権者其の他の弁済受領の権限を有する者が弁済の場所たる債権者の住所に在らざるが為めに弁済を為す能わざる場合には、其の一時の不在なると否とを問はず民法第494条に所謂債権者が弁済を受領すること能わざるときに該当」するものとしている（大判昭9・7・17民集13巻1217頁）。

10-270　**(c)　債権者不確知**　3つ目の供託原因は、「弁済者が債権者を確知することができないとき」であるが、「ただし、弁済者に過失があるときは、この限りでない」（494条2項）[312]。例えば、相続人が誰か争われているような場合が考えられる。債権者でない者への弁済も受領権者としての外観を有する者への弁済による保護が与えられるが（478条）、無過失と判断されるか否か常にリスクがつきまとうし、弁済の効力が争いになること自体が煩しいため供託を認めたのである。以上の3つのほかに、債権の譲渡制限特約がされた場合に、債務者に任意供託権が認められている（466条の2第1項）。

3　方法

10-271　①供託は債務者に限らず、代位弁済できる場合であれば第三者でも可能である。②供託すべき場所は、「債務の履行地の供託所」である（495条1項）。詳細は供託法1条（金銭および有価証券）・5条（それ以外の物）に定められている。これにより供託所が定まらない場合には、弁済者の請求により裁判所は供託所の指定および供託物保管者の選任をしなければならない（495条2項）。この保管者をして不動産、船舶などの保管も可能となる。③供託は、債権者が本来の給付と同じ給付を供託所から受けうるようにして、債務

---

312)　債権質の設定が有効かどうか争われている場合には、債権者は不明なわけではないが、債権者が取立権（受領権）を有するかどうかが不明であり、この場合にも供託を認めるべきである。そのため取立権者不確知の場合にも類推適用すべきである。この場合に、もし債権質が有効であった場合には、供託金還付請求権を取得するのは債権質権者であり、質権が消滅したならば債権者に供託金還付請求権が復帰する。

499

者への債権を消滅させるものであるから、供託の目的物は、債務の本旨に適合したものでなければならない。

◆自助売却権

10-272

弁済の目的物自体を供託するのが原則であるが、①「その物が供託に適しないとき」(497条1号)、②「その物について滅失、損傷その他の事由による価格の低落のおそれがあるとき」(同条2号)、③「その物の保存について過分の費用を要するとき」(同条3号)、また、④「前三号に掲げる場合のほか、その物を供託することが困難な事情があるとき」(同条4号)には、「弁済者は……、裁判所の許可を得て、弁済の目的物を競売に付し、その代金を供託することができる」(同条)。危険物、生鮮食料品、特別の施設が必要な動物などが、どれに該当するかは、1号から3号は「供託をすることが困難な事情」の例示であり、どの号に該当するかの特定にこだわる必要はない。

◆商事売買における特則

10-273

商事売買については、商法に特別規定が置かれている (商524条)。「商人間の売買において、買主がその目的物の受領を拒み、又はこれを受領することができないときは、売主は、その物を供託し、又は相当の期間を定めて催告をした後に競売に付することができる。この場合において、売主がその物を供託し、又は競売に付したときは、遅滞なく、買主に対してその旨の通知を発しなければならない」(同条1項)。また、「損傷その他の事由による価格の低落のおそれがある物は、前項の催告をしないで競売に付することができる」(同条2項)。民法とは異なりこの場合も裁判所の許可を得る必要はない。以上の場合に「売主は、その代価を供託しなければならない」が、「その代価の全部又は一部を代金に充当することを妨げない」ものとされている (同条3項)。

◆一部提供・一部供託

10-274

(1) 原則として全部無効

供託は債務の本旨に従ったもの、すなわち供託される金銭・数量は債務の内容通りでなければならず、一部のみの供託はその一部分についての効力も生じない。ただし、債権額について争いがある場合、債権者が別段の留保の意思表示をしないで供託金を受領した場合には、その債権の全額に対する弁済供託の効力を認めたものと解されている (最判昭33・12・18民集12巻16号3323頁)。これに対し、債権者が供託金を一部弁済として受領する旨を留保して還付を受けた場合には、供託金は債権の一部に充当されたものと解すべきであるとされている (最判昭38・9・19民集17巻8号981頁など)。一部供託の場合には、さらに追加して全額供託がされた時点で供託の効果が生じる (最判昭46・9・21民集25巻6号857頁)。

第 10 章　債権の消滅①——弁済

10-275
(2)　一部提供・一部供託の例外①——全部の効力が認められる場合

　不足額が極めて僅かである場合には、供託が有効とされ、全部供託でなくても買戻し等の効力発生が認められている。例えば、買戻しのための提供がされた場面（大判大 9・12・18 民録 26 輯 1947 頁）、譲渡担保における担保物件の引渡請求を拒否するための提供・供託（大判昭 10・6・8 判決全集 19 号 3 頁）、売渡担保の消滅（最判昭 35・12・15 民集 14 巻 14 号 3060 頁）、弁済提供による抵当権設定登記の抹消請求（最判昭 55・11・11 判時 986 号 39 頁）などである。信義則に照らして、①計算間違いなど不足について悪意がなく、かつ、②僅少の不足であり、しかもその後に追加供託がされた場合である。これらの買戻しの意思表示など問題となる効果を、全部の提供・供託と同様に享受しうるかが問題になっており、"全部の提供・供託としてされた場合に全部のそれがあったと同様の効力を認める"のである。次の事例は、一部提供・一部供託を提供ないし供託された部分について認めてよいのかという 492 条・494 条の問題であり、問題の次元が異なっている。

10-276
(3)　一部提供・一部供託の例外②——一部としての効力が認められる場合

(a)　明文規定がある場合——賃料が増額された場合

(ア)　明文がない時代には全部無効　明文規定が置かれる前は、賃貸人の賃料増額請求が裁判により認められた場合に、「債務者は本来適正額の増額分をもって提供すべき義務があるのであるから、従前の賃料額と裁判によって確認された適正額との差異が僅少であるとかその他信義則上債務の本旨に従った履行の提供と見られるような特段の事情がある場合を除いて、債務者が従前の額をもって相当であると考えた場合でも、従前の賃料額の提供のみでは債務の本旨に従った履行の提供といわれない」とされていた（最判昭 40・12・10 民集 19 巻 9 号 2117 頁）。善意＋僅少の不足という要件が例外を認めるためには必要で、僅少の不足ではなかった場合は、結果として賃借人に酷である。

10-277
(イ)　明文規定の導入　そのため、判決の翌年＝昭和 41 年の借地法・借家法の改正により、賃貸人の賃料増額請求の場合、賃借人は自分の相当と思う額を支払えばよいとされる規定が置かれた（借地借家 11 条 2 項・32 条 2 項）。僅少の差額でなければ無効という原則に対する例外を認める根拠としては、①金額が明確ではないというだけでなく、②この場合には、遅延損害金の支払だけでなく賃借人の解除からの保護が必要であるという事情があり、そして、③差額については、賃借人は 10％の利息を支払わせることによりバランスがとられている。

10-278
(b)　明文規定がない場合——債権額が確定できない場合

(ア)　債務者保護の必要性　不法行為による損害賠償の場合には、債権額が不明であり、賠償額が判決や和解で確定するまで、債務者は僅少の不足の提供・供託でないと全部無効というのは酷である。不法行為の場合には、不法行為時から遅延損害金が発生するため、債務者としてはそれを提供・供託により何とか阻止する必要性がある。

501

第4節　弁済提供、受領遅滞および弁済供託　│　§II　弁済供託

10-279　　　　(イ)　**学説の状況**　①学説には、債権額が不明確な債権に限って、債務者が相当
な額を「全額として」供託するのであれば、その部分については有効とする学説
もある（西原道雄「判批」『供託先例百選』［1972］59頁）。②しかし、10-280判決が出
てからは、判例を支持して、債務者の主観で全額と思っているというだけでは例
外を認めるのは妥当ではなく、客観的な基準に依拠している場合に限定して例外
的に一部提供・供託も有効とする学説が有力である（松久三四彦「判批」『供託先例判
例百選［第2版］』［2001］49頁など）。判決以外には、裁判所の示した和解案やADR
機関による裁定などが客観的な基準と考えられる。

10-280

> ●**最判平6・7・18民集48巻5号1165頁**　［事案］XはY₁運転の車に
> はねられ負傷し、Y₁に対し自賠法3条および民法709条に基づき損害賠
> 償請求を、Y₂に対しY₁との任意の保険契約に基づき保険金の支払を請求
> した。第1審はXの請求を一部認容し、Yらに 2735万円余 の支払を命
> じた。Xはこれを不服として控訴し、Y₂の第1審認容額の口頭の提供を
> 拒絶したため、Y₂が提供額を供託した。控訴審は第1審判決を変更しX
> の損害を 5225万円余 と認めたが、Y₂のした供託——結果的には一部供
> 託——を有効と認め差額についてのみ支払を命じた。Xがこれを不服と
> し、供託を無効と主張し、全額についての事故時からの遅延利息を主張し
> た。最高裁は次のように判示して、Xの上告を棄却する。
> 　［判旨］「交通事故の加害者が被害者から損害の賠償を求める訴訟を提起
> された場合において、加害者は右事故についての事実関係に基づいて損害
> 額を算定した判決が確定して初めて自己の負担する客観的な債務の全額を
> 知るものであるから、加害者が第一審判決によって支払を命じられた損害
> 賠償金の全額を提供し、供託してもなお、右提供に係る部分について遅滞
> の責めを免れることができず、右供託に係る部分について債務を免れるこ
> とができないと解するのは、加害者に対し難きを強いることになる。他
> 方、被害者は、右提供に係る金員を自己の請求する損害賠償債権の一部の
> 弁済として受領し、右供託に係る金員を同様に一部の弁済として受領する
> 旨留保して還付を受けることができ、そうすることによって何ら不利益を
> 受けるものではない。以上の点を考慮すると、右提供及び供託を有効とす
> ることは債権債務関係に立つ当事者間の公平にかなうものというべきであ
> る」。

4　供託の通知・供託書の交付

10-281　　民法は、供託者は「遅滞なく、債権者に供託の通知をしなければならな

第 10 章　債権の消滅①——弁済

い」と規定する (495条3項)。供託の詳しい手続は、供託法および供託規則に規定されており、それによると、供託官が供託通知書を被供託者（債権者）に発送し (供託規則18条・19条)、債権者はこの供託通知書と引換えに供託物を受け取ることができる (同24条) とされている。したがって、供託者の通知はこれを欠いても供託の効力には影響がないと考えられている。

5　効果

10-282 **(1)　債務の消滅**

❶　**解除条件説**　民法は、「弁済者が供託をした時に、その債権は、消滅する」と規定しており (494条1項)、供託によって債務者の債務が消滅し、これに代わって、債権者は供託所に対する供託物引渡（ないし還付）請求権を取得することになる[313]。ただし、供託者は供託物を取り戻すことが一定の場合を除き可能である。したがって、債権消滅の効果は確定的ではなく、取戻しにより債務消滅の効果は失われる（解除条件説が通説）。

10-283 ❷　**停止条件説**　494条1項はフランス民法に倣ったものであり、ドイツ民法では、供託によって債務が直ちに消滅することはなく、債務者に債務が帰属したまま供託所から受け取るよう抗弁権が認められるにすぎず、債務者が取戻権を失った時点初めて債務消滅の効果が発生する (ドイツ民法378条)。日本法の解釈としても同様に解する停止条件説もあるが (柚木・高木487頁)、少数説でありあえて条文の文言に反する解釈をする必要はない。

10-284 **(2)　債権者の供託物還付請求権の成立**

(a)　**供託物還付請求権**　供託の効果として、「弁済の目的物又は前条の代金が供託された場合には、債権者は、供託物の還付を請求することができる」(498条1項)。債権者の供託所に対する供託物還付請求権の成立と引換えに、債務者に対する債権が消滅するのである。

10-285 (b)　**同時履行の抗弁権の保障**　債権者の供託物還付請求権は、本来の債権と同一内容であり、本来の債権に付いていた同時履行の抗弁権という負担を

---

[313]　供託物の所有権の移転については、特定物売買では、判例によれば、供託前から契約と同時に買主（債権者）に移転している。種類物の場合には、供託により売主の履行義務は履行されたことになり特定もあるので、供託と同時に所有権が債権者（買主）に移転する。占有については、供託所を占有代理人として債権者が占有を取得する。A所有物をBが自己の物としてCに貸し、CがBのために供託すれば、Bの間接占有による自主占有が続いていることになる。

503

免れさせる必要はない。そのため、民法は「債務者が債権者の給付に対して弁済をすべき場合には、債権者は、その給付をしなければ、供託物を受け取ることができない」と規定した（同条2項）。したがって、弁済を証明しないと受領できず先履行を強いられるが、債務者は供託所であって履行が確実なので問題はない。

10-286 **(3)　供託物の取戻し**

供託は弁済者のために民法が特に認めたものであるから、債権者その他の第三者の利益を害しないならば、弁済者が供託物を取り戻し自ら債権者に弁済することを認めてよい。そのため、民法は、①債権者が供託を受諾した場合、②供託を有効と宣告した判決が確定した場合（496条1項）、および、③供託により質権または抵当権が消滅した場合（同条2項。質物の返還、抵当権の抹消登記がされた場合に制限解釈すべきか）を除き、供託物の取戻しを認めた。同条2項は譲渡担保に拡大されている（最判昭53・12・22判時922号49頁）。学説には、さらに保証債務にも拡大する主張がある（山中康雄『供託論』[1952] 51～52頁）。

10-287 **◆供託物取戻権の消滅時効の起算点**
(1)　契約終了について当事者間に争いがある場合――争いが解決された時

宅地の賃借権の消滅を主張し賃貸人Aが賃料を受領しないため、賃借人Bが賃料を供託してきたが、賃貸人Aの提起した建物収去土地明渡しの訴えの途中に和解が成立し、Bが土地の明渡しを認めその代わりにAがそれまでの賃料を放棄することが合意された事例で、「その争いの続いている間に右当事者のいずれかが供託物の払渡を受けるのは、相手方の主張を認めて自己の主張を撤回したものと解せられるおそれがあるので、争いの解決をみるまでは、供託物払渡請求権の行使を当事者に期待することは事実上不可能にちかく、右請求権の消滅時効が供託の時から進行すると解することは、法が当事者の利益保護のために認めた弁済供託の制度の趣旨に反する結果となるからである。したがって、弁済供託における供託物の取戻請求権の消滅時効の起算点は、供託の基礎となった債務について紛争の解決などによってその不存在が確定するなど、供託者が免責の効果を受ける必要が消滅した時」とされた（最大判昭45・7・15民集24巻7号771頁）。

10-288 **(2)　賃貸人の相続人が不明な場合――賃料債権の時効が完成した時**

Xが、賃借していた建物の賃貸人が死亡した後、過失なくして債権者を確知することができないことを原因として供託をした後、その取戻しを請求したところ、供託金取戻請求権は各供託の時から10年（改正前）の時効期間の経過により消滅したとしてこれが却下されたため、その取消しを求めた事案で、「弁済供

託は、債務者の便宜を図り、これを保護するため、弁済の目的物を供託所に寄託することによりその債務を免れることができるようにする制度であるところ、供託者が供託物取戻請求権を行使した場合には、供託をしなかったものとみなされるのであるから、供託の基礎となった債務につき免責の効果を受ける必要がある間は、供託者に供託物取戻請求権の行使を期待することはできず、供託物取戻請求権の消滅時効が供託の時から進行すると解することは、上記供託制度の趣旨に反する」として、「弁済供託における供託物の取戻請求権の消滅時効の起算点は、過失なくして債権者を確知することができないことを原因とする弁済供託の場合を含め、供託の基礎となった債務について消滅時効が完成するなど、供託者が免責の効果を受ける必要が消滅した時」とされた（最判平13・11・27民集55巻6号1334頁）。

第**11**章
債権の消滅②
──相殺・代物弁済・更改・免除・混同

第1節　相殺　│　§Ⅰ　相殺の意義および機能

第 1 節　相殺

§Ⅰ
相殺の意義および機能

1　相殺の意義

11-1　**(1)　相殺の意義と民法の規定**

(a)　**相殺の意義**　「2 人が互いに同種の目的を有する債務を負担する場合において、双方の債務が弁済期にあるときは、各債務者は、その対当額について相殺によってその債務を免れることができる」(505 条 1 項本文)。

例えば、A が B に対して 100 万円の貸金債権を有し、他方で、B が A に対して 100 万円の代金債権を有している場合に、両債務が履行期にあれば、A または B が、相手に対する一方的な意思表示により両債権を同一金額（100 万円）で消滅させることができる。これを**相殺**という。

11-2　(b)　**債務者が債務を免れる制度**　民法は相殺を債務消滅原因として位置づけ、債務者の側から、相殺をする者が自己の「債務を免れる」ための制度として規定している。しかし、実際には、債権者の側からの債権回収方法、とりわけ法定の担保として機能していることは後述する（☞ 11-6）。相殺における債権の表示であるが、①相殺をする者が有する債権を**自働債権**、②相手方の債権を**受働債権**と呼ぶ[314]。

11-3　**(2)　相殺は相殺権の行使**

相殺は、債権債務を消滅させる一方的な意思表示であり、形成権（**相殺権**）の行使である。そのため、相殺とは、相殺権を行使する意思表示（単独行為）であり、相殺権の発生原因により、①当事者間の契約に基づき相殺権が認められる**約定相殺**と、②民法の規定に基づき相殺権が認められる**法定相**

---

[314]　＊**反対債権という用語**　反対債権という用語が使われることもあるが、これは中立的な概念であり、相殺が問題となる場合に、ある当事者から見て相手方の有する債権を示す場合に使われるものである。A から B に相殺の意思表示がされる場合を考えると、相殺の意思表示をする A からは、B の受働債権のことであり、相殺の意思表示を受ける B からは、A の自働債権のことである。

第 11 章　債権の消滅②——相殺・代物弁済・更改・免除・混同

殺とに分けられる。また、相殺自体を合意することも可能であり、これを**相殺契約**という[315]。約定相殺権を留保する契約は相殺予約ともいわれるが、相殺予約という用語は停止条件付きの相殺契約も含めて使われることがある。以下では、特に断らない限り「相殺」とは法定相殺の意味で用いる。

2　相殺の機能ないし必要性——債権者平等の原則と相殺の担保的機能

11-4 **(1)　簡易決済機能**

　もし相殺という制度がなければ、11-1 の A と B はそれぞれ 100 万円を用意し、相互に支払い合うことになる。支払資金を用意することに難渋することもあるであろうし、資金を用意すると盗難や横領といった危険も伴う。そのため、この無駄な手続を省略して、一方的意思表示により、相手から支払を受けて自分の債務を支払ったものとできることにしたのである。金銭も動産であるからその引渡しを問題にすると、一方的意思表示によって相互に金銭の引渡し（支払）をしたものと擬制する権限を与えたに等しい。このように、相殺には簡易決済機能が認められる。

11-5 **(2)　公平保持機能・担保的機能（法定担保権の付与）**

　(a)　取引を促進する法定担保

　(ア)　本来は債権者平等　11-1 の例で、B にはほかに 100 万円の債権者 C がいるとする。B が無資力であれば、B の A に対する 100 万円の債権は、B の債権者 AC の平等の責任財産になり、差し押さえたり、B に破産手続が開始すると 50 万円ずつの配当を受けられるにすぎない。A は執行裁判所に 100 万円を支払い、C と共に 50 万円ずつの配当を受けるのである。

11-6 　**(イ)　先取特権のような法定担保**　しかし、AB 間で A だけ一方的に全額支払わされるのは公平ではない。また、AB 間で継続的に取引をし合っている場合、対当額分は決済されたも同然と考え、そのような信頼が保護されるのであれば、当事者は安心して取引を行え、取引の促進につながる。いわば先取特権のような法定担保制度として相殺は機能することになる。A は、B に

---

315)　日頃、相互に取引の関係がある商人間において、包括的に相殺による清算を合意しておくことが便宜的であり、交互計算という制度が用意されている（商 529 条）。また、基本契約を締結して金融取引をする場合、相手方に信用不安事由が生じた場合に、一括して差引計算をする一括清算ネッティングという取引も行われている（1998 年制定の「金融機関等が行う特定金融取引の一括清算に関する法律」［一括清算法］により規律される）。

509

第1節 相殺 | §Ⅱ 相殺の要件

支払うべき100万円——Bの総債権者の平等な責任財産——を、自分のB
に対する100万円の債権の弁済に全額充てることができ、優先弁済が認め
られることになる。そのため、相殺には**担保的機能**があるといわれ、むしろ
債権者側から考察されるべき制度である。

11-7 **(b) 他の債権者との調整が必要** 相殺の担保的機能は、他方で、他の債権
者Cは、BのAに対する債権から回収ができない不利益を受けることを意
味する。そのため、債権の差押えがされた場合の相殺については、政策的判
断を交えて検討する必要があり（自力救済と考えられたこともある☞11-
21）、立法論また解釈論として大きな問題である。民法では511条、倒産手
続では破産法67条1項・71条、民事再生法92条1項、会社更生法48条
1項の立法論・解釈論が問題になる。また、法定担保という観点からは、債
権譲渡がされた場合における、譲受人への対抗についての調整も必要になる
（☞9-97以下）。

---

§Ⅱ
相殺の要件

---

1 総論

11-8 **(a) 要件概説** 相殺ができるための要件、換言すれば相殺権の成立要件
は、下記のようである。履行地が異なる場合でも相殺ができる（507条）[316]。

> ① 相殺適状の存在（505条1項）
>   ⓐ 同一当事者間の債権の対立（同項本文）

---

316) **＊相殺権の濫用** 形式的には相殺適状を満たしているが、相殺権者に、相手方の債権者に対する害意
があることから、権利濫用と認められることがある（相殺権の濫用というよりも、信義則上相殺権を否定す
べきである）。①例えば、AがBに対して、100万円のα債権と100万円のβ債権を有し、BがAに対し
て100万円の債権を有していて、Aの債権者Cがα債権を差し押さえたのを知り、BがCに損害を与えよ
うとして、Aにβ債権を弁済した上で、α債権を受働債権として相殺をする場合である（狙い撃ち相殺）。
②また、AがB銀行に100万円の預金を有していて、Aの発行した100万円の手形をCが有していて、A
の経営が悪化しているのを知りつつ、BがCのために手形割引に応じた後、Bがこの手形債権と預金とを
相殺する場合も、Aの他の債権者を害する意図が認められれば、相殺権の濫用になる。

第 11 章　債権の消滅②——相殺・代物弁済・更改・免除・混同

> 　　ⓑ　両債権が同種の債権であること（同項本文）
>
> 　　ⓒ　両債権が弁済期にあること（同項本文）
>
> 　　　　＊以上は相殺を主張する者に証明責任あり
>
> 　　ⓓ　性質上相殺に適しない債権ではないこと（同項ただし書）　＊抗弁事由
>
> ②　相殺禁止に触れないこと（抗弁事由）
>
> 　　ⓐ　合意による相殺禁止・制限（同条 2 項）
>
> 　　ⓑ　法律による相殺禁止（受働債権）
>
> 　　　ⅰ　不法行為債権（509 条）
>
> 　　　ⅱ　差押禁止債権（510 条）
>
> 　　　ⅲ　差押え後に取得した債権（511 条）
>
> 　　ⓒ　解釈による相殺禁止（自働債権）
>
> 　　　ⅰ　抗弁権の付いた債権
>
> 　　　ⅱ　強制力のない債権

11-9　**(b)　相殺適状と相殺禁止**　①は 505 条 1 項に規定された、法定相殺ができるための基本的な要件であり、これを**相殺適状**という。506 条 2 項に「相殺に適する……」に由来する用語である。相殺適状を欠く場合にはいずれからも相殺はできない。②の相殺禁止は、禁止された側からの相殺ができない。合意によるものは 505 条 2 項、法律によるものは 509 条から 511 条に規定され、そのほか、特別法による相殺禁止の例がみられる[317]。規定はないが、解釈により抗弁権の付いた債権や強制力のない債権は、債権者がこれを自働債権として相殺をすることができない（☞ 11-10）。①②いずれの要件も、相殺契約については必要ではない。

11-10　**◆自働債権が抗弁権の付いた債権、強制力のない債権ではないこと**

　(1)　条文はないが解釈により認められている

　規定はないが、それを自働債権とする相殺ができない場合として、11-8 ②ⓒの抗弁権の付いた債権と強制力のない債権がある。

　この場合に相殺適状を否定すると、他方も相殺ができなくなる。黙示の相殺禁

317）　特別法によるものとして、例えば、信託法 22 条がある。A が信託受益者で、B が受託者（信託会社）であり、B の第三者 C に対する金銭債権が信託財産であるとする。この債権は B に帰属するも A のために管理処分する信託財産なので、C が B に対して固有の金銭債権を有している場合（この債務も信託財産であれば別）、B からも C からも相殺ができない。

511

止によると、第三者への対抗が制限されてしまう（505条2項）。判例は、保証債務をめぐって、債権者の保証人に対する保証債権を自働債権とする相殺につき、「催告並びに検索の抗弁権の附着する保証契約上の債権を自働債権として相殺することをみとめるときは、相殺者一方の意思表示をもって、相手方の抗弁権行使の機会を喪失せしめる結果を生ずるのであるから、かかる相殺はこれを許さない」というのみである（最判昭32・2・22民集11巻2号350頁）。条文根拠を示していない[318]。

11-11 ### (2) 条文上の根拠づけ

学説では、抗弁権の付いた債権については505条1項ただし書の「債務の性質」が相殺を許さない事例に整理する（鳩山382頁など）。しかし、相殺適状を否定すると、相手方からも相殺ができないことになる。ただし、相手方からは、抗弁権を放棄して相殺適状とし、相殺をすることができる。

条文上の説明としては、①まず、解釈によって抗弁権の付いた債権の相殺「禁止」を、条文にない法の一般原理として認めることが考えられる。②または、505条1項ただし書の性質が相殺を許さない事由の解釈として、両方からの相殺を許さない場合のほか、一方からの相殺のみが許されない、いわば片面的な相殺適状を認めることが考えられる。なるべく条文根拠があった方がよいので、②によっておきたい。以上は、強制力のない自然債務についても同様である。

2 505条1項の規定する要件——相殺適状

11-12 ### (1) 2当事者間における債権の対立

(a) 2人の間に対立する債権の存在が必要
「2人が互いに」債務を負担し合うことがまず必要である。2人が互いに債権を有し合っているのを簡易に決済する制度であり、当然の要件である。A→B、B→C、C→Aと連鎖していても、相殺（3者間循環型相殺）はできない[319]。しかし、民法自身もいくつか例外を認めているように（☞11-13以下）、それ以外規定がな

---

318) ***抗弁権付きの債権に対して相殺が認められる場合**　金銭債権同士で同時履行の抗弁権が認められる旧634条2項後段の事例につき、請負人からの代金債権と損害賠償請求権との相殺は認められている（最判昭51・3・4民集30巻2号48頁）。同規定は削除されたが、533条括弧書に承継され、本判決の先例価値は維持される。ただし、損害額が不明な場合の注文者保護のための規定であり（☞債権各論I 11-29）、請負人が未確定の損害賠償債権を受働債権とする相殺を認めるわけにはいかない。注文者が差額としていくら支払うかわからないのに、差額について遅滞になってしまうのは適切ではない。そのため、請負人からの相殺が認められるためには、注文者の損害額が確定されるか、または、確定のために合理的に必要な期間を経過したことが必要であると考えるべきである。ちなみに、DCFR III.-6：103条1項は、存在また価値が確定していない債権を自働債権とする相殺を否定するが、ただし書で「その相殺が相手方の利益を害するものでないとき」には例外的に相殺を認める。相当期間を置けば注文者の利益を害しないといえる。

512

い以上 3 者間の相殺を一切許さない趣旨と考える必要はない。相殺が法定の担保制度であるため、その拡大には慎重であるべきだが、他の債権者を害しなければ 3 者間の相殺を認める余地がある（☞ 11-15）。

11-13　**(b)　担保としての相殺の期待保護のための例外**

(ア)　債権譲渡における相殺の抗弁　まず、2 者間に債権が対立していたが、受働債権とされるべき債権が第三者に譲渡された場合がある。11-1 の例で B が A への債権を C に譲渡すれば AB 間に債権の対立はなくなるが、一旦 A に生じた両債権は、決済されたも同然と考える期待は債権譲渡により奪われるべきでない。そのため、民法は A は C に対して相殺を対抗しうるものとした（469 条 1 項☞ 9-100）。この場合、相殺の意思表示は B にではなく、権利を失う C に対してする（最判昭 32・7・19 民集 11 巻 7 号 1297 頁）。

11-14　**(イ)　連帯債務者や保証人の弁済の事例**　次に、C に対し AB が 100 万円の連帯債務を負う場合（負担部分平等とする）、A が C に対して 50 万円の債権を有し相殺ができたのに、B が A に通知をせず C に弁済したとする。この場合、民法は A の相殺の期待を保護するため、A は自己の負担部分につき B の求償権に対し相殺を対抗しうるものとした（443 条 1 項前段）。B → A の求償権は消滅し、A → C 債権は 50 万円分消滅する。民法は、B はこの 50 万円分につき C へ求償できる（同項後段）。主債務者が相殺をできる場合に、保証人が主債務者に通知せず弁済した場合にも同様の規定がある（463 条 1 項）。

11-15　**◆代位弁済的相殺（3 者間相殺）**

(1)　判例は 505 条 1 項を根拠に否定

(a)　代位弁済に簡易決済の趣旨が当てはまる　A → B100 万円（α 債権とする）、B → C100 万円の債権（β 債権とする）が存在する場合、A が β 債権につき C のために代位弁済できる場合、一方で、A は β 債権につき C の代わりに B に 100 万円を支払う。そして、B は α 債権につき A に 100 万円を支払うことに

---

319)　＊**代位権行使型相殺**　ただ、A 賃貸人、B 賃借人、C 転借人の場合には、A → C に 613 条 1 項の直接請求権が成立するので、C → A の債権があれば相殺適状が認められる。では、A → B、B → C のほかに、A → C ではなく C → A 債権が成立している場合に、A が債権者代位や詐害行為取消しにより C に自分への支払を請求できるとして（423 条の 3・424 条の 9 第 1 項）、C → A 債権を受働債権として相殺ができるであろうか（代位権行使型相殺）。本書は、債権者代位権を債権回収制度として運用することを認めるが、代位行使できる債権者が複数いることも考えられ、取消債権者はよいとしても、代位権の事例では相殺を認めることには躊躇する。

513

なる。AB 間で 100 万円を支払い合う関係が認められ、相互の支払を省略する簡易決済という相殺の趣旨が当てはまる。では、A が B に対する α 債権を自働債権、B の C に対する β 債権を受働債権とする相殺ができるのであろうか。

11-16　　**(b)　判例は相殺適状を否定**　判例はこれを 505 条 1 項の相殺適状の問題として検討し、AC 間には相殺適状がないため、このような代位弁済的相殺を否定する（大判昭 8・12・5 民集 12 巻 2818 頁）。B の C に対する β 債権の抵当不動産の第三取得者 A が、債権者である銀行 B に預金 α 債権を有しているので、それによる相殺を主張した事例であり、代位弁済的相殺をする必要性があったが相殺を否定した。505 条 1 項の相殺適状を満たしていないという形式的な理由で、相殺を否定したのである。

11-17　**(2)　学説は 474 条の類推適用により肯定**

　　(a)　債権者平等の潜脱は許されない　他方で、学説は、A による B の C に対する β 債権についての第三者弁済の拡大の問題として、これを相殺に類推適用できるかを検討している。無制限に認めると濫用のおそれがある。もし B が無資力で、B に対して 100 万円の債権を有する債権者 D がいるとすると、B の C に対する β 債権は、B の債権者 AD の平等の責任財産なのに、A が全額を代位取得できては責任財産を独り占めできることになる。代位弁済的相殺では、相殺の簡易決済機能は認められても、担保的機能まで認めるべきではない[320]。

11-18　　**(b)　学説の状況**　①B が支払不能の状態である場合には、代位弁済的相殺を認めないという考えがある（於保 353 頁、奥田 494 頁）。B が無資力状態にあれば、物上保証人などについても代位弁済的相殺は認められない。②多くの学説は、A が B→C 債権につき物上保証人や第三取得者である場合にのみ、代位弁済的相殺を認めている（我妻 323 頁、松坂 277 頁、鈴木 256 頁、前田 501 頁、平井 222 頁）。B が無資

---

[320]　**＊3 者間の相殺合意（相殺予約）**　3 者間相殺でも、ABC 全員で合意すれば相殺（相殺契約）は可能である。問題は対外的効力である。B の他の債権者を害することを考えれば、424 条の 3 第 1 項により、B の債権者が B の 3 者間の相殺合意を詐害行為として取り消すことを認めてよい。個別的な契約ではなく、包括的な合意に基づいている場合には基準時（支払不能時）が問題になる。包括的な合意に基づいて、個別的な相殺処理がされた時点を問題にしてよいように思われる。また、A→B、B→C で、ABC で相殺の予約をしている場合（C→A 債権と相殺する代位権行使型も考えられる）、B の債権者が B→C 債権を差し押さえた場合に、第三者への対抗が問題になり、A は相殺によりこれを排除できるであろうか。債権質似の担保契約だということを考えると、対抗はできないように思われる。3 者間相殺につき詳しくは、中田裕康「3 当事者間相殺」金融法務研究会編『デリバティブ取引に係る諸問題と金融規制の在り方』（2018）1 頁以下、森田修「『三者間相殺』論と民法・倒産法」司法研修所論集 128 号（2019）36 頁参照。3 者間相殺については、民事再生法 92 条 1 項の認める「相殺」に該当しないとされている（最判平 28・7・8 民集 70 巻 6 号 1611 頁）。

　A→B、B→C で、A が B→C についての物上保証人ではなく、連帯保証人であれば、AB 間に相殺適状が成立し、A は B の保証債権を受働債権として相殺し、C に対する求償権を取得し B→C 債権を代位取得できる。学説には、3 者間契約につき、実質的には 3 者間相互連帯保証契約とそれに基づく相殺に関する契約であるとすることによって、契約について確定日付を得た上で、差押え（B→C 債権の B の債権者 D による差押え）に対抗できるという学説がある（中舎寛樹『多数当事者間契約の研究』[2019] 156 頁）。

514

力でもよく、他方で、無資力ではないのに、転借人などでも代位弁済的相殺は許されないことになる。保証人と物上保証人とのバランス論や、物上保証人や第三取得者は抵当不動産でもって責任を負担しており、債務を負担しているのと実質的に変わりないことが理由であれば（淡路591頁、川井409頁）、拡大は無理であろう。③権利濫用といった一般条項による学説もある。

11-19 　　(c)　**本書の立場**　本書としては、物上保証人や第三取得者に限らず、Aが代位弁済について正当な利益を有する場合であれば、Bの無資力を要件とせず代位弁済的相殺ができると考える。転借人が賃貸人に債権を有する場合にも可能になる。その上で、②説が問題とする相殺を認める物的な担保負担者以外については、債務者Bが無資力でないことを要件とすべきである。

11-20 (2)　対立する両債権が同種の目的を有すること

　相殺ができるためには、2人の間に債権が対立するだけでは足りず、同種の債権同士であることが必要である。ただし、相殺契約であれば、異種の債権同士の相殺も可能である。

　相殺が行われるのは金銭債権同士であるのが普通であり、相殺の担保的機能が当てはまるのはこの場合である。しかし、505条は金銭債権に制限していないので、種類債権や為す債務でも相互に履行し合う必要がなく簡易決済の趣旨が当てはまるのであれば、相殺は可能である。金銭債権同士であれば、貸金債権、代金債権、賃料債権等々、種々の金銭債権が考えられるが、制限はなく、不法行為債権や差押禁止債権などの制限を考えれば足りる。

11-21 (3)　対立する両債権が弁済期にあること

　(a)　**相殺は自働債権の履行の強制、受働債権の任意の履行**　相殺ができるためには、「双方の債務が弁済期にある」ことが必要である（505条1項）。相殺は、①自働債権については強制的回収、②受働債権については任意の履行という実質を持つため——そのため、イギリス法では古くには自力救済になるとして相殺は認められていなかった——、自働債権については弁済期まで履行を請求できず、受働債権については弁済期まで履行をする必要がないからである。例えば、AB間に債権が対立していて、A→B債権（α債権という）の弁済期は3月、A←B債権（β債権という）の弁済期は5月であるとする。5月になれば両債権が弁済期にあることになって相殺適状になるから、ABいずれからも相殺ができる。

515

第1節　相殺　│　§Ⅱ　相殺の要件

11-22　**(b)　受働債権については期限の利益を放棄して相殺できる**

(ア)　期限の利益を放棄できるのは相殺適状か　Ａは、受働債権であるβ債権については、3月に期限の利益を放棄して相殺が可能である。この場合に、①期限の利益を放棄して相殺をすることが可能であるから、相殺適状があるといってよいのか（**放棄不要説**）、②それとも実際に期限の利益を放棄することで、両債権の弁済期が到来して初めて相殺適状になるのか（**放棄必要説**）、問題になる。

11-23　**(イ)　問題となる事例**　506条2項と508条で問題になる──かつては旧511条についても問題とされていた（☞11-24）──。前者についていうと、4月にＡが期限の利益を放棄して相殺をした場合、放棄必要説では、その時点で相殺適状が認められ、3月には遡及しない。これに対し、放棄不要説では、相殺の効力が3月に遡及することになる。

　また、α債権の時効が4月に完成する場合、放棄必要説では5月に相対適状になり508条が適用にならないが、放棄不要説では、3月に相殺適状が認められ、508条が適用になる（☞11-34）。

11-24　**(c)　判例は放棄必要説**

(ア)　旧511条につき放棄不要説　判例は、511条について相殺適状説に依拠していた時代に、受働債権について期限の利益を放棄できる以上相殺適状があると判断していた（大判昭8・5・30民集12巻1381頁）。しかし、その後、相殺適状説が放棄されたので、そのような説明は必要なくなった（☞11-61）。

11-25　**(イ)　508条につき放棄必要説を採用**　その後、再度この問題が議論されたのは508条についてである。最判平25・2・28民集67巻2号343頁は、「既に弁済期にある自働債権と弁済期の定めのある受働債権とが相殺適状にあるというためには、受働債権につき、期限の利益を放棄することができるというだけではなく、期限の利益の放棄又は喪失等により、その弁済期が現実に到来していることを要する」として、放棄必要説を採用した。相殺適状についてはこの理解でよいが、508条については放棄可能な事例への拡大適用を認めるべきである（☞11-34）。

11-26　**(4)　「債務の性質」が相殺を許さないものではないこと**（505条1項ただし書）

　為す債務については、双方の債務が同じ内容であっても、それぞれ別々に

516

第11章　債権の消滅②——相殺・代物弁済・更改・免除・混同

履行されなければ債務の目的を果たせないため、一般に相殺が許されないと解されている。金銭債権では、問題になる事例は法律または約定による相殺禁止で処理されるが、現実に履行をすることが必須な金銭債権を認めるべきか、解釈に任される事例もある（☞ 11-27）。なお、抗弁権付きの債務や自然債務については、11-10 に説明した。

11-27 **◆金銭債権で性質上相殺が許されない事例**
⑴　融資をすべき債務
　例えば、AがBに対して100万円の融資をする約束をしたが、その後、AがBに対する100万円の債権を第三者から譲り受けたとする。Aはこの債権を自働債権として、Bの融資金の交付請求に対して相殺を主張できるであろうか。

11-28 　**(a)　消費貸借予約として相殺を否定**　Bが相殺をしてAの支払請求を拒絶することを認めてもよいが、問題はAからの相殺である。学説（我妻326頁、淡路591頁など）・判例（大判明45・3・16民録18輯258頁、大判大2・6・19民集19輯458頁）はAからの相殺を否定した。前掲大判大2・6・19は、消費貸借の予約と理解してこの「債権は金銭の支払に因り消費貸借を成立せしむることを目的とする債権にして、金銭の支払を目的とする債権にあらず。予約者が相手方に金銭を支払ふは消費貸借を成立せしむる債務の履行として之を為すものなり」と、同種の債権であることを否定する。

11-29 　**(b)　いわゆる諾成的消費貸借では**　現在では、書面により契約をすれば（要式契約なので正確には諾成契約ではない）要物契約性を不要とすることができ（587条の2第1項）、BのAに対する貸金交付請求権は単なる金銭債権にすぎない。また、同種ということを否定するとBからの相殺もできなくなる。貸金交付請求権は差押禁止債権でもない。相殺適状を認め、場合によっては、相殺権の濫用による規制をすればよい。

11-30 **⑵　650条2項の代位弁済請求権**
　650条2項によると、AがBに依頼した委任事務処理に際して、BがCに100万円の債務を負担したとすると、BはAに対して、代位弁済して自己をCへの債務を消滅させるよう請求できる（同項）。この場合、AがBに対して金銭債権を有しているならば、BのAに対する650条2項の代弁済請求権を受働債権として相殺をすることができるのであろうか。判例（大判大14・9・8民集4巻458頁、最判昭47・12・22民集26巻10号1991頁）は、この相殺を否定する。その理由は、もし相殺が可能だとすると、「自己の債務は依然として消滅することなきを以て、其の債務を免脱を請求するに外ならざる受任者の代弁済を請求する権利は、結局相殺に依りては毫も其の目的を達することを得ざる」ことにある。要するに、Bの相殺を認めるとC→B債権は消滅せず免責の目的を達していないのに代弁済請求権が消滅してしまうため、不合理であるというのである。反対説も

517

第 1 節　相殺 | §Ⅱ　相殺の要件

あり、契約法で詳しく説明する（☞ 債権各論Ⅰ 12-21 以下）。

11-31　**(5)　相殺適状の存続の必要性**

(a)　原則　相殺適状は相殺をする時に存在していなければならない。相殺適状の状態にあることが相殺権の存続要件になる。例えば、相殺適状が生じた後に、一方の債権者が他方に対して債務の免除をしたが、反対債権を有しておりそれが相殺適状にあったことから、その後に相殺の意思表示をして相殺の遡及効によって、免除の効力を覆すことはできない。民法は、この原則について、消滅時効についての例外を認めている（☞ 11-32）。

11-32　**(b)　消滅時効についての特則**

㋐　時効消滅した債権を自働債権として相殺できる

(ⅰ)　相殺適状はなくなっている　民法は、「時効によって消滅した債権がその消滅以前に相殺に適するようになっていた場合には、その債権者は、相殺をすることができる」、と規定した（508 条）[321]。

例えば、A が B に製品を販売した代金 100 万円の α 債権を取得し（2026 年 4 月 10 日、支払期日は 2026 年 5 月 10 日）、それ以前に、B が A から購入した別の機械の不具合による事故があり（2023 年 4 月 25 日）、B が A に対して 100 万円の損害賠償請求権（β 債権）を取得していたとする。そのため、B は代金を支払わず、損害賠償を請求することもなかったが、2026 年 4 月 26 日に、A が β 債権の時効を援用して（724 条）、B に対して代金の支払を請求すれば、β 債権は消滅し相殺適状はなくなる。

11-33　**(ⅱ)　相殺の期待の保護**　しかし、決済されたも同然という信頼を保護する必要がある。そのため、民法は消滅した β 債権の履行は請求できないが、α 債権に対する相殺の自働債権として使うことはできることにしたのである。

508 条により、消滅した債権を相殺の自働債権に使えるのは時効完成前の債権に対してであり、A が 2026 年 4 月 26 日以降に取得した別の債権に対

---

321)　＊「その消滅以前に」の意義（いつまでに相殺適状になることが必要か）　166 条 1 項では、時効完成により債権が「消滅する」ことになっているが、現在では援用によって初めて債権が消滅するものと考えられている。そのため、①時効完成までに相殺適状になければならないのか、それとも、②時効完成後でも援用前に相殺適状になればよいのかが問題になる。この点、例外制度であること、また、相殺済みと正当に期待できることが必要なことから、時効完成までの相殺適状が必要と考えられてる。そこで、「消滅以前に」というのは、「時効完成以前に」と読み替えられるべきである。なお、時効が完成しても援用までは債権は消滅しておらず、相殺適状があるので、援用前に相殺をすれば 508 条によることなく相殺は有効である。その後に時効を援用して、遡及効で相殺を覆すことはできない。

518

第 11 章　債権の消滅②——相殺・代物弁済・更改・免除・混同

しては、B は β 債権による相殺をすることはできない。したがって、時効に
かかった β 債権を C が譲り受けても、C が A → C 債権を受働債権とする相
殺に使うことはできない（最判昭 36・4・14 民集 15 巻 4 号 765 頁）。

11-34　（イ）　**「相殺に適するようになっていた」ことの意義**

（i）　**判例は放棄必要説**　自働債権の時効が完成する前に、受働債権と相殺
適状にあったことが 508 条適用の要件であるが、ここでの相殺適状の理解
については先にみたように議論がある（☞ 11-22 以下）。判例は、この点、
期限の利益を実際に放棄して両債権が弁済期になる状態を作出して初めて相
殺適状になると考えている（最判平 25・2・28 民集 67 巻 2 号 343 頁☞ 11-25）。11-32
の例だと、放棄がない限り、2026 年 5 月 10 日となる。

11-35　（ii）　**放棄不要説の可能性**　確かに、506 条 2 項の相殺の遡及効が認めら
れる時点としての相殺適状時は、そのように解してよい。しかし、508 条の
適用については、相殺ができるので決済済みだと信頼することができる時点
と合理的に理解すればよいので、厳密に 506 条 2 項の相殺適状になってい
る必要はないと考える。したがって、判例とは異なり、B → A の β 債権が
2026 年 4 月 25 日の成立、B は β 債権の完成前に α 債権の期限の利益を放
棄して相殺ができたのであり（2026 年 4 月 10 日）、508 条を適用してよ
い。相殺適状は放棄必要説によりつつ、508 条の適用については相殺適状以
外に拡大を認めるのであり、508 条の拡大適用説といった方が正確かもしれ
ない。

11-36　**◆保証債務への 508 条の適用**

債権者・保証人間で相殺適状が成立した後に、主債務（A → B 債権）につき時
効が完成し——保証債務は保証人によって承認され更新されているとする——、
付従性によって保証債務（A → C 債権）も消滅したとする。この場合に、A は
その後に 508 条を援用して、付従性で消滅した A → C 債権を自働債権として、
C → A 債権を受働債権とする相殺ができるのであろうか。保証債務が時効で消
滅するのではなく、508 条の類推適用の問題である。

11-37　（a）　**判例は適用を認める**　判例（大判昭 8・1・31 民集 12 巻 83 頁）は、債権者は
いつでも相殺できるため、「連帯保証人に対しては勿論主たる債務者に対しても
其の債権の行使を怠ることあるべきは取引の実際に於て免れ難き所なり」とし
て、「債権者は民法第 508 条の保護を受くべきは当然」であるとした。508 条の
類推適用を認めたものといえる。

11-38　（b）　**通説は適用を否定**　しかし、学説は 508 条を保証人に適用することには

519

反対である（我妻 325 頁、林ほか 336 頁 [石田]、前田 504 頁、船越 504 頁）。その理由は、債権者に肯定説のいうような期待が成立するとしても、508 条を適用することは、保証人の利益を害することにある——保証人 C から主債務者 B への求償ができない——。債権者は、保証人による主債務者への求償が可能な間に、C に対する相殺を行うべきであり、否定説に賛成したい。

◆除斥期間への 508 条の類推適用の可否

(1) 時効との類似点・相違点

(a) 除斥期間でも問題になる 508 条は「時効によって消滅した債権」と規定しているが、除斥期間の経過により消滅した債権について類推適用が可能なのか議論されている。例えば、A がその所有の建物を B に賃貸し、建物が損傷したため B が業者に修理を依頼して代金 10 万円を支払った。B が賃料を滞納したため、A が賃貸借契約を解除して B から建物明渡しを受けたが、敷金を差し引いても 20 万円の賃料が残されている。明渡しから 1 年経過後に、A が B に対する残りの 20 万円の賃料の支払請求をした場合に、B はそれに対して 10 万円の費用償還請求権に基づく相殺をすることができるのであろうか。

(b) 相殺の期待の保護の必要性はある B の費用償還請求権は、明渡しから 1 年の経過により除斥期間にかかる（600 条 1 項）。A の援用を待つまでもなく、B の費用償還請求権は除斥期間により消滅し、相殺適状はなくなる。この場合、B は、除斥期間にも 508 条を類推適用し、相殺をして、差額の 10 万円だけ支払えばよいのであろうか。

債権の対立があり、決済されたも同然という期待を保護する必要がある点は、消滅時効と変わらない。ところが、除斥期間については法律関係の早期確定という趣旨があり、相殺の主張に限られるとはいえ、除斥期間を経過した後でも、費用償還請求権の成立を争えるというのは好ましくない。

(2) 類推適用をめぐる判例の立場

(a) 類推適用を否定する判例 売買契約における瑕疵担保に基づく損害賠償請求につき、判例は旧 566 条 3 項を除斥期間と解した上で、508 条は「消滅時効の場合に関する規定なり之を以て瑕疵担保の場合に於ける除斥期間に適用せむとする所論は採用するに由無し」として、その適用を否定した（大判昭 3・12・12 民集 7 巻 1071 頁）。学説には、除斥期間が法律関係の早期の安定を図ることを目的としていることを理由として賛成するものがある（我妻 326 頁、船越 504 頁）。瑕疵（改正前）をめぐる争いを一定期間にのみ制限したのに、508 条が類推適用されるとその期間を過ぎた後でも瑕疵を争えることになる。決済済みという信頼よりも、法律関係の早期の安定を図ることを優先する考えである。

(b) 類推適用を肯定した判例 これに対し、相殺適状にあるがゆえに決済されたも同然と考えて相殺の意思表示をしなかった者の期待の保護ということは、除

斥期間にも同様に当てはまるため、508 条を類推適用する学説が多い（鈴木 297 頁、前田 503 頁、淡路 594 頁）。除斥期間の法律関係の早期確定という趣旨を絶対視すべきではなく、時効と除斥期間の区別を相対的なものであり、除斥期間も多様であり規定によっては本条の類推適用を認めるべきである。最判昭 51・3・4（☞ 11-43）は、一般論として上記大審院判決の変更を宣言する。しかし、本判決の事例は、以前にも何度も代金の減額で処理されていたという経緯があり、今回も同じ処理がされるであろうと信じた事例であり、事例判決にとどめるべきであった。

11-43

●**最判昭 51・3・4 民集 30 巻 2 号 48 頁**　(1)　**事案**　Y が X に印刷物を注文したところ、X から引き渡された印刷物には瑕疵があった。当時は、旧 634 条の瑕疵担保責任につき引渡しから 1 年の責任期間が定められていた（旧 637 条 1 項）。X から Y への請負代金請求に対し、Y から瑕疵担保責任に基づく損害賠償請求権による相殺が主張されたが、すでに引渡しより 1 年が経過していたため X がこれを争う。最高裁は、以下のように Y の相殺の主張を認め、「以上の解釈と異なる大審院判例（……）は、変更されるべきである」と宣言する。

11-44

　(2)　**判旨**　(a)　**508 条の類推適用肯定**　除斥期間経過後であっても、その「期間経過前に請負人の注文者に対する請負代金請求権と右損害賠償請求権とが相殺適状に達していたときには、同法 508 条の類推適用により、右期間経過後であっても、注文者は、右損害賠償請求権を自働債権とし請負代金請求権を受働債権として相殺をなしうるものと解すべきである」。

11-45

　(b)　**類推適用の理由**　「請負契約における注文者の請負代金支払義務と請負人の仕事の目的物引渡義務とは対価的牽連関係に立つものであり、目的物に瑕疵がある場合における注文者の瑕疵修補に代わる損害賠償請求権は、実質的、経済的には、請負代金を減額し、請負契約の当事者が相互に負う義務につきその間に等価関係をもたらす機能をも有するものであるから、……注文者において右請負代金請求権と右損害賠償請求権とが対当額で消滅したものと信じ、損害賠償請求権を行使しないまま右期間が経過したとしても、そのために注文者に不利益を与えることは酷であり、公平の見地からかかる注文者の信頼は保護されるべきものであって、このことは右期間が時効期間であると除斥期間であるとによりその結論を異にすべき合理的理由はないからである」。

第1節　相殺　│　§Ⅱ　相殺の要件

11-46

（3）　改正法での解釈

　改正後の担保責任の除斥期間（566条・637条）についてはどう考えるべきであろうか。改正法では、追完請求や代金減額請求も認められ、これらは1年の経過により当然に消滅する。ところが、差額を損害として賠償請求権を問題にし、508条の適用に基づき1年過ぎても相殺ができるということになると、逆に代金減額請求権とのバランスを失することになる。改正法の下では、508条の類推適用がより困難になったように思われる。566条や637条については、否定説を支持したい。除斥期間ではないが、商事売買についての商法526条2項の半年の経過についても、508条の類推適用は認められない。それ以外の除斥期間については、508条の適用が、その期間を除斥期間とした趣旨を没却させるかどうかを判断し、没却させる場合には、類推適用を認めるべきではない。

3　相殺が禁止される場合（相殺禁止債権）[322]

11-47

（1）　相殺禁止特約による場合

　「前項の規定にかかわらず、当事者が相殺を禁止し、又は制限する旨の意思表示をした場合には、その意思表示は、第三者がこれを知り、又は重大な過失によって知らなかったときに限り、その第三者に対抗することができる」（505条2項）。

　事例としては、相殺禁止特約付き債権の譲渡を受けた善意の第三者が考えられているが、判例はなく、机上の説明にすぎない（我妻330頁）。起草者は、債権の譲受人のほかに保証人を例に挙げている（起草過程などにつき、深谷格「相殺禁止特約の効力に関する一考察」同志社法学68巻7号［2017］409頁以下参照）。保証人については、457条3項の主債務者の相殺の援用権（拒絶権）について問題になる[323]。第三者への対抗をめぐる判例は皆無といってよい（宮川不可止「相殺禁止特約」京都学園法学2＝3号［2014］19頁参照）。

---

[322]　民法の規定する相殺禁止は、509条から511条の3つであるが、信託法22条は信託財産の独立性ゆえの相殺禁止である（☞注317）。677条も同様に組合財産の独立性を確認する規定であり、相殺も許されない。そのほかに法律で相殺が禁止されている例として、破産法71条・72条、民事再生法93条・93条の2、会社更生法49条・49条の2があるが、511条に対応する規定である。会社法208条3項・281条3項は、株式会社の資本充実の原則に基づく相殺禁止である。

[323]　AのBに対する取引上の債権につき、Cが連帯根保証をした場合、Cの保証後にABで相殺禁止特約をした場合には、448条2項ないしその趣旨により保証人に対抗できない。当初からAB間に相殺禁止特約がされており、保証人Cが契約を締結した時点で相殺禁止特約があった場合には、Cがそれを知らずまた無重過失で知らなかったならば、相殺禁止特約をCには対抗できず、Cは457条3項により相殺を対抗できる。

第 11 章　債権の消滅②──相殺・代物弁済・更改・免除・混同

11-48 **(2)　不法行為による損害賠償請求権を受働債権とする相殺**

(a)　**改正前の一般的禁止を制限──他方で拡大**　改正前は、「債務が不法行為によって生じたときは、その債務者は、相殺をもって債権者に対抗することができない」と、およそ不法行為による損害賠償請求権については受働債権とすることが禁止されていた (旧 509 条)。しかし、比較法的にこれほどの包括的な禁止はみられず、また、合理的な根拠を説明できるのか疑問視されていた。被害者の現実賠償の必要性がいわれていたが、それは 510 条の問題である。不法行為による損害賠償請求権は差押禁止債権ではない。そのため、改正法は相殺禁止を下記のように制限した（ただし、②は債務不履行に拡大）。

---

①　「悪意による不法行為に基づく損害賠償の債務」(509 条 1 号)

②　「人の生命又は身体の侵害による損害賠償の債務（前号に掲げるものを除く。)」(同条 2 号)　＊債務不履行にも拡大

11-49　(b)　**被害者保護と加害者へのサンクション**　不法行為の損害賠償請求権は差押禁止債権ではなく、債権者が相殺をすることもできるはずであり、被害者保護からアプローチをすることは難しい。①悪意の不法行為については、加害者に対するサンクションであり、被害者が自分は債務の履行をしないで賠償を受けられるのは、反射的な利益ということができる。②他方で、生命・身体侵害については、被害者自身は履行をしなくても賠償を受けられるという保護を積極的に与えるものであり、差押えとのバランス論は疑問が残るが、被害者保護が根拠である。なお、両者の債権が上記要件を満たす場合、原則に戻って相殺可能になることはない。

11-50　(ｱ)　**「悪意による不法行為」**　自分の債権の支払は受けられないが、賠償はさせられるというサンクションを与えて、不法行為を抑止する趣旨が 1 号にはある。そのような観点から違法性の高い場合に適用を限定する趣旨で、「故意」ではなく「悪意」とされている。故意をさらに制限する精緻な基準の設定は難しく、既存の法令から参考となる規定を探し出し、破産法 253 条 1 項 2 号の破産免責の効力を受けられない「悪意」の不法行為に倣って導入されたのである[324]。破産法学説は積極的な害意を要求しているが、破

523

第1節　相殺　§Ⅱ　相殺の要件

産免責の否定という異なった趣旨の規定であり、必ずしも同一に理解する必要はない（中田 476 頁）。広く故意と読み替えてよいように思われる（悪意への限定を疑問視するものとして、手塚一郎「不法行為債権等を受働債権とする相殺の禁止」大塚直編『民法改正と不法行為』[2020] 77 頁)[325])。

11-51　**（イ）　生命・身体侵害**　2 号は、生命、身体侵害に限定しているため[326]、人格権ないし人格的利益の侵害でも、名誉、プライバシー侵害には適用がない（石田 706 頁は人格権に類推適用する）。その他、平穏生活利益、延命利益など問題が生じる事例が多いが、類推適用によって不合理な差が生じないようにすべきである[327]。2 号は不法行為に限定しておらず、債務不履行（安全配慮義務違反や医療過誤）にも適用される。いずれによるかで差が生じるという請求権競合の問題は解消された。

11-52　**◆同一事故で複数の損害が生じる場合**

同一事故で、例えば交通事故で、身体侵害と車両という財産侵害が生じる場合は、どう考えるべきであろうか。最判令 3・11・2 裁時 1779 号 1 頁は、「車両損傷を理由とする損害と身体傷害を理由とする損害とは、これらが同一の交通事故により同一の被害者に生じたものであっても、被侵害利益を異にするものであり、車両損傷を理由とする不法行為に基づく損害賠償請求権は、身体傷害を理由とする不法行為に基づく損害賠償請求権とは異なる請求権である」（時効の起算点を異にする）と考えられている。身体侵害による損害賠償請求権——慰謝料だけでなく、財産的損害も——のみにつき、相殺禁止が適用されることになる。

324)　**＊代位責任の場合**　使用者責任などの他人の行為についての代位責任の場合には、その性質に鑑み、行為者である被用者に悪意があることが必要であり、かつ、それで足りるという意見がある（山野目・読みとく 151 頁)。しかし、被害者の現実賠償の救済よりも、加害者に対するサンクションが相殺禁止の根拠にあるとすれば、使用者には相殺禁止は及ばないと考えるべきである。責任能力のない——またはある——未成年者の「悪意」による不法行為につき、親権者らの法定監督責任者の責任についても同様に考えるべきである。

325)　ドイツ民法 393 条は「故意」による不法行為を自働債権とする相殺を禁止するだけであり、DCFR Ⅲ.-6：108 条 c 号も、故意による違法な行為から生じた債権を受働債権とすることを禁止するにすぎない。

326)　破産免責については、破産法 253 条 1 項 2 号の悪意による不法行為に基づく損害賠償請求権とは別に、「破産者が故意又は重大な過失により加えた人の生命又は身体を害する不法行為に基づく損害賠償請求権」が破産免責から排除されている（同項 3 号)。相殺については下線部のような制限はない。

327)　問題になるのは、延命の相当程度の可能性の侵害やより重篤な後遺症を避けられた相当程度の可能性の侵害による損害賠償請求権、望まない出産による親の損害また子の損害の賠償請求権、「胎児」を医療過誤で流産した場合の親の慰謝料請求権、セクハラやパワハラに該当する発言による慰謝料請求権、それを契機に自殺したり PTSD になった場合、直接被害者は生命・身体侵害であるが、711 条の間接被害者の固有の慰謝料請求権など問題はある。原因が「生命又は身体」の侵害にあればよく、損害賠償請求権は相当因果関係にある損害が全て相殺禁止の対象とされる（弁護士費用も)。

524

第11章　債権の消滅②——相殺・代物弁済・更改・免除・混同

11-53　**(ウ)　適用除外**　以上の要件を満たす債権であっても、「ただし、その債権者がその債務に係る債権を他人から譲り受けたときは、この限りでない」とされる（509条ただし書）。例えば、AがB所有の高級車を盗み出し海外に売却したため、BがAに対して所有権侵害による損害賠償請求権を有していて、これをCがBから譲り受けたとする。AがCに対して金銭債権を有する場合に、Aは、CがBから取得した悪意による損害賠償請求権を受働債権として相殺をすることができる。

　　債権譲渡に限定しているので、弁済者代位や保険代位による債権の移転は、相殺禁止が適用されることになる。差押え、代位行使、債権質権者による行使は、被害者の債権を行使するので相殺禁止が適用されることになる。

11-54　**(3)　差押えを禁じられた債権を受働債権とする相殺**

　　「債権が差押えを禁じたものであるときは、その債務者は、相殺をもって債権者に対抗することができない」（510条）。ある債権が差押えを禁止されている場合（民執152条、生活保護58条、厚生年金41条等）、それは債権者が現実に弁済を受けることを保障するためであり、債務者による差押禁止債権を受働債権とする相殺を禁止したのである。

　　なお、労働者の賃金債権は民事執行法152条1項により4分の3は差押えが禁止されるが、前借金との相殺は全面的に禁止されているのみならず（労基17条）、労基法24条1項本文の「賃金は、通貨で、直接労働者に、その全額を支払わなければならない」という規定を根拠に、使用者による賃金債権を受働債権とする相殺は一切許されないと考えられている。

11-55　**◆労働債権（賃金債権）との相殺禁止が問題になる場合**

　　(a)　損害賠償請求権　労働債権に対しては、労働者に対する損害賠償債権を自働債権としても相殺はできない（最判昭31・11・2民集10巻11号1413頁［債務不履行］、最大判昭36・5・31民集15巻5号1482頁［不法行為］）。ただし、船員法35条ただし書は「相殺の額か給料の額の3分の1を超えないとき及び船員の犯罪行為に因る損害賠償の請求権を以てするとき」に、例外として相殺を認める。

11-56　　　**(b)　過払賃金の返還請求権**　賃金過払いに基づく不当利得返還請求権を自働債権とする場合には、制限されるが例外的に相殺が許されている。最判昭44・12・18民集23巻12号2495頁は、労基法「24条1項の法意とを併せ考えれば、適正な賃金の額を支払うための手段たる相殺は、同項但書によって除外される場合にあたらなくても、その行使の時期、方法、金額等からみて労働者の経済生活の安定との関係上不当と認められないものであれば、同項の禁止するところ

525

第1節　相殺　　§Ⅱ　相殺の要件

ではない」。「この見地からすれば、許さるべき相殺は、過払のあった時期と賃金の清算調整の実を失わない程度に合理的に接近した時期においてされ、また、あらかじめ労働者にそのことが予告されるとか、その額が多額にわたらないとか、要は労働者の経済生活の安定をおびやかすおそれのない場合でなければならない」と判示する[328]。

11-57　◆賃金、年金等が銀行に振り込まれた後の預金に対する相殺

　　他方で、年金等も振込み後は銀行預金となり差押禁止債権ではなくなるが、銀行による相殺を無条件に認めることには疑問がある。銀行が融資をし、給与や年金の振込先を自己の口座とすることで、一方的に有利な立場を取得できるのである。年金について、年金受給者の債権者たる金融機関が、自行の口座を入金先に指定させ、入金された後に相殺をすることができるのかが問題となる。最判平10・2・10金法1535号64頁は、原審判決が「Xに支払われる国民年金及び労災保険金が預金口座に振り込まれてXのY金庫に対する預金債権に転化し、Xの一般財産になったこと、右債権は差押禁止債権としての属性を承継しているものではないこと、従って、同Yがした本件相殺が禁止されるものではない」としたのを、正当として支持している。金銭には特定性がないのでやむをえないが、相殺予約をして年金を自分の預金口座に振り込ませるような場合には、実質的に年金債権の担保・差押えを禁止するのを脱法する行為であり、510条を類推適用する余地はある。なお、振込み後の債権者による預金の差押えについては3-6を参照されたい。

4　差押えと相殺──相殺による優先回収の保障

11-58　**(1)　改正前の議論**

　(a)　差押えの効力による相殺禁止なのか　改正前の民法は、いわゆる差押えと相殺の問題について、「支払の差止めを受けた第三債務者は、その後に取得した債権による相殺をもって差押債権者に対抗することができない」と規定していた（旧511条）。AのBに対する100万円の債権（α債権）が、Aの債権者Cにより差し押さえられた場合、その後にBがAに対して100万円の債権（β債権）を取得し、AB間に相殺適状が成立しても（505条1項

---

[328]　使用者により退職金について労働者の合意を得て行われた相殺は、「労働者がその自由な意思に基づき右相殺に同意した場合においては、右同意が労働者の自由な意思に基づいてされたものであると認めるに足りる合理的な理由が客観的に存在するときは、右同意を得てした相殺は右規定［注：労基24条1項本文］に違反するものとはいえない」として有効と認められている（最判平2・11・26民集44巻8号1085頁）。

第 11 章　債権の消滅②——相殺・代物弁済・更改・免除・混同

の要件充足）、A も B も相殺ができない。差押えの効力により、A は α 債権の取立てができなくなり、B も α 債権の弁済ができなくなり、その結果、相殺についても、AB 共にできなくなることを確認した規定かのようである。

11-59　　(b)　**反対解釈を無制限に認めるか**　旧 511 条を反対解釈すれば、差押え前に取得した債権であれば（B が β 債権を C による差押え前に取得していた事例）、以下のいずれの事例においても、B は——差押えと相殺で問題になるのは B による相殺——相殺ができることになる（無制限に反対解釈をするため、**無制限説**と呼ばれる）。この点については議論があった。

---

①　α 債権、β 債権共に弁済期が 3 月で、相殺適状後の差押えの事例
②　α 債権、β 債権成立後の差押えだが、差押え後に相殺適状になった事例
　　ⓐ　差押え時に α 債権は弁済期にあったが、その後に β 債権の弁済期が到来し相殺適状になった事例
　　ⓑ　差押え時に β 債権は弁済期にあったが、その後に α 債権の弁済期が到来し相殺適状になった事例
　　ⓒ　差押え時に両債権共に弁済期になかったが、その後に両債権の弁済期が到来し相殺適状になった事例
　　　ⓒ-1　α 債権の弁済期が先の事例
　　　ⓒ-2　β 債権の弁済期が先の事例

11-60　　(ア)　**相殺の遡及効からのアプローチ（相殺適状説）**　11-59 表の事例は、いずれも B は差押え前に β 債権を取得しており、旧 511 条の文言上は相殺ができるかのようであるが、差押えの効力により、B は α 債権の弁済ができなくなるので相殺もできなくなりそうである。旧 511 条は、差押えの効力に対する例外規定と考えられ、例外の根拠づけとして、差押え前に相殺適状になり、相殺の遡及効で差押えの効力を排除するものと説明していた（**相殺適状説**）。表では①しか、B は相殺を認められないことになるが、β 債権の弁済期が先の②ⓑも、B は期限の利益を放棄して相殺ができることから相殺適状としていた（☞ 11-24）。

11-61　　(イ)　**相殺の期待の保護へ**
　　(i)　**制限説**　しかし、差押えの効力を問題にすれば、遡及効を問題にする

527

第 1 節　相殺　│　§II　相殺の要件

以前に、そもそも相殺ができないはずである。相殺を認めることには別の根拠を探る必要があり、相殺適状がありＢは相殺できたのに、たまたまＣが差し押さえたことになり相殺の利益を奪ってはいけないという、Ｂの相殺の期待保護を根拠として考えることになる。ところが、相殺の期待保護という観点からは、相殺適状は必須ではなく、②ⓑだけでなく、②ⓒ-2 も、Ｂは自分の β 債権の弁済期が先なので相殺の期待が保護されるべきであり、Ｂによる相殺が認められるべきことになる（②ⓐと②ⓒ-1 だけが相殺ができない）。旧 511 条の反対解釈を制限的に行うため、**制限説**と呼ばれる。戦後の判例は、相殺適状説を変更して、制限説を採用した（最大判昭 39・12・23 ☞ 11-62）[329]。表②ⓐと②ⓒ-1 における自働債権の弁済期が後であり、遅滞をし続けて相殺をするという相殺の期待は、Ｃに優先させてまで保護されるべきではないと考えたのである。

11-62

> ●**最大判昭 39・12・23 民集 18 巻 10 号 2217 頁（制限説）**
> 　**(1)　旧 511 条の差押えを相殺で排除できる根拠**　旧国税徴収法による預金債権の差押えに対して銀行から相殺が主張された事例である。「差押の結果、被差押債権の債権者および債務者は右債権につき<u>弁済、取立等一切の処分が禁止され</u>……別段の規定がなければ第三債務者は<u>相殺を以って差押債権者に対抗することもできない</u>」。「民法 511 条は……その反対解釈として、差押前に第三債務者が取得した債権による相殺は例外として差押債権者に対抗し得るものとしている」。「その理由は、第三債務者が差押前に取得した債権を有するときは、差押前既にこれを以って被差押債権と相殺することにより、<u>自己の債務を免れ得る期待を有していた</u>のであって、<u>かかる期待利益をその後の差押により剥奪することは第三債務者に酷であるからである</u>」。
>
11-63
> 　**(2)　相殺の期待保護→制限説へ**　「かかる立法趣旨に徴するときは、第三債務者が差押前に取得した債権であるからといって、その弁済期の如何に拘らず、すべて差押債権者に相殺を対抗し得るものと解することは正当ではない」。「差押当時両債権が既に相殺適状にあるときは勿論、<u>反対債権が差押当時未だ弁済期に達していない場合でも</u>、被差押債権である受働債権の弁済期より

---

329)　債権質であれば、被担保債権よりも担保権の設定された債権の弁済期が先であってもよく、差押えがされても第三者異議を行うことができる。これは、2 当事者間で債権質権者が債務者の自己に対する債権を質に取る場合も同じであり、差押えがされても質権の実行として相殺をすることができる。もし相殺もいわば先取特権のような法定の担保制度だと考えれば、同様に扱うことができる。それを牽連関係がある債権といった債権の性質で判断すると基準作りが不明瞭になる。無制限説は簡単でよいが、そこまで拡大してよいのか疑問が残される。

第 11 章　債権の消滅②——相殺・代物弁済・更改・免除・混同

先にその弁済期が到来するものであるときは、前記民法 511 条の反対解釈により、相殺を以って差押債権者に対抗し得るものと解すべきである」[330]。

11-64　**(ii) 法定担保→無制限説へ**　ところが、相殺の期待保護ということを突き詰めて、法定の担保制度であると理解されるようになると、担保制度であれば弁済期が先かどうかは問わないという発想の転換がされるようになる。法定担保である先取特権は、その被担保債権は弁済期になくても成立が認められる。そして、先取特権同様に、法定担保として、債権回収に心配することなく安心して取引ができるという、取引を促進助長する機能に注目されることになる。制限説による判例が登場後、学説では両説が拮抗し中間的な学説も種々登場したが、その後、判例は 11-65 のように無制限説を採用した。無制限説では、11-59 表の全ての事例で相殺が可能となる。

11-65　**●最大判昭 45・6・24 民集 24 巻 6 号 587 頁（無制限説）**
　(1) 相殺の担保制度としての意義→差押え vs 担保という構図　「相殺の制度は、互いに同種の債権を有する当事者間において、相対立する債権債務を簡易な方法によって決済し、もって両者の債権関係を円滑かつ公平に処理することを目的とする合理的な制度であって、相殺権を行使する債権者の立場からすれば、債務者の資力が不十分な場合においても、自己の債権については確実かつ十分な弁済を受けたと同様な利益を受けることができる点において、受働債権につきあたかも担保権を有するにも似た地位が与えられるという機能を営むものである。相殺制度のこの目的および機能は、現在の経済社会において取引の助長にも役立つものであるから、この制度によって保護される当事者の地位は、できるかぎり尊重すべきものであって、当事者の一方の債権について差押が行なわれた場合においても、明文の根拠なくして、たやすくこれを否定すべきものではない」。

11-66　**(2) 無制限説の採用**　「同条［511 条］の文言および前示相殺制度の本質に鑑みれば、同条は，第三債務者が債務者に対して有する債権をもって差押債権者に対し相殺をなしうることを当然の前提としたうえ、差押後に発生した債権

---

330)　続けて、①「かかる場合に、被差押債権の弁済期が到来して差押債権者がその履行を請求し得る状態に達した時は、それ以前に自働債権の弁済期は既に到来しておるのであるから、第三債務者は自働債権により被差押債権と相殺することができる関係にあり、かかる第三債務者の自己の反対債権を以ってする将来の相殺に関する期待は正当に保護さるべきである」が、②「反対債権［自働債権］の弁済期が被差押債権の弁済期より後に到来する場合は、相殺を以って差押債権者に対抗できない」と述べる。法定相殺については、制限説 11 人対無制限説 4 人、しかし、相殺の可否については、制限説の 1 人が相殺予約の効力を認めるため、結論としては請求認容 10 人対請求棄却 5 人という形で意見が分かれた。

529

第1節　相殺　§Ⅱ　相殺の要件

または差押後に他から取得した債権を自働債権とする相殺のみを<u>例外的に禁止</u>することによって、その限度において、差押債権者と第三債務者の間の利益の調節を図ったものと解するのが相当である。したがって、第三債務者は、その債権が差押後に取得されたものでないかぎり、<u>自働債権および受働債権の弁済期の前後を問わず、相殺適状に達しさえすれば、差押後においても、これを自働債権として相殺をなしうるものと解すべきであ</u>」る（相殺予約については次述）[331]。

11-67
◆相殺予約および停止条件付き相殺契約

(1) 非典型担保である

(a) **債権質の代用**　金融機関による貸付に際し、預金債権を担保とするために——いわば債権質の代用——、預金債権が差し押さえられるなどの事由が生じた場合には、①預金者は期限の利益を失い当然に相殺の効力が生じるとする停止条件付相殺契約、②相殺の予約をし、一方（金融機関）に予約完結権を与え、その行使ができるものとする相殺予約が合意されている（①も含めて広い意味での相殺予約）。債権質とパラレルな担保取引であり、担保が差押債権者らの第三者に対抗できれば、弁済期の先後を問題にする必要はない。

11-68
(b) **511条の議論との関係**　最大判昭39・12・23（☞11-62）は、「かかる特約は前示民法511条の反対解釈上相殺の対抗を許される場合に該当するものに限ってその効力を認むべきである」と、その効力を否定した。「相殺予約の効力を認めることは、私人間の特約のみによって差押の効力を排除するものであって、契約自由の原則を以ってしても許されない」と述べる（ただし有効とする5人の裁判官の反対意見あり）。ところが、最大判昭45・6・24（☞11-65）は、制限説から無制限説に変更され上記の相殺予約の効力を制限する理由づけが意味を失ったため、「かかる合意が契約自由の原則上有効であることは論をまたない」、と判示した。

11-69
(2) 非典型担保の対抗

相殺予約は一種の非典型担保権の設定と考えることができ（内田Ⅲ259頁）、①まず債務者への対抗は問題とならない。②そこで問題となるのは、第三者への対抗である。債権質に準じて467条2項の対抗要件を要求すべきであろうか。そもそも金融機関に対する事業者の預金債権については、相殺予約があることを予期すべきであり、問題となっている債権が預金債権であることがわかればそれ以

---

[331]　*債権の譲受人による相殺　A→B（銀行）のα債権が、Aの債権者Cにより差し押さえられ転付命令が出され、B→Cの債権があったため、Cが転付を受けたα債権を自働債権として相殺をすれば有効である（最判昭54・7・10民集33巻5号533頁）。B→A債権があり、BがCにAB間の相殺をもって対抗できるとしても、Cが先にBC間の相殺をしてしまえば、α債権が消滅するので、BはもはやAB間の相殺をCに対抗できなくなる。BがCに相殺を対抗できるだけで、Cの相殺を禁止する効果まではない。α債権が預金債権ではなく、Cが債権譲渡を受けた場合も同様である。

第 11 章　債権の消滅②——相殺・代物弁済・更改・免除・混同

上に公示は不要ということがいえる。ところが、代位弁済的相殺の予約となると、債権質に匹敵する非典型担保だとしても同じようには扱うことはできない。①第三債務者への対抗、②第三者への対抗共に 467 条を準用（364 条 1 項を類推適用して）すべきである。判例においても、差押債権者に代位弁済的相殺の予約を対抗できないとされている（最判平 7・7・18 判時 1570 号 60 頁）。

11-70　**(2)　改正法による無制限説の採用＋さらなる拡大**

(a)　無制限説の採用

(ア)　511 条 1 項の表現の変更　改正法は判例の無制限説を採用する。「差押えを受けた債権の第三債務者は、差押え後に取得した債権による相殺をもって差押債権者に対抗することはできないが、差押え前に取得した債権による相殺をもって対抗することができる」と変更した（511 条 1 項）[332]。内容的には変更はないが、あえて「差押え前に取得した債権による相殺をもって対抗することができる」と付け加えており、無制限説を採用しようとする意図は明らかである（一問一答 204 頁、潮見・概要 198 頁）。この結果、11-59 表の全ての事例で、B は相殺を C に対抗できることになる。

11-71　**(イ)　法定債権質類似の制度へ**　取引当事者間においては、相殺によって債権の優先的回収ができ、法定担保権が認められるような関係になるので、安心して取引ができ、取引の活発化ひいては社会経済の発展へとつながることをふまえ、他の債権者を犠牲にしてでも相殺を優先するのが今回の立法である。債権譲渡についても、改正法は 511 条と同様の規定を導入した（469 条 1 項☞9-100）。この結果、相殺が「債権」を対象とした法定担保（いわば法定債権質）という位置づけが確立されたということができる。

11-72　**(b)　無制限説を超えたスーパー無制限説**

(ア)　差押え後に取得した債権でも原因が差押え前ならば相殺可能　民法は、「前項の規定にかかわらず、差押え後に取得した債権が差押え前の原因に基づいて生じたものであるときは、その第三債務者は、その債権による相

---

332)　＊前後不明な場合　α 債権の差押え通知の送達と、β 債権の契約書の日付が同じであり、送達がされる前に契約が成立していたのか、それともその後なのかが不明の場合、どう扱うべきであろうか。不明の不利益をいずれが負担するかが問題である。条文構成上、証明責任をいずれが負担するのか必ずしも明確ではない。同時の場合には、「前」の取得と解釈する提案がある（中田 484 頁）。この点、「後」でさえなければよいと解すべきである。したがって、相殺を主張する者は、自働債権の取得が、差押えの前か同時または先後不明であることを証明すれば足りる。

531

第1節　相殺 | §Ⅱ　相殺の要件

殺をもって差押債権者に対抗することができる」と、無制限説をさらに拡大
した（511条2項本文）。11-59表にない、Cの差押え後に、BがAに対するβ
債権を取得した場合でも、BはCに相殺を対抗できることになる[333]。

11-73　**(イ)　債権発生の合理的な期待を根拠づける「原因」が必要**
　　(i)　受託保証人の求償権　債権の発生「原因」は、将来の相殺の合理的な
期待を正当化するものであることが必要である。例えば、AのBに対する
α債権取得後に、BがAのDに対する債務につき保証人になった場合（受
託保証人に限る）、Bは将来のAに対する求償権（β債権）で、α債権と相
殺をすることを予定している。この場合、Cがα債権を差し押さえ、Bの求
償権の取得がその後であっても、Bの相殺の期待を保護すべきである。

11-74　**(ii)　牽連関係は不要**　同じ契約である必要はなく、AがBに対して甲画
と乙画をそれぞれ100万円で販売しており、Bが甲画の代金債権100万円
は支払済みだが、乙画の100万円の代金債権（α債権）があり、これをA
の債権者Cが差し押さえたとする。その後に、甲画が贋作であることが判
明し、Bが解除をしてAに対して100万円の代金返還請求権（β債権）を
取得した場合、Bはβ債権によりα債権とを相殺することができる[334]。

11-75　**(iii)　ハイパー無制限説の可能性**　511条には、債権譲渡と相殺についての
469条2項2号（☞9-101）に匹敵する拡大規定はない。差押えと債権譲

---

333)　511条2項は、破産法判例に倣ったものである。破産法67条1項も、「破産手続開始の時において破
産者に対して債務を負担するときは」と、破産手続開始時に反対債権が成立していることを必要としている
が、判例によって解釈上の例外が認められている。最判平24・5・28民集66巻7号3123頁は、傍論とし
て、「破産者に対して債務を負担する者が、破産手続開始前に債務者である破産者の委託を受けて保証契約
を締結し、同手続開始後に弁済をして求償権を取得した場合には、この求償権を自働債権とする相殺は、破
産債権についての債権者の公平・平等な扱いを基本原則とする破産手続の下においても、他の破産債権者が
容認すべきものであり、同相殺に対する期待は、破産法67条によって保護される合理的なものである」と
述べる。事例は無委託保証人であることから相殺を否定しており、傍論である。

334)　＊密接な関連性の要否──合理的期待でよい　例えば、AがBに甲機械を100万円で販売し引き渡
し、不適合があったためBが修理をして10万円を支出したが、甲機械引渡し前に代金債権（α債権）がC
により差し押さえられていたとする。この場合には、Bは10万円の損害賠償請求権でもって相殺ができる
（代金減額によれば差押えを除でき、それとのバランスもある）。両債権が清算されることに合理的な関連
性が認められる。では、511条2項は例外であり、しかも他の債権者を犠牲とした保護なので、厳格に運
用して両債権の相殺を根拠づける関連性が存在することを要求すべきであろうか（石田剛「相殺における
『相互性』『合理的期待』『牽連性』」法時89巻11号［2017］169頁参照）。もしこれを要求すると、11-73
の事例には、511条2項の適用が否定されかねない。この点、原因時に存するまた予想される債権との相
殺の合理的期待が認められればよいと考える（11-73の事例は密接な関連性はないが相殺可能）。そうでな
いと、委託の有無で保証人の求償権による相殺の認否を区別する説明ができない。

532

渡で差を設けることの是非は議論されたが、十分な議論が尽くされないまま
差を認める形で立法がされている。この点、解釈に任せようとしたものと評
価でき、類推適用を認めるべきである（奥田・佐々木・下巻1248頁）。

11-76 **◆賃借人による賃貸人に対する貸付と賃料債権との相殺**

　例えば、Aからその所有の建物を賃借する際に（賃料50万円）、Bが500万
円を融資し、その後、Bの債権者Cが貸金債権を差し押さえたとする。これに対
して、Aから賃料債権による相殺を主張できるであろうか。差押え後の賃料債権
による相殺なので、「原因」がそれよりも先であればよく、賃料債権の原因は賃
貸借契約なので、形式上はこれを満たしている。この点、Bにとって相殺が担保
であるだけでなく、Aにとっても賃料債権により借入金と相殺をすることが期待
されており（相互的に担保的）、511条2項の適用を認めてよい。ただ残される
問題は、いまだ賃料債権が500万円分発生していないので、全額の相殺をもっ
て対抗できない点である。AB間で賃料債権との相殺予約を認めて、その第三者
への対抗を認めれば、Aの拒絶権を根拠づけることができる。

11-77 **(ウ) 譲り受けた債権には例外が認められない**　上記の拡大に対しては、
「ただし、第三債務者が差押え後に他人の債権を取得したときは、この限り
でない」と規定されている（511条2項ただし書）。AがBに対するα債権取得
後に、AからDが甲画を購入し代金を支払い、その後に、Aの債権者Cが
α債権を差し押さえた。その後に、甲画が贋作であることが発覚し、Dが
売買契約を解除しAに対して代金返還請求権（β債権）を取得し、これを
Bに譲渡したとする。もし本文しかなければ、Bは相殺ができてしまう。た
だし書により、それを制限し、Bによる相殺を否定したのである。

§Ⅲ
相殺の方法

11-78 **(a) 相殺の意思表示──相手方のある単独行為**　相殺は相手方のある単独
行為であり、「相殺は、当事者の一方から相手方に対する意思表示によって
する」（506条1項前段）[335]。相殺の効果は当然には発生せず、当事者の相殺の
意思表示を必要としたのである。当時のフランス民法の当然相殺主義は採用
しなかったのである[336]。

533

第1節 相殺 | §Ⅳ 相殺の効果

相殺の意思表示の相手方は、債権譲渡や差押えがあった場合には問題となる。債権譲渡の場合は、相殺の意思表示は譲受人に対してするべきであり（大判明38・6・3民録11輯847頁）、差押えの場合は、受働債権の債権者・差押債権者のいずれに対してしてもよい（最判昭40・7・20判タ179号187頁）。

11-79 **(b) 条件・期限を付けられない** 相殺の「意思表示には、条件又は期限を付することができない」（506条1項後段）。単独行為に条件を付けると相手方の地位を不安定にするためであり——ただし、受働債権の存在を争い、もし存在が認められるのであれば相殺をするという主張は可能——、また、期限については、相殺には遡及効があるため無意味であるからである。

§Ⅳ
相殺の効果

1 対当額での債権の消滅

11-80 **(1) 相殺の意思表示の効果**

相殺の意思表示がされると、「各債務者は、その対当額について相殺によってその債務を免れる」ことになる（505条1項本文）。要するに、両債権が対当額で消滅し、差額があれば、残額の債権が残ることになる。債権が全額消滅した場合には、487条の類推適用により債務者は債権者に——相互に認められる——債権証書の返還を請求できる（大判大4・2・24民録21輯180頁）。相殺の意思表示の証拠を残せばよいので、受取証書の交付請求権についての

---

335) **＊手形債権と相殺** 相殺は自働債権を特定して行うが（受働債権につき☞11-84）、手形債権を自働債権とする場合には、①手形債権が消滅する場合には、手形の提示・交付が必要であり（大判大7・10・2民録24輯1947頁）——裁判上の相殺は例外（判例はない）——、②手形債権の残額が残る場合には、手形の交付は必要ではないが手形の提示は必要である（最判昭38・1・29手研7巻4号18頁）。他方、手形債権を受働債権として相殺をする場合には、手形の交付を受けることは相殺の有効要件ではない（最判平13・12・18判時1773号13頁）。相殺の意思表示だけで相殺の効力が発生し、相殺をした者は、手形所持人に対してその交付を求めることができる。

336) フランス民法には、形成権といった概念はなく、取消しは無効の一種とされ表意者のみが主張できる相対的無効とされている。相殺も当然に債権が消滅する旨規定されていたが、これを援用するかどうか自由と考えられており、2016年改正法は相殺の意思表示が必要なことを明記した（1347条）。

第 11 章　債権の消滅②——相殺・代物弁済・更改・免除・混同

486 条を類推適用する必要はない。遡及効については 11-86 に述べる。

11-81 **(2)　債務承認による時効の更新**

　　自働債権の額の方が大きく自働債権に残額が残される場合に、改正前の判例であるが相殺に対し相手方が異議を述べなかったからといって、自働債権残額につき債務承認をしたことにはならず、時効中断（改正法では更新）を否定する（大判大 10・2・2 民録 27 輯 168 頁）。逆に受働債権が大きい場合には、受働債権に残額が残ることを認めていれば、残額について承認となり更新が認められる。

11-82 **◆相殺充当**

　　(1)　相殺適状が成立した順に充当される——合意充当は可能

　　(a)　合意充当は可能だが指定充当は認めない　自働債権または受働債権ないしは両者に債権が複数あり、相殺によりこれが全て消滅しない場合につき、まず当事者の合意（合意充当）が最優先される——512 条 1 項・2 項のいずれも、「当事者が別段の合意をしなかったときは」という留保をしている——。この合意がされなかった場合、相殺の充当（相殺充当）により処理される（石田 717 頁以下は、488 条 1 項・2 項により指定充当を認める）。弁済充当と異なり指定充当は認められていない。これは改正前の最判昭 56・7・2 民集 35 巻 5 号 881 頁を明文として採用した解決である。

11-83 　　**(b)　相殺適状になった順に充当**　まず、「債権者が債務者に対して有する 1 個又は数個の債権と、債権者が債務者に対して負担する 1 個又は数個の債務について、債権者が相殺の意思表示をした場合」には、「相殺に適するようになった時期の順序に従って、その対当額について相殺によって消滅する」（512 条 1 項）。当然相殺主義は採用しないが、相殺の遡及効により相殺適状が生じるごとに順次相殺の効力が生じていたことにするのである。意思表示がなくても順次清算されたも同然と考える「決済済みという期待」の保護という、相殺制度の根拠に基づくものといえる。

11-84 **(2)　相殺をする者の受働債権が複数あり全部が消滅しない場合**

　　(1)の場合に、「相殺をする債権者の有する債権がその負担する債務の全部を消滅させるのに足りないとき」は、以下のようになる（512 条 2 項）。受働債権が残る場合には、弁済充当の規律によるということである。

　　①「債権者が負担する 1 個又は数個の債務について元本のほか利息及び費用を支払うべきときは、第 489 条の規定を準用」し、費用、利息、元本の順で充当する（同項 2 号）。②それ以外は、補充的法定充当の 488 条 4 項 2 号から 4 号までが準用され（同項 1 号）、指定充当は認められない。まず、債務者（相殺をする者）に利益の多い債務（受働債権）に充当し（2 号準用）、利益が等しい場合には

535

第1節　相殺 ｜ §Ⅳ　相殺の効果

弁済期が先に来たものから充当し（3号準用）、そして、いずれによっても優劣が決められない場合には、債権額に応じて充当する（4号準用）。

11-85　**(3)　いずれかの債権が1つの債権であるが分割給付がされる場合**

「債権者が債務者に対して有する債権に、1個の債権の弁済として数個の給付をすべきものがある場合における相殺」また「債権者が債務者に対して負担する債務に、1個の債務の弁済として数個の給付をすべきものがある場合における相殺」についても、512条が準用される（512条の2）。賃料のように1つの契約から複数の債権が発生するのではなく、代金を分割払いにするように、債権は1つだが分割払いがされる場合である。この場合も、先に弁済期が到来した順に充当されていくことになる（1項の準用）。弁済期が同じ債務（受働債権）については、**(2)**と同様の充当がされることになる（2項の準用）。

2　相殺の遡及効

11-86　**(1)　相殺適状時に遡及して債権が消滅する**

相殺の「意思表示は、双方の債務が互いに相殺に適するようになった時にさかのぼってその効力を生ずる」（506条2項）。すなわち、相殺による対当額での債権の消滅という効力は、相殺時から将来に向かってのみ生じるのではなく、相殺適状（506条2項は放棄必要説でよい☞11-22以下）に達した時点に遡って生じるのである。相殺適状に達すると両債権はあたかも決済されたかのように考える当事者の期待を保護したものである（同様の立法としてドイツ民法389条、フランス民法1347条2項）。比較法的にみると、近時の立法では、相殺の遡及効が規定されていないか、または将来に向かってのみ効力が生じることが明記されている例が多いが（例えば、DCFR Ⅲ.-6：107条）、改正法でも遡及効が維持されている。

11-87　**(2)　債権消滅の遡及効の派生的効果**

相殺の遡及効の結果、利息は相殺の時から生じなくなるのではなく、相殺適状時にまで遡って生じていなかったものとして扱われ、債権に差額があれば残額につき相殺適状時から利息の計算をし直さなければならなくなる——全額消滅する場合には、遡って履行遅滞はなかったことになる——。ただし、相殺により遡及的に消滅した債権を被担保債権とする留置権が成立していた場合、留置権も遡及的になかったことになって遡及的に不法占有にはなるわけではない。動産質権でも同様である。また、同時履行の抗弁権も遡及

第 11 章　債権の消滅②──相殺・代物弁済・更改・免除・混同

的に否定されて履行遅滞になることはない。あくまでも、506 条 2 項は両債権が決済済みという期待を保護するのに必要な範囲内に限られる。

◆解除の効力を覆せるか

(1)　遡及効ある解除の事例

　例えば、買主が代金債務の不履行を理由として売買契約を解除したが、解除前に買主も売主に対して金銭債権を有し相殺適状にあった場合に、相殺をすればよいと考えていた買主が、解除の意思表示を受けて慌てて相殺の意思表示をしたとする。この場合、相殺の遡及効により解除を覆すことができるだろうか。この場合、そもそも相殺する時点では債権が消滅しており相殺権は消滅し、相殺適状がなくなるので相殺の意思表示ができないはずである。また、このような相殺を認めると法律関係が不安定になる。しかし、決済されたも同然と考えている債務者の期待を保護する必要がある。そこで、解除の意思表示がされたのに対して、債務者が速やかに異議を唱え相殺をして解除の効力を覆すことを認めるべきである（ドイツ民法 352 条はそのように規定する）

(2)　遡及効のない解除（告知）の事例

　(a)　相殺はできるが遡及効により解除は覆されない　賃借人が、例えば修繕をして費用償還請求権を有するため、その金額になるまで賃料を支払わなかったため、賃貸人から解除された場合、ここでは解除があっても賃料債務は存続するので賃借人は相殺ができ、その遡及効も認められる。では、相殺の遡及効により債務また債務不履行がなかったことになり、解除を覆すことができるのであろうか。判例（最判昭 32・3・8 民集 11 巻 3 号 513 頁）はこれを否定し、「民法 506 条 2 項の規定する……遡及効は相殺の債権債務それ自体に対してであって、相殺の意思表示以前既に有効になされた契約解除の効力には何らの影響を与えるものではない」と、これを否定する。

　(b)　信頼関係破壊の法理により解除自体を否定すべき　しかし、賃借人が相殺により決済されたも等しいと思って賃料を支払わなかった場合には、そもそも信頼関係の破壊を否定し、解除自体の効力を否定すべきである。その後の判例は、賃借人が修繕費の償還を受けるまで延滞賃料の支払を拒めると思い込んでいたため賃料を支払わなかった事案で、解除を否定している（最判昭 39・7・28 民集 18 巻 6 号 1220 頁）。賃借人が「相殺をなす等の措置をとらなかったことは遺憾であるが、右事情のもとでは法律的知識に乏しい同被上告人［賃借人］が右措置に出なかったことも一応無理からぬとこであり、右事実関係に照らせば、同被上告人はいまだ本件賃貸借の基調である相互の信頼関係を破壊するに至る程度の不誠意があると断定することはできないとして、上告人［賃貸人］の本件解除権の行使を信義則に反し許されない」とした原審判決は正当として是認している。

537

第2節 債権のその他の消滅原因 §Ⅰ 代物弁済

第2節 債権のその他の消滅原因

§Ⅰ
代物弁済

1 意義——代物弁済と代物弁済契約

11-91 **(1) 代物弁済により債務を免れる——相手の承諾が必要**

「弁済をすることができる者（以下「弁済者」という。）が、債権者との間で、債務者の負担した給付に代えて他の給付をすることにより債務を消滅させる旨の契約をした場合」——これを**代物弁済契約**という——、代物弁済契約に基づき、実際に**代物弁済**がされれば、すなわち「その弁済者が当該他の給付をしたときは、その給付は、弁済と同一の効力を有する」(482条)[337]。

例えば、Aに対して100万円の債務を負うBが、Aと交渉してその所有の甲画を100万円の支払に代える代物弁済契約をして、その後に代物弁済（甲画の引渡し）をした場合、Bは100万円の債務を免れる。

11-92 **(2) 代物弁済契約とその履行としての代物弁済**

(a) 代物弁済の要件 ①代物弁済がされることが債務の消滅には必要である（更改との差）。②そして、本来の債務の本旨に従った弁済ではないので、それに弁済の効力を付与する合意が必要である。②の合意が必要なこと以外は、代物弁済の効力が生じるためには弁済がされる必要があることは当然である。あくまでも代物弁済が債務の消滅原因であり、代物弁済の合意は、代物弁済が有効とされるための要件にすぎない。

11-93 **(b) 代物弁済と代物弁済契約の峻別** ところが、代物弁済をしなければ弁済の効力が生じないことから、代物弁済と代物弁済契約とを混乱し、代物弁

---

337) **＊代物弁済予約** かつて不動産について、貸付を行うに際して、不動産による代物弁済（予約）をして、仮登記をしておく取引が行われた。例えば5000万円を貸し付けて、返済できなかった場合に1億円以上の不動産を代物弁済によりぶんどることを意図した取引である。金を借りる際の窮状に乗じたものであるが、公序良俗に反するほどの価格の乖離があることはなく、担保という観点からの規制がされるようになる（清算金支払義務、受戻権等）。これを立法化したのが、いわゆる仮登記担保法である。仮登記担保権という物権取得権につき、担保という観点からの規制がされている（☞担保物権法4-106）。

538

第11章　債権の消滅②——相殺・代物弁済・更改・免除・混同

済契約は「要物契約」であると考えられていた。①確かに代物「弁済」に「弁済」としての効力を生じさせる物権的契約は、弁済をしなければ債務消滅という効力が生じないのは当然である。②しかし、債権契約として、代物弁済をする債務を負担する契約の効力を認めることは何も背理ではない。改正法の「債務者の負担した給付に代えて他の給付をすることにより債務を消滅させる旨の契約」には、この2つの異なった契約を認める趣旨が含まれている。

11-94　**(3)　債権契約としての代物弁済契約の効力**

(a)　代物弁済契約の不履行　債権契約としての代物弁済契約の効力として、11-91 の例だと、B は 100 万円の代物弁済として甲画を引き渡す債務を負担する[338]。A はその履行を求め、履行がされなければ損害賠償請求ができ（415条1項）、また、契約解除も可能である（541条・542条）。解除された場合には、元の 100 万円の債務だけになる。もし、甲画が贋作であったり、目的物が甲機械で修補可能な場合、担保責任の規定が準用され（559条）、追完請求、損害賠償請求また契約解除が可能である。また、代金減額規定により、代物弁済として消滅する効果を縮減することができてよい。

11-95　**(b)　2つの債権（債務）の関係**　問題になるのは、100 万円の債務と甲画による代物給付義務とが併存するが、この2つの債務ないし債権の関係である。①ⓐ A が甲画の引渡しではなく 100 万円の支払を求めること、また、ⓑ B が甲画の引渡しではなく 100 万円を支払って債務を免れることができるのか、②それとも、100 万円の債権債務は存続するが、代物による弁済しかできない、ないし履行を請求できないという拘束を受けるのかである。

この点、契約自由の原則が当てはまるのでいずれの契約も可能である（521条2項）。①ⓐでは選択債権の追加、①ⓑでは任意債務の追加、②は代物弁済の固有の効果になる。いずれとなるかは契約解釈により判定されるが（日本弁護士連合会編『実務解説改正債権法（第2版）』[2020] 319 頁 [斎藤芳朗]、中田452頁）、いずれか明確ではない場合には、②と推定すべきである。

---

338)　債権契約としての代物弁済契約が要物契約ではないことから、不動産による代物弁済が合意された場合、判例によれば、合意だけで所有権移転の効力が発生する。しかし、弁済（引渡し＋所有権移転登記）がされて初めて債務消滅の効力は生じることになる（最判昭 39・11・26 民集 18 巻 9 号 1984 頁）。

第2節 債権のその他の消滅原因 │ §1 代物弁済

11-96 **◆債務者への補充権を付与する場合に限定するか**
　代物弁済によって、債務者が当初の給付とは別の給付をすれば、それが弁済と
みなされ、債務者には債権を消滅させる旨の権能として「補充権」が認められる
という学説がある（石田666頁）。債務者が補充権を行使するかどうかは任意であ
り、債権者は、債務者に対して、補充権を行使して別の給付をするよう求めるこ
とはできず、債務者に対して、補充権を行使するまでは、当初の給付を求めるこ
とができるだけであるという。しかし、債務者に選択権を認める場合だけに代物
弁済を限定する必要はなく、11-95の3つのいずれの合意も認められてよい。

2　代物弁済契約と代物弁済の要件

11-97 　(a)　**2つの代物弁済契約と代物「弁済」**　代物弁済契約（11-93の2つの
契約）が有効と認められるためには、①債権が存在し、②その債権の弁済と
して本来の給付と異なる給付により弁済と認める合意が必要である。そし
て、代物弁済が有効になるためには、代物弁済契約に基づき、実際に代物弁
済がされることが必要である。従前、代物弁済契約と代物弁済そのものとが
截然と区別されて論じられていなかった嫌いがある。

11-98 　(b)　**それぞれの要件**　①まず、代物弁済契約が有効になるためには、代物
弁済されるべき債権が有効に存在していなければならない。これは代物弁済
の要件でもある。公序良俗に反して無効な契約上の債権について代物弁済が
された場合には、708条を適用すべきである。②代物弁済の有効要件とし
て、本来の給付と異なる給付を弁済と認める債権者の承諾が必要になり、こ
れは合意である必要はなく単独行為でもよく、さらには事後的なものでもよ
い。

3　代物弁済の効果

11-99 　(a)　**弁済としての効力付与**　代物弁済は、「弁済と同一の効力を有す」る
（482条）。これが代物弁済の特有の効力である。合意通りの代物弁済でなけ
ればならない。11-91の例で、Bが甲画ではなく乙画を引き渡しても、代物
弁済義務の履行とは認められず、代物弁済の効力は生じない。契約不適合の
場合の代物弁済「契約」の効力については、11-94で説明した。

11-100 　(b)　**弁済関連規定の適用**　代物弁済にも弁済の規定が適用され——第三者
の代物弁済も可能であるが、第三者に対する代物弁済への478条の適用は

第 11 章　債権の消滅②——相殺・代物弁済・更改・免除・混同

代物弁済は義務ではないので認められない——、弁済費用（485条）、受取証書の交付請求権（486条）などの適用が認められる。

§Ⅱ
更改（契約）

1　意義

11-101　**(a)　更改の意義**　「当事者が従前の債務に代えて、新たな債務であって次に掲げるものを発生させる契約」を、更改（契約）といい、「従前の債務は、更改によって消滅する」（513条）。

---

① **給付内容の変更**＝「従前の給付の内容について」の「重要な変更」
　　　　　　　　　　　　（1号）
② **債務者の交替**＝「従前の債務者が第三者と交替」（2号）
③ **債権者の交替**＝「従前の債権者が第三者と交替」（3号）

11-102　**(b)　3種類の更改とその必要性**　①はレストランの食事代金債務を、代わりに皿洗いを行う債務を負担して消滅させる、②は、Aに対するBの100万円の債務を、Aに対してCの100万円（または50万円）の債務を成立させて消滅させる、③は、AのBに対する100万円の債権を、CのBに対する100万円の債権を成立させて消滅させることである。①は履行前に債務を消滅させてしまうので、代物弁済ないし選択債権または任意債務の追加による方が適切であり、②は免責的債務引受、③は債権譲渡があるので実際上の必要性はほとんどない。ローマ法では、債権譲渡や債務引受が認められず、その代用として更改が重要な機能を果たしていたという経緯がある。現在では、「更改の空洞化」が認められ、ほとんど利用されておらず、改正に際しては削除することさえ検討された。

第2節　債権のその他の消滅原因 ┃ §Ⅱ　更改（契約）

2　要件

11-103（**1**）　**債務についての要件**

　①更改が有効とされるためには、まず、消滅させるべき債務が存在しなければならない。旧債務が存在しなければ、更改も無効であり、旧債務がそれを生じさせた契約の取消しによって消滅してしまうと、更改も効力を失う──ただし、125条3号で更改は法定追認事由である──。②次に、新債務が有効に成立することが、更改の効力が生じる要件である。更改契約が公序良俗に違反して無効であったり、詐欺などにより取り消された場合、旧債務を消滅させる更改契約の効力自体が失われるのであるから、旧債務は消滅しない。③また、新債務と認められるためには、513条1号から3号のいずれかの債務の要素を変更することが必要である。

11-104（**2**）　**更改契約の当事者**

　①債務者の交替による更改は、3当事者の契約によるほか、債権者・新債務者間の契約でもできるが、「債権者が更改前の債務者に対してその契約をした旨を通知した時に、その効力を生ずる」（514条1項）。免責的債務引受の472条2項とパラレルな規定である。②債権者の交替による更改は、「更改前の債権者、更改後に債権者となる者及び債務者の契約によってすることができる」とされている（515条1項）。債権譲渡は、譲渡人と譲受人との契約でできるが、債権者の交替による更改は、債務者の同意が必要になる。

3　効果

11-105（**1**）　**新債務の成立・旧債務の消滅──担保の承継も可能**

　更改の効力により、旧債務が消滅し新たな債務が発生し、両債務の間には同一性がない（連続性はある）。その結果、旧債務の消滅に伴い旧債務の担保も消滅するのが原則である。ただし、債権者──債権者交替による更改では更改前の債権者──は、「更改前の債務の目的の限度において」の債務の担保として設定された質権および抵当権は、更改後の債務に移すことができる。第三者が設定した質権や抵当権は、新しい債務の担保に移すためには、その承諾を得なければならない（518条1項）。この「質権又は抵当権の移転は、あらかじめ又は同時に更改の相手方（債権者の交替による更改にあって

第 11 章　債権の消滅②——相殺・代物弁済・更改・免除・混同

は、債務者）に対してする意思表示によってしなければならない」（同条2項）。したがって、追認によることはできず、再度設定し直す必要がある。

11-106　**(2)　その他の効果**

　「債務者の交替による更改後の債務者は、更改前の債務者に対して求償権を取得しない」（514条2項）。免責的債務引受と同様であり（472条の3）、原因関係において何らかの処理がされていることが前提になっている。

　債権者の交替による更改は、債権譲渡ではないが、「確定日付ある証書によってしなければ、第三者に対抗することができない」（515条2項）。債権が消滅し別の債権を第三者が取得するため、債権譲渡に準じた第三者への対抗についての規制をしたのである。債務者への対抗は債務者の同意が必要なので問題にならない。

11-107　　◆**更改契約の解除**

　　更改契約により生じた新債務を債務者が履行しない場合、債権者は更改契約を解除しうるだろうか。更改契約は債権契約ではなく準物権行為であり、旧債務を消滅させ、代わりに新債務を「成立させる」合意である。債務であるので履行を義務づけられるというだけである。新債務が履行されなくても、更改契約の債務不履行ではなく、その解除は考えられない。

　　ところが、判例は、「更改も亦一の契約なるが故に、契約解除に関する一般の規定に従ひ之が解除を為し得るものと解せざるべからず」、「若更改契約にして適法に解除せられんが、契約当事者間に在りては更改に因りて生じたる新なる債務消滅すると同時に、旧債務関係は当然に復活するものと為ざるべからず」という一般論を述べている（大判昭3・3・10新聞2847号15頁）。しかし、新債務が履行されない場合に、旧債務を復活させることが予定されている場合には、法定解除の規定に従い解除を認める特約付きと認定すべきである。

$$§ \text{Ⅲ}$$
$$免除$$

1　意義

11-108　「債権者が債務者に対して債務を免除する意思を表示したときは、その債権は、消滅する」（519条）。債権者が一方的意思表示により債務を消滅させ

543

ることが免除であり、債権の放棄といってもよい。民法では免除は債権者の単独行為であるが、比較法的には免除契約を要求する例が多い——利益といえども一方的に押し付けられない——。権利放棄なのであるから権利者が自由にできるという観点から、単独行為としたのである[339]。起草過程では、「但債権者が不同意を表したるときは此限に在らず」というただし書を追加する提案もされたが、採用されなかった。

2 要件

11-109 免除は債務の一部についても可能であり、また、条件を付けることもできる（石田 737 頁）。例えば、今月中に元本 50 万円支払えば利息を免除するというのも有効である。単独行為には条件は付けられないのが原則であるが、債務者に特に不利益はないからである。免除のためには、債権者に処分権限があることが必要であり、債権が差し押さえられたり、質権が設定されていたり、債権者が破産手続開始の決定を受けている場合には、債権者が免除をしても無効である[340]。免除は合意によって行うこともできる。

11-110 ◆**不訴求の意思表示概念の必要性・有用性**
債権者が、債務者に対して支払を免除する場合に、債務を消滅させる 519 条の本来の免除ではなく、債務者の窮状に鑑みて、取立てや強制執行手続をとらないというだけのことが考えられる。自然債務にする意思表示であり、債務を消滅させる免除ではなく、債務の強制力を消滅させるだけの不完全な免除であり、免除と区別して不訴求の意思表示と分類される。不訴求の意思表示も、免除に準じ

---

339) 株金払込請求権は、株式会社の資本充実の原則から、免除は許されないと解されている（大判大 4・11・20 民録 21 輯 1886 頁）。労働者による退職金債権の放棄は、相殺におけるのと同様に（☞注 328）、労基法 24 条 1 項本文のいわゆる全額払いの原則に反するかなどが議論され、「右意思表示の効力を肯定するには、それが上告人の自由な意思に基づくものであることが明確でなければならない」として、これを事案に当てはめ、有効と認めている（最判昭 48・1・19 民集 27 巻 1 号 27 頁）。
340) ＊**無効か対抗不能か** 398 条は、抵当権の対象である地上権を放棄しても、抵当権者に対抗できないと規定する。当事者間では放棄は有効で、地上権の負担が土地所有者になくなり自ら使用できるが、抵当権者には対抗できず地上権を競売できる。借地人が借地上の建物に抵当権を設定した場合、従たる権利として借地権に抵当権の効力が及び、借地権を放棄しても抵当権者に対抗できない（大判大 11・11・24 民集 1 巻 738 頁）。では、A → B 債権につき、C に質権を設定し、その後に A が B を免除したら無効であり、その後に質権が消滅しても A → B 債権は存続しているので、A は B に支払を請求できるのであろうか。やはり、これも対抗不能と考えるべきであり、債権質が消滅すれば拘束力はなくなり、免除の効力は確定し、もし、C が債権質を実行し B から債権を回収すれば、B は A に対して不当利得返還請求ができる（債権質の拘束力については、梶山玉香「『債権質の拘束』に関する覚書」同志社法学 68 巻 7 号［2017］465 頁以下参照）。

第 11 章　債権の消滅②——相殺・代物弁済・更改・免除・混同

て単独行為で行うことができる。

　破産免責については債務を消滅させるものではなく強制力を失わせるだけと考えられるが、私的整理の事例においても、免除ではなく不訴求の合意にすぎないと認められることはすでに述べた。それにより、保証人や連帯債務者には何ら影響を及ぼさないことになる。従前、免除を前提としていた議論が、これを不訴求の意思表示と評価することにより、多くの問題が解決されるように思われる。

§Ⅳ
混同

1　混同の意義と原則的効果（債権・債務の消滅）

11-111　**(1)　意義**

　同一人の下で別々に存在させておく必要のない 2 つの法律上の地位が同一人に帰属した場合に、その権利が存続させておく必要性がなくなり消滅することを、一般に**混同**という。これには、物権の混同（179 条）——例えば、土地所有者と地上権者とが同一人に帰属した場合、地上権が消滅する——と債権の混同（520 条）とがあり——さらには解釈上、契約上の地位の混同も考えられる——、ここで扱うのは後者である。例えば、賃貸人と賃借人が合併により 1 つの法人になった場合である（☞ 11-114）。

11-112　**(2)　債権の混同**

　「債権及び債務が同一人に帰属したときは、その債権は、消滅する」（520 条本文）。相続や会社の合併により、債権者・債務者の地位——賃貸人・賃借人、貸主・借主など——が同一人に帰属した場合、履行は意味をなさないため、債権は消滅する。共同相続の場合には、共同相続により分割取得した債権部分が混同で消滅する。債権・債務だけでなく契約当事者たる地位が同一人に帰属した場合には、契約は終了すると考えられる。例えば、賃貸人と賃借人が合併により 1 つの法人になった場合である（☞ 11-114）。

2　例外

11-113　債権が消滅するのは、債権を存続させておく必要がないためであり、存続

545

第2節　債権のその他の消滅原因 │ §Ⅳ　混同

させておく必要がある場合には債権は存続する[341]。民法も、「ただし、その債権が第三者の権利の目的であるときは、この限りでない」（520条ただし書）と規定した。これは原案にはなく、物権の混同規定と平仄を合わせて追加された規定である。しかし、金銭債権に債権質が設定されており、債務者と第三債務者との間に相続があった場合、混同の例外として債権また債権質を存続させても無意味である。借地の建物に抵当権を設定し、借地権に抵当権の効力が及ぶ場合に、その後に借地人が土地を購入しても、借地権は混同で消滅せず、抵当権者は建物と共に借地権を競売できるといった場合や債権に第三者による担保がある場合でなければ、例外を認める意味はない。

11-114　◆賃料債権の包括的差押えとその後の賃借人と賃貸人との地位の混同

　（1）　将来の賃料債権の差押えも可能

　　将来の賃料債権を差し押さえることも可能であり（民執151条）、その場合には、賃貸人は賃料債権の処分を禁止され、賃料債権の譲渡をしても無効であり、また、賃料債権の免除をしても抵当権者には対抗できない（最判昭44・11・6民集23巻11号2009頁）。では、その場合に、その後に、賃貸人が賃貸不動産を賃借人に売却して混同により賃貸借契約が終了した場合に、520条ただし書により、差押債権者に対抗できないのであろうか。

11-115　（2）　判例は対抗を認める

　　最判平24・9・4金判1413号46頁は、原審が、「本件賃貸借契約に基づく賃料債権は第三者の権利の目的となっているから、民法520条ただし書の規定により、……賃料債権が混同によって消滅することはな」いとしたが、これを破棄する。「賃料債権の差押えを受けた債務者は、当該賃料債権の処分を禁止されるが、その発生の基礎となる賃貸借契約が終了したときは、差押えの対象となる賃料債権は以後発生しないこととなる。したがって、……賃貸人と賃借人との人的関係、当該建物を譲渡するに至った経緯及び態様その他の諸般の事情に照らして、賃借人において賃料債権が発生しないことを主張することが信義則上許されないなどの特段の事情がない限り、差押債権者は、第三債務者である賃借人から、当該譲渡後に支払期の到来する賃料債権を取り立てることができないというべきである」と判示した。妥当な判断である。

341）　混同の例外として、信託財産について信託法20条、証券化された債権について手形法11条3項・77条1項、小切手法14条3項、電子記録債権について電子記録債権法22条1項がある。民法でも、無限定承認をした相続人の被相続人に対する権利義務は消滅しなかったものとみなされ（925条）、これも混同の例外を認める規定と考えられている。

第 11 章　債権の消滅②——相殺・代物弁済・更改・免除・混同

◆賃貸借事例についての特殊事例

11-116

(1)　転貸借における賃貸人たる地位と転借人たる地位が同一人に帰属した場合

　例えば、建物が、所有者 A から B に賃貸され、B が A の承諾を得てこれを C に転貸している場合に、C が建物を A から買い取った場合、AB 間の法律関係はどうなるであろうか。C 賃貸人、B 賃借人、C 転借人となる。C から C に対する 613 条 1 項の権利は混同で消滅する。C は建物を所有権に基づいて使用収益ができるので、B に対する賃借権は不要である。しかし、B が C との転貸借を終了させ自ら使用収益することができる法的地位を有しているのに、これを一方的に奪われるのは適切ではない。C→B の賃料債権、B→C の転貸料債権は相殺で消滅させればよく、転貸借関係は当然には消滅しない（最判昭 35・6・23 民集 14 巻 8 号 1507 頁）。そもそも混同が認められないからである。

11-117

(2)　借地に抵当権が設定されている場合

　(a)　借地権を存続させる必要あり　例えば、A からその所有の甲地を B が借りて乙建物を建てて所有し、その後に A が甲地に C のために抵当権を設定し、さらにその後に B が A から甲地を買い取ったとする。B は甲地を所有権に基づいて使用収益できるので、もはや借地権は不要かのようである。しかし、土地の抵当権が実行され、例えば D が買い受けた場合、借地権がないと B は乙建物のための甲地の利用権限がなくなってしまう。そのため、甲地の抵当権が競売され買受人が出てくることに備えて、借地権を保持しておく必要がある。

11-118

　(b)　179 条による解決　判例は「特定の土地につき所有権と賃借権とが同一人に帰属するに至った場合であっても、その賃借権が対抗要件を具備したものであり、かつ、その対抗要件を具備した後に右土地に抵当権が設定されていたときは、民法 179 条 1 項但書の準用により、賃借権は消滅しない」と判示する（最判昭 46・10・14 民集 25 巻 7 号 933 頁）。借地権が抵当権の対象になっているわけではないため、520 条ではなく、179 条 1 項ただし書が適用されている（物権ではないので「準用」と述べているが、類推適用である）。なお、賃借権は混同の例外で存続するとしても、それから発生する賃料債権、修補請求権などは発生と同時に混同により消滅する。

11-119

(3)　二重譲渡の事例

　甲地の賃借人 B が、甲地を A から買い取ったが、所有権移転登記を受ける前に、A が甲地をさらに C に売却し C に所有権移転登記がされたとする。B が甲地を買い取ったところで、借地権は混同で消滅しており、B は土地取得を対抗できないだけでなく、借地権も C に主張できないのであろうか。判例は、「一たん混同によって消滅した右賃借権は、右第三者に対する関係では、同人の所有権取得によって、消滅しなかったものとなる」と説明し、C への借地権の対抗を認めている（最判昭 40・12・21 民集 19 巻 9 号 2221 頁。最判昭 47・4・20 判時 668 号 47 頁も同様）。混同の例外ではなく、一旦混同の効果が生じるが、先に登記を備えた第三

547

第2節　債権のその他の消滅原因 | §Ⅳ　混同

者が登場したら、そもそも混同自体が否定されるだけである。なお、AB 間で、甲地の売買に際して、借地契約の合意解除がされていたとしても、それは混同の効果を確認するだけの行為にすぎないと考えるべきである。

11-120

◆損害賠償請求権の混同の自賠法 16 条の直接請求権への効力

　A が B 運転の自動車に同乗していて、B の過失による事故に遭い死亡し、A を B が相続した場合―― AB が夫婦や親子などの場合――、A には、① B に対する損害賠償請求権（自賠 3 条）、また、②保険会社 C に対する保険金請求権（同法 16 条 1 項）が成立する。②は①が前提なので、AB 間の①の損害賠償請求権が混同により消滅し、②も連動して消滅するのであろうか。判例は、自賠法 3 条による「被害者の保有者に対する損害賠償債権及び保有者の被害者に対する損害賠償債務が同一人に帰したときには、自賠法 16 条 1 項に基づく被害者の保険会社に対する損害賠償額の支払請求権は消滅する」と、消滅を認める（最判平 1・4・20 民集 43 巻 4 号 234 頁）。自賠法 16 条 1 項の「直接請求権の成立には、自賠法 3 条による被害者の保有者に対する損害賠償債権が成立していることが要件となっており、また、右損害賠償債権が消滅すれば、右直接請求権も消滅するものと解するのが相当であるからである」というのが理由である。

事項索引

＊頁数ではなく、通し番号または注による。

[あ]

与える債務	1-19
安全配慮義務	4-124
——違反の証明責任	4-133
——と不法行為上の注意義務	4-135
——の拡大	4-131
——の承認	4-124
下請労働者に対する元請人の——	4-132

[い]

異議をとどめない承諾	9-87
慰謝料	4-187
債務不履行と——	4-188
一部供託	10-274
一部代位	10-147〜
一部提供	10-274
一部保証	8-56〜
逸失利益	4-184
一身専属権〈債権者代位権〉	5-43
違約金	4-251

[う]

| 受取証書 | 10-83 |
| ——交付請求権 | 10-03 |

[か]

価額償還〈詐害行為取消権〉	6-125
掴取力	3-5
確定日付ある証書	9-105
——の同時到達	9-116
貸金業法	2-73
過失	4-145
——相殺	4-244
過払金充当	2-72
カフェー丸玉事件	3-20
間接強制	4-10
——の補充性	4-12
完全賠償主義	4-192
貫徹力	3-4
元本確定期日	8-171
元本確定事由	8-183
元本債権	2-55

[き]

帰責事由	4-145〜
偽造カード	10-46
記名式所持人払証券	9-185
キャッシュ・ディスペンサーなどによる弁済	10-42
求償権	
——の制限	7-104〜
——の内容	7-99〜
——の不真正連帯債務	7-126
——の連帯債務	7-78〜
償還無資力者がある場合の——の拡大	7-115
求償保証〈法人根保証〉	8-194
給付	1-21
——の金銭換算可能性	2-3
一時的——	1-21
回帰的——	1-21
可分——	1-21
継続的——	1-21
代替的——	1-21
非代替的——	1-21
不可分——	1-21
給付保持力	3-1
強制執行	4-2
強制履行→履行の強制	

549

強制力	3-4	［さ］	
供託→弁済供託		債権	1-4～
供託原因	10-268	——と請求権	1-10
供託物		——と物権の区別	1-4
——還付請求権と時効	10-287	——に基づく妨害排除請求権	3-61～
——の取戻し	10-286	——の効力	3-1～
共同債権	7-40	——の準占有者への弁済	10-29
共同保証	8-135～	——の消滅原因	10-1～
——と求償	8-142～	——の対外的効力	3-10
——人の1人の免除	8-155	——の取立費用	10-100
漁業用タール事件	2-24, 2-45	——の目的	2-1～
極度額〈根保証〉	8-167	債権各論	1-1
金銭債権	2-50～, 注27	債権者代位権	5-1～
——と物価の上昇	2-53	——と債務者の権利行使の制限	5-70～
金銭賠償主義	4-176	——と代位行使の範囲	5-57
		——と代位訴訟判決の効力	5-82
［く］		——と第三債務者の地位	5-62
組入権〈利息の〉	2-64	——と無資力要件	5-10, 5-20
グレイ・ゾーン	2-77	——の行使	5-51～
		——の効果	5-70～
［け］		——の性質	5-14～
経営指導念書	8-23	——の評価	5-8～
形成権説〈詐害行為取消権〉	6-11	時効援用権と——	5-49
継続的保証	8-159～	特定債権への——の転用	5-22
契約締結上の過失	4-29	債権者遅滞→受領遅滞	
契約余後効論	注59	債権者取消権→詐害行為取消権	
結果債務	1-22, 1-23, 4-154	債権者優先主義〈弁済者代位〉	10-149
原債権	10-111	債権証書	10-89
検索の抗弁権	8-72	——の返還請求権	10-89
現実の提供	10-219	債権譲渡	9-1～
現状引渡しの原則	2-13	——制限の意思表示	9-40～
		——通知	9-80
［こ］		——と相殺	9-97
行為債務→為す債務		——の可能性	9-12
更改	11-101～	——の性質による制限	9-38
——の解除	11-107	——の法的性質	9-8～
口頭の提供	10-227	——の法律による禁止	9-57
——が不要な場合	10-237	——の優劣決定	9-109
後発的不能	注69	将来債権の——	9-14
子の引渡し	注47	取立てのためにする——	9-135
混同	11-111	債権譲渡の対抗要件	9-61
		債務者に対する——	9-69～

事項索引

第三者に対する――	9-105～	差額説	4-178
債権侵害→第三者の債権侵害		作為債務	1-18
債権総論	1-1	不法行為上の――	1-31
――の構成	1-32	差押禁止財産	3-6
催告の抗弁権	8-70	指図証券	9-178
財産権を目的としない行為〈詐害行為取消権〉			
	6-64～	［し］	
財産損害	4-187	事業者保証	8-5
債務	1-1～, 2-4	持参債務	2-41
――の発生原因	1-30～	自助売却権	10-272
――の分類	1-18～	事前求償権	8-106
――名義	4-2	――と事後求償権の関係	8-118
債務引受	9-138～	――の物上保証人への類推適用	8-114
債務不履行	4-13～	――の法的構成	8-108
――責任の拡大	4-13～	自然債務	3-15～
――の根拠	4-24	執行請求権	4-2
――の類型化	4-30	執行力	3-4
――の類型	4-31～	指定充当→弁済充当	
債務不履行責任説〈受領遅滞〉	10-255	自働債権	11-2
詐害行為	6-25	指名債権	9-2
――の主観的要件	6-63	集合債権譲渡	9-14
遺産分割と――	6-67	重利	2-64
相続の放棄と――	6-65	法定――	2-64
相当価額での不動産の売却と――	6-34	約定――	2-64
対抗要件具備行為と――	6-60	主観的不能	注69
代物弁済と――	6-47	主債務者	
特定物債権と――	6-79	――に生じた事由の保証人への効力	8-75
――〈二重譲渡のケース〉	6-81	――の倒産	8-84
物的担保の供与と――	6-53	――の免責	8-88
弁済と――	6-41	主たる債務（主債務）	8-1
弁済のための不動産の売却と――	6-39	手段債務	1-22, 1-27, 4-157
詐害行為取消権	6-1～	出資取締法	2-77
――と価額償還	6-125	受働債権	11-2
――と取消債権者への引渡請求	6-117	受領義務	10-251
――〈弁済の場合〉	6-122	受領遅滞	10-241～
――の運用指針	6-3	――か履行不能か争われる場合	10-260
――の行使	6-95～	――の解消	10-263
――期間	6-128	――の法的性質	10-251
――の法的構成	6-10～	受領力	3-1
虚偽表示と――	6-59	種類債権	2-21～
転得者に対する――	6-162～	――と変更権	2-49
詐害行為取消判決の効力	6-132～	――の特定	2-34～

——と口頭の提供	2-44
——の効果	2-48
——の品質	2-30～
種類債務	1-21
消極的契約利益→信頼利益	
消極的損害	4-184
譲渡禁止特約〈債権譲渡〉	9-42
消費者保証	8-3
情報提供義務	
債権者の——	8-78
主債務者の——	8-35
将来債権の譲渡	9-14
信義則上の義務	4-28, 4-103
人的担保	8-2
信頼利益	4-185

[す]

随伴性〈保証債務〉	8-20

[せ]

請求権	1-7, 1-10
請求力	3-2
制限種類債権	2-23～
——の一部不能	2-27
制限説〈相殺〉	11-61
制限賠償主義	4-191
責任	3-11
責任財産の保全	3-9
積極的損害	4-184
絶対権	1-4
絶対的効力事由〈連帯債務〉	7-69～
絶対的免除	7-77
善管注意義務	2-6
選択債権	2-78

[そ]

相関判断説〈詐害行為取消権〉	6-23
相殺	11-1～
——禁止債権	11-47～, 11-54
——禁止特約	11-47
——契約	11-67
——充当	11-82

——の機能	11-4～
——の効果	11-80
——の遡及効	11-86
——の担保的機能	11-4
——の方法	11-78
——の予約	11-67
抗弁権付債権と——	11-10
債権譲渡と——	9-97
差押えと——	11-58～
不法行為債権と——	11-48
保証人による——	8-68
相殺適状	11-9
——説	11-60
——の存続	11-31
相対権	1-4
相対的取消し〈詐害行為取消権〉	6-15
相当因果関係	4-193
送付債務	2-42
訴求力	3-2
損益相殺	4-242
損害	
——の意義	4-177
——の確実性	4-228
——の種類	4-180
損害軽減義務	4-6, 4-245
——と強制履行	4-6
損害担保契約	8-22
損害賠償額の算定	4-226～
——の基準時	4-226～
契約解除と——	4-236
履行不能と——	4-230
損害賠償額の予定	4-252
——と過失相殺	4-253
——と履行請求	4-255
損害賠償者による代位	4-98
——と目的物の取戻し	4-101
損害賠償の範囲	4-189～
——の予見時期	4-218
——の予見の当事者	4-217

[た]

代位弁済	10-15～

事項索引

——的相殺	11-15
——に対する制限	10-17
第三者の債権侵害	3-39〜
——と不法行為	3-39〜
——と妨害排除請求	3-61
第三者の弁済→代位弁済	
代償請求権	4-81
——の効果	4-85
二重譲渡と——	4-86
対人権	1-4
代替執行	4-9
代物弁済	11-91〜
——の法的性質	11-94
多数当事者の債権関係	7-1〜
単純保証	8-21
担保保存義務	10-199〜
——免除特約	10-213
——と第三取得者	10-216
——免責の効果	10-205

[ち]

遅延賠償	4-181
遅延利息	4-50
——と利息制限法	4-55
——の遅延利息	注66
中間最高価格	4-227
抽象的過失	2-10
直接強制	4-5
直接訴権	5-34

[つ]

追完権	4-115
追完請求権	4-100・
通貨	2-52
通常損害	4-204
通知義務	
——〈事前の〉	7-104
——〈事後の〉	7-107

[て]

提供→弁済提供	
填補賠償	4-181

[と]

同一性理論	4-14
動産債権譲渡特例法	9-6, 9-71
盗難カード	10-46
特定債権	5-22
——への債権者代位権の転用	5-22
特定物債権	2-5〜
——と詐害行為	6-79
——〈二重譲渡のケース〉	6-81
特定物債務	1-21
特定物ドグマ	2-13
特別解約権	8-186
特別損害	4-211
——における予見時期	4-218
——における予見の対象	4-217
取立債務	2-40
取立てのためにする債権譲渡	9-135

[な]

為す債務	1-19
——の品質	2-33

[に]

任意解約権	8-174
任意債権	2-88
任意代位	10-130

[ね]

根保証	8-159〜
限定——	8-167
包括——	8-167

[は]

賠償者の代位	4-98
ハドレー判決	注108

[ひ]

非財産損害	4-187
否認権	6-5
表見受領権者	10-27〜
——への弁済	
——と銀行の注意義務	10-40

553

——と債権者の帰責事由	10-36
——の効果	10-67

[ふ]

不可侵性説	3-41
不可分債権	7-19～
不可分債務	7-24～
——の拡大	7-27
不完全履行	4-103～
付随損害型の——	4-122
保管型・保安型の——	4-117
富喜丸事件判決	4-199, 4-230
不作為債務	1-18
付従性〈保証債務〉	8-16, 8-59
——に基づく抗弁〈時効〉	8-62
——に基づく抗弁〈相殺〉	8-68
——に基づく抗弁〈取消し・解除〉	8-65
不真正連帯債務	7-120～
付随義務	4-28, 注 57
付随的注意義務	4-28
負担部分〈連帯債務〉	7-84～
不適合物と特定	2-39
不動産賃借権に基づく妨害排除請求権	3-61
不特定物債権	2-21～
不特定物債務	1-21
分割債権	7-5～
分割債務	7-5～
分割主義の原則	7-5～
分別の利益	8-136

[へ]

併存的債務引受	9-138～
変更権	2-49
弁済	10-3～
——が無効な場合	10-80～
——の時間帯	10-95
——の場所	10-92
——の法的性質	10-7
——をすることができる者	10-15～
第三者所有物による——の効力	10-13
弁済供託	10-265～
一部——	10-274

弁済者代位	10-109～
——と共同抵当	10-137
——についての特約	10-194
——についての利害調整	10-155
——の対象	10-134
——の法的構成	10-114～
——の要件	10-130
共同保証人間の——	10-160
第三取得者間の——	10-178
二重資格者と——	10-182
物上保証人間の——	10-158
保証人・第三取得者間の——	10-174
保証人・物上保証人間の——	10-164
弁済充当	10-104
——〈指定充当〉	10-106
——〈必要的法定充当〉	10-105
——〈補充的法定充当〉	10-108
弁済受領権者	10-23～
弁済提供	10-217～
一部——	10-274
弁済費用	10-96

[ほ]

包括根保証	8-167
法定責任説〈受領遅滞〉	10-252
法定代位	10-130
保護義務	4-143
保証	8-1～
——意思の事前の表示	8-41
保証契約	8-25～
——の主債務者の要件	8-45
保証債務	8-1～
——の随伴性	8-16
債権譲渡と——	8-89
免責的債務引受と——	8-90
——の性質	8-6～
——の範囲	8-48～
——の付従性	8-16
——の補充性	8-21
契約の解除と——	8-51
保証人の求償権	8-95～
——〈受託保証人〉	8-97～

事項索引

——〈数人の主債務者〉	8-126
——〈無委託保証人〉	8-123
保証連帯	8-135
保存義務	2-6〜

[み]

身元保証	8-190

[む]

無記名債権	9-188
無資力	5-20, 6-27
——の判断時期	6-32
——要件	
——〈債権者代位権〉	5-11, 5-20
——〈詐害行為取消権〉	6-27
——不要説	5-10
無制限説〈差押えと相殺〉	11-59

[め]

免除	11-108
免責条項	4-259
——の第三者効	4-260
——の第三者による援用	4-266
免責的債務引受	9-156〜
——と保証債務	9-164

[ゆ]

有価証券	9-176〜

[よ]

478条	
——の効果	10-67
——の類推適用	10-53

[り]

履行	
——の強制	4-2〜
種類債権と——	4-6

——の引受	9-171〜
履行遅滞	4-38〜
確定期限ある債務の——	4-40
期限の定めがない債務の——	4-44
金銭債務の——	4-48〜
不確定期限ある債務の——	4-43
履行不能	4-58〜
——の意義	4-59
——の効果	4-68〜
履行補助者	4-161〜
——の分類	4-170
信義則上の義務と——	4-168
履行利益	4-185
離婚に際しての財産分与と詐害行為	6-71
利息	2-54
——の組入→組入権	
法定——	2-55
約定——	2-55
利息債権	2-54〜
基本権たる——	2-59
支分権たる——	2-59
利息制限法	2-66
利用補助者の過失	4-173
利率	2-61
——規制	2-66〜
法定——	2-61
約定——	2-61

[れ]

連帯債権	7-37〜
連帯債務	7-54〜
——と絶対的効力事由	7-69〜
——と相対的効力事由	7-73〜
——の成立	7-00
——の対外関係	7-64〜
——の本質	7-58
連帯保証	8-129〜

555

判例索引

＊頁数ではなく、通し番号または注による。●が付いているものは、枠内で詳しく説明している箇所である。

[明治時代]
——明治30年代——
大判明 34・3・13 民録 7 輯 3 巻 41 頁 …… 4-66
大判明 34・7・8 民録 7 輯 7 巻 41 頁 …… 4-66
大判明 36・3・30 民録 9 輯 361 頁 …… 9-109
大判明 36・4・23 民録 9 輯 484 頁 …… 8-53
大判明 37・1・28 民録 10 輯 57 頁 …… 9-93
大判明 37・10・21 民録 10 輯 1347 頁 …… 6-35
大判明 37・12・13 民録 10 輯 1591 頁 …… 8-75
大判明 38・3・11 民録 11 輯 349 頁 … 10-224
大判明 38・6・3 民録 11 輯 847 頁 …… 11-78
大判明 38・6・6 民録 11 輯 881 頁 …… 9-93
大判明 38・7・10 民録 11 輯 1150 頁 …… 8-51
大判明 38・10・31 民録 11 輯 1459 頁 … 7-10
大判明 38・11・28 民録 11 輯 1607 頁
　……………………………………… 4-209
大判明 39・2・5 民録 12 輯 136 頁 …… 6-36
大判明 39・5・22 民録 12 輯 792 頁 …… 7-117
大判明 39・10・29 民録 12 輯 1358 頁
　………………………………………… 4-160
大判明 39・12・20 民録 12 輯 1676 頁
　………………………………………… 8-139
——明治40年代——
大判明 40・5・20 民録 13 輯 576 頁 … 10-268
大判明 40・7・2 民録 13 輯 735 頁 …… 8-51
大判明 40・7・8 民録 13 輯 769 頁 …… 9-97
大判明 40・9・21 民録 13 輯 877 頁 …… 6-54
大判明 40・11・26 民録 13 輯 1154 頁
　………………………………………… 9-109
大判明 41・6・4 民録 14 輯 663 頁 …… 8-53
大判明 41・6・20 民録 14 輯 759 頁 …… 6-59
大判明 41・11・14 民録 14 輯 1171 頁 …… 6-59

大判明 42・5・14 民録 15 輯 490 頁 …… 9-96
大判明 42・6・8 民録 15 輯 579 頁
　………………………………… 6-95, 6-106
大判明 43・4・15 民録 16 輯 325 頁 …… 8-51
大判明 43・7・6 民録 16 輯 537 頁
　……………………………… 5-27, ●5-28
大判明 44・3・24 民録 17 輯 117 頁 … ●6-16
大判明 44・4・18 民録 17 輯 225 頁 …… 9-93
大判明 44・6・8 民録 17 輯 371 頁 …… 4-66
大判明 45・1・25 民録 18 輯 25 頁 …… 9-76
大判明 45・3・16 民録 18 輯 258 頁 …… 11-28
大判明 45・6・15 民録 18 輯 613 頁 …… 2-56
大判明 45・7・3 民録 18 輯 684 頁 …… 10-268

[大正時代]
大判大元・11・8 民録 18 輯 951 頁 …… 9-97
東京地判大正 2 年(ワ)第 922 号新聞 986 号 25 頁
　……………………………………………… 2-3
大判大 2・3・8 民録 19 輯 120 頁 …… 9-112
大判大 2・5・12 民録 19 輯 327 頁 …… 4-67
大判大 2・6・19 民録 19 輯 458 頁 …… 11-28
大判大 2・6・19 民録 19 輯 463 頁
　……………………………………… 注63, 注64
大判大 2・10・20 民録 19 輯 910 頁 …… 4-243
大判大 2・12・22 民録 19 輯 1050 頁 …… 4-44
大連判大 3・3・10 民録 20 輯 147 頁 …… 7-10
大判大 3・5・21 民録 20 輯 407 頁 …… 注239
大判大 3・10・13 民録 20 輯 751 頁 …… 7-117
大判大 3・10・29 民録 20 輯 834 頁 …… 7-120
大判大 3・11・20 民録 20 輯 963 頁 …… 9-94
大連判大 3・12・22 民録 20 輯 1146 頁
　……………………………………………… 9-110

556

判例索引

大判大 4・2・24 民録 21 輯 180 頁 …… 11-80
大判大 4・3・10 刑録 21 輯 279 頁
　　　　　　　　　　　　…… ●3-42, 3-65
大判大 4・3・20 民録 21 輯 395 頁 …… 3-41
大判大 4・5・29 民録 21 輯 858 頁 …… 10-257
大判大 4・7・13 民録 21 輯 1387 頁 …… 8-62
大判大 4・11・20 民録 21 輯 1886 頁
　　　　　　　　　　　　　　　…… 注 339
大判大 4・12・4 民録 21 輯 2004 頁 … 10-221
大判大 5・5・20 民録 22 輯 999 頁 …… 2-79
大判大 5・7・15 民録 22 輯 1549 頁 …… 8-179
大判大 5・9・16 民録 22 輯 1716 頁 …… 7-101
大判大 5・10・7 民録 22 輯 1853 頁 …… 注 20
大判大 5・11・21 民録 22 輯 2250 頁
　　　　　　　　　　　　…… 3-59, 5-65
大判大 5・12・6 民録 22 輯 2370 頁 …… 6-107
大判大 6・1・22 民録 23 輯 8 頁 …… 6-86
大判大 6・3・31 民録 23 輯 596 頁 …… 6-117
大判大 6・5・3 民録 23 輯 863 頁 …… 7-88
大判大 6・9・22 民録 23 輯 1488 頁 …… 9-39
大判大 6・10・2 民録 23 輯 1510 頁 …… 9-83
大判大 6・10・27 民録 23 輯 1867 頁
　　　　　　　　…… 8-15, 8-53, 8-55
大判大 6・10・30 民録 23 輯 1624 頁 …… 6-92
大判大 7・8・14 民録 24 輯 1650 頁
　　　　　　　　…… 10-224, 10-234
大判大 7・8・27 民録 24 輯 1658 頁
　　　　　　　　　…… ●4-219, 注 110
大判大 7・9・25 民録 24 輯 1811 頁 …… 9-96
大判大 7・9・26 民録 24 輯 1730 頁 …… 6-93
大判大 7・10・2 民録 24 輯 1947 頁 … 注 335
大判大 7・10・26 民録 24 輯 2036 頁
　　　　　　　　　　　　…… ●6-82
大判大 7・11・14 民録 24 輯 2169 頁
　　　　　　　　　…… 4-206, 注 113
大判大 7・12・7 民録 24 輯 2310 頁 … 10-68
大判大 8・7・11 民録 25 輯 1305 頁 …… 6-49
大判大 8・7・15 民録 25 輯 1331 頁 … 10-223
大判大 8・8・25 民録 25 輯 1513 頁 … 9-130
大判大 8・11・27 民録 25 輯 2133 頁
　　　　　　　　…… 10-221, 注 304
大判大 8・12・15 民集 25 輯 2303 頁 …… 7-56

大判大 8・12・25 民録 25 輯 2400 頁
　　　　　　…… 2-42, 注 21, 2-48
大判大 9・3・24 民録 26 輯 392 頁 …… 8-75
大判大 9・5・27 民録 26 輯 768 頁 …… 6-93
大判大 9・6・2 民録 26 輯 839 頁 …… ●10-10
大判大 9・6・3 民録 26 輯 808 頁 …… 6-101
大判大 9・6・15 民録 26 輯 884 頁 …… 注 118
大判大 9・12・18 民録 26 輯 1947 頁
　　　　　　　…… 10-222, 10-275
大判大 9・12・22 民録 26 輯 2062 頁 …… 7-10
大判大 9・12・24 民録 26 輯 2024 頁 … 6-107
大判大 9・12・27 民録 26 輯 2096 頁 …… 6-94
大判大 10・2・2 民録 27 輯 168 頁 …… 11-81
大判大 10・2・17 民録 27 輯 321 頁 …… 3-64
大判大 10・3・30 民録 27 輯 603 頁 …… 4-209
長崎控判大 10・4・7 新聞 1839 号 19 頁
　　　　　　　　　　　　…… 4-208
大判大 10・6・18 民録 27 輯 1168 頁 … 6-118
大判大 10・10・15 民録 27 輯 1788 頁 … 3-65
大判大 11・7・17 民集 1 巻 460 頁 …… 8-84
大判大 11・8・7 刑集 1 輯 410 頁 …… 注 39
大決大 11・8・30 民集 1 巻 507 頁 …… 5-14
大判大 11・10・26 民集 1 巻 626 頁 …… 注 33
大判大 11・11・24 民集 1 巻 670 頁 …… 7-27
大判大 11・11・24 民集 1 巻 738 頁 … 注 340
大決大 13・1・30 民集 3 巻 53 頁 … 8-14, 8-15
大判大 13・3・11 新聞 2246 号 20 頁 …… 4-67
大判大 13・4・25 民集 3 巻 157 頁 …… 6-39
大判大 14・9・8 民集 4 巻 458 頁 …… 11-30
大判大 14・10・15 民集 4 巻 500 頁 …… 9-76
大判大 14・10・28 民集 4 巻 656 頁
　　　　　　　　…… 8-176, 8-186
大判大 14・12・3 民集 4 巻 685 頁 …… 10-225
大判大 14・12・15 民集 4 巻 710 頁 …… 9-59
大判大 15・5・22 民集 5 巻 386 頁
　… 4-196, 4-198, ●4-199, 4-227, 4-229, 4-230
大判大 15・7・20 民集 5 巻 636 頁 …… 9-136

［昭和時代］
大判昭 2・5・16 新聞 2702 巻 6 頁 …… 10-221
大判昭 3・3・10 新聞 2847 号 15 頁 … 11-107
大判昭 3・12・12 民集 7 巻 1071 頁 …… 11-41

557

大判昭 3・12・19 民集 7 巻 1119 頁 ······ 9-76
大判昭 4・3・30 民集 8 巻 363 頁
　　　　　　　　 ······· 4-162, ●4-163
大判昭 4・6・19 民集 8 巻 675 頁 ····· 注 101
大判昭 4・10・23 民集 8 巻 787 頁 ······ 6-103
大判昭 5・3・3 新聞 3123 号 9 頁 ······ 6-55
大判昭 5・4・7 民集 9 巻 327 頁 ······ 10-224
大判昭 5・7・14 民集 9 巻 730 頁 ······ 5-30
大決昭 5・9・30 民集 9 巻 926 頁 ······· 注 52
大判昭 5・10・10 民集 9 巻 948 頁 ····· 注 243
大決昭 5・11・5 新聞 3203 号 7 頁 ······· 4-11
大決昭 5・12・4 民集 9 巻 1118 頁 ······· 7-12
大判昭 5・12・24 民集 9 巻 1205 頁 ······ 8-83
大判昭 6・3・16 民集 10 巻 157 頁
　　　　　　　　 ··········· 10-204, 注 301
大決昭 6・4・7 民集 10 巻 535 頁 ······ 10-149
大判昭 6・5・15 民集 10 巻 327 頁 ······· 5-65
大判昭 6・9・22 新聞 3318 号 18 頁 ···· 注 239
大判昭 6・11・24 新聞 3376 号 12 頁 ··· 8-188
大判昭 7・6・8 裁判例 6 巻民 179 頁 ····· 7-27
大判昭 7・6・21 民集 11 巻 1198 頁 ······ 5-30
大判昭 7・7・7 民集 11 巻 1498 頁 ······ 5-39
大判昭 7・7・22 民集 11 巻 1629 頁 ······ 5-44
大判昭 7・9・30 民集 11 巻 2008 頁 ····· 7-112
大判昭 7・12・13 新聞 3506 号 7 頁 ······ 6-39
大判昭 7・12・17 民集 11 巻 2334 頁 ··· 8-176
大判昭 8・1・31 民集 12 巻 83 頁 ······· 11-37
大判昭 8・4・6 民集 12 巻 791 頁 ······· 8-186
大判昭 8・5・30 民集 12 巻 1381 頁
　　　　　　　　 ········· 5-44, 9-98, 11-24
大判昭 8・7・29 新聞 3593 号 7 頁
　　　　　　　　 ················· 7-27, 7-28
大判昭 8・9・29 民集 12 巻 2443 頁 ··· 10-204
大判昭 8・12・5 民集 12 巻 2818 頁 ····· 11-16
大判昭 9・2・26 民集 13 巻 366 頁 ····· 10-222
大判昭 9・2・27 民集 13 巻 215 頁 ······ 8-176
大判昭 9・6・9 裁判例 8 巻民 142 頁 ···· 8-177
大判昭 9・7・5 民集 13 巻 1264 頁 ······ 7-101
大判昭 9・7・17 民集 13 巻 1217 頁 ··· 10-269
大判昭 9・8・7 民集 13 巻 1588 頁
　　　　　　　　 ··············· 9-136, 9-137

大判昭 9・11・24 民集 13 巻 2153 頁
　　　　　　　　 ···················· 10-189
大判昭 9・12・28 民集 13 巻 2261 頁 ····· 9-14
　　　　　　——昭和 10 年代——
大判昭 10・3・12 民集 14 巻 482 頁 ······ 5-52
大判昭 10・4・25 新聞 3835 号 5 頁 ···· ●3-20
大判昭 10・6・8 判決全集 19 号 3 頁 ·· 10-275
大決昭 10・12・16 民集 14 巻 2044 頁 ····· 4-9
大判昭 11・3・11 民集 15 巻 320 頁 ······ 9-38
大判昭 11・3・13 民集 15 巻 339 頁 ···· 注 301
大判昭 11・3・23 民集 15 巻 551 頁 ······ 5-62
大判昭 11・7・10 民集 15 巻 1481 頁 ····· 4-64
大判昭 12・6・30 民集 16 巻 1285 頁 ··· 7-120
大判昭 12・7・7 民集 16 巻 1120 頁 ··· 注 25
大判昭 12・12・11 民集 16 巻 1945 頁 ··· 7-70
大判昭 13・1・31 民集 17 巻 27 頁 ······· 8-51
大判昭 13・6・11 民集 17 巻 1249 頁
　　　　　　　　 ···················· 10-222
大判昭 13・11・25 民集 17 巻 2603 頁
　　　　　　　　 ····················· 7-103
大判昭 14・1・28 新聞 4392 号 7 頁 ····· 8-51
大判昭 14・4・12 民集 18 巻 350 頁 ····· 8-186
大判昭 14・5・16 民集 18 巻 557 頁 ····· 5-73
大判昭 14・5・18 民集 18 巻 569 頁 ····· 7-101
大判昭 15・3・13 民集 19 巻 530 頁 ····· 注 73
大判昭 15・3・15 民集 19 巻 586 頁 ····· 5-82
大判昭 15・9・21 民集 19 巻 1701 頁
　　　　　　　　 ···················· 10-210
大判昭 16・3・1 民集 20 巻 163 頁
　　　　　　　　 ············· 10-85, 10-88
大判昭 16・5・23 民集 20 巻 637 頁 ····· 8-188
大判昭 16・9・26 新聞 4743 号 15 頁 ··· 3-18
大判昭 16・9・30 民集 20 巻 1233 頁 ····· 5-44
大判昭 17・2・4 民集 21 巻 107 頁
　　　　　　　　 ·········· 2-56, 2-57, 注 66
大判昭 17・6・23 民集 21 巻 716 頁 ····· 6-136
大判昭 17・12・11 新聞 4829 号 12 頁
　　　　　　　　 ······················ 注 41
大連判昭 18・11・2 民集 22 巻 1179 頁
　　　　　　　　 ······················ 4-51
大判昭 18・11・13 民集 22 巻 1127 頁
　　　　　　　　 ····················· 10-81

判例索引

大判昭 18・12・22 民集 22 巻 1263 頁 … 5-69
——昭和 20 年代——
大判昭 20・5・21 民集 24 巻 9 頁 ……… 8-66
大判昭 20・9・10 民集 24 巻 82 頁 … 8-93
最判昭 28・11・20 民集 7 巻 11 号 1229 頁
　………………………………………… 4-175
最判昭 28・12・14 民集 7 巻 12 号 1401 頁
　…………………………………………… 3-66
最判昭 28・12・18 民集 7 巻 12 号 1446 頁
　………………………… ●4-237 ,4-239
最判昭 28・12・18 民集 7 巻 12 号 1515 頁
　…………………………………………… 3-67
最判昭 29・2・5 民集 8 巻 2 号 390 頁 … 3-68
最判昭 29・4・8 民集 8 巻 4 号 819 頁 … 7-10
最判昭 29・6・17 民集 8 巻 6 号 1121 頁
　…………………………………………… 3-68
最判昭 29・7・20 民集 8 巻 7 号 1408 頁
　……………………………………… 注 42
最判昭 29・9・24 民集 8 巻 9 号 1658 頁
　…………………………………………… 5-30
最判昭 29・10・7 民集 8 巻 10 号 1816 頁
　…………………………………………… 3-68
——昭和 30 年代——
最判昭 30・4・5 民集 9 巻 4 号 431 頁 … 3-68
最判昭 30・4・19 民集 9 巻 5 号 556 頁
　………………………………………… 4-174
最判昭 30・5・31 民集 9 巻 6 号 774 頁
　…………………………………………… ●3-52
最判昭 30・10・11 民集 9 巻 11 号 1626 頁
　………………………………………… 6-106
最判昭 30・10・18 民集 9 巻 11 号 1642 頁
　……………………… 2-28, ●2-45, 注 23
最判昭 31・11・2 民集 10 巻 11 号 1413 頁
　…………………………………………… 11-55
最判昭 31・11・27 民集 10 巻 11 号 1480 頁
　……………………………………… 注 305
最判昭 32・2・22 民集 11 巻 2 号 350 頁
　…………………………………………… 11-10
最判昭 32・3・8 民集 11 巻 3 号 513 頁
　…………………………………………… 11-89
最判昭 32・6・5 民集 11 巻 6 号 915 頁
　………………………………………… 10-238

最判昭 32・7・19 民集 11 巻 7 号 1297 頁
　…………………………………… 9-99, 11-13
最判昭 33・2・21 民集 12 巻 2 号 341 頁
　…………………………………… 6-86, 6-87
東京高判昭 33・8・15 東高民時報 9 巻 8 号
　145 頁 ……………………………… 2-42
最判昭 33・9・26 民集 12 巻 13 号 3022 頁
　…………………………………………… ●6-43
最判昭 33・12・18 民集 12 巻 16 号 3323 頁
　………………………………………… 10-274
最判昭 34・6・19 民集 13 巻 6 号 757 頁
　…………………………………………… 7-12
最判昭 34・6・25 民集 13 巻 6 号 810 頁
　…………………………………………… 8-121
東京地判昭 34・7・22 判時 195 号 18 頁
　……………………………………… 注 49
最判昭 34・9・17 民集 13 巻 11 号 1412 頁
　………………………………………… 4-147
最判昭 35・4・21 民集 14 巻 6 号 930 頁
　………………………………… 4-67, 注 112
最判昭 35・4・26 民集 14 巻 6 号 1046 頁
　…………………………………………… 6-87
最判昭 35・6・21 民集 14 巻 8 号 1487 頁
　………………………………………… 4-174
最判昭 35・6・23 民集 14 巻 8 号 1507 頁
　………………………………………… 11-116
最判昭 35・6・24 民集 14 巻 8 号 1528 頁
　…………………………………………… 2-48
最判昭 35・7・1 民集 14 巻 9 号 1641 頁
　……………………………………… 注 267
最判昭 35・10・27 民集 14 巻 12 号 2733 頁
　………………………………………… 10-263
最判昭 35・12・15 民集 14 巻 14 号 3060 頁
　………………………………………… 10-275
最判昭 36・1・24 民集 15 巻 1 号 35 頁
　………………………………………… 4-100
最判昭 36・4・14 民集 15 巻 4 号 765 頁
　…………………………………………… 11-33
最大判昭 36・5・31 民集 15 巻 5 号 1482 頁
　…………………………………………… 11-55
最判昭 36・6・20 民集 15 巻 6 号 1602 頁
　……………………………………… 注 29

559

最大判昭 36・7・19 民集 15 巻 7 号 1875 頁
………………………●6-83, 注 150
最判昭 36・12・8 民集 15 巻 11 号 2706 頁
………………………4-207, 4-241
札幌高函館支判昭 37・5・29 高民集 15 巻
4 号 282 頁………………2-29, 2-47
最大判昭 37・6・13 民集 16 巻 7 号 1340 頁
…………………………………注 282
最判昭 37・9・4 民集 16 巻 9 号 1834 頁
…………………………2-58, 4-46
最判昭 37・9・21 民集 16 巻 9 号 2041 頁
…………………………………10-223
最判昭 37・10・12 民集 16 巻 10 号 2130 頁
…………………………………6-136
最判昭 37・11・16 民集 16 巻 11 号 2280 頁
………………………4-230, ●4-233
最判昭 38・1・29 手研 7 巻 4 号 18 頁
…………………………………注 335
最判昭 38・9・19 民集 17 巻 8 号 981 頁
…………………………………10-274
最判昭 39・1・23 民集 18 巻 1 号 76 頁
…………………………………6-118
最判昭 39・6・12 民集 18 巻 5 号 764 頁
…………………………………6-99
最判昭 39・7・28 民集 18 巻 6 号 1220 頁
…………………………………11-90
最判昭 39・9・22 判時 385 号 50 頁……7-62
最判昭 39・10・29 民集 18 巻 8 号 1823 頁
………………………4-186, 4-210
最判昭 39・11・17 民集 18 巻 9 号 1851 頁
…………………………………6-51
最大判昭 39・11・18 民集 18 巻 9 号 1868 頁
…………………………………注 282
最判昭 39・11・26 民集 18 巻 9 号 1984 頁
…………………………………注 338
最判昭 39・12・18 民集 18 巻 10 号 2179 頁
…………………………………8-186
最大判昭 39・12・23 民集 18 巻 10 号 2217 頁
………………11-61, ●11-62, 11-68
——昭和 40 年代——
最大判昭 40・6・30 民集 19 巻 4 号 1143 頁
…………………………8-15, 8-55

最判昭 40・7・20 判タ 179 号 187 頁…11-78
最判昭 40・9・21 民集 19 巻 6 号 1542 頁
…………………………………8-60
最判昭 40・10・12 民集 19 巻 7 号 1777 頁
…………………………………5-20
最判昭 40・12・3 民集 19 巻 9 号 2090 頁
…………………………………10-257
最判昭 40・12・10 民集 19 巻 9 号 2117 頁
…………………………………10-276
最判昭 40・12・21 民集 19 巻 9 号 2221 頁
…………………………………11-119
最判昭 41・3・3 判時 443 号 32 頁……7-10
最判昭 41・4・26 民集 20 巻 4 号 849 頁
…………………………………注 196
最判昭 41・10・4 民集 20 巻 8 号 1565 頁
…………………………………10-52
最判昭 41・11・18 民集 20 巻 9 号 1886 頁
…………………………………7-126
最判昭 41・12・20 民集 20 巻 10 号 2139 頁
…………………………………9-153
最判昭 41・12・23 民集 20 巻 10 号 2211 頁
……………………4-85, 注 77
最判昭 42・2・23 民集 21 巻 1 号 189 頁
…………………………………2-79
最判昭 42・8・25 民集 21 巻 7 号 1740 頁
…………………………………7-20
最判昭 42・10・27 民集 21 巻 8 号 2161 頁
…………………………………9-91
最判昭 42・11・1 民集 21 巻 9 号 2249 頁
…………………………………5-47
最判昭 42・11・9 民集 21 巻 9 号 2323 頁
…………………………………6-55
最判昭 43・7・17 民集 22 巻 7 号 1505 頁
…………………………………4-56
最判昭 43・8・2 民集 22 巻 8 号 1558 頁
…………………………………注 227
最判昭 43・9・26 民集 22 巻 9 号 2002 頁
…………………………………5-49
最判昭 43・10・17 判時 540 号 34 頁……8-91
最判昭 43・11・15 民集 22 巻 12 号 2649 頁
…………………………………8-157

判例索引

最判昭 44・5・1 民集 23 巻 6 号 935 頁
　……………………………………… 10-240
最判昭 44・5・27 判時 560 号 45 頁 …… 4-67
最判昭 44・6・24 民集 23 巻 7 号 1079 頁
　………………………………………… 5-58
最判昭 44・7・4 民集 23 巻 8 号 1347 頁
　……………………………………… 注 196
最判昭 44・11・6 民集 23 巻 11 号 2009 頁
　………………………………… 9-36, 11-114
最判昭 44・12・18 民集 23 巻 12 号 2495 頁
　……………………………………… 11-56
最判昭 45・4・21 民集 24 巻 4 号 298 頁
　………………………………………… 2-65
最判昭 45・4・21 判時 595 号 54 頁 …… 7-120
最判昭 45・6・2 民集 24 巻 6 号 447 頁 … 5-77
最大判昭 45・6・24 民集 24 巻 6 号 587 頁
　…………………………… ●11-65, 11-68
最大判昭 45・7・15 民集 24 巻 7 号 771 頁
　……………………………………… 10-287
最判昭 45・8・20 民集 24 巻 9 号 1243 頁
　…………………………… 10-239, 10-264
最判昭 45・10・13 判時 614 号 46 頁 …… 7-12
最判昭 45・12・15 判タ 257 号 131 頁、
　判時 618 号 31 頁 ………………… 注 126
佐賀地判昭 46・4・23 交民集 4 巻 2 号 681 頁
　……………………………………… 注 288
最判昭 46・7・23 判時 641 号 62 頁 …… 8-91
最判昭 46・9・21 民集 25 巻 6 号 823 頁
　………………………………………… 6-90
最判昭 46・9・21 民集 25 巻 6 号 857 頁
　……………………………………… 10-274
最判昭 46・10・14 民集 25 巻 7 号 933 頁
　……………………………………… 11-118
最判昭 46・10・26 民集 25 巻 7 号 1019 頁
　………………………………………… 8-88
最判昭 46・10・28 民集 25 巻 7 号 1069 頁
　………………………………………… 8-15
最判昭 46・11・19 民集 25 巻 8 号 1321 頁
　……………………………………… 6-123
最判昭 46・12・16 民集 25 巻 9 号 1472 頁
　……………………………………… 10-258

最判昭 47・3・23 民集 26 巻 2 号 274 頁
　……………………………………… 注 199
最判昭 47・4・20 民集 26 巻 3 号 520 頁
　…………………………… 4-230, 4-231
最判昭 47・4・20 判時 668 号 47 頁 … 11-119
最判昭 47・5・25 判時 671 号 45 頁 …… 注 21
最判昭 47・12・22 民集 26 巻 10 号 1991 頁
　……………………………………… 11-30
最判昭 48・1・19 民集 27 巻 1 号 27 頁
　……………………………………… 注 339
最判昭 48・1・30 判時 695 号 64 頁 …… 7-120
最判昭 48・3・27 民集 27 巻 2 号 376 頁
　……………………………………… 10-53
東京地判昭 48・5・30 判時 724 号 48 頁
　……………………………………… 10-101
最判昭 48・10・11 判時 723 号 44 頁 …… 4-51
最判昭 48・11・22 民集 27 巻 10 号 1435 頁
　………………………………………… 8-81
最判昭 48・11・22 金法 708 号 31 頁 … 注 240
最判昭 48・11・30 民集 27 巻 10 号 1491 頁
　………………………………………… 6-49
大阪地判昭 49・2・1 判時 764 号 68 頁
　……………………………………… 8-188
最判昭 49・3・7 民集 28 巻 2 号 174 頁
　…………………………… 9-107, 9-115
最判昭 49・4・26 民集 28 巻 3 号 540 頁
　……………………………………… 注 240
最判昭 49・9・20 民集 28 巻 6 号 1202 頁
　………………………………………… 6-65
最判昭 49・11・21 民集 28 巻 8 号 1654 頁
　………………………………………… 9-82

——昭和 50 年代——
最判昭 50・1・31 民集 29 巻 1 号 68 頁
　……………………………………… 4 243
最判昭 50・2・25 民集 29 巻 2 号 143 頁
　………………… 4-125, ●4-129, 4-142
最判昭 50・3・6 民集 29 巻 3 号 203 頁
　…………………………………… ●5-32
最判昭 50・12・1 民集 29 巻 11 号 1847 頁
　……………………………………… 6-127
最判昭 50・12・8 民集 29 巻 11 号 1864 頁
　……………………………………… 9-100

最判昭 51・3・4 民集 30 巻 2 号 48 頁
……………… 11-42, ●11-43, 注 318
東京地判昭 51・8・26 下民集 27 巻 5〜8 号
552 頁……………………………… 注 208
最判昭 51・9・7 判時 831 号 35 頁……… 7-10
最判昭 52・3・31 判時 851 号 176 頁…4-147
最判昭 52・7・12 判時 867 号 58 頁… 注 145
最判昭 52・9・22 判時 868 号 26 頁… 注 214
最判昭 53・7・4 民集 32 巻 5 号 785 頁
……………… 10-138, 10-140, 10-141, 注 302
最判昭 53・10・5 民集 32 巻 7 号 1332 頁
……………………………………… 注 150
最判昭 53・12・15 判時 916 号 25 頁
…………………… 9-14, ●9-15, 9-17, 9-18
最判昭 53・12・22 判時 922 号 49 頁
……………………………………… 10-286
最判昭 54・1・25 民集 33 巻 1 号 12 頁
………………………………………… 6-114
最判昭 54・3・16 民集 33 巻 2 号 270 頁
…………………………………………… 5-62
最判昭 54・7・10 民集 33 巻 5 号 533 頁
……………………………………… 注 331
最判昭 55・1・11 民集 34 巻 1 号 42 頁
………………………………………… 9-116
最判昭 55・1・24 民集 34 巻 1 号 110 頁
…………………………………………… 6-61
最判昭 55・7・11 民集 34 巻 4 号 628 頁
…………………………………………… 5-19
仙台高判昭 55・8・18 判時 1001 号 59 頁
……………………………………… 注 49
最判昭 55・11・11 判時 986 号 39 頁
……………………………………… 10-275
東京地判昭 55・11・28 判時 1003 号 113 頁
……………………………………… 10-100
最判昭 55・12・18 民集 34 巻 7 号 888 頁
………………………………………… 4-127
最判昭 56・2・16 民集 35 巻 1 号 56 頁
………………………………………… 4-133
最判昭 56・3・20 民集 35 巻 2 号 219 頁
……………………………………… 10-264
大阪高判昭 56・6・23 判時 1023 号 65 頁
……………………………………… 注 205

最判昭 56・7・2 民集 35 巻 5 号 881 頁
………………………………………… 11-82
最判昭 56・10・13 判時 1023 号 45 頁…9-73
最判昭 57・12・17 民集 36 巻 12 号 2399 頁
………………………………………… 7-107
最判昭 58・4・7 民集 37 巻 3 号 219 頁
……………………………………… 注 118
最判昭 58・5・27 民集 37 巻 4 号 477 頁
………………………………………… 4-135
最判昭 58・10・6 民集 37 巻 8 号 1041 頁
…………………………………………… 5-48
最判昭 58・12・19 民集 37 巻 10 号 1532 頁
…………………………………… ●6-73, 6-75
最判昭 59・2・23 民集 38 巻 3 号 445 頁
………………………………………… 10-56
最判昭 59・4・10 民集 38 巻 6 号 557 頁
………………………………………… 4-131
最判昭 59・5・29 民集 38 巻 7 号 885 頁
…… 10-115, 10-116, 10-144, 10-146, 10-196
浦和地判昭 59・9・12 判時 1141 号 122 頁
…………………………………………… 7-85
最判昭 59・9・18 判時 1137 号 51 頁… 注 60
——昭和 60 年代——
最判昭 60・1・22 判時 1148 号 111 頁
……………………………………… 注 284
最判昭 60・2・12 民集 39 巻 1 号 89 頁
………………………………………… 8-119
最判昭 60・5・23 民集 39 巻 4 号 940 頁
……………………………… 10-138, 10-149
東京高判昭 60・7・17 判時 1170 号 86 頁
……………………………………… 10-198
最判昭 61・2・20 民集 40 巻 1 号 43 頁
……………………………………… 10-118
最判昭 61・4・11 民集 40 巻 6 号 558 頁
……………………………… 9-133, 9-134
最大判昭 61・6・11 民集 40 巻 4 号 872 頁
…………………………………………… 3-69
最判昭 61・11・27 民集 40 巻 7 号 1205 頁
……………………………… ●10-189, 10-194
東京高判昭 61・11・27 判タ 641 号 128 頁
……………………………………… 6-17, 9-77

判例索引

最判昭 61・12・19 判時 1224 号 13 頁
………………………………………4-131
大阪地判昭 62・4・30 判時 1246 号 36 頁
………………………………………5-65
最判昭 62・7・17 民集 41 巻 5 号 1283 頁
………………………………………10-262
最判昭 62・7・17 民集 41 巻 5 号 1350 頁
………………………………………10-261
最判昭 62・12・18 民集 41 巻 8 号 1592 頁
………………………………………注 281
最判昭 63・7・19 判タ 683 号 56 頁……6-115
最判昭 63・10・13 判時 1295 号 57 頁
………………………………………10-58
最判昭 63・11・25 判時 1301 号 95 頁
………………………………………4-255

[平成時代]

最判平元・4・20 民集 43 巻 4 号 234 頁
………………………………………11-120
最判平 2・4・12 金法 1255 号 6 頁……10-213
最判平 2・11・26 民集 44 巻 8 号 1085 頁
………………………………………注 328
最判平 2・12・18 民集 44 巻 9 号 1686 頁
………………………………………8-114
東京地判平 3・2・25 判時 1399 号 69 頁
………………………………………注 41
最判平 3・4・11 判時 1391 号 3 頁
………………………………4-132, 4-140
東京高判平 3・6・27 判時 1396 号 60 頁
………………………………………注 255
最判平 3・9・3 民集 45 巻 7 号 1121 頁
………………………………………10-208
最判平 3・10・25 民集 45 巻 7 号 1173 頁
………………………………………7-126
最判平 4・2・27 民集 46 巻 2 号 112 頁
………………………………………6-116
岐阜地高山支判平 4・3・17 判時 1448 号 155 頁
………………………………………4-121
東京地裁執行処分平 4・4・22 金法 1320 号
65 頁…………………………………9-37
大阪地判平 5・2・4 判時 1481 号 149 頁
………………………………………4-188

最判平 5・3・30 民集 47 巻 4 号 3334 頁
………………………9-124, ●9-126
最判平 5・7・19 判時 1489 号 111 頁…10-42
東京高判平 5・12・24 判時 1491 号 135 頁
………………………………………4-264
最判平 6・2・22 労判 646 号 12 頁……4-139
最判平 6・4・21 裁時 1121 号 1 頁……4-253
横浜地判平 6・5・24 交民集 27 巻 3 号 643 頁
………………………………………9-143
最判平 6・6・7 金法 1422 号 32 頁……10-59
最判平 6・7・18 民集 48 巻 5 号 1165 頁
………………………………………●10-280
最判平 7・1・20 民集 49 巻 1 号 1 頁
………………………………8-144, 注 286
最判平 7・3・23 民集 49 巻 3 号 984 頁
………………………10-120, ●10-121
最判平 7・6・23 民集 49 巻 6 号 1737 頁
………………………………………10-214
最判平 7・7・18 判時 1570 号 60 頁……11-69
高松高判平 8・1・23 判時 1561 号 43 頁
………………………………………4-57
最判平 8・2・8 判時 1563 号 112 頁……6-87
東京地判平 8・9・27 判時 1601 号 149 頁
………………………………………4-144
最判平 9・2・25 判時 1607 号 51 頁……6-94
最判平 9・4・24 民集 51 巻 4 号 1991 頁
………………………………10-60, 10-64
東京地判平 9・4・28 金判 1040 号 48 頁…8-24
最判平 9・9・9 金判 1035 号 29 頁……10-120
最判平 9・11・13 判時 1633 号 81 頁
………………………8-179, 8-181, 8-182
最判平 9・12・18 判タ 964 号 93 頁
…………10-168, 10-169, 10-171, 注 300

——平成 10 年代——

最判平 10・2・10 金法 1535 号 64 頁
………………………………3-6, 11-57
最判平 10・3・24 民集 52 巻 2 号 399 頁
………………………………………注 231
最判平 10・4・24 判時 1661 号 66 頁……4-14
最判平 10・4・30 判時 1646 号 162 頁
………………………………4-262, ●4-263

563

最判平 10・6・12 民集 52 巻 4 号 1121 頁
·························6-62

最判平 10・6・22 民集 52 巻 4 号 1195 頁
·························注 259

最判平 10・9・10 民集 52 巻 6 号 1494 頁
·························7-126

東京地判平 11・1・22 判時 1687 号 98 頁
·························8-24

東京地判平 11・1・22 判時 1693 号 88 頁
·························9-86

福岡地判平 11・1・25 判タ 997 号 296 頁
·························10-62

最判平 11・1・29 民集 53 巻 1 号 151 頁
·············9-14, ●9-18, 注 228

大阪高判平 11・2・26 金判 1068 号 45 頁
·························8-22

最判平 11・6・11 民集 53 巻 5 号 898 頁
·························6-67

東京高判平 11・8・26 金判 1074 号 6 頁
·························9-86

最判平 11・9・9 民集 53 巻 7 号 1173 頁
·························注 129

最判平 11・10・21 民集 53 巻 7 号 1190 頁
·························5-49

最大判平 11・11・24 民集 53 巻 8 号 1899 頁
·························注 125, 5-56

東京高判平 11・11・29 判時 1714 号 65 頁
·························8-150, 注 295

京都地判平 12・2・18 金法 1592 号 50 頁
·························注 317

最判平 12・4・21 民集 54 巻 4 号 1562 頁
·························9-33

最判平 12・3・9 民集 54 巻 3 号 1013 頁
·························●6-74

最判平 12・3・24 民集 54 巻 3 号 1155 頁
·························4-131

福島地会津若松支判平 12・5・30
判タ 1104 号 188 頁 ·············注 300

横浜地判平 12・10・30 判時 1740 号 69 頁
·························10-40

東京高判平 12・11・9 金判 1109 号 19 頁
·························10-40

東京高判平 12・11・28 判時 1758 号 28 頁
·························8-151, 8-152

最判平 13・7・10 判時 1766 号 42 頁··注 163

最判平 13・11・22 民集 55 巻 6 号 1033 頁
·························5-46

最判平 13・11・22 民集 55 巻 6 号 1056 頁
·························注 228, 9-21

最判平 13・11・27 民集 55 巻 6 号 1090 頁
·························9-33

最判平 13・11・27 民集 55 巻 6 号 1334 頁
·························10-288

最判平 13・12・18 判時 1773 号 13 頁
·························注 335

東京高判平 14・2・13 金法 1663 号 83 頁
·························10-63

東京地判平 14・4・23 判例集未登載·····4-118

大阪地判平 14・9・11 労判 840 号 62 頁
·························注 41

東京地判平 14・9・30 判時 1815 号 111 頁
·························2-76

東京高判平 14・12・17 判時 1813 号 78 頁
·························10-41

最判平 15・3・14 民集 57 巻 3 号 286 頁
·························8-85

東京地判平 15・3・20 判時 1829 号 82 頁
·························注 117

最判平 15・4・8 民集 57 巻 4 号 337 頁
·············10-43, ●10-44

東京地判平 15・4・25 金法 1679 号 39 頁
·························10-63

最判平 15・7・18 民集 57 巻 7 号 895 頁
·························注 32

福岡地判平 15・8・27 判時 1843 号 133 頁
·························4-117

東京高判平 15・10・30 判決文入手·····4-119

東京地判平 15・11・5 判時 1847 号 34 頁
·························2-33

仙台高判平 16・7・14 判時 1883 号 69 頁
·························注 298

最判平 16・7・16 民集 58 巻 5 号 1744 頁
·························9-35

判例索引

最判平 16・10・26 判時 1881 号 64 頁
··· 10-75, 10-79
大阪地判平 17・1・12 判時 1913 号 97 頁
··· 注 78
最判平 17・1・27 民集 59 巻 1 号 200 頁
··· 10-153
東京地判平 17・3・9 金法 1747 号 84 頁
·· 注 290
最判平 17・3・10 判時 1895 号 60 頁··注 103
東京地判平 17・3・30 判時 1895 号 44 頁
·· 注 124
東京高判平 17・6・30 金法 1752 号 54 頁
·· 注 290
最判平 17・7・11 金判 1221 号 7 頁····注 279
最判平 17・9・8 民集 59 巻 7 号 1931 頁
··· 7-10
最決平 18・9・11 民集 60 巻 7 号 2622 頁
··· 3-24
最判平 18・11・14 民集 60 巻 9 号 3402 頁
·· 注 287
最判平 19・2・13 民集 61 巻 1 号 182 頁
·· 注 282
最判平 19・2・15 民集 61 巻 1 号 243 頁
····························· 注 228, 9-21, 9-25
最判平 19・6・7 民集 61 巻 4 号 1537 頁
··· 2-72
東京高判平 19・12・5 金判 1283 号 33 頁
··· 8-118

——平成 20 年代——

最判平 20・6・10 民集 62 巻 6 号 1488 頁
··· 2-76
大阪高判平 20・12・10 金法 1870 号 53 頁
··· 8-25
東京地判平 20・12・10 判時 2035 号 70 頁
·· 注 41
最判平 21・1・19 民集 63 巻 1 号 97 頁
····························· 4-246, 4-247, ●4-248
最判平 21・1・22 民集 63 巻 1 号 228 頁··· 7-8
最判平 21・3・27 民集 63 巻 3 号 449 頁
·· 注 234
横浜地判平 21・6・16 判時 2062 号 105 頁
··· 4-118

札幌地判平 21・10・16 判タ 1317 号 203 頁
··· 4-118
最判平 22・4・20 民集 64 巻 3 号 921 頁
··· 2-71
神戸地判平 22・10・7 判時 2119 号 95 頁··注 80
最判平 22・10・8 民集 64 巻 7 号 1719 頁
··· 7-43
最判平 22・10・19 金判 1355 号 16 頁
··· 6-131
東京地判平 22・12・8 判タ 1377 号 123 頁
·· 注 83
東京地判平 23・1・20 判タ 1350 号 195 頁
··· 8-29
最判平 23・2・18 判時 2109 号 50 頁···10-77
最判平 23・4・22 民集 65 巻 3 号 1405 頁
·· 注 60
最判平 23・9・30 判時 2131 号 57 頁···9-144
前橋地判平 23・11・16 判時 2148 号 88 頁
··· 4-144
最判平 23・11・22 民集 65 巻 8 号 3165 頁
····························· 10-117, ●10-124
最判平 23・11・24 民集 65 巻 8 号 3213 頁
··· 10-129
東京高判平 24・1・19 金法 1969 号 100 頁
··· 8-29
東京地判平 24・1・25 判時 2147 号 63 頁
·· 注 275
岐阜地多治見支判平 24・2・9 判時 2147 号
93 頁 ·· 4-144
最判平 24・2・24 判時 2144 号 89 頁
·· 注 88, 4-225
最判平 24・5・28 民集 66 巻 7 号 3123 頁
·································· 注 213, 注 333
東京高判平 24・5・31 判タ 1372 号 149 頁
··· 5-65
熊本地判平 24・7・20 判時 2162 号 111 頁
··· 4-118
最判平 24・9・4 金判 1413 号 46 頁
····························· 9-36, 11-115
名古屋高判平 24・10・4 判時 2177 号 63 頁
··· 4-144

565

最判平 24・10・12 民集 66 巻 10 号 3311 頁
……………………………………………… 注 135
最判平 24・12・14 民集 66 巻 12 号 3559 頁
………………………………………………… 8-165
東京地判平 24・12・20 判タ 1388 号 261 頁
………………………………………………… 5-50
最判平 25・2・28 民集 67 巻 2 号 343 頁
…………………………………… 11-25, 11-34
最判平 25・7・18 判時 2201 号 48 頁 ……2-72
最判平 25・9・13 民集 67 巻 6 号 1356 頁
…………………………………… 8-10, 注 210
広島高松江支判平 25・11・27 金判 1432 号
　8 頁 ……………………………………… 3-7
最判平 26・2・25 民集 68 巻 2 号 173 頁
……………………………………………… 注 169
最判平 26・12・12 金判 1463 号 34 頁
……………………………………………… 注 169
最判平 27・2・17 民集 69 巻 1 号 1 頁
……………………………………… 8-120, 8-121
東京高判平 27・3・24 判時 2298 号 47 頁
……………………………………………… 注 242
最判平 27・11・19 民集 69 巻 7 号 1988 頁
……………………………………………… 注 216
東京高判平 27・11・26 金判 1484 号 25 頁
……………………………………………… 注 271
最判平 28・1・12 民集 70 巻 1 号 1 頁
……………………………………………… 注 189

最判平 28・4・21 民集 70 巻 4 号 1029 頁
………………………………………………… 4-141
最判平 28・7・8 民集 70 巻 6 号 1611 頁
……………………………………………… 注 320
最大決平 28・12・19 民集 70 巻 8 号 2121 頁
…………………………………… 7-44, 7-45
最判平 29・4・6 金法 2064 号 6 頁 ……… 7-45
──平成 30 年代──
最判平 30・12・14 民集 72 巻 6 号 1101 頁
………………………………………………… 6-139

［令和］
札幌地判令元・5・13 裁判所ウェブサイト
…………………………………… 8-10, 8-30
最判令 2・12・15 民集 74 巻 9 号 2259 頁
………………………………………………… 10-108
最判令 3・1・22 判時 2496 号 3 頁 ……… 4-224
東京地判令 3・2・19 金判 1618 号 37 頁
……………………………………………… 注 276
最判令 3・11・2 裁時 1779 号 1 頁 ……… 11-52
最判令 4・1・18 民集 76 巻 1 号 1 頁 ……2-56
東京高判令 4・2・17LEX/DB25592207
……………………………………………… 注 71
名古屋地判令 4・2・25LEX/DB25592062
……………………………………………… 注 71

条文索引

＊頁数ではなく、通し番号または注による。

[民法]

1条3項	注214
13条	注270
87条2項	注231
89条	2-20, 9-37
90条	2-74, 5-64, 6-38, 注37
94条	9-92, 9-93, 9-136
2項	5-66〜, 6-59, 9-94, 9-96, 9-112, 10-28, 10-73, 注140, 注151
（2項の類推適用）	10-27, 10-34, 10-66
95条	8-38, 8-39, 注190
96条3項	8-81, 9-92, 9-95
97条	9-106, 注242
101条	10-36
105条	4-171
107条	5-35
110条	10-57, 10-60
（類推適用）	10-28, 10-31, 10-34, 10-65, 10-66
117条	2-78, 10-135, 注184
120条	8-65, 8-66
121条	6-10
125条	11-103
126条	8-38, 注158
137条	8-17, 8-77
140条	4-44
145条	5-49
145条	8-19
145条	8-62
145条	10-20
147条	10-120
151条	8-26
152条	注210, 注244
153条	8-93, 10-102
166条	1-2, 1-12, 1-18, 3-21, 4-17, 4-102, 10-72, 注321
167条	4-130
168条	2-60
169条	10-119, 注158
旧172条1項	注47
旧174条1項	注47
175条	1-6
177条	3-50, 3-51, 6-60, 6-84, 6-91, 6-92, 8-15, 9-73, 9-112, 10-20, 注252
178条	3-46, 4-99, 9-188
179条	11-111, 11-118
191条	4-162
192条	10-13, 10-27, 10-34
206条	9-9
249条以下	7-3
251条	10-151
252条	7-8
253条	7-33, 7-115
260条	6-67
264条	7-3, 7-6, 7-8, 10-151
276条	4-90
295条	5-62
304条	5-37, 10-24, 10-141
306条	5-81
307条	5-81
346条	8-48
351条	8-96, 8-114
364条	9-75, 10-25, 11-69
366条	9-49, 10-26
372条	8-96, 8-114, 10-141
392条	6-116, 10-137, 10-138, 10-141, 10-178, 10-196
396条	8-91, 10-119

567

398 条	注 340
399 条以下	2-1〜
399 条〜411 条	1-34, 2-2
399 条	2-3
400 条	2-1, 2-5, 2-6〜, 2-29, 2-48, 4-109, 注 14〜16, 注 22
401 条	2-1
1 項	1-13, 2-21, 2-30, 2-33
2 項	2-35, 2-48
402 条	2-50, 2-52
403 条	2-52
404 条	2-55, 2-62, 2-63, 注 31
405 条	2-56, 2-57, 2-64, 注 66
406 条	2-78, 2-80
407 条	2-82
408 条	2-81
409 条	2-81, 2-82
410 条	2-84〜2-86
411 条	2-83
412 条〜426 条	1-34
412 条	10-242
1 項	4-40, 9-182, 10-233
2 項	4-43
3 項	1-10, 4-38, 4-44, 4-47, 6-139, 注 63, 注 66, 注 81
412 条の 2	1-12, 3-32, 3-46, 4-3, 4-16, 4-18, 4-38, 4-58〜, 6-126, 10-2, 注 34, 注 68, 注 71, 注 262
413 条	10-243〜, 注 16
1 項	2-48, 4-159
2 項	2-19, 10-98, 10-247, 注 303
413 条の 2 第 1 項	4-160, 注 93
2 項	2-48, 4-149, 10-244, 10-249, 10-250, 注 16, 注 23, 注 93, 注 99, 注 100, 注 303, 注 309
414 条	4-1, 4-2, 4-3, 4-5, 4-113
1 項	1-10, 4-4, 4-11
415 条	4-1〜, 10-11, 10-251, 注 74
1 項	1-25, 1-26, 4-31, 4-37, 4-38, 4-48, 4-145, 7-76, 11-94, 注 303
2 項	4-16〜, 注 24, 注 75

416 条	4-178, 4-186, 4-189〜, 注 108, 注 109
2 項	4-53, 4-54, 4-188
417 条	3-62, 3-64, 4-111, 4-176
417 条の 2	注 114
418 条	4-244, 注 93, 注 116, 注 118
（類推適用）	10-43, 注 117, 注 273
419 条	10-100
1 項	2-50, 4-12, 4-50〜
2 項	4-51
3 項	4-45, 4-48, 4-57
420 条	4-254, 4-255
422 条	4-91, 4-98, 9-75
（類推適用）	4-100
422 条の 2	3-48, 4-69, 4-81〜, 4-99, 9-75
423 条以下	3-9
423 条	5-1, 5-6〜, 5-66, 注 121, 注 125
423 条の 2	5-12, 5-19, 5-59, 5-60, 注 123
423 条の 3	5-12, 5-25, 5-36, 5-54〜, 10-26, 注 123, 注 125, 注 319
（類推適用）	5-56
423 条の 4	5-62, 5-64, 5-67
423 条の 5	5-39, 5-74, 5-78, 10-25, 注 123, 注 127, 注 133
423 条の 6	5-15, 5-51, 5-82
423 条の 7	5-24〜, 5-55, 5-66, 注 121
424 条以下	3-9
424 条	6-1〜, 注 148, 注 150, 注 285
424 条の 2	6-34, 6-37, 6-40, 6-52, 6-56, 6-95
424 条の 3	6-28, 6-40〜, 6-110, 注 320
2 項	6-52〜, 6-169
424 条の 4	6-49, 6-50, 6-77, 6-110〜, 6-140, 6-168, 注 150
（類推適用）	6-52
424 条の 5	6-22, 6-97, 6-162, 6-168
424 条の 6	6-18, 6-77, 6-110〜, 6-125, 6-148
424 条の 7	6-18, 6-101, 6-104, 6-164
424 条の 8	6-108, 6-109, 6-130, 6-152
424 条の 9	6-118, 6-124, 6-144〜, 6-153, 10-26, 注 319
425 条	6-18, 6-82, 6-113, 6-132, 6-135, 6-153, 8-81
425 条の 2	6-149, 6-155, 6-156, 6-165, 注

159

425 条の 3　　　　　　　　　　6-140, 6-142

425 条の 4　　　　　　　　　　　　6-162〜

426 条　　　　　　　　　　　　6-128, 6-131

427 条以下　　　　　　　　　　　　　7-7

427 条〜465 条の 10　　　　　　　1-34, 7-1

427 条　1-21, 7-5, 7-6, 7-54, 7-60, 7-79, 8-136,
9-121, 注 215

　　　（趣旨の類推）　　　　　　　　7-85

428 条　　　　　7-19, 7-21, 7-22, 7-35

429 条　　　　　　　　　　　　　　7-22

430 条　　　　7-24, 7-32〜7-35, 9-82

431 条　　　　　　　7-23, 7-26, 7-36

432 条以下　　　　　　　　　　　9-119

432 条〜435 条　　　　　　　　　　7-51

432 条　　　　7-21, 7-37, 7-49, 7-52

433 条〜435 条　　　　　　　　　　7-22

433 条　　　　　　　7-50, 7-53, 9-119

434 条　　　　　　　　　7-52, 注 167

435 条　　　　　　　　　　7-22, 7-52

435 条の 2　　　　　　　　　7-21, 7-51

436 条　　　7-32, 7-54, 7-60, 7-64, 7-124

437 条　　　　　　　　　　7-15, 7-63

438 条　　　7-34, 7-72, 7-87, 8-132, 8-133

439 条　　　　　　　　　　　　　　7-34

　　1 項　　　　　　　　　　7-69, 8-132

　　2 項　　　　　　　　　　7-70, 9-152

440 条　　7-24, 7-34, 7-35, 7-72, 7-125, 8-132,
8-133

441 条　　　7-34, 7-68, 7-73, 7-77, 7-96, 8-132,
8-141, 注 181

442 条から 444 条　　　　　　　　8-142

442 条　　　　　　　　　　7-126, 注 296

　　1 項　　7-33, 7-78〜, 注 164, 注 180, 注
　　268

　　2 項　　　2-55, 4-47, 7-50, 7-100, 8-98,
　　8-148, 10-143

443 条　　　　　　7-107, 8-102, 8-143

　　1 項　　　7-104, 7-106, 8-100, 11-14

　　2 項　　　　　　　7-110〜, 10-133

444 条　　8-150, 8-151, 注 172, 注 178, 注 296

　　（趣旨の類推）　　　　　7-83, 7-126

（類推適用）　　　7-117, 8-153, 10-167

　　1 項　　　　　　　　　7-115, 7-118

　　2 項　　　7-85, 7-116, 7-117, 9-146

　　3 項　　　　　　　　　　　　7-119

445 条　　　　　　7-97, 7-98, 8-156

446 条 1 項　　　　　　　　　8-1, 8-9

　　2 項　　　　8-25, 8-169, 8-173, 8-190

　　3 項　　　　8-26, 8-173, 8-190

447 条　　　　　　　　　8-16, 8-48

448 条 1 項　　　　　　　　8-16, 8-18

　　2 項　　　8-17, 8-76, 8-77, 注 323

449 条　　　　　　　　　　　注 184

450 条　　　　　　　　　　8-46, 8-47

452 条　　　　　8-21, 8-70, 8-71, 8-74

453 条　　　　　　　　　8-21, 8-72

454 条　　8-21, 8-71, 8-74, 8-129, 8-130

455 条　　　　　　8-70, 8-72, 8-135

456 条　　　　　　　　8-136, 8-139

457 条 1 項　　8-77, 8-91, 10-119, 注 209

　　2 項　　8-59, 8-67, 8-75, 8-82, 注 205

　　3 項　　8-67, 8-69, 9-152, 11-47, 注 203,
　　注 205, 注 323

458 条　　　　　　8-130, 8-132, 8-133

458 条の 2　　　　　　　　　　　8-78

458 条の 3　　　　　　　　　8-80, 注 207

459 条以下　　　　　　　　　　10-109

459 条　　　　　　　　　7-100, 8-98

　　1 項　　　　6-89, 8-9, 8-99, 注 268

　　2 項　　　　2-55, 4-47, 10-143

459 条の 2　　8-18, 8-100, 8-101, 8-123

460 条　　　7-90, 8-18, 8-106, 8-111〜

　　（類推適用）　　　　　7-90, 8-114

461 条　　　　　　　　8-117, 8-111

462 条　　8-33, 8-123, 8-142, 8-148

463 条 1 項　8-100, 8-102, 8-125, 11-14, 注
　　204

　　2 項　　　8-104, 8-105, 8-125

　　3 項　　　　　　8-103, 8-123

464 条　　　　　　　　7-57, 8-128

465 条　　7-119, 8-142, 8-144, 8-148, 8-149,
9-175, 注 216, 注 297

　　（類推適用）　　　　　　　　9-155

1 項	4-47, 8-99, 8-135〜, 10-133, 10-136, 10-160〜	470 条〜472 条の 4		1-34
（1 項の趣旨類推）	7-83, 7-126	470 条 1 項	9-139, 9-147, 9-151, 9-153
（1 項の類推適用）	7-118, 8-105	2 項	9-149, 10-21
465 条の 2 以下	8-194	3 項	9-150, 9-161
465 条の 2	8-25, 8-159, 8-160, 8-167〜	471 条	9-151, 9-152
465 条の 3	8-160, 8-171, 8-173, 8-174	472 条	9-156, 9-160, 9-161, 11-104
465 条の 4	8-160, 8-183, 8-185, 8-197	472 条の 2	9-162
465 条の 5	8-195, 8-196	472 条の 3	9-170, 11-106, 注 259
465 条の 6	8-41, 8-43, 注 193	472 条の 4	8-90, 9-164〜
465 条の 7	注 194	473 条以下	10-1
465 条の 8	8-44	473 条〜520 条	1-34
465 条の 9	8-168, 注 195	473 条	10-3〜, 注 263
465 条の 10	8-35〜	474 条	10-4, 10-11
（類推適用）	9-168	（類推適用）	11-17
466 条〜469 条	1-34	1 項	10-12, 10-15. 注 263, 注 268
466 条 1 項	9-12, 9-13, 9-38	2 項	10-19, 10-22, 注 289
2 項	1-6, 9-41, 9-42, 9-46	3 項	10-22
3 項	9-44〜, 注 235, 注 236	4 項	10-17, 10-18
4 項	9-47, 9-55, 9-56, 9-88, 注 237, 注 246	475 条	10-13
466 条の 2	9-49, 9-51, 10-270	476 条	10-14
466 条の 3	9-49, 9-88, 注 246	478 条	3-45, 9-45, 9-86, 9-133, 10-11, 10-29〜, 10-270, 11-100, 注 271, 注 273, 注 277
466 条の 4	9-52, 9-53	（類推適用）	10-50〜
466 条の 5	9-41, 9-52, 9-54	479 条	10-81
466 条の 6	9-17, 9-25, 9-54	481 条	10-23
467 条	4-99, 9-54, 9-61〜, 9-105, 9-115, 9-133, 9-135, 9-187, 10-111, 10-132, 注 240	482 条	11-91, 11-99, 11-100
（類推適用）	9-75	483 条	2-5, 2-12〜, 注 14, 注 291
1 項	9-23, 9-24, 9-63, 9-69, 9-74, 注 251	484 条	9-182, 10-92, 10-95
2 項	6-91, 9-21, 9-62, 9-109〜, 9-131, 10-133, 11-69, 注 227, 注 228	485 条	10-96, 10-97, 10-100, 11-100, 注 67
468 条	9-93	ただし書	10-98, 10-100, 10-247
1 項	3-37, 9-54, 9-87, 9-92〜, 9-181, 注 36, 注 232, 注 245	486 条	10-82, 10-83, 10-87, 11-80, 11-100, 注 291
2 項	9-48, 9-88	487 条	10-82, 10-89, 10-90, 10-104, 11-80
469 条	9-60, 9-87	488 条	10-104〜, 11-82, 注 282
1 項	9-100, 11-13, 11-71	489 条〜491 条	注 281
2 項	9-101, 9-102, 9-104, 11-75, 注 247	489 条	10-104, 10-105
		490 条	10-104
3 項	9-48, 注 246	491 条	注 282
		492 条	4-42, 10-6, 10-218, 10-241〜, 10-275, 注 303, 注 308
		493 条	10-219, 10-227, 10-228, 10-237, 注 303, 注 308

494 条	10-266〜, 10-275, 10-282, 10-283	519 条	11-108, 11-110
495 条	10-271, 10-281	520 条	11-111〜
496 条	10-286,	520 条の 2 以下	9-2
497 条	10-272	520 条の 2〜520 条の 20	1-34
498 条	10-284, 10-285	520 条の 2〜6	9-183
499 条	4-90, 4-99, 8-145, 10-5, 10-110, 10-111, 注 263	520 条の 2	9-179, 9-183
500 条	9-75, 10-20, 10-111, 10-130, 10-132, 10-166, 注 283, 注 289	520 条の 3〜4	9-179
		520 条の 5	9-180, 9-183
501 条	8-146, 8-158, 10-134〜, 10-147, 10-160, 注 178	520 条の 6	9-181
		520 条の 7	9-183
1 項	10-111, 10-135, 10-155	520 条の 8〜12	9-186
2 項	8-147, 8-149, 8-153, 10-136, 10-144, 10-162, 注 296	520 条の 8	9-182, 9-183
		520 条の 9	4-41, 4-44, 9-182, 9-183, 10-91
3 項	10-157〜, 注 295	520 条の 10	9-182
502 条	10-142, 10-147, 10-150, 10-154, 10-210	520 条の 11	9-184, 9-187
		520 条の 12	9-184, 9-187
503 条	注 291	520 条の 13	9-185, 9-188
504 条	8-155〜, 10-130, 10-147, 10-198, 10-213, 注 172, 注 300, 注 302	520 条の 14	9-185, 9-188
		520 条の 15〜17	9-186
1 項	10-201〜	520 条の 18	4-41, 9-186, 10-91
2 項	10-202, 10-215	520 条の 19	9-187
505 条	6-161, 11-1〜	520 条の 20	4-41, 9-188
506 条 1 項	11-78, 11-79	521 条以下	1-32
2 項	11-9, 11-23, 11-35, 11-86, 11-87, 11-89	521 条	11-95
		533 条	4-72, 5-62, 6-156, 注 81, 注 303, 注 309, 注 318
507 条	11-8		
508 条	9-98, 11-23〜, 注 321	536 条	4-162
（類推適用）	11-36〜	1 項	1-12, 2-18, 2-48, 2-87, 3-33, 3-47, 3-48, 4-58, 10-2, 注 19, 注 93, 注 262
509 条〜511 条	11-9, 注 322		
509 条	11-8, 11-48, 11-53	2 項	4-79, 4-83, 4-115, 4-242, 10-244, 10-260〜, 注 93, 注 99, 注 100, 注 116
510 条	11-8, 11-48, 11-54, 11-57		
511 条	9-100・-102, 11-7, 11-8, 11-24, 11-35, 11-63, 11-66〜, 注 322, 注 331, 注 333, 注 334	537 条	8-27, 9-150
		541 条	4-1, 4-112, 10-251, 11-94, 注 81
		542 条	4-1, 4-79, 10-251, 11-94, 注 303
512 条	11-83, 11-84	1 項	2-87, 4-65, 10-2, 注 23, 注 81
512 条の 2	11-85	543 条	4-79, 4-80, 4-162, 10-249, 10-250, 注 23, 注 93, 注 99, 注 116, 注 303
513 条	11-101〜		
514 条	9-142, 11-104, 11-106	544 条	7-15
515 条	11-104, 11-106	545 条	2-55, 4-47, 4-51, 6-144, 9-92, 9-96, 注 232
517 条〜519 条	9-176		
518 条	11-105	550 条	8-30
		551 条	2-12, 4-108

556条2項の類推適用		4-102
558条		10-96
559条	4-1, 4-73, 4-74, 4-104, 4-108, 4-112, 10-96, 10-248, 11-94, 注44	
560条		1-30
562条	1-30, 2-16, 4-1, 4-38, 4-104, 4-108, 4-109, 7-75, 注44, 注79	
	2項	4-162, 10-244, 10-249, 10-250, 注93, 注99, 注116, 注262
563条	1-13, 2-16, 4-1, 4-73〜, 4-104, 4-112 〜, 7-75, 8-67, 注44, 注79	
	（類推適用）	4-77
	3項	4-162, 10-244, 10-249, 10-250, 注93, 注99, 注116, 注262
564条		4-75, 4-76
566条		11-46, 注79
567条		10-248
	1項	1-12, 2-16, 2-18, 2-43, 4-109, 注19, 注262
	2項	2-35, 2-48, 10-228, 10-238, 10-244, 10-249, 10-250, 注22, 注23, 注93, 注99, 注116, 注303, 注309
574条		10-92
575条		2-20
586条		2-50
587条の2		11-29
591条		4-45
594条		9-39
600条		11-40
605条の2		3-70
605条の4		3-70, 5-30
606条1項ただし書	7-31, 10-244, 注93, 注100, 注116	
611条		10-244, 注93
612条		9-39
613条		5-35, 11-116, 注218, 注319
614条		注62
624条の2		10-244, 注93
625条		9-39
634条		10-244, 注93
637条		11-46
644条		注11

644条の2		4-171, 5-35
645条		1-30
646条		2-9
647条		2-55, 4-47, 4-51
648条		注93
649条		8-96, 8-108, 9-175
650条		5-81, 8-96, 10-99
	1項	2-55, 4-47, 7-100, 8-98, 10-109
	2項	8-112, 11-30
651条		8-106
657条		2-6, 注16
658条		4-171, 5-35
659条		2-12
660条		注207
664条		10-92
665条		2-55, 4-51, 10-99
665条の2		2-27
669条		4-51
671条		4-51
675条		3-14
677条		注322
697条以下		1-32
701条		4-51
702条		8-123, 10-99, 10-109
703条以下		1-32
703条		10-109
704条		2-55, 4-47, 注65
705条		2-31, 3-22, 3-23, 3-32, 注262
708条	1-12, 2-74〜, 3-23, 3-32, 5-64, 6-158, 11-98, 注262	
709条以下		1-32
709条	3-41, 4-196, 4-223, 4-242, 7-60, 7-120, 10-280, 注39, 注195	
711条		注327
712条		注90
713条		注90
715条		4-161, 7-120
719条	7-26, 7-60, 7-120, 注180, 注197	
722条		3-62, 4-223, 注117
723条		4-9
724条		1-11, 11-32, 注262
752条		注11

494 条	10-266〜, 10-275, 10-282, 10-283
495 条	10-271, 10-281
496 条	10-286,
497 条	10-272
498 条	10-284, 10-285
499 条	4-90, 4-99, 8-145, 10-5, 10-110, 10-111, 注 263
500 条	9-75, 10-20, 10-111, 10-130, 10-132, 10-166, 注 283, 注 289
501 条	8-146, 8-158, 10-134〜, 10-147, 10-160, 注 178
1 項	10-111, 10-135, 10-155
2 項	8-147, 8-149, 8-153, 10-136, 10-144, 10-162, 注 296
3 項	10-157〜, 注 295
502 条	10-142, 10-147, 10-150, 10-154, 10-210
503 条	注 291
504 条	8-155〜, 10-130, 10-147, 10-198, 10-213, 注 172, 注 300, 注 302
1 項	10-201〜
2 項	10-202, 10-215
505 条	6-161, 11-1〜
506 条 1 項	11-78, 11-79
2 項	11-9, 11-23, 11-35, 11-86, 11-87, 11-89
507 条	11-8
508 条	9-98, 11-23〜, 注 321
（類推適用）	11-36〜
509 条〜511 条	11-9, 注 322
509 条	11-8, 11-48, 11-53
510 条	11-8, 11-48, 11-54, 11-57
511 条	9-100〜102, 11-7, 11-8, 11-24, 11-35, 11-63, 11-66〜, 注 322, 注 331, 注 333, 注 334
512 条	11-83, 11-84
512 条の 2	11-85
513 条	11-101〜
514 条	9-142, 11-104, 11-106
515 条	11-104, 11-106
517 条〜519 条	9-176
518 条	11-105

519 条	11-108, 11-110
520 条	11-111〜
520 条の 2 以下	9-2
520 条の 2〜520 条の 20	1-34
520 条の 2〜6	9-183
520 条の 2	9-179, 9-183
520 条の 3〜4	9-179
520 条の 5	9-180, 9-183
520 条の 6	9-181
520 条の 7	9-183
520 条の 8〜12	9-186
520 条の 8	9-182, 9-183
520 条の 9	4-41, 4-44, 9-182, 9-183, 10-91
520 条の 10	9-182
520 条の 11	9-184, 9-187
520 条の 12	9-184, 9-187
520 条の 13	9-185, 9-188
520 条の 14	9-185, 9-188
520 条の 15〜17	9-186
520 条の 18	4-41, 9-186, 10-91
520 条の 19	9-187
520 条の 20	4-41, 9-188
521 条以下	1-32
521 条	11-95
533 条	4-72, 5-62, 6-156, 注 81, 注 303, 注 309, 注 318
536 条	4-162
1 項	1-12, 2-18, 2-48, 2-87, 3-33, 3-47, 3-48, 4-58, 10-2, 注 19, 注 93, 注 262
2 項	4-79, 4-83, 4-115, 4-242, 10-244, 10-260〜, 注 93, 注 99, 注 100, 注 116
537 条	8-27, 9-150
541 条	4-1, 4-112, 10-251, 11-94, 注 81
542 条	4-1, 4-79, 10-251, 11-94, 注 303
1 項	2-87, 4-65, 10-2, 注 23, 注 81
543 条	4-79, 4-80, 4-162, 10-249, 10-250, 注 23, 注 93, 注 99, 注 116, 注 303
544 条	7-15
545 条	2-55, 4-47, 4-51, 6-144, 9-92, 9-96, 注 232
550 条	8-30
551 条	2-12, 4-108

556 条 2 項の類推適用		4-102
558 条		10-96
559 条	4-1, 4-73, 4-74, 4-104, 4-108, 4-112,	
	10-96, 10-248, 11-94, 注 44	
560 条		1-30
562 条	1-30, 2-16, 4-1, 4-38, 4-104, 4-108,	
	4-109, 7-75, 注 44, 注 79	
	2 項	4-162, 10-244, 10-249, 10-250,
	注 93, 注 99, 注 116, 注 262	
563 条	1-13, 2-16, 4-1, 4-73〜, 4-104, 4-112	
	〜, 7-75, 8-67, 注 44, 注 79	
	（類推適用）	4-77
	3 項	4-162, 10-244, 10-249, 10-250,
	注 93, 注 99, 注 116, 注 262	
564 条		4-75, 4-76
566 条		11-46, 注 79
567 条		10-248
	1 項	1-12, 2-16, 2-18, 2-43, 4-109, 注
	19, 注 262	
	2 項	2-35, 2-48, 10-228, 10-238,
	10-244, 10-249, 10-250, 注 22, 注 23,	
	注 93, 注 99, 注 116, 注 303, 注 309	
574 条		10-92
575 条		2-20
586 条		2-50
587 条の 2		11-29
591 条		4-45
594 条		9-39
600 条		11-40
605 条の 2		3-70
605 条の 4		3-70, 5-30
606 条 1 項ただし書	7-31, 10-244, 注 93, 注	
	100, 注 116	
611 条		10-244, 注 93
612 条		9-39
613 条		5-35, 11-116, 注 218, 注 319
614 条		注 62
624 条の 2		10-244, 注 93
625 条		9-39
634 条		10-244, 注 93
637 条		11-46
644 条		注 11

644 条の 2		4-171, 5-35
645 条		1-30
646 条		2-9
647 条		2-55, 4-47, 4-51
648 条		注 93
649 条		8-96, 8-108, 9-175
650 条		5-81, 8-96, 10-99
	1 項	2-55, 4-47, 7-100, 8-98, 10-109
	2 項	8-112, 11-30
651 条		8-106
657 条		2-6, 注 16
658 条		4-171, 5-35
659 条		2-12
660 条		注 207
664 条		10-92
665 条		2-55, 4-51, 10-99
665 条の 2		2-27
669 条		4-51
671 条		4-51
675 条		3-14
677 条		注 322
697 条以下		1-32
701 条		4-51
702 条		8-123, 10-99, 10-109
703 条以下		1-32
703 条		10-109
704 条		2-55, 4-47, 注 65
705 条		2-31, 3-22, 3-23, 3-32, 注 262
708 条	1-12, 2-74〜, 3-23, 3-32, 5-64, 6-158,	
	11-98, 注 262	
709 条以下		1-32
709 条	3-41, 4-196, 4-223, 4-242, 7-60, 7-	
	120, 10-280, 注 39, 注 195	
711 条		注 327
712 条		注 90
713 条		注 90
715 条		4-161, 7-120
719 条		7-26, 7-60, 7-120, 注 180, 注 197
722 条		3-62, 4-223, 注 117
723 条		4-9
724 条		1-11, 11-32, 注 262
752 条		注 11

条文索引

761 条	7-60, 注 174
768 条	6-73, 6-75
820 条	注 11
849 条	注 65
869 条	注 11
873 条	4-51
877 条	注 11
881 条	9-57
896 条	5-43
898 条	7-43
899 条の 2	9-78, 9-79
909 条の 2	注 170
915 条	8-83
922 条	3-13, 8-83
925 条	注 341

［遺失物法］

28 条	注 33

［恩給法］

11 条	9-57

［会社更生法］

48 条	11-7
49 条・49 条の 2	注 322
91 条	6-5
91 条の 2	6-18
203 条	8-82

［会社法］

208 条・281 条	注 322
580 条	注 187
759 条	注 135

［貸金業法］

16 条の 2	8-26
17 条	8-26
42 条	2-73

［割賦販売法］

6 条	4-257, 4-258

［偽造カード・盗難カード預金者保護法］

4 条	10-47
5 条	10-48, 10-49

［供託法・供託規則］

法 1 条・5 条	10-271
規則 18 条・19 条・24 条	10-281

［健康保険法］

61 条	9-57

［厚生年金法］

41 条	11-54

［小切手法］

14 条	注 341

［国税徴収法］

24 条	9-26

［国家賠償法］

1 条	4-135, 4-141

［国民年金法］

24 条	9-57

［自動車損害賠償保障法］

3 条	4-129, 10-280, 11-120
16 条	5-35, 5-37, 5-50, 11-120
18 条	5-50
23 条	4-98

［児童手当法］

15 条	3-7

［借地借家法］

11 条・32 条	2-53, 10-277

［出資取締法］

5 条	2-77

[譲渡特例法]

4条　　　　　　　　　9-71, 9-72

[商法]

504条　　　　　　　　　2-62
511条　7-11, 7-54, 7-60, 8-131, 8-157
516条　　　　　　　　　10-93
524条　　　　　　　　　10-273
526条　　　　　　　　　11-46
529条　　　　9-38, 10-18, 注315
553条　　　　　　　　　注187
577条　　　　　　　4-260, 4-266
585条　　　　　　　4-260, 4-266
587条　　　　　　　　　4-260
588条　　　　　　　4-267, 注120

[消費者契約法]

8条　　　　　　　　　　4-259
9条　　　4-251, 4-254, 4-257, 4-258
10条　9-74, 10-194, 10-213, 注176

[信託法]

10条　　　　　　　　　注255
17条　　　　　　　　　注317
20条　　　　　　　　　注341
22条　　　　　　　　　注322

[生活保護法]

58条　　　　　　　　　11-54
59条　　　　　　　　　9-57

[船員法]

35条　　　　　　　　　11-55

[通貨の単位及び貨幣の発行等に関する法律]
7条　　　　　　　　　　注28

[チケット不正転売禁止法]

3条・4条・9条　　　　　　9-189

[手形法]

11条　　　　　　　　　注341

38条　　　　　　　　　　4-44
77条　　　　　　　　　注341

[電子記録債権法]

7条・15条・19条・20条・21条　注224
22条　　　　　　　　　注341

[道路運送法]

4条　　　　　　　　　　4-186

[道路交通法]

10条　　　　　　　4-257, 4-258

[特定融資枠契約に関する法律]

3条　　　　　　　　　　注32

[破産法]

2条　　6-28, 6-45, 6-88, 10-125
15条　　　　　　　　　6-28
45条　　　　　　　　　6-103
50条　　　　　　　　　10-25
67条　　　　　　　11-7, 注333
71条　　　　　　　11-7, 注322
72条　　　　　　　　　注322
78条　　　　　　10-24, 10-26
104条　7-65, 7-90, 8-112, 8-115
124条　　　　　　　　10-119
149条　　　　　　　　10-124
160条以下　　　　　　　6-28
160条　　　6-110, 9-34, 9-35
161条以下　　　　　　　6-5
161条　　　　　　6-34, 6-37
162条　　　6-42, 6-48, 6-52
164条　　　　　　　　6-61
168条　　　　　　　　6-18
169条　　　　　　　　6-140
170条　6-97, 6-170, 注152, 注153
176条　　　　　　　　6-128
221条　　　　　　　　10-119
248条以下　　　　　　　3-24
253条　3-24, 7-74, 8-82, 8-85, 11-50, 注326

574

条文索引

[不動産登記法]
59 条	5-44, 5-27

[弁護士法]
72 条・73 条	注 255

[保険法]
24 条・25 条	4-98

[身元保証法]
1 条・2 条	8-191
3 条・4 条	8-192
5 条・6 条	8-193

[民事再生法]
56 条	6-5
92 条	11-7, 注 320
93 条・93 条の 2	注 322
127 条	6-5
132 条の 2	6-18
135 条	6-5
177 条	8-82

[民事執行法]
22 条	3-2, 3-4, 4-2, 注 45
42 条	10-101
43 条以下	4-5
131 条	3-6, 5-50
145 条	10-23, 10-25
151 条	9-36, 11-114, 注 231
151 条の 2	注 53
152 条	3-6, 5-50, 9-58, 11-54
153 条	3-6
155 条	3-5, 10-26
156 条	注 269, 注 311
157 条	9-49
159 条	3-5
167 条	7-47
167 条の 15	注 53
168 条以下	4-5
168 条	4-12
169 条	4-12, 注 46

170 条	4-12
171 条	4-9, 4-12
172 条	4-10, 4-12
174 条	4-9
177 条	4-9

[民事訴訟法]
42 条	5-82
46 条	5-82
47 条	5-75
52 条	5-75, 5-76
53 条	5-82
61 条	10-101
115 条	5-51, 5-82, 6-19
142 条	5-39, 5-77
248 条	4-175, 4-258
262 条	3-24

[民事保全法]
20 条	注 128

[利息制限法]
1 条	2-66, 2-71, 4-56, 4-258, 注 282
2 条	2-68
3 条	注 32
4 条	4-55, 4-56, 4-258
5 条	2-69
6 条	注 32

[労働基準法]
16 条	4-258
17 条	11-54
24 条	11-54, 11-56, 注 328, 注 339
26 条	10-262
79 条	4-100
83 条	9-57

[労働契約法]
5 条	4-126

[労働災害法]
12 条の 4	4-98

平野　裕之（ひらの・ひろゆき）
1960年　東京に生まれる
1982年　明治大学法学部卒業
1984年　明治大学大学院法学研究科博士前期課程修了
1995年　明治大学法学部教授
2004年　慶應義塾大学大学院法務研究科教授
現　在　日本大学大学院法務研究科教授
　　　　慶應義塾大学名誉教授
　　　　早稲田大学法学部非常勤講師
主　著　『民法総則』(2017)『物権法（第2版）』(2022)
　　　　『担保物権法』(2017)『債権各論I契約法』(2018)
　　　　『債権各論II事務管理・不当利得・不法行為』(2019)
　　　　[以上、日本評論社]
　　　　『新債権法の理論と法解釈（第2版）』(2021)『製造物責任法の
　　　　論点と解釈』(2021)『高齢者向け民間住宅の論点と解釈──
　　　　有料老人ホーム及びサ高住入居契約の法的分析』(2022)
　　　　『新・考える民法I　民法総則（第2版）』(2023) [以上、慶應
　　　　義塾大学出版会]
　　　　『コア・テキスト民法［エッセンシャル版］』(2021) [新世社]
　　　　等。

さいけんそうろん
債権総論　第2版

2017年9月25日　第1版第1刷発行
2023年4月30日　第2版第1刷発行

著　者──平野裕之
発行所──株式会社　日本評論社
　　　　〒170-8474　東京都豊島区南大塚3-12-4
　　　　電話　03-3987-8621（販売）-8590（同FAX）-8631（編集）
　　　　振替　00100-3-16
印刷所──平文社
製本所──松岳社
装　丁──大村麻紀子
© Hiroyuki, HIRANO　2023

ISBN978-4-535-52712-6　　　　　　　　　　　Printed in Japan

JCOPY〈（社）出版者著作権管理機構　委託出版物〉
本書の無断複写は著作権法上での例外を除き禁じられています。複写される場合は、そのつど事前
に、（社）出版者著作権管理機構（電話　03-5244-5088、FAX　03-5244-5089、e-mail : info@jcopy.or.jp）
の許諾を得てください。また、本書を代行業者等の第三者に依頼してスキャニング等の行為によりデ
ジタル化することは、個人の家庭内の利用であっても、一切認められておりません。

平野裕之・民法シリーズ

民法総則
◆A5判／512頁 ◆定価4,950円（税込）

物権法 [第2版]
◆A5判／498頁 ◆定価4,840円（税込）

担保物権法
◆A5判／332頁 ◆定価3,740円（税込）

債権総論 [第2版]
◆A5判／604頁 ◆定価5,280円（税込）

債権各論Ⅰ 契約法
◆A5判／528頁 ◆定価5,060円（税込）

債権各論Ⅱ 事務管理・不当利得・不法行為
◆A5判／528頁 ◆定価5,060円（税込）

🖋日本評論社